Annuaire 2005 des 10 000 sites Web

CampusPress

www.pearsoneducation.fr

Publié par CampusPress
47 bis, rue des Vinaigriers
75010 PARIS
Tél : 01 72 74 90 00

ISBN : 2-7440-1797-3

CampusPress est une marque de
Pearson Education France

Auteur : Michel Martin

Mise en pages : MD Graphic

Table des matières

Introduction

Dans notre monde où l'information est reine, il est parfois bien difficile de trouver ce que l'on cherche. Supposons que vous deviez obtenir des informations sur un peintre célèbre. Allez-vous consulter une encyclopédie papier, un dictionnaire, ou bien interroger votre moteur de recherche favori ? Supposons maintenant que vous souhaitiez préparer un séjour en Chine. Allez-vous acheter un ou plusieurs ouvrages sur le sujet, écrire à l'Ambassade de Chine en France pour demander une brochure touristique ou bien visiter les sites sélectionnés par un moteur de recherche ? Il y a fort à parier que l'option Internet saura remporter votre choix. Cela est bien naturel : le Web est une source intarissable d'informations, d'articles, de fichiers, de jeux, d'images, etc. Toutefois, devant une telle immensité, l'utilisateur final est souvent désarmé et n'arrive pas à trouver rapidement ce qu'il recherche. De nombreux outils lui sont pourtant proposés. Mais encore faut-il qu'il sache les utiliser. Un annuaire est-il plus approprié qu'un moteur de recherche, qu'une encyclopédie ou qu'un portail pour trouver rapidement ce dont vous avez besoin ? Les groupes de nouvelles et les moteurs de recherche FTP représentent également une aide précieuse dans certains cas bien précis. Savez-vous dans quel type de recherche il est préférable de les utiliser ? Il faut bien l'avouer, la quasi-totalité des internautes n'est pas en mesure de choisir l'outil de recherche approprié à chacun de leurs besoins. Ce n'est qu'à force de nombreux tâtonnements que le bout du tunnel peut enfin apparaître. Mais dans ce cas, l'information trouvée est-elle la plus complète, la plus pertinente et la plus récente ?

Pour faciliter vos investigations et réduire le temps qui vous sépare de l'information ou du fichier convoité, les éditions CampusPress ont conçu ce livre qui donne accès à plus de 10 000 sites Web francophones sélectionnés pour leur intérêt et répartis dans treize grandes rubriques :

- Culture et arts
- Cyberculture
- Economie et finance
- Education
- Emploi, entreprises, services
- Haut débit
- Informatique
- Loisirs
- Média, info
- Savoirs
- Vie politique et sociale
- Vie pratique
- Voyages et tourisme

Pour chaque site référencé, vous trouverez, dans l'ordre : le titre du site, son adresse et une description sommaire de son contenu. Certains sites sont agrémentés d'icônes qui indiquent leurs spécificités :

- Dialogue : forum, chat, groupe de discussion
- € Argent, achats/réservations en ligne, paiement sécurisé, shopping
- Offres d'emploi
- Coup de cœur
- Ω Liens vers d'autres sites
- Téléchargement
- Sons, vidéos
- Newsletter, liste de diffusion
- Moteur de recherche, recherche sur le site

Mettez à jour vos favoris régulièrement.

Avec l'Annuaire 2005 des 10 000 sites Web, profitez des mises à jour régulières des URL répertoriées en vous connectant sur :

lem.korp.free.fr

Votre mot de passe : tG74yb2

Culture et arts

Actualité, festivals

@xé libre

www.axelibre.org

@xé libre est un magazine culturel, plein d'idées et de curiosité, qui propose une approche de l'actualité artistique et culturelle en privilégiant les personnalités, formes et expressions respectueuses du public.

6bears

www.6bears.com

Pour un rapide coup d'œil sur l'actualité culturelle en général : les films en salle ou à venir, les nouveaux artistes ou albums, le monde du livre des adultes et des plus jeunes, les jeux vidéo, la bande dessinée, les événements et concerts, le Web...

A la campagne

alc.asso.free.fr

A la campagne ! est une association loi 1901, qui organise un festival sur la commune de Chamberet (Corrèze), autour des idées de rencontres et de convivialité.

Actumusic

www.actumusic.com

Site spécialisé dans l'actualité de la musique indépendante et autoproduite. Il donne accès à des flashs d'actualité, des dossiers, un annuaire musical, un forum et une liste de diffusion.

Actustar

www.actustar.com

Retrouvez chaque jour toute l'actualité des stars, les news des spectacles, les dernières infos des célébrités, les coulisses du show business.

Africultures

www.africultures.com

Chaque jour, l'actualité des cultures africaines dans le monde : cinéma, musique, littérature, arts plastiques, théâtre, danse. Chaque mois, un dossier thématique.

Allociné, actualité du cinéma

www.allocine.fr/article/default.html

Pour tout savoir sur l'actualité du cinéma : tournages, prochaines sorties, box-office, célébrités.

Annecyclic.com

www.annecyclic.com

Le site le plus complet sur la ville d'Annecy : salles de cinémas et spectacles, hôtels, restaurants, activités sportives, festivités, petites annonces, emploi.

Annuaire des professionnels du marché de l'art

www.cmo-antiques.com

Société spécialisée dans la création d'événements liés aux antiquités, CMO a créé ce site dans le but de présenter toutes les personnes travaillant dans le monde de l'art : organisateurs de salons, brocanteurs, membres d'organisations, experts, restaurateurs d'art, commissaires-priseurs, etc.

Antica.net

www.eCD-Web.com/antica

Tout sur les brocantes et antiquités : calendrier des salons, brocantes et vide greniers, annonces, annuaire des collectionneurs et musées, lexique et dossiers du mois.

Antiquaires contact

www.antiquaires-contact.com

Point de rencontre des amateurs et professionnels de l'art.

Arlequins

www.ville-cholet.fr/arlequins

Depuis 1987, le festival des Arlequins a pris sa place au sein des rendez-vous les plus importants consacrés au théâtre amateur francophone. Présentation, inscription et règlement.

Arpact

www.arpact.org

L'Arpact est une association qui a pour objectifs de favoriser l'expression de tous, d'encourager les échanges entre les différentes disciplines artistiques et de jouer le rôle de médiateur entre les amateurs et les professionnels de l'art et de la culture.

Art, webzine

aart.free.fr

Webzine consacré à l'art et à son actualité : expositions, musées, cybertalents, forum de discussion, dossier, annonces.

ArtAujourdhui.com

www.artaujourdhui.com

Information permanente sur l'actualité de l'art et de son marché à travers le monde.

ArtCom News

www.artcomnews.com

ArtCom rassemble les acteurs du monde de l'art : artistes, galeries, critiques, collectionneurs. Chaque mois, des invités et des événements vous attendent sur ArtComNews.

ArtisMundus

www.artismundus.net

Annuaire du monde de l'art qui référence les artistes/artisans d'art et les différents lieux de manifestations artistiques.

Artistorama

www.artistorama.com

Pour tout savoir des expositions qui ont lieu dans votre région. Pour accéder aux informations, il suffit de sélectionner un département.

aRtmateuR

artmateur.asso.free.fr

L'enjeu de l'association aRtmateuR est de permettre une meilleure reconnaissance des jeunes artistes français par les professionnels et les collectionneurs du nord de l'Europe, et inversement, par la production d'expositions singulières sur Lille.

Artprice.com

web.artprice.com/start.aspx?l=fr

Artprice maintient une base de données qui indique la cote des artistes (plus de 170 000 artistes référencés) dans tous les domaines.

Arts mêlés

www.chez.com/artsmeles

Sur ce site, découvrez de nouveaux artistes, musique, images, animations et exposez vos œuvres.

Arts, lettres et techniques

site.ifrance.com/arts-et-lettres

Site dédié à l'histoire de l'art et aux reflets des musées du monde. En direct de l'unité artistique de Provence en Avignon, découvrez l'une des plus belles répliques de tableaux de maîtres (Monet, Van Gogh, Renoir, Millet, Cézanne, etc.).

Art-to-date

www.art-to-date.com

Site dédié à l'art contemporain. Pour être en prise directe avec les artistes...

Atome, centrale digitale

www.atome.com

Webzine consacré aux musiques électroniques underground et indépendantes.

AVCG

www.collegesherbrooke.qc.ca/~barbeari/avcg

Répertoire des sites portant sur les arts visuels et les communications graphiques.

Baoom business

www.baoom.fr

Informations, renseignements pratiques et voyages consacrés aux événements internationaux : carnavals, ferias et autres festivités.

Blue Note Records France

www.bluenote.tm.fr

Histoire du plus célèbre des labels de jazz, actualité et prévisions de sorties.

BonWeb - Culture, actualité

www.bonweb.com/p_3_165.php

Sélection des meilleurs sites d'actualité culturelle par bonweb.com.

Carrefour des festivals

www.festivalscine.com

Actualité des festivals de cinéma en France. Agenda, actualités, palmarès, liens, carte de France.

Ciné TV

www.cinetv.com

Toute l'actualité pour les fous d'images : cinéma, télévision, DVD, home cinéma.

Coup de pinceau magazine

perso.wanadoo.fr/art-deco.france/magazine.htm

Publication des événements de l'art : peinture, photos artistiques, artisanat bois et ferronnerie, peinture, musées en ligne, expositions, biographie de peintres célèbres.

Curiositel

www.curiositel.tm.fr

Ce portail spécialisé dans les arts, antiquités et métiers d'art, héberge les professionnels qui veulent faire connaître leur activité ou leur site Internet auprès des collectionneurs, amateurs d'art et professionnels spécialisés.

Ecran laser.com

www.ecranlaser.com

Toute l'actualité du DVD et du home cinéma : news, critiques, prévisions, bons plans, top 20, installations, liens et archives.

Estivales

www.estivales.com

Découvrez les Estivales, l'événement culturel majeur de l'été à Perpignan : programme, équipe, histoire.

Evene.fr Culture

www.evene.fr/agenda/index.php

Découvrez l'agenda des 500 événements culturels qui font l'actualité en France et à l'étranger.

Evenements.ch

www.evenements.ch

Agenda suisse des événements culturels (concerts, théâtre, congrès, etc.) adapté aux offices du tourisme, du développement économique et culturel.

Exporevue

www.exporevue.com

Guide des arts : arts, artistes, expositions, etc.

Express, Livres

livres.lexpress.fr

Au programme : actualité, critiques hebdomadaires et agenda littéraire de L'Express, portraits et interviews d'écrivains, palmarès des ventes, dossiers thématiques.

FalzArt

falzart.free.fr

Site de l'association culturelle et artistique FalzArt.

Festival de Carcassonne 2001

www.festivaldecarcassonne.com

Le site du festival de Carcassonne : théâtre, danse, opéra, concerts, etc.

Festival du livre et de la bande dessinée de Bagnols-sur-Cèze

www.pages-ceze.com

Passionnés de BD, de livres, d'images et d'écrits, vous êtes invités au Festival du livre et de la bande dessinée de Bagnols-sur-Cèze qui aura lieu au centre culturel.

Filmdeculte

www.filmdeculte.com

Ce site propose des critiques sur les films de la semaine, les disques, les livres et revient fréquemment sur un film culte ou sur un cinéaste à travers des dossiers spéciaux.

France Techno

new.france-techno.com

Tout sur la culture techno et cyber en France : actualité, sélection de labels, d'artistes, de magazines, agenda de soirées, etc.

Galaxies

www.galaxies-sf.com

Revue française de référence de la science-fiction.

Gaumont.fr

www.gaumont.fr

Toute l'actualité du cinéma : horaires, films, acteurs et réalisateurs, programmes, salles, avant-premières, interviews, bandes-annonces, affiches de films, box-office, tournages.

Guide des beaux-arts

www.print-art.com/fr/home/home.htm

Beaux-arts : suivez le guide. Grâce à ce site, vous en saurez plus sur l'art (peintres, courants, musées, sujets, techniques) et obtiendrez des informations pratiques sur les musées et le matériel du peintre.

Jazz à Caen et en Basse-Normandie

www.jazzcaen.com

Tout sur le jazz en Basse-Normandie : disques, photos, concerts, festivals, musiciens, interviews.

La République des Lettres

www.republique-des-lettres.com

Le journal La République des Lettres propose plus de 20 000 articles en ligne.

Lagenda

www.lagenda.com

Le site de tous les événements : antiquités, brocantes, art, culture, spectacle, économie, finance, enfants, gastronomie, multimédia, professionnel, etc.

Le portail contemporain

www.globalgallery.org

Webzine dédié à l'art : actualités, agenda, artistes, associations, annonces, médias, liens.

Le théâtre contemporain sur le Net

www.theatre-contemporain.net

Ce site donne des informations sur la création théâtrale contemporaine : calendrier des représentations, biographies d'auteurs.

L'Internet culturel

www.culture.fr

Le guide de l'Internet culturel contient une sélection de sites Web, francophones notamment, concernant la vie culturelle, la création artistique, le patrimoine culturel, les médias, les sciences humaines et sociales.

MCM on line

www.mcm.net

Sur mcm.net, toute l'actualité à chaud des musiques rap, rock, techno, variété ainsi que les infos cinéma, multimédia et glisse. Retrouvez les interviews et les concerts live, les programmes TV et la webcam du MCM Café, sans oublier l'annuaire, la lettre de diffusion et les jeux concours.

MonsieurCinema.com

www.monsieurcinema.tiscali.fr

Consultation de bandes-annonces, d'extraits de films, interview d'actrices, photos d'acteurs, fiches Monsieur Cinéma, making-of du tournage d'un film et dialogue sur le chat cinéma.

Ninkasi

www.ninkasi.fr

Agenda électronique des concerts.

Officiel des arts

www.officieldesarts.com

Site de référence sur les galeries d'art en France : expositions, musées, foires d'art.

Paris BD

www.salonparis-bd.com

Grand salon parisien sur la BD : expositions, animations, rencontres professionnelles, programme des dédicaces, galerie photos.

Paris Première

www.parispremiere.com

Paris Première, chaîne de référence des arts et des spectacles, vous guide dans l'actualité culturelle parisienne : cinéma, musiques, théâtre, expos, livres, mode. Retrouvez également les programmes, les émissions, les journalistes, les jeux.

Regard en coulisse

www.regardencoulisse.com

Magazine en ligne consacré au théâtre musical : actualités, portraits, histoire, forum.

Search antiques

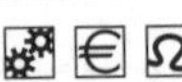

www.search-antiques.com/fr/ index.html

Ce site vous aide à trouver antiquaires, experts, commissaires, galeries d'art, librairies et restaurateurs par pays. Il donne également accès à un magazine de l'art et à un guide des styles.

Serveur des arts et antiquités à Bordeaux

www.bordeaux-antiquites.com

Les professionnels du pôle Arts et Antiquités de Bordeaux vous proposent un grand choix d'objets, de savoir-faire et de services de réputation internationale.

Sur scène

www.surscene.qc.ca

Calendrier de la vie culturelle au Québec.

Théâtre du point du jour

www.lepointdujour.fr

Programme du théâtre contemporain de Lyon.

TribaliX

www.tribalix.com

TribaliX est un portail dédié à l'actualité : France, monde, ciné, TV, météo, people, etc.

Webdo

www.webdo.ch

Webzine suisse d'infos et de services : dossiers d'actualité, WebdoPresse, WebdoCiné, WebdoTech et nouvelles de l'heure.

Yahoo! Musique

fr.launch.yahoo.com

Tout ce que vous devez savoir sur l'actualité de la musique est sur le canal musique de Yahoo!.

Annuaires, index, moteurs et portails

Alart

www.alart.org

Réseau de sites culturels d'art contemporain et galeries de créateurs.

Anneau francophone du Webart

www.axelibre.org/webartfr

Anneau francophone regroupant tous les sites traitant de l'art dans sa plus large expression : peinture, littérature, musique, cinéma, photographie.

Annuaire culture

www.7utile.com/annuaire/generaliste.php?cat=cat_culture

Ce vaste annuaire est dédié à la culture et aux arts.

Annuaire des arts et de la culture

www.mylinea.com/atelierthovex/annuaire_-_directory

Cet annuaire donne accès à une liste de sites consacrés aux domaines artistique et culturel.

Annuaire galerie des arts contemporains

www.artactif.fr

Art actif est l'annuaire galerie des arts contemporains sur Internet. Plus de 1 200 peintres et sculpteurs de tout pays à découvrir.

Annuart

www.annuart.com

Plus de 700 sites référencés, plus de 11 rubriques (commissaires-priseurs, galeries, artistes, antiquaires) et des services gratuits (dictionnaire de l'art, petites annonces, etc.).

Antic's

www.chez.com/antiquites

Antiquités, tableaux de peintres connus, expert en peintures et meubles antiques en Savoie.

Architecture-Atlas

www.architecturama.com

Architecture-Atlas est un moteur de recherche qui permet aux personnes ayant un projet de construction de découvrir les créations des architectes des différentes régions de France.

aROOTS

www.aroots.org

aROOTS est un portail et un forum de discussion pour les architectes, les étudiants en architecture et tous les passionnés d'architecture.

Art et Toile

www.art-et-toile.com

Art-et-toile.com est un portail résolument tourné vers l'art contemporain, afin de mettre à disposition d'un large public une création qui reste habituellement confidentielle.

Art paint

membres.lycos.fr/artpaint

Portail généraliste sur l'art : mouvements, techniques, coups de cœur, écoles, artistes les plus cotés, etc.

Artactif

www.artactif.com

Art actif est l'annuaire galerie des arts contemporains sur Internet. Plus de 1 200 talents à découvrir : peintres et sculpteurs de tous les pays. Le site présente une vision permanente des artistes contemporains à travers une œuvre représentative.

Artcult

www.artcult.com

Site dédié au marché de l'art : news, dossiers, artistes, galeries, résultats, cotes.

ArtHist.com

membres.lycos.fr/ahow

Toute l'histoire de l'art sur le Web. Nombreux liens vers des galeries, musées et magazines d'art.

Artistes provençaux

artistesprovencaux.free.fr

Ce portail est dédié aux artistes et galeristes provençaux. Sa vocation est double : permettre aux passionnés d'art et aux amoureux de la Provence de faire converger leurs passions, tout en facilitant leurs recherches dans la jungle du Net, et participer à l'émergence d'artistes provençaux (natifs ou d'adoption) en leur offrant un espace virtuel de promotion.

Artkoo

www.artkoo.com

Portail et annuaire thématique des arts.

Association des webmasters en histoire de l'art

www.unites.uqam.ca/AHWA

L'association des webmasters en histoire de l'art propose un index des sites Web des départements d'histoire de l'art à travers le monde et un index des cours en histoire de l'art sur Internet.

Bouquins.net

www.bouquin.net

Annuaire de recherche thématique et par mots clés de l'univers du livre.

Dynamix-spectacles.com

www.dynamix-spectacles.com

Portail francophone du spectacle.

Exporevue

www.exporevue.com

Magazine et base de données sur l'art européen, informations sur les musées, galeries et autres sorties culturelles.

Fluctuat.net

www.fluctuat.net

Magazine et portail culturel : cybercultures, scènes, musique, grandes lignes, cinéma, sorties, expos, livres.

French-Art

www.french-art.com/index.asp

Premier serveur mondial sur l'art, qui en couvre tous les domaines : musées, galeries, expositions, artistes, antiquaires, enchères, librairies, livres anciens, experts, commissaires priseurs, critiques d'art, livres et revues d'art.

Havalook-Art

www.havalook-art.com

Portail de la création artistique (peinture, sculpture, illustration, verrerie, poterie, autres techniques). Création de site Internet pour les artistes.

Legratis.com

www.legratis.com/mp3gratuit

Pour trouver les sites de téléchargement MP3 dont vous avez toujours rêvé.

Les annuaires - Culture

www.lesannuaires.com/annuaire-culture.html

Rubrique culture du site Les Annuaires.com, proposant une liste d'annuaires de sites culturels et de culture de la francophonie.

LiensFR.com

www.liensfr.com/index.php3?catstr=2

Moteur de recherche spécialisé dans le domaine de l'art.

Modern Art Global Gallery

magg.w3sites.net

Ce site répertorie les artistes, galeries, musées, fondations, expositions et éditeurs d'art contemporain du monde entier.

Moteur de recherche art et antiquités

www.search-antiques.com

Moteur de recherche spécialisé dans les arts et les antiquités.

MP3, la révolution numérique

members.aol.com/obfb

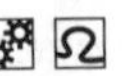

Sur ce site, des lecteurs MP3, des extracteurs et compresseurs MP3, des liens vers des sites dédiés au MP3 et l'accès à des moteurs de recherche spécialisés.

Mylinea

www.mylinea.com/jeandif

Annuaire des sites littéraires, graphiques et musicaux et des logiciels afférents.

Peintres, Tarn (81)

peintres.net

Trouvez les adresses de peintres, professionnels et associations autour de la peinture dans le département du Tarn. Galeries virtuelles et offres de stages.

Place des arts

www.place-des-arts.com

Place des arts présente plus de 3 000 œuvres : lithographies, gravures, estampes, sculptures, peintures, objets d'art, bijoux. Vente en ligne et par correspondance.

TATMF, les arts sur le Web

tatmf.free.fr/Formes/Art

L'art et la beauté sur Internet : liens, sélections, illustrations et conseils.

ViaFrance

www.viafrance.com

Le moteur des événements en France : fêtes, foires, festivals, expositions, salons, brocantes, concerts...

ZanzibArt

www.zanzibart.com

ZanzibArt est une communauté d'artistes, un portail culturel, un guide des événements artistiques à Paris et un annuaire de sites d'artistes.

Architecture

1 % artistique

www.artarchitecture.culture.fr

Ce site présente les œuvres réalisées au titre de la procédure dite du "1 % artistique" dans les bâtiments construits par les ministères de l'Education nationale et de l'Intérieur, en Ile-de-France, depuis la réforme des textes effective en 1995.

AB Blown Glass Manufactory

www.abblownglass.com

Site consacré à l'architecture : architectures antique, religieuse, moderne, art, constructions, géométrie.

Aide pour choisir un architecte

www.architectes.com

Comment choisir un architecte : conseils, annuaire et réalisations d'architectes partout en France et dans les pays francophones.

Archisite

www.archisite.fr.st

Ce site a pour objectif de sensibiliser le public à l'architecture. Vous y trouverez de quoi découvrir ou redécouvrir l'architecture antique, mais aussi l'architecture contemporaine.

ArchiTacTic

www.architactic.com/fr

Moteur de recherche et annuaire, ArchiTacTic est un guide pour l'architecture et le BTP sur le Net.

Architecture

www.galerie-architecture.fr

Galerie d'architecture : des expositions, des livres, un café à Paris...

Architecture Atlas

www.architecturama.com

Architecture-Atlas est un moteur de recherche permettant aux personnes ayant un projet de construction de découvrir les créations des architectes des différentes régions de France.

Architecture magazine

www.archicool.com

E-zine d'architecture : concours, expositions, actualité, polémiques.

Architecture sauvage et autoconstruction

archilibre.free.fr

Sur ce site : architectures libres, spontanées, sauvages, marginales, autodidactes, architectures sans architectes, novatrices, éphémères, iconoclastes, hasardeuses, primaires, etc.

Archi-ve, architecture virtuellement éclairée

www.archi-ve.fr.st

Ce site s'intéresse à l'architecture du XXe siècle : images et études des bâtiments les plus marquants, un quiz sur l'architecture.

Association Le Mur

perso.club-Internet.fr/guijp

L'association "Le Mur" regroupe les passionnés d'histoire et d'architecture militaire contemporaine : étude des ouvrages fortifiés construits entre le XIXe siècle et 1945, échanges, dossiers, publications et activités.

Atelier de l'arue

membres.lycos.fr/aarue

Rapports entre architecture, urbanisme et environnement.

BonWeb - Arts, Architecture

www.bonweb.com/p_3_440.php

Sélection des meilleurs sites dédiés à l'architecture par bonweb.com.

Centre de recherche en architecture et ingénierie

meurthe.crai.archi.fr/integration/index.php

Le CRAI (Centre de Recherche en Architecture et Ingénierie) est un laboratoire de recherche universitaire rattaché à l'école d'architecture de Nancy. Il dispose d'une antenne à l'école d'architecture de Strasbourg.

Christian Pingeon, maître ébéniste

www.boiserie-france.com

Architecture d'intérieur en bois : boiseries, cheminées, bibliothèques de boiserie, portes, sculptures, etc.

Fondation Le Corbusier

www.fondationlecorbusier.asso.fr

Découvrez l'intégralité de l'œuvre du grand architecte Le Corbusier : architecture, urbanisme, peintures, dessins, sculptures, tapisseries, papiers collés, émaux, œuvre gravée, mobilier et écrits.

Galerie d'architecture Structurae

www.structurae.de/fr/index.cfm

Galerie et base de données internationale d'ouvrages d'art. Ce site gratuit vous propose des informations sur des ouvrages intéressants pour le génie civil.

Gargouilles

www.gargouilles.be

Le monde fantastique des gargouilles, en textes et en images.

IMCRA

www.archi.fr/IMCRA

Moteur de recherche sur les sites du réseau @archi.fr.

Internet culturel

www.culture.gouv.fr/culture/bdd/index.html

Moteur de recherche et annuaire culturel proposé par le ministère de la Culture, mission de la Recherche et de la Technologie.

L'architecture en particulier(s)

www.levenok.com

Une agence d'architecture parisienne présente ses travaux et donne des conseils gratuits pour vos constructions, aménagements, expertises, etc.

Les châteaux médiévaux

jeanmichel.rouand.free.fr/chateaux

Informations multiples sur les châteaux forts et la période médiévale en France et en Angleterre : glossaire, bibliographie et liens.

Patrimoine Le Corbusier

www.ville-firminy.fr/lecorbusier

La plus grande concentration d'œuvres de l'architecte Le Corbusier à Firminy.

Arts de la scène

APASQ

www.apasq.org

L'Association des professionnels des arts de la scène du Québec (APASQ) regroupe et représente des concepteurs de décors, de costumes, d'éclairages, de son et d'accessoires, des assistants metteurs en scène, des régisseurs, des directeurs techniques et de production.

Art en scène

www.art-en-scene.com

Art en scène est un site dédié à l'art. Il permet d'en suivre l'actualité et de soutenir des créateurs. Vous y trouverez des adresses de galeries, des dates et lieux d'expositions, et une salle d'exposition virtuelle.

BonWeb - Arts de la scène

www.bonweb.com/p_3_65.php

Sélection des meilleurs sites dédiés "Arts de la scène" par bonweb.com.

CanalTheatre.com

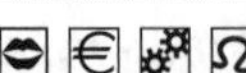

www.canaltheatre.com

CanalTheatre.com est un portail, un annuaire et un guide du théâtre en France et dans le monde : 1 400 liens et des centaines de fiches actualisées.

Centre de documentation et d'archives du cirque

www.circusnet.info

Centre de documentation, d'informations et d'archives du cirque. Tout sur le cirque et la fête foraine, dans le monde et sur le Web : programmes, livres, modèles réduits, adresses, dernières nouveautés, liens, forum, annonces, et bien plus encore.

Chalon dans la rue 2000

www.chalondanslarue.com

Site du Festival international des artistes de rue (Chalon-sur-Saône).

Chez Jean Martin

www.chez.com/nitram2

Jean Martin, auteur, compositeur, interprète et créateur de spectacles et d'événements (grand prix de l'académie Charles-Cros pour son disque Le Magicien d'images) propose des spectacles de chansons et de magie pour jeunes.

Cinéthéâ, art et spectacles

www.cinethea.com

Cinéthéâ, panorama culturel hebdomadaire et revue de presse en ligne, recense les coordonnées des professionnels du théâtre et du cinéma (comédiens, metteurs en scène, auteurs, régisseurs, etc.) et s'intéresse à l'actualité des salles de théâtre et de cinéma.

Comédie-Française

www.comedie-francaise.fr

Spectacles de la saison, réservation, la Comédie-Française aujourd'hui, troupe, historique, catalogue de la boutique, revue des Cahiers, dictionnaire, services aux entreprises.

En coulisse

membres.lycos.fr/theothea

Chronique critique du théâtre à Paris (mise à jour hebdomadaire).

Fluctuat.net

www.fluctuat.net

Magazine et portail culturel : cybercultures, scènes, musique, grandes lignes, cinéma, sorties, expos, livres.

Fondation des arts forains

www.artsforains.com

Ce site présente le festival de Namur en Belgique. Entrez dans le monde de l'illusion et réveillez votre âme d'enfant. Ici, on s'émerveille, ici on rêve, car tout est dérision et comédie !

Il était une joie

leguignol.free.fr

Il était une joie-théâtre de guignol propose des prestations professionnelles de qualité : écoles, arbres de Noël, anniversaires, animations commerciales, centres de loisirs, villages de vacances.

Journal La Terrasse

www.journal-laterrasse.com

La Terrasse, la plus complète des revues sur les arts vivants en Ile-de-France : théâtre, danse, musique classique, opéra, jazz, musiques du monde.

La scène

www.lascene.com

Magazine des professionnels du spectacle.

La théâtrothèque 

www.theatrotheque.com/index.php

Pièces de théâtre, petites annonces, spectacles et vidéo-coulisses TV.

Le cirque Knie

www.knie.ch

Site du cirque national suisse : présentation de la famille Knie et des artistes de la tournée annuelle.

Le théâtre contemporain sur le Net

www.theatre-contemporain.net 

Pour des informations sur la création théâtrale contemporaine : calendrier des représentations, biographies d'auteurs.

Les mabinogs

www.mabinogs.com

Animations musicales et médiévales grandeur nature : cornemuses, flûtes, épinettes, percussions, animation de rue, jeux pour enfants, dégustation d'Hypocras et de plats médiévaux, etc.

Passion Théâtre

www.passion-theatre.org

Passion Théâtre diffuse des informations sur les spectacles vivants, propose des invitations et des témoignages de spectateurs.

RegardEnCoulisse.com 

www.regardencoulisse.com

E-zine du théâtre musical : actualités, portraits, historique, forum, coin des professionnels.

Revue-spectacle.com 

www.revue-spectacle.com

Revue de presse bilingue sur l'actualité théâtrale en France. Sélection d'articles et de critiques de spectacles de la presse nationale.

SACD 

www.sacd.fr

Site de la Société des Auteurs et Compositeurs Dramatiques.

The Home of Happiness

www.chez.com/hoh

The Rocky Horror Show joué live sur scène par un nouveau cast français : The Home of Happiness. Les dialogues sont en français, les chansons en VO.

Théâtre André-Malraux de Rueil-Malmaison

www.tam.fr

Le site Web du théâtre André-Malraux de Rueil-Malmaison informe ses visiteurs sur le programme complet de la saison (théâtre, variétés, danse, jeune public, cinéma) et donne des informations pratiques sur le théâtre.

Théâtre national de Chaillot

www.theatre-chaillot.fr

Le site officiel du théâtre national de Chaillot fournit le programme et le calendrier de la saison ainsi que des informations sur l'école de théâtre et la location de salle.

Théâtre On Line annuaire

www.theatreonline.com/annuaire/categorie_annuaire.asp?i_Annuaire=87

L'annuaire Théâtre On Line propose plusieurs centaines de sites référencés et classés par catégories. A chaque site est associé un résumé. Vous pouvez ajouter votre propre site dans cet annuaire afin de faire connaître vos travaux.

Théâtre On Line

www.theatreonline.com

Théâtre On Line est un site culturel d'information et de réservation de places de théâtre. Les lieux présentent leur histoire, leur programmation pour la saison en cours, les artistes présentent les spectacles dans lesquels ils se produisent.

Théâtres privés de Paris

www.theatresprives.com

Ce site donne le programme complet des théâtres privés de Paris. Vous pouvez effectuer des recherches pour connaître le théâtre dans lequel se joue un spectacle et effectuer vos réservations en ligne.

TrombiSketch

www.trombisketch.com

Le site des iSketcheurs et iSketcheuses.

Webthea

www.webthea.com

Portail professionnel et grand public du théâtre : actualités, spectacles, billetterie, forum, annuaire de liens, base de données, annonces, communiqués.

Arts graphiques, multimédia, communication

Aloa, creation graphique

www.aloa-multimedia.com

Aloa est une agence de création graphique et publicitaire (sites Web et CD-ROM).

Arobance

www.arobance.com

En visitant ce site, vous entrez dans la zone d'influence d'Arobance, le portail européen des arts, éclectique et interactif, sous la protection des neufs muses olympiennes.

Artazart, la librairie de création

www.artazart.com

Sur la librairie d'art Artazart : vente et achat sécurisés en ligne de livres d'art, de graphisme, de photojournalisme, de décoration, de design, etc. Tous les livres sont chroniqués et peuvent être consultés en ligne.

Arts & créations

www.artcrea.ch

Salon international des activités artistiques et loisirs créatifs.

Buongiorno

www.buongiorno.com/fr

La société Messagizer propose aux entreprises une régie publicitaire offrant des solutions de communication par l'e-mail fondées sur le concept de permission marketing.

Ecole multimédia

www.ecole-multimedia.com

Ce site, très utile si vous recherchez une formation pour votre compte ou celui de votre entreprise, fournit une information régulière à tous ceux qui travaillent dans les métiers du multimédia et d'Internet.

Ecole nationale supérieure des arts décoratifs

www.ensad.fr

Site de l'Ecole nationale supérieure des arts décoratifs.

Falkenzone 2000

www.falkenzone.com

Ce site s'intéresse à tous les éléments du multimédia : 2D, 3D, Flash, musique, polices, code... Vous y trouverez des tutoriels, des galeries d'images, de sons, des polices et des cours de programmation en HTML, DHTML, ASP, Java, C++ et VB.

Five are free

feigelfeld.david.free.fr

Magazine francophone des loisirs sur Internet : photos, graphismes, MP3, Internet, télévision, société, etc.

Forest

www.fredforest.com

Site de Fred Forest, artiste de la communication et du multimédia, qui crée des œuvres technologiques sur le réseau.

La 3D francophone

perso.wanadoo.fr/pierre.g/ring

Cet anneau se propose de regrouper les sites francophones dédiés à l'image de synthèse.

La tour des ruses

www.ruses.com

Ressources et services pour les arts graphiques, la PAO et le multimédia : lexique, bibliographie, infos sur XPress, Illustrator et Photoshop, formation, conseil, production d'imprimés, conception et hébergement de sites Web.

Le piano graphique

www.pianographique.com

Ce site vous propose de créer simultanément des compositions graphiques et sonores.

Les Designautes

www.designautes.org

Association de professionnels du design.

L'Evénementiel

www.evenementiel.fr

L'Evénementiel, groupe de presse de la communication par l'événement.

Louvre - Arts graphiques

www.louvre.fr/francais/collec/ag/ag_hp.htm

Inventaire informatisé du département des arts graphiques du Louvre.

Place au design

www.placeaudesign.com

A quoi sert le design ? Un site pédagogique pour découvrir le design et comprendre le rôle des designers dans le monde de l'industrie et du marketing.

Planète typographie 

www.planete-typographie.com

Portail de la typographie en ligne : news, manuel, livres, téléchargement et histoire.

Praktica 

www.praktica.net

Pour tous les créatifs numériques, un site unique qui présente en français les adresses de sites ressources ainsi que les meilleurs sites graphiques.

Pyramid éditions

www.pyramyd-editions.com

Le design est actuellement en pleine mutation et les attentes du public évoluent. Par ses publications, Pyramyd éditions répond à cette réalité. Découvrez son catalogue en ligne.

SEMA 

metiersdart-artisanat.com

Présentation par la Société d'Encouragement aux Métiers d'Art (SEMA) : recrutement, développement, transmission et innovation. Information la plus complète possible sur l'actualité des métiers d'art en France.

Toutsurlacom.com 

www.toutsurlacom.com

Site spécialisé dans l'actualité de la communication et des médias : interviews de décideurs, infos sur les campagnes, chiffres et études.

Arts plastiques

Artension

www.artension.fr

Artension, bimestriel d'information sur l'art actuel, se propose comme véhicule d'information à la création plastique.

Artotal - Arts plastiques

www.artotal.com/plast/plast.htm

Les arts plastiques vus par Artotal : galeries, salons, ateliers, arthotèques, musées, presse spécialisée, associations, institutions, organismes, formations, base de données, etc.

Artotal  

www.artotal.com

Portail sur l'art : promotion arts et création contemporaine.

Arts plastiques

www.uhb.fr/scd/artsplasti.html

Sélection de sites dédiés aux arts plastiques : bases de données, portails et sélection de ressources, organismes et institutions, musées, revues.

Arts plastiques à l'école primaire

perso.wanadoo.fr/patrick.straub

Ce site présente des fiches pédagogiques et des démarches pour apprendre les arts plastiques dans l'enseignement primaire.

Arts Plastiques sur Educnet

www.educnet.education.fr/arts/default.htm

Actualité des arts plastiques en direct des sites académiques.

Beaux-Arts de Lyon

www.enba-lyon.fr

Site de l'Ecole nationale des Beaux-Arts de Lyon.

BonWeb - Arts plastiques

www.bonweb.com/p_3_172.php

Sélection des meilleurs sites dédiés "Arts plastiques" par bonweb.com.

Gazette Drouot

www.gazette-drouot.com

L'hebdomadaire des ventes publiques, La Gazette de l'Hôtel Drouot, donne accès à l'actualité du marché de l'art : agenda, dernières enchères, cotes, échos de l'art, actualité des expositions, etc.

Guide de l'art contemporain et des expositions

www.galart.com

Gal@rt, le magazine de l'art plastique vivant, s'intéresse à l'actualité des expositions en France (plus de 17 000 pages d'informations !). Retrouvez les artistes et leurs œuvres ainsi que les expositions actuelles ou passées.

Gyotaku

www.chez.com/gyoan

Découvrez cet art japonais, le gyotaku, qui a pour but de reproduire l'empreinte d'un poisson sur papier japonais ou sur soie.

Katy'Art

membres.lycos.fr/katyart

Découvrez les usages et états de la couleur noire (mémoire de maîtrise 1998, UFR arts plastiques, université Paris-VIII, Saint-Denis).

L'art dans tous ses états

perso.club-Internet.fr/ch.kreutzer

Ce site est consacré à tout ce qui touche les arts plastiques et à tous ceux qui touchent ou que touchent les arts plastiques.

LD01, site de Laurent Desprez

dlalai.free.fr

Ce site présente le travail plastique de Laurent Desprez ainsi que celui d'autres plasticiens ou artistes.

Momes.net - Arts plastiques

www.momes.net/education/artsplastiques/artsplastiques.html

Ce site, dédié à tous les jeunes francophones, oriente vers une sélection de sites en rapport avec les arts plastiques : dessin, photographie, volumes, architecture, peinture, etc.

OZ International

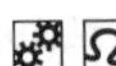

www.oz-international.com

Matériel de beaux-arts et loisirs créatifs pour artistes amateurs et professionnels : acrylique extra-fine Golden, pastels Sakura, maquillage Snazaroo, etc.

Yahoo! Arts plastiques

fr.dir.yahoo.com/art_et_culture/arts_plastiques

Tous les arts plastiques par Yahoo! Art et culture.

Ateliers, clubs, écoles

Académie des beaux-arts de l'Institut de France

www.academie-des-beaux-arts.fr

L'Académie des beaux-arts a pour vocation de contribuer à la défense et à l'illustration du patrimoine artistique de la France, ainsi qu'à son développement, dans le pluralisme des expressions.

Association française d'action artistique

www.afaa.asso.fr

Association française d'action artistique : informations sur les arts de la scène, la coopération et l'ingénierie culturelles, les arts visuels, l'architecture et le patrimoine.

Ateliers d'art de France

www.ateliersdart.com

Créée il y a plus d'un siècle, la Chambre Syndicale des Céramistes et Ateliers d'Art de France représente ses adhérents, artisans et petites entreprises françaises de l'univers des métiers d'art.

Ceramique.com

www.ceramique.com/cerampress

Ceramique.com, l'annuaire de la céramique, donne accès à plus de cinquante revues concernant la céramique à travers le monde, à une sélection de musées, de galeries et d'antiquaires et à différentes adresses utiles en rapport avec la céramique.

CPPA

www.chez.com/cppa

Le Club des peintres de plein air vous fait partager sa passion.

Degrés d'attitude

www.marcogliese.org/attitude

Association marseillaise d'artistes contemporains.

Ecole des arts

massie.frederic.free.fr

Cours interactif pour apprendre à peindre et à dessiner, initiations à diverses techniques artistiques (calligraphie, encadrement), jeux, bibliographies thématiques, liste de diffusion, galerie réservée aux abonnés.

Ecole du Louvre

www.ecoledulouvre.fr

Site de l'Ecole du Louvre, établissement d'enseignement supérieur : cours d'histoire de l'art, d'archéologie, d'épigraphie et de muséologie, formation initiale et continue, recherche et publications.

Institut du monde arabe

www.imarabe.org

Le site de l'Institut du monde arabe (IMA) fournit des informations sur ses objectifs, présente les expositions en cours et donne accès à un magazine arabe au format PDF.

Institut européen de l'aquarelle

www.geocities.com/euraqua

Site de l'Institut européen de l'aquarelle.

La toile du CICV

www.cicv.fr

Le CICV Pierre-Schaeffer est un centre international de création artistique, spécialisé dans les technologies numériques.

L'atelier d'art

perso.club-internet.fr/carog1

L'atelier d'art a pour but de vous faire partager la passion de quelques peintres qui se réunissent régulièrement dans un atelier en Normandie. Ils choisissent parfois des thèmes communs, les travaillant chacun à leur façon (mais regardez bien... à chacun son style, sa personnalité et son interprétation).

Peintres, association

www.peintres.net

Le site Peintres propose des stages de dessin et d'aquarelle et expose des œuvres d'artistes amateurs et professionnels.

Bande dessinée : éditeurs

BD Delcourt

perso.wanadoo.fr/bchapas/delcourt

Site non officiel des éditions Delcourt.

BonWeb - BD, Editeurs

www.bonweb.com/p_3_377.php

Sélection d'éditeurs de bandes dessinées par bonweb.com.

Canal BD

www.canalbd.net/index.html

Canal BD, réseau de libraires de bandes dessinées, présente : le réseau (annuaire des libraires, publications exclusives, magazine canal BD), l'actualité (sorties, interviews, chroniques, rééditions, agenda), et donne accès à une base de données de 15 000 titres.

Casterman

www.casterman.com

Le site des éditions Casterman : bandes dessinées, jeunesse, fictions interactives, univers, 3D, cartes gratuites, forum.

Delcourt

www.editions-delcourt.fr

Le site des éditions Delcourt : catalogue, nouveautés, à paraître, espace Lecteurs, agenda, liens.

Editions Dupuis

www.dupuis.com/FR/index.shtml

Les éditions Dupuis éditent des bandes dessinées, des dessins animés, des séries télévisées et des produits multimédias, et gèrent les droits de licence d'une centaine de personnages extrêmement populaires.

Editions Spark

www.spark.fr

Le site officiel des éditions Spark et des fans de comics américains : images et infos sur Spiderman, X-Men, Hulk, Wolverine, Blade, Magneto, Rogue, Ghost Rider, Fantastic Four, Daredevil, Iron Man, etc.

Fluide Glacial

www.fluideglacial.tm.fr

Fluide Glacial, le magazine mensuel d'humour et de bande dessinée. Ce site propose toute l'actualité du journal mondialement connu en France, ainsi qu'une boutique en ligne et un drôle de webzine.

Glénat

www.glenat.com

Dédié à la bande dessinée et au livre, Glénat.com vous invite à une balade parmi vos BD, mangas, auteurs et héros préférés : Titeuf, Les 7 Vies de l'épervier, Mafalda, Balade au bout du monde, Les Chemins de Malefosse, Le Décalogue, Le Prince de la nuit, etc.

Guide Boulinier

www.boulinier.com/annuaire/EDITEURS

Sélection de sites d'éditeurs de bandes dessinées.

Le Lombard

www.lombard.be/Home_fr.htm

Ce site donne accès au catalogue des éditions du Lombard, aux auteurs, aux nouveaux albums et effectue le lien avec les sites axés sur une BD ou une collection. Il donne également accès aux jeux et concours du moment.

Mangakana

www.mangakana.com

Les éditions Kana éditent les séries suivantes : Agharta, Basara, Capitaine Albator, Conan, Hunter, Inu-Yasha, Monster, Naruto, La rose de Versailles, Psychometrer Eiji, Saint Seiya, Les chevaliers du zodiaque, Samouraï Deeper Kyo, Shaman king, Slam Dunk, Yu-Gi-Oh, Yuku Hakusho et Ghost in the shell.

Planète BD

www.planetebd.com/BD/home.html

Planète BD est un site dédié à la bande dessinée grand public. Il propose un regard sur l'actualité du 9e art, des idées cadeaux et des liens directs vers les différents éditeurs de bandes dessinées.

Tout en BD

www.toutenbd.com/rubrique.php3?id_rubrique=10

Annuaire d'éditeurs de bandes dessinées.

Bande dessinée : e-zines

America's Best Covers & Art

www.comics-and-covers.fr.st

Ce site propose une collection de couvertures de bandes dessinées.

Angreal

www.angreal.com

Découvrez la magie des univers fantastiques de la BD, des mangas et de la littérature heroic fantasy : actualité, dossiers, galeries, fonds d'écran, skins, musique, vidéos, etc.

Anime manga

www.animint.com

Vous trouverez ici 100 dossiers et une base de données sur les dessins animés japonais et les mangas. Animint propose aussi une étude sur le manga en France, des adresses de boutiques, les sorties manga et vidéo, les dates des manifestations, de nombreux liens et une galerie d'images.

Bande-i

site.ifrance.com/bande-i

Bandes dessinées en ligne. Chaque semaine, au moins une planche de BD est ajoutée. Certaines BD sont interactives : vous influez sur le scénario par vos choix !

Bandes dessinées oubliées

www.BDoubliees.com

Ces pages répertorient tout ce qui est paru dans les journaux Spirou et Pilote et proposent chaque semaine des rééditions de BD oubliées.

Bandes dessinées

www.bandesdessinees.8k.com

Site dédié aux bandes dessinées, de Boule et Bill à Titeuf en passant par Gaston Lagaffe.

BD Andréas, l'œil qui pense

www.chez.com/bdandreas

L'œil qui pense est l'espace numérique de, par et pour ceux qui lisent Andréas. Comme dans ses albums, il est fortement souhaité que le lecteur intervienne.

BD Central

www.bdcentral.com

Découvrez les BD dans leurs moindres détails : actualités, liens, nouveautés, rubriques.

BD Paradisio

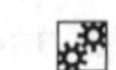

www.bdparadisio.com

Lieu de rencontre de la BD francophone, BD Paradisio se veut également un lieu d'expression des dessinateurs eux-mêmes.

BDphil

philippe.legrand10.free.fr/bdphil/bdphil1/bdphil1.html

Site dédié aux BD et aux mangas : auteurs, séries, liens, forum, fonds d'écran, dédicaces, critiques.

BDWeb, Espace Contre-Jour

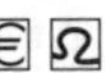

www.espacecontrejour.com

Site de l'association Espace Contre-Jour : bandes dessinées en ligne, actualité sur les salons, albums et publications.

BDWorld

www.ifrance.com/bdworld

BDWorld est dédié à l'univers de la bande dessinée : extraits, infos, résumés, actualité et concours.

BDz en vrac

bdzenvrac.free.fr

Site consacré aux séries de BD, anciennes ou nouvelles, cultes ou peu connues, sans discrimination de genre ou de style, pour tous les âges, pour tous les goûts.

Biblio On Line

www.biblionline.com/index2.cfm

Biblionline.com est à la fois un magazine d'actualité littéraire et culturel, un centre de ressources documentaires et un lieu d'échanges professionnels dédié aux bibliothèques.

Bob Surfer dans le cyberespace

www.bobsurfer.net

Bob Surfer dans le cyberespace : les aventures en bandes dessinées d'un internaute comme les autres.

Chm BD

`users.skynet.be/chmbd`

Ce site, entièrement consacré à la bande dessinée, propose des fiches sur plusieurs auteurs de BD : biographies, bibliographies, résumés des albums, liste des prix reçus, etc.

CNBDI

`cnbdi.labd.com`

Le site du Centre national de la bande dessinée et de l'image (situé à Angoulême) vous informe sur ses programmes grand public et professionnels, et indique les horaires d'ouverture et les tarifs.

Covers'n'Bulles

`covers.n.bulles.free.fr`

Un site consacré aux BD et aux pochettes de disques.

Digibulles

`www.digibulles.com`

Mensuel d'actualité sur la BD : dessinateurs en ligne, inédits, planches complètes à suivre, actualités et nouvelles.

Du9, l'autre bande dessinée

`www.du9.org`

Webzine dédié à la bande dessinée : chroniques, critiques, dossiers, entretiens, expositions et annuaire des éditeurs indépendants.

Ecrit et dessiné

`www.ecritetdessine.org`

Un regard sur le 9e art, défendant des auteurs comme Art Spiegelman, Yves Chaland, Dan Clowes, etc. Parce que la perception de la BD reste encore trop souvent réductrice.

Encyclo'BD

`www.encyclobd.com`

Encyclopédie de la BD : plus de 42 000 albums répertoriés, un moteur de recherche cataloguant près de 3 000 scénaristes et dessinateurs.

Encyclopédie des bandes dessinées

`edbd.netatlantide.net`

Une large palette de bandes dessinées où vous trouverez forcément votre bonheur. Retrouvez ici, entre autres : Aria, Astérix, Largo Winch, Petit Spirou, Tintin, le Marsupilami, Aquablue, les Schtroumpfs, les Petits Hommes.

Eurobd.com

`www.eurobd.com`

EuroBD est un Webring de plusieurs centaines de sites consacrés à la bande dessinée.

Ikimasho, le fanzine

`ikimasho.free.fr`

Fanzine composé de BD amateurs, de galeries, de MP3, d'animes et d'articles sur les mangas et la "japanimation".

Jade, le journal des autres

`www.pastis.org/jade`

Bandes dessinées, bruits, b-movies, polars, interviews et chroniques sur la BD indépendante, les musiques bruyantes et le cinéma Z.

Kuraé

`kurae.fr.st`

Le site du fanzine KURAÉ propose des BD en ligne, des jeux et des illustrations.

La femme dans la bande dessinée

membres.lycos.fr/kenabo/index_ci.htm

La femme dans la bande dessinée. Tout un programme.

La marque BD

marquebd.free.fr

Le webzine de toutes les bandes dessinées propose des dossiers, des infos et des jeux.

Le roi Yugi

www.ifrance.com/yugi

Tout sur votre manga Yu Gi Oh : des images à profusion, des musiques, des quiz, un forum, un chat, des goodies, la présentation des personnages, le résumé des battles, des jeux, etc.

Le temple du manga Glénat 

www.glenat.com/pageshtm/13manga/13ccueil.htm

Le rendez-vous des amateurs de mangas, de Dragon Ball à Kenshin, pour discuter, jouer, découvrir les nouveautés et titres à paraître, et tout savoir sur les mangas cultes.

Les chroniques de l'AFAA 

www.afaa.asso.fr/site/part_3_ress/publications/papier/index.php

La bande dessinée, des origines aux années 60 et des années 60 à nos jours : auteurs, éditeurs, salons et festivals, lieux de formation, musées et bédéthèques, institutions, associations, spécialistes, ouvrages et revues, liens Internet, comic strip…

Les clins d'œil dans la bande dessinée

home.tiscalinet.ch/parrat/bd

Ce site rend hommage à plusieurs auteurs de bandes dessinées renommées ou prometteuses.

Les mangas 

www.ac-versailles.fr/etabliss/herblay/Manga

Les mangas : description, influences sociales et économiques.

Lordweb, le seigneur du Web

www.lordweb.com

Site dédié à la bande dessinée, aux comics et aux mangas.

Manga Planet

membres.lycos.fr/mangaplanet

Manga Planet est un site consacré aux mangas et aux animations : galeries d'images, fonds d'écran, dossiers, MP3, GIF animées, vidéos, skins Winamp.

Mangajima

www.mangajima.com

Magazine d'actualité mangas et animes : informations, reportages, dossiers, images, mangas en ligne.

Mangaphage 

membres.lycos.fr/mangaphage

Si vous ne pouvez vous empêcher de dévorer mangas et animes à toutes les sauces et à chaque repas (et même en dehors), ce site est fait pour vous.

Mangazine

www.mangazine-fr.com

Toute l'actualité manga sur un site référence. N'hésitez pas à réagir sur chaque news, chaque dossier, etc., et à poster des messages sur le forum.

My own private bulles critiques

jwi.scriptmania.com

Chronico-critiques de bandes dessinées.

Onapratut

www.onapratut.fr.st

Au programme : présentation de l'association Onapratut et du collectif des auteurs, accès au fanzine BD, revue de presse, sélection de sites complémentaires.

Onomatopee.org

membres.lycos.fr/onomatopee

Cet e-zine mensuel de bande dessinée propose de découvrir l'actualité de la BD au travers de news, d'un choix parmi les sorties mensuelles, de dossiers et d'une sélection de liens.

Oro

lepotier.free.fr

Fanzine sur l'animation et le manga : illustrations, BD, parodies, caricatures, etc.

Passion BD

www.passionbd.com

Le site des fanas de bande dessinée : images, séries diverses, planches BD, présentations approfondies, dossiers, nouveautés, liens, fonds d'écran, BD à gagner, sujets sur les grands auteurs…

Pit-Bulles

asso.pitbulles.free.fr

Webzine de l'association Pit-Bulles, dédiée à la bande dessinée.

Pressibus

www.pressibus.org/bd

Site de l'association Pressibus, dédié à la bande dessinée adulte des années 1946 à 1975.

Séance pop-corn

bd.mikromix.free.fr

Ce fanzine, fondé à Lyon en 1999 par Pascal Dufournet, est ouvert à tous les styles. De la science-fiction à l'humour, en passant par le réalisme et le style manga.

SexyBD

www.sexybd.com

Sur ce site, les meilleures BD érotiques, les héroïnes les plus sexy de la bande dessinée et des planches humoristiques.

Urbicande.be

www.urbicande.be

E-zine dédié à la bande dessinée.

Welcome aboard

simon.jeremi.online.fr

Site de Simon Jeremi : liens, infos sur les BD, livres, musique (guitare), photos, sport (nautisme, équitation) et de nombreuses autres choses à découvrir.

Bande dessinée : portails, annuaires

abcBD

abao.europeanservers.net/abcbd

Le portail de la bande dessinée Abc BD trace la présence sur le Web de tous les intervenants de la BD : auteurs (dessinateurs et scénaristes), héros, éditeurs, libraires, fanzines, festivals, collectionneurs, produits dérivés, etc.

Animanga

www.animanga.com/index.fr.html

Vous trouverez ici différents services concernant les dessins animés et les mangas : magasins, index des animes publiés en français et en anglais, archives d'images, articles, scripts, forum, e-mails gratuits, hébergement de sites, vente aux enchères.

Annuaire de BD en ligne

www.abdel-inn.com/index.php?page=plateau.php

Découvrez des bandes dessinées en ligne grâce au moteur de recherche et aux conseils des autres lecteurs, partagez vos impressions sur le site et la liste de discussion, consultez et rédigez des articles sur la BD.

Annuaire des bandes dessinées

www.adbd.net

Annuaire des sites consacrés à la bande dessinée.

BD Cool

www.bdcool.com

Sur BD Cool, le portail du 9e art : critiques, à ne pas manquer sélection de BD, actualité, expositions/concours, sorties.

BD Fiction

bdfiction.free.fr

Portail dédié à la bande dessinée : XIII, Largo Winch, Lanfeust de Troy, Sillage, etc.

BD Portal

srvnikoseb.mediapps.com/bd/bdportal/index.jsp

BD Portal vous présente les sorties et l'actualité du 9e art pour les 30 derniers jours : nouveautés, infos, interviews et dossiers, forum, lettre de diffusion, etc.

BD Sélection

www.bdselection.com

Un site pour vous orienter dans l'univers de la BD francophone : actualité et chroniques d'albums de bande dessinée, résumés, extraits, images, cotes et échanges de points de vue. Commande d'albums en ligne (partenaire de Alapage.com).

BD Zone

www.bdzone.com

BD Zone est un portail spécialisé dans la bande dessinée. Il permet, outre le fait de découvrir les nouveautés et de les évaluer, d'acheter au meilleur prix tous les ouvrages de BD.

BonWeb - BD, Ressources

www.bonweb.com/p_3_70.php

Sélection des meilleurs sites de ressources pour la bande dessinée par bonweb.com.

ChM - Sites BD généraliste

users.skynet.be/chmbd/Liens/LkGen.html

Cette page oriente l'amateur de BD vers une sélection de sites dédiés au petit monde des bulles.

critiqueslibres.com

www.critiqueslibres.com

CritiquesLibres.com, le site de critiques de livres et de BD sur lequel chacun peut donner son avis et lire celui des autres.

Japanim.fr

www.japanim.fr

Au programme : toute l'actualité manga, forum, webradio, fonds d'écran, vidéo et vente en ligne.

Le portail de la bande dessinée, labd.com

www.labd.com

Venez découvrir les expositions suivantes : Popeye au musée, la vie en bulles, milles sabords, le monde marin dans l'œuvre d'Hergé, ainsi que les pieds de nez de Florence Cestac.

Les Héroïnes au Top

www.heroinesbd.net

Ce site vous propose un palmarès des héroïnes graphiques. Découvrez l'héroïne du mois, surfez sur les ailes du palmarès et rebondissez sur les pages personnelles de chaque héroïne.

Les planches du lutin

membres.lycos.fr/bdlutin

Les planches du lutin est un site consacré à la bande dessinée de science-fiction. On y retrouve les séries, les dessinateurs, les scénaristes, les éditeurs, etc.

Manga distribution

www.manga-distribution.fr

Tous les dessins animés de votre enfance sont en vente sur ce site (plus de 750 titres en VHS, DVD et CD audio). Vous y trouverez également un chat, un forum, des extraits musicaux et des dossiers sur les séries de dessins animés japonais.

Neuvième art

www.neuvieme-art.net

Neuvième Art est un annuaire Internet de la bande dessinée. Il propose un moteur de recherche sur tous les sites consacrés aux auteurs de BD et à leurs héros.

RetroActiv3

membres.lycos.fr/retroactive

Au sommaire de ce portail dédié à la bande dessinée : dossier du mois, projets, forum, fond d'écran, dossiers, etc.

TopManga.com

www.topmanga.com

Site incontournable pour tous les amateurs de mangas. Vous y trouverez des infos, des milliers d'images, des heures de sons et vidéos, ainsi qu'un annuaire de 1 500 liens.

Zone BD

zonebd.free.fr

Portail dédié à l'actualité de la bande dessinée : séries, dossiers, goodies.

Bande dessinée : vente

321 BD

www.321bd.com

Vente aux enchères de BD et de tout ce qui touche à la BD : ex-libris, marque-pages, albums cotés, albums non cotés, produits dérivés, albums dédicacés.

AB collections

mdufaure.free.fr

Vente et exposition de BD de collection, albums, bandes dessinées petits formats (Blek, Akim, Rodéo, Kiwi) bandes dessinées périodiques, comics, récits complets…

A-BD.com

www.a-bd.com

A-BD.com, spécialiste BD et para-BD, vend des objets de collection et/ou décoratifs : bandes dessinées, figurines, statuettes. Très grand choix sur tous les thèmes.

BD Art Museum

www.bdartmuseum.org/index.htm

Site du BD Art Museum : expositions, vente ou échange d'objets BD (planches originales, couvertures originales, pixi, tirages spéciaux, ex-libris), informations sur les ventes aux enchères, biographie d'Hermann, informations sur la cote des auteurs.

BDAchat.com

www.bdachat.com

BD Achat, n° 1 de la BD en ligne : plus de 15 000 références, -5 % sur tous les produits, toutes les nouveautés disponibles, para-BD.

Bdnet.com

www.bdnet.com

Librairie de BD en ligne : achat de BD en tout genre (comics, science-fiction, mangas, etc.), actualités, forum, pages perso gratuites et annuaire de liens sur la bande dessinée.

Bodoi.com

www.bodoi.com

E-zine et boutique en ligne dédiés à la bande dessinée.

Boutique A-BD.com

www.a-bd.com

La boutique A-BD.com vend des BD et des produits dérivés en ligne : figurines, sérigraphies, lithographies, porte-folios, collectors, etc.

Delcampe.com

books.delcampe.com/

Achetez et vendez aux enchères sur Delcampe.com : plus de 100 000 lots, plus de 1 000 vendeurs et plus de 60 % d'enchères vendues.

eBay - Livres et BD

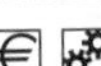

livres.ebay.fr

Achetez vos livres, BD (neuf et occasion) et revues de collection sur eBay.fr, le site des enchères en ligne.

Kelkoo - Librairie

kelkoo.fr/Librairie

Tous les libraires du Web comparés ! Plus de 500 000 BD et livres moins chers.

La cote des BD

www.ifrance.com/la-cote-des-bd

Etude de l'évolution de la cote des bandes dessinées, ex-libris et tirages de tête à travers les enchères en ligne et les prix constatés chez les libraires ou sur les salons de BD.

Le grenier des BD

grenier-des-bd.avenue-du.net

Vente et achat de bandes dessinées anciennes/de collection. Retrouvez les journaux d'avant-guerre de l'âge d'or de la BD. Choix parmi 600 albums, 2 500 comics, 5 000 périodiques, 3 300 petits formats et récits complets.

Livres anciens et d'occasion

www.aloccasiondunlivre.com

A l'occasion d'un livre vous propose un choix de livres et BD anciens, mais aussi tout un espace consacré à Tintin et à son univers.

MangaStore

www.mangastore.com

MangaStore est un site de vente en ligne de mangas et art books francophones et de goodies import.

Bande dessinée en ligne

100 % BD

www.ifrance.com/bd

Ce site propose des extraits et des résumés des meilleures bandes dessinées.

1001 BD

www.1001bd.com

1001 BD propose une collection de couvertures et de planches haute qualité (scannées en 300 dpi) et de grand format (400 × 550), des fonds d'écran, des marque-pages, des ex-libris, des dédicaces, des fichiers d'import pour GBDAO ou BD GEST et des e-cartes BD.

Astérix

www.asterix.tm.fr

Astérix a son site. Ceux qui ne connaissent pas encore pourront y découvrir tous les personnages imaginés par Goscinny et Uderzo. Les autres découvriront avec plaisir les dossiers, le musée et pourront participer à un jeu concours.

Astérix le Gaulois

membres.lycos.fr/asterixlegaulois

Un site pour les passionnés d'Astérix et Obélix : dessins d'Uderzo comme vous ne les avez jamais vus, cartes postales, jeux, fonds d'écran, etc.

Bande dessinée et philatélie

membres.lycos.fr/dom/bd/liste.htm

Ce site est principalement consacré à l'illustration de timbres par des auteurs de BD. Un certain nombre de surprises vous y attendent. Ne manquez pas de faire une visite à Tonton Marcel et goûtez ses piments caldoches…

Bandes dessinées oubliées

www.BDoubliees.com

Ces pages répertorient tout ce qui est paru dans les journaux Spirou et Pilote et proposent chaque semaine des rééditions de BD oubliées.

Bandes dessinées policières

perso.club-Internet.fr/bernadac

Histoire au cours du XXe siècle de la bande dessinée policière écrite ou traduite en français.

BD Magelis

www.bd-magelis.org

BD Magelis est une initiative originale de Magelis, dont le but est d'offrir à tous les auteurs, en herbe, amateurs ou confirmés, un espace de diffusion en ligne de leurs œuvres.

BD Québec

www.bdquebec.qc.ca

Actualités, auteurs, personnages et éditeurs de bandes dessinées québécoises.

BD Sélection

www.bdselection.com/php/index.php?rub=bd_enligne

Au programme de BD Sélection : chroniques de bandes dessinées, interviews d'auteurs, dossiers, fonds d'écran, images, actualité, chroniques d'albums de bande dessinée, etc.

Blake et Mortimer

www.machpro.fr/bm

Retrouvez le monde de Blake et Mortimer.

Catacombes de Paris dans la bande dessinée

www.lhermine.com

Histoire des catacombes, photos et explication de Blake et Mortimer dans les carrières.

Club Spirou

www.kidcomics.com/clubspirou

Le club Spirou propose des cadeaux, des jeux, des jouets et des surprises pour vos enfants.

Corto Maltese

bd.casterman.com/serie/castcort/?open=1

Le site dédié à Corto Maltese des éditions Casterman : liste des albums, cartes électroniques et auteurs complices.

Druuna Official Homepage

www.druuna.net

Pour tout savoir sur l'univers de la superbe Druuna (héroïne de BD érotique)…

E-Tsuki

membres.lycos.fr/etsuki/france.htm

Ce site donne accès à plusieurs bandes dessinées en ligne orientées manga.

Fondation Hergé

www.tintin.be

Le site officiel de Tintin, par la Fondation Hergé.

Galerie 2wil

2wil.free.fr

Ce site vous présente une sélection de BD en ligne et donne accès à des sites complémentaires.

Gaston

www.gastonlagaffe.com

Le site officiel de Gaston Lagaffe, géniale création d'André Franquin.

Humanoïdes Associés

www.humano.com

En ligne, toute la bande dessinée des Humanoïdes Associés.

Ikarbdarea

www.chez.com/ikar

Site perso d'un fan de BD : Chroniques de la lune noire, Juan Solo, Megalex, XIII, Largo Winch, etc.

Keno Don Rosa et les ducks

bdplus.free.fr/donrosa/index.htm

Bienvenue sur la page dédiée à Keno Don Rosa, le célèbre dessinateur des aventures de Picsou et de la famille Duck, des studios Disney, bien sûr.

Kid Comics

www.kidcomics.com/fr

Le club des fanas de BD : lisez les bandes dessinées sur l'écran, téléchargez des mini-albums et des cadeaux, jouez avec les personnages de bandes dessinées… Un univers d'humour, de gags et de jeux.

Largo Winch, site officiel

www.largowinch.com

Le site officiel qui vous dit tout sur Largo ! Les news, les photos de la série, les interviews des auteurs de la BD, Shadow le prochain album, Jennifer le feuilleton en ligne, un dossier Largo et les femmes. Le tout animé et sonorisé.

Largo Winch, site perso

www.blue.fr/largo/menu.htm

Site dédié à Largo Winch. Découvrez les auteurs et les personnages de cette célèbre BD et accédez aux autres sites dédiés.

Le Canyon de Blueberry

blueberry.dlpdomain.com/indexb.php

Tout ce que vous avez toujours voulu savoir sur Mike Steve Blueberry.

Le domaine de Gorn

www.domainegorn.com

Ce site présente un grand nombre de BD d'heroic fantasy : Lanfeust de Troy, Gorn, Troll, etc.

Le site de l'enlumineur

site.ifrance.com/olgar/index.htm

Site en français sur le comics Fathom de Michael Turner : la collection, les personnages, les technologies, des galeries, des dessins de fans, des programmes et thèmes à télécharger, un forum et un chat.

Les informatichiens

www.lesinformatichiens.com

Cette BD en ligne vous présente l'univers impitoyable des start-up où le Nasdaq est un chien.

Les Tuniques bleues

www.tuniques-bleues.com

Dans l'antre Internet des Tuniques bleues, vous trouverez des infos toutes fraîches sur les prochains albums, ainsi que de nombreuses infos concernant Salverius, Raoul Cauvin ou Willy Lambil.

L'état des stocks 2000

www.bilal.fr.st

Tout autour de Enki Bilal : BD, interviews, films et bien d'autres ressources.

Marsupilami

www.marsupilami.com

Le site officiel du Marsupilami, créé par André Franquin et aujourd'hui dessiné par Batem. Pour tous les mordus de bande dessinée, les albums, des tirages de collection, des images inédites, l'actualité la plus récente, des jeux et concours.

Michel Vaillant par Jean Graton

michelvaillant.free.fr

Site dédié au dessinateur de BD Jean Graton et à son héros, le fameux pilote automobile Michel Vaillant : biographie, studio, carrière, Formule 1, voitures, albums, tout est là !

New Fortress

membres.lycos.fr/newfortress

Retrouvez ici tout l'univers de Superman.

Sailormoon

moonparadise2002.free.fr

Tout ce que vous cherchez sur Sailormoon se trouve sur ce site : épisodes, CD-ROM, magazines, concours, MP3…

SuperShoes

www.supershoes.com.fr

SuperShoes est une bande dessinée animée réalisée en Flash par le collectif d'indépendants KCS production.

Tintin.com

www.tintin.com

Tout l'univers du célèbre reporter Tintin.

Worms Park

membres.lycos.fr/jvirga

Si vous n'avez pas peur du ridicule, visitez ce site consacré à la BD la plus déb… du Web.

XIII, site non officiel

www.bdxiii.com

XIII, le site non officiel, analyse et jette un regard différent, voire critique, sur la fabuleuse BD d'aventure créée par Jean Van Hamme et William Vance il y a maintenant plus de quinze ans.

Zh9lkvff9ck

joueb.com/zh9lkvff9ck

Bande dessinée hebdomadaire en ligne : les fabuleuses et excitantes aventures de Gnaf et Biz, deux jeunes et sympathiques héros qui vivent dans un monde d'ordinateurs, de jeux vidéo, de mangas, et de jeunes filles ravissantes mais inaccessibles au commun des "geeks".

Bibliothèques

Archives nationales

www.archivesnationales.culture.gouv.fr

Les Archives nationales, placées sous l'autorité des Archives de France, sont constituées de cinq centres : Centre historique des Archives nationales, Centre des archives contemporaines, Centre des archives d'outre-mer,

Centre des archives du monde du travail et Centre national du microfilm.

Association des bibliothécaires français 

www.abf.asso.fr

Fonctionnement et activités de l'Association des bibliothécaires français et informations destinées aux bibliothécaires et à tous ceux qui s'intéressent aux bibliothèques.

Bibliothèque de Lyon 

www.bm-lyon.fr

La bibliothèque municipale de Lyon présente son catalogue, ses bases de données, ses collections de livres rares, ses publications, ses dernières acquisitions, son programme des expositions.

Bibliothèque nationale de France

www.bnf.fr

Cette page sur la Bibliothèque nationale de France donne des informations pratiques pour accéder aux différents sites et propose des services en ligne : accès aux catalogues, consultation de documents numérisés, expositions virtuelles, calendrier des activités culturelles.

Bibliothèques de l'université de Montréal 

www.bib.umontreal.ca

Site du réseau des bibliothèques de l'université de Montréal.

Bibliothèques de Mathématiques

www.rnbm.org

Créé il y a plus de vingt-cinq ans sous la forme d'un réseau amical pour élaborer une politique documentaire mathématique nationale, le RNBM joue actuellement un rôle très important dans l'accès à la documentation électronique pour l'ensemble de la communauté mathématique française.

Bibliothèques médicales francophones

www.chu-rouen.fr/documed/bib.html

Cette page recense les bibliothèques et centres de documentation francophones dans le domaine de la santé.

Culture.fr - Bibliothèques et médiathèques 

www.culture.fr/Groups/bibliotheques_et_mediatheques/home

Annuaire des bibliothèques et médiathèques françaises.

Gallica

gallica.bnf.fr

Bibliothèque numérique de la Bibliothèque Nationale de France.

Iccrom Library 

library.iccrom.org/libris_fre/index.html

Catalogue de la bibliothèque du Centre international d'études pour la conservation et la restauration des biens culturels.

INIST, CNRS 

www.inist.fr

Rattaché au CNRS, l'INIST gère un fonds documentaire international, produit et diffuse les bases de données PASCAL (sciences, technologies, médecine, chimie, biologie) et FRANCIS (sciences humaines et sociales).

La Bibliothèque des mille et un livres

www.cndp.fr/1001livres/script

La Bibliothèque des mille et un livres permet de choisir des ouvrages de littérature pour enfants de 2 à 11 ans : albums, poésie, bandes dessinées, contes, nouvelles, romans.

Les Bibliothèques Universitaires

www.sup.adc.education.fr/bib

Sur le site des bibliothèques universitaires, accédez aux ressources documentaires du monde entier.

Librairies, bibliothèques

www.liensutiles.org/bibl.htm

Liste de sites de librairies et bibliothèques.

Portail du livre

portaildulivre.com

Portail du livre et de l'écriture : bibliothèques/médiathèques en ligne, littérature, éditions littéraires, etc.

Cinéma : actualité

6néma.com

www.6nema.com

6néma.com présente chaque semaine en avant-première une sélection de films : bandes-annonces, photos, news, critiques, synopsis et site officiel. Archives de scripts et scénarios ainsi qu'une rubrique courts-métrages sont également proposés.

Actua ciné

www.actuacine.net

L'actualité cinéma des sorties en salles et à venir, bandes-annonces, photos, téléchargement de plus de 300 fonds d'écran.

Actuciné

www.chez.com/actucine

Ce site est consacré aux sorties en salles, aux affiches de films et à l'actualité du cinéma.

Allociné

www.allocine.fr

Grâce à Allociné.com, tenez-vous informé de l'actualité du cinéma, visualisez des extraits de vidéos et achetez vos billets en ligne.

BonWeb - Cinéma, actualité

www.bonweb.com/p_3_496.php

Sélection des meilleurs sites d'actualité sur le cinéma par bonweb.com.

Cadrage

www.cadrage.net

Magazine sur le cinéma international, entrevues, critiques, reportages, dossiers, actualités, etc.

CaméraPress

www.camerapress.fr

Tous les films, toutes les salles, toutes les séances en France, Suisse et Belgique. Base de données de plus de 33 000 films.

Chronic'art

www.chronicart.com

Chronic'art, le webzine culturel francophone. Tous les jours, toute l'actualité culturelle (cinéma, musique, cyber, livres, spectacles, arts et expos).

Ciné 92 et cinéphilatélie

perso.wanadoo.fr/cinephil.cine92

Recherche sur l'histoire du cinéma dans le département des Hauts-de-Seine, cartes postales, photos, tous documents. Cinéphilatélie : recherche sur l'histoire du cinéma mondial à travers la philatélie (timbres, oblitérations postales, carnets de timbres).

Ciné TV

www.cinetv.com

Ciné TV, toute l'actualité du cinéma et de la télévision pour les fous d'images : cinéma, télévision, DVD vidéo, home cinéma, etc.

Cine.ch

www.cine.ch

Le cinéma en Suisse : salles, films, séances, cinexpress, acteurs, sorties, anniversaires, festivals, box-office.

Cinébobine

perso.wanadoo.fr/ thomas.gilbert.cine

Critiques de films, nouvelles du jour, stars, DVD, revue de presse, liens complémentaires, archives.

Cinebox-office

www.cbo-boxoffice.com

Sur ce site : nombre d'entrées par semaines et par mois, films à l'affiche, sites Web des films, annuaire des professionnels classés par secteurs d'activités.

CineCritiC.net

www.cinecritic.net

Dans cette base de données de critiques de films, vous pouvez lire les critiques des spectateurs, étudier leurs profils, écrire votre propre critique, élire les films et les critiques du mois, visionner des bandes-annonces, discuter dans le forum, etc.

Cinefaan

membres.lycos.fr/faan

Le rendez-vous de tous les fans de cinéma : bandes-annonces, archives, photos, Oscars, liens.

Cinéfil

www.cinefil.com

Un site incontournable pour les amateurs du 7e art : les films à l'affiche, en France, Belgique et Suisse, recherche des salles qui projettent un film par départements, quiz cinéma et boutique en ligne.

CineInfo.fr

www.cineinfo.fr

Ce site s'intéresse à l'actualité du cinéma et la programmation en salles.

Ciné-loisirs

www.cine-loisirs.com

Le site cinéma du groupe Lucien Adira.

Cinéma

cinema.tf1.fr/cinema

Guide cinéma de TF1 : à l'affiche, vos critiques, jamais vu, actualité, bandes-annonces. Vous trouverez également sur ce site le box-office, les films préférés des Français et un forum de discussion.

Cinéma, guide ciné en France

www.chez.com/guides/cine

Guide du cinéma français : actualités, festivals, export, magazines, histoire…

Cinemamontreal.com

www.cinemamontreal.com/fr

Guide cinéma pour la région de Montréal. Les horaires de tous les films à l'affiche dans les cinémas, les films à venir, le top 10, les promotions, les DVD, les restaurants.

Cinemaniacs

www.cinemaniacs.be

Les films à l'affiche, le top 10 des entrées, un guide des critiques de films, les festivals, diverses bandes originales, livres, bandes dessinées et pièces de théâtre.

Cinéthéâ, art et spectacles

www.cinethea.com

Cinéthéâ, panorama culturel hebdomadaire et revue de presse en ligne, recense les coordonnées de professionnels du théâtre et du cinéma (comédiens, metteurs en scène, auteurs, régisseurs, etc.) et s'intéresse à l'actualité des salles de théâtre et de cinéma.

Cinopsis

www.cinopsis.com

Cinopsis, le magazine belge francophone en ligne sur le cinéma international, présente chaque jour des critiques de films, des jeux, des bandes originales, des informations TV, des vidéos, des potins, etc.

Club Internet, Cinéma

cinema.club-internet.fr

La page Cinéma de Club-Internet : les films à l'affiche, l'actualité, le bouche à oreille, les bandes-annonces, le top Première, le box-office de la semaine, les sites complémentaires, les forums.

Comme au cinéma

www.commeaucinema.com

Le magazine d'actualité des sorties cinéma, vidéo et DVD.

Dvdrama

www.dvdrama.net

Tous les jours, de nouveaux tests, de nouvelles critiques couvrent l'actualité du DVD (zones 1, 2 et autres). Egalement des forums, des petites annonces…

Festival de Cannes 2001

www.cannes-fest.com

Chroniques du Festival de Cannes : films, célébrités, événements, dossiers, entrevues, opinions.

Festival de Deauville 2000

www.festival-deauville.com

Site officiel du 26e Festival du cinéma américain de Deauville.

Festival du court-métrage de Clermont-Ferrand

www.clermont-filmfest.com

Le site du Festival du court-métrage de Clermont-Ferrand.

Festival international du film de Cannes

www.festival-cannes.fr

Tout sur le dernier Festival de Cannes : palmarès longs métrages, courts-métrages, caméra d'or, cinéfondation.

Festival international et Marché du film d'animation

213.162.11.81/home/index.php?Page_ID=1

Site officiel du Festival et du Marché international du film d'animation.

Filmdeculte

www.filmdeculte.com

Ce site propose des critiques sur les films de la semaine, les disques, les livres, et revient fréquemment sur un film culte ou un cinéaste à travers des dossiers spéciaux.

Fondation Gan pour le cinéma

www.fondation-gan.com

Découvrez l'actualité du cinéma, les aides à la production de premiers films accordées par la fondation Gan, les rencontres cinéma, les festivals soutenus par la fondation en France et à l'étranger.

France 5 - Arts et culture

www.france5.fr/arts_culture

Sommaire de l'opération "40 à Cannes" : actualité du festival de Cannes et informations pratiques pour travailler dans les métiers du cinéma.

Gaumont.fr

www.gaumont.fr

Toute l'actualité du cinéma : horaires, films, acteurs et réalisateurs, programmes, salles, avant-premières, interviews, bandes-annonces, affiches de films, box-office, tournages.

Horreur.net

www.horreur.net

Tout ce qu'il faut savoir sur les films d'horreur : actualités, critiques, films à venir.

Krinein

www.krinein.com

Ce site propose une grande variété de critiques sur différents thèmes allant des films aux livres en passant par la radio, les revues, la musique, la télévision et la BD.

La boussole

www.boussole-fr.com/cin.php

La boussole propose toute l'actualité, les critiques et les sorties en salles. Il donne accès à de très nombreux sites complémentaires (actualité, critiques, magazines, e-zines, annuaires, autres ressources).

Le Film français

www.lefilmfrancais.com

Retrouvez en ligne chaque semaine le magazine Le Film français, le premier hebdomadaire des professionnels de l'audiovisuel et du cinéma français.

Libération.fr - Cinéma

www.liberation.fr/page.php?Rubrique=CINEMA

Sur le volet Cinéma de Liberation.com, retrouvez les films dans les salles, les horaires des salles, et recherchez des articles de cinéma par mots clés.

Lycos - Ciné et DVD

www.cinema.lycos.fr

Sur la chaîne Cinéma et DVD de Lycos, vous découvrirez toute l'actualité du cinéma, les sorties en salles, les films du box-office, ainsi que des critiques détaillées.

M6 Cinéma

www.m6.fr/html/evenements/cinema/index.shtml

Retrouvez l'actualité du grand écran, le box-office des meilleurs films, des courts-métrages en streaming, le planning des sorties de films sur trois mois et une pléiade de bandes-annonces.

MCM.net

www.mcm.net

Actualité à chaud du rap, rock, techno et variétés, infos cinéma, multimédia et glisse. Retrouvez les interviews et les concerts live, les programmes TV et la webcam du MCM Café, sans oublier l'annuaire, la lettre de diffusion et les jeux concours.

MK2.com

www.mk2.fr

Les films à l'affiche dans les salles MK2 de Paris, ceux à venir, les événements et les MK2 édition DVD.

Monsieur Cinéma

www.monsieurcinema.tiscali.fr

Monsieur Cinéma, le guide de tous les films : les bandes-annonces, les extraits des films vidéo, les interviews d'actrices, les photos d'acteurs, les fiches Monsieur Cinéma, le making-of du tournage d'un film, le chat…

NRJ Cinéma

www.nrj.fr/site/cine/index.php

Retrouvez sur NRJ Ciné toute l'actualité du cinéma, les news, les sorties, les avant-premières, les bandes-annonces et les interviews des plus grandes stars.

Objectif cinéma

www.objectif-cinema.com

Découvrez l'actualité, l'histoire et les coulisses du cinéma au travers de nombreux portraits, interviews, dossiers et reportages sur les tournages des films et documentaires.

Paris Première

www.parispremiere.com

Paris Première, chaîne de référence des arts et des spectacles, vous guide dans l'actualité culturelle parisienne : cinéma, musiques, théâtre, expos, livres et mode. Retrouvez également les programmes, les émissions, les journalistes, les jeux.

Premiere.fr

www.premiere.fr

Films à l'affiche et à venir, informations sur les acteurs, critiques, bandes-annonces et bandes originales TV, interviews, pubs : un site vivant et agréable à consulter d'urgence.

Sortie cinéma

www.sortie-cinema.com

Toutes les dernières sorties des films en salles.

Webcity

www.webcity.com

Le réseau Webcity propose toute l'info locale, les bons plans de votre ville, les horaires de cinéma, des petites annonces et tous les services de proximité.

Yahoo! Cinéma

fr.movies.yahoo.com/festival

Actualité des festivals sur le canal Cinéma de Yahoo!.

Cinéma : annuaires

Annuaire en ligne - Cinéma

www.annuaireenligne.com/recherches_populaires/cinema

Annuaire de sites en rapport avec le cinéma : acteurs/actrices, actualité, affiches, casting, cinéma de quartier, producteurs, etc.

Association cinéma télévision

www.multimania.com/actazur

Annuaire français du cinéma et de la télévision.

Bonweb cinéma

www.bonweb.com/p_3_331.php

Sélection de sites pour ne rien manquer de l'actualité cinématographique : prévisions des sorties, nouveaux films, critiques, box-office, etc.

FilmFestivals.com

www.filmfestivals.com

FilmFestivals.com est le portail pour entrer dans l'univers du cinéma, des festivals et des films.

Indicateur - Guide cinéma

www.indicateur.com/thematique/cinema.shtml

Annuaire du cinéma : films, acteurs, réalisateurs.

L'annuaire du cinéma

www.annuairecine.com

Cet annuaire rassemble un très grand nombre de sites dédiés au cinéma : actualités, affiches, associations, boutiques, critiques, dessins animés, formations, histoire, jaquettes, musiques de film, etc.

Nord-Cinéma

www.nord-cinema.com

Nord-Cinema.com vous propose de découvrir l'ensemble des sites dédiés au monde du 7e art. Vous y trouverez les meilleurs sites Web sur le thème du cinéma, des DVD ou encore de vos séries TV favorites, pour découvrir les multiples facettes de vos acteurs et réalisateurs favoris.

ZeCinéma, le ciné de A à Z

www.zecinema.com

Annuaire sélectif et spécialisé du cinéma qui privilégie la qualité de l'information et l'exhaustivité des thèmes.

Cinéma : pour les pros

Catalogue de droits de films français

www.lefilmfrancais.com/ayants_droits

Catalogue de droits de films français : plus de 1 500 films, de 1990 à 2000.

Centre National de la Cinématographie

www.cnc.fr

Le Centre national de la cinématographie œuvre essentiellement pour le soutien économique du cinéma, de l'audiovisuel et du multimédia.

Cinéma : production, distribution

4-16 Prod

www.4-16prod.com

Site officiel de 4-16 Prod : courts-métrages en ligne, projets, présentation de l'équipe.

BAC Films.com

www.bacfilms.com

BAC Films, distributeur en France de longs métrages, présente ses films sur Internet : infos, jeux, avant-premières, shopping, etc.

BePub - Production cinéma

www.bepub.com/fr/annuaire-27-A-13.html

Annuaire des professionnels de la production/réalisation.

Cinéma - production, réalisation

www.bepub.com/fr/annuaire-27.html

BePUB.com est un annuaire des photographes professionnels, de la communication et du multimédia.

Hachette

www.hachettepremiere.com

Hachette Première, filiale de Cinéma d'Europe Audiovisuel, a été créée par René Cleitman en 1982. Plus d'une trentaine de films ont été produits depuis.

Les cartooneurs associés

www.cartooneurs.com

Site de la société de production et de fabrication de dessins animés Les cartooneurs.

Les chiffres du cinéma mondial

www.cinemondial.com

Toutes les entrées et les recettes au jour le jour des films dans le monde entier.

Movie Soft

www.movie-soft.com

La société Movie Soft est spécialisée dans la distribution de logiciels pour le cinéma et la télévision couvrant les domaines suivants : scénario, storyboard, dépouillement, budget d'un film.

Office National du Film

www.nfb.ca/F/index.html

L'Office national du film du Canada (ONF) est un organisme public qui produit et distribue des films et autres œuvres audiovisuelles destinées à faire connaître et comprendre le Canada aux Canadiens ainsi qu'aux autres nations.

Pathé

www.pathe.fr

Les films Pathé présentent ses salles de cinéma, les films à l'affiche et tout l'univers Pathé.

Pyramide

www.pyramidefilms.com

Le site de la société Pyramide Distribution présente les films à l'affiche, les prochaines sorties et donne accès à des sites complémentaires.

Scénario

www.scenario-mag.com

Catalogue de scénarios amateurs et professionnels.

Tournages

www.tournages-lesite.com

Magazine consacré à la production audiovisuelle, avec adresses des productions, festivals et manifestations consacrés à l'audiovisuel, appels à candidatures, salaires de la profession, etc.

UGC

www.ugc.fr

Films à l'affiche, salles, horaires et services des cinémas UGC.

Cinéma : sites de films, d'acteurs

Alfred Hitchcock

hitchcock.alienor.fr

Site dédié au grand maître du suspense : Alfred Hitchcock. Photos, musiques de films, fiches cinématographiques et bibliographie.

Alien

www.foxfrance.com/films/alien/index.html

Site de la quadrilogie culte Alien.

Audrey Hepburn

audreyhepburn.free.fr

Site français entièrement consacré à l'actrice Audrey Hepburn : biographie, filmographie, théâtre, chansons.

Blair Witch trilogie

www.ifrance.com/blairwitchtrilogie

Tout sur les films de la série Blair Witch Project.

Charlie Chaplin

membres.lycos.fr/vatzhol/chaplin.html

Découvrez la vie de Charlie Chaplin à travers ses films.

ClintEastwood-fr.com

www.clinteastwood-fr.com

Biographie, carrière et photographies de l'acteur Clint Eastwood.

Club 007 France

www.club007france.com

Site des fans de James Bond, agent 007.

Cœur de dragon

www.dragonheart.fr.st

Pour tout savoir sur Cœur de dragon.

Cruchot & Co

www.defunes.net/modules/news

Tout sur Louis de Funès : films, extraits sonores, photos, fiches techniques, biographie, quiz.

De Funès Story

www.defunestory.com

Toute l'histoire et l'œuvre de Louis de Funès sur un seul site, et bien d'autres choses encore…

Devil Dead

www.devildead.com

Devil Dead : le cinéma fantastique sur DVD.

Disney.fr

www.disney.fr

La meilleure adresse pour tout savoir sur les films Disney, Disneyland Paris, Disney Interactive et Disney Channel.

Ellroy Confidential

www.edark.org/ellroy

Suivez toute l'actualité de James Ellroy, "the demon dog".

Fond d'écran cinéma

www.fond-ecran-image.com

Ce site donne accès à de très nombreux fonds d'écran de films, classés par ordre alphabétique. Deux clics suffisent pour en rapatrier un sur votre ordinateur.

Fox.ch

www2.fox.ch/choose.htm

La Twentieth Century Fox Film Corporation présente ses productions et donne accès à ses archives.

François Truffaut

perso.club-internet.fr/jdelpias/truffaut

Site consacré au cinéaste François Truffaut : filmographie, chronologie, bibliographie, textes, témoignages, musiques.

Gene Kelly

www.genekelly.org

Site français entièrement consacré à l'acteur américain Gene Kelly : biographie, filmographie, répliques, chansons de films, partenaires, galerie de photos, citations, etc.

Harry Potter

harrypotter.fr.warnerbros.com/main/homepage/intro.html

Site officiel de Harry Potter : bandes-annonces, extraits de films, coulisses de Poudlard. Un régal pour les magiciens et les moldus.

Henri-Georges Clouzot

members.aol.com/cinefilie/ clouzot.htm

La vie et les films du cinéaste Henri-Georges Clouzot.

Jackie Chan

perso.wanadoo.fr/ lemondedejackiechan

Le premier site français dédié à Jackie Chan : sa vie, son œuvre et son actualité.

James Bond 007

jamesbond007.net

Site officiel du club James Bond 007, pour tout savoir sur le personnage culte.

James Cameron

membres.lycos.fr/mogwai

Site dédié au cinéaste James Cameron.

James Dean

www.blue.fr/dean

Site francophone en hommage à James Dean : sa vie, son œuvre, ses citations, photos, bibliographie, liens complémentaires.

Jean Lefebvre

membres.lycos.fr/dhennin/ lefebvre.htm

Ce site est dédié à Jean Lefebvre. Vous y apprendrez pourquoi et comment il fait rire.

Jean Marais

jeanmarais.free.fr

Sur ce site, retrouvez la biographie et les photos de Jean Marais. Vous pouvez également y consulter sa filmographie et les affiches de cinéma par années.

Jean Reno

jean.reno.free.fr

Le site officiel de Jean Reno.

Jean-Jacques Annaud

www.jjannaud.com

Site officiel de Jean-Jacques Annaud : l'enfance, l'Afrique, la pub, la quête, la nature, les livres, l'argent, sa biographie.

Johnny Depp

membres.lycos.fr/johnnydepp

Tout sur la carrière et la vie trépidante de l'acteur américain Johnny Depp : photos, info, bio, films, liens.

Julia Roberts

membres.lycos.fr/tintinraym

Tout ce que vous voulez savoir sur Julia Roberts.

KeanuOnNet.com

www.keanuonnet.com/head.html

Site dédié à Keanu Reeves… vous savez, le célèbre Néo.

Kevin Costner

members.aol.com/fanclub83

En cheminant sur ce site, vous découvrirez le parcours d'une star de légende, Kevin Costner : biographie, filmographie, galerie, carnet de notes, couvertures, horoscopes, sites officiels.

La magie d'Harry Potter

www.angelfire.com/ak5/harrypotter4

Sur ce site, vous trouverez de nombreuses informations sur les personnages, les monstres, les lieux, les sorts et le quidditch. Vous pouvez également vous inscrire dans une des quatre maisons en allant dans la section Choixpeau Magique.

La place de Mike 

www.mike-fox.fr.st

Site français consacré à l'acteur Michael J. Fox. Vous y verrez des photos, des infos, vous pourrez consulter sa biographie, sa filmographie, etc.

La Soupe aux choux

www.chez.com/choux

Site non officiel du film La Soupe aux choux.

Le meilleur de Laetitia Casta 

membres.lycos.fr/icasta

Tout ce que vous avez toujours voulu savoir sur Laetitia Casta : biographie, filmographie, photos, vidéos, arrière-plans Windows, dossiers sur sa carrière, actualité, etc.

Le site Fernandel de DIGGI

fdigallo.online.fr/index.htm

Le site officiel de Fernandel par DIGGI : films, biographie, chansons, photos, extraits audio et vidéo, citations, entourage, liens, actualité, jeux…

Leonardo DiCaprio 

www.mag4.net/DiCaprio

Sur ce site, vous trouverez les actualités, la filmographie, les bandes-annonces, les sons et les photos de Leonardo DiCaprio, une page sur sa voix française et un moteur de recherche.

Les triplettes de Belleville

www.lestriplettesdebelleville.com

Site du film Les triplettes de Belleville, de Sylvain Chomet.

L'extra-terrestre d'Hollywood 

www.chez.com/mastadoudou

Will Smith ? Visitez ce site : bibliographie, interview, photos, filmographie, discographie, fan-club, liens associés.

L'homme bicentenaire 

www.columbiatristar.fr/00/homme_bicentenaire.html

Site du film L'homme bicentenaire.

Luc Besson 

www.luc-besson.com

Le site officiel de Luc Besson. Tout sur les films, courts-métrages, pubs, clips réalisés ou produits par le cinéaste.

Marie Gillain 

membres.lycos.fr/shaihld

Le site de Marie Gillain dans sa version française : nombreuses photos, filmographie complète, citations, liens, etc.

Marilyn Monroe 

www.speederich.com/Monroe.htm

Portail français sur Marilyn Monroe.

Martin Scorsese 

scorsese.free.fr

Site consacré à Martin Scorsese : bibliographie, films, univers, questionnaire, etc.

Musée Jean Gabin

www.musee-gabin.com

Site du musée Jean Gabin à Mériel, le village de son enfance.

Planète Bruce Willis

planetebrucewillis.free.fr

Site non officiel de Bruce Willis : actualité, biographie, filmographie, discographie, galeries de photos, résumés de films, audio, vidéos, fonds d'écran, e-cards, forum, chat, etc.

Rocky Horror Picture Show

www.sweet-transvestites.com

Le film culte The Rocky Horror Picture Show, de Jim Sharman et Richard O'Brien, avec Tim Curry et Susan Sarandon, animé par le cast The Absent Friends, depuis sept ans, le vendredi soir au Studio Galande à Paris.

Sophie Marceau

www.ifrance.com/sophie-marceau

Le site officiel de Sophie Marceau.

Star Trek Unification France

www.unification-online.org

Fan club de Star Trek : présentation des personnages, résumé des épisodes, calendrier des manifestations, comptes rendus d'événements, etc.

Steve Mc Queen

www.ifrance.com/McQUEEN

Souvenez-vous : c'était dans les années 60, une star arrivait tout droit des Etats-Unis par le biais du petit écran. Nous allions (re)découvrir Josh Randall dans la série Au nom de la loi. Ce fut le début d'une longue carrière que nous allons retracer ici.

The Matrix - Fr

www.thematrix-fr.com

Sur TheMatrix-fr.com, vous saurez tout sur la trilogie qui révolutionne le cinéma de science-fiction : The Matrix, The Matrix Reloaded, The Matrix Revolutions.

Tigre et Dragon, la légende

tigreetdragon.free.fr

Venez découvrir l'univers du film Tigre et Dragon, d'Ang Lee.

Tim Burton

www.tim-burton.net

Site dédié à Tim Burton, réalisateur des films Beetlejuice, Batman, Edward Scissorhands, Ed Wood et Sleepy Hollow.

Titanic fan France

www.titanic-fan-france.com

Annuaire des sites francophones dédiés au drame du Titanic et aux acteurs du film : forum, images, fonds d'écran, MP3, audio et vidéo en temps réel.

Tout Bourvil

users.skynet.be/bourvil

Site dédié à Bourvil : ses films, ses disques, ses pièces de théâtre, ses opérettes, ses affiches de films, ses partitions musicales et monologues, la biographie de ce grand artiste français.

Will Smith

www.chez.com/titi

Site non officiel de Will Smith.

Woody Allen

www.tout-woody.com

Grande rétrospective Woody Allen.

Cinéma : sites généralistes

1001 bandes-annonces de cinéma

www.1001ba.com

Bandes-annonces de films sortis au cinéma à télécharger en QuickTime, MPEG, Realplayer et Media Player.

Alloha.net

allohanet.online.fr/cinema.htm

Toute l'actualité cinématographique est sur Alloha.net : sorties, festivals, films, acteurs, actrices, réalisateurs, scénarii.

Aram

aram.free.fr

Sur ce site, découvrez des jaquettes vidéo, DVD, DivX et audio.

Archives cinéma et musique sur Arte

archives.arte-tv.com/archives/ftext/arte-archiv2.htm

Sur ce site, de nombreux dossiers d'archives de cinéma et musique.

Bobine

www.chez.com/bobine

Fanzine des étudiants en cinéma de l'Institut européen du cinéma et de l'audiovisuel (université de Nancy-2).

BoFilms

www.bo-films.net

Site consacré aux musiques de films : compositeurs, agenda, sons MIDI, chat, forum, liens complémentaires.

Ciné Revues

www.infocomnantes.net/revuescine/accueil.html

Revue cinéma des étudiants de l'université de Nantes : dossier sur les rapports entre la presse et le cinéma, histoire du cinéma, galerie de portraits et critiques de revues.

Cinéart

simple-agency.com/cineart

Les grands réalisateurs de science-fiction sont chez Cinéart : biographies, articles, art, extraits de films, bandes-annonces, musique, liens sur la science-fiction, le fantastique, l'horreur et l'épouvante.

Cine-courts.com

www.cine-courts.com

Site dédié aux courts-métrages : actualités, opinions, reportage, gros plans, petites annonces, forum, archives, annuaires, liens complémentaires.

Cinedestin

ibelgique.ifrance.com/cinedestin

Découvrez les acteurs, les actrices et les films qui font le monde du cinéma et du petit écran.

CinéFrance

perso.wanadoo.fr/cinefrance/accueil.html

Tout le cinéma francophone : films marquants depuis 1930, biographies des acteurs français, photos, filmographie, festivals, affiches, fichiers son des acteurs, palmarès des récompenses.

Cinéma, guide critique des films

www.cinemaniacs.be/pages/critique

Banque de données de critiques couvrant toute l'histoire du cinéma : plus de 2 000 films analysés.

CinePlanète

www.cineplanete.com

Vous trouverez sur ce site des affiches de cinéma et des jaquettes de vidéocassettes. Ces éléments sont accessibles grâce à un moteur de recherche, par acteurs, réalisateurs et titres de film.

Ciné-revues

www.chez.com/vinz007/cinema

Ce site s'adresse à tous les cinéphiles passionnés par les revues des années 30.

Cinestore

www.cinestore.com/html/ first_home .php?id_partenaire=1&code_origine= 1003CE

Le site des passionnés de cinéma, séries TV et cartoons.

DevenezCritiqueDeCinema

www.millevazion.com/cinema

Lieu d'échange sur le cinéma. L'espace Critique vous permet d'exprimer vos idées, l'espace Réactions de les partager, et l'espace Favoris… de personnaliser cet espace.

Dialogues de Michel Audiard

www.audiard.net

Retrouvez tous les dialogues inoubliables de Michel Audiard.

Doctor SF Movie Web

www.scifi-movies.com

Base de données des séries et des films de science-fiction de Doctor SF.

DVD dezone

www.dvddezone.net/index.html

Site dédié à tout ce qui touche le DVD et le DivX.

Dvdfr.com

www.dvdfr.com

Portail d'actualité sur le DVD en France.

Ecran noir

www.ecrannoir.fr

Ecran noir est le plus ancien des e-zines de cinéma sur le Web francophone. Une référence qui traite de tous les cinémas pour tous les publics (près de 6 000 pages !).

Entracte

entracte.nexenservices.com

Base de données sur le cinéma mondial : 6 200 films, 500 affiches, 12 000 artistes, 300 photos, les festivals… Recherches multicritères.

Fils de pub

www.filsdepub.com

Site pour tous les fils de pub, pubivores, pubophiles et autres pubophages…

Forum des images

www.forumdesimages.net

Le Forum des images est un espace unique pour explorer le cinéma, la vidéo et le multimédia. Un lieu entièrement consacré à l'image, depuis les frères Lumière jusqu'aux derniers films d'auteurs en passant par les créations les plus contemporaines.

France-diplomatie - Culture 

www.france.diplomatie.fr/thema/dossier.asp?DOS=CULTURE

Centre culturel virtuel offrant bibliothèque, salon de musique, salles d'archéologie, cahiers de cinéma, ressources culturelles et annuaires.

Generiquestele.com 

www.generiquestele.com

Retrouvez sur ce site tous les dessins animés de votre enfance…

Hello You Cinéma 

www.mylinea.com/helloyou/cinema

Annuaire généraliste des sites francophones dédiés au cinéma.

Histoire du cinéma européen

www.cinemaenlumiere.com/histoire/sitfr/accueilfr.htm

L'évolution du langage cinématographique est étroitement liée à l'évolution des techniques. Celle-ci a souvent imposé des styles et rouvert des imaginaires…

Institut Lumière 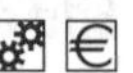

www.institut-lumiere.org

Le site de l'Institut Lumière : musée, villa, galerie photos, boutique, formation et jeune public.

Internet Movie Database 

french.imdb.com

Version française de la plus grande base de données cinéma sur Internet (Internet Movie Database).

La BIFI

www.bifi.fr

Pour tout savoir sur le cinéma.

La fémis 

www.femis.fr

Site de l'Ecole nationale supérieure des métiers de l'image et du son.

Le site de l'horreur  

www.chez.com/notld

Infos et photos exclusives sur les maîtres de l'horreur (G. Romero, J. Carpenter, W. Craven) ainsi que des vidéos et des sons de films d'horreur à télécharger.

Lumière

www.lumiere.org

Site dédié au cinéma, émanation du groupe de discussion fr.rec.cinema.discussion.

L'univers de la terreur 

www.terreur-fr.com

Site consacré à l'univers des films d'horreur, gores et fantastiques : photos, liens, VQF, thèmes Windows.

MonsieurCinema.com  

www.monsieurcinema.tiscali.fr

Consultation de bandes-annonces, d'extraits de films vidéo, interviews d'actrices, photos d'acteurs, fiches Monsieur Cinéma, making-of du tournage d'un film et dialogue sur le chat cinéma.

Moviecovers 

www.moviecovers.com

Vous trouverez ici plus de 9 000 jaquettes de films cinéma.

Rendez-vous sur les docs

www.rdv-docs.com

Rendez-vous sur les docs est une banque de projets de films documentaires. Toute personne peut y déposer ses sujets gratuitement. Les producteurs peuvent y acquérir à moindre coût des dossiers de production clés en main.

Technikart 

www.technikart.com

Technikart, magazine culture critique, fournit infos bizarres et scoops sur la censure, la dissidence, la conspiration et la contestation. Tout savoir pour sortir branché à Paris. Actualités de la musique, du cinéma, de la radio, de la télévision, du cyber et des livres.

UniFrance 

www.unifrance.org

Ce site œuvre pour la promotion du cinéma français dans le monde : courts et longs métrages, vie des films en France et à l'étranger, actualités, annuaire, festivals.

Worldcinemag.com 

www.worldcinemag.com

Worldcinemag.com vous tient informé des sorties cinéma. Vous pouvez y lire ou télécharger des fiches de films, des affiches et des critiques.

Cinéma : vente

Affiches de cinéma  

www.sites-securises.com/achat/affiches-films/affiches-film-nouveautes.htm

Site de la société française CineBoutik.cil, spécialisée dans la vente d'affiches de films de cinéma.

BonWeb - Cinéma, achat de DVD 

www.bonweb.com/p_3_868.php 

Sélection des meilleurs sites de vente de DVD vidéo par bonweb.com.

Cinemaffiche.com 

www.cinemaffiche.com/rech.htm

Vente d'affiches de cinéma originales, de 1930 à nos jours, françaises et étrangères, parfois entoilées, de tous formats.

Cinéplus 

www.cineplus.com

Cinéplus/Affiches est une des divisions de Cinéplus, spécialisée dans la vente d'affiches de cinéma sur Internet.

eBay - Cinéma

cinema.ebay.fr

Venez acheter et vendre des films 8 mm, 16 mm, 35 mm et des DVD (neuf et occasion) sur le site des enchères en ligne.

Marchander.com

www.marchander.com/catalog.asp?catid=8297&chow=gone

Le site Marchander.com est spécialisé dans l'achat et la vente de DVD vidéo d'occasion.

NetCiné

www1.netcine.com

Avec NetCiné, le cinéma en ligne, c'est le film que vous voulez, quand vous voulez, sans vous déplacer.

Cirque, magie

Arc en cirque

www.arc-en-cirque.asso.fr

L'école de cirque de Chambéry est un centre des arts du cirque accessible en pratique amateur dès 4 ans (initiation, découverte, perfectionnement) et en formation professionnelle.

Artotal, cirque Bouglione

www.artotal.com/comp/bouglion.htm

Historique, événements, spectacle et tournées des cirques Alexandra et Joseph Bouglione.

Circus Web

www.circusweb.com

Tout ce que vous avez toujours voulu savoir sur le cirque.

Cirque Arlette Gruss

www.cirque-gruss.com

Historique, événements, spectacle et tournées du cirque Arlette Gruss.

Cirque Pinder/Jean Richard

www.cirquepinder.com

Historique, programmes, tournées, présentation des produits dérives, le chapiteau, la ménagerie, le parc automobile de l'un des plus beaux et des plus importants cirques d'Europe.

Cirque Volte-face

www.zanzibart.com/volteface

Sensibilisation aux arts du cirque : ateliers, spectacles, animations en milieu scolaire comme en extérieur.

Comme par magie

www.commeparmagie.fr

Boutique de magie en ligne : trucs, tours de cartes, balle de mousse, grande illusion, FP, D'Lite, lévitation.

Ecole nationale du cirque de Montréal

www.enc.qc.ca

Sur le site de l'école nationale du cirque de Montréal : présentation de l'école, programme d'études, concours d'entrée, service aux étudiants, activités récréatives.

France magie

www.francemagie.com

Tout sur la magie et la prestidigitation : boutique en ligne de tours de magie, annuaire des magiciens, forum, chat, petites annonces, conseil, actualité, liens.

France5 cirque

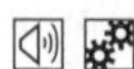

www.france5.fr/cirque

France5.fr vous propose de plonger dans la

magie du cirque et d'en découvrir les coulisses à travers des entretiens vidéo des grandes figures du cirque.

La cité Magique

www.citemagique.be

Le magicien Tommy Stevens présente la cité magique Namuroise. Dans ce lieu féerique, on y découvre un magasin de magie, une librairie du spectacle, une boutique du cirque, des instruments de musique pour clowns, un musée de magie, une salle de spectacle et d'entraînements, ainsi qu'une école de cirque pour les enfants.

La magie en ligne

membres.lycos.fr/magieonline

Ce site est dédié à l'art de la magie et plus particulièrement à la cartomagie (tours de cartes).

Le Georget Family Circus

www.cirque-georget.com

Entrez sous le chapiteau de la famille Georget.

Le Memo.com

www.lememo.com

Professionnels ou particuliers, vous cherchez une animation artistique ou un prestataire ? Venez consulter l'annuaire du site Le Memo.com, et/ou utilisez son service gratuit d'appel d'offres.

Le monde du cirque

perso.wanadoo.fr/pg/cirque/accueil.htm

Le site des amateurs du cirque français : cirques, artistes, agenda, festivals, musées, maquettes, écoles, news, histoire, etc.

Le petit magicien

www.lepetitmagicien.com

Boutique de magie, tous types de tours : cartes, close up, pièces, grandes illusions...

Magie virtuelle

www.geocities.com/SiliconValley/Bridge/7917

La magie virtuelle n'est qu'illusion : au lieu des manches de veston et autres doubles-fonds, elle utilise les passe-passe de la programmation.

Magies.com

www.magies.com

Portail de la magie : actualités, boutique, coups de cœur, forums, etc.

Musée de la magie

www.museedelamagie.com

Musée de magie unique au monde : spectacles et tours inédits, exposition itinérante, école de magie, sites complémentaires.

Musée du cirque de Vatan en Berry

www.musee-du-cirque.com

Grâce au musée du cirque de Vatan (36), voyagez dans l'univers magique du cirque !

Mylinea.com - annuaire de la magie

www.mylinea.com/pierremagie

Portail et annuaire de la magie et des magiciens : tours de magie, secrets, grandes illusions, spectacles pour enfants, jeux. Vous pouvez également essayer plusieurs tours interactifs sur ce site.

Pierre magie

pierremagie.free.fr

Site consacré à la magie : tours de cartes, magie virtuelle, close-up, pièces, tours interactifs, grande illusion, forum sur la magie, mise à jour régulière.

Sites magiques francophones

www.magiefrance.com/home.html

Cette page donne accès à plus de 350 sites de magie francophones !

Tomlitoo anniversaire

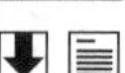

www.tomlitoo.com/anniversaire/cirque

Fêtez votre anniversaire autour du cirque : cartes d'invitation, décorations, jeux à imprimer gratuits pour faire la fête entre enfants.

Virtual Magie

www.virtualmagie.com

Principal site francophone dédié à la magie. Mise à jour plusieurs fois par jour. Une lettre de diffusion est envoyée à plus de 4 400 magiciens.

Danse

Artotal Danse

www.artotal.com/danse/danse.htm

Volet Danse du site ArTotal : danseurs et chorégraphes, compagnies de danse, festivals de danse, formations, presse spécialisée, mécénat.

Biennales de Lyon

www.biennale-de-lyon.org

Site des festivals internationaux de Lyon et Rhône Alpes.

Bienvenue@ladanse.com

www.ladanse.com

Le site carrefour de la danse en France et ailleurs : actualités, programmes, découvertes, recherches/échanges.

Centre National de la Danse

www.cnd.fr

Ce site, entièrement dédié à la danse, vous informe sur les activités du CND (spectacles, stages, colloques, expositions, publications et ressources de la médiathèque), et offre de nombreuses informations générales sur le métier de danseur ou de chorégraphe professionnel.

Compagnie de danse contemporaine Magali & Didier M

www.mulleras.com

Site de la compagnie de danse contemporaine Mulleras (Béziers) : biographie, presse, photos, vidéos en direct, musiques, créations, cours, activités.

Danse à deux

danse-a-2.com

Danse à deux vous informe sur les sorties, cours et clubs de danse en France et à l'étranger (Allemagne, Etats-Unis, Suisse, Grande-Bretagne, Québec). Il donne également accès à des annuaires de danse nationaux et internationaux et vous informe sur les compétitions qui ont lieu dans votre région.

DanseNet

www.dansenet.com

Toute l'information au service de la danse : écoles, centres de formation professionnelle, compagnies, calendrier, auditions, demandes d'emploi, offres d'emploi, stages, concours, musique.

Decouflé et complices associés

www.cie-dca.com

Site de la compagnie de danse du chorégraphe Philippe Decouflé. Venez découvrir toutes les créations de cette compagnie, animées et mises en scène en Flash, son actualité, ses spectacles et créations en tournée, ainsi que tous les "complices associés" de cette troupe.

France-danse.com

www.france-danse.com

Cet annuaire recense les sites en rapport avec la danse (compagnies, chorégraphes, danseurs, centres chorégraphiques, écoles, festivals…) et les styles de danse (classique, salon, salsa, swing…). Les recherches peuvent se faire *via* une arborescence ou par mots clés.

Imagidanse

www.imagidanse.com

Site consacré à la danse : galerie, présentation des artistes, œuvres originales, extraits de films, interviews, cinémathèque, presse.

Journal La Terrasse

www.journal-laterrasse.com

La Terrasse, la plus importante revue sur les arts vivants en Ile-de-France : théâtre, danse, musique classique, opéra, jazz, musiques du monde.

Ladanse.com

www.ladanse.com/fr/index.html

Ladanse.com vous informe sur l'actualité de la danse, en France, en Europe et dans le monde entier. Un journal vous propose des articles, des news, des espaces d'échange, des rendez-vous et des rencontres orientées danse. Découvrez également les petites annonces, le chat, la liste de diffusion et bien d'autres choses…

Yahoo France - Actualités danse

fr.fc.yahoo.com/d/danse.html

Actualité de la danse par Yahoo! France.

Galeries d'exposition

AGAC

www.agac.qc.ca

Site de l'Association des galeries d'art contemporain de Montréal.

Agence photographique

www.photo.rmn.fr

Ce site donne accès à une base de données de photos des œuvres d'art conservées dans les musées français.

Alteraction

www.ensba.fr/alteraction

Site expérimental dédié à l'art interactif.

Arnet galerie Toulouse

perso.wanadoo.fr/arnet

Galerie virtuelle d'art et de culture à Toulouse.

Art brut, figuration libre, trash

lauranne.lauranne.free.fr

Sur ce site, art brut, brutal et expression primitive : galerie de peintures, news, poèmes, liens complémentaires.

Art Cango

www.artcango.com

Galerie d'art au service des entreprises. Découvrez tous les styles, abstrait, figuratif, impressionnisme, expressionnisme, réalisme, à travers toutes les techniques (peinture, huile, toile, aquarelle, pastel, fusain, sanguine, céramique, verre, etc.).

Art érotique, Arte

archives.arte-tv.com/mensuel/lune/erotic/ftext

Arte propose un voyage à travers la représentation de l'érotisme dans l'art.

Artbreath21

www.artbreath21.com

Sur Artbreath21, vous trouverez des œuvres d'art contemporain chinois et européen : huiles, peintures chinoises, photographies.

Art-Concept

www.galerieartconcept.com

Dans la présentation virtuelle de la galerie Art-Concept, découvrez les dernières créations et manifestations d'artistes contemporains internationaux.

Artistes libres

www.griviere.com/artlib/ alib1fr.html

Exposition d'œuvres d'art d'artistes français contemporains indépendants : peintures, dessins, sculptures, photographies.

Artop

www.artop.fr

Vente en ligne de tableaux : 600 peintures à l'huile, aquarelles, pastels, sanguines, nus, marines, copies.

Arts mêlés

www.chez.com/artsmeles

Découvrez de nouveaux artistes, musiques, images, animations et exposez vos œuvres.

Art's world

www.cci-oise.fr/ara/fr

Un des plus grands marchés mondiaux de la peinture et de la sculpture.

Association A titre provisoire

www.chez.com/atp

Association d'ateliers d'artistes plasticiens contemporains (peintres, sculpteurs et artistes d'installations).

Bienvenue à @rt Outsiders

www.art-outsiders.com

Découvrez la galerie virtuelle et les expositions @rt Outsiders.

BonWeb - Art, Galeries d'exposition

www.bonweb.com/p_3_75.php

Sélection des meilleures galeries d'exposition virtuelles par bonweb.com.

Cité de la création

www.cite-creation.fr

Spécialistes mondiaux du trompe-l'œil architectural, les artistes de la Cité de la création ont signé plus de 200 fresques monumentales dans le monde depuis 1978.

Collages de Marie-Claude Rivé 

mapage.noos.fr/casiopee/ index2.html

Galerie virtuelle de collages.

Collectif artistique kitusai 

www.kitusai.com

Galerie d'art brut Kitusai : Astoul, Delaveau, Joly, Suel, Kitusai, Denechere, Kanabop, Redface, Trénet, Montigny.

Collection Schloss

www.france.diplomatie.fr/archives/dossiers/schloss

Présentation d'une collection de tableaux de maîtres flamands et hollandais réunis par A. Schloss.

Cyber Impressionnisme

membres.lycos.fr/cybimpressionism

Vitrine internationale d'un nouveau groupe de créateurs : les cyberimpressionnistes.

Cyberculture.be 

www.artiste-peintre.be/cyber.htm

Cyberculture.be est une galerie dédiée aux arts plastiques et à Internet. Vous y trouverez des artistes peintres, des sculpteurs et des galeries d'art.

Entrée libre 

www.culture.gouv.fr/entreelibre

Ce site présente les réalisations d'une vingtaine d'artistes contemporains.

Envied'Art.com

www.enviedart.com

Galerie d'art virtuelle sur la Toile.

Espace Connectik

www.connectik.fr

Site d'une galerie d'art numérique à Lyon.

Feeriart, le monde des fées

perso.wanadoo.fr/feeriart

A travers la photographie, la sculpture et la peinture, Hilda Soyer vous dévoile son monde féerique. Analyse de livres et nombreux liens vers le monde des fées.

Festival international Art Outsiders

www.art-outsiders.com/tekniart/root_all.htm

@rt Outsiders présente des artistes numériques, des photographes, cinéastes et plasticiens.

Galerie Chantal Crousel 

www.crousel.com

Galerie d'art contemporain Chantal Crousel.

Galerie d'animaux

www.mnhn.fr/museum/foffice/index.html

Les collections du Muséum national d'histoire naturelle, parmi les plus riches du monde, sont estimées à quelque 76 millions de pièces : 35 millions d'insectes, 300 000 oiseaux, 120 000 mammifères, 90 000 reptiles et amphibiens, 2 millions d'invertébrés marins…

Galerie d'art université de Moncton

www.umoncton.ca/gaum

Galerie d'art canadien de l'université de Moncton.

Galerie incognito

www.incognito.vu

Située à Saint-Germain-des-Prés, la galerie Incognito expose des artistes contemporains. La galerie est accessible 7 jours sur 7 et 24 heures sur 24 par carte magnétique au 16, rue Guénégaud, Paris 6e.

Galerie Ilou

www.galerie-llou.com

Galerie d'art, d'aquarelle et de calligraphie.

Galerie Pictura

perso.wanadoo.fr/galeriepictura

Située à Bourges, la galerie Pictura expose des lithographies, sérigraphies et photographies.

Galerinet

galerinet.ifrance.com/galerinet

Cette galerie a pour vocation de présenter les œuvres des artistes vivant en Provence.

Galeries de Marseille

www.cogito.fr/marseill/galeries.htm

Emplacement des ateliers et des galeries d'exposition à Marseille.

Globalgallery du Moulin Joly

www.globalgallery.org

Galerie virtuelle des artistes parisiens.

Huiles sur toiles

membres.lycos.fr/djedje

Découvrez des expositions et portraits de peintres sur toiles.

Imagineceramic

www.ceramique.com

A la rencontre de la poterie à travers stages, librairies, expositions, créateurs, musées, galeries, fournisseurs, associations, écoles et forum.

Imediart.com

www.imediart.com/fr

Imediart.com est le premier site d'intermédiation d'art sur le Net. Il vous permet d'exposer vos œuvres d'art et de participer à des ventes aux enchères en ligne.

Indexa - galeries d'art

www.indexa.fr/phc/Affiche/
PageSite.phc?type=site&page=294&

Répertoire thématique des galeries d'exposition présentes sur le marché français.

Joconde

www.culture.gouv.fr/documentation/
joconde/pres.htm

Ce site présente des dessins, estampes, peintures, sculptures, photographies et objets d'art appartenant aux collections publiques françaises.

La galerie des kekos

www.weborama.fr/kekos

Ce site vous propose de découvrir de nouveaux artistes français.

La galerie virtuelle de Jitka 

www.czarts.com

Galerie d'art virtuelle.

La galerie virtuelle d'Elsa S

www.chez.com/elsasulzbach

Peinture à l'huile, figurative, symbolique, croquis de voyage et de nus, peinture et psychologie... Et chaque mois, l'explication d'un nouveau tableau.

La Grande Galerie 

www.lagrandegalerie.net

Sur La Grande Galerie, plus de 2 000 expositions d'art à découvrir, une liste d'artistes et de galeries francophones.

La peinture médiévale dans le midi de la France

www.culture.gouv.fr/culture/
medieval/francais/index.htm

Découvrez la vie médiévale dans le midi de la France à travers de nombreuses peintures.

L'art en s'amusant

www.bemberg-educatif.org/ index.html

Sur ce site pour enfants, découvrez l'histoire de la peinture, les différents tableaux et les techniques des grands maîtres grâce aux jeux interactifs et éducatifs de la Fondation Bemberg de Toulouse.

Le Palais de Santa

www.chez.com/lepalaisdesanta

Exposition de collages fantastiques. A voir.

Lebanon Art

www.lebanonart.com

Lebanon Art est une galerie dédiée à l'artiste peintre et poète Joseph Matar.

Les peintures murales de nos églises

www.impens.com

Ce site personnel présente les peintures murales des églises romanes de Brinay et de Jenzat et propose une série de liens vers d'autres sites s'intéressant également aux peintures murales.

Marqueterie Bernard Lacombe

www.marqueterie.fr

Galerie et exposition de marqueterie contemporaine.

Net-galerie.com 

www.net-galerie.com

Site portail français dédié aux artistes contemporains et aux amateurs d'art. Visitez la galerie d'art virtuelle et exposez gratuitement vos créations sur le site. Autres services : liens vers des sites artistiques, recherche d'emploi, forum, etc.

Noir et blanc.org 

noiretblanc.org

Galeries de photos noir et blanc : portraits et nus.

Œuvres'Art 

www.chez.com/oeuvres

Sur ce site, les artistes peuvent exposer leurs œuvres d'art.

Ou surfer - galeries d'art et artistes

www.ousurfer.com/base/default.asp?CatID=102&mot=art

Guide des meilleures galeries d'art en ligne et sites d'artistes.

Palais de la Découverte

www.palais-decouverte.fr

Le site du palais de la Découverte vous dit tout sur les activités et les programmes des expositions : chimie, physique, mathématiques, géosciences, sciences de la vie, astronomie, astrophysique, cybermétropole. Vous pouvez aussi visiter les différentes salles afin de préparer votre visite en réel.

Peter magazine

perso.club-Internet.fr/peternad

Galerie exposant peintures, graphismes, animations, BD et textes.

Place des arts

www.place-des-arts.com

Place des arts présente plus de 3 000 œuvres : lithographies, gravures, estampes, sculptures, peintures, objets, bijoux. Vente en ligne et par correspondance.

Réunion des musées nationaux

www.rmn.fr

Le site de la Réunion des musées nationaux : un vrai plaisir pour les yeux.

Site de la Fondation Cartier pour l'art contemporain

www.fondation.cartier.fr

La Fondation Cartier pour l'art contemporain : fondation culturelle privée, dont la vocation est la promotion et le soutien de la création contemporaine au travers d'une collection, des expositions, des spectacles, des éditions et des animations.

Société générale

www.socgen.com

Annuaire des sites du groupe Société générale : musée virtuel présentant les œuvres d'art contemporain de la Société générale, activité en matière de sponsoring rugby et de mécénat musical, espace d'information sur la nouvelle économie...

UnderZONE

uzone.free.fr

UnderZONE est une association qui assure la promotion d'artistes urbains et indépendants dont la créativité se retrouve dans divers domaines : musique, graphisme, BD, dessin, art plastique, poésie, etc.

Videomuseum

www.videomuseum.fr

Banque de données de 100 000 œuvres d'art moderne et contemporain réalisée par un consortium de 43 musées et collections publiques françaises.

Web galerie a.toorop

perso.wanadoo.fr/a.toorop

Toorop Art, un collectif d'artistes, possède sa galerie virtuelle pour exposer photographies, peintures et sculptures.

Livres : actualité

A à Z GBL

www.chez.com/guidelecture/liens-actualite.shtml

Vous trouverez ici des centaines de livres de tous les genres, critiqués et évalués. Mais aussi, un club de lecture Internet, des portraits d'auteurs, plus de 250 liens vers la littérature, votre livre coup de cœur, etc.

BonWeb - Littérature, Actualité

www.bonweb.com/p_3_69.php

Sélection des meilleurs sites d'actualité littéraire par bonweb.com.

Décharge

membres.lycos.fr/decharge

Retrouvez l'actualité de la poésie francophone, diverses publications en ligne et la vie de la revue.

Ecrire & éditer, le Web des écrivains

www.calcre.com

Toute l'actualité de l'écriture et de l'édition : infos pratiques pour les auteurs, contacts littéraires en ligne et outils pour cibler vos manuscrits. Une publication du Calcre, association d'information et de défense des auteurs.

Evene.fr

www.evene.fr/livres/index.php

Au sommaire : livres dans l'actualité, livres à paraître, livres par catégories, prix littéraires, critique littéraire et revue de presse.

Galaxidion

www.galaxidion.com/home/agenda.php

Toute l'actualité du livre ancien : salons, journées du livre, foires, brocantes.

L'Express, Livres

livres.lexpress.fr

Au programme : actualité, critiques hebdomadaires et agenda littéraire de L'Express, portraits et interviews d'écrivains, palmarès des ventes, dossiers thématiques.

Lire

www.lire.fr

Le site du magazine Lire présente l'actualité du lecteur, les livres sélectionnés, les écrivains, des extraits choisis, des enquêtes, une rubrique Poésie et une autre Multimédia.

Magazine littéraire Livresse

www.livresse.com

Magazine littéraire consacré à l'actualité en général, au roman et aux romanciers, ainsi qu'aux nouveautés offertes par les maisons d'édition, fictions, livres pratiques, livres de référence, etc.

Parutions.com

www.parutions.com

Parutions vous propose une sélection réactualisée en permanence des meilleurs livres publiés par les éditeurs de langue française, ainsi qu'un accès à ses archives.

Radio du livre - actualité

www.radiofrance.fr/divers/thematiques/radiodulivre/actualite

Lancée par Radio France, la radio du livre est entièrement consacrée à l'univers littéraire :

actualité du livre, agenda du livre, le livre de la semaine, émissions ou chroniques de Radio France ayant trait au livre.

Web GLM 

www.grandlivredumois.com

Le club de l'actualité littéraire commercialise dès leur parution les nouveautés de l'édition française : vente en ligne, interviews d'auteurs, dossiers thématiques, promotions, lettre de diffusion.

Yahoo! Actualités - Littérature

fr.fc.yahoo.com/l/litterature.html

Toute l'actualité du domaine littéraire par Yahoo!.

Livres : annuaires, moteurs

Annuaire de philosophie et de sciences humaines 

www.cogitosearch.com

Annuaire de sites de philosophie et de sciences humaines (sociologie, psychologie, psychanalyse, pluridisciplinaire) créé par la revue Res Publica.

Biographie.net 

biographie.net

Inventaire des biographies disponibles sur le Web francophone.

BonWeb - Littérature, ressources

www.bonweb.com/p_3_532.php 

Sélection des meilleurs sites de ressources (portails, moteurs, annuaires) pour la littérature par bonweb.com.

Bouquins.net

www.bouquin.net

Annuaire de recherche thématique et par mots clés de l'univers du livre.

France Antiques 

www.franceantiq.fr/books1/annu-fr.htm

Index des libraires de livres anciens et rares, consultable par libraires, par librairies, par spécialités ou par régions.

France diplomatie 

www.diplomatie.fr/thema/dossier.asp?dos=culture

Centre culturel virtuel du ministère des Affaires étrangères : thèmes, auteurs, textes en ligne, liens.

La littérature 

www.as.wvu.edu/mlastinger/docs.htm

Ce site donne accès à de nombreuses bibliothèques électroniques, ainsi qu'à des sites traitant de poésie, de contes et de théâtre.

La porte des lettres 

www.portail.lettres.net

Annuaire thématique et moteur de recherche dédié aux lettres.

Les annuaires - livre 

www.lesannuaires.com/annuaire-livre.html

Rubrique de l'annuaire dédiée à la recherche de sites sur le livre, de maisons d'édition et de bibliothèques.

Littérature francophone virtuelle 

www.swarthmore.edu/Humanities/clicnet/litterature/ litterature.html

Base de données regroupant des liens sur le thème de la littérature francophone.

LittératureS & CompagnieS 

www.litt-and-co.org

LittératureS & CompagnieS propose des liens vers des sites ambitieux, quasiment encyclopédiques, souvent issus d'organismes prestigieux et qui affichent de réelles exigences scientifiques.

Livre rare 

www.livre-rare-book.com/anninter/annuaire.html

Annuaire international des librairies de livres d'occasion, des ventes publiques, marchés, salons et foires.

Muse 

muse.base.free.fr

Répertoire des ressources poétiques francophones.

Réseau des bibliothèques de l'université de Liège

www.ulg.ac.be/libnet

Page d'accueil du réseau des bibliothèques de l'université de Liège (Belgique).

Zazieweb.fr 

www.zazieweb.fr

Site indépendant et libre, zazieweb.fr offre des espaces d'échanges et de rencontres pour lecteurs communicants et actifs.

Livres : éditeurs

Alain Beaulet éditeur

www.alainbeaulet.com

Vous trouverez sur ce site le catalogue complet et les épuisés de l'éditeur Alain Beaulet, des croquis, des images inédites et des infos sur les ouvrages réalisés par Juillard, Loustal, Tardi, Mézières, Bilal, Lolmède, Dupuy Berberian, Götting, Avril, etc.

Bookstorming.com 

www.bookstorming.com

Publications d'art contemporain, éditions et livres d'artistes.

Cylibris éditions 

www.cylibris.com

Maison d'édition francophone sur Internet : livres originaux, informations pratiques, expositions, photos.

Ecrire.com 

www.ecrire.com

ecrire.com est une association ayant pour objet la promotion de la littérature contemporaine sur le Net. Elle a pour vocation de publier des premières œuvres littéraires et de révéler de jeunes talents. De plus, Ecrire.com anime un magazine littéraire à la griffe facile et au ton corrosif : Le chat noir. Vous y trouverez des articles, des critiques, des entretiens et un certain regard, oblique mais pénétrant, sur le monde des lettres en général.

Ecrits-vains.com

www.ecrits-vains.com

Site éditeur (poésie, nouvelles, romans, essais) et revue littéraire hebdomadaire. Forums sur l'écriture et atelier d'écriture.

Editions Belin

www.editions-belin.com

Le site des éditions Belin : nouveautés, espace Enseignants, coups de cœur, partenaires libraires, commandes en ligne.

Editions Bordas

www.editions-bordas.com

Le site des éditions Bordas donne accès au catalogue et présente ses produits phares. Il est possible de télécharger quelques présentations de livres au format PDF (Acrobat Reader).

Editions Casterman

bd.casterman.com/serie/castcort/?open=1

Le site des éditions Casterman : bandes dessinées, jeunesse, fictions interactives, univers, 3D, cartes gratuites, forum, etc.

Editions de Minuit

www.leseditionsdeminuit.fr

Site des éditions de Minuit : ouvrages, auteurs, nouveautés, extraits de textes, presse, etc.

Editions Gallimard

www.gallimard.fr

Le site des éditions Gallimard : le groupe, visite guidée, les revues, un siècle de NRF.

Editions Hatier

www.editions-hatier.fr

Le site des éditions Hatier donne accès à quatre rubriques : Elèves (activités, jeux et exercices du primaire au lycée), Parents (infos et activités pour vos enfants), Enseignants (toutes les infos sur les manuels scolaires et les livres du professeur) et Libraires (chaque semaine, les nouveautés, les manquants et les offices).

Editions Mille et une nuits

www.1001nuits.com

Les éditions Mille et une nuits proposent des chefs-d'œuvre de la littérature pour le temps d'une attente, d'un voyage ou d'une insomnie.

Editions Nathan

www.nathan.fr

Le site des éditions Nathan donne accès aux catalogues (maternelle, école élémentaire, collège, enseignement supérieur, etc.), au magazine Planète Lune et aux dossiers du professeur. Il est également possible de passer une commande en ligne.

Fédération des maisons d'écrivains

www.litterature-lieux.com

Le site de la Fédération des maisons d'écrivains et des patrimoines littéraires propose une information régulièrement mise à jour sur les lieux et les collections littéraires en France : maisons d'écrivains, musées, bibliothèques, fonds d'archives, centres de documentation ou de recherche.

France Edition 

franceedition.org

Pour mieux connaître l'édition française, en France et dans le monde.

Hatier

www.editions-hatier.fr

Hatier, éditeur scolaire et parascolaire (Bescherelle, Annabac, Profil, Ratus) propose aux élèves, enseignants, parents et libraires, des exercices et corrigés, des concours, des forums, ses catalogues.

J'ai lu

www.jailu.com

Créées en 1958, les éditions J'ai lu publient chaque année près de 400 nouveautés au format poche.

Le Publieur 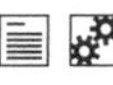

www.lepublieur.com

Le Publieur, portail d'impression à la demande, de publication et de vente de livres, de biographies, de catalogues d'artistes et de thèses, est ouvert aux particuliers et aux éditeurs. Edition et mise en ligne d'œuvres dans deux collections : les Numériques et la BiblioTec.

Le serpent à plumes 

www.serpentaplumes.com/v2/index.php

Retrouvez les promotions des derniers titres de la maison d'édition Le serpent à plumes.

Masson éditeur 

www.masson.fr

Toutes les publications médicales Masson à acheter en ligne.

Pearson Education France  

www.pearsoneducation.fr

Maison d'édition, Pearson Education France publie des livres pratiques pour les particuliers et les professionnels et des ouvrages universitaires, en management et en informatique.

Petits classiques Larousse

www.larousse.fr/Catalogue/Petits_classiques.asp

Près de 120 titres pour retrouver tous les grands textes du patrimoine, avec le souci constant d'offrir aux élèves un véritable guide d'analyse des œuvres conforme aux programmes scolaires, et aux enseignants des "livrets pédagogiques" d'accompagnement.

Planetexpo  

www.planetexpo.fr

Lieu de rencontre privilégié entre les auteurs, les maisons d'édition et les lecteurs. Discutez avec des auteurs, découvrez le monde du livre, participez aux forums, chats, débats et suivez l'actualité du livre.

Presses Universitaires de France 

puf.ornis.fr

Le site des Presses Universitaires de France (PUF) donne accès au catalogue de l'éditeur, aux nouveautés et permet de connaître la librairie la plus proche de votre domicile.

Publibook 

www.publibook.com

Publibook.com, l'éditeur de tous les talents, propose un service d'édition révolutionnaire, accessible à tous. Découvrez le catalogue d'ouvrages inédits.

Pyramid éditions

www.pyramyd-editions.com

Le design est actuellement en pleine mutation et les attentes du public évoluent. Par ses publications, Pyramyd éditions répond à cette réalité. Découvrez son catalogue en ligne.

Rue des auteurs 

www.ruedesauteurs.com

Rue des auteurs vous propose d'éditer vos textes en ligne. Vous y trouverez également un atelier d'écriture, un forum d'auteurs, des conseils d'écriture personnalisés pour vos projets de romans, nouvelles, poésies et scénarios.

Livres : genres littéraires, philosophie, poésie, SF, etc.

Actu SF

www.actusf.com

Toutes les semaines, retrouvez toute l'actualité de la science-fiction en livre, BD et jeunesse : critiques, dossiers, interviews.

Akenaton-doc(k)s

www.sitec.fr/users/akenatondocks/index.htm

DOC(K)S est la plus ancienne (1976-2001) et la plus célèbre des revues de poésie expérimentale au monde.

Anneau francophone de haïku

perso.club-Internet.fr/leonicat/haiku/anneau.htm

Le haïku est une forme classique de la poésie japonaise. Depuis plus de trois siècles, le haïku a fait son petit bonhomme de chemin au Japon, puis jusqu'à nous en Occident…

Anthologie francophone

www.anthologie.free.fr

Ce site s'intéresse aux poètes contemporains et propose son anthologie de la poésie francophone du XIIe au XXe siècle. Nouveaux poèmes et œuvres complètes chaque semaine.

Apprendre à philosopher avec Encéphi

www.cvm.qc.ca/encephi

Encyclopédie hypertexte de la philosophie.

Belles citations  

www.bellescitations.com

Des milliers de citations et proverbes classés en une centaine de thèmes vous attendent sur ce site : citations humoristiques, citation du jour, citascope, citation d'internautes, panthéon des citations et forum.

BonWeb - Littérature, Poésie  

www.bonweb.com/p_3_216.php

Sélection des meilleurs sites de poésie par bonweb.com.

BonWeb - Littérature, Science-fiction 

www.bonweb.com/p_3_560.php

Sélection des meilleurs sites de science-fiction par bonweb.com.

Charles Baudelaire 

www.poetes.com/baud

Site consacré à la poésie de Charles Baudelaire. On y trouve l'intégrale des Fleurs du Mal, des Petits Poèmes en prose, ainsi que de nombreux textes critiques. Les poèmes sont commentés, la plupart illustrés. Un moteur de recherche facilite la navigation.

Chasseurs de rêves

www.chasseursdereves.com

Découvrez la revue Chasseurs de rêves, consacrée à la science-fiction, l'heroic fantasy et le fantastique. Actualité SF, galerie et toutes les productions de la revue : affiches, BD, art fantastique, etc.

Citations du monde

www.evene.fr/citations/index.php

Trouvez une citation en un clic parmi plus de 50 000 citations et proverbes du monde entier.

Culture Générale

membres.lycos.fr/cultureg

Ce site contient des centaines de citations classées par auteurs, thèmes et catégories, des textes célèbres et une bibliographie pouvant vous donner des idées de lectures.

EnfantTerrible.net

62.210.169.55

Ce site a pour but de faire aimer la lecture aux jeunes. Il présente les enfants terribles de la littérature classique et contemporaine. Histoire, biographie et jeux amuseront les jeunes et les plus vieux.

Générateur poétique

www.infres.enst.fr/~auber

Générateur poétique est une expérience d'interaction graphique collective en temps réel sur Internet.

Genres littéraires

ibelgique.ifrance.com/diogene/fslivres04.htm

Vous recherchez des informations sur un genre littéraire précis ? Les liens répertoriés sur cette page orientent vers des sites fournissant des réponses ciblées et pertinentes.

Interpoètes

www.interpoete.com

Sur ce site confraternel et chaleureux, la poésie est traitée avec respect, amour et expérience.

La caverne de Lutinette

lutinette.free.fr

Vous aimez les lutins, vous êtes un ami du petit peuple, vous connaissez des elfes ou des fées, vous vous intéressez aux peuples et aux mondes féeriques ? Alors, entrez dans la caverne de Lutinette pour en découvrir encore plus.

L'arbre à poèmes

www.poesie.net/enfants

Poésie animée pour et par les enfants.

L'astroport

www.chez.com/astroport

Photomontages et peintures numériques traitant de science-fiction.

L'avenir du futur

membres.lycos.fr/scuret

Ce site est dédié à l'anticipation et à la science-fiction.

Le club des poètes

franceweb.fr/poesie

Le club des poètes vous propose de lire, d'écouter et, pourquoi pas, d'écrire des poèmes en ligne. Ce site donne également accès à un forum de discussion où tous les amateurs de poésie peuvent échanger idées et conseils.

Le cycle Thébain

site.voila.fr/jaj

Aux confluents de la psychanalyse et de la littérature, du théâtre et du psychodrame, de la mythologie et des rêves…

Les contes africains

www.contesafricains.com

Au programme : données sur les contes, la littérature orale et le conte africain, liens utiles, dates, études, soirées, festivals, colloques.

Liens utiles - littérature, poésie

www.liensutiles.org/litterat.htm

Sélection de sites en rapport avec la littérature et la poésie, par LiensUtiles.org.

Parchemins et traverses

www.citronmeringue.com/traverses

Site dédié à l'actualité de l'imaginaire : science-fiction, fantasy, fantastique.

Poèmes et citations

bezen.free.fr

Liste de diffusion de poèmes et messages pour rester zen…

Poésie française

bezen.free.fr

Poèmes de la Renaissance au début du XXe siècle, dont certains peuvent être écoutés en RealAudio.

Poésirama

clea2.ambrenoire.com

Site où poètes et auteurs se rencontrent : forum, livres à télécharger, à acheter et à découvrir.

Poètes du XIXe siècle

www.poetes.com

Site dédié aux poètes du XIXe siècle. Baudelaire : Les Fleurs du mal, Le Spleen de Paris et quelques-uns de ses plus importants textes critiques. Rimbaud : œuvres versifiées, Une saison en enfer, Illuminations, La Lettre du voyant. Enfin, plus de deux cents textes de poètes romantiques, ainsi qu'une centaine de poèmes de Verlaine.

Polars au féminin

www.polarfeminin.com

Site dédié aux auteurs féminins de romans policiers, de Patricia Cornwell à Andréa Japp, sans oublier Donna Leon ou Sue Grafton : présentation de leurs personnages, de leurs livres, biographie des auteurs.

Portraits d'artistes

www.liensutiles.org/portrait.htm

Les portraits d'un certain nombre d'artistes francophones : écrivains, musiciens, peintres, photographes et sculpteurs.

Proverbes et citations

www.proverbes-citations.com

Des milliers de proverbes et citations classés en plus de 430 thèmes, des proverbes de Confucius et des citations humoristiques…

Proverbes français et étrangers

perso.wanadoo.fr/proverbes

Ce site compte plus de 4 100 proverbes sur la météo, les paysans, des dictons populaires divers et aphorismes usuels.

Scifi universe 

www.scifi-universe.com

Portail français de la science-fiction, du fantastique, de l'heroïc fantasy et de l'horreur.

T.A.P.I.N. 

tapin.free.fr

Magazine dédié à la poésie sonore contemporaine.

Livres : magazines, sites généralistes

A l'ombre du polar 

polars.ouvaton.org

Un site créé par trois amateurs de romans noirs, de collectionneurs de livres et de fouineurs invétérés. Il vous propose un soupçon d'histoire, une découverte de couvertures inédites, des chroniques et de nombreuses autres choses à découvrir.

Accents poétiques  

www.accents-poetiques.com

Accents poétiques est un regroupement de deux sites littéraires, La Magie des mots et La Coupole virtuelle, qui tendent vers le même but : assurer la promotion de la littérature sur Internet.

Alalettre, le site littéraire   

www.alalettre.com

Site dédié à la littérature : biographies, œuvres, romans, auteurs (Baudelaire, Camus, Colette, Hugo, Loti, Molière, Proust, Prévert, Racine, Sartre, Vian).

Antoine de Saint-Exupéry

www.saint-exupery.org

Dédié au pilote, écrivain et inventeur Saint-Exupéry, ce site passe en revue les différentes facettes du personnage.

Authologies

authologies.free.fr

Authologies présente des auteurs jusqu'alors ignorés par le Web francophone : biographies, bibliographies, livres, documents et liens.

Chez Fire 

www.angedefeu.com

Poésies, littérature, pensées, histoire de l'art, ressources pour sites Web.

Cyber factory 

www.lafactory.com

Ce magazine en ligne est dédié à la littérature contemporaine : classique, serial killer, beaux livres, art, BD.

De la littérature sur Internet 

www.remue.net

Un site consacré à la littérature française contemporaine.

Echolalie 

mapage.noos.fr/echolalie

Echolalie est dédié à tous les amateurs de mots, de listes, de Perec, de l'Oulipo, de chinchards, etc.

Etude et enseignement du français

www.lettres.net 

Le site des professeurs de lettres. Au menu, un forum de discussion, des ressources sur le bac français, des cours en ligne, un lexique littéraire et une porte ouverte vers d'autres sites éducatifs.

Fabula 

www.fabula.org

Actualités et ressources pour les études littéraires : revue, annonces de colloques et d'appels à contribution, parutions, comptes rendus critiques, forums et débats.

FoliOctet

www.folioctet.com

FoliOctet est un espace littéraire où tout auteur amateur ou professionnel peut voir son travail publié et critiqué par les lecteurs.

Giga presse - littérature 

www.giga-presse.com

Guide des meilleurs journaux littéraires du Net.

Harry Potter 

www.ifrance.com/potter/harry.htm

Site consacré à Harry Potter, le sorcier le plus merveilleux de la littérature !

Irène Frain

www.figuresdestyle.com/frain

Site de l'écrivain Irène Frain : actualités, la vie d'Irène, la bibliothèque d'Irène, roman interactif, le jardin secret d'Irène, galerie multimédia.

La Maison des écrivains

www.maison-des-ecrivains.asso.fr

La Maison des écrivains est un lieu de rencontre autour de la littérature contemporaine française et internationale.

La Petite Bibliothèque de France

www.france.diplomatie.fr/thema/dossier.asp?DOS=LIVREETECRIT

Espace culturel de la Petite Bibliothèque de France : nouveautés, thèmes, auteurs, poésie, textes, lieux, revues.

Labyrinthe

perso.wanadoo.fr/labyrinthe

Labyrinthe est dédié à la littérature contemporaine.

Lafontaine.net 

www.lafontaine.net/nouveau-site/index.php

Magazine en ligne consacré à Jean de La Fontaine.

Le générateur de biographies

ilsbohu.free.fr/gen2bio

Cette application a pour but de vous aider à rédiger l'autobiographie que vous avez toujours rêvé d'écrire, mais que vous n'avez jamais osé rédiger (par excès de modestie ou par manque de temps).

Le matricule des anges

www.lmda.net

Magazine indépendant de littérature : actualités, auteurs, poésie, romans, théâtre, nouvelles, librairie en ligne.

Le paradick

paradick.cjb.net

Tout sur Philip K. Dick : critiques de ses œuvres (par le webmestre et par des auteurs en vue de la SF française), adaptations, biographie, etc.

L'idéaliste

www.lidealiste.com

Webzine littéraire. Au sommaire : sorties littéraires, société, économie, international, culture, multimédia, people, vu à la TV, sport.

Littérature française

www3.unileon.es/dp/dfm/flenet/doclitterature.htm

Ce site propose un grand nombre de ressources multimédias sur la littérature française : sites, auteurs, œuvres.

Livrenpoche.com

www.livrenpoche.com

Toutes les références des livres au format de poche.

LivresPlus

www.livresplus.com/31

Magazine d'information littéraire entièrement consacré aux livres écrits ou traduits en français dans les domaines les plus divers : informations, articles, entrevues, critiques, dossiers thématiques, etc.

L'œil culturel

www.avoir-alire.com

Webzine d'actualités culturelles qui propose des critiques de films et de livres, des citations, des dossiers, des biographies, des chroniques, des actualités quotidiennes et des forums.

Ma bibliothèque est Net

www.livres-online.com

Espace communautaire dédié à la littérature : lisez les conseils de lecture des membres, devenez membre, écrivez vos conseils de lecture, réagissez aux fiches de lecture, découvrez les nouveaux auteurs et les classiques.

Magazine littéraire Livresse

www.livresse.com

Magazine littéraire consacré à l'actualité en général, au roman et aux romanciers, ainsi qu'aux nouveautés offertes par les maisons d'édition, fictions, livres pratiques, livres de référence, etc.

Magazine littéraire

www.loiseaulire.com/Litterature/Magazine.html

Créé en 1966, le Magazine littéraire est un mensuel incontournable en matière d'actualité littéraire. L'intérêt de ses dossiers nous incite à y retourner régulièrement et fait de cette revue une référence pour une meilleure connaissance des auteurs et de leurs œuvres.

Noosfere

www.noosfere.com

Encyclopédie en ligne sur la science-fiction : actualités, événements, littérature, jeunesse, recherches, revues, BD, cinéma, liens, etc.

Pages françaises de science-fiction

sf.emse.fr

Ce serveur a pour vocation de présenter les auteurs francophones, la SF française, et de maintenir quelques liens sur d'autres serveurs consacrés à la science-fiction et au fantastique.

Portail du livre

portaildulivre.com

Portail du livre et de l'écriture : bibliothèques/médiathèques en ligne, littérature, éditions littéraires, etc.

Quarante-deux

www.quarante-deux.org

Documentation sur la science-fiction : base de données ex-libris, prix littéraires francophones, critiques, articles, nouvelles, illustrations.

Radio France

www.radiofrance.fr/divers/thematiques/radiodulivre/accueil

Volet Livres du site de Radio France : témoignages d'auteurs, extraits audio, documents originaux.

Reader's Digest

www.selectionrd.ca

Le site du magazine Reader's Digest : sommaire du numéro courant, archives des anciens numéros. Possibilité de s'abonner en ligne.

Site des mondes inventés

www.mondesinventes.com

Les musées et la bibliothèque de la ville de Nantes vous proposent la visite de mondesinventes.com, site dédié à Jules Verne.

Site littéraire

www.almaleh.com

Site dédié à la littérature mathématique et à l'art fantastique.

Valère Novarina

www.novarina.com

Ce site présente les différents travaux de V. Novarina, écrivain et peintre français contemporain, ainsi que sa bibliographie complète.

Vigilibris.com

www.vigilibris.com

Vigilibris, la lettre d'information personnalisée DECITRE, vous tient au courant gratuitement par courrier électronique de tous les nouveaux livres en langue française paraissant sur les sujets de votre choix.

Virgule

www.faton.fr/22/22_index.asp?id_titre=22

Cette revue, destinée aux 10-15 ans, explore le domaine infiniment varié de la langue française : vocabulaire, étymologie, syntaxe, grammaire, orthographe, ponctuation, évolution du langage, créations d'auteurs célèbres.

Livres : salons, festivals, organismes, clubs

Académie Goncourt

www.academie-goncourt.fr

Le site de l'académie Goncourt.

Au marché des livres

perso.wanadoo.fr/caron

Sur son site, Georges Caron, bouquiniste sur les marchés d'Ile-de-France, propose un grand choix de livres d'occasion à moitié prix.

Bibliothèque Nationale de France

www.bnf.fr

La Bibliothèque Nationale de France conserve un exemplaire de toutes les parutions nationales. Sur ce site, découvrez les collections de documents mises à votre disposition, leur constitution, leur répartition et leur localisation, les différentes ressources accessibles par Internet, les programmes culturels de la BNF, etc.

Bibliothèque Nationale du Canada

www.collectionscanada.ca/index-f.html

Le site de la Bibliothèque Nationale du Canada donne des informations sur les services offerts aux bibliothèques, aux éditeurs et aux chercheurs, permet d'accéder au catalogue de la BNC et propose de nombreuses informations sur le Canada (gouvernement, bibliothèques, projets de numérisation, etc.).

Bibliothèque publique d'information

www.bpi.fr 

La BPI donne accès au catalogue, aux films, expos, rencontres et colloques de la bibliothèque Georges-Pompidou.

Centre de promotion du livre de jeunesse

www.salon-livre-presse-jeunesse.net

Site du Salon du livre de la jeunesse de Montreuil, Seine-Saint-Denis.

Centre national du livre

www.centrenationaldulivre.fr

Etablissement public au service d'une activité culturelle, le centre national du livre est un lieu de rencontres et d'actions interprofessionnelles.

Festival du livre de jeunesse de Rouen

www.festival-livre-rouen.com

Découvrez le Festival du livre de jeunesse de Rouen : éditeurs, bateau-livre, concours, espaces, etc.

Festival du livre de Nice

www.nice-livre.com

Découvrez les animations du Festival du livre de Nice, les prix littéraires, les auteurs.

Festival Livre et Mer

www.salondulivremaritime.com

Le festival Livre et mer de Concarneau est le rendez-vous littéraire du monde maritime. Découvrez les auteurs, les ouvrages en compétition, les expositions et les animations.

FFAP

www.ffap.fr

Le site officiel de la fédération française des agences de presse.

Musée Jean de la Fontaine

www.museelafontaine.org

Le musée de Béziers expose 360 tableaux d'André Quellier, représentant l'intégralité des fables et des contes de Jean de La Fontaine.

Salon du livre de Paris Expo

www.salondulivreparis.com

Site du salon du livre à Paris.

Salon international du livre de Québec

www.silq.org

Site du salon international du livre de Québec : informations générales sur le salon, auteurs présents, invités d'honneur, liste des éditeurs, expositions, etc.

Salon international du livre, de la presse et du multimédia

www.salondulivre.ch

Site du Salon international du livre, de la presse et du multimédia, le plus grand rassemblement culturel de Suisse.

Livres : textes

ABU

abu.cnam.fr

Accès libre au texte intégral d'œuvres du domaine public francophone sur Internet depuis 1993.

Ali Baba 35

k.moktar.free.fr

Vous trouverez ici de nombreux eBooks gratuits à télécharger : Molière, Jules Verne, Victor Hugo, Emile Zola, etc.

Bibliothèque électronique de Lisieux

www.bmlisieux.com

Un site consacré à la littérature française et francophone du domaine public. Œuvres en version intégrale.

Création facile d'eBooks

www.adobe.fr/epaper/tips/frm7tagpdf/main.html

Ce site vous montre comment réaliser facilement des eBooks à l'aide de l'application Adobe FrameMaker 7.0.

Ebooks France

www.ebooksfrance.com

Bibliothèque du livre électronique en français : romans, poésie, théâtre, inédits, dictionnaires et articles en libre accès (format Rocket eBook, mobipocket, PDF et ebookman). Déjà plus de 750 livres.

Ebooks libres et gratuits

www.ebooksgratuits.com

Plus de 600 livres en langue française librement téléchargeables vous attendent sur ce site. Les formats proposés sont les suivants : Mobipocket, Palmreader, Acrobat Reader.

Gallica 

gallica.bnf.fr

Sur Gallica, le lecteur accède à une bibliothèque multimédia dont les ressources documentaires s'étendent du Moyen Age au début du XXe siècle (plus de 80 000 documents numérisés).

Jean de La Fontaine

www.lafontaine.net

L'intégrale de La Fontaine en ligne.

Julesferry.com 

www.julesferry.com

Sur ce site, vous trouverez des romans classiques, de la poésie, des pièces de théâtre et des biographies téléchargeables et lisibles sur votre ordinateur (format PDF Acrobat Reader).

Les biographies d'Info Science des scientifiques 

www.infoscience.fr/histoire/biograph/biograph_som.html

Ce site propose des biographies d'hommes célèbres : Aristote, Pasteur, Freud, Einstein, Buffon, Galien, Lavoisier, Darwin, Mendel, Galilée, Newton.

Les écrits d'Elisabeth Plumier

elisabeth.plumier.free.fr

Nouvelles fantastiques et oniriques d'Elisabeth Plumier. Un nouveau texte est mis en ligne dès que le précédent a atteint 135 visiteurs.

Manuscrit.com 

www.manuscrit.com

Edition en ligne de manuscrits littéraires.

Molière  

www.site-moliere.com

Jean-Baptiste Poquelin, dit Molière (1622-1673) : œuvre complète, biographie, ressources.

Mozambook 

mozambook.free.fr/index2.htm

Mozambook publie les grands textes de la littérature. Les eBooks, librement téléchargeables, sont au format Microsoft Reader et PDF. Le catalogue compte à ce jour 117 titres.

Numilog  

www.numilog.com

Numilog est une librairie en ligne de livres numériques à télécharger, pour les ordinateurs ou les e-books.

PocketPC Paradise 

www.pocketpcparadise.com/pages/ebooks.htm

De nombreux eBooks librement téléchargeables vous attendent sur ce site.

Textes rares 

www.textesrares.com

Ce site propose des témoignages sur le monde de l'édition du XVe au XIXe siècle, en textes et en images.

Livres : vente

2xMoinsCher

www.2xmoinscher.com/livres

Vendez simplement et achetez en toute sécurité vos DVD, jeux vidéo, CD, téléphones, PDA et votre matériel informatique d'occasion à moitié prix. Plus de 300 000 produits sont référencés.

AaZbooks.com

www.aazbooks.com

Achat, vente et estimation de livres anciens et modernes, rares et d'occasion : ésotérisme, histoire, littérature, beaux-arts, bandes dessinées.

Abebooks.fr

www.abebooks.fr

Marché en ligne du livre ancien, rare et d'occasion.

Akilit

www.akilit.com

Achat et vente de livres d'occasion, toutes destinations, paiement sécurisé.

Alsatia

www.forum-alsatia.com

Le groupe Alsatia maîtrise les différents métiers livre, musique, vidéo, multimédia, papeterie depuis de nombreuses années, sous les enseignes Forum Espace Culture, RUC, Alsatia et Maison de la presse. Une offre proposée par des équipes de spécialistes à la recherche permanente du conseil et du service.

Amazon.fr

www.amazon.fr

Tous les livres, CD, DVD et vidéos de A à Z. Livraison express en France et dans le monde.

Argus du bibliophile

www.argusdubibliophile.com

L'argus du bibliophile a pour fonction de mettre sur la Toile les résultats de ventes de livres, manuscrits, autographes, photographies et œuvres touchant la bibliophilie.

Art design sélection

www.artdesign.fr

Librairie en ligne du design et de la création.

Artazart, la librairie de création

www.artazart.com

Sur la librairie d'art Artazart : vente et achat sécurisés en ligne de livres d'art, de graphisme, de photojournalisme, de décoration, de design, etc. Tous les livres sont chroniqués et peuvent être consultés en ligne.

Axelea, la librairie française virtuelle

e-bus.diese-software.com/cgi-bin/ncommerce3/CategoryDisplay?cgrfnbr=2376&cgmenbr=1877

Axelea propose un choix de 350 000 livres en français et ses sélections littéraires. Commande en ligne, paiement sécurisé, livraison express dans le monde entier.

Bibliothèque des introuvables

www.lesintrouvables.com

Vous trouverez sur les quatre sites thématiques rattachés à cette page une sélection de livres essentiels qui étaient devenus impossibles à trouver.

Chapitre.com

www.chapitre.com

Chapitre.com permet d'acheter en ligne tous les livres français, y compris les introuvables : plus de 8 millions de livres et de revues référencés. Les commandes en ligne sont sécurisées et la livraison gratuite au-delà d'un certain montant.

Decitre

www.decitre.fr

La librairie Decitre propose quelque 500 000 titres consultables en ligne. La recherche d'un titre peut s'effectuer de façon thématique ou par mots clés.

Dipresse.com

www.dipresse.com

Abonnement en ligne aux magazines et revues, achat de hors-séries, anciens numéros, goodies, en direct avec les éditeurs de presse. Adhésion et don aux associations caritatives et humanitaires. Catalogues de vente par correspondance.

Electre

www.electre.com

Electre propose 400 000 livres disponibles et à paraître en langue française.

Fnac

www.fnac.com

Fnac.com propose plus d'un million de produits culturels : livres, disques, jeux vidéo, CD-ROM, vidéos, DVD, billets de spectacles et matériels techniques.

France Loisirs

www.franceloisirs.com

Site du club France Loisirs. Parcourez le catalogue et découvrez les avant-premières et les services du club.

Furet du Nord

www.furet.com

Au programme : vente en ligne de livres dans la librairie Furet du Nord, actualités littéraires, forums de discussion, sélection de livres.

Gibert Jeune

www.gibertjeune.fr

Le site de Gibert Jeune permet de visiter les rayons des magasins, d'accéder à la bourse aux livres et d'en savoir plus sur le groupe.

Intermagazines.com

www.intermagazines.com

Service d'abonnement à la presse magazine française : fortes réductions, abonnements d'essai, abonnements à durée libre.

Itinéraires

www.itineraires.com

Librairie spécialisée dans la connaissance des pays étrangers et les voyages. Base de données de 14 000 livres et cartes.

Journaux.fr

www.journaux.fr

Leader français de la vente de revues, magazines, journaux, presse en ligne. Anciens numéros ou nouvelles parutions en vente en librairie et maison de la presse.

La Documentation Française 

www.ladocumentationfrancaise.fr

Cette librairie en ligne propose le catalogue général des publications, périodiques et collections des administrations, publications du CAE, dossiers d'actualité, un an d'actualité internationale, centres de documentation.

La librairie au féminin

www.librairieaufeminin.com/default.htm

Sélection de livres pratiques écrits par et pour des femmes.

La Procure.com 

www.laprocure.fr

La Procure est un réseau national de librairies. Retrouvez le catalogue en ligne : plusieurs milliers de livres, de la petite enfance aux grands courants spirituels de l'histoire des religions.

Lalibrairie.com 

www.lalibrairie.com/php/emploi/Accueil.php

Lalibrairie.com offre un vaste choix de livres, disques, CD, CD-ROM, vidéos, jouets et produits culturels.

L'appel du livre 

www.appeldulivre.fr/appel.htm

L'appel du livre, c'est un service rapide et économique pour obtenir des ouvrages français ou étrangers de toute origine. Les délais sont de 24 h à 5 jours pour les livres français, de 24 h à 5 semaines pour les livres étrangers.

Le Monde en tique 

www.lmet.fr

Site de la librairie informatique, sciences et techniques, Le Monde en tique.

Lelibraire.com 

www.lelibraire.com

Lelibraire.com offre à tous les livres de littérature une place sur le Web : roman, poésie, théâtre, essai, policier, jeunesse. Des milliers d'articles critiques et de pistes de lecture.

Le-livre.com, Livres anciens 

www.le-livre.com

Le-livre.com donne accès à des milliers de références de livres anciens, d'occasion et rares. La recherche d'un livre ne demande que quelques clics de souris et le paiement est sécurisé.

Librairie de l'Etudiant 

www.letudiant.fr/libletudiant/default.asp

La librairie en ligne de l'Etudiant présente et diffuse de nombreux ouvrages (guides, magazines, annuaires) en rapport avec les étudiants.

Librairie Dialogues   

www.dialoguesenligne.com

La librairie Dialogues est un lieu culturel consacré aux livres (conseils de lectures, dossiers, portraits d'écrivains, notes bibliographiques pour les étudiants), mais c'est aussi une galerie d'art (exposition de peinture, photographie, sculpture) et un point de rencontre pour les écrivains.

Librairie en ligne des livres spécialisés

www.libriszone.fr

Vente en ligne de livres et de services sur le livre et la lecture.

Librairie Lavoisier

www.lavoisier.fr

Librairie en ligne spécialisée dans la vente de livres scientifiques et techniques : mécanique, droit, gestion, informatique, mathématiques, chimie, économie, physique, urbanisme, sciences de la vie et de la terre, etc.

Librairie médicale et scientifique

www.lms-Web.com

Site des librairies médicales et scientifiques de Nantes et de Rennes : trente ans de savoir-faire au service du livre scientifique.

Librairie Mollat

www.mollat.com

Première librairie indépendante de France, la librairie Mollat propose un vaste choix parmi ses 150 000 titres en stock, des conférences, rencontres et débats, une galerie d'exposition et une galerie d'art contemporain.

Librairie Pantoute

www.librairiepantoute.com

Librairie indépendante québécoise : achats sécurisés en ligne, service personnalisé, livraison internationale, actualités, entrevues et dossiers exclusifs, livres du mois, nouveautés, incontournables pour bouquiner différemment…

Librairie Sauramps

www.sauramps.com

Découvrez et visitez une véritable librairie multispécialisée en ligne (130 000 livres en stock) : nouveautés, ouvrages de fond, rencontres d'auteurs et signatures, coups de cœur et critiques des libraires, vente et livraison en France et dans le monde.

Librairies Privat

www.privat.fr

Les Librairies Privat sont présentes en France et en Belgique à travers plusieurs enseignes regroupant plus de 30 magasins. Grâce au site, accédez à la librairie Privat la plus proche de votre domicile et prenez connaissance des animations à venir (signatures, festivals, conférences, etc.).

Librairies, bibliothèques

www.liensutiles.org/bibl.htm

Liste de sites de librairies ou bibliothèques.

Librissimo.com

www.librissimo.com

Le numérique est au service du livre : Librissimo.com propose la réédition en fac-similés de 500 000 livres anciens des fonds documentaires des grandes bibliothèques, de Gutenberg au XXIe siècle.

Livre occasion

www.7utile.com/boutique/livre-occasion.php

Achetez et vendez des livres d'occasion en toute sécurité sur ce site.

Livres anciens

www.galaxidion.com

Marché du livre ancien : agenda, catalogue, recherche, glossaire, librairies.

Livres-occasion.net 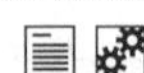

www.livres-occasion.net

Sur le site Livres-occasion.net, vente en ligne de livres d'occasion, de bandes dessinées, de revues et de jeux.

Novalis.fr 

www.novalis.fr

Novalis.fr propose plus de 3 millions de références de livres français neufs, anciens et d'occasion, livres numériques, anglais, espagnols, allemands, italiens, mais aussi des CD, DVD, vidéos, CD-ROM, produits high-tech, fleurs et jouets.

Pearson Education France 

www.pearsoneducation.fr

Maison d'édition, Pearson Education France publie des livres pratiques pour les particuliers et les professionnels et des ouvrages universitaires, en management et en informatique.

Planète achat, espace livres

planeteachat.2xmoinscher.com/LIVRES/index.asp

La meilleure façon d'acheter et de vendre des livres à prix fixe. C'est moins cher, facile, rapide, et entièrement sécurisé.

Planète achat, espace livres pour enfants 

www.planeteachat.com/livre/livres_Enfants.shtml

Guide d'achat de livres pour enfants.

PriceMinister 

www.priceminister.com/livres-bd

Sur PriceMinister : achat et vente de livres et de BD d'occasion.

Proxis 

www.proxis.com

Vente en ligne de livres (plus de 2,6 millions) et de CD audio (plus de 370 000) à prix discount.

Ulysse

www.ulysse.fr

La librairie Ulysse propose plus de 20 000 ouvrages neufs et anciens, des cartes et revues sur tous les pays.

Vente de Livres 

vente.beabase.com/vente-de-livres.htm

Ce site donne accès à plusieurs boutiques de vente en ligne et par correspondance de livres neufs, anciens et d'occasion.

Vente-livres.com

vente-livres.com

Vente-livres.com : la façon la plus simple d'acheter des livres sur Internet.

Via Presse 

www.viapresse.com

Offres d'abonnement à tous les magazines,

quotidiens et revues de la presse française à tarifs préférentiels. Livraison dans le monde entier. Revues de presse thématiques gratuites.

Web GLM

www.grandlivredumois.com

Le club de l'actualité littéraire commercialise dès leur parution les nouveautés de l'édition française : vente en ligne, interviews d'auteurs, dossiers thématiques, promotions, lettre de diffusion.

ZDlibrairie.com

www.zdlibrairie.com

Site de la librairie Ziff-Davis : vente en ligne de livres en français et en anglais, sélection thématique, livre du jour et sujet du mois.

Mode

Anne Fontaine

www.annefontaine.com

Pour découvrir la collection de prêt-à-porter Anne Fontaine.

Au féminin - Mode

www.aufeminin.com/mode/accueilmode.asp

Sur le volet Mode de Au féminin.com : tendance, look, défilés.

Castingmag

www.castingmag.com

Version électronique du magazine Casting, pour ceux et celles qui veulent devenir mannequin.

Colette

www.colette.fr

Le site de la créatrice de mode Colette (Paris).

Dictionnaire de la mode au Québec

www.dicomode.qc.ca

Vous trouverez sur ce site une somme de renseignements sur la mode et le costume au Québec depuis le tournant du XXe siècle. L'univers du vêtement y est abordé par de courts articles centrés sur les personnes, les entreprises, les institutions, les marques de commerce, les associations et les collections qui ont constitué ce domaine et qui continuent à en assurer le dynamisme.

ESMOD International

www.esmod.com

Site de l'Ecole supérieure des arts et techniques de la mode (enseignement supérieur technique privé).

Fashionline

www.fashionline.org/introfr.htm

Fashion-line.org est un site vraiment complet sur la mode : magazine (tendances, reportages, interviews, agenda et photos), base de données des fabricants et marques, importateurs et agents du secteur du vêtement, petites annonces, sites et produits mode européens, coordonnées et dates des salons professionnels européens, liste très complète de liens vers le meilleur de la mode sur le Web.

France 3 Mode

cultureetloisirs.france3.fr/mode

Volet Mode de France 3 : expositions, rendez-vous, haute couture, prêt-à-porter, vidéos de mode.

Francesco Smalto Paris

www.smalto.com

Découvrez la collection couture, prêt-à-porter, accessoires et parfum Francesco Smalto.

Institut français de la mode

www.ifm-paris.org

Centre de formation et d'expertise du textile, de la mode et de l'habillement : enseignement, études, conseil, conjoncture, prospectives, publications.

L'actualité des dernières tendances

www.c-tendance.com 

Site dédié à la mode tendance pour femmes et hommes : photos, galerie vestimentaire et coiffures.

Le Press-book

www.le-press-book.com

Au programme : annuaire des press-books mannequins, modèles photo et photographes de mode, webTV, forum, dialogue en direct, boutique du mannequin, réception gratuite d'annonces de casting sur téléphone mobile.

Lilia Henon 

www.lilia-henon.net

Que vous soyez étudiant, professionnel ou simplement passionné par la mode, vous trouverez sur ce site un lexique reprenant tous les termes utilisés dans le secteur ainsi que des centaines de liens vers des sites de mode (créateurs, écoles, boutiques en ligne, magazines, etc.).

Mode Fashion 

www.modefashion.net

Annuaire et portail de la mode : 1 200 sites et 130 rubriques (mode, coiffure, mannequins, créateurs, stylisme, vêtements, prêt-à-porter, haute couture, tendances, maquillage, écoles, photographie, décoration, design).

Paco Rabanne

www.pacorabanne.com

Découvrez le site de Paco Rabanne : collections et parfums pour hommes et femmes.

Plurielles 

plurielles.tf1.fr/plurielles

Soyez informé des tendances, de l'ouverture de nouvelles boutiques et faites de bonnes affaires dans les stocks et magasins d'usine. Retrouvez les défilés en vidéo, ainsi que des portraits de couturiers et de jeunes créateurs.

Rodier 

www.rodier.tm.fr

Descriptif des marques Rodier femme et Rodier homme, licences de Rodier et du groupe VEV, adresses des boutiques exclusives dans le monde, extraits des collections, lignes d'accessoires Rodier (parfums, montres, bijoux, maillots de bain, chaussures, etc.).

Site officiel de la mode

www.morgan.fr

Visitez l'esprit et l'actualité de la marque de prêt-à-porter Morgan, et découvrez "the art of love".

SOS Mode

www.sos-mode.com

Ce portail donne accès à de très nombreux sites en rapport avec la mode.

WE

www.wefashion.com

WE vend de la mode au détail pour hommes et femmes de 25 à 30 ans. Découvrez la marque et la collection.

Yahoo! Bien-être - Mode

fr.lifestyle.yahoo.com/mode

Page mode de Yahoo! Bien-être : actualité des défilés, shopping, tendances, actualité bien-être et people.

Zapa

www.zapa.fr

Découvrez la collection de prêt-à-porter Zapa pour femmes.

Musées, sites de peintres

Ajaccio, musée Fesch

www.musee-fesch.com

La collection du musée Fesch d'Ajaccio (Corse) propose un panorama de la peinture sur six siècles. Sa collection de peintures italiennes est la plus complète de France, immédiatement après celle du musée du Louvre de Paris.

Artistes peignant avec la bouche et les pieds

www.aapbp.com

Site de l'Association mondiale des artistes peignant avec la bouche et les pieds.

Artothèque de Montréal

www.cam.org/~artotek

Musée ouvert qui fonctionne selon le principe d'une bibliothèque d'œuvres d'art.

Atelier de Paul Cézanne

www.atelier-cezanne.com

Tous les admirateurs de Paul Cézanne le savent bien, c'est dans son atelier que l'on ressent avec le plus d'intensité la présence du peintre. Parcourez virtuellement l'atelier du grand maître à travers ce site et informez-vous sur les modalités de visite.

BonWeb - Arts, Musées et expositions

www.bonweb.com/p_3_68.php

Sélection des meilleurs musées et expositions d'œuvres d'art par bonweb.com.

Centre Pompidou

www.centrepompidou.fr

Le site du Centre Pompidou et du musée national d'Art moderne de Paris.

Cézanne

www.cezanne.com

Le site officiel du grand peintre Cézanne donne des informations sur le petit musée Cézanne d'Aix-en-Provence (lithographies, eaux-fortes, Cézanne par ses amis), donne accès aux reproductions sur toile de vingt-deux des plus célèbres huiles du maître et propose une visite dans la galerie du festival (peintres contemporains et peintres provençaux).

Cité de la musique

www.cite-musique.fr/francais/accueil.html

Découvrez la programmation des concerts et des autres manifestations. Visitez le musée de la musique. Retrouvez toutes les informations concernant l'enseignement et la pratique musicale…

Cité des sciences et de l'industrie

www.cite-sciences.fr

Le site de la Cité des sciences vous dit tout sur les expositions en cours (Explora, Cité des enfants, Techno cité, Argonaute), les spectacles (Géode, Cinaxe, Planétarium, salles Louis-Lumière et Jean-Bertin), la médiathèque, les conférences et le parc de la Villette. A consulter d'urgence avant de visiter la Cité.

Claude Monet

giverny.org/monet/welcome.htm

Un site dédié au grand peintre Claude Monet : son œuvre, les jardins à Giverny, la biographie, des expositions, une bibliographie, Monet dans les musées et Monet par lui-même.

Dinosauria, le musée des dinosaures

www.dinosauria.org

Visite virtuelle du musée des Dinosaures d'Espéraza, fouilles, informations paléontologiques.

Fondation Claude-Monet

www.fondation-monet.com/france/sommaire/index.html

Le site de la fondation Claude-Monet à Giverny : des informations sur Claude Monet, la visite de la fondation, la propriété, le jardin d'eau, le clos normand et les estampes japonaises.

Gérard Museum

www.gerardmuseum.net

Musée virtuel de Gérard de Suresnes.

Institut Curie

www.curie.fr

Ce site présente l'Institut Curie, les conférences, le musée, et donne accès à de nombreux sites apparentés.

La cité internationale de Lyon

www.cite-internationale-lyon.fr

La cité internationale de Lyon : comment s'y rendre, la cité aujourd'hui, le palais des congrès, le musée d'art contemporain.

La guerre de 14-18

www.art-ww1.com/fr/visite.html

Sous le patronage de l'Unesco, les plus grands musées européens rassemblent leurs ressources sur les artistes peintres contemporains de la Première Guerre mondiale.

La médiathèque du musée d'art contemporain de Montréal

media.macm.org

Sélection de sites du musée d'Art contemporain de Montréal. Classement par catégories : artistes, musées, galeries.

La Plume lorraine

perso.club-Internet.fr/wrobel

Site de l'association des peintres de Dombasle et de ses environs.

Lecture musicale multimédia gratuite

www.happynote.com/musique/gratuit/cours/lecture/mu

Ce site propose un ensemble de jeux vidéo pour apprendre la musique en s'amusant. Les jeux peuvent être joués en ligne ou téléchargés.

Léonard de Vinci

www.blue.fr/vinci/menu.html

Léonard de Vinci : sa vie, ses dessins, ses peintures, ses inventions, l'époque Renaissance, bibliographie, liens sur le maître.

Lestampe.com

www.lagravure.com/Accueil.htm

Site entièrement dédié aux estampes anciennes et modernes.

L'Officiel des musées

www.officiel-musees.fr

L'Officiel des musées a pour vocation la création, la fabrication et l'édition d'objets dérivés de musées ou collections privées, comme fabricant ou distributeur sous licence.

Magazin Petar

membres.lycos.fr/magazin

Ce site s'intéresse à la vie des peintres ou à un événement de leur vie particulièrement intéressant ou significatif. De plus, les dessous des tableaux et leurs origines montrent souvent combien l'existence des artistes est exceptionnelle et hors du commun. En découvrant le monde anecdotique de ces êtres de passion, dont certains de leur vivant, d'autres bien plus tard, sont entrés dans le mythe et la légende, vous apprécierez davantage encore leur art.

Métronimo

www.metronimo.com/fr

Ce site propose des documents et activités sur le thème de la musique : logiciels, jeux en ligne, partitions, livres, vidéos, images, sons, textes numérisés, musiques au format MIDI, forum de discussion, annuaire de sites musicaux.

Ministère de la Culture et de la Communication - Musées

www.culture.gouv.fr/culture/exp/musee.htm

La rubrique contient des parcours mettant en lumière les différentes facettes du patrimoine muséographique, monumental, musical et scriptural de la France ainsi que des créations d'artistes.

MNHN

www.mnhn.fr

Le site du Muséum national d'histoire naturelle donne des informations sur les expositions, symposium, séminaires et conférences en cours et donne accès à une base de données scientifique pour effectuer des recherches d'articles précis.

Musée canadien de la nature

www.nature.ca

Le Musée canadien de la nature est votre source d'information sûre et crédible sur le monde naturel. Alimentez votre intérêt pour la nature en découvrant ses expositions, programmes, activités, recherches et collections.

Musée canadien des civilisations 

www.civilisations.ca/cmc/cmcf.asp

Le Musée canadien des civilisations est la plus grande institution culturelle du Canada, et la plus populaire. Les salles d'expositions permanentes illustrent la vie des autochtones de tout le Canada ainsi que l'histoire canadienne.

Musée critique de la Sorbonne

mucri.univ-paris1.fr

Plus qu'un musée, le MUCRI de la Sorbonne est une collection virtuelle de tableaux que l'accompagnement de textes iconologiques (au sens large) tente de célébrer à sa façon. Le choix des œuvres retenues n'est, en principe, dicté par aucun parti pris esthétique particulier.

Musée de la chaussure

amirc.chez.tiscali.fr

Le "grand Choletais" est aujourd'hui la première région française de la chaussure. Le musée se fait vitrine des réalités de la chaussure contemporaine. Il dévoile toutes les facettes de cette industrie moderne et raconte comment hier a fait aujourd'hui. Le site guide le futur visiteur, présente un calendrier des animations et donne tous les renseignements pratiques nécessaires.

Musée de la Marine 

www.musee-marine.fr

Site du musée national de la Marine.

Musée de la Monnaie

www.monnaiedeparis.fr

Le musée de la Monnaie est le premier grand musée de l'histoire monétaire française. Il a fait le choix de privilégier l'approche historique et technique de la monnaie française. On trouve, dans chaque salle, les principales pièces qui ont marqué l'histoire de la monnaie, intimement liée à celle du pays par sa fonction politique, économique, socioculturelle et technique. Le site permet de se faire une idée des douze salles que compte le musée.

Musée de la Publicité

www.museedelapub.org

Laissez-vous guider dans l'univers de la publicité, à travers des thèmes riches et variés. De l'histoire de la publicité à la découverte des créateurs d'antan, vous saurez tout sur la publicité et son univers.

Musée de la Reproduction du son

www.phono.org/Musee/st-fargeau.html

Situé à Saint-Fargeau, dans l'Yonne, le musée de la Reproduction du son rassemble une collection exceptionnelle de phonographes et d'instruments de musique mécanique. L'histoire de la reproduction du son est également évoquée au travers d'illustrations sonores et de documents. Le site donne tous les renseignements pratiques nécessaires au futur visiteur.

Musée de l'Air et de l'Espace du Québec 

aerovision.org/faccueilfr.asp

Situé à Saint-Hubert, le musée de l'Air et de l'Espace du Québec est consacré au patrimoine aéronautique québécois ainsi qu'aux pionniers et héros de l'histoire aérienne du Québec. Ce site donne des informations sur la fondation Aérovision Québec, le musée lui-même, les nouveautés et la boutique.

Musée de l'Air et de l'Espace Ω

www.mae.org

Le site du musée de l'Air et de l'Espace présente l'agenda des expositions, la revue du musée et les autres musées traitant d'aéronautique et d'espace dans le monde. Sans oublier les informations pratiques concernant sa visite (accès, horaires et tarifs).

Musée de l'Armée

www.paris.org/Musees/Armee/info.html

Le musée de l'Armée donne accès à différentes expositions : de Louis XIV à Napoléon III, Première Guerre mondiale, Seconde Guerre mondiale. En consultant son site, vous aurez toutes les informations nécessaires pour optimiser votre visite.

Musée de minéralogie de l'ENSMP

www.musee.ensmp.fr/mineral/musee.html

Le musée de l'Ecole des Mines compte parmi les plus grands musées de minéralogie du monde. Le site donne le détail des actions entreprises durant les deux dernières années.

Musée de Tautavel

www.culture.gouv.fr/culture/arcnat/tautavel/francais/musee.htm

D'une superficie de 3 700 m², dont 1 700 sont ouverts au public, le musée de Tautavel est équipé de consoles interactives qui permettent de prendre connaissance de façon ludique des recherches sur l'homme fossile, effectuées par des chercheurs du monde entier. Le site donne un aperçu en images de ce qui attend le futur visiteur.

Musée des antiquités nationales

www.musee-antiquitesnationales.fr

Le musée des Antiquités nationales (château royal de Saint-Germain-en-Laye) accueille les collections d'archéologie qui retracent, sur plus d'un million d'années, la vie des hommes, des origines au Moyen Age. Le site du musée donne des informations complètes sur la visite du château et les différents éléments exposés.

Musée des Arts et Métiers

www.arts-et-metiers.net

Le site du musée des Arts et Métiers de Paris donne des informations sur l'actualité des expositions et les modalités d'accès.

Musée des Augustins

www.augustins.org/dynaccueil.htm

Le musée des Augustins de la ville de Toulouse abrite depuis 1793 des collections de peinture et de sculpture du début du Moyen Age aux premières années du XXe siècle. Le site du musée donne toutes les informations nécessaires pour optimiser votre visite.

Musée des Beaux-Arts du Canada

national.gallery.ca

Le musée des Beaux-Arts du Canada vous dit tout sur les expositions, activités, collections et programmes. N'hésitez pas à utiliser Cybermuse pour une visite virtuelle : cet outil vaut vraiment le détour.

Musée des Grands Inventeurs

site.ifrance.com/eole/default.htm

Le musée des Grands Inventeurs propose de

découvrir l'œuvre de Clément Ader, de Galilée et de Thomas Edison.

Musée des Sapeurs-Pompiers du Grand Lyon

www.musee-pompiers.asso.fr

Le site du musée des Sapeurs-Pompiers du Grand Lyon propose une visite guidée du musée, une exploration en images des véhicules, casques et pompes à bras utilisées dans le passé, donne accès à de nombreux articles pour les collectionneurs et autres passionnés et propose quelques liens en rapport avec la profession.

Musée des sciences et de la technologie du Canada

www.sciencetech.technomuses.ca/francais/index.cfm

Le MNST est le plus grand musée en son genre au Canada. Sa mission est accomplie au moyen de documents, de photographies, d'expositions, de publications, d'événements spéciaux, de programmes scolaires, d'ateliers, de démonstrations, de conférences, etc.

Musée d'Ethnographie de Neuchâtel

www.men.ch

Histoire, collections, expositions et publications du musée d'Ethnographie de Neuchâtel.

Musée d'Orsay

www.musee-orsay.fr

Le site du musée d'Orsay.

Musée d'Orsay, visite guidée

www.myparisnet.com/visite/orsay.F.php

Visite guidée du musée d'Orsay. Découvrez toutes les salles du musée, plus de 100 photos panoramiques et l'histoire de la gare d'Orsay.

Musée du Cirque de Vatan, Berry

www.musee-du-cirque.com

Grâce au musée du cirque de Vatan (36), découvrez l'univers magique du cirque : historique, visite, voyage dans le chapeau du clown.

Musée du Jouet

www.musee-du-jouet.com

L'exposition permanente présente une collection unique de 2 000 jouets du XIXe siècle à nos jours, les techniques de fabrication, une salle audiovisuelle, des expositions temporaires.

Musée du Louvre

www.louvre.fr

Le site du musée du Louvre vous informe sur les différentes activités pratiquées (expositions temporaires, auditorium, visites/conférences et ateliers), vous permet d'effectuer une visite virtuelle et d'en savoir plus sur l'histoire du musée et les collections qui y sont présentées. Sans oublier les renseignements nécessaires concernant la vente de billets et les horaires d'ouverture. Possibilité d'achats en ligne.

Musée du Quai Branly

www.quaibranly.fr

Visite virtuelle du musée du Quai Branly : art et ethnographie des peuples et cultures d'Afrique, d'Asie, d'Océanie, d'Amérique.

Musée du Québec

www.mdq.org

Outre les renseignements pratiques concernant l'accès au musée, sa boutique, les collections et les expositions actuelles, le site du musée du Québec propose un parcours thématique tout en images et une visite virtuelle (QuickTime VR).

Musée du Vin

www.museeduvinparis.com

Le site du musée du Vin de Paris.

Musée Electropolis

www.electropolis.tm.fr

Electropolis, basé à Mulhouse, est le plus grand musée d'Europe consacré à l'électricité. Sur son site, vous trouverez les informations pratiques concernant son accès, vous pourrez effectuer une visite virtuelle du musée, accéder au point presse, connaître les prestations du musée, avoir un aperçu des diverses collections présentées et de la boutique.

Musée Guimet 

www.museeguimet.fr

Site officiel du musée Guimet, consacré à l'art asiatique. Formées de plus de 50 000 objets d'art représentatifs de la culture asiatique, les collections couvrent l'ensemble du continent asiatique.

Musée Jean-de-La-Fontaine 

www.la-fontaine-ch-thierry.net

Le musée Jean-de-La-Fontaine est installé à Château-Thierry, dans la maison natale du célèbre conteur. Son site vous dira tout sur le musée, les collections et expositions, les fables et leur morale…

Musée jurassien des sciences naturelles

www.jura.ch/lcp/musee/home.html

Ce site vous permet de faire une visite virtuelle du musée. Riches de plus de 85 000 pièces, les salles renferment essentiellement des roches, minéraux, fossiles, oiseaux, coléoptères, mammifères, herbiers, et autres objets provenant des quatre coins de la planète, ainsi que du Jura.

Musée national du Moyen Age 

www.musee-moyenage.fr

Préparez votre visite au musée du Moyen Age de Cluny, à Paris.

Musée national Picasso

www.musee-picasso.fr

Sur le site officiel du musée national Picasso de Paris : présentation des collections, de l'hôtel "Salé", et biographie de Pablo Picasso. De nombreuses œuvres de Picasso, tableaux et peintures, sont également commentées.

Musée Nicéphore-Niepce

www.museeniepce.com

Le musée Niepce conserve les premiers appareils photographiques du monde et présente une exceptionnelle collection d'appareils de toutes époques.

Musée Rodin

www.musee-rodin.fr

Ce site franco-anglais propose une visite des sculptures de Rodin et des œuvres de Camille Claudel.

Musée suisse de spéléologie

www.chamoson.ch/speleo

Par le biais du Musée suisse de spéléologie et de ses multiples activités, vous serez amené à découvrir le monde souterrain et ses mystères. Le site propose une visite guidée du musée, des initiations à la spéléologie (sur le terrain) et donne les modalités d'accès au musée.

Musées & millénaire

www.mumi.org

L'humanité vue par un réseau de musées et par… vous-même.

Musées belges

www.muse.ucl.ac.be/Musebe/Musebe.html

Ce site recense les musées de la communauté française en Wallonie, les musées de Bruxelles et les musées affiliés à l'association Musées et société en Wallonie.

Musées de la Ville de Paris

www.paris.fr/musees

Le serveur officiel de la Ville de Paris vous dit tout sur les collections, musées et expositions dans la capitale, et donne accès aux sites des monuments et organisateurs.

Musep Online

www.restena.lu/musep/home.html

Ce site offre aux enseignants préscolaires et primaires des leçons de musique prêtes à l'emploi (play-back, partitions, arrangements).

Musicalis

www.musicalis.fr

Ce site propose des cours de musique interactifs avec reconnaissance vocale et audio (solfège, piano, guitare, basse, batterie) ainsi que divers services (annuaire des écoles, actualités musicales, conseils juridiques et petites annonces).

Neandertal

www.neandertal-musee.org

Le site du musée de l'Homme de Neandertal à La-Chapelle-aux-Saints (Corrèze) présente les différents éléments exposés, vous informe sur le contenu de la librairie et donne les informations nécessaires à son accès.

Observatoire des musées québécois

www.smq.qc.ca

Véritable portail des musées du Québec, l'espace professionnel diffuse des informations stratégiques destinées aux intervenants du milieu muséal, tandis que le volet grand public Musées à découvrir fait connaître les activités et présente les collections des musées de toutes les régions du Québec.

Parc des expositions de Toulouse

www.toulousexpo.com

Le parc des expositions de Toulouse présente ses manifestations et ses différents domaines de compétences : foires, salons, congrès.

Paris nord/Villepinte, parc d'exposition et palais des congrès

www.expoparisnord.com

Le parc d'exposition Paris nord/Villepinte, palais des congrès, est un lieu d'événements accueillant de nombreux salons professionnels internationaux. Salles de congrès, de conférence et de réunion peuvent être réservées en ligne.

Peintres amateurs meylanais

perso.wanadoo.fr/ peintres.meylanais

Site de l'Association des peintres amateurs de la ville de Meylan (Isère).

Peintures, art sur le Web

paintings.free.fr

Archives colossales de peintures sur le Web. Plus de 2 000 tableaux : Picasso, Dali, Magritte, Goya, Velázquez, Léonard de Vinci, Magritte.

Pierre-Auguste Renoir

www.chez.com/renoir

Un site sur le grand peintre Pierre-Auguste Renoir : sa biographie, son œuvre, les liens vers d'autres sites consacrés au maître.

Salut l'artiste

www.salutlartiste.com

Découvrez les créations de Yanne Lauer, artiste peintre polyvalente : aquarelles, pastels, portraits d'après photos, décoration murale et meubles peints.

Salvador Dali

www.sitefun.com/salvadordali

Ce site, réalisé par un passionné du grand peintre Salvador Dali, s'intéresse au musée, aux citations, à la biographie, aux galeries et propose un forum de discussion.

Site Jean Prouvé

www.jean-prouve.net

Tout sur Jean Prouvé et son œuvre.

Société des peintres de montagne

www.chez.com/spm

Fondée en 1898 par le géographe/alpiniste Franz Schrader, la Société des peintres de montagne a pour vocation de promouvoir la qualité et la diversité des œuvres plastiques inspirées par la montagne.

Société du musée canadien des civilisations

www.civilisations.ca/cmcchome.html

Le plus grand musée du Canada et le plus populaire.

Univers Dali

www.universdali.com

Tout sur Salvador Dali : le surréalisme, les concepts du peintre, pervers polymorphe...

Valère Novarina

www.novarina.com

Ce site présente les différents travaux de V. Novarina, écrivain et peintre français contemporain, ainsi que sa bibliographie complète.

Vincent Van Gogh

www.blue.fr/vangogh/menu.htm

Un site sur le peintre Vincent Van Gogh : sa vie, ses peintures, ses dessins, sa correspondance, des liens vers d'autres sites consacrés au maître.

Musique : actualité, portails, magazines

99 octane

www.99octane.com

Plate-forme musicale sur Internet : magazine et guide de liens commentés. Du rock au rap en passant par la musique électronique, mais aussi le jazz, le blues et le reggae.

Alerte rouge

www.alerterouge.com

Au programme : biographies, discographies, toute l'info sur la musique, concerts, forum, etc.

AMB France music

www.ambfrance.com

Magazine d'actualité musicale généraliste, catalogue des sites musicaux et répertoire des studios classés par départements.

Art Zéro

membres.lycos.fr/bsadour/css

Webzine musical généraliste : news, archives, téléchargement d'articles, liste de diffusion.

Ateliers d'ethnomusicologie

www.adem.ch

Les Ateliers d'ethnomusicologie organisent à Genève des concerts et stages de musiques et danses traditionnelles du monde. Ils publient également les Cahiers de musiques traditionnelles, seule revue francophone d'ethnomusicologie.

Atome

www.atome.com

Webzine consacré aux musiques électroniques underground et indépendantes.

Auvergne Contretemps

perso.wanadoo.fr/ auvergne.contretemps

Auvergne Contretemps est le webzine de l'info musicale en Auvergne, remis à jour chaque mois : tout sur les concerts, les sorties de disques, les soirées, les artistes et des places à gagner.

Babelrock

www.babelrock.com

Webzine sur le rock : news, chroniques, quiz et films cultes.

Bobomag

membres.lycos.fr/bobomag

Webzine consacré à la musique, à la technologie et aux divertissements.

Budamusique.com

www.budamusique.com

Un des plus importants sites dédiés aux musiques du monde.

Canal Stars

www.canalstars.fr

Canalstars.com, la chaîne people. Potins, photos, news, interviews : tout ce qu'il faut savoir sur les stars du cinéma, de la musique, de la télévision et du sport. Retrouvez les coulisses du showbiz et des reportages vidéo.

Chanter

www.chanter.com

Tout sur la chanson française : des centaines d'artistes, concerts dans le monde entier, actualités, nouveaux disques, achat de CD, fichiers MIDI et MP3, forum, etc.

Chorus

www.chorus-chanson.fr

Magazine de référence de la chanson française et francophone à travers le monde.

Concertonet.com

www.concertonet.com

Webzine dédié à la musique classique : édito, news, concerts en France et dans le monde.

Culture kiosque  

www.culturekiosque.com

Webzine musical : news, interviews, calendrier, musique classique, opéra, jazz, CD, MP3, etc.

Cybertown.fr  

www.cybertown.fr

News, musique, jeux, chat, forums, rencontres, shopping et services.

Delamusic   

www.delamusic.com

Portail vers plus de 4 000 sites de musique. Inscription gratuite, lettre de diffusion.

Djing musiques électroniques 

www.djing.com

Site dédié aux musiques électroniques : infos, soirées, musique, pratique, boutique.

E-frenchsound  

www.e-frenchsound.com

Site dédié à la musique électronique française : sorties de disques, sélections, liste de diffusion.

Famoustore.com  

www.famoustore.com

Toute la culture multimédia sur Famoustore : idées cadeaux, DVD, BD, vidéocassettes. Livraison rapide sous 48 h.

Five are free 

feigelfeld.david.free.fr

Magazine francophone des loisirs sur Internet : photos, graphismes, MP3, Internet, télévision, société, etc.

Fluctuat.net  

www.fluctuat.net

Magazine et portail culturel : cybercultures, scènes, musique, grandes lignes, cinéma, sorties, expos, livres.

France-diplomatie - Culture 

www.france.diplomatie.fr/thema/dossier.asp?DOS=CULTURE

Centre culturel virtuel offrant bibliothèque, salon de musique, salles d'archéologie, cahiers de cinéma, ressources culturelles et annuaires.

Gene@Star  

www.geneastar.net/fr

Vous êtes-vous jamais demandé qui étaient les ancêtres de quelques célébrités parmi les plus illustres ? Ou peut-être vous demandez-vous si vous ne seriez pas apparenté à l'une d'elles ? Si tel est le cas, voici le site qu'il vous faut !

Geoworld 

www.geoworldmusic.com

Toute l'actualité des musiques du monde.

Infofans 

www.infofans.com

Infofans regroupe de nombreuses informations concernant toutes les célébrités du moment. Retrouvez chaque jour toute l'actualité des stars, les news, photos, économiseurs d'écran et fonds d'écran, skins, etc.

Ircam 

www.ircam.fr

Le site de l'Institut de recherche et coordination acoustique/musique du centre Georges-Pompidou propose des CD, livres, logiciels, un fonds documentaire, des offres d'emploi et de nombreux liens en relation avec la musique.

Journal La Terrasse

www.journal-laterrasse.com

Le journal La Terrasse, la plus importante revue sur les arts vivants en Ile-de-France : théâtre, danse, musique classique, opéra, jazz, musiques du monde.

La musique classique

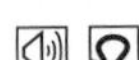

membres.lycos.fr/musiqueclassique/xavier.htm

Vous trouverez sur ce site de nombreuses biographies sur les compositeurs de musique classique.

La page des anniversaires

membres.lycos.fr/anniversaires

La page des anniversaires vous permet de savoir quelle célébrité est née le même jour que vous (plus de 1 900 personnalités répertoriées).

La Scena musicale online

www.scena.org

La Scena musicale online est un magazine de musique classique mensuel gratuit contenant des entrevues, des articles, et des critiques de CD aux formats HTML et PDF.

Le portail média - Musique

www.portail-media.com/rubriques/music.htm

Toute la musique sur le portail média : jazz, musique classique, rock, presse musicale, etc.

Les métiers du classique

www.metiers-du-classique.com

Les Métiers du classique, un magazine de services pour les professionnels de la musique classique.

M6Music.fr

m6music.m6.fr

Portail de l'actualité musicale : communauté, sorties CD, musique gratuite, musique en ligne, Webcast, webTV.

Maxi records

net.for.free.fr/maxirecords

Le site des passionnés de disques : conseils, infos, liens, vente de disques vinyle et CD maxi 45 t, maxi CD, single, album, collectors tous groupes et tous styles, années 70, 80, 90, 2000.

MCM.net

www.mcm.net

Actualité à chaud du rap, rock, techno et variétés, infos cinéma, multimédia et glisse. Retrouvez les interviews et les concerts live, les programmes TV et la webcam du MCM Café, sans oublier l'annuaire, la lettre de diffusion et les jeux concours.

Mondomix

www.mondomix.com/francais/sommaire_fr.php

Un regard actuel et fédérateur sur les musiques du monde. Retrouvez tous les artistes, les labels, les médias, les concerts et les festivals de world music.

Move-x

www.move-x.com/index.html

Webzine dédié au high-tech, à la musique et aux sorties.

Musicactu.com

www.musicactu.com

Référence des professionnels de la musique et du grand public. Radio, scène française et internationale.

Musical infos magazine

Web.fdn.fr/~musical/info- frame.html

Chaque semaine, les dernières nouvelles musicales, les bons plans et les bonnes adresses de magasins de musique, bars musicaux, sélection de sites musicaux.

Musique mécanique

www.musiquemecanique.fr

Ce site est dédié aux musées de musique mécanique de France : liste des musées, historique, articles, éditions musicales, restaurateurs, liens, événements.

Musique-Chansons

www.liensutiles.org/musique.htm

Sites relatifs au monde de la musique par Liens Utiles.org.

MuzikoMondo

www.muzikomondo.com

Muziko Mondo, site d'échanges, de débats et d'informations concernant la world music, la roots music et toutes les musiques traditionnelles du monde.

Peoplesound.fr

www.muzikomondo.com

Premier site de téléchargement de MP3 en Europe.

Percussions.org

www.percussions.org

Tout, tout, tout sur les percussions : artistes, associations, disques, MP3, pédagogie, événements, etc.

Piranas.com

www.piranas.com

Toutes les musiques actuelles en Essonne : concerts, artistes en écoute, contacts, adresses, liens et infos.

Planète hits

www.chez.com/autret

Sélection de liens vers les hit-parades de toute la planète.

Presto

www.nordnet.fr/presto

Grâce au webzine Presto, surfez sur la musique électrique et vivante.

Radio Latina

www.latina.fr

Radio officielle de la fiesta, émission en direct, programmes et fréquences, interviews, agenda des concerts et bonnes adresses latines.

RFO, actualité DOM-TOM

www.rfo.fr

Site d'informations d'outre-mer qui permet d'écouter quotidiennement les journaux radio locaux.

Sefronia

www.sefronia.com/chronique/chroniques.asp

Webzine musical qui propose des chroniques pop, rock et jazz.

Soit dit en passant

membres.lycos.fr/soitdit

Magazine musical indépendant en ligne : chroniques de disques, reportages, photos, MP3 inédits, vidéos, interviews.

Sound Of Violence

www.soundofviolence.net

Ce portail vous informe sur l'actualité de la musique pop anglaise, les concerts et les sorties d'albums.

Stars oubliées

www.stars-oubliees.com

Le panthéon des stars francophones. Venez visiter le plus grand grenier du Web !

Technikart

www.technikart.com

Technikart, magazine culture critique, fournit infos bizarres et scoops sur la censure, la dissidence, la conspiration et la contestation. Tout savoir pour sortir branché à Paris. Actualités de la musique, du cinéma, de la radio, de la télévision, du cyber et des livres.

Thesaurus

www.ifrance.com/thesaurus

Espace dédié à la musique instrumentale : bande sonore, musique d'ambiance, bandes originales, objets à sampler, musiques de fond, compilations à garnir, remixeurs en tout genre, etc.

Tirelipimpon

www.tirelipimpon.com

Sur ce site sont réunis les plus grands noms de la chanson, de Carlos à François Valéry.

Ultime Music

ultime-music.com

Au programme : agenda des concerts, spectacles et festivals, foires aux disques, annuaire des professionnels de la musique, actualité des sorties d'albums, vente de disques neufs et occasion, boîtiers et pochettes de protection pour CD, vinyles et DVD.

Virgin Mega

www.virginmega.fr/default2.asp

Magazine en ligne des nouvelles tendances de la musique, de la hype et des cultures.

VoiStars

www.voistars.com

L'annuaire de recherche VoiStars.com sélectionne les meilleurs sites de stars gratuits.

Webmusik

membres.lycos.fr/webmusik

Webmusik propose des fiches descriptives sur de nombreux artistes rock et reggae, des tablatures et paroles de 42 groupes rock, donne accès aux meilleurs magazines et sites de musique du Net, fournit plus de 200 fichiers MP3, des players, encodeurs, skins, un chat pour parler avec des passionnés, une FAQ musique, une FAQ MP3 et les plug-in indispensables pour écouter de la musique sur un ordinateur.

Wsound.com

www.wsound.com

Le site de référence des musiques électroniques : chroniques, interviews, playlists, agenda des soirées, mix en RealAudio, MP3 gratuits de qualité, etc.

Zicazic

www.zicazic.com

Ce portail propose aux groupes et artistes musiciens de présenter leurs productions et ainsi d'être découverts par le public. Il offre également un contenu éditorial très riche : news, chroniques CD, interviews, comptes rendus de concerts et dossiers complets.

Zicline

www.zicline.com

Guide de la musique sur Internet, jazz, rock, blues, alternative, soul, pop, metal, heavy metal, fusion, trash, trip-hop, hip-hop, rap, funk, reggae.

Musique : annuaires, moteurs

1001 Musiques

www.1001musiques.com

Vous trouverez ici des milliers de liens vers des sites musicaux classés par genres : rock, rap, pop, reggae, techno, punk, heavy.

Akapela

www.akapela.com/annuaire

Annuaire de la musique française : artistes, concerts et festivals, éditions musicales, genres musicaux, guides, législation et financement, médias, paroles et partitions, services, vente et téléchargement.

Annuaire musique

www.annuaire-musique.net

L'annuaire de musique que vous recherchiez : groupes, labels, tablatures, partitions.

BonWeb - Musique, moteurs MP3

www.bonweb.com/p_3_519.php

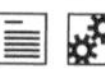

Sélection des meilleurs moteurs de recherche de MP3 par bonweb.com.

BonWeb - Musique, MP3 P2P

www.bonweb.com/p2p-musique-culture.php

Sélection des meilleurs moteurs d'échange de MP3 en pear-to-pear par bonweb.com.

BonWeb - Musique, portails MP3

www.bonweb.com/p_3_364.php

Sélection des meilleurs portails dédiés au MP3 par bonweb.com.

BonWeb - Musique, utilitaires MP3

www.bonweb.com/p_3_351.php

Sélection des meilleurs sites qui proposent des utilitaires MP3 en téléchargement par bonweb.com.

Karaoké MP3

www.karaoke-mp3.net

Sur ce site, vous pouvez télécharger gratuitement un logiciel de karaoké MP3 et de nombreux hits MP3 du moment.

Les annuaires - musique

www.lesannuaires.com/annuaire-musique.html

Rubrique de l'annuaire proposant une liste d'annuaires et moteurs de recherche spécialisés sur la musique : labels, maisons d'édition et artistes, instruments, logiciels et conseils pour le musicien.

L'internaute - musique

www.linternaute.com/annuaire/musique/index.shtml

Sélection de sites en rapport avec la musique : MP3, actualité musicale, spécial musicien, Net radio.

Musique : associations, écoles

3D Family

www.3dfamily.org

Cette association pour les musiques jazz et world présente ses artistes et son école de jazz.

Acadomia Musique

amusique.free.fr

Acadomia propose des cours de musique à domicile en s'appuyant sur une méthode adaptée au rythme d'apprentissage de chacun. Tous types d'instruments : piano, violon, violoncelle, flûte traversière, flûte à bec, clarinette, hautbois, saxophone, guitare, basse, accordéon, harmonica, etc.

AMP

www.ampconcerts.com

L'association Musique et Patrimoine organise des concerts dans les plus beaux monuments et églises de Paris. Le site de l'association donne les lieux et horaires des concerts et permet d'effectuer vos réservations en ligne.

Apprendre la guitare

www.apprendrelaguitare.com

Vous trouverez ici un répertoire des écoles de musique, des associations musicales et des cours particuliers de guitare ainsi que des ressources gratuites pour guitaristes tout style.

Association Fou de Basson

www.foudebasson.com

Ce site présente l'association Fou de Basson qui œuvre pour le développement du basson en France : calendrier d'activités, annonces, médiathèque, colloque, pédagogie, discothèque, galerie, liens.

Association française du hautbois

perso.wanadoo.fr/hautbois

L'Association française du hautbois vous dit tout sur cet instrument : origine, instruments traditionnels, baroques et modernes, luthiers, anches, roseaux, orchestres, disques et concerts.

Association Science et musique

www.scm.espci.fr

L'association Science et Musique vous propose : la pratique musicale, l'écoute musicale, des conférences sur le thème Science et musique.

Harmonya, la méthode musicale

www.harmonya.com

Le site Harmonya propose une méthode réalisée pour des bassistes, basée essentiellement sur des schémas. Si nécessaire, cette méthode peut être convertie pour les guitaristes.

Musique en herbe

www.musique-en-herbe.com

Musique en herbe mène des projets musicaux dans les lieux d'accueil de la petite enfance (écoles, crèches, PMI) pour éveiller le sens artistique de l'enfant.

Musique et santé

www.musique-sante.com

L'association Musique et Santé, née de la rencontre entre des musiciens et des professionnels de la santé, développe des projets dans les hôpitaux, les lieux de santé et du handicap.

Musique nouvelle en liberté

mnl-paris.com

Le site MNL propose de nombreuses informations et documentations sur la musique contemporaine.

Piano Guitare

pianoguitare.ca

Claude Saindon donne gratuitement des notions de guitare aux débutants.

Musique : chanteurs, musiciens, groupes

A-HA

www.aha-fr.com

Premier site francophone sur le groupe A-HA composé de Morten Harket, Paul Waaktaar Savoy et Magne Furuholmen : infos, média, fans, forum, chat, lettre de diffusion, etc.

Alain Bashung

alainbashung.artistes.universal music.fr

Parcours de l'artiste français, chanteur pop-rock et acteur, en passant par Gaby, Joséphine, Climax et son dernier disque. Biographie, discographie, filmographie, actualité, extraits musicaux.

Alain Chamfort

www.sonymusic.fr/chamfort

Site du chanteur Alain Chamfort : biographie, discographie, nouvel album.

Alain Mion, pianiste entre jazz et blues

www.alainmion.com

Découvrez le site du jazzman Alain Mion : soul jazz pianiste au swing direct et fin avec un titre live téléchargeable au format MP3.

Alain Souchon

www.alainsouchon.net

Le site officiel d'Alain Souchon.

Alicemusik

www.alicemusik.com

Alice and the Serial Numbers : musique électronique, photos, liens.

Alizée - Le site officiel

www.moi-alizee.com

Retrouvez toutes les infos concernant Alizée sur son site officiel : discographie, biographie, photos inédites, calendrier promo.

Anastacia

www.sonymusic.fr/anastacia

Le site officiel d'Anastacia : actualité CD, concerts, biographie, sons, vidéos.

Annuaire des groupes français

www.info-groupe.com/

Info-groupes présente les groupes musicaux français de manière précise et complète : photos de concerts, descriptif du groupe, musiciens, extraits musicaux, discographie, contacts, agenda.

Assassin Productions

www.assassin-productions.fr

Découvrez l'actualité du groupe Assassin : discographie, textes, attitudes, censures, concerts, sons.

Autour de Lucie

autourdelucie.artistes.universal music.fr

Site officiel du groupe de pop-rock français Autour de Lucie : nouveautés, dates des concerts, nouvel album, extraits audio et vidéo.

Axelle Red

www.axelle-red.com

Le site officiel d'Axelle Red : biographie, discographie, musiques et paroles, concerts, archives photo, presse.

Barbara

www3.sympatico.ca/pvigot/barbara.html

Un site dédié à la chanteuse Barbara : biographie, disques, chansons, presse, liens, recherches, à l'affiche.

Björk, the iceland saga

www.jemenvol.com

Découvrez la chanteuse islandaise Björk : news, paroles et traductions, extraits sonores et vidéo, biographie, plus de 100 photos.

Bonin

www.bonin-ouaib.com

Découvrez le chanteur virtuel Bonin Ouaib. Un site très réussi et plein d'infos sur ce groupe pop-rock.

Céline Dion

www.sonymusic.fr/celineonline

Le site officiel de Céline Dion : news, informations sur ses tournées, son et vidéo.

Champs paraboliques

www.charlelie.com

Le site officiel de Charlélie Couture.

Charles Gounod

www.charles-gounod.com

Site consacré à Charles Gounod, compositeur français (1818-1893) : Faust, Mireille, Roméo et Juliette, Ave Maria, Messe de sainte Cécile, etc. Biographie complète, discographie, bibliographie, photos, tableaux et conférences.

Claude François

www.ifrance.com/jacquinot

Ce site rend hommage au chanteur Claude François.

Claude Nougaro

www.nougaro.com

Le site officiel de Claude Nougaro : interviews, discographie, bibliographie.

Daniel Guichard

www.daniel-guichard.com

Site consacré à Daniel Guichard, chanteur français très populaire pendant les années 70. Au programme : biographie, discographie et forum pour discuter entre fans.

Dany Brillant

www.danybrillant.com

Le site officiel du chanteur Dany Brillant.

David Hallyday - Site officiel

davidhallyday.artistes.universal music.fr/main/detect.html

Site officiel du chanteur de pop-rock David Halliday : présentation de l'artiste, biographie, discographie, photos, etc.

David Hasselhoff

hasselhoffsite.free.fr

Tout sur le chanteur David Hasselhoff : sa discographie complète, les paroles de ses chansons, plus d'une centaine d'extraits en MP3, des vidéos, des photographies en 3D, des jeux, un chat, un forum, etc.

Deep Forest

www.sonymusic.fr/deepforest

Site officiel du groupe Deep Forest : biographie, discographie, liens, vidéos, interview.

Deftones

www.damone.org

Site francophone dédié à Deftones : actualité, multimédia, photos, tablatures, biographie, paroles, discographie, articles de presse et tournées.

Depeche Mode, le site belge

www.depechemode.be

Site belge consacré au groupe Depeche Mode : news, concours, sondage, e-card, karaoké, téléchargement.

Destination Noir Désir

destination.noir-desir.com

Voyage dans l'univers de Noir Désir : news, discographie, biographie, presse, tablatures et textes, photos, liste de diffusion, forum, sondage, etc.

Diane Dufresne

www.dianedufresne.com

Le site officiel de Diane Dufresne : chansons, musique, spectacles, danse, voyages, expériences.

Edouardo

membres.lycos.fr/edouardo

Le site du chanteur Edouardo propose dix chansons en streaming RealAudio.

Eric Serra

www.ericserra.com

Le site officiel du bassiste/compositeur Eric Sierra.

ER's Lenny Kravitz Collection

www.lennykravitz.fr.st

Collection privée sur Lenny Kravitz : CD, vinyles, VHS et DVD, cartes postales, cartes téléphoniques, magazines, etc.

Et toi, t'écoutes quoi

www.tekoutkoi.com

Découvrez quatorze artistes et leurs albums, et participez au jeu concours.

Etienne Daho

www.etiennedaho.com

Le site officiel d'Etienne Daho.

Faudel

faudel.artistes.universalmusic.fr

Site officiel de l'artiste qui mélange chanson française et musique raï. Découvrez son album Samra, sa biographie, sa discographie et les dates de ses concerts.

Festival de la chance

membres.lycos.fr/dami4e

Lors du festival annuel de la chance, des talents de la chanson française (auteurs, compositeurs et/ou interprètes inédits) peuvent présenter le fruit de leur travail.

Festival international de Piano

www.festival-piano.com

Ce site présente le festival international de piano de La Roque-d'Anthéron, en Provence. Vous y trouverez le programme des différents concerts de piano, musique classique et jazz, ainsi que les informations pour y participer ou pour acheter vos places de concert.

Florent Pagny

www.florentpagny.net

Site officiel de Florent Pagny : albums, dates de concert, paroles des chansons, partitions, tablatures.

Fondation Jacques-Brel

www.jacquesbrel.be

Le site officiel de la fondation internationale Jacques-Brel : biographie, discographie, filmographie.

Francis Cabrel

www.franciscabrel.com

Le site officiel de Francis Cabrel.

Françoise Hardy

www.francoise-hardy.com

Site officiel de Françoise Hardy : tout Françoise des années 60 à aujourd'hui.

Garou

www.garouland.com/index.html

Site du chanteur québécois Garou : actualités, musique, biographie, photos et vidéos, tournées et événements, communauté, boutique.

Georges Guétary

home.tiscali.be/georgesguetary

D'abord catalogué chanteur de charme, Georges Guétary est très vite assimilé à Robin des Bois : Londres, Broadway, Hollywood et le Québec s'intéressent aussitôt à son image idéale de jeune et bel aventurier, une image qu'il tentera pourtant d'écorner.

Gnawa Diffusion

www.gnawa-diffusion.com

Site du groupe français Gnawa Diffusion.

Heimdall

membres.lycos.fr/heimdall/gulltopp.htm

Site consacré aux artistes Mike Oldfield (biographie, discographie, liens, fichiers MIDI, MOD et MP3, photos, quiz) et Alan Parsons (biographie, fichiers MIDI et lyrics) et propose quelques fichiers MOD sympa.

Hurleurs

hurleurs.artistes.universalmusic.fr

Site officiel des Hurleurs. Entre rock et chanson, entre déchirures acoustiques et sensualité électrique.

IAM

www.iam.tm.fr

Site officiel du groupe marseillais IAM : nouvel album, le groupe, news, show room.

Indochine

www.indo.fr

Le site officiel du groupe Indochine.

Isabelle Boulay

www.isabelleboulay.com

En moins de dix ans de carrière, la chanteuse québécoise Isabelle Boulay a vendu plus de deux millions d'exemplaires de ses disques dans toute la francophonie.

J.-L. Murat

www.jlmurat.com

Site officiel de Jean-Louis Murat. Découverte du dernier album Lilith, galerie d'autoportraits, rendez-vous, forum, discographie complète, surprises.

Jacques Higelin

www.higelin.com

Un site très complet sur Jacques Higelin : discographie, biographie, vidéographie, tvgraphie, filmographie, collectors, concerts, photos, liste de diffusion et forum.

Je dis aime

www.jedisaime.com

Le site officiel de M : toute l'actualité, vidéos, concerts, goodies, news, interviews, reportages exclusifs.

Jean Ferrat

www.paroles.net/artis/1360

Paroles de près de 200 titres de Jean Ferrat, référencés par ordre alphabétique.

Jean-Jacques Goldman

www.parler-de-sa-vie.net

Le site officiel de Jean-Jacques Goldman : actualité, biographie, chansons, essais, discographie, concerts, interviews, livres.

Jenifer

membres.lycos.fr/jbartoli

Site complet sur Jenifer Bartoli, gagnante de la Star Academy 1. Vous y trouverez des news, des photos, des infos, des interviews, ses dates de concerts, etc.

Johnny Hallyday

johnnyhallyday.artistes.universal music.fr/home.do

Tout sur la vedette du rock : dossiers, flashback, clips, discographie complète, photos, etc.

Johnny Hallyday - Le Site

www.johnny14.com/menu.htm

Site complet sur Johnny Hallyday : photos, cartes postales, photos de fans, expos, infos, liste de diffusion, liens complémentaires.

Johnny story

johnnystory.free.fr

Tout sur votre Johnny préféré : concerts, photos, fan-club, news, exposition, annuaires de sites, forum, biographie, filmographie.

Julien Clerc - Site officiel

www.julienclerc.com

Découvrez ou redécouvrez la carrière de l'artiste et replongez dans l'ambiance de l'époque.

Lara Fabian

perso.wanadoo.fr/lafabian

Toute l'actualité de Lara Fabian en ligne : photos, sons, vidéos, passages TV, presse, téléchargements, etc.

Lara Fabian, site officiel

www.larafabian.com

Le site officiel de Lara Fabian : nouveautés, biographie, discographie, tournées, liens, paroles, vidéos, photos.

Léo Ferré

www.leo-ferre.com/accueil/accueil.html

Tout sur Léo Ferré : biographie, discographie, publications, actualité et forum.

Les Rita Mitsouko

www.ritamitsouko.org

Le site officiel des Rita Mitsouko.

Limp Bizkit

www.geocities.com/sunsetstrip/villa/3665

Site dédié à Limp Biztik : biographie, discographie, tablatures, photos, paroles.

Louise Attaque

www.louiseattaque.com

Le site officiel du groupe Louise Attaque.

Ludwig van Beethoven

www.lvbeethoven.com

Tout Ludwig van Beethoven en français, en son et en images.

Madonna Electronica

www.madonna-electronica.net

Madonna Electronica, c'est tout Madonna sur le Web : news, tournées, biographie, discographie, filmographie, vidéographie, FAQ, paroles des chansons, photos, éléments audio et vidéo, chat, annonces, concours et liens sur la star du rock.

Madonnathèque

www.madonnaenligne.com

Site entièrement en français dédié à Madonna.

Manu Claye

www.manuclaye.com

Site de Manu Claye, artiste de variété française : ses nouvelles chansons, dates de concerts, groupe de discussion.

Maurane

www.maurane.be

Site officiel de la chanteuse Maurane.

Maxime Le Forestier

maximeleforestier.artistes.universalmusic.fr

Infos sur l'actualité et la carrière du chanteur Maxime Le Forestier.

Metallica

www.chez.com/metallimarc

Site dédié au groupe Metallica. Un must pour les amateurs…

Michel Berger

membres.lycos.fr/mberger/historiq.htm

Un site dédié au chanteur Michel Berger : discographie, paroles de chansons, photos, historique, articles, fichiers MIDI.

Mickey 3D

www.mickey3d.com/main.htm

Site officiel du groupe de rock français : biographie, discographie, actualité, concerts.

Monsieur Charles Aznavour

membres.lycos.fr/charles_a

Charles Aznavour : sa vie, ses titres, ses textes, ses films.

Musique pro

www.musique-pro.com

Site musical des nouveaux talents francophones et internationaux.

Noir Désir

www.noirdesir.org

Fans de Noir Désir, ce site vous propose les paroles des albums, des articles et des liens vers d'autres sites dédiés au groupe.

NTM

www.supreme-ntm.com

Le site officiel du groupe NTM.

Pascal Obispo

www.pascalobispo.com

Le site officiel de Pascal Obispo : actualité du chanteur, biographie, discographie, forum.

Pascal Parisot

www.pascalparisot.com

Le site officiel du chanteur Pascal Parisot : biographie, extraits musicaux, vidéos, photos.

Passion Thiéfaine

www.thiefaine.org/page.php

Site non officiel d'Hubert-Félix Thiéfaine.

Patleck lyrics

www.patleck.com/lyrics/lyrics.htm

Ce site propose de nombreuses paroles d'artistes français et étrangers.

Patrick Bruel

www.patrickbruel.com

Retrouvez toute l'actualité de Patrick Bruel ainsi que de nombreuses exclusivités que l'artiste consacre régulièrement à son site : discographie, parcours musical, actualité, concerts, paroles, clips.

Patrick Bruel, site amateur

users.skynet.be/sky35350/pb1.html

Site non officiel consacré à Patrick Bruel : disques, paroles et traductions des chansons, photos, films, téléfilms et pièces de théâtre, infos, émissions TV et radio, presse, livres, forum, petites annonces, etc.

Patrick Fiori - Site officiel

patrickfiori.corsicadream.com

Site officiel du chanteur Patrick Fiori : actualité, agenda, tournée, biographie, discographie, photos, vidéos.

Pink Floyd

membres.lycos.fr/pinksite

Tout pour les fans du groupe Pink Floyd : discographie, historique, images, paroles, interviews, agenda.

Planet of Mark

www.planetmark.org

Site non officiel sur Mark Knopfler et Dire Straits : historique, news, MP3, liens, concerts, photos, interviews, tablatures, skins.

Polnaweb

www.polnaweb.com

Site de Michel Polnareff en RealAudio stéréo.

Portraits d'artistes

www.liensutiles.org/portrait.htm

Les portraits d'un certain nombre d'artistes francophones : écrivains, musiciens, peintres, photographes et sculpteurs.

Prodigy

www.chez.com/mclink/Prodigy.html

Site dédié au groupe The Prodigy.

Renaud

www.renaud-chanteur.com

Ce site regroupe des textes, des chansons et des photos sur l'œuvre du chanteur Renaud Séchan.

Roch Voisine

www.geocities.com/Broadway/Stage/ 2826

Site dédié à Roch Voisine : biographie, albums, photos et liens complémentaires.

Roch Voisine, site officiel

www.rochvoisine.com

Site officiel de Roch Voisine : biographie, discographie, actualité, nouveauté, spectacles, albums photo.

Sardou.com

www.sardou.com

Le site officiel de Michel Sardou : liste de diffusion, actualités, discographie, vidéos, biographie, page des fans, extraits musicaux, photos.

Sélection Francomix

www.francomix.com/page/ selection1.php

Les musiques francophones font danser la planète : sélection et écoute de musiques francophones.

Serge Lama

www.sergelama.com

Le site officiel de Serge Lama : biographie, discographie, concerts et chansons.

Silmarils

www.silmarilsnet.com

Tout sur le groupe de rock Silmarils : news, concerts, albums, vidéos, remix, etc.

Sinsémilia

membres.lycos.fr/sinse

Site non officiel du groupe Sinsémilia.

Stars Mag

www.chez.com/zannini

Des photos de célébrités.

Stephan Eicher

www.stephaneicher.com

Le site officiel de Stephan Eicher : news, albums, inédits, concerts, vidéos, MP3.

Stevie Nicks

www.geocities.com/broadway/balcony/3600

Fleetwood Mac/Stevie Nicks : news, photos originales, fichiers MIDI, bio, bibliothèque.

Tambours du Bronx

www.tamboursdubronx.fr

Le site officiel du groupe Les Tambours du Bronx.

Téléphone

www.telephonelegroupe.com

Le site officiel du groupe de rock français Téléphone : discographie, photorama, extraits musicaux et saga du mois.

The Beatles

www.chez.com/abbey

Tous sur les Beatles : photos, fichiers RealAudio et RealVideo, morceaux MIDI et MP3, histoire du phénomène Beatles.

The Psycom Unity

www.psycom.org

Site officiel de l'artiste Psycom : trance, goa, melodic techno, ambient et musiques de film.

The Web tour

www.cantalou.net

Le site officiel de Joseph Cantalou : concerts, biographie, actualités, interview.

Tom Jones, le sex-symbol

membres.lycos.fr/jedijul

Tom Jones : biographie, discographie, extraits audio, news.

Tri Yann

edoll.free.fr

Le site officiel du groupe breton Tri Yann : nouveautés, concerts, page des musiciens, photos, discographie et partitions, MP3.

U2

www.u2achtung.com

Le site du fan-club du groupe rock U2 : informations sur les concerts, album photo, places en promo, vidéos de concerts…

Univers Lio

www.universlio.com

Site officiel de la chanteuse Lio : biographie, discographie, filmographie, clips vidéo, couvertures, agenda, liens complémentaires.

Wolfgang Mozart

ron3.free.fr/index.htm

Site dédié à Mozart : biographie, chronologie, généalogie, univers de Mozart, œuvres majeures, fichiers MIDI, livres, films, lexique et nombreux liens.

Yann Tiersen

www.yanntiersen.com

Site officiel de Yann Tiersen : actualité, discographie, album photo, séquences vidéo.

Yannicknoah.com

www.yannicknoah.com

Le site officiel de Yannick Noah : actualité, liste de diffusion, forum.

Yves Duteil - Site officiel

www.yvesduteil.com

Toute l'œuvre d'Yves Duteil est sur son site officiel : actualité, tournées, chansons.

Yves Simon

www.yves-simon.com

Chanteur, écrivain couronné par de nombreux prix littéraires, Yves Simon est l'auteur de huit romans et l'interprète de dix albums (RealAudio), présentés sur ce site.

ZazieOnline

zazieonline.artistes.universalmusic.fr

Le site officiel de la chanteuse Zazie.

Zebda

www.zebda.fr/openpopup.html

Site officiel du groupe Zebda : artistes, discographie, clips.

Musique : concerts, festivals, opéras

Agenda Concert and Co des concerts en France

www.concertandco.com

Concert and Co recense tous les concerts en France, Belgique et Suisse. Vous pouvez faire des recherches par villes, régions, festivals, artistes, style et envies. Il est possible de recevoir toutes les semaines l'actualité concert de votre région (très utile pour les annulations de concerts !).

Agenda des concerts

membres.lycos.fr/groupesarah/agenda-concerts/agenda.php

Agenda des concerts, des spectacles et des événements en France.

Banlieues bleues

www.banlieuesbleues.org

Le site du festival de jazz en Seine-Saint-Denis.

BonWeb - Musique, actualité

www.bonweb.com/p_3_363.php

Sélection des meilleurs sites d'actualité musicale par bonweb.com.

Chorégies d'Orange

www.choregies.asso.fr/fr/bienvenue.htm

Le site des Chorégies d'Orange (festival de musique classique) présente les Chorégies d'hier et d'aujourd'hui, les Chorégies de l'année en cours et permet de commander des billets en ligne.

Cité de la musique

www.cite-musique.fr/francais/accueil.html

Découvrez la programmation des concerts et des autres manifestations. Visitez le musée de la Musique et retrouvez toutes les informations concernant l'enseignement et la pratique musicale.

Classique-Info

www.classique-info.com

Toute l'actualité au quotidien de la musique classique, de l'opéra et de la danse.

Concertclassic.com

www.concertclassic.com

Ce site référence tous les concerts de musique classique en Europe francophone.

Festival de jazz de Montreux

www.montreuxjazz.com

Site du Festival de jazz à Montreux.

Festival de La Chaise-Dieu

www.chaise-dieu.com/index.php4

Site du Festival de musique sacrée de La Chaise-Dieu : le festival, lieux et patrimoine, actualités, guide pratique, programme, partenaires.

FFFIM

www.francefestivals.com

Le site de la Fédération française des festivals internationaux de musique.

France-festivals

www.asiatravel.com/france/festivals.html

Diffusion d'informations sur les festivals en France : musique classique, jazz, rock, techno, danse contemporaine, film, cinéma, théâtre, arts de la rue, multimédia.

Infoconcert

www.infoconcert.com

Ce site dédié à la musique live en France recense de nombreux artistes, concerts, salles et festivals. Un outil de recherche permet de trouver des informations sur un artiste, un album, un concert, une salle, une ville, un festival ou une sortie.

Jazz 31

www.jazz31.com

Site du Festival de jazz en Haute-Garonne.

Jazz à Montreux

www.montreuxjazz.com

Site du Festival de jazz 2001 de Montreux.

Jazz à Vienne

www.jazzavienne.com

Découvrez le programme détaillé du festival de jazz de Vienne et commandez vos billets en ligne.

Jazz valley

www.jazzvalley.com

Informations sur les concerts, scènes, festivals, musiciens, instruments et photographes de jazz. Vente en ligne de disques.

L'opéra de Paris

www.opera-de-paris.fr

Ce site dresse la liste des manifestations (opéras, ballets, concerts) de l'Opéra de Paris. Vous pouvez également consulter le magazine pour obtenir des informations pratiques, des regards en coulisse et des coups de projecteur. Enfin, une billetterie en ligne permet de réserver vos places sans quitter votre fauteuil.

Opéra de Massy

www.opera-massy.com

Le site officiel de l'Opéra de Massy : productions, calendrier, visite virtuelle, liens...

Operabase

operabase.com/fr

Sur ce site, consultez les programmes de plus de 140 festivals classés par pays.

Orchestre de Paris

www.orchestredeparis.com

Ce site donne le calendrier des concerts de l'Orchestre de Paris, propose une revue de presse, une brochure jeunes et permet de rechercher sur le site des informations sur un chef d'orchestre, un interprète ou un compositeur.

Printemps de Bourges

www.printemps-bourges.com

Ce site recense tous les artistes qui vont participer ou qui ont participé au Printemps de Bourges. Egalement le programme et les informations pratiques pour le festival à venir (possibilité de réserver ses places en ligne) ainsi que de nombreux liens en relation avec ce festival de la bonne humeur.

Res Musica

www.resmusica.com

Res Musica informe sur les concerts et les forums de discussion de musique classique, propose de nombreuses biographies, étudie des œuvres et des artistes, présente un tutoriel sur la musique MIDI, une discographie et un véritable annuaire thématique de la musique classique.

Tzig'art

invites.maison-russie.com/tzigart/festival

Festival de musique slave et tzigane organisé par Unventdest tous les jeudis du mois de juin.

Ultime-Music concerts

ultime-music.com/Calendrier/concert.asp

Vous trouverez ici les dates des concerts et spectacles, en France et à proximité. La mise à jour est journalière.

Musique : genres musicaux

Actualité du zouk

zoukco.free.fr

Actualité du zouk, nouveautés, photos, MP3, textes de vos artistes préférés.

Afromix

www.afromix.org

Ce site est dédié à toutes les musiques d'Afrique et des Antilles.

Agenda des raves & teufs du Sud-Est

www.teknosud.com

Agenda des musiques électroniques du sud de la France : free party, raves, festivals. Toutes les infos pour sortir dans la région Sud-Est et une liste de liens intéressants.

Akapela.com

www.akapela.com

Akapela.com se consacre à la chanson française et aux musiques francophones : actualités musicales, chroniques CD, biographies d'artistes, annuaire de sites, guide MP3, forums, petites annonces.

Babelrock 

www.babelrock.com

Webzine sur le rock : news, chroniques, quiz et films cultes.

BCJazz 

bcjazzmagazine.com

Ce site assure la promotion d'artistes et de musique jazz au travers d'articles de presse, photos, événements, concert, discographie.

Bio-GenetiX

www.bio-genetix.com

Le Bio-GenetiX Website vous informe sur le milieu underground fétichiste parisien, ainsi que les mondes qui l'entourent.

Bisbigliando.com

www.bisbigliando.com

Ce site est consacré aux ensembles de musique contemporaine. Vous y trouverez un agenda de concerts et festivals en France et à l'étranger, des portraits d'auteurs et interprètes, un dossier France musiques et des chroniques sur plusieurs ensembles contemporains.

Blues Magazine

www.bluesmagazine.net

Magazine du blues en France : articles, chroniques de disques, concerts, interviews, festivals, brèves, informations.

Bofilm's

www.bo-films.net

Ce site, spécialisé dans les compositeurs de musiques de films, propose de nombreux extraits de musiques de films et un moteur de recherche.

Celtimusic   

www.celtimusic.com

Ce site s'intéresse à l'actualité de la musique celtique en France : informations sur les artistes, concerts et albums, commandes de disques (liaison sécurisée).

Chansons bretonnes

perso.wanadoo.fr/per.kentel

Chansons traditionnelles bretonnes.

Concertonet.com  

www.concertonet.com

E-zine dédié à la musique classique : édito, news, concerts en France et dans le monde.

Connexion Country 

www.connexioncountry.net

Portail international dédié au monde du country western et au rodéo. Musique, artistes, chorégraphies, chroniques et festivals sont au rendez-vous.

Country France 

www.country-france.com

Country France rassemble toute l'information sur la country en France et en Europe : danses country, événements, musique, top 10 des danses, reportages, infos, interviews, guide de la country.

Discographie du jazz moderne

www.mbdesign.ch/jazz

La première discographie du jazz sur le Net. A rapatrier d'urgence sur votre disque : plus de 12 000 références avec les thèmes, les sideman, les dates d'enregistrement, les références des rééditions.

Elektro world

electroindus.free.fr

Passerelle de découverte de la musique électro-industrielle : samples et flyers concernant wumpscut et bien d'autres projets.

Elektro4ever

mbardon.free.fr

Cercle des sites consacrés à la musique électronique.

Elektrolink

www.elektrolink.com

Le Webguide des cultures électroniques : techno, house, breakbeat, downtempo, jungle, electronica, trip-hop, artistes, labels, disques, clubs, designers, agences.

Flash80

bcjazzmagazine.com

Des centaines d'extraits musicaux vous sont proposés afin de vous faire redécouvrir les plus grands tubes des années 80.

France Techno

new.france-techno.com

Site de la communauté électronique France Techno.

Francecore

www.francecore.org

Francecore, pour une vision globale de la culture techno et de la musique électronique.

France-diplomatie - Musique

www.france.diplomatie.fr/thema/dossier.asp?DOS=MUSIQUE

Repères sur la musique classique française et la chanson en français : galerie de compositeurs, chanteurs, chansons, compositeurs et œuvres méconnues.

French Metal

www.french-metal.com

Annuaire du métal français : sites officiels, photos, MP3, vidéos, concerts, chroniques, tablatures, goodies.

Fresh house

freshouse.free.fr

Portail musical house et musiques électroniques.

Frog fever

www.chez.com/frog

Site dédié à la musique techno, à la télévision et aux cartoons.

Funk-House.net

www.funk-house.net

La house par excellence : critiques de disques, agenda, night-clubs, deejay, actualité, communauté.

Geoworld

www.geoworldmusic.com

Toute l'actualité des musiques du monde.

Goa Trance Culture

www.trance-goa.com

Culture trance goa : groupes (Astral Projection, Total Eclipse, Hallucinogen, Transwave, MFG, Deedrah), extraits, parties, matériel musical, forum.

Groovedela.com 

www.groovedela.com

Toute l'actualité du groove sur la scène française et internationale.

Gwerz et celtic'sons

www.gwerz.com

Catalogue des musiques celtiques traditionnelles de Bretagne : nombreuses biographies, discographies et photographies. Contact, informations, concerts, liens.

Heavy Metal Revenge

www.ifrance.com/florinda

Webzine consacré au heavy métal : plus de 1 800 photos live et backstage, de Angra à Steve Vai, en passant par Metallica, Motorhead, Manowar, Mercyful Fate, Stratovarius, Edguy, The Gatering, Gamma Ray, Vanden Plas, Dream Theater. De nombreuses interviews, des chroniques de CD, l'histoire du hard rock, etc.

Hip Hop Magazine  

www.90bpm.net/index.php

Le site de référence du hip-hop francophone. On parle ici de culture urbaine à travers le rap, le graffiti, la breakdance, etc.

Jazz break 

www.jazzbreak.com

Guide en ligne du jazz et des jazzmen.

Jazz en France

www.jazzfrance.com/fr

Tout ce qu'il faut savoir sur le jazz en France aujourd'hui : nouveautés, éditions mobiles, concerts, festivals, clubs, musiciens, radios, télévisions, récompenses, magazines, maisons de disques, magasins, écoles, studios, forums, liens et revue de presse.

Jazz Magazine

www.jazzmagazine.com

La version en ligne de Jazz Magazine : brèves, programmes, musique, vies du jazz, galerie, site du mois, annuaires, petites annonces, jeux.

La Gazette de Greenwood 

www.gazettegreenwood.net

Au programme de ce webzine dédié au blues : liste de diffusion, articles, chroniques de disques, concerts, informations, etc.

La route des orgues

www.culture.gouv.fr/culture/orgues

La route des orgues de France permet de localiser et d'obtenir des informations sur les grands orgues de France. Vous trouverez également des informations sur la facture d'orgue et sur l'esthétique instrumentale, du XVIIe au XXe siècle.

La route du blues

site.ifrance.com/routedublues

Ce site est un guide touristique et musical sur la route du blues, de la Nouvelle-Orléans à Chicago *via* la highway 61, à la recherche des racines du blues et de ses pionniers.

La Scena Musicale Online

www.scena.org

La Scena Musicale Online est un magazine de musique classique mensuel gratuit contenant des entrevues, des articles, et des critiques de CD aux formats HTML et PDF.

Lehiphop.com

www.lehiphop.com

Lehiphop.com vous propose de découvrir des titres inexploités : Diam's, Ekoué, Sheryo, M Group, Original Bombattak, etc.

Lerap.com

www.lerap.com

Encyclopédie du rap français.

Métal extrême

www.metal-extreme.com

Site de l'underground métal : heavy métal, black, doom, death, gothic, grind core, concerts, chroniques, démos, albums, reportages.

Musica international

www.musicanet.org

Banque de données exhaustive sur la musique en chorale du monde entier (75 000 titres).

Musique classique

www.radio-classique.fr

Un site dédié à la musique classique : agenda des concerts et spectacles, présentation d'œuvres, de compositeurs, sélection de disques…

Musiscope

www.musiscope.com

Toute la musique classique sur Internet.

Nihon-fr

www.nihon-fr.com/musique

Actualité des industries musicales asiatiques : news, articles, box-office, sorties, images.

Piano composition

museuterpe.free.fr

Au programme : compositions pour piano, échange de poèmes et textes, annuaire de la musique française amateur.

Planet' Tekno

www.planet-tekno.com/index.html

Planet' Tekno vous dit tout sur les événements et manifestations à venir liés à la musique techno. A ne rater sous aucun prétexte pour les aficionados.

Popnews

www.popnews.com

E-zine sur la pop musique.

Progressia.net

www.progressia.net

Actualité de toutes les musiques progressives, de Genesis à Dream Theater : news, articles, concerts, sorties, chroniques, dossiers, MP3.

Ramdam

www.ramdam.com

Guide de la musique et des artistes qui font le hit-parade. Tous les genres musicaux : chanson française, rock, rap, métal, jazz, techno.

ReggaeFrance.com

www.reggaefrance.com

Retrouvez la référence reggae/ragga : nombreuses interviews d'artistes jamaïquains et français, nouveaux titres. Découvrez les nouvelles sorties 45 t (écoute) et CD (chroniques).

Tambour djembe

www.djembe.com

Le site de référence du tambour djembe, de la percussion africaine et de la tradition mandingue.

The Autowash Web site

www.chez.com/autowash2000

Site personnel d'Autowash, membre de l'association techno strasbourgeoise ADN.

Trancemania

www.trancemania.fr.st

Tout sur la musique trance et ses dérivés : agenda, soirée, live real, CD, etc.

Tremplin rock

membres.lycos.fr/tremplin

Pages non officielles sur des artistes rock (Mathieu Boogaerts, Louise Attaque, Matthieu Chédid, La Grande Sophie, Katerine, Baby Bird, Jay-Jay Johanson, Divine Comedy), sélections d'albums rock par années, bootlegs, extraits en ligne, concerts et liens.

Trip-hop.net

www.trip-hop.net

Site consacré à la musique trip-hop (Portishead, Massive Attack, Morcheeba, Alpha, Hooverphonic, Air). Albums, titres, lyrics, extraits, chat, forum.

Vaudou technologie

vaudou.technologie.free.fr/ index.html

La musique électronique trance en pratique, des MP3 gratuits et des liens triés sur le volet.

Virga

virga.org

Ce site est consacré au chant français, du Moyen Age à la période baroque.

Zouk archive 2000

www.zoukarchive.com

Site dédié à la musique zouk : revues, liens, FAQ, MP3, interviews, etc.

Zouker.com

www.zouker.com

Actualité des sorties, soirées et show business autour de la musique black.

Musique : MIDI, MP3, RealAudio

01Audio-Video

01audiovideo.free.fr

Au programme : formats compressés MP3, OGG, WMA, freewares audio et vidéo téléchargeables, matériel pour écouter du MP3 ou du WMA, dossiers techniques sur les formats MP3, OGG ou WMA, informations sur la copie de CD audio.

A and L cool music

aandlcoolmusicsite.free.fr

Ce site musical au format RealAudio propose des photos de groupes punk, ska, hardcore, fusion, rock, pop et reggae.

Ad Libitum

membres.lycos.fr/valfie

Au menu : fichiers MIDI et paroles de chansons anglophones et francophones, MIDI pratique, techniques, cours, chant, voix.

Audiofanzine

fr.audiofanzine.com

Sur ce webzine dédié à la MAO (musique assistée par ordinateur), au MIDI, au Home Studio et à l'autoproduction, venez découvrir des tests de synthétiseurs et de logiciels musicaux, et télécharger des démos en MP3.

Best partition

bestpartition.free.fr

Vous trouverez sur ce site de nombreuses partitions francophones, classées par titres et interprètes.

BonWeb - Musique, MP3 payants

www.bonweb.com/p_3_1181.php

Sélection des meilleurs sites de musique MP3 payants par bonweb.com.

Carisch-Musicom

www.carisch.com/francese

Retrouvez l'immense catalogue musical de Carisch en ligne : 100 000 titres et plus de 30 000 articles. Partitions, textes avec accords, méthodes, fichiers MIDI, vidéos, CD, etc.

Central Bass

centralbass.free.fr

Ce site propose 300 partitions et 300 tablatures pour basses. Tous styles de musique : pop, rock, fusion, jazz.

Charly 77

membres.lycos.fr/courbis/charly77

Ce site propose une sélection de MP3 de tous styles, un top 20, un moteur de recherche de fichiers téléchargeables et de pochettes CD sur le Net.

Click's guitarpro

perso.wanadoo.fr/alexandre.gaelle

Ce site propose des fichiers GuitarPro, des morceaux MIDI, des partitions et des tablatures, mais aussi des ressources informatiques (GIF, JavaScript, etc.) et de l'humour.

Djouls.com

www.djouls.com

Ce site propose de très nombreux morceaux en RealAudio, 700 chroniques CD, des dizaines de discographies d'artistes et de labels essentiels, de nombreuses autres surprises.

Essair VQF

membres.lycos.fr/essair

MP3 et VQF : news, logiciels, matériels, tests, comparaison.

Eworldmusic

www.eworldmusic.ca

Sur ce site, téléchargez une sélection de fichiers MP3 de tous styles (techno, hip-hop, pop, alternatif, jazz, musiques du monde et enfants).

Fbstraxx.com

www.fbstraxx.com

Site dédié à la musique trance : mix, MP3, agenda des soirées, etc.

France pianos

www.francepianos.com/partitions.htm

Les sites que vous trouverez sur cette page proposent des partitions qui appartiennent au domaine public. D'autres sont proposées dans des pays où la durée des droits d'auteur est plus courte qu'en France. D'autres encore sont proposées à titre promotionnel par des éditeurs.

Francemp3.com

www.vitaminic.fr/main

France MP3, la musique MP3 du Net propose de nombreux morceaux MP3 à télécharger ainsi qu'un magasin consacré à la musique.

Fx MP3 World

fxmp3.ifrance.com/fxmp3/mp3_enfance.html

Classement des meilleurs titres français en MP3.

Génération MP3

www.generationmp3.com

Generation MP3 est un guide indépendant et éthique de la musique en ligne.

Info et musique

www.ifrance.com/brian

Sur ce site foisonnent les fichiers aux formats RealAudio et MP3.

Kmicaz

membres.lycos.fr/kmicaz

Sur ce site vous attendent plusieurs albums de rap MP3 en téléchargement.

Monsieur Z

www.audiogalaxy.com/bands/monsieurz/newsite/accueil.html

Des musiques MP3 à télécharger.

MP3 Garden

www.mp3garden.com

Au programme : téléchargements gratuits de titres MP3, jaquettes de CD audio, de DivX et de DVD, jeux, paroles de chansons, logiciels MP3 et DivX, sonneries, logos, actualité musicale, sites d'artistes, moteurs de recherche.

MP3 Mag

www.mp3mag.net

Magazine dédié au MP3 et à la musique digitale : actualité, MP3 gratuits, sélection des meilleurs sites MP3, WMA, DivX et VQF, recherche de pochettes de CD, utilisation d'outils MP3.

MP3 Plus

membres.lycos.fr/mp3plus

Vous trouverez sur ce site de nombreuses musiques MP3, des outils pour les manipuler et des explications sur leur format.

Mp3.fr

www.mp3.fr

Site communautaire grand public de promotion musicale (artistes indépendants), de téléchargement gratuit et d'information entièrement dédié au MP3 : actualité, softwares, matériel et information dans le domaine de la musique.

Net-France

www.net-france.com

Net-France offre de nombreux services vous permettant de communiquer sur Internet gratuitement : envoi de SMS et ressources pour les webmestres (sondages gratuits, modules d'envoi de SMS, liste de diffusion, référencement).

PSaneter

psaneter.fr.st

Ce site propose plus de 200 partitions de piano en libre téléchargement.

ToutPourLaMusique.com

www.tplm.com

Qu'attendez-vous pour faire de la musique ? MAO, instruments, logiciels, playback, karaoké, samples, MP3, fichiers MIDI, loops : vous trouverez tout pour la musique sur tplm.com.

Vitaminic

www.vitaminic.fr

Vitaminic, site musical de téléchargement avec plus de 50 000 artistes, propose des milliers de MP3 gratuits et une nouvelle formule d'abonnement payant (format MP3, RealAudio ou Windows Media).

WinampFR.com

www.winampfr.com

Ce site propose de nombreuses ressources pour le lecteur/enregistreur de MP3 Winamp.

Musique : paroles, partitions, tablatures, pochettes

A nous les tabs

membres.lycos.fr/elricodelparis

Pour ceux qui cherchent des tablatures rock pour guitare.

AazParoles.com

www.aazparoles.com

AazParoles vous propose 150 000 paroles de chansons de 9 800 artistes.

ABC de la chanson francophone

www.paroles.net

Plus de 13 000 chansons françaises, les textes d'environ 800 interprètes et un moteur de recherche.

Akhenaton lyrix page

www.chez.com/hiphopculture/AKH.HTM

Ce site fournit les paroles de plusieurs titres de musique rap.

Altapart

membres.lycos.fr/altapartition/index.html

Altapart offre plus de 15 000 tablatures et partitions, des cours gratuits, un espace Chat, des forums et des liens complémentaires.

Always on the run

www.alwaysontherun.net/traduc/traduction.htm

Traduction en français de chansons anglaises de Björk, Portishead, Buckley, Placebo, Doors, Fiona Apple, etc.

Annuaire de la partition gratuite

www.free-scores.com

Partitions gratuites pour tout instrument au format PDF, GIF, JPG et TIF.

Arbre à partitions

flarere.free.fr

Découvrez des artistes dans les styles de musique que vous aimez.

A-Z Lyrics

www.azlyrics.fr.st

Ce site propose de nombreuses paroles de chansons, anciennes et récentes. Du rap au rock.

Bassite

bassite.free.fr

Ce site offre des cours de basse, des partitions, des tablatures et des extraits musicaux MP3.

Chansons populaires

www.alyon.asso.fr/litterature/chansons

Vous trouverez ici les paroles d'une sélection de chansons populaires d'autrefois.

Click's GuitarPro

perso.wanadoo.fr/alexandre.gaelle

Ce site propose des fichiers GuitarPro, des morceaux MIDI, des partitions et des tablatures, mais aussi des ressources informatiques (GIF, JavaScript, etc.) et de l'humour.

Covers'n'Bulles

covers.n.bulles.free.fr

Ce site est consacré aux pochettes de disques et aux BD.

Dancy sound studio

www.dancysound.fr.fm

Site entièrement dédié aux paroles et musiques de chansons francophones et anglophones. Venez y faire un petit karaoké !

Edition musicale

www.edition-musicale.com

Centré autour de la guitare, ce site propose des partitions, des cours de musique, des fichiers MIDI, des logiciels, des tablatures et un service de petites annonces.

Football & Rock n'roll

www.chez.com/calvo/led.htm

Les paroles de toutes les chansons de Led Zeppelin.

French music database

globegate.utm.edu/french/globegate_mirror/music.html

Cette page donne accès à de nombreux sites dédiés à la musique francophone.

Goth Lyrics

membres.lycos.fr/luke2

Ce site propose les paroles de plusieurs groupes goth, punk, métal et apparenté.

Guitare en Gironde

www.guitare33.com

Le site de la guitare en Gironde propose des ressources gratuites pour guitaristes tout style : MIDI, MP3, PDF.

Kanalbis

membres.lycos.fr/kanalbis

Vous trouverez ici des partitions (uniquement en tablatures), des paroles, des photos d'artistes, ainsi que d'autres rubriques aux thèmes plus variés (vidéos d'animations, BD, téléchargement, images GIF, jeux, etc.).

La guitare.com 

www.laguitare.com

LaGuitare.com, le premier portail francophone de ressources pour les guitaristes, permet d'effectuer des recherches thématiques (magasins, partitions, entretien, guitaristes, logiciels, etc.) ou par mots clés. Ce site s'intéresse également à l'actualité de la guitare (spectacles, festivals, stages) et propose plusieurs dossiers.

La Page des génériques

generikz.free.fr

La Page des génériques par GiZmO propose une compilation des textes des chansons des émissions télévisées pour enfants d'il y a plus de dix ans.

Le joyeux troubadour 

pages.infinit.net/brunetj/cominfo

Ce site donne accès aux paroles et aux tablatures pour guitare des chansons de plusieurs auteurs et interprètes québécois, français et autres nationalités.

Le Parolier 

site.ifrance.com/leparolier/default.htm

Si vous aimez la chanson francophone et plus particulièrement celle du Québec, vous apprécierez ce site où vous pouvez vous délecter à la lecture de plus de 3 500 textes !

Lyrics Avenue

www.lyricsavenue.fr.st

Lyrics Avenue propose des paroles de chansons rap, reggae et hard rock.

Lyrics 

angelfire.com/on2/paroles/lyrics.html

Ce site donne accès à un grand nombre de chansons classées par ordre alphabétique.

Ma passion : la musique 

www.chez.com/mapassionlamusique

Au programme : paroles de chansons françaises et anglaises, accords de musique, liens incontournables.

Ma Planète

maplanete.free.fr

Ma Planète propose des centaines de partitions françaises et anglo-saxonnes, des MP3, des émulateurs, des CD-ROM et d'autres surprises à découvrir.

Marc et sa guitare

www.guitares.org

Compositions personnelles pour guitare classique et pour piano, toutes gratuites et accompagnées de leur fichier MIDI. Intéressantes pages de liens. En français et en anglais.

Musique et Afrique 

membres.lycos.fr/megabyte

Paroles de chanteurs français et photos d'Afrique.

Paroles de chansons

www.fortunecity.com/underworld/xwing/456

Ce site propose des paroles d'artistes de variété française et internationale.

Paroles et photos de rock, punk, gothic

www.ifrance.com/laurentv/index.htm

Paroles, biographies et photographies de musiciens de rock gothique, punk et pop : Sisters of Mercy, Love like blood, Bauhaus, Fields of the Nephilim, etc.

Paroles et traductions

membres.lycos.fr/mmario/projet/essai.htm

Ce site propose les paroles de titres d'artistes français de rap.

Paroles Lyrics 

www.parolesrock.com

Ce site présente les paroles de chansons de styles et d'artistes très différents : chanson française, variétés (top 50), pop, rock, rap, hip-hop, funk, métal, reggae, punk, etc.

Paroles rock 

parolesrock.free.fr

Vous trouverez ici les paroles de centaines de chansons rock françaises et internationales ainsi qu'un annuaire d'une centaine de sites officiels de groupes rock, punk, etc.

Rubrique musicale 

etiop.free.fr/music.htm

Ce site propose des textes sur la théorie musicale, le nom des notes et la musique. Il donne également accès à d'autres sites qui traitent de l'harmonie et de la musique micro-tonale.

Textes chansons françaises 

www.textesdechansons.com

Sur textesdechansons.com : présentation de textes par les auteurs, paroles, rencontres ACI auteurs compositeurs et interprètes.

Toutes les partitions 

touteslespartitions.free.fr

Des partitions gratuites pour piano, pour guitare, basse, sax, batterie et trompette…

Webhard

webhard.8m.com

Répertoire de paroles de chansons rock.

Musique : pour les pros

AnnuPro Musique

www.annupro.net/cgi-bin/moteur/moteur.cgi?rubrique=Divertissement+%3E+Musique

Annuaire des meilleurs sites professionnels musicaux du Web français.

Austudio  

www.austudio.org/index.html

Annuaire d'aide à la création musicale : studios, subventions, professionnels, lieux de spectacle.

Des textes pour vos musiques 

membres.lycos.fr/pmarques

Ce site est destiné aux compositeurs en quête de paroles, aux interprètes, mais aussi aux éditeurs et aux producteurs à la recherche de nouveaux talents. Vous y trouverez aussi des chansons destinées à tous les publics.

Harmonis Production

www.harmonisproduction.com

Site du studio d'enregistrement professionnel Harmonis Production.

La Baguetterie

www.labaguetterie.fr

Le magasin virtuel de tous les batteurs et de tous les percussionnistes.

Studios de répétition coyote

studioscoyote.free.fr

Visitez trois superbes studios équipés de matériels haut de gamme à deux minutes de la porte d'Orléans.

Musique : vente

Aligastore.com

www.aligastore.com

Recherchez sur Internet vos livres, CD et DVD et achetez dans le magasin le plus proche de chez vous (plus de 650 points de ventes en France, plus de 850 000 références).

Alsatia

www.forum-alsatia.com

Le groupe ALSATIA maîtrise les différents métiers livre, musique, vidéo, multimédia, papeterie depuis de nombreuses années, sous les enseignes Forum Espace Culture, RUC, ALSATIA et Maison de la presse. Une offre proposée par des équipes de spécialistes à la recherche permanente du conseil et du service.

BonWeb - Musique, vente

www.bonweb.com/p_3_558.php

Sélection des meilleurs sites de vente de CD audio par bonweb.com.

Boutique TF1 Vidéo

www.tf1video.fr

La boutique TF1 Vidéo vous propose la vente de DVD et de vidéocassettes VHS (plus de 800 titres).

Carisch-Musicom

www.carisch.com/francese

Retrouvez l'immense catalogue musical de Carisch en ligne : 100 000 titres et plus de 30 000 articles. Partitions, textes avec accords, méthodes, fichiers MIDI, vidéos, CD, etc.

Cdmail.fr

www.cdmail.fr

Plus de 100 000 références CD, DVD, MD, K7, vinyles, CD-ROM et jeux vidéo. Des promotions, toutes les récompenses Classique, et une rubrique Labels indépendants. Achat en ligne avec paiement sécurisé.

Centre de documentation musicale

www.bgm.org

La bibliothèque Gustav-Mahler à Paris possède de très nombreux ouvrages (près de 30 000) sur la musique classique, du Moyen Age à nos jours. Son site permet de consulter le catalogue, les activités et les services offerts par la bibliothèque.

Club news Paris

www.clubnewsparis.com

Site du disquaire Club News (Paris), spécialiste maxi dancefloor.

Deux fois moins cher - Espace musique

planeteachat.2xmoinscher.com/CD/index.asp

Vente de CD, K7, MD et vinyles d'occasion. Pour trouver un titre, naviguez par genres ou utilisez le moteur de recherche intégré.

Disques vinyle

www.recordscollectors.com

Ce site est spécialisé dans les disques vinyle de collection.

Disques vinyle de collection

www.ruet.com

Vente en ligne de disques 33 tours et 45 tours de tous styles musicaux, des années 50 à nos jours.

DVD Shopping Center

www.dvdshoppingcenter.com

Boutique en ligne de vente de DVD.

France 5 boutique

www.france5.fr/boutique

Sur le site de La Cinquième boutique, commandez en toute sécurité les vidéos, DVD, CD-ROM et livres issus des meilleurs programmes de la chaîne.

Le disquaire en ligne OCD

www.ocd.net

Quand achat en ligne et nouveauté musicale riment avec occasion.

Les années vinyl

site.voila.fr/annees_vinyl

Collection exceptionnelle de plus de 50 000 disques vinyle : oldies, rockabilly, doowop, variété, groupes français, canadiens et étrangers.

Oxygen SAV

www.oxygen.fr

Site de la boutique Oxygen à Lyon : réparation d'instruments de musique électronique multimarques (Fender, Fostex, Korg, Kurzweil, Marshall, Roland, Tascam, Teac, Yamaka).

Papageno

www.papageno.fr

Sur le site de Papageno (célèbre disquaire spécialisé dans les disques lyriques), de nombreux disques vinyle et CD neufs ou d'occasion sont en vente.

Planète achat

www.planeteachat.com/cd/Musiques.shtml

Annuaire et guide d'achat de musique, CD et DVD.

Sunbass

www.sunbass.com

Le site de la SARL Sunbass donne accès à un espace Disque sur lequel plusieurs centaines de vinyles et de CD sont en vente.

Vente de DVD en ligne

www.cdiscount.com/

Boutique en ligne spécialisée dans la vente de DVD français à prix coûtant.

Organismes, divers

Académie universelle des cultures

www.academie-universelle.org

Créée en 1992 à Paris par Elie Wiesel, Prix Nobel de la paix, l'Académie universelle des cultures, placée sous les auspices du président de la République française, conduit son action grâce au soutien du Premier ministre et à la contribution des ministères de la culture, de l'Education nationale et des Affaires étrangères.

Art et Surdité

www.artetsurdite.org

Mémoire de maîtrise : "Etude de la surdité comme alternative dans notre relation à l'art".

Association internationale des critiques d'art

www.aica-int.org

Site officiel de l'UNESCO : liste des publications, des membres, des sections nationales, organigramme, congrès, news.

Copyleft Attitude

artlibre.org

Copyleft Attitude a pour objectif de faire connaître et promouvoir la notion de "copyleft" dans le domaine de l'art contemporain : prendre modèle sur les pratiques liées aux logiciels libres pour s'en inspirer et les appliquer pour la création artistique.

Les Puces du design

www.pucesdudesign.com

Les Puces du design, c'est le nom d'une manifestation qui a lieu deux fois l'an, en mai et en octobre. Un événement ouvert au grand public, réunissant des centaines de professionnels antiquaires en design et d'objets design, des années 50 à nos jours, qui ont marqué le XXe siècle.

Licence copyleft

www.gnu.org/copyleft/ copyleft.fr.html

Avec la licence "Art libre", l'autorisation est donnée de copier, de diffuser et de transformer librement les œuvres dans le respect des droits de l'auteur.

Marseille en juin

www.chez.com/immedias

Les événements que Immedias met en place tentent toujours de reconsidérer la manière habituelle d'approcher le travail artistique. A travers ces événements, Immedias a tenté d'engager les personnes (artistes et spectateurs) dans la mise en place de l'événement.

Musée d'art américain

www.maag.org

Découvrez le site officiel du Musée d'art américain de Giverny, ses activités, ses horaires de visite, et visitez-le depuis votre PC.

Narcisse

www.culture.gouv.fr/documentation/lrmf/pres.htm

Base documentaire sur les peintures de chevalet du Laboratoire de recherche des musées de France.

Open Art

www.openart.com

L'association Open Art aide les artistes contemporains à se faire connaître, à vendre leurs œuvres et à promouvoir leurs expositions.

Panoplie

www.panoplie.org

Revue organique de création contemporaine en ligne.

Photomatisme

photomatisme.free.fr

Essai d'archivage pour un "visage" d'Internet.

Portail Géo-route

www.geo-route.com

Portail cartographique offrant la localisation des édifices, musées, attraits, loisirs, transport et plus pour 90 villes de la région de Montréal.

Randonnées-croquis

www.randocroquis.com

Sur ce site : croquis de randonnées (vaches, chemins, arbres, moutons, chèvres, paysages), trucs et astuces pour mieux aborder la perspective et les ombres, matériel à emporter.

Restauration de tableaux

perso.wanadoo.fr/ragrenet

Ce site présente le travail d'un spécialiste de la restauration de tableaux et de peintures anciennes, de la Renaissance au XIXe siècle.

Patrimoine

Association pour la défense et la mise en valeur des chemins

admvc.free.fr

L'Association pour la défense et la mise en valeur des chemins (ADMVC) se bat pour la conservation, la défense et la préservation des chemins ruraux.

Base Mérimée

www.culture.gouv.fr/documentation/merimee/accueil.htm

La base Mérimée recense le patrimoine monumental français dans toute sa diversité. Elle permet l'accès à 147 000 notices rédigées à partir des enquêtes de l'Inventaire sur le terrain et des arrêtés de protection des Monuments historiques.

Bibliothèque de l'Ecole polytechnique

www.bibliotheque.polytechnique.fr

Ce site présente la bibliothèque de l'Ecole polytechnique : catalogue, historique de la bibliothèque, expositions et associations.

Cathares.org

www.cathares.org/sommaire.html

Un site incontournable pour tous ceux qui s'intéressent aux Cathares : informations sur le catharisme, les croisades, les principaux personnages, une chronologie de la croisade contre les Albigeois, des informations touristiques sur le pays cathare (châteaux, grottes et gouffres, mégalithes), etc.

Culture Espaces

www.collection-schlumpf.com

Gérés par Culture Espaces, les monuments d'exception adhèrent à une charte de qualité garantissant une visite vivante et intéressante ainsi qu'un service professionnel.

Le cimetière du Père-Lachaise

www.gargl.net/lachaise/index.html

Site non officiel consacré au cimetière du Père-Lachaise, le plus vieux cimetière intra-muros de Paris.

Mairie de Paris - Patrimoine, culture

www.paris.fr/fr/culture/Patrimoine

Découvrez le patrimoine de la Ville lumière : monuments et places, ponts, canaux, cimetières, etc.

Médiathèque de l'architecture et du patrimoine

www.mediatheque-patrimoine.culture.gouv.fr

La Médiathèque de l'architecture et du patrimoine recueille et met à disposition de tous les ressources documentaires de la Direction de l'architecture et du patrimoine.

Ministère de la Culture et de la Communication/Musées

www.culture.gouv.fr/culture/exp/musee.htm

La rubrique contient des parcours mettant en lumière les différentes facettes du patrimoine muséographique, monumental, musical et scriptural de la France ainsi que des créations d'artistes.

Monographies des villes et villages de France

www.histo.com

La collection Monographies des villes et villages de France comprend plus de 1 800 titres de référence parus à ce jour, plus de 30 000 communes traitées dans des ouvrages particuliers et dans des dictionnaires départementaux, plus de 6 000 articles parus dans la presse écrite à travers toute la France.

Musée de la civilisation de Québec

www.mcq.org

Le site officiel du musée de la Civilisation de Québec et du musée de l'Amérique française traite de la conservation d'objets de collection et du patrimoine à domicile.

Musée d'Ethnographie de Bordeaux-2

www.u-bordeaux2.fr/meb

Le musée d'Ethnographie de l'université Victor-Segalen Bordeaux-2 conserve un patrimoine d'Etat qui représente des groupes culturels extra-européens.

Numérisation des fonds culturels

www.culture.gouv.fr/culture/mrt/numerisation

Au programme : politique générale, coopération internationale, programmes de numérisation, documents techniques et juridiques.

Patrimoine photo

www.patrimoine-photo.org

Patrimoine Photographique est une association culturelle qui conserve, gère et diffuse des collections photographiques appartenant à l'Etat français (ministère de la Culture).

Patrimoine, histoire et étude du repassage

www.pher.org

Pour tout connaître sur le repassage et les activités qui y sont associées.

Portail de la restauration et du patrimoine

www.france-patrimoine.com

France-patrimoine : le moteur de recherche des professionnels de la restauration et de la mise en valeur du patrimoine ancien, des objets d'art et des monuments historiques.

Salon du patrimoine culturel

www.patrimoineculturel.com

Essentiellement consacré aux restaurateurs, le Salon du patrimoine culturel s'est progressivement élargi jusqu'à s'affirmer comme la vitrine de tous les acteurs de la conservation, de la restauration et de la mise en valeur du patrimoine mobilier et immobilier.

Science et patrimoine culturel

www.culture.gouv.fr/culture/conservation/fr

Portail destiné aux professionnels de la conservation-restauration des biens culturels et aux étudiants de cette discipline. Le site comprend des fiches sur les acteurs de la recherche, une bibliothèque virtuelle, des banques de données, des informations d'actualité et des liens vers les autres ressources du réseau.

Sommaire

www.patrimoine-photo.org/dhtml-fr/index.html

Association culturelle qui conserve, gère et diffuse des collections photographiques appartenant à l'Etat français. Ses activités sont l'organisation et la location d'expositions, l'édition, la vente de tirages de collection et la cession de droits de reproduction.

Unesco, mémoire du monde

www.unesco.org/webworld/mdm/fr/index_mdm.html

Le patrimoine documentaire est le reflet de la diversité des langues, des peuples et des cultures. Il est le miroir du monde et sa mémoire. Mais cette mémoire est fragile. A chaque instant, des parties irremplaçables disparaissent à jamais.

Villes et pays d'art et d'histoire

www.vpah.culture.fr

Réseau regroupant 130 villes et pays d'art et d'histoire attachés à la valorisation et à l'animation du patrimoine et de l'architecture.

Photographie

1clic

www.1clic.fr

Ce site vous propose de retrouver l'image de votre ville ou de votre village d'enfance dans une base de 30 000 cartes postales anciennes et d'en commander un agrandissement photo.

BePUB.com

www.bepub.com/fr/index.html

Annuaire de référence des photographes professionnels, de la communication et du multimédia.

Boncap.com

www.boncap.com

Au programme : guide de l'image, annuaire des meilleurs sites sur la photographie et la vidéo.

Ecole nationale de la photographie

www.enp-arles.com

L'Ecole nationale de la photographie, école d'art, est un établissement d'enseignement supérieur dans le domaine de la photographie.

ETPA Toulouse

www.etpa.org

Ecole d'infographie, de photographie et multimédia : BTS de photographie, praticien photographe, technicien en multimédia/infographie.

Le club photo de Maintenon (28)

club.photo.free.fr

Site du club photo de Maintenon : présentation, galerie virtuelle, expos, liens complémentaires.

Photographie numérique

perso.wanadoo.fr/tni

Site complet sur les appareils photo numériques, les scanners, les imprimantes, les logiciels de retouche et le traitement numérique de l'image.

Photoscope

www.photo-scope.com

Sélection des meilleurs sites dans le domaine de la photographie.

Société française de photographie

www.sfp.photographie.com

Fondée par un groupe d'amateurs, de scientifiques et d'artistes, dépositaire de l'une des plus importantes collections mondiales d'images et d'appareils anciens, la Société française de photographie (SFP) est aujourd'hui une association reconnue d'utilité publique, animée par une équipe de chercheurs, spécialistes en histoire de la photographie.

Photographie : expositions, galeries

A fleur de peau

www.focale.com

Photos de nus, de charme, de paysages et bien d'autres choses encore à découvrir sur ce site.

Absolut photo

www.absolut-photo.com/expositions

Annuaire des expositions de photographies en France, Belgique, Suisse et Canada.

Alpes_Stereo

perso.wanadoo.fr/alpes-stereo

Alpes_Stereo donne accès à une collection de photos en relief prises dans les montagnes des Alpes et présentées en 3D grâce aux anaglyphes.

Anticphoto

www.antic-camera.com

Le monde de la photographie ancienne : annonces, musée virtuel, livres, foires…

Créanum-Belgium

www.creanum-belgium.com

Site galerie dédié à la photographie européenne. Exposition gratuite de vos photographies.

Expo Photo

www.delvalle.fr/ExpoPhoto

Expo Photo.net regroupe des photographes qui aiment le monde : femmes, enfants, hommes, un autre regard sur le monde.

Exposition virtuelle Magnum

expositions.bnf.fr/essais

Superbe exposition en ligne de la légendaire agence de photographie Magnum.

Feeriart, le monde des fées

perso.wanadoo.fr/feeriart

Hilda Soyer vous dévoile son monde féerique à travers la photographie, la sculpture et la peinture. Analyse de livres et nombreux liens vers le monde des fées.

Fenêtres sur le temps

www.timewindows.net

Images de femmes, de fleurs, de chemins secrets.

Fredo-photo

fredo.photo.free.fr

Pour tous ceux qui aiment la photographie.

Galerie photographique contraste

bugaud.contraste.free.fr/ index.html

Ce site donne accès à des galeries de photos en noir et blanc.

Ile de la Réunion

www.liledelareunion.com

Visitez l'île de la Réunion en images : ses paysages, sa flore, sa faune, son volcan. Découvrez son histoire, sa cuisine et sa culture.

Instant photos

mapage.noos.fr/neutronico

Photos de pays étrangers (Grèce, Norvège, Maroc, Antilles, île de la Réunion) et de régions françaises (Biarritz, Mont-Saint-Michel, les Alpes).

L'art contemporain en France

www.cnap.fr/calendrier.php

Vous trouverez ici un calendrier de l'art contemporain sur toute la France, un guide-annuaire de 1 500 lieux, le statut de l'artiste (droit d'auteur, fiscalité, droit social), ainsi que toutes les écoles d'art et leurs diplômes.

L'Europe vue du ciel

www.leuropevueduciel.com

Banque de photos aériennes classées par communes, mots clés, thèmes, à l'attention des éditeurs, journalistes et particuliers.

Maison européenne de la photographie

www.mep-fr.org

Site de la Maison européenne de photographie de Paris : actualités, expositions, livres et films.

Mic Voyages

iquebec.ifrance.com/mic21

Sur le site de Mic Voyages, découvrez des photos, récits et guides de voyages dans le monde entier.

Mon album photo

xplemierre.chez.tiscali.fr/ index.html

Album photo : auto, moto, régions de France, jardins, architecture, etc.

Montagne photos

www.montagne-photos.com

Photographies de marmottes, de chamois, de bouquetins, de la flore et de paysages de la Vanoise, des Ecrins et du Mercantour. Descriptions de randonnées pédestres. Service de cartes virtuelles et de petites annonces.

MyAldorande

www.myaldorande.com

Plus de 600 photos, des galeries de photographes amateurs, des galeries perso, des annuaires, les bons plans du Net et bien d'autres rubriques à découvrir.

O! Web, photos de la Bretagne

www.o-Web.com

Visitez la Bretagne : photographie et création de sites Web en Cornouaille.

Paris autrefois

www.paris-pittoresque.com

Des photographies, des gravures, des chroniques anciennes et des extraits d'ouvrages qui font revivre le Paris d'autrefois et ses environs, un guide pour découvrir l'histoire de Paris et de la région parisienne.

Paris-Web

www.paris-Web.com

Guide du Web parisien : cartes postales virtuelles et photographies de Paris.

Photo Infos

www.photo-infos.com/actualite/festivals.htm

La photographie est à l'honneur tout au long de l'année dans de nombreuses villes de France. Thématiques ou généralistes, ces événements rassemblent passionnés et professionnels autour d'expositions, débats, forums, salons, etc. Ce site propose un tour d'horizon des prochaines manifestations.

Photo

www.photo.fr/laterre

En collaboration avec l'agence La Terre vue du ciel, ce site présente 200 images prises dans plus de 70 pays par le photographe aérien le plus doué de sa génération : Yann Arthus-Bertrand.

Photographie et infographie

www.artwal.net

Où le rêve transcende la réalité : photographie, infographie, images numériques.

Photographies d'art contemporaines

oborderie.free.fr

Photographies (noir et blanc/couleur) d'art, d'érotisme et de botanique.

Photographiz

www.photographiz.com

Au programme : morceaux choisis de Kundera, des cours sur le traitement des images, galerie présentant les œuvres de grands photographes du siècle et une mine de liens sur la photographie.

PhotoMania

www.photomania.com

Avec PhotoMania, stockez, partagez et diffusez facilement et gratuitement vos albums photo avec vos amis, votre famille où qu'ils soient dans le monde, et ce sans aucune connaissance technique spécifique.

Photophiles.com

www.abylone.com/photophiles

Sur Photophiles.com, vous pouvez exposer vos images au travers d'une galerie, inscrire votre site dans l'annuaire photo, découvrir les actualités et expositions photo, suivre des cours sur la photographie et le traitement de l'image numérique.

Photos d'amateur, amateurs de photos

www.photoamateur.net

Portraits, charme, modèles, mannequins, graffs, sport, Bordeaux, Toulouse et humour abordés en images.

Photos et diaporamas de notre planète

www.round-planet.com

Un collectif de photographes présente ses photos du monde entier, réunies sous forme de diaporamas et triées par thèmes ou par positions géographiques à l'aide d'une carte interactive.

Photos sans appareil photographique

www.chez.com/minephotos

Photos et graphismes, beautés de la nuit, vus et réalisés par Gérard Mauvillain.

Pidz.com

www.pidz.com

Ce site est dédié à la photographie de spectacle : concerts, théâtre, danse, etc.

Rencontres internationales de la photographie

www.rip-arles.org

Les Rencontres internationales de la photographie sont un lieu de découverte photographique (expositions, soirées de projection) et de réflexion (colloques, conférences).

Revue Photographie

www.revue.com/toc/expositions.shtml

Agenda des expositions photographiques à Paris et en province.

Son, image et Internet

perso.pacwan.fr/g-robert-photo

Sont réunis ici liens sur l'audio, photographies de paysages et développement de sites Web.

Tarik M, la photographie

www.chez.com/tarikm

Création artistique personnelle sur divers thèmes : portraits, voyages, paysages, natures mortes. Photos de l'Algérie et ses régions. Nombreux liens : sites galeries, stages, concours photo, associations et photographes.

Trieste mia

triestemia.com

Découvrez Trieste, entre Venise et l'Istrie, au coin nord de la mer Adriatique.

Un si beau pays

perso.wanadoo.fr/hybouves

Balades photographiques en pays niçois, poèmes et paix.

Wilfrid Azencoth, photographe

wilfrid.tatoolagoon.com

Photographies de Wilfrid Azencoth.

Wistiti

www.wistiti.fr

Portail de la photo numérique. Création gratuite d'albums photo en ligne. Tirages sur papier photo professionnel. Actualité, tests, guide d'achat, galeries photo, petites annonces, forums.

Photographie : journaux, conseils

Débuter en photographie

pierphoto.free.fr

Conseils pour bien débuter en photo, réponses aux questions que vous vous posez : sur quels critères choisir un appareil photo ? Comment mettre en valeur un sujet ? Pourquoi ma photo est-elle floue ?

Déjà vu

deja.vu.free.fr

Magazine en ligne sur la création d'images photographiques (histoire et expositions).

La photographie.com

www.laphotographie.com

Le magazine photo des événements, de l'actualité photographique, du photo-journalisme à la photographie d'art : portfolios, interviews, expo, livres, etc.

LEUÏLOM

www.leuilom.com

LEUÏLOM est un collectif de photojournalistes engagés. Découvrez et soutenez leurs reportages photographiques sur ce site.

Photographies et immigration

www.aidda.com/index.html

Magazine d'information sur la photographie sociale et documentaire.

ReVue

www.revue.com

ReVue est un magazine de photographie en ligne favorisant le genre documentaire.

Un monde image

www.mondeimage.com

Ce site présente une sélection de reportages photographiques.

Usine à photo

www.usine-a-photo.com

Le site Usine-a-photo.com est dédié à la photographie sous toutes ses formes.

World Photography

www.fotoartmagazine.com/aboutus/france.htm

FotoArtMagazine.com est un site consacré à la photographie. Sa priorité est d'apporter des connaissances et créer des échanges d'idées sur l'art de la photographie.

Photographie : photographes, agences, modèles, clubs

Absolument femmes

perso.wanadoo.fr/lefort.dominique

Dominique Lefort, photographe, propose des portraits, photos glamour, de charme, des nus.

Agence photographique

www.photo.rmn.fr

Ce site donne accès à une base de données de photos des œuvres d'art conservées dans les musées français.

Art photographie, Pascal Maillard

www.pmaillard.com

Le travail photographique de Pascal Maillard se démarque de la photographie habituelle. Photo non conventionnelle, qui s'inscrit dans l'art abstrait, loin des idées reçues.

Artfine

www.artfine.net

Artfine assure la défense et la promotion de la photographie. Sur le site, retrouvez des rubriques de conseils techniques, un forum, une galerie de photographes, une base de données, des idées de lieux pour photographier, des offres d'emploi, des cours d'infographie, un agenda, etc.

Art-photo Maurice Salmon

www.art-photo-salmon.com

Images d'elle : beauté et sensualité…

Beaux mecs

membres.lycos.fr/bomecs

Plus de 2 000 photos de vos célébrités masculines préférées, avec biographie et filmographie.

Castingmag

www.castingmag.com

Version électronique du magazine Casting, pour ceux et celles qui veulent devenir mannequin.

Clubphoto

clubphoto.free.fr

Le site des clubs photo de Roiffieux et d'Annonay : galerie et pages modèles.

Dorje online gallery

www.dorje-pictures.net

Galerie photo de Franck Schmutz, photographe.

Elodie Chappuis, photographe paysage

Ω

perso.wanadoo.fr/elodie.chappuis

Site d'Elodie Chappuis, photographe de paysages et d'architecture : galeries couleur/noir et blanc, devis et commandes en ligne.

Exhibition

perso.wanadoo.fr/patrick.sorrente

Portfolio de Patrick Sorrente.

Fontaine obscure

site.voila.fr/fontaine_obscure

L'association Fontaine obscure regroupe des photographes de Provence. Elle organise des expositions photographiques et des rencontres autour de la photo.

French photographies
www.focale.com

Photos de nus, de charme, paysages, etc.

Gabina, artiste photographe tchèque
www.gabina.net

Site de l'artiste Gabina, modèle de Saudek : photographies par thèmes, femmes, tatouages, nus.

Imago
www.imago.univ-paris8.fr

L'Atelier de vidéomatique (Paris 8) a pour ambition d'explorer le processus d'hybridation réciproque de la vidéo et de l'informatique.

Le press-book
www.le-press-book.com

Au programme : annuaire des press-books mannequins, modèles photo et photographes de mode, webTV, forum, dialogue en direct, boutique du mannequin, réception gratuite d'annonces de casting sur téléphone mobile.

Ma collection d'appareils photo
as.halgand.free.fr

Présentation d'une collection d'appareils photo et de photos stéréo.

Mathilde & Marie
mathilde.marie.free.fr

L'univers mystérieux et troublant de deux sœurs : photographie, sensualité et poésie sont au rendez-vous.

Modelscafe

modelscafe.ifrance.com

Les plus belles photos de top models, d'actrices et de célébrités.

Moi bis de la photo
www.photobis.com

Portail de la photographie d'exposition et de création.

Olivier Mériel
olivier.meriel.free.fr

Site officiel du photographe normand Olivier Mériel.

Photo Modèles Club
www.photo-modeles-club.com

Découvrez les plus beaux modèles amateurs français et entrez en contact avec eux grâce à Photo Modèles Club.

Sandy Davidson

perso.sandy.mageos.com

Book de Sandy, modèle photo free lance.

Topcelebrity
topcelebrity.free.fr

De nombreuses photos de ces stars qui nous font tant rêver…

Photographie : safaris et chasses photo

Afrique, animaux sauvages, voyages et safaris

www.kenya-safari.com

Au programme : Afrique sauvage, aventure insolite, safari photo, découverte d'ethnies dans les plus beaux parcs du monde, hors des sentiers battus.

Association sportive de la chasse photographique française

www.libres-et-sauvages.com

Site de l'Association sportive de la chasse photographique française (ASCPF).

Etendues sauvages

www.etendues-sauvages.com/equipementsafaris.htm

Etendues sauvages propose des fiches conseils concernant l'équipement nécessaire pour un safari photo en Afrique, l'observation et la photographie de la faune sauvage, l'exploration et la photographie de la forêt tropicale humide, l'approche et la photographie du tigre du Bengale, et bien d'autres sujets encore.

Horizons typiques 

www.horizonstypiques.com

L'agence de voyages Horizons typiques propose des séjours à thèmes, des voyages découverte, des vacances sportives et culturelles. Partez à l'aventure en famille vers des destinations exotiques.

Safari photo aux îles de la Madeleine

www.collegemarsan.qc.ca/safari

Formation d'une semaine en photographie aux îles de la Madeleine, organisée par un professeur du Collège Marsan. Cette formation est ouverte à tous les niveaux de photographes, amateurs ou professionnels.

Safari photo en camping 

www.viesauvage.fr/camp.html

Vie sauvage propose des voyages pour découvrir le Kenya, la Tanzanie, l'Afrique du Sud, le Botswana, la Namibie, le Zimbabwe, Madagascar, Zanzibar, les Seychelles, la Zambie, l'Ouganda, le Cameroun, le Gabon, la République centrafricaine, le Mozambique, l'Inde, le Pérou et l'Equateur.

Safari photo.org

www.safari-photo.org

Venez découvrir l'Afrique et ses merveilles : safari photo au Kenya et en Tanzanie, photos de mammifères, reptiles, oiseaux, lions, éléphants, léopards, guépards, rhinocéros, hippopotames, girafes, etc.

Photographie : vente

Achat photo 

kelkoo.fr/Appareils_Photo_Numerique

Comparez les prix de 600 modèles d'appareil chez plus de 170 commerçants.

Digit photo 

www.digit-photo.com/accueil.php

Digit-photo.com est spécialiste de la photo à prix discount sur Internet : appareils numériques, argentiques, accessoires, consommables.

LDLC - Photo numérique 

www.ldlc.fr/cat/330077.html

Appareils photo numériques en vente sur la boutique en ligne de matériel informatique LDLC.com.

Photo service

www.photoservice.com

Tirage de photos numériques sur papier photographique *via* Internet. Développement 35 mm, APS, noir et blanc, diapositives, retouche numérique.

Reporter photo

www.reporterphoto.com

Vente de matériel photo de grandes marques et d'accessoires : flashs, objectifs autofocus, numériques, projecteurs diapos, reflex. Reprise de votre ancien matériel.

Vente photo

photo-tv.ebay.fr

Faites le plein d'affaires sur le volet Photo de eBay.

Vente

Artcurial.com

www.artcurial.com

Vente en ligne des œuvres exclusives des 60 plus grands artistes modernes et contemporains et 10 000 livres dédiés aux beaux-arts.

BonWeb - Art, vente

www.bonweb.com/p_3_290.php

Sélection des meilleurs sites de vente d'œuvres d'art par bonweb.com.

Boutique virtuelle Van Gogh

site.ifrance.com/vangogh

Van Gogh, votre boutique de fourniture de beaux-arts : peinture, aquarelle, gouache, pinceaux, brosses, matériel divers.

Châssis France

www.cci-oise.fr/chassis

Découvrez le catalogue de cette entreprise française spécialisée dans la vente de chevalets, brosses et pinceaux, toiles et cartons toilés, papier aquarelle.

Diapub

www.moneybyart.com

MoneybyArt aide les artistes en vendant leurs œuvres aux galeries et éditeurs américains.

Fournitures atelier, dessin, peinture

www.fadep.com

Fadep.com, passage obligé des amateurs d'art plastique.

Wilalex Magbel, fabricant de peinture

www.wilalex-magbel.com

Découvrez le catalogue du fabricant de peintures Wilalex-Magbel, qui propose une gamme de produits entièrement miscibles.

Cyberculture

Fournisseurs d'accès à Internet

9 Télécom

www.bonsplanstelephonie.com

Découvrez les forfaits ADSL parmi les moins chers du moment.

9Online

www.neuf.fr

Fournisseur d'accès Internet RTC et ADSL. Avec 9Online, choisissez le forfait du fournisseur d'accès Internet 9 Telecom adapté à votre consommation.

Acorus

www.acorus.fr

Le site d'Acorus, fournisseur de services Internet dédiés aux professionnels.

Alice ADSL

www.aliceadsl.fr

Choisissez Télécom Italia pour votre abonnement téléphonique principal et profitez de l'offre Alice ADSL.

Aol.fr

www.aol.fr

Site portail d'AOL France : nombreux contenus et services exclusifs, gratuits et pour tous les internautes. Recherchez et trouvez rapidement la réponse à vos questions, des fichiers MP3, des images, des sons, etc.

Belgacom.net

www.belgacom.net

Site du fournisseur d'accès Belgacom.

BonWeb - Internet, FAI

www.bonweb.com/p_1_231.php

Sélection de fournisseurs d'accès à Internet par bonweb.com.

Cario.fr, l'Internet à taille humaine

www.cario.fr

Site du fournisseur d'accès à Internet Cario. Quatre formules d'abonnement sont proposées sur le site : 5 heures, 12 heures, 35 heures ou illimité.

Cegetel ADSL

www.adsl-facile.com

Non content de proposer des forfaits ADSL à bas prix, Cegetel vous présente ses forfaits téléphoniques illimités.

Clara.net France

www.claranet.fr

Clara.net propose des offres d'accès haut débit. Profitez de connexions allant de 768 Kbit/s à 2 Mbit/s avec votre ligne téléphonique classique et exploitez au mieux les ressources du réseau Internet (vidéo, audio, données) tout en maîtrisant vos coûts.

Club-Internet

www.club-Internet.fr

Portail du fournisseur d'accès Club-Internet, le club le plus ouvert de la planète.

Dial

www.dial.fr

Liste des fournisseurs d'accès à Internet français. Téléchargement d'une barre d'outils Internet et accès à une sélection de sites par catégories.

Easyconnect

www.easynet.fr/pro/connexion

Découvrez le fournisseur d'accès Easynet (ADSL, Modem, Numéris) ainsi que ses services (nom de domaine, e-mail, webmail, newsgroups, forums, espace Web, jeux en réseau, etc.).

Free Haut Débit

adsl.free.fr

Free démocratise l'accès à Internet en proposant un forfait d'accès illimité haut débit à 29,99 euros TTC par mois sans frais d'accès. Cette offre est illimitée dans le temps, elle est ouverte à tous ! Rejoignez sans attendre les milliers d'abonnés à Free haut débit.

Free

www.free.fr

Free est le fournisseur français d'accès gratuit à Internet sans abonnement, sans carte bancaire, sans surcoût de tarification, sans limite de temps.

Freesurf

www.freesurf.fr

Portail de Freesurf, fournisseur d'accès à Internet gratuit sans abonnement : hébergement, e-mail, chat, actualités, météo, horoscope, cinéma, musique, sport, art, guide TV, etc.

French Data Network

www.fdn.fr/Support.html

Ce fournisseur d'accès à Internet présente son support technique, de la documentation et des statistiques (mail, serveurs, Max & Oléane).

Grenouille.com

www.grenouille.com

Météo du Net : comparatif des fournisseurs d'accès haut débit, mesure en temps réel des performances (download, upload et ping) pour l'ADSL, le câble et les autres connexions rapides.

ISPA

www.ispa.be/fr

ISPA Belgique est l'association belge des fournisseurs de service Internet. Créée le 30 mai 1997 à Bruxelles par 10 membres, ISPA Belgique représente aujourd'hui quelque 95 % du marché, par l'intermédiaire de ses 71 ISP membres.

Lesproviders.com

www.lesproviders.com

La revue sur les fournisseurs d'accès à Internet français : tests de connexion, fiches techniques, dernières news (FAI gratuits, forfaits illimités, etc.), tableau comparatif, options tarifaires, dossier sur le surf rémunéré. A ne pas manquer.

M6Net

m6net.m6.fr/html/accueil/index.shtml

Portail du fournisseur d'accès M6net.

Nerim - Fournisseur d'accès ADSL

www.nerim.net

Découvrez les offres de cet opérateur de télécommunications ADSL.

Noosnet haut débit

www.noos.fr

Noos présente ses forfaits câble 160K, 640K, 1 280K et 2 560K et ses forfaits TV Découverte, Magic et Infinity.

Ordinateur et Internet tout compris

www.net-up.com

Découvrez les forfaits Internet de Net-Up : ordinateur et connexion Internet tout compris.

Oreka

www.oreka.com

Portail du fournisseur d'accès Oreka.

Tarifs des fournisseurs Internet

www.axess.com/drakkar/regions.html

Liste des fournisseurs d'accès à Internet au Québec.

TELE2 France

www.tele2.fr

Opérateur téléphonique et fournisseur d'accès Internet RTC et ADSL.

Tele2Internet

www.tele2internet.fr

Portail du fournisseur d'accès Tele2.

Tiscali

www.tiscali.fr

Portail du fournisseur d'accès Tiscali.

VIA NET.WORKS

www.vianetworks.ch

VIA NET.WORKS (Suisse) SA propose un accès Internet au tarif local dans toute la Suisse, ainsi que l'hébergement de sites et de serveurs.

Wanadoo

www.wanadoo.fr

Portail du fournisseur d'accès Wanadoo.

Groupes de discussion, listes de diffusion

Annuaire des listes de diffusion

www.francopholiste.com

Catalogue des listes de diffusion francophones (4 000 listes répertoriées).

Bienvenue sur Net2one

www.net2one.com/index.asp

Ce service gratuit vous permet de recevoir des revues de presse personnalisées établies à partir de mots clés que vous avez saisis.

BonWeb - Internet, Messagerie instantanée

www.bonweb.com/p_1_499.php

Sélection des meilleurs sites en rapport avec les messageries instantanées par bonweb.com.

BonWeb - Internet, Chat

www.bonweb.com/p_1_500.php

Sélection de sites de dialogue en direct (chat) par bonweb.com.

BonWeb - Internet, Chats graphiques

www.bonweb.com/p_1_232.php

Sélection des meilleurs sites graphiques de discussion en direct par bonweb.com.

BonWeb - Internet, Forums

www.bonweb.com/p_1_502.php

Sélection de forums de discussion par bonweb.com.

BonWeb - Internet, IRC

www.bonweb.com/p_1_374.php

Sélection des meilleurs sites en rapport avec IRC (*Internet Relay Chat*) par bonweb.com : ressources, adresses des réseaux IRC, FAQ, guides, etc.

BonWeb - Internet, Listes de diffusion

www.bonweb.com/p_1_15.php

Sélection de sites en rapport avec les listes de discussion (annuaires, création d'une liste, actualités, etc.) par bonweb.com.

BonWeb - Internet, Newsgroups

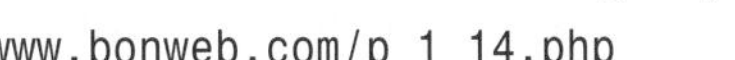

www.bonweb.com/p_1_14.php

Sélection de sites donnant accès aux newsgroups par bonweb.com.

Cartables.net - Les listes de diffusion

cartables.net/listes

Répertoire des principales listes de diffusion consacrées à l'éducation.

CRU - Messagerie électronique

www.cru.fr/messagerie

Le CRU est très actif dans le domaine des listes de diffusion. Il est à l'initiative de l'annuaire Francopholistes, créé en 1997. Il développe et distribue Sympa, un logiciel serveur de listes de diffusion. Ce site donne tous les conseils nécessaires pour bien utiliser les listes de diffusion.

CRU - Universalistes

listes.cru.fr/wws

Ce serveur vous propose un accès à votre environnement de listes sur sympa@cru.fr. A partir de cette URL, vous pouvez choisir vos options d'abonnement, vous désabonner, accéder aux archives ou gérer les listes dont vous êtes propriétaire, etc.

Dolist.Net

hosting.dolist.net

Annuaire des listes de diffusion francophones et internationales. Référencement de tous les types de listes de diffusion, de discussion, lettres d'information, bulletins d'alerte, magazines électroniques, groupes de nouvelles, forums.

Généalogie - listes

jerotito.org/ressourcesgenea/listes

Répertoire des listes de diffusion francophones en rapport avec la généalogie.

Groupes de discussion

www.learnthenet.com/french/section/newsgroup.html

Tout ce que vous devez savoir sur les groupes de discussion se trouve sur ce site.

Groupes Google

www.google.fr/grphp?hl=fr&ie=UTF-8

Les groupes de discussion par Google.fr.

Groupes Usenet.fr

www.fr.net/news-fr

Ces quelques pages sont destinées à donner des informations sur le contenu et le fonctionnement des groupes de nouvelles francophones.

Les listes de diffusion

www.arobase.org/listes

Qu'est-ce que les listes de diffusion ? Comment les choisir ? Comment s'abonner ? Ces questions et bien d'autres trouveront une réponse sur ce site dédié aux listes de diffusion.

List Avenue

www.listavenue.com

Grâce à ce site, créez gratuitement votre liste de diffusion sur votre site Web.

Liste des groupes fr

www.fr.net/news-fr/liste.html

Ce site présente une sélection de groupes de discussion francophones par ordre alphabétique. Si votre navigateur est configuré pour la lecture des news, il vous suffit de cliquer sur le nom d'un groupe pour l'atteindre.

Listes de diffusion DWAM

www.w3space.com/w3lists

Cette page donne accès à diverses listes de diffusion francophones pour Photoshop, FrontPage, Corel, Office, Illustrator, PageMaker, XPress, la PAO en général et le HTML.

Listes de diffusion hébergées par l'AFUL

www.aful.org/listes

L'AFUL héberge sur son serveur plusieurs listes de diffusion de façon à encourager l'entraide et la diffusion d'informations entre les utilisateurs de logiciels libres.

Listes d'EducNet

www.educnet.education.fr/listes_educnet/default.htm

Cette page donne accès aux listes de diffusion pour l'enseignement hébergées par EducNet.

Newsgroups & forums

www.foorum.fr

Consultation des groupes de nouvelles sur le Web : plus de 12 000 forums et plus de 38 millions de messages accessibles !

PoPList

www.poplist.fr

PoPList est le n° 1 sur le marché des listes de diffusion gratuites francophones.

Pour bien débuter sur Usenet

www.lacave.net/divers/debuter.htm

Conseils et liens pour aborder sereinement le monde des groupes de nouvelles (newsgroups).

Serveur-de-listes.com

www.serveur-de-listes.com

Etude comparative des principaux serveurs de listes sur le marché.

Splio ListServer

www.spliolist.com

Splio ListServer est un service de gestion de listes de diffusion. Cet outil est destiné aux webmestres qui souhaitent proposer à leurs visiteurs de s'inscrire et de recevoir régulièrement des nouvelles de leur site.

Voila, News

news.voila.fr

Voila News est un service de recherche et de navigation à travers les groupes de nouvelles francophones. Explorez, recherchez, postez, répondez aux différents groupes de discussion francophones.

Voila, newsgroups

news.voila.fr/Informations/newsgroups.html

Présentation des groupes de discussion (newsgroups), de leur fonctionnement et des règles à respecter.

Yahoo! Groupes

cf.groups.yahoo.com

Yahoo! Groupes est un service qui offre un hébergement gratuit aux listes de diffusion, aux groupes de discussion et propose des partages de fichiers et des outils de marketing direct par e-mail.

Hébergeurs

Active ISP France

www.activeisp.fr

Hébergement de votre site sous Linux ou Windows à partir de 4,20 euros par mois.

Anotherlight

www.anotherlight.com

Anotherlight est un hébergeur de sites Web gratuit destiné aux artistes. Il permet également de créer une adresse e-mail, donne accès à des outils de création de sites, à un canal chat et à bien d'autres ressources pour webmestres.

Canin, l'annuaire des éleveurs

www.canin.info

Canin est un annuaire d'éleveurs géographique : hébergement gratuit pour les éleveurs, portail, forums, infos, hit-parade animalier, cartes virtuelles, etc.

Digiclix

www.digiclix.com

Digiclix est spécialisé dans les services d'hébergement haute qualité et enregistrement de domaines.

Direct From

www.direct-from.com

La société Direct From propose des solutions Internet, l'enregistrement de noms de domaine, l'hébergement Web et bases de données, l'étude et la réalisation de sites Web, le développement de bases de données, le référencement, la formation Internet et la traduction de documents.

European Servers

www.europeanservers.net

Venez découvrir European Servers, un hébergement Linux professionnel et rapide pour votre site.

FortuneCity

www.fortunecity.fr

FortuneCity, véritable communauté en ligne, vous offre 100 Mo d'espace Web gratuit pour construire votre propre site au sein d'une ville virtuelle.

Free

www.free.fr

Tout le monde connaît le fournisseur d'accès à Internet, Free. Mais savez-vous que le site rassemble un grand nombre de liens qui pourraient vous inciter à en faire votre page de démarrage : journal, liens thématiques, achats sur le Web, dossiers, etc. ?

Hébergement-Web

hebergement-web.com

Hébergement de sites Web à petit prix. Trafic illimité.

Hébergeurs gratuits et sans pub

gratuitetsanspub.fr.st

Ce site répertorie les hébergeurs gratuits sans publicité.

i(France)

www.ifrance.com

L'hébergeur i(France) offre tous les outils nécessaires pour créer des sites personnels, gérer ses e-mails, partager ses favoris, son agenda, participer aux forums et s'informer sur ses centres d'intérêts.

Internet, hébergement

www.liensutiles.org/heberge.htm

Cette page répertorie les hébergeurs de sites Web.

Lycos MultiMania

www.multimania.lycos.fr

Le site de MultiMania propose e-mails, forums, chat, dialogue en direct, hébergement de pages perso, annuaire de sites, e-commerce. Tous les services sont gratuits.

Nexen Services

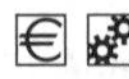

www.nexenservices.com

Nexen propose son offre d'hébergement : 100, 250, 500 ou 1 024 Mo pour vos pages Web, des e-mails illimités, l'accès au langage PHP, aux bases de données MySQL, avec tous les exemples et les manuels pour construire un site dynamique et véritablement interactif.

Notre famille

www.notrefamille.com

Cet espace vous permet de créer et d'héberger votre propre site familial. Vous pourrez y exposer textes, sons, images et vidéos pour les rendre accessibles partout dans le monde.

PhapViet.com

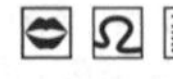

www.phapviet.com

PhapViet.com propose de créer votre site en vietnamien, PHP, JSP, ASP. Il offre également un espace Chat, un service de petites annonces, de demandes et d'offres d'emploi et propose divers liens à la communauté vietnamienne.

Soja Hébergement

soja.tsgk.net

Hébergement gratuit de sites Web, sans publicités et en sous-domaine, et redirection d'adresse si vous possédez déjà un site chez un autre hébergeur.

Splash

www.dotcom.qc.ca

Dotcom, spécialiste en technologies de l'information, propose d'héberger votre site Web, de créer votre nom de domaine et permet de télécharger des utilitaires de création de sites.

Tiscali

www.chez.tiscali.fr/premium

Hébergement gratuit de sites Web jusqu'à 100 Mo avec une adresse de type monsite.chez.tiscali.fr.

Voila - Mon site

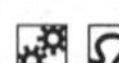

monsite.voila.fr

Sur Voila Mon site, vous disposez de 100 Mo pour créer et héberger gratuitement votre site.

WebCD 

www.webcd.fr

Société d'ingénierie télématique, WebCD a pour vocation l'édition, la conception, l'hébergement et la promotion de services Internet professionnels et associatifs.

Web-tèk, la bibliothèque du webmestre 

membres.lycos.fr/webtek

Bibliothèque du webmestre : ressources HTML et DHTML, scripts JavaScript, images GIF, boutons, fonds, hébergement, sponsors, conseils et astuces, réseau d'entraide et jeu concours.

Jeux en ligne

1001tests.com

www.1001tests.com 

Gagnez des cadeaux en réussissant les quiz, connaissez-vous mieux en faisant les tests de personnalité et entraînez-vous aux tests de QI.

A l'attaque

www.lasbass.com/dipoun/jeu

Jeu interactif à plusieurs niveaux et à jouer en ligne.

Absolument Jeux

www.absolud.com/jeux 

Divers jeux en ligne. Possibilité de télécharger, de jouer en réseau ou de comparer ses scores avec les autres internautes. Et le tout absolument gratuit !

Ailleurs

www.ailleurs3d.com

Vous n'êtes plus qu'à un clic de découvrir l'endroit où vous aimerez perdre votre temps à construire votre univers, à jouer aux échecs avec votre air sérieux ou simplement à choisir un avatar pour discuter en chat.

Arcade village 

www.arcadevillage.com/indexf.htm

Jeux d'arcade gratuits en ligne incluant de grands classiques comme astéroïd, centipède, space invaders, tétris et pacman.

Arène 

www.arene.com

Serveur de jeux en réseau à la demande.

Atouts gagnants v2  

www.atouts-gagnants.com

Ce site donne accès à de nombreux jeux concours gratuits.

Banja

www.banja.com

Le premier jeu communautaire en temps réel sur Internet entièrement gratuit. Chaque mois vous découvrez un nouvel épisode avec de nouvelles zones, de nouveaux modules de jeu, de la musique et des cadeaux.

Bechamel.com 

www.bechamel.com

Production et diffusion de divertissements en ligne : courts-métrages, animations, dessins animés, séries, jeux interactifs, musique.

Blublo ouaurld

perso.club-Internet.fr/gnventur

Une aventure interactive avec de nombreux rebondissements et beaucoup d'humour. En prime, découvrez une webcam pas comme les autres…

Captage Production

www.captage.com

Le Bal du prince : une aventure interactive dont vous êtes l'héroïne, par Frédéric Kaplan et Silvère Tajan.

Casino on Net

www.888.com

Jouez au black jack, à la roulette, aux machines à sous ou autres jeux de casino. Téléchargez gratuitement le logiciel. Jeux testés et contrôlés depuis 1996.

Casinos

www.liensutiles.org/casino.htm

Cette page donne accès à des casinos virtuels et autres sites de jeu en ligne.

CasinosGuide

www.casinosguide.net

Près de 200 casinos francophones et anglophones ont été testés par ce site. Ne jouez plus par hasard !

Cédric25

www.cedric25.fr.st

Tout sur Lara Croft : les épisodes de Tomb Raider et une galerie de plus de 100 images.

Colyseo

www.colyseo.fr

Venez découvrir un univers de jeux en ligne exclusifs et gratuits, où des communautés de joueurs se rencontrent et s'affrontent.

Concours

www.concours.fr

Ce site répertorie les jeux concours Internet ou courrier. Abonnez-vous à la liste de diffusion pour être informé des nouveaux jeux.

CosmoQuiz

www.cosmoquiz.com/fr

CosmoQuiz, c'est la culture d'une encyclopédie et le fun d'un tournoi international de quiz !

CréaFlash

mapage.noos.fr/creaflash

Ce site propose plusieurs jeux en Flash et donne accès à d'autres sites complémentaires.

CyberJeux

www.tchatche.com

Une sélection de jeux en ligne, pour le simple plaisir du jeu.

CyberProf

francite.net/education/cyberprof

CyberProf se veut une classe virtuelle de français. L'objectif est de tester vos connaissances grammaticales, orthographiques et culturelles. Tout se déroule en ligne et le résultat est obtenu immédiatement.

Devi-Net

perso.wanadoo.fr/barobase

Ce site propose des énigmes, des problèmes mathématiques amusants, des charades, des rébus et d'autres jeux d'esprit.

Eldorawin

eldorawin.koodpo.com

Jeu de loto en ligne.

Eurobet

www2.eurobet.com/online/go_hp.main?id=2

Paris sportifs en ligne : pariez sur un grand choix de sports (paiement sécurisé).

Europe échecs

www.europe-echecs.com

Au programme : actualités, annuaire des clubs, calendrier des tournois, jeu en ligne ou hors connexion (après téléchargement) contre le logiciel Jester.

Flashpassion.com

www.flashpassion.com

Flash Passion est une agence créatrice de jeux en ligne, un webzine Internet de cyber-divertissements et d'événementiels au design Flash et un conseil en communication aux grands comptes.

Flipside

www.flipside.fr

Jeux gratuits permettant de gagner des cadeaux en accumulant des points et de participer à des tournois de jeux en ligne primés (Counter-Strike, Vampire The Masquerade, Wordox, les échecs, etc.).

Fondation, le jeu

www.fondationlejeu.com

Jeu de conquête interstellaire en ligne, mêlant stratégie et diplomatie.

Fooltoon.com

www.fooltoon.com

fooltoon.com vous propose ses jeux gratuits. Jouez depuis votre navigateur : jeux d'arcade, de sports, humoristiques ou classiques.

Formula-Y 2025

membres.lycos.fr/whitezombie

Jeu de course par e-mail qui se joue dans un environnement futuriste.

FreeGames

mapage.noos.fr/freegames

Plus de 400 jeux Flash en ligne pour tous les goûts.

Games fed lan-fr

www.lan-fr.com

Site dédié aux salles de jeu en réseau : actualités, trouver une salle, tournois, etc.

GoZoGoZo

www.gozogozo.com

Jeux pour jeunes enfants et pour tous les amateurs de bandes dessinées et dessins animés en Flash.

Internet Chess Club

www.chessclub.com/french

Jouez en ligne aux échecs : plus de 20 000 membres et 70 000 parties par jour.

Inusable 

webcam.inusable.com

Annuaire de webcams du monde en images, classées par thèmes et pays. Option de recherche rapide. Mise à jour quotidienne.

Javaboy

javaboy.free.fr

Vous trouverez sur ce site plus de 100 jeux Java (grands classiques, simulation et réflexion) pour jouer gratuitement sans rien installer, un forum pour vous exprimer et une liste de diffusion pour vous tenir au courant.

Jeu.Net, Mots croisés

www.jeu.net/mots-croises

Ce site propose 40 grilles de mots croisés.

Jeux de cartes inédits

perso.club-Internet.fr/nvrs/fsrtaccueil.html

Des règles de jeux de cartes inédits et traditionnels ainsi que des jeux en ligne.

Jeux de cartes.net 

www.jeuxdecartes.net

Tout sur les jeux de cartes : actualités, histoire, cartes du monde, triche, expressions, jeux, sites complémentaires.

Jeux en Java 

www.jeux-gratuits.net

Sur Jeux-Gratuits.net, découvrez les meilleurs jeux en Java pour passer de bons moments et vous amuser sur le Web.

Jeux en ligne

www.mylsite.com/jeux 

Plus de 120 jeux gratuits en ligne vous attendent sur ce site.

Jeux en ligne Hoo-la

www.hoo-la.com/jeux/jeux.php

Sélection de jeux Flash en ligne : action, sport, réflexion, etc.

Jeux en ligne Lycos

www.jeux.lycos.fr/jeuxenligne

Lycos propose un grand nombre de jeux en ligne sur ce site.

Jeux en ligne Métronimo 

www.metronimo.com/fr/jeux.htm

Métronimo propose diverses ressources pour l'éducation musicale : logiciels, jeux, livres, vidéos, images, sons, musiques, ainsi que des liens vers d'autres sites musicaux.

Jeux gratuits en ligne

www.abcjeux.net/jeuxfree/jeuxfree.htm

Jeux Flash gratuits et sans inscription : casino, classique, réflexion, arcade, sport, etc.

Jeux Java en ligne

bulltricker.free.fr/jeuxjava.htm

Jouez en ligne à de nombreux jeux : plateau, échecs, dames, reversi, dames chinoises, solitaires, réflexion, action, hasard, stratégie.

Jeux promotionnels et concours

www.jouergagner.com

Jeux en ligne pour jouer et gagner voitures, voyages, argent et cadeaux.

Jogg

www.jogg.com

Jogg propose des jeux en ligne Flash, gratuits, rapides et amusants à installer sur votre site.

La montagne aux jeux

membres.lycos.fr/montagnejeux

Sur ce site : jeux de rôles, jeux de société, labyrinthes, créatures amusantes, top 50 des meilleurs sites de jeux.

La page d'IVN

www.chez.com/ivn

Ce site propose des aides pour pratiquer les jeux de rôle : symbolique des blasons, femmes au Moyen Age, chevalerie.

Lan-party, Counter Strike & Co

www.restless-lan.org

Site de jeu vidéo en réseau local, en France dans le Val-d'Oise.

Le cercle de Hautelune

www.hautelune.net

Ce site est consacré aux personnages d'une campagne du jeu de rôle Donjons et Dragons : Royaumes oubliés. C'est aussi un lieu de rencontre et de partage pour tous les "rôlistes" francophones qui se reconnaissent dans l'ambiance des Royaumes oubliés et en particulier de la ville de Hautelune.

Le Cruciverbiste

www.cruciverbiste.com

Des centaines de grilles de mots croisés à imprimer et à jouer en interactif.

Lecture musicale multimédia gratuite

www.happynote.com/musique/gratuit/cours/lecture/mu

Ce site propose un ensemble de jeux vidéo pour apprendre la musique en s'amusant. Les jeux peuvent être joués en ligne ou téléchargés.

Les énigmes de Nicolas

come.to/enigmes

Le plus grand site d'énigmes sur Internet.

Les jeux de Lulu, le lutin malin

perso.wanadoo.fr/jeux.lulu

Jeux éducatifs en ligne pour enfants. Niveau maternelle et élémentaire (4 à 12 ans et plus).

Les meilleures énigmes du Net

enigmes.leligeour.net

Des énigmes de tous les niveaux pour tous les publics.

L'Hebdo du mercredi

www.lhebdodumercredi.com

Destiné aux enfants des classes primaires : pour apprendre et jouer en lisant une histoire.

Ligue québécoise de jeux en réseau

www.lqjr.qc.ca

Site de la Ligue québécoise de jeux en réseau.

L'Internaute

www.linternaute.com/meilleur/jeuxenligne/index.shtml

Vingt petits jeux en ligne pour s'amuser au bureau…

Locutions de PedagoNet

www.pedagonet.com/oie/oief.html

Vous trouverez sur ce site des énigmes et divers jeux en ligne tels que le pendu et le yahtzee.

Lotree

www.lotree.com

Loterie gratuite et quotidienne : choisissez 7 numéros et gagnez jusqu'à 1 million d'euros par jour. Saisissez votre chance dès aujourd'hui !

LuckySurf

luckysurf.tiscali.fr

Gagnez jusqu'à 1 million de dollars par jour avec la loterie gratuite LuckySurf.com. Sélectionnez 7 numéros sur une grille de 50, puis cliquez sur une bannière pour valider.

Ludoteka

www.ludoteka.com/jeux.html

Ce site permet de pratiquer les meilleurs jeux de plateau et de cartes contre d'autres personnes en temps réel : échecs, mus, parchisi, dames, tablut, poker menteur, pocha, reversi, surakarta, abalone, etc.

Mecteria

membres.lycos.fr/mecteria

Mecteria est à mi-chemin entre un jeu de stratégie et un jeu de rôle. Vous gérez votre civilisation et votre armée au temps médiéval. Tout est automatique et vous disposez d'un tour par jour.

Milkado

www.milkado.com

Jeu de hasard en ligne totalement gratuit.

Monsieur Casino

www.monsieur-casino.com

Guide des casinos en ligne français. Retrouvez tous les jeux de casino virtuels et les jeux de hasard : machines à sous, poker, black jack, roulette.

MTV Celebrity Deathmatch

isuisse.ifrance.com/deathmatch

Imaginez un combat de catch à mort entre Sylvester Stallone et Arnold Schwarzenegger pour déterminer qui est le dernier héros d'action, ou un combat entre Mariah Carey et Jim Carrey parce qu'ils ont le même nom et que cela pose des problèmes. Vous êtes sur Celebrity Deathmatch…

Multimondes

www.multimondes.com

Découvrez sur ce site une carte et des zones qu'il vous faut conquérir en répondant à des questions. Si vous réussissez à conquérir toutes les zones de la carte, vous participez au tirage au sort. Un jeu amusant basé sur une forme de quiz.

Net Stadium 99

www.azursoft.fr/stadium

Vous êtes un fanatique des jeux de stratégie ? Venez affronter d'autres passionnés sur Net Stadium !

Netgammon

www.netgammon.com/?lng=fr

Venez jouer au backgammon sur Internet : 800 joueurs en permanence, 24 heures sur 24, 7 jours sur 7.

Nostalgie - Jeux

nostalgie.winwise.fr

Ce site vous propose plusieurs jeux en ligne : des jeux sur damiers (dames, échecs, puissance 4, reversi), des jeux de cartes (belote, coinche, tarot) et des jeux à jouer en solo (réussite, mots croisés).

OnePlayer Puzzle

www.oneplayer.com

Avec OnePlayer puzzle, découvrez l'art par le puzzle, jouez au puzzle comme dans la réalité… mais sans perdre de pièces sous le tapis !

Parier.net

www.parier.net

Placez vos paris en ligne sur plus de 15 championnats de football, basket-ball, Formule 1, tennis et jouez au casino virtuel (black-jack, poker, roulette, etc.).

Pause c@fé

jeu.jeanlepine.com

Ce site propose des jeux de réflexes, de réflexion et de mémoire en Flash. Classement des meilleurs scores pour chaque jeu.

Peekaboô

peekaboo.free.fr

Peekaboô présente tous les concours gratuits ou payants sur Internet, classés par ordre alphabétique ou chronologique.

PLAYtoSOR

www.playtosor.net/home.htm

Avec ce jeu en ligne, gérez votre e-entreprise nouvellement créée et devenez un magnat virtuel.

Puzzles pour tous

puzzles-fr.com

Des jeux, des puzzles et des casse-tête originaux et inédits.

Puzzlet Factory

www.puzzletfactory.com

Ce site propose plusieurs jeux de puzzles en Flash.

Pyramide

www.ifrance.com/pyramide

Le Parc Internet permet de jouer à des jeux de lettres en direct sur Internet : grilles de mots croisés originales et amusantes, mélimots, pêle-mêle et anagramme.

Quiz

pages.infinit.net/savoir/quiz/quiz.htm

Quatre quiz vous sont proposés sur ce site : Géographie/Histoire/Sciences/Arts/ Divers, Animaux/Terre/Corps humain/Plantes/Cinéma/Sports, Drapeaux, Terre/Histoire/Sciences/Mathématiques.

Quiz

www.dicofr.com/quiz

Plusieurs quiz vous permettent de tester vos connaissances dans les domaines de l'informatique, d'Internet et des nouvelles technologies.

Rpgtown.com

www.rpgtown.com

Référence en ligne francophone des amateurs de RPG : tests, solutions, musiques, dessins, et bien d'autres choses encore.

Scrabble

www.mattelscrabble.com/fr/adults/index.html

Si vous aimez jouer avec les mots, voilà le site qu'il vous faut. Vous y découvrirez des astuces pour parfaire vos talents et des jeux de lettres en ligne.

Todoojeux.com

www.todoojeux.com

Sur cet annuaire et moteur de recherche de sites dédiés aux jeux vidéo, accédez à tous les meilleurs sites en un clic.

UbiSoft - Jeux en ligne

www.ubi.com/FR/GamingZone

Plate-forme des jeux en ligne de l'éditeur UbiSoft.

Web Avantages

www.edengo.com

Avec Edingo, vous gagnez des points en achetant, en surfant et en jouant, points qui peuvent être échangés contre des cadeaux ou du cash.

Winamax.com

www.winamax.com

Jouez et gagnez des cadeaux et/ou de l'argent en vous amusant.

XOR Games

www.xor-games.com

De très nombreux jeux en ligne de tous types vous attendent sur ce site. A consulter d'urgence…

Yahoo!, Jeux

fr.games.yahoo.com

Volet Jeux de Yahoo! France : cartes, plateau, arcade, sport.

Zonejeux.com

www.zonejeux.com

Ce site permet de jouer en réseau sur les meilleurs jeux d'aventure, de simulation et de stratégie. Rejoignez les milliers de joueurs déjà connectés.

Jeux en ligne : clans

AnnuCLAN

annuclan.free.fr

AnnuCLAN, l'annuaire francophone des clans Counter Strike et autres mods HL : organisation de tournois, matchs entre clans, inscription gratuite.

ClansGame

membres.lycos.fr/trusky

Annuaire de clans de jeux en ligne : Half-Life, Starcraft, Age of Empire, Quake, Unreal Tournament, Commando, Diablo, Baldur's Gate, Fifa, Worms.

Darkside of Warcraft

www.war-taverne.com/~dside

Clan Warcraft 3 : news, archives, IRC, liens, téléchargement, jeu en ligne.

DOA Vietcong Clan

www.doa.fluo.net

Site des DOA clan du jeu Vietcong.

Dungeon Siege

www.ds.lordtry.com

Clan du jeu Dungeon Siege et de son add-on Legends of Aranna : solution, cartes, astuces, jeux en ligne, objets, monstres, PJ, fichiers, forum.

FindPlayer.net, le détective des joueurs

clan.findplayer.net

Annuaire très complet de clans Counter Strike.

Galaxie jeux

www.galaxie-jeux.com

Annuaire, référencement et recherche de joueurs, clans, sites de jeux vidéo, tournois. Services et outils pour webmestres. Promotion et actualités des communautés des joueurs réseau.

Guilde Center

membres.lycos.fr/guildecenter

Annuaire complet de guildes francophones : Age of Empires, Age of Kings, Asheron's Call, Baldur's Gate, Combat FS, Diablo, Diablo II, Duke Nukem, Dune 2000, Everquest, Half-Life, Halo, La 4ème Prophétie, Mankind, Neverwinter Nights, Quake, Quake 2, Quake 3 Arena, Starcraft, Starsiege Tribes, Tiberian Sun, Total Annihilation, Ultima Online, Unreal Tournament, Warcraft 2.

L'annuaire du monde du jeu

annuaire-des-jeux.xor-games.com

Annuaire des jeux en ligne, des clans et des guildes, des sites dédiés à un jeu, des sites en rapport avec l'émulation, etc.

Legio Patria Nostra

membres.lycos.fr/lpnclan

Site officiel du clan LPN. Au programme, Kingpin et La Légion étrangère.

Les 4 éléments.net

www.les4elements.net/annuaire

Annuaire des clans et guildes francophones pour tous les jeux en ligne.

Les BlaiReauX De C-S

www.clanbcs.com

Clan du jeu Counter Strike.

MC-team

www.chez.com/mcteam

Site de la MC-Team, l'ultime clan de Counter Strike.

Sites de communautés

Ado Wave

adowave.online.fr

Site de communauté francophone pour les jeunes : correspondants, cinéma, jeux vidéo, musique, mode, services, bons plans, e-mail gratuit, discussions en direct, chat, forum, concours…

Affinitiz 

www.affinitiz.com

Affinitiz est une plate-forme sociale conçue pour la communication de groupe et les communautés. En quelques clics, elle permet de créer un site privé ou public de type weblog/blog pour communiquer, partager et collaborer en ligne.

Auvergnat.com 

www.auvergnat.com

Auvergnat.com, le site de tous les Auvergnats du monde…

CDLivre 

www.cdlivre.com

Communauté d'auteurs de livres et vente de livres numériques (fantastique, science-fiction, philosophie, romans, contes et nouvelles). Les lecteurs peuvent découvrir les écrits en histoires multimédias (shockwave) et acheter les œuvres en CD-ROM.

Chinatown France 

www.chinatownfrance.com

Site de la communauté asiatique en France : boutiques, rencontres, annonces gratuites, webcams, thaï, stocks, déstockage, fins de série, saisie, boutiques asiatiques.

Club des 1000 

www.cg56.fr/club1000

Le club des 1 000 : 1 000 entreprises départementales, régionales et nationales pour lutter contre le chômage des jeunes.

Communautés virtuelles MP3 

www.parisparis.com/fr/music/mp302.html

Ce site présente des logiciels permettant d'échanger des fichiers avec d'autres internautes. Les membres de ces communautés virtuelles utilisent également les chat-room pour s'échanger des informations sur le MP3.

France Techno  

new.france-techno.com

Site de la communauté électronique France Techno.

MSN Groupes 

groups.msn.com/home.msnw?pgmarket=fr-fr

Créez votre propre communauté : celle de votre famille, de vos amis ou de votre activité préférée. Vous pourrez ainsi échanger des messages privés, communiquer à travers une liste de diffusion et partager des fichiers.

Ordiworld.com 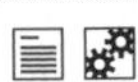

www.ordiworld.com

Rejoignez la communauté d'internautes francophones Ordiworld sur le thème de l'informatique : forums, discussions, conseils et informations sur le matériel, les logiciels et les sites Web.

Site emploi de la communauté juive francophone

www.communemploi.net

Site interactif de l'emploi de la communauté juive francophone. Déposez votre candidature et consultez les offres d'emploi. Employeurs, déposez vos offres.

Sites de journaux

01Net

www.01net.com

Toute l'informatique avec 01 Informatique, L'Ordinateur individuel, Micro Hebdo, Newbiz, Décision Micro et Réseaux, Internet professionnel et 01 Réseaux.

Aquaplaisir

www.aquaplaisir.com/mag/accueil.htm

Le site du magazine Aqua Plaisir présente le sommaire du numéro en cours et du prochain numéro, donne accès à une boutique en ligne, à un espace Chat et propose plusieurs liens apparentés.

Archimag

www.archimag.presse.fr

Archimag traite de l'actualité des professionnels de l'information dans son magazine et sur son site : gestion électronique de documents, logiciels documentaires, gestion des connaissances. Les thématiques abordées sont la documentation, la numérisation, l'archivage, le "records management", le "knowledge management" et le monde des bibliothèques.

Art et Décoration

www.art-decoration.fr

Le site du magazine Art et Décoration propose le sommaire du numéro en cours, des sélections d'articles, des dossiers et un forum de discussion.

Bonjour

www.bonjour.fr

La version en ligne du journal de petites annonces Bonjour.

Castingmag

www.castingmag.com

Version électronique du magazine Casting, pour ceux et celles qui veulent devenir mannequin.

Charente libre

www.charente.com

Le journal Charente libre et ses rubriques : à la une, France, monde, politique, Charente libre, guide cinéma, forum, communes en ligne.

Chasseurs de rêves

membres.lycos.fr/chasseursdereves

Découvrez la revue Chasseurs de rêves, consacrée à la science-fiction, l'heroic fantasy et le fantastique. Actualité SF, galerie et toutes les productions de la revue : affiches, BD, art fantastique, etc.

Courrier picard

www.courrier-picard.fr

Le Courrier picard vous informe des principaux faits de l'actualité mondiale et régionale (nouvelles, infos pratiques, nouveautés), et donne accès à la boutique en ligne et au forum.

Courrierinternational.com

www.courrierinternational.com

Courrier international, l'hebdomadaire français d'information internationale. Sur Internet, les journalistes réalisent une revue de presse quotidienne.

Dernières nouvelles d'Alsace

www.dna.fr/dna

Le site du quotidien Dernières Nouvelles d'Alsace reprend les grandes lignes de l'édition papier : édito, France, monde, sport.

Dix-Quinze

www.educnet.education.fr/secondaire/reseaux/projet6.htm

Dix-15 est un journal en ligne réalisé entièrement par les écoliers, collégiens et lycéens de l'académie de Clermont-Ferrand.

Effervesciences - Journal en ligne

www.effervesciences.com/actu.php

Journal en ligne du magazine d'actualité scientifique Effervesciences.

Electronique pratique

www.electroniquepratique.com

Le site du magazine Electronique pratique propose quatre rubriques : Journal, qui donne le sommaire et décrit tous les montages proposés ; Services lecteurs, qui donne accès à la zone de téléchargement et permet de commander des numéros anciens ; Page électronique, qui propose des documents en français sur divers sujets et des nombreux liens vers d'autres ressources Internet concernant l'électronique ; Liens divers, qui propose une sélection des meilleurs endroits à visiter sur Internet.

Elle.fr

www.elle.fr

La version en ligne du magazine Elle : mode, beauté, santé/forme, vie privée, société, déco, cuisine, culture, astro, shopping.

Etant donné

www.marcel-duchamp.com

Site de la revue Etant donné de Marcel Duchamp.

Expertises

www.celog.fr/expertises

Le site du mensuel Expertises des systèmes d'informations, spécialisé dans le droit de l'informatique et du multimédia.

Google actualités

news.google.fr

Journal en ligne de Google : international, France, économie, sciences/techniques, sports, culture, santé.

Groupe Sud Ouest

www.gso.enfrance.com

Le site gso.enfrance.com rappelle l'histoire et les valeurs du groupe Sud Ouest. Il fournit également les principales données chiffrées consolidées et une présentation des activités qui constituent le groupe.

Information Presse Service

www.infopresseservice.com

Information Presse Service est spécialiste des relations presse depuis vingt ans. Sur le site : société et finance, services, industrie, diététique et santé, alimentation, grande consommation, vie pratique, maison, etc.

InfraRouge

www.infrarouge.fr

Le premier journal d'informations gratuit sur la nuit.

K.A. Service Presse

www.kaservicepresse.com/accueil.php

Site spécialisé dans la diffusion de presse payante, la gestion de fichiers et d'abonnements, et la distribution de produits liés à la presse (magazines, journaux, CD, DVD, vidéos, etc.) à prix réduits (2e diffusion).

Kiosque à journaux du quartier français

www.richmond.edu/~jpaulsen/journaux.html

La presse française et francophone : infos du jour en direct, quotidiens, hebdomadaires, presse spécialisée, portails et répertoires de la presse française et francophone.

La Dépêche du Midi 

www.ladepeche.com

Le journal La Dépêche du Midi propose : à la une, infos en direct, France, monde, politique, le trait du jour, l'image du jour, grand Sud (Toulouse, Ariège, Aude, Aveyron, Haute-Garonne, Gers, Lot, Lot-et-Garonne, Hautes-Pyrénées, Tarn, Tarn-et-Garonne), des dossiers, sports et économie.

La Gazette de la Manche

www.gazmim.com

La Gazette de la Manche : actualités et petites annonces.

La Nouvelle République des Pyrénées 

www.nrpyrenees.com

Edition en ligne du quotidien Nouvelle République des Pyrénées (parution dans les Hautes-Pyrénées).

La Provence 

www.laprovence-presse.fr

Le quotidien La Provence, basé à Marseille, présente chaque jour une sélection des moments forts de l'actualité régionale, du mode de vie provençal et des agendas culturels, des spectacles.

La Quinzaine européenne 

www.laquinzaine.com

La Quinzaine européenne fournit deux fois par mois l'essentiel de l'actualité de l'Europe. C'est un outil de travail et de réflexion sur l'Union européenne.

La Recherche   

www.larecherche.fr

Le site du mensuel La Recherche donne accès au sommaire du numéro en cours et des numéros précédents, à un forum et aux articles archivés.

La Tribune 

www.latribune.fr

Le journal La Tribune est spécialisé dans l'information économique et financière. La version Web reprend les grands titres de l'édition papier (actualité du jour, dépêches, infos, chronique, Bourse, Net-éco) et donne accès aux articles archivés.

La Voix du Nord

www.lavoixdunord.fr

La Voix du Nord propose : à la une, infos locales, région, infos générales, économie, Bourse, sports, multimédia, sorties, petites annonces, infos pratiques, magazine, jeux, liste de liens complémentaires.

L'Alsace 

www.alsapresse.com

Le site du quotidien L'Alsace : à la une, dossiers, TV, archives, coups de cœur, galerie virtuelle, annonces, boutique.

Le Canard enchaîné 

www.surf.to/canard

Le Canard enchaîné en ligne : de la "mare aux canards" aux "prises de bec".

Le Journal des Savants

www.chez.com/journaldessavants

Le Journal des Savants est une publication sérieuse et de bon aloi, qui se fixe pour objectif de répandre l'intelligence de ses rédacteurs parmi le bon peuple. Rien n'est étranger à ses préoccupations, comme en témoignent tous ses sommaires.

Le Journal Permanent du Nouvel Observateur 

permanent.nouvelobs.com

Journal d'information en continu diffusé sur le Web. A côté de l'information politique, économique et culturelle, vous trouverez des services pratiques : programmes TV, météo, cours de la Bourse, annonces d'emploi et immobilières, multimédia, automobile, gastronomie, enseignement, voyage et shopping.

Le journal scientifique permanent 

sciences.nouvelobs.com

Sciences&Avenir.com, le journal scientifique permanent, donne accès aux dépêches AFP scientifiques.

Le Monde informatique 

www.weblmi.com

Le site Web du journal Le Monde informatique : sélections d'articles, agenda, coordonnées des professionnels de l'informatique.

Le Monde interactif 

www.lemonde.fr

Le site du quotidien Le Monde donne accès aux principales rubriques d'actualité (à la une, international, France, société, régions, horizons, analyses et forums, entreprises, communication, aujourd'hui, météo, sports, sciences, culture), à de nombreux dossiers et à un cahier multimédia des plus intéressants.

Le Moniteur automobile 

www.moniteur-automobile.presse.fr

Journal du magazine Le Moniteur automobile : sommaire du numéro en kiosque, archives de la une, guide d'achat en ligne, cote de l'occasion, prix des voitures neuves, guide d'achat de l'assurance auto, petites annonces.

Le Nouvel Observateur 

permanent.nouvelobs.com

Le Nouvel Observateur en ligne : tous les articles de la semaine publiés sur le Web. Accès aux archives depuis 1996.

Le Parisien

www.leparisien.fr

Le Parisien, c'est toute l'actualité de la capitale : à la une, l'info en continu, les dossiers, les archives, sports régionaux, sorties/loisirs, petites annonces.

Le Particulier

www.leparticulier.fr

Le site du journal Le Particulier vous informe de vos droits : justice, impôts, banque, consommation, automobile, famille, logement, vie professionnelle, etc.

Le petit curieux

www.science-et-vie.com

Le site du mensuel Science et Vie donne accès au forum Le Petit Curieux pour vous aider à résoudre vos interrogations scientifiques et à une liste de diffusion.

Le Progrès

www.leprogres.fr

Le Progrès, le quotidien de Lyon et de sa région, donne essentiellement des informations sur la région Rhône-Alpes. Il comprend également des rubriques France/monde, sports, petites annonces, shopping, pratique et détente.

Le Soir en ligne

www.lesoir.be/rubriques/la_une/page_5147.shtml

La version électronique du journal belge Le Soir reprend les grands titres de la version papier (à la une au format PDF, culture, demain, économie, etc.). Vous pouvez également accéder à un forum, consulter les résultats sportifs et le programme TV.

Le Temps

www.letemps.ch

Version en ligne du quotidien suisse Le Temps.

L'éclaireur du Gâtinais et du Centre

www.eclaireurdugatinais.com

Hebdomadaire d'informations régionales diffusé dans le Loiret, le sud Seine-et-Marne et l'Yonne. Des enquêtes, des magazines et toute l'actualité de proximité en un seul journal.

Le figaro.fr

www.lefigaro.fr

Le site Web du Figaro reprend les grands titres du quotidien papier, donne accès à la zone petites annonces, à la météo, aux informations boursières et à différents dossiers à lire en ligne.

Les journaux officiels en ligne

www.journal-officiel.gouv.fr/accueil.php

Sur ce site : consultez le JO lois et décrets, les annonces de marchés publics du BOAMP, les créations d'associations et fondations, les annonces légales obligatoires du BALO, commandez les ouvrages juridiques et conventions collectives.

L'Est républicain

www.estrepublicain.fr

Le journal L'Est républicain donne l'information régionale de Lorraine et de Franche-Comté : à la une, édito, monde, France, société, économie, région, météo, sport, cinéma, TV, astrologie.

L'Express multimédia

www.lexpress.fr/info/multimedia

Sélection d'articles du premier hebdomadaire français. Dossiers d'actualité (crise financière mondiale, Algérie, 35 h, jeune cinéma français, multimédia, euro, guide des sorties par régions, agenda prévisionnel…).

L'Express

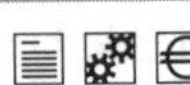

www.lexpress.fr/info

Le site du journal L'Express présente quelques-unes des rubriques du numéro en cours et donne accès à quelques 70 000 articles archivés ! Présentation soignée et agréable.

L'hebdo Magazine

www.magazine.com.lb

Hebdomadaire politique libanais en français : actualités, économie, culture et loisirs.

Libération

www.liberation.fr

Le site du quotidien français Libération : dépêches, dossiers, cahiers du cinéma.

Lourdes Magazine

www.lourdes-magazine.com

Lourdes magazine, le site du mensuel du pèlerin.

Mac.vnunet.fr

www.vnunet.fr/mac/home.htm

Site de la revue informatique Science & Vie Micro Macintosh : infos du jour, revue de presse, agenda, dossiers mensuels, programmes à télécharger, etc.

Marianne en ligne

www.marianne-en-ligne.fr

Plusieurs débats vous sont proposés où vous devez à chaque fois choisir votre camp (pour ou contre) et défendre votre point de vue dans des forums de discussion. Des journalistes proposent tout au long du débat des éléments d'information (textes, sons, images) pour vous permettre d'étayer votre argumentation.

Max-magazine.com

www.max-magazine.com

Max est un hebdomadaire masculin vendu en kiosque et édité en ligne. Retrouvez les rubriques du numéro en cours, parcourez les archives et découvrez les photos des plus beaux top models du monde entier.

Midi libre

www.midilibre.com

Toute l'actualité quotidienne régionale en Languedoc-Roussillon : la Bourse et l'économie régionale, le guide touristique du sud de la France, les petites annonces et toutes les offres d'emploi.

Minéraux et Fossiles

www.minerauxetfossiles.com

Le site du mensuel Minéraux et Fossiles s'adresse aux collectionneurs de minéraux/fossiles : revue, boutique, annonces, liens.

Moto Journal

www.motojournal.com

Moto Journal, Moto Crampons, Toute la moto et leurs hors-série créent le site dédié à tous les motards : actualité, essais motos, petites annonces, cote de l'occasion, prix du neuf, conseils pratiques.

Moto Mag

www.motomag.com

Le premier portail des cybermotards : essais moto, actualité, conso, annonces, agenda, argus, météo, liens.

Moto Revue

www.motorevue.com

Sur le site de Moto Revue, retrouvez chaque semaine l'édito, le sommaire, les actualités, les essais, les courses, les petites annonces ainsi que les liens préférés de la rédaction.

Nice-Matin

www.nicematin.fr

Cette page est la version électronique du quotidien Nice-Matin dont elle reprend les principales rubriques. Elle donne également accès aux sites de Var-Matin, Corse-Matin et La Provence.

Notre Temps

www.notretemps.com

Le magazine Notre Temps s'adresse aux retraités actifs. Le site propose plusieurs guides, des chroniques, un check-up santé, des rubriques droits/argent et loisirs.

Ouest-France

www.ouest-france.fr

Le site du journal Ouest-France reprend les principales rubriques de l'édition papier, donne accès à une zone petites annonces et à une liste de sites complémentaires.

Paris-Match

www.parismatch.com

La version électronique du journal Paris-Match : images de la semaine, reportage, dossiers, Match en direct, opérations, archives.

Photo

www.photo.fr

Le magazine Photo est bien connu des photographes avertis. Sa version électronique donne accès à toutes les rubriques du mensuel (agenda, portfolios, conseils, livres, concours, événements, expos) et permet de s'abonner en ligne.

Pour la science

www.pourlascience.com

Le site du magazine Pour la science propose le texte intégral de plusieurs articles du numéro en cours et des numéros précédents. Il présente également des livres et donne accès à une boutique en ligne.

Prisma Presse

www.prisma-presse.com

Le groupe Prisma Presse réunit les magazines Géo, Ça m'intéresse, Femme actuelle, Prima, Guide Cuisine, Cuisine actuelle, Cuisine gourmande, Télé-Loisirs, Voici, Gala, Web Magazine, Capital, VSD et Femme. En vous rendant sur cette page, vous pouvez accéder au site de chacun de ces magazines.

Referenceschr.com

www.referenceschr.com

Referenceschr.com, le magazine d'information professionnel de l'hôtellerie et de la restauration.

Républicain lorrain

www1.republicain-lorrain.fr/une.asp?idcategoria=1

L'édition électronique du Républicain lorrain, c'est le journal du jour, les archives, les dossiers, le journal des écoliers, les points pratiques, les petites annonces.

Réseaux & Télécoms

www.reseaux-telecoms.fr

Magazine n° 1 de la presse des réseaux et télécommunications.

Sudouest.com

www.sudouest.com

Le site Sud-Ouest s'intéresse à l'actualité de la Gironde. Vous y trouverez également les rubriques sports, modes de vie, TV et des petites annonces.

Super GTI magazine

www.gtimag.com

Le site officiel de Super GTI Magazine, bimestriel leader de la presse tuning en France, regroupant infos, news, listes des clubs, meetings, etc.

Télépoche

www.telepoche.fr

Tous les programmes de télévision par chaînes, l'actualité des séries TV, les stars, les clubs des séries, votre grille TV personnalisable.

Transfert

www.transfert.net

Le site du magazine Transfert : économie, technologie, société, revue du Web, chiffre du jour, gadgets, reportages, portraits, interview, dossiers, forums.

Vnunet.fr

www.vnunet.fr

Ce site donne accès à de nombreux articles sur l'actualité informatique, à des dossiers complets et à une zone de téléchargement. A consulter d'urgence.

Vocable

www.vocable.fr

Le site du magazine Vocable donne accès au sommaire du numéro en cours (anglais, espagnol et allemand) ainsi qu'à une sélection d'articles traduits. Il permet également de s'abonner en ligne.

Vogue.com

www.vogueparis.com/fr/index.asp

Le site Vogue.com présente le numéro papier en cours, donne accès à de nombreuses rubriques sur la mode, la beauté, la santé et la culture, et permet de dialoguer sur l'actualité de la mode, des tendances beauté, des dernières expos, etc.

Votre santé

www.vous-et-votre-sante.com

Tous les mois, Que manger ?, le mensuel d'information pour le libre choix thérapeutique, la liberté de prescrire et la liberté vaccinale, vous propose un article original.

VSD

www.vsd.fr

Sur la version électronique du célèbre journal VSD du groupe Prisma Presse, retrouvez les rubriques de la version papier.

Webcams, netcams

Agocam - Animaux

www.agocam.com

Sur Agocam.com, plusieurs centaines de webcams en provenance du monde entier vous attendent.

All4cam 

www.chez.com/came/index.htm

Annuaire des webcams du monde, par zones géographiques et par types (animaux, montagnes, famille, etc.).

Anicam

membres.lycos.fr/anicam

Anicam, l'annuaire des webcams animalières, vous permet de vous brancher sur des webcams de reptiles, oiseaux, poissons, petits et gros mammifères, insectes et animaux de zoo.

Annuaire de webcams suisse

www.hiver.ch/webcams/webcams.html

Sur ce site, découvrez toutes les webcams de Suisse : stations par ordre alphabétique et régions.

Annuaire des médias en direct 

www.canalmedia.com

Au menu : télévisions et radios en direct, webcams, Netmeeting, cu-seeme, sons, bandes-annonces de films, jeux, MP3, musique, sites Flash.

Annuaire mondial des webcams

www.comfm.com/webcam

Accédez à un grand nombre de webcams dans le monde, classées par pays. Mise à jour quotidienne.

Barcaggio Cap Corse webcam

perso.wanadoo.fr/barcaggio

Webcam à Barcaggio, Cap Corse.

Bogaboga, guide du Pays basque

www.bogaboga.com

Pays basque : webcams, BogaTV, radio, petites annonces, brèves quotidiennes, jeux et concours, annuaire de sites, restaurants, hôtels, campings à Biarritz, Bayonne et Saint-Jean-de-Luz.

Camairlines

www.camairlines.com

Annuaire mondial des meilleures webcams.

Couleur New York  

www.couleurnewyork.com

Partez à la découverte de New York, notamment à travers les films qui y ont été tournés ou sont censés s'y dérouler. Au programme également : webcams, photos, visites guidées, bonnes adresses, forum.

Dial.be 

www.dial.be/chat/webcams

Annuaire francophone de webcams.

Eurobirdwatching 

www.eurobirdwatching.com

Regardez vivre les oiseaux sur une île.

GatorLand

www.gatorland.com/webcam/index.html

Webcams dédiées au monde agité des alligators.

Guide de la radio et des médias

www.comfm.com

COM FM, le guide de la radio et des médias recense les radios, TV et webcams qui proposent des émissions en direct (live). Un vrai bonheur si vous utilisez l'ADSL.

Happy wash, laverie à Strasbourg

www.happywash.com

Ce site diffuse en direct live et en continu l'ambiance d'une laverie à Strasbourg et donne des conseils en lavage/détachage.

La webcam du Mont-Blanc

www.webcam-montblanc.com/annuaire-montagne

Sur ce site, retrouvez les meilleurs sites Web en rapport avec la montagne.

L'art du faux

www.chez.com/artdufaux/webcam.html

Copies de tableaux de grands maîtres.

Les webcams

webcam.linternaute.com

Le tour du monde en webcam, de la plus insolite aux monuments célèbres des capitales.

Netweb-cam

www.netweb.org

Annuaire mondial de webcams, accessibles par catégories : animaux, insolite, indiscret, montagnes, stations de ski, TV, radios, pays et villes, plages et mers.

Ski Webcam

www.skiwebcam.com

Annuaire des webcams de montagne et des stations de ski du monde entier.

Topcam.net

www.topcam.net

Plus de 1 000 webcams référencées dans cet annuaire.

Webcam Connection

www.webcam-connection.com

Index des webcams et netcams étranges, amusantes ou coquines dans le monde. Classement par thèmes et par pays.

Webcam vidéo

www.webcamvideo.com/regards

WebcamVidéo, regards en direct. Cliquez sur un continent et choisissez un pays pour admirer les grandes montagnes, les plus beaux paysages, les plus belles villes, les stations de mer et de montagne… Le tout en direct.

Webzines

Agence Science-Presse

www.sciencepresse.qc.ca

Le magazine Science-Presse propose de nombreux articles scientifiques pour tout public.

Anaclasse

www.anaclase.com

Webzine consacré à l'actualité de la scène et du disque. Vous y trouverez également le dossier du mois, le calendrier, la rubrique Au jour le jour, etc.

Andante

www.andante.com/index.cfm

Webzine dédié à la musique classique : magazine, music room, référence, boutique en ligne.

Aperçu, quotidien

perso.wanadoo.fr/apercu

Ce webzine propose une sélection d'articles dans des domaines variés.

Apprendre à apprendre

www.ouvaton.coop

Aide, astuces et discussions pour promouvoir la publication sur Internet avec l'interface SPIP.

Babelrock

www.babelrock.com

Webzine sur le rock : news, chroniques, quiz et films cultes.

Bobine

www.chez.com/bobine

Fanzine des étudiants en cinéma de l'Institut européen du cinéma et de l'audiovisuel (université de Nancy-2).

bodoi.com

www.bodoi.com

E-zine et boutique en ligne dédiés à la bande dessinée.

Café du Web

www.cafeduweb.com

Café du web est un journal interactif dont les rédacteurs sont les internautes qui créent le contenu selon leurs goûts et centres d'intérêt. Il suffit d'avoir des idées et l'envie de les faire partager…

Ciné revues

www.infocomnantes.net/revuescine/accueil.html

Revue cinéma des étudiants de l'université de Nantes : dossier sur les rapports entre la presse et le cinéma, histoire du cinéma, galerie de portraits et critiques de revues.

Cité Sport

www.citesport.com

E-zine sportif : événements, à découvrir, dossiers, forum.

Code Bourse

www.codebourse.com

Toutes les semaines, recevez nos meilleurs conseils sur les valeurs du CAC 40, Nouveau Marché, ITCAC, SRD, Dow Jones, Nasdaq, etc.

Concertonet.com

www.concertonet.com

E-zine dédié à la musique classique : édito, news, concerts en France et dans le monde.

DiploWeb

www.diploweb.com

DiploWeb.com offre des documents de référence inédits, par les meilleurs spécialistes des questions internationales.

Du9, l'autre bande dessinée

www.du9.org

Webzine dédié à la bande dessinée : chroniques, critiques, dossiers, entretiens, exposition et annuaire des éditeurs indépendants.

Ecrire & éditer

www.calcre.com

Toute l'actualité de l'écriture et de l'édition. Infos pratiques pour les auteurs, contacts littéraires en ligne et outils pour cibler vos manuscrits. Publication du Calcre, association d'information et de défense des auteurs.

Ecrits-vains.com

www.ecrits-vains.com

Site éditeur (poésie, nouvelles, romans, essais) et revue littéraire hebdomadaire. Forums sur l'écriture et atelier d'écriture.

Exporevue

www.exporevue.com

Magazine et base de données sur l'art européen, informations sur les musées, galeries et autres sorties culturelles.

Fabula

www.fabula.org

Actualités et ressources pour les études littéraires : revue, annonces de colloques et d'appels à contribution, parutions, comptes rendus critiques, forums et débats.

Fanzinothèque

www.fanzino.com

Site de la Fanzinothèque de Poitiers.

Fémina hebdo

www.femina.fr

Le site du magazine Fémina propose un espace Beauté, un espace Cuisine et donne une idée du contenu des prochains numéros papier.

Hip Hop Magazine

www.90bpm.net/index.php

Le site de référence du hip-hop francophone. On parle ici de culture urbaine à travers le rap, le graffiti, la breakdance, etc.

Imagesmag.net

www.imagesmag.net

Ce magazine en ligne vous invite à réfléchir sur le monde des images, en particulier celui de la publicité.

Info-Science, le quotidien en ligne

www.infoscience.fr/index.php3

Info-Science est un magazine quotidien en ligne d'information et de vulgarisation scientifique : science, news, technologie, quotidien, biologie, chimie, physique, mathématique, articles, brèves, dossiers, presse, information.

Jazz Break

www.jazzbreak.com

Guide en ligne du jazz et des jazzmen.

Jazz en France

www.jazzfrance.com

Tout ce que vous vouliez savoir sur le jazz en France : concerts, festivals, émissions télé et radio, magazines, etc.

Jazz Magazine

www.jazzmagazine.com

E-zine dédié au jazz : brèves, programmes, musique, interviews, vies du jazz, galerie, site du mois, annuaires, magazines, petites annonces, jeux.

Jazz Valley

www.jazzvalley.com

Informations sur les concerts, scènes, festivals, musiciens, instruments et photographes de jazz. Vente en ligne de disques.

Journalauto.com

www.journalauto.com

Le site du Journal de l'automobile est dédié aux professionnels de l'auto. Il donne accès à l'actualité automobile, aux anciens numéros de la revue, à un guide automobile, et dresse la liste des services offerts.

La Passerelle des arts

www.lapasserelle.com

Magazine culturel en ligne présentant des artistes (peintres, sculpteurs, photographes, écrivains), des galeries et des musées.

La Scena Musicale Online

www.scena.org

La Scena Musicale Online est un magazine de musique classique mensuel gratuit contenant des entrevues, des articles, et des critiques de CD aux formats HTML et PDF.

Le magazine en ligne d'ASP

www.asp-magazine.com

Webzine présentant des cours et exemples de programmation dans les domaines suivants : ASP, PHP, JavaScript, Java, XML, HTML, SQL.

Le Quotidien du médecin

www.quotimed.com

Quotimed est un site d'actualité dédié aux professionnels de la santé : actualité, formation, informatique, annuaires, services, loisirs, annonces.

Le Télégramme

www.bretagne-online.com

L'information nationale et régionale sur la Bretagne diffusée en continu. Vous y trouverez également des rubriques sports, économie, humour, multimédia et divers services (météo, marées, petites annonces, emploi, immobilier, Bourse, etc.).

Les Chroniques de Cybérie

www.cyberie.qc.ca/chronik

Les Chroniques de Cybérie sont une publication des éditions Cybérie. Diffusées tous les mardis, elles traitent de l'actualité du cyberespace et des enjeux politiques, sociaux et économiques de l'heure.

Les Echos

www.lesechos.fr

Les Echos.fr, le site Web de l'économie, diffusent en continu toute l'information économique et boursière. Totalement personnalisable, le site permet de consulter votre portefeuille, vos valeurs alertes, vos news, etc. Vous y trouverez également le bilan des principales entreprises, de nombreux dossiers et des formations (art de la finance, de la stratégie, du management de l'information, etc.).

Les meilleurs Zennemis

www.zennemis.net

Pascal Obispo, Zazie et leur tribu (Lionel Florence, les Dix Commandements, Calogéro, Pierre Jaconelli...) représentent le renouveau de la pop française. LMZ est un e-zine qui leur est entièrement dédié, retraçant leur carrière dans leurs moindres détails et suivant leur actualité par des mises à jour quotidiennes.

Libération - Archives

www.liberation.fr/archives/archives.html

Au programme, l'actualité d'Internet au jour le jour, les cahiers multimédias, les chroniques de J.-L. Gassee depuis les Etats-Unis, les rendez-vous du Web, les sites insolites.

Lire

www.lire.fr

E-zine pour tous ceux et celles qui aiment lire : actualité, présentation d'une sélection de livres, écrivains, extraits, enquêtes, poésie, multimédia.

Magazine littéraire

www.magazine-litteraire.com

Le Magazine littéraire est spécialisé dans l'actualité du livre : des dossiers, des livres, des chroniques, des rendez-vous, des trésors d'archives, un forum et une liste de liens apparentés.

MCM.net

www.mcm.net

Actualité à chaud du rap, rock, techno et variétés, infos cinéma, multimédia et glisse. Retrouvez les interviews et les concerts live, les programmes TV et la webcam du MCM Café, sans oublier l'annuaire, la lettre de diffusion et les jeux concours.

Netzine

www.netzine.fr/index.php3

Annuaire français des webzines.

Palettes, dix ans

archives.arte-tv.com/special/palettes/ftext

Archives, textes et vidéos de l'émission Palettes d'Alain Jaubert sur Arte.

Popnews

www.popnews.com

E-zine sur la pop musique.

Propos de café

www.propcaf.net

Propos de café exprime dans ces pages, avec véhémence ou bonhomie, ce qui se dit dans les cafés et qui ne parvient que rarement, voire jamais, aux oreilles des responsables...

Takalir

enfants-du-net.org/takalir

Webzine de littérature pour les plus jeunes.

Tambour djembe

www.djembe.com

Le site de référence du tambour djembe, de la percussion africaine et de la tradition mandingue.

Top-tennis

www.top-tennis.com

Le magazine du tennis sur Internet : photothèque, concours, reportage, news, articles, calendrier, etc.

Tuningcenter

www.tuningcenter.com

Webzine francophone dédié au tuning : échanges, annonces, manifestations, adresse, boutiques.

TV mag.com

www.tvmag.com

Le site de TV Magazine : actualité, guide TV, magazine, jeux, forum, vidéos.

Virgin megaweb

www.virginmega.fr/default2.asp

Magazine en ligne des nouvelles tendances de la musique, de la hype et des cultures.

Webzine Maker

www.webzinemaker.com

Ce site vous propose de publier votre propre journal en ligne depuis votre navigateur Internet, puis de constituer une véritable équipe de rédaction grâce au système de publication en réseaux de Webzinemaker.

Economie et finance

Actualités et généralités

$tartBourse 

www.startbourse.com

Site d'informations et de conseils boursiers : analyses techniques, fondamentales, warrants, téléchargement des cours, forums de discussion.

123gofinance.com 

www.123gofinance.com

Le plus important portail de sites financiers du Canada : placements, prêts, hypothèques, impôts, logiciels, services bancaires, services fiduciaires, meilleur taux d'intérêt, Bourses, IPO, actions, prêts automobiles, nouvelles financières, emplois, etc.

ABCbourse.com

www.abcbourse.com

Ce site boursier fournit des conseils, des leçons, des analyses, des cotations, etc.

Accrobourse.com

www.accrobourse.com

Analyses des marchés boursiers avec les dernières dépêches, cotations, prévisions, analyses techniques, forum, alertes SMS, etc.

Actualité de la net économie

www.sites-fr.com/sites_fr.php?rub=neteconomie

Retrouvez toute l'actualité de la Net économie avec NetEconomie.com.

Actualité en finance

www.annufinance.com/actualite

AnnuFinance.com propose des articles spécialisés dans le domaine de la finance. Une multitude de sujets sont traités : fiscalité, comptabilité, marchés financiers, droit, assurances, etc.

Actusnews

www.actusnews.com

Service gratuit de diffusion automatique d'informations concernant cent valeurs de croissance. Abonnez-vous et recevez par e-mail toute l'actualité à la source des valeurs qui vous intéressent.

ADDB

www.addb.fr

Ce site analyse quotidiennement les marchés boursiers pour vous aider dans votre gestion de portefeuilles.

Agefi

www.agefi.com

Ce site diffuse l'actualité financière : marchés, devises et taux.

Analyses techniques

www.analysestechniques.com

Site de prévisions boursières : indices, actions, taux d'intérêt, devises, matières premières, sicav, conseils d'achat/vente.

Annuaire des rapports annuels

www.rapport-annuel.com

Ce site donne accès aux rapports annuels des sociétés cotées à la Bourse de Paris.

Annuat

www.annuat.com

Actualités et informations boursières : analyse technique, cotations, documentations, graphiques, livres et logiciels.

Assurances-crédit.com

www.assurances-credit.com

Site de conseil, assurances et prêts immobiliers.

Atbourse.com

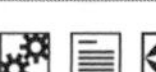

www.atbourse.com

Ces pages sont destinées à tous ceux qui s'intéressent au monde de la Bourse. Vous y trouverez toutes les informations utiles, que vous soyez profane ou expérimenté.

BFinance

www.bfinance.fr

Actualité économique et finance d'entreprise.

BonWeb - Finances, Actualité 

www.bonweb.com/p_6_41.php

Sélection des meilleurs sites francophones d'actualité des finances par bonweb.com.

Bourse et finance, actualité 

www.yalho.com/ index.php3?cat_id=576

Portail Bourse et finance de Yalho! : actualité, crédits, budget, banques, indices, économie internationale, salons, colloques et conférences, droit et législation, commerce international.

Boursicoton  

www.boursicoton.com

Ce site vous inculque les bases que tout boursicoteur amateur se doit de suivre. Il donne également accès aux sites des principaux brokers et banques en ligne et présente un tableau de bord des sociétés qui font l'actualité.

Café de l'AGEFI 

www.agefi.fr

Site de l'Agence économique et financière. Abonnez-vous et recevez la lettre de l'AGEFI par e-mail tous les jours avant l'ouverture de la Bourse, quel que soit votre fuseau horaire.

Capitol 

www.capitol.fr

Capitol diffuse des informations boursières sur la place de Paris et les autres marchés financiers. De nombreuses informations financières vous permettent de gérer votre épargne et vos finances.

C-mesbourses

www.c-mesbourses.com

C-mesbourses vous aide à faire fructifier votre capital. Prenez connaissance des conseils boursiers, des informations financières, graphiques, cotations et cours de Bourse permanents, et effectuez vos transactions en ligne gratuitement.

Commission des opérations Autorité des marchés financiers

www.amf-france.org/styles/default/default.asp

Le site de l'autorité des marchés financiers : documentation, communiqués de presse, recommandations, actualités, base d'informations financières des sociétés cotées.

CompanyNews

www.companynewsgroup.com

CompanyNews assure la diffusion multimodale des communiqués de presse et avis financiers des entreprises à destination des investisseurs, analystes financiers, gérants de portefeuilles, journalistes spécialisés et médias.

Cybourse 

www.cybourse.be

Toute l'information boursière en direct : cotations, actualités, analyses, indices, conseils.

Dialogue with Business

europa.eu.int/business

A l'initiative de la Commission européenne, ce site donne des conseils et des renseignements pratiques pour faire du commerce au sein du marché européen.

DNA Calculer

w3.calculer.com

Service de calcul de l'impôt sur le revenu construit autour de quatre pages : état civil, revenus, déductions et résultats.

Economie - Actualité et forum

www.sur-la-toile.com/topic_5.html

Au programme sur ce site : sondage et forum de discussion en rapport avec les dernières nouvelles de l'actualité scientifique, informatique et technique.

Economie - Webfin

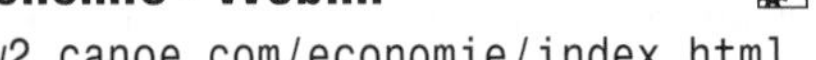

www2.canoe.com/economie/index.html

Tout pour s'informer des nouvelles économiques, suivre l'actualité financière, obtenir des conseils pour investir, consulter les cotes boursières et utiliser des calculateurs.

E-defisc.com

www.groupefidef.com

Le groupe FIDEF propose des conseils en défiscalisation, réduction d'impôts, immobilier de placement, gestion de patrimoine, crédit, prêt immobilier.

Euro

www.euro.gouv.fr

La page du ministère des Finances sur l'euro. Tout ce qu'il faut pour que le passage à la monnaie unique ne soit pas trop difficile.

Euro-assurance

www.euro-assurance.com

Euro Assurance est spécialisé dans l'assurance moto. Sur le site : devis et souscription en ligne, actualité moto.

Finance

finance.linkfr.com

Toute la finance en ligne : actualité boursière, cours, sélection de courtiers, crédit/emprunt, banque en ligne, assurances, convertisseur de devises.

Finance Patrimoine

www.finance-patrimoine.com/actu-financiere.php

Finance Patrimoine diffuse des informations sur les marchés financiers et traite des sujets juridiques et fiscaux pouvant intéresser tout patrimoine.

Fonds monétaire international

www.imf.org/external/fra/index.asp

Une sélection de documents en français et en anglais sur le Fonds monétaire international.

France Trésor

www.francetresor.gouv.fr

Sur ce site, vous trouverez des informations sur les sujets suivants : OAT, BTAN, BTF, OATi, dette de l'Etat, budget de l'Etat, etc.

Giga Presse

www.giga-presse.com/rubrique.php?categorie=25

Giga Presse vous propose une sélection d'articles d'économie extraits des meilleurs journaux du Net.

Informations pratiques argent

www.lemoneymag.fr

Toutes les informations pratiques pour bien gérer votre argent sont sur ce site : finances, famille, habitation, loisirs, vie étudiante, travail, multimédia.

JDNet Finances

finance.journaldunet.com

Le journal du Net, volet Finances : indices, palmarès des valeurs Internet, principales baisses, analyse de la séance, actualité financière, communiqués.

L'actualité avec l'AFP

afp.aviso.ci/eco

Actualité économique et sociale avec une sélection de dépêches AFP.

LaVieFinanciere.com

www.laviefinanciere.com

Cotations, analyses boursières et conseils boursiers de La vie Financière

Lesinfos.com

www.lesinfos.com

Tous les jours, synthèse de l'actualité économique, de l'actualité Internet, de l'actualité du high tech, du Wap et du PDA.

L'euro

www.euro.ecb.int

Campagne d'information sur la monnaie euro.

L'Expansion

www.lexpansion.com

Le site du magazine L'Expansion propose le sommaire du dernier numéro, un agenda et de nombreux articles économiques, effectue un classement des sociétés françaises, etc.

Loi Besson

www.loi-besson.net

Ce site vous explique comment réduire vos impôts tout en capitalisant. Vous pouvez examiner des exemples concrets mais aussi réaliser votre propre étude fiscale. Les diverses offres de placements immobiliers vous seront présentées.

Lycos - Actualité économique

www.actualite.lycos.fr/economie

Toute l'actualité économique vue par Lycos.

Memopage.com

www.memopage.com

Avec les MemoCours, formez-vous à la Bourse, aux placements financiers et découvrez l'encyclopédie pratique de la vie quotidienne au format MemoPage.

Mouvement des entreprises de France

www.medef.fr

Tout ce que vous voulez savoir sur le monde de l'entreprise, le MEDEF vous aide à le trouver.

MSN Money

money.msn.fr

Le magazine MSN Money de MSN France propose plusieurs rubriques (Bourse, épargne, banque et crédit, assurances, retraite et prévoyance, immobilier, impôts, Bourse de Paris) et permet de télécharger une version d'évaluation de Microsoft Money.

NeoBourse

www.neobourse1.com

Site d'analyses et de conseils quotidiens sur les valeurs de la Bourse de Paris.

Neteconomie.com

www.neteconomie.fr

Le site NetEconomie diffuse des informations, des guides et des outils et donne la parole à des experts de la Net économie.

NetServicesPro.com

www.netservpro.com.free.fr/info.htm

Information et échange interentreprises, associations, comités d'entreprise, etc.

Panoranet

www.panoranet.com

Guide pour simplifier l'achat de services : assurances, financement de projets, téléphonie.

Planète Bourse

finance.wat.ch/filbours

La Bourse de Genève vulgarise le fonctionnement de la Bourse en expliquant les notions de base : actions, obligations, prise de risque.

Reuters France

www.reuters.fr

Reuters fournit aux marchés financiers mondiaux et aux médias la plus vaste gamme de produits d'information et de nouvelles comprenant des données financières en temps réel, des bases de données numériques, textuelles, historiques et graphiques, etc.

TechBourse

www.techbourse.com

Pour tout savoir sur le Nasdaq.

TPV-Placements

www.testepourvous.com

Analyses, comparatifs, conseils de placements adaptés à une stratégie, analyse de fond professionnelle France et Europe, lettre hebdomadaire, etc.

Tradingcentral.com

www.tradingcentral.com

Cotations, rumeurs, forum, conseils, portefeuilles virtuels, informations sur le WAP, recommandations sur actions et produits dérivés en Europe et aux USA.

TV Invest

www.newsinvest.fr

Sur la chaîne financière de New Invest, retrouvez des informations financières sur les entreprises et sur le monde de la Bourse (textes et vidéos).

Voila - Actualité économique

actu.voila.fr/Depeche/depeche_economie_.html

Toute l'actualité économique mondiale sélectionnée par Voila.

Votre salle de marché à domicile

finances.voila.fr/actualite/info_societes.html

Voila.fr diffuse sur ce site des informations sur les sociétés, des flashs sur les marchés, des informations économiques et des communiqués de presse.

Web Bourse

www.webbourse.com

Ce site propose des conseils boursiers, des forums, le téléchargement des cours pour des logiciels d'analyse technique, un index des sociétés (pour des infos sur les sociétés cotées) et un dictionnaire financier.

Yahoo! Encyclopédie

fr.encyclopedia.yahoo.com/tdm/tdm_f_2360.html

Généralités sur l'économie française et mondiale par Yahoo! Encyclopédie.

Yahoo! Finance - Pétrole

fr.biz.yahoo.com/petrole.html

Yahoo! Finance diffuse toute l'actualité des sociétés pétrolières.

Yahoo! France - Finance

fr.finance.yahoo.com

Le monde de la finance vu par Yahoo! France : sélection de liens, dépêches d'actualité de l'AFP et de l'agence Reuters, suivi de valeurs boursières.

Youplabourse

www.youplabourse.com

Banque Directe vous informe sur l'évolution des marchés financiers : Bourse de Paris, places internationales, palmarès, actualités françaises et étrangères, etc.

Assurance

AGF, avec vous

www.agf.fr

Toute la gamme des produits d'assurances et des placements financiers d'AGF, des infos pratiques et de nombreux conseils personnalisés (fiscalité, santé, habitation, retraite).

AssurAgency.com

www.assuragency.com

AssurAgency.com propose de comparer gratuitement les devis et garanties des assureurs près de chez vous pour tout type de besoin. Que vous soyez un particulier ou une entreprise, vous pouvez ensuite souscrire votre contrat d'assurance directement en agence, par téléphone ou par courrier.

Assurance

vosdroits.service-public.fr/particuliers/ARBO/NX03.html

Sur ce site, le service public vous informe de vos droits et démarches en matière d'assurance.

Assurance automobile du Québec

www.saaq.gouv.qc.ca

Saviez-vous que vous êtes couvert par un régime d'assurance automobile lorsque vous empruntez les routes du Québec ? Les Québécois ainsi que les touristes (en tenant compte de la part de responsabilité de ces derniers) bénéficient de cette protection exceptionnelle : conducteurs, passagers, piétons, cyclistes et motocyclistes.

Assurance Moto Top

www.amt.tm.fr

Assureur moto depuis plus de quinze ans, AMT vous offre devis et souscription immédiate en ligne, auto, moto et habitation.

Assurances AXA

www.axa.fr

Site d'informations sur les produits et services d'AXA en France en matière d'assurances automobile, logement, santé, d'épargne et de gestion de patrimoine. Fiches pratiques et accès personnalisé.

Assuronline

www.assuronline.com

Assuronline, assurance en ligne, propose des contrats d'assurance auto, moto et habitation pour les étudiants et les indépendants notamment. Les tarifs de ce courtier d'assurances en ligne sont adaptés aux publics jeunes et solos.

Autoplanet

www.autoplanet.fr

Comparez gratuitement les tarifs et garanties de 35 assureurs (mutuelles, compagnies et courtiers d'assurance).

Ava, Cancava, la retraite des artisans

www.cancava.fr

Site des assurances vieillesse des artisans : activités, chiffres clés, caisses Ava, formulaires en ligne, actualité.

AVI international

www.avi-international.com

AVI est un courtier d'assurances français spécialisé dans l'assurance voyage. Il se destine aux particuliers et aux groupes de particuliers, aux agences de voyages, aux organisateurs de séjours linguistiques et aux écoles ou universités.

Aviva Direct

www.avivadirect.fr/francais/accueil/accueil.php3

Aviva Direct propose des contrats de prévoyance : assurance vie, décès, accident et convention obsèques, des produits d'épargne et des placements financiers, des complémentaires santé (mutuelles) avec des devis et des simulations en ligne.

Azur Assurances

www.azur-assurances.fr/home.jsp

Site de la société Azur Assistances : privilèges, coin finance, en cas de sinistre.

BonWeb - Finances, assurances

www.bonweb.com/p_6_820.php

Sélection des meilleurs sites d'assurance en ligne par bonweb.com.

CANAM

www.canam.fr

Site de la Caisse nationale d'assurance maladie des professions indépendantes : objectif entreprise, présentation du régime, infos santé et prévention.

CNAV

www.cnav.fr

Des informations sur les régimes de l'assurance vieillesse.

Crédit Mutuel - CyberMUT

https://www.creditmutuel.fr/accueil_national.cgi

Découvrez la mutuelle d'assurance en ligne CyberMUT du Crédit mutuel.

Direct Assurance

www.directassurance.fr

Réalisez votre devis d'assurance en ligne et consultez les divers produits et tarifs (assurance auto, habitation, santé et maladie, multirisque) de la compagnie Direct Assurance.

Eurofil

www.eurofil.com

Avec Eurofil, disposez de toute l'information sur l'assurance automobile et faites votre devis d'assurance auto en ligne.

Fia-Net

www.fia-net.fr

Fia-Net, courtier d'assurances spécialiste d'Internet, vous assure contre les répudiations et impayés bancaires frauduleux. Augmentez et garantissez votre chiffre d'affaires en assurant également vos clients grâce au label Fia-Net.

Fortis Assurances

www.fortisassurances.fr

Fortis Assurances propose des contrats d'assurance : vie, décès, retraite, santé, prévoyance.

GAN

www.gan.fr

Produits et services d'assurances GAN pour particuliers et professionnels. Actualité des produits d'assurance et infos pratiques (fiscalité, guide du chef d'entreprise, santé, prévention).

Generali France Assurances

www.assurances.generali.fr/index.jsp

Generali France Assurances propose des contrats d'assurance : auto, moto, santé, prévoyance, décès, retraite, succession, habitation, placements, crédit, animaux domestiques, plaisance, voyage.

GMF

www.gmf.fr

Site de la société d'assurance GMF : actualités, contrats et services, calcul direct d'un tarif d'assurance, souscription en ligne.

Groupama Assurances

www.groupama.fr

Groupama Assurances propose une large gamme d'assurances pour les particuliers, les professionnels, les entreprises et les collectivités.

Kelkoo - Assurances

fr.kelkoo.com/b/a/c_159801_assurances.html

Comparez tous les prix des assureurs (auto, vie, habitation) sur Kelkoo.

La Mondiale

www.lamondiale.fr

La Mondiale : spécialiste de l'assurance vie. Solutions pour les salariés et les non-salariés. Régimes sociaux des entreprises. Retraite, épargne, placement financier, prévoyance, santé.

L'Argus de l'Assurance

www.largusdelassurance.com

Site du magazine L'argus de l'assurance : accès aux archives, abonnement en ligne, indices, jurisprudence, formations.

MAAF Assurances

www.maaf.fr

Avec MAAF Assurances, assurez votre véhicule, votre habitation, protégez vos proches, réduisez vos dépenses de santé, protégez votre activité professionnelle, épargnez pour vos projets ou votre retraite.

MAIF

www.maif.fr

Site du groupe MAIF, spécialisé dans l'assurance auto/moto et habitation : devis en ligne, assurance vie, épargne, assistance et prévention, simulation de crédit auto, demandes d'attestations d'assurance locative, scolaire, chasse.

Mutuelles du Mans Assurances

www.mma.fr

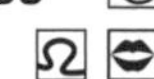

Le site des assurances Mutuelles du Mans : conseil, tarifs en ligne, produits MMA.

Net Assurances

www.netassurances.tm.fr/bibliotheque/Lexique.htm

Tout sur l'assurance : définitions, vocabulaire, mode d'emploi, dictionnaire, bréviaire, dossiers, informations, etc.

OPL

www.opl.fr

L'Office des professions libérales (OPL) est un cabinet de courtage en assurances, indépendant et spécialisé dans la gestion de contrats destinés exclusivement aux membres du corps médical et paramédical. OPL établit des projets personnalisés et conseille ses clients tant pour les assurances professionnelles que pour celles de la vie privée.

Patureau-Mirand.com

www.patureau-mirand.fr

Cabinet d'assurance proposant des contrats d'assurance traditionnels et spéciaux pour les étudiants, les retraités et les professionnels.

Riskassur

www.riskassur.com

Ce magazine d'assurance, destiné aux particuliers et aux professionnels, traite de sujets de fond et d'actualité en fonction des événements mais aussi des demandes de ses lecteurs.

Trade-Assur.com

perso.wanadoo.fr/jean-claude.deal

Assurances pour particuliers.

Vos Litiges

voslitiges.com/assurance/menu.html

Vos Litiges est un site de droit français qui propose des modèles de lettres, des conseils et des informations juridiques utiles afin de résoudre certains litiges.

Webinsurance Partners

www.webinsurance.com/fr/index.asp

En quelques clics, vous pouvez obtenir un devis gratuit sans engagement de votre part, adapter les produits proposés à votre situation personnelle, et souscrire vos assurances en ligne, en toute sécurité.

Banque et crédit

123crédit

www.123credit.com

Comment financer vos envies : argent, auto, voyages, travaux, maisons, informatique.

AFB

www.afb.fr

Tout savoir sur la banque, actualité, réglementation, emploi, formation, moyens de paiement, statistiques, dépôts, crédit, effectif, euro, directives européennes.

AFER

www.afer.asso.fr

Site de l'Association française d'épargne et de retraite, spécialiste de l'épargne, de la retraite et des transmissions de capital.

Association française des usagers des banques

www.afub.org

Site de l'Association française des usagers des banques : pour la défense des usagers des banques et une meilleure médiation bancaire.

Assurance, prêt et crédit

www.assure-credit.com

Assure crédit vous permet d'obtenir le meilleur tarif en assurance emprunteur pour tous vos crédits. C'est une solution indispensable pour les jeunes emprunteurs, les seniors et les "risques aggravés".

Banque Bruneau 

www.bruneau.org/banque/index.html

Ce site effectue différents calculs financiers : échéance de prêt, capital final d'épargne de plan épargne logement (PEL) ou de compte épargne logement (CEL), etc.

Banque centrale du Luxembourg  

www.bcl.lu

Site de la banque centrale du Luxembourg : présentation, publications, statistiques, euro, produits numismatiques.

Banque Covefi  

www.covefi.fr

Sur ce site, découvrez les services de votre banque en ligne Covefi : prestations, news, prêts en ligne, demande de carte de crédit.

Banque de développement du Conseil de l'Europe 

www.coebank.org

CEB, banque multilatérale de développement à vocation sociale, accorde des prêts à ses Etats membres. Ressources : marchés de capitaux.

Banque de France

www.banque-france.fr

La Banque de France : son histoire, son organisation, son rôle.

Banque Directe

www.banquedirecte.fr

Leader sur le marché de la banque en ligne, Banque Directe compte aujourd'hui près de 100 000 clients et gère 130 000 comptes.

Banque en ligne Egg 

public.fr.egg.com/Egg_Accueil.html

Créée en 1998 par Prudential, le premier assureur britannique, Egg est aujourd'hui leader européen de la banque en ligne. Egg propose des services financiers dans plusieurs domaines : cartes bancaires, banque, épargne, Bourse et crédit.

Banque européenne d'investissement 

www.bei.org

Site de la Banque européenne d'investissement, institution autonome créée pour financer les investissements favorisant la réalisation des objectifs de l'Union européenne.

Banque Hervet 

www.banque-hervet.fr

Services bancaires et conseil en gestion de patrimoine. Consultation des comptes, ordres de Bourse, achat/vente d'OPCVM en ligne. Présentation du groupe, offres d'emploi, coordonnées des agences.

Banque Nationale du Canada

www.bnc.ca

Les solutions bancaires aux particuliers par Internet, en un clic.

Banque-info.com

www.banque-info.com

Pour tout savoir sur la banque et ses services.

BNP Paribas - Services 

www.bnpparibas.net/controller?type=home

Le site Services de la banque BNP Paribas : espaces particuliers, entreprises et professionnels, banque en ligne, sites régionaux, agences en France…

BNP Paribas 

www.bnpparibas.com

Le site de BNP Paribas, acteurs bancaires européens dans la banque de financement et d'investissement, la gestion d'actifs et la banque privée.

BNP Paribas.net

www.bnpparibas.net/controller?redir=3&stamp=1084785064802&type=home

Les services bancaires en ligne du groupe BNP Paribas : consultation de votre compte, passage d'ordres de Bourse, etc.

BonWeb - Finances, Banques 

www.bonweb.com/p_6_52.php

Sélection de banques par bonweb.com.

BonWeb - Finances, Crédits  

www.bonweb.com/p_6_821.php

Sélection des meilleurs sites proposant des prêts par bonweb.com.

Bourse direct 

www.boursedirect.fr/accueil/accueil.index.php

Sur Bourse direct : transactions boursières en ligne et en temps réel, analyses financières et graphiques, recommandations boursières, accès aux Bourses internationales.

Bred

www.bred.fr

Le site de la banque Bred : prêts, crédits, assurances, placements, épargne, gestion de capitaux, salle de marchés, Bourse, gestion de patrimoine, banque à distance par téléphone et Internet, etc.

Businessangels.com

www.business-angels.com

BusinessAngels facilite la rencontre entre investisseurs et entrepreneurs pour obtenir des levées de fonds.

Caisse d'épargne 

www.caisse-epargne.fr

Le site de la Caisse d'épargne est un modèle du genre. Il vous permet de gérer vos comptes en ligne, de connaître les principaux indices boursiers et de choisir un produit financier adapté à vos desiderata.

CaixaBank 

www.caixabank.fr

Découvrez la banque en ligne CaixaBank, ses produits et ses services.

CCF 

www.ccf.fr

Le site de la banque CCF : espaces particuliers, entreprises, professionnels et associations, banque en ligne, actualités.

Cetelem 

www.cetelem.fr

La société de crédit Cetelem vous propose d'effectuer votre demande de crédit en ligne (auto, maison, micro, voyages, etc.).

CGI 

www.credit-cgi.fr

Créé en 1951, le CGI est un établissement financier, filiale de la Société générale. Avec 52 agences, 180 000 clients, 70 000 nouveaux clients par an, 5 milliards de francs de financements par an, CGI est le n° 1 du financement bateau en France et le partenaire financier du groupe Bénéteau, leader mondial de la voile.

CIC 

www.cic-banques.fr

Le site de la banque CIC : dossiers, communiqués de presse, lettre aux actionnaires, produits et services.

Claresco 

www.claresco.fr

Claresco est un groupe agréé par la COB pour la gestion de valeurs mobilières pour le compte de tiers et par le CECEI pour la transmission d'ordres.

CNP 

www.cnp.fr

Le site du groupe CNP : infos financières, mécénat, magazine, la CNP au quotidien.

Cofica financement auto 

www.cofica.fr

Cofica propose des solutions pour financer l'achat de votre voiture.

Cofidis 

www.cofidis.fr

Besoin d'argent ? Demandez votre crédit en ligne : Cofidis, spécialiste du crédit à la consommation répond à tous vos besoins et finance vos envies.

Conso prêt

www.consopret.com

Crédits à la consommation, rachats de prêts, textes de lois en ligne.

Cortal

www.banque-cortal.fr

Première banque sans guichet implantée en Europe, Cortal vous propose en direct une gamme complète de placements, de services et de conseils pour mieux gérer votre épargne.

CrédiMust

www.creditmust.com

CreditMust négocie gratuitement à votre place votre prêt immobilier auprès des meilleures banques pour obtenir le financement le moins cher et le mieux adapté à votre projet.

CredioNet

www.credionet.com

Credionet est spécialiste du crédit à la consommation sur Internet.

Crédit agricole

www.credit-agricole.fr

Les services de la première banque française pour les entreprises, les particuliers, les collectivités, l'agriculture, l'international : assurances, épargne, presse économique, Crédit agricole Indosuez.

Crédit coopératif

www.credit-cooperatif.fr

Banque au service des entreprises, des associations, des coopératives, des mutuelles, des organismes de l'économie sociale et solidaire, et des particuliers.

Crédit du Nord

www.credit-du-nord.fr

Sur le site, retrouvez tous les services du CDN (Crédit du Nord) pour les particuliers, les professionnels et les entreprises : informations bancaires en ligne, placements financiers, prêts personnels, financements, crédit à la consommation et crédit immobilier.

Crédit foncier

www.creditfoncier.fr

Le Crédit foncier, spécialiste du financement immobilier, vous accompagne dans tous vos projets immobiliers : investissement, achats, logement, placements, épargne...

Crédit immobilier de France

www.creditimmobilierdefrance.fr/2003/index.html

Le Crédit immobilier de France propose différentes solutions pour faciliter l'accession à la propriété au meilleur taux : demande de prêt, financement immobilier, crédit maison, prêt taux zéro, prêt mixte.

Crédit Lyonnais

www.creditlyonnais.com

Tous les services de la banque Crédit Lyonnais sur Internet : assurances, crédit, épargne, placements, immobilier, etc.

Crédit Lyonnais Interactif

interactif.creditlyonnais.fr

Sur Crédit Lyonnais Interactif, vérifiez le solde de vos comptes, téléchargez vos relevés dans Microsoft Money, consultez le détail de vos opérations sur les trente derniers jours, prenez connaissance de la Bourse en temps réel.

Crédit mutuel

www.creditmutuel.fr

Le service en ligne de la banque Crédit mutuel permet de gérer vos comptes sur le Net.

Crédit 

www.meilleurtaux.com

Déposez gratuitement et rapidement vos demandes de prêt et comparez les propositions de financement personnalisées proposées. Guide de l'emprunteur, simulation financière et conseils d'experts.

CreditLight 

www.creditlight.com

Ce site met en concurrence les banques et les assurances. Déposez gratuitement vos demandes de prêts et recevez des propositions de financement personnalisées.

Crédit-on-line.com 

www.credit-on-line.com

Portail français de recherche de financement.

Dexia 

www.dexia.com

Découvrez le groupe européen Dexia : profil, sociétés du groupe, chiffres clés, résultats, actualité.

Discountis.com 

www.discountis.com

Obtenez votre crédit immobilier en ligne avec les meilleurs taux du marché. Les services gratuits de Discountis vous aident à préparer votre acquisition : simulation personnalisée confidentielle, comparatif de taux de crédit, module fiscal, actualités financières.

e-financement

www.efinancement.com

Avec e-financement, le site de référence pour le crédit, financez tous vos projets en ligne.

FastBanq 

membres.lycos.fr/etasse/fb.html

Découvrez le shareware FastBanq, logiciel de gestion de compte bancaire rapide, simple et très efficace pour connaître en temps réel l'état de vos finances. Idéal pour le particulier qui n'a pas envie d'acheter un logiciel d'un emploi complexe.

Finalion 

www.finalion.fr

Spécialiste du crédit par téléphone, Finalion propose aux particuliers une gamme complète de produits financiers.

Franfinance

www.franfinance.fr

Franfinance (groupe Société générale) est spécialiste du financement des ventes aux particuliers et aux entreprises.

Groupe Banque populaire 

www.banquepopulaire.fr

Le site de la banque de proximité, de financement, d'investissement et de service Banque populaire.

Groupe de la banque mondiale 

www.banquemondiale.org

La Banque mondiale est une institution de développement qui a pour mission de faire reculer la pauvreté en favorisant une croissance économique durable dans ses pays membres.

Groupe financier Banque royale 

www.banqueroyale.com/index.html 

Site du groupe financier Banque royale du Canada.

Groupe Revue fiduciaire 

www.grouperf.com

Service d'informations juridiques, fiscales, sociales, comptables au service de l'entreprise et des particuliers.

Guide du crédit immobilier 

www.guideducredit.com

Centre de conseil et d'assistance aux emprunteurs et portail d'informations indépendantes sur le crédit pour mieux négocier.

Hey Euro Banques 

fr.heyeuro.com/fr/banques.asp?ref=gfr

Trouvez les meilleurs taux de crédit et comparez les offres des banques.

I-Bourse

www.i-bourse.com

Le site de la banque Bipop permet à ses clients de gérer un portefeuille d'actions en ligne. Vous y trouverez également des informations financières en temps réel.

InterBank 

www.interbank.fr

InterBank propose des prêts immobiliers négociés auprès de grandes banques françaises. Réponse garantie sous 48 h.

Kelkoo - Crédit et finance 

fr.kelkoo.com/b/a/c_160301_credit.htm

Comparez les prix des crédits dans plus de 36 banques avec Kelkoo.

La banque AGF

www.banqueagf.fr

La banque AGF présente ses services et vous permet de consulter vos comptes en ligne.

La Centrale du crédit et de l'immobilier 

www.selectaux.com

La Centrale du crédit et de l'immobilier propose différents dossiers concernant l'achat d'un bien immobilier neuf ou ancien et la réalisation de travaux et vous permet de simuler votre emprunt en ligne.

La Poste, Vidéoposte Net 

www.videoposte.com

Ce site vous permet de suivre vos comptes et placements à La Poste en ligne.

La Revue Banque  

www.revue-banque.fr

Le site d'information de La Revue Banque, destinée aux professionnels de la banque et de la finance, s'articule autour d'une base documentaire, d'un webzine et de services dont la boutique, les offres d'emploi, etc.

Le site des investisseurs 

www.clubbusinessangels.com

Le club BusinessAngels est un lieu de rencontre entre les chercheurs et les offreurs de capitaux.

Lecredit.com 

www.lecredit.com

Informations et conseils pour monter votre financement et trouver le meilleur crédit : comparatifs des taux et des offres de prêts, simulateurs financiers, revue de presse, actualité du crédit, dossiers thématiques, forums, etc.

Les bons plans du.Net

www.lesbonsplansdu.net/banque-online.htm

Comparez et choisissez une banque en ligne adaptée à vos besoins.

MGT

www.mgt.fr

MGT est un spécialiste de la levée de fonds et des fusions/acquisitions pour les entreprises high-tech et conseil en gestion privée.

Navi Finance - Banque

www.navi-finance.com/banque.html

Sur Navi Finance, votre portail dédié à la banque, choisissez en toute connaissance de cause votre future banque.

Netfinancement

www.netfinancement.com

Netfinancement propose une sélection de financements et de crédits au meilleur taux pour vos projets immobiliers.

Patrimoine.com

www.patrimoine.com

Site dédié à la gestion patrimoniale : actualité de l'argent et des produits, marchés, question du jour, dossiers.

PlaNet Finance

www.planetfinance.org

Organisation de solidarité internationale dont l'objectif est de réduire la pauvreté de manière durable. Pour cela, PlaNet Finance contribue à la professionnalisation et au financement des institutions de microfinance (IMF).

Pretweb

www.pretweb.com

Ce site sélectionne les meilleurs intervenants parmi les banques et organismes de crédits pour vous permettre de bénéficier du crédit le mieux adapté à votre situation.

Services financiers de La Poste

www.lapostefinance.fr

Présentation de l'offre des services financiers de La Poste : épargne et placements selon vos besoins, évolution des sicav, prêts immobiliers, argent au quotidien, banque en ligne, cours de la Bourse et informations sur les marchés financiers.

Société générale

www.socgen.com

Vous trouverez sur notre portail l'annuaire des sites du groupe, un musée virtuel présentant les œuvres d'art contemporain de la Société générale, son activité en matière de sponsoring rugby et de mécénat musical, ainsi qu'un espace d'informations sur la nouvelle économie. Sans oublier la possibilité de gérer vos comptes en ligne.

Sofinco

www.sofinco.fr

Sofinco est le spécialiste français du crédit à la consommation. Sur son site, vous pouvez faire une demande de prêt en ligne et obtenir une réponse immédiate.

Tresoreries.com

www.tresoreries.com

Tresoreries.com, le site de référence pour le financement d'entreprise, la gestion de trésorerie et d'affacturage.

Vos litiges

voslitiges.com/credit/menu.html

Vos litiges est un site de droit français qui propose des modèles de lettre, des conseils et des informations juridiques utiles afin de résoudre certains litiges.

Votreprêt.com

www.votrepret.com

Site portail de plus de trente-cinq banques européennes pour le financement de vos projets immobiliers. Informations, simulations et offres gratuites.

Zébu Overseas Bank

www.madagascar-contacts.com/zob

La Zébu Overseas Bank vous invite à investir dans un zébu à Madagascar : l'animal sera confié à une famille qui pourra l'utiliser pour produire du lait, labourer sa terre, engendrer des veaux ou tirer une charrette et produire de l'engrais naturel.

Bourse

123gofinance.com

www.123gofinance.com

123gofinance.com est le plus important portail de sites financiers du Canada : placements, prêts, hypothèques, impôts, logiciels, services bancaires, services fiduciaires, meilleur taux d'intérêt, Bourses, IPO, actions, prêts automobiles, nouvelles financières, emplois, etc.

ABCbourse.com

www.abcbourse.com

Ce site boursier fournit des conseils, des leçons, des analyses, des cotations, etc.

ABS

www.absysteme.fr

Avec ABS, passez vos ordres boursiers en direct, visualisez les cours de la Bourse en temps réel, les warrants, gérez vos portefeuilles et obtenez des informations financières.

AccroNews

www.accrobourse.com/accronews3.htm

Lettre boursière quotidienne expédiée dans votre boîte aux lettres, tous les soirs, vers 22 h 05.

Analyse Graphique

users.aol.com/bookassas/index.htm

Philosophie et figures de l'analyse technique boursière.

Anticip'action

www.anticipaction.net

Analyses techniques sur actions, indices et taux d'intérêt, recommandations sur actions, gestion de patrimoine, broker en ligne, forums Bourse et patrimoine.

B*capital

www.b-capital.com

Filiale du Groupe BNP Paribas, B*capital propose un accès direct à l'ensemble des marchés, des analyses financières et une offre personnalisée de conseil ou de gestion.

BC Bourse

www.bcbourse.com

Les spécialistes des marchés financiers de BC Bourse sont à votre écoute 24 heures sur 24 et 7 jours sur 7. Vous trouverez sur ce site des conseils personnalisés qui vous permettront de mieux gagner en Bourse.

Best Trader

besttrader.free.fr

Ce site propose le partage de conseils boursiers et la gestion fictive d'actions entre membres.

BMO, Fonds d'investissement

www.bmo.com/fonds

Le serveur canadien de BMO propose des informations boursières en temps réel et différents outils pour les investisseurs.

BonWeb - Finances, places boursières

www.bonweb.com/p_6_50.php

Sélection des meilleurs sites dédiés aux places boursières par bonweb.com.

BonWeb - Finances, services boursiers

www.bonweb.com/p_6_46.php

Sélection des meilleurs sites proposant des services boursiers (alerte, communiqués de presse des sociétés, cours en temps réel, dossiers financiers, etc.) par bonweb.com.

BonWeb - Finances, comprendre la Bourse

www.bonweb.com/p_6_541.php

Sélection de sites qui vous permettront de comprendre les mécanismes de la Bourse par bonweb.com.

BonWeb - Finances, conseils boursiers

www.bonweb.com/p_6_543.php

Sélection des meilleurs sites de conseil boursier par bonweb.com.

BonWeb - Finances, courtiers

www.bonweb.com/p_6_542.php

Sélection des meilleurs sites de courtage en ligne par bonweb.com.

BonWeb - Finances, utilitaires boursiers

www.bonweb.com/utilitaires-boursiers-finances-business.php

Sélection des meilleurs sites proposant des outils destinés à la Bourse (analyse technique, gestion de portefeuilles, calcul de gains/pertes, etc.) par bonweb.com.

Boursalerte

www.boursalerte.com

Service d'alertes boursier. Recevez, en temps réel, sur votre téléphone portable, e-mail, fax, pager, etc. un message d'alerte lorsqu'une de vos actions atteint un seuil préalablement déterminé.

Bourse Anticipations

www.bourseanticipations.com/index.php

Bourse Anticipations est un bulletin mensuel de prévisions astrologiques axé sur les marchés européens et notamment la Bourse de Paris. Des repères généraux sont également donnés sur Wall Street et le dollar.

Bourse aux financements solidaires

www.bourse-solidaire.org 

Vous êtes créateur ou entrepreneur d'un projet ayant une finalité solidaire ou sociale et vous recherchez des financements ? Vous souhaitez accompagner financièrement des créateurs et entrepreneurs dans un souci de solidarité et de plus-value sociale ? La BFS souhaite faciliter la mise en relation des créateurs et des financeurs.

Bourse Avenir

membres.lycos.fr/bourse/index2.htm

Au menu : statistiques sur le CAC 40 de la Bourse de Paris, pronostics portefeuilles, conclusions prévisionnelles pour le Monep et les warrants.

Bourse Direct

www.boursedirect.fr

Créée en 1996, Bourse Direct est une société spécialisée dans l'activité du courtage en ligne.

Bourse Discount

www.boursediscount.fr/index.php

Sur Bourse Discount, retrouvez les cotations, les principaux indices, le palmarès SBF 250, les valeurs à suivre, la valeur du jour et les infos boursières.

Bourse par TF1.fr

bourse.tf1.fr

Actualité et analyses boursières en temps réel et optimisation de gestion de portefeuille.

Bourse.fr

www.bourse.fr

Bourse.fr, c'est toutes les cotations de la Bourse de Paris en direct, des livres, des conseils boursiers, etc.

Boursica

www.boursica.com

Ce site a été créé afin de permettre aux petits actionnaires de se fédérer, pour ne plus être les "dindons de la farce" face à des sociétés peu scrupuleuses. Vous y trouverez des forums, des informations boursières et financières, toutes les cotations, des conseils boursiers, des outils et bien d'autres choses encore.

Boursorama

www.boursorama.com

Site gratuit d'information boursière : cotations en direct de la Bourse de Paris, informations financières, conseils boursiers, graphiques et outils.

Brokers On Line

www.brokers-on-line.org

L'association Brokers On Line est née de la volonté commune de professionnels du courtage en ligne de promouvoir l'activité de courtage en ligne en France et à l'étranger, de représenter la profession auprès du grand public, des pouvoirs publics, des régulateurs et de ParisBourseSA.

CCF Webroker

https://ww2.webroker.fr/html/home.shtml

Broker en ligne CCF : services, tarifs, FAQ, évolution des principaux indices boursiers.

ClubInvest

membres.lycos.fr/clubinvest1

Site de conseils boursiers et d'aide à la création de clubs d'investissement.

Commission des opérations Autorité des marchés financiers

www.amf-france.org/styles/default/default.asp

Ce site vous informe sur les fonctions de l'autorité des marchés financiers (AMF), donne des conseils boursiers et permet d'accéder à la documentation éditée par cet organisme.

Comprendre la Bourse

www.comprendrelabourse.com

Site d'initiation à la Bourse. Quelques-uns des sujets abordés : comment épargner, sources de financement, cotation des valeurs, ordres en Bourse, volatilité, analyse fondamentale, analyse technique, etc.

Conseil des marchés financiers (France/Europe)

www.cmf-france.org

Ce site donne des informations sur le CMF (missions et activités, réglementation, opérations financières) et permet d'accéder à d'autres sites.

Consors.fr

www.consors.fr

Consors France est une entreprise d'investissement, courtier en ligne, agréée par le CECEI pour les services de réception et transmission d'ordres pour le compte de tiers.

Cortal

www.e-cortal.com

Le site de la banque Cortal donne accès à la Bourse de Paris, aux Bourses internationales, aux warrants et aux introductions, propose des conseils boursiers et permet à ses clients de passer des ordres.

Day-Traderz

www.day-traderz.com

Sur Day-Traderz, découvrez le day-trading et le swing-trading, accédez aux infos Bourse et finance, consultez les cours des actions et échangez vos points de vue boursiers dans le forum.

Défi Warrants

testtrade-fr.warrants.com/home.php

Vous aimez la Bourse et vous recherchez la performance ? Vous n'avez jamais osé vous lancer ou vous utilisez déjà les warrants ? Venez relever le défi que vous lance la Société générale : Defi-Warrants.com est la première simulation en ligne d'investissement en warrants.

Direct Finance

www.directfinance.com

Avec Direct Finance, passez vos ordres de Bourse en ligne, plus vite, mieux et moins cher, consultez les informations financières des sociétés, gratuitement et en direct, utilisez un outil d'aide à la gestion et un système d'alertes en toute liberté.

Direction-Broker

www.directionbroker.com

Choisissez le broker qu'il vous faut grâce à l'outil d'analyse exclusif de Direction Broker.

Dubus SA

https://clients.dubus.fr

Avec Dubus SA/Geotrade Network, retrouvez la Bourse en ligne au meilleur tarif : marchés, dossiers, analyse graphique, news.

Ecole de la Bourse

www.ecole-bourse.tm.fr

La Bourse de Paris a créé son école pour mettre la Bourse à portée de chacun.

Edubourse.com

www.edubourse.com

Découvrez le fonctionnement des marchés boursiers et suivez l'actualité de la Bourse pour acheter et vendre vos actions sur votre compte-titres d'un broker en ligne.

Euroland

www.euroland.com

Venez consulter les cours des actions des 11 Bourses européennes. L'accès est entièrement gratuit.

Euronext

www.euronext.com/home/0,3766,1679,00.html?fr

Euronext est née de la fusion des Bourses d'Amsterdam, de Bruxelles et de Paris.

Fédération française des clubs d'investissement

www.fnaci.com

Ce site vous met en contact avec des clubs pour apprendre et pratiquer la Bourse.

Financecompare

www.financecompare.com

Financecompare.com est votre partenaire pour trouver la banque, le courtier en ligne (broker) ou l'assurance adaptée à votre profil. Grâce à ses comparatifs, vous pourrez vous faire une opinion selon vos propres critères.

Fininfo

www.fininfo.fr

Le groupe Fininfo vous informe sur l'évolution des marchés financiers : indices, plus fortes hausses, plus fortes baisses, synthèses, indicateurs, sicav, etc.

First Offer

www.first-offer.com

First-offer.com est un service en ligne, réservé aux particuliers, qui facilite l'accès aux introductions en Bourse et aux offres publiques. Réservation d'actions en ligne pour les membres.

Firstinvest

www.firstinvest.com

Retrouvez en temps réel l'actualité boursière et financière des sociétés cotées à la Bourse de Paris ainsi que les cours et les cotations en temps réel.

Fortuneo 

www.fortuneo.fr

Fortuneo, premier broker en ligne membre de la Bourse de Paris, vous propose les recommandations financières des meilleurs experts et des outils d'analyse pour décider et passer vos ordres.

France Actionnaire SA

www.idmidcaps.com

France Actionnaire est un site indépendant d'information et d'analyse financière sur les valeurs moyennes françaises. Une équipe composée de journalistes et d'analystes financiers diplômés traite quotidiennement l'actualité de plus de 500 valeurs cotées sur le second marché, le nouveau marché et le marché libre.

Gagnez en Bourse

www.gagnez-en-bourse.tm.fr

Tout ce que vous devez savoir sur la Bourse (SRD, conseils, téléchargement, Bourseoperator, day-trading, etc.) et sur la défiscalisation (lois Besson, Malraux, Paul, monuments historiques, LMP, etc.).

Gomeo 

fr.gomeo.com/credit.html?keyword=bourse

Découvrez une sélection de sites pour investir en Bourse, par Gomeo.

GPBourse 

www.gpbourse.com

Téléchargez gratuitement GPBOURSE sur ce site. Il s'agit d'un logiciel d'analyse technique, de gestion de portefeuilles boursiers, d'analyse de risque, de calculs sur options et de téléchargement des cours de la Bourse sur serveurs boursiers.

Guide Bourse - La toile du Québec 

www.toile.qc.ca/guides/economie/bourse

Ensemble de liens pour comprendre la Bourse, suivre l'actualité boursière et trouver des conseils. Cotes en direct et titres vedettes avec Webfin.com.

I-bourse

www.i-bourse.fr

Le courtier en ligne i-bourse vous permet de passer vos ordres et donne accès à divers services annexes gratuits ou payants.

ING Direct 

www2.ingdirect.fr/general?keyword=home

ING Direct propose des outils pour investir en toute sécurité sur les marchés français et américain, ainsi qu'un accès gratuit à un bouquet d'informations financières.

ING Ferri 

www.ingferri.fr/fr/gn_general/gn_homepage.htm

Avec ING Ferri, passez vos ordres sur Internet en utilisant les meilleurs outils, bénéficiez d'un service personnalisé et accédez aux recommandations d'analystes confirmés.

Investissement par la valeur

www.chez.com/investir

Conseils boursiers fondés sur une analyse fondamentale. Cette dernière permet de trouver des valeurs sous-évaluées et de sécuriser l'investissement.

Ivisite, le portail des portails sur la Bourse

bourse.ivisite.com

Ivisite présente une sélection de sites dédiés à la Bourse. Vous y trouverez les plus grands portails français sur la Bourse et un ensemble d'outils pratiques.

Jeu Boursorama

jeu.boursorama.com

Le jeu Boursorama vous permet de vous initier gratuitement et sans risque à l'investissement en Bourse en faisant fructifier un portefeuille fictif de 100 000 euros. De nombreux lots sont à gagner !

Journal des finances

www.journaldesfinances.com

Le Journal des finances vous informe sur l'actualité boursière : évolution du CAC 40, valeur du jour, conseils de la semaine, flashs boursiers, infos économiques, communiqués.

La-bourse.fr.st

www.la-bourse.fr.st

Au programme : Bourse en direct dans le monde, matières premières, taux de change.

Le Monde.fr - Finances

finances.lemonde.fr

Volet Finances du journal Le Monde : indices, devises, palmarès CAC 40, actualités sociétés et Bourse.

Le Revenu

www.lerevenu.com

Bourse en direct (Paris et places internationales), actualité économique et financière, placements, création d'entreprise, conseils à chaud de la rédaction.

Le trader fou

membres.lycos.fr/tradefou

Le trader fou vous donne des conseils pour la gestion de votre portefeuille d'actions à la Bourse de Paris. A découvrir.

L'Echonet

www.lecho.be/index.jsp

Au programme de Belgacom : Euronext Brussels et le marché comptant et à terme des actions, sicav, obligations, warrants en Belgique.

Lem@rket.com

www.lcnet.fr

Information précise et homogène sur les sicav et FCP : pédagogie, valeurs liquidatives, description détaillée des fonds, politique de gestion, ventilation du portefeuille, performances, actualité.

Les conseils de la Bourse de Paris

www.boursecenter.com

Retrouvez les conseils de plus de 40 sites boursiers sur le portail Bourse Center.

Les Echos, Bourse

bourse.lesechos.fr/BOURSE/fr/homepage.htm

La Bourse de Paris en léger différé (RM, comptant, second marché, nouveau marché), analyse de la séance en continu, détail complet de chaque valeur cotée, etc.

Les Investisseurs

les.investisseurs.net

Ce forum pour investisseurs actifs propose des informations boursières en temps réel, des dossiers et une sélection de sites très complète.

L'Expansion

www.lexpansion.com

Nouvelles boursières de dernière heure et enquêtes du journal économique L'Expansion.

L'Expansion, 18h

www.lexpansion.com/pages/default.asp?pid=9

Synthèse de l'actualité économique de la journée à 18 heures.

Libération - Finance

www.liberation.com/finance

Sur la branche Finance de Libération : Bourse, cours, actualité économique, portefeuille.

LineBourse

www.linebourse.fr

Broker en ligne, gestion du portefeuille d'action et passages d'ordres : conseils boursiers, informations financières, Nasdaq, sicav, les titres et les cotations de la Bourse.

Logiciels boursiers

www.walmaster.com

Waldata est une société spécialisée dans les logiciels boursiers : gestion de portefeuilles, cours de la Bourse, formation à l'analyse technique et graphique.

L'Union monétaire et l'euro

www.banque-france.fr/fr/euro/ main.htm

L'Union monétaire et l'euro : textes de base, critères de convergence, taux de conversion irrévocables de l'euro, Banque centrale européenne, passage pratique à l'euro.

Mesactions.com

www.mesactions.com

Ce free broker propose la gratuité des frais de courtage (jusqu'à cinq ordres par mois et 2 000 euros). Le site donne des conseils boursiers, vous informe sur les cours en direct et donne accès à une formation en ligne.

MesFinances.com

mesfinances.branchez-vous.com/mesactions/pc

Mes finances.com, le portail financier de Branchez-vous, donne l'état des marchés boursiers.

Monep

www.monep.fr

Suivez le marché des options négociables de Paris : Monep, SBF, Matif, Euronext, Paris-Bourse, Options, Futures, Stocks, etc.

News Invest

www.newsinvest.fr

Plate-forme européenne d'information financière sur les sociétés cotées et les introductions en Bourse.

Nouveau marché

www.bourse-de-paris.fr/fr/index_fs.htm?nc=2&ni=8&nom=marche

Les jeunes entreprises innovantes ayant besoin de capitaux sont cotées au nouveau marché. Ce site donne des informations sur toutes ces valeurs.

Planète Bourse

finance.wat.ch/filbours

La Bourse de Genève vulgarise le fonctionnement de la Bourse en expliquant les notions de base : actions, obligations, prise de risque.

ProBourse TV

www.probourse.com

Sur ce site : conseils, analyses et informations boursières professionnelles et personnalisées, interviews vidéo.

Richelieu Finance

www.richelieufinance.fr

Richelieu Finance est une société de gestion agréée par la COB. La société exerce principalement une activité de gestion de portefeuilles, mais assure également la transmission des ordres pour les clients souhaitant prendre eux-mêmes leurs décisions d'investissement.

Sélect Bourse

www.selectbourse.com

Sélect Bourse diffuse des conseils financiers classés par thèmes, secteurs et sociétés et propose des outils d'aide à l'investissement.

Sicav online

www.sicavonline.fr

Sicav Online propose la gestion de portefeuilles et donne des conseils en placements financiers, sicav, FCP, PEA, fonds, assurance vie.

Simpli Bourse

www.simplibourse.com

Simpli Bourse est un logiciel shareware de gestion et de suivi de portefeuille boursier des principaux marchés français.

Spot Bourse

www.spot-bourse.com

Spot-Bourse.com vous propose en direct son flux d'informations et de conseils. Mais Spot-Bourse.com, c'est aussi une communauté boursière où passionnés et spécialistes échangent leurs avis.

Square finance

www.lavf.com

Retrouvez sur ce site les cotations, les analyses boursières et les conseils boursiers de Squarefinance.

Swissquote France

www.swissquote.com

Evolution des principaux indices en direct, chiffres clés, palmarès des plus fortes hausses et des plus fortes baisses, warrants, Matif, Monep, Eurex, etc.

Symphonis

www.symphonis.com

Avec votre courtier en ligne Symphonis, vous passez vos ordres de Bourse et gérez votre épargne financière (sicav, FCP, actions, obligations, warrants, trackers) sur les différents marchés boursiers français (CAC 40, second marché, nouveau marché) et étrangers (Nasdaq, NYSE).

Télécharger.com - Bourse et finances

telecharger.01net.com/windows/Bureautique/bourse_et_finance

Sur le volet Bourse et finances de Télécharger.com, de nombreux freewares et sharewares librement téléchargeables vous attendent.

Tiscali Bourse

bourse.tiscali.fr

Volet Bourse de Tiscali : actualité Bourse, en direct des marchés, conseils boursiers, titres à surveiller, avis des brokers, analyses techniques.

Tradingcentral.com

www.tradingcentral.com

Cotations, rumeurs, forum, conseils, portefeuilles virtuels, informations sur le Wap, recommandations sur actions et produits dérivés en Europe et aux USA.

Union financière de France

www.unionfinancieredefrance.fr

L'Union financière de France est une banque spécialisée dans la création et la gestion de patrimoine. Ses conseillers se déplacent chez les clients pour leur apporter leur expertise sur de nombreux produits financiers.

Vega Finance

www.vegafinance.fr

Vega Finance propose des placements financiers, donne accès à la Bourse en ligne pour les particuliers (OPCVM, sicav, FCP) et dispense conseils et services personnalisés pour la gestion de portefeuille.

VirtuaBourse

virtuaweb.f2g.net

VirtuaBourse : les conseils gagnants 100 % gratuits.

Web Bourse

www.webbourse.com

Ce site propose des conseils boursiers, des forums, le téléchargement des cours pour des logiciels d'analyse technique, un index des sociétés (pour infos sur les sociétés cotées) et un dictionnaire financier.

Yahoo! Finance - Actualités des sociétés

fr.biz.yahoo.com/actualite/bourse

Le canal Finance de Yahoo! France propose l'actualité des sociétés.

Yahoo! France - Finance

fr.finance.yahoo.com

Sur le pôle Finance de Yahoo! France, découvrez les cours du CAC 40 et des valeurs cotées.

Youplabourse

www.youplabourse.com

Banque Directe vous informe sur l'évolution des marchés financiers : Bourse de Paris, places internationales, palmarès, actualités françaises et étrangères, etc.

Zonebourse.com

www.zonebourse.com

Analyses techniques et graphiques quotidiennes (CAC 40, Nasdaq, Dow Jones, euro/dollar, marchés français), conseils à court et moyen terme, logiciel d'analyse technique.

Euro

Convertisseur de monnaie, taux de change

www.quick-euro.com/indexfr.html

Sur ce site, téléchargez le convertisseur de monnaie euro et international QEC. Il convertit les montants dans les principales monnaies. La mise à jour des taux de change est automatique *via* Internet.

Convertisseur euro

www.euro.gouv.fr/convert.phtml

Convertisseur francs/euros et euros/francs du site euro.gouv.fr.

Euro initiative

euroinitiative.free.fr

L'Europe et l'Union européenne sous tous les angles : dossiers et informations diverses sur le continent européen (monnaie euro, élargissement, etc.).

Euro

www.euro.gouv.fr

La page du ministère des Finances sur l'euro. Tout ce qu'il faut pour que le passage à la monnaie unique ne soit pas trop difficile.

Institut de l'euro

www.euro-institut.org

L'Institut de l'euro analyse les aspects institutionnels, économiques, techniques et juridiques de l'introduction de la monnaie unique dans l'Union européenne.

L'euro en 20 questions

www.pratique.fr/argent/euro

Tout ce que vous avez toujours voulu savoir sur l'euro est sur ce site.

Libération, l'euro, c'est l'heure

www.liberation.com/euro

Entre le 1er janvier et le 28 février 2002, francs, marks, pesetas, florins, schillings vont progressivement disparaître pour laisser place aux euros. A toutes les questions pratiques que vous vous posez, les réponses de Libération.

Strategic-Road

www.strategic-road.com/dossiers/eurofr.htm

Toutes les informations sur l'euro : articles, documents, sites d'actualité, sondages, sites nationaux, etc.

Toutes les infos sur l'euro

www.chez.com/2002euro

Sur ce site : toutes les informations utiles et pratiques sur l'euro, toutes les pièces et tous les billets, l'ABC de l'euro, un convertisseur euro dans toutes les monnaies, des actualités, un forum de discussion.

Yahoo! Finance, Espace euro

fr.biz.yahoo.com/euro.html

Volet Euro de Yahoo! France : cours, calculatrice euro, actualités, autres catégories financières.

Institutions et organismes

AFDEE

www.afdee.asso.fr

L'Association française des dirigeants d'entreprises en Europe (AFDEE) est tout d'abord un réseau qui rassemble des experts mettant leurs domaines spécifiques de compétences à la disposition des adhérents. L'AFDEE représente les PME-PMI françaises auprès de partenaires locaux, régionaux, nationaux et européens.

ASEFA

www.asefa.org

L'Association des sociétés d'externalisation financière et administrative (ASEFA) a pour but de promouvoir l'externalisation de la fonction administrative et comptable des entreprises.

Association belge des banques

www.abb-bvb.be/gen/fr

Site de l'association belge des banques.

CCFGB

www.ccfgb.co.uk

La Chambre de commerce de Grande-Bretagne propose des conseils et services auprès des sociétés françaises et anglaises pour exporter, vendre et s'implanter sur les marchés britannique et français.

CCSF

www.ccsf.fr

La Chambre de commerce suédoise en France (CCSF) favorise les affaires, les échanges et le commerce franco-suédois, crée des liens entre entreprises suédoises et françaises et promeut les relations entre France et Suède.

Centre français du commerce extérieur

www.cfce.fr

Site d'information pour les entreprises françaises exportatrices. Accès aux bases de données sur les marchés mondiaux, opportunités d'affaires, appels d'offres internationaux, librairie spécialisée.

Cour des comptes

www.ccomptes.fr

Présentation de l'organisation, des missions et des travaux de la Cour des comptes, des chambres régionales et territoriales des comptes et des organismes associés à la Cour.

CSNEAF

www.csneaf.fr

Site de la Chambre nationale des experts automobiles de France.

DRIRE

www.drire.gouv.fr

Directions régionales de l'industrie, de la recherche et de l'environnement.

Econosoc

www.econosoc.org

Econosoc, le carrefour de l'économie sociale, est la référence pour les entreprises solidaires. Véritable site outil de la solidarité, il diffuse de l'information et des services (agenda, pages d'or, listes de diffusion, FAQ, liens, législation, actualités, petites annonces).

Fédération des entreprises de Belgique

www.feb.be

La Fédération des entreprises de Belgique offre une vue d'ensemble de l'économie belge.

FFDB

www.ffdb.net

Site de la Fédération française des dentelles et broderies.

FFGE

www.ffge.fr

Dispositif de mutualisation de la ressource humaine (services, outils, législation) et exemples de recours à un groupement d'employeurs.

Fonds monétaire international

www.imf.org/external/fra/index.asp

Grâce à ce site, vous apprendrez ce qu'est le Fonds monétaire international (FMI) et quels sont ses objectifs.

Gestion de patrimoine

www.gestiondepatrimoine.info/placement-boursier-defiscalisation.html

Au programme de ce site : optimisez la gestion de votre patrimoine, dynamisez vos placements, préparez votre retraite, sécurisez vos revenus, payez moins d'impôts.

GFII

www.gfii.asso.fr

Association de valorisation et de défense du point de vue des professionnels de l'information électronique auprès des pouvoirs publics et institutionnels français et communautaires.

Internationale de l'éducation

www.ebu.ch

L'internationale de l'éducation représente 24 millions de membres du monde entier : actions, publications, campagnes et ressources.

Ministère des Finances et de la Privatisation

www.finances.gov.ma

Le site du ministère de l'Economie, des Finances et de la Privatisation permet de faire connaissance avec le ministère et ses différents domaines d'intervention : économie, budget, douanes, impôts, investissements, finances, contrôle, privatisation, domaine, assurance, inspection.

OCDE

www.oecd.org/home/0,2605,fr_2649_201185_1_1_1_1_1,00.html

Le site de l'Organisation de coopération et de développement économiques.

Portail des PME

www.enterweb.org/welcom-f.htm

Ce portail du savoir oriente vers des sources d'information de qualité sur les petites et moyennes entreprises, l'emploi, les affaires, la finance, l'entreprise, l'entreprenariat, le commerce international et l'économie.

SG - Espace associations

www.associations.societegenerale.fr

Retrouvez l'actualité de la vie associative : déclaration d'association loi 1901 (statuts et obligations légales), dépêches AFP, chronique juridique, gestion, etc.

Top4 Finance 

top4search.com/FR/finance.php?keyword=Finance

Accédez à tous les services financiers en un clic : vérifiez vos comptes en ligne, effectuez une simulation de crédit, faites fructifier votre capital, etc.

UCCIFE

www.uccife.org

Votre entreprise exporte, importe et investit. Accédez au réseau des CCIFE par l'UCCIFE (Union des chambres de commerce et d'industrie françaises à l'étranger) : contact d'affaires, services, publications, informations.

Portails

123gofinance.com 

www.123gofinance.com/index.html

Le plus important portail de sites financiers (plus de 2 100 adresses) du Canada.

Agora Trade 

www.agora-trade.com

Ce site effectue des recherches de sites boursiers et financiers, en France ou à l'étranger.

ANASYS

www.anasys.org

Le site de l'Association nationale des praticiens conseils pour la promotion de l'analyse du système de santé est un site portail vers les sites les plus importants en santé publique, en évaluation médicale et en qualité des soins.

CAP PME PMI 

www.cap-pme.fr/frame.html

Portail de l'entrepreneur, du dirigeant, du cadre, de l'assistante, de l'entreprise.

Comprendre la Bourse

www.comprendrelabourse.com/Etudiants/portail3.htm

Site portail d'initiation à la Bourse : action, finance, marchés, CAC 40, warrants, options, stratégies.

Comptables, votre portail

www.laprofessioncomptable.com

Le site de la profession comptable. Retrouvez l'information financière et économique : annuaire de sites, actualité financière, juridique, fiscale et sociale, conseils de spécialistes.

Concurrence et informations financières 

www.australisintelligence.com/veille/concurrence/finance.htm

Etudiez le profil financier de vos concurrents avec les outils de veille commerciale, veille concurrentielle et veille technologique d'Australis (Ort, Coface). Etudiez le bilan des sociétés en France et dans le monde.

Ecomozaïc Crédit agricole

www.ecomozaic.credit-agricole.fr

Tableau de bord de l'économie.

Economie et développement 

cifdi.francophonie.org/Corps/Eco/Sites.cfm

Site du Centre international francophone de documentation et d'information de l'Agence de la francophonie.

Faculté des sciences économiques et sociales

www.univ-lille1.fr/sceco/portail_eco.htm

Présentation du département d'économie et de gestion de la faculté des sciences économiques et sociales de Lille.

Fiscal on line

www.fiscalonline.com

Ce site d'actualités et d'informations juridiques et fiscales propose une veille législative, jurisprudentielle et administrative, des analyses et points de vue, un calendrier fiscal, des fiches techniques et des rubriques et dossiers thématiques dédiés à l'e-fiscalité, etc.

Francesurf.net

www.francesurf.net/portail-finance.asp

Annuaire de sites liés à la finance.

Indicateur.com

www.indicateur.com/thematique/finance_suite.shtml

Indicateur.com est un annuaire et un portail dédié à la finance, à la Bourse, aux cotations, aux marchés financiers et à la banque.

Info Reer 

inforeer.com

Portail financier regroupant des données boursières et graphiques pour les marchés canadiens et américains.

La Porte de la Finance 

www.laportedelafinance.com

Portail financier francophone. Plus de 500 sites évalués et commentés dans le monde de la finance, de l'assurance, du crédit, des banques... Lexique financier et études sur la Bourse et le financement des entreprises.

Mesfinances.com

mesfinances.branchez-vous.com

Portail financier de Branchez-vous : état des marchés financiers, affaires, finances, affaires Internet.

Mylinea.com - Annuaire 

www.mylinea.com/lannuaire/finance_banque

Vous cherchez un site financier ? Vous le trouverez certainement dans cet annuaire : des milliers de sites y sont référencés.

NaviFinance  

www.navi-finance.com/finance.html

Navi Finance, le portail financier : prêt, crédit auto et immobilier, assurance auto et habitation, Bourse et prévoyance.

NetPME 

www.netpme.fr/portail_economique.html

Sur NetPME, le portail économique des entreprises, modèles de lettre et tableaux de bord, conventions collectives, contrats de travail et passage aux 35 heures ; placements financiers, consultation juridique, annuaires d'entreprises, etc.

Qualisteam 

fr.qualisteam.com

Guide mondial de la banque et de la finance sur Internet.

Site de la gestion privée

www.gestiondefortune.com

Ce site propose une gamme d'articles, de conseils et d'ouvrages au service de vos placements.

SmileComfi

www.communication-financiere.biz

SmileComFi, plate-forme avancée de communication financière, répond aux principaux objectifs de communication des entreprises cotées : informer les populations cibles (actionnaires, investisseurs et analystes), délivrer directement une information officielle et maîtrisée, écouter, impliquer et fidéliser les actionnaires individuels, recruter de nouveaux investisseurs.

Swissquote

www.swissquote.ch

Source d'informations financières suisses et internationales. Swissquote propose des cotations en temps réel, des services de courtage en ligne, des outils de gestion de portefeuilles, des forums de discussion et bien d'autres possibilités intéressantes.

Wikipédia - Portail économie

fr.wikipedia.org/wiki/Wikipédia:Portail_économie

Volet Economie de l'encyclopédie en ligne coopérative Wikipédia.

Yahoo! Finance

fr.finance.yahoo.com

Portail financier de Yahoo! France.

Presse, Webzines

BonWeb - Finances, Portails

www.bonweb.com/p_6_255.php

Sélection des meilleurs portails Economie et finances par bonweb.com.

Boursier.com

www.boursier.com

Ce quotidien boursier vous informe et vous conseille dans vos transactions boursières (conseils, news, rumeurs, analyses techniques, interviews, introductions, warrants, certificats, guide pratique) et donne accès à un espace Chat, à un forum et à une liste de diffusion pour échanger vos impressions et points de vue.

Business et Finance

perso.club-internet.fr/jassomo/biz.htm

Parcourez toute l'actualité économique et financière dans le webzine Business&Finance.

Capital

www.capital.fr

Capital, magazine de presse économique et de société, propose chaque mois des dossiers d'actualité, des conseils pour placer votre argent, des informations sur la Bourse et l'immobilier, ainsi que des jeux boursiers périodiques. Possibilité d'abonnement en ligne.

Challenges

lemagchallenges.nouvelobs.com/articles/p224/index2.html

Tous les articles du mois publiés sur le Web, avec un accès aux archives depuis 1996.

Google économie

news.google.fr/news/fr/fr/business.html

Partie Economie du journal en ligne Google News.

Investir

www.investir.fr

Le site de l'hebdomadaire Investir s'intéresse à la Bourse (actualités, la Bourse de A à Z) et donne de nombreux conseils et informations pour vous aider à mieux gérer vos placements.

Ipsos

www.ipsos.fr/index.asp

Banque de sondages et d'études en ligne sur les tendances d'opinion et de consommation.

Le Journal du Net

www.journaldunet.com

Le Journal du Net s'intéresse à l'actualité économique et business d'Internet (Net, commerce, publicité, média, finance, emploi, entreprises, etc.) et donne accès à de nombreux dossiers et aux chiffres clés de l'économie.

Le Monde interactif

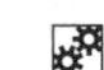

finance.lemonde.fr

Le pôle Finance du journal Le Monde : communiqués de presse, marchés, indices, palmarès, votre portefeuille sur le Web.

L'Expansion

www.lexpansion.com

Nouvelles boursières de dernière heure et enquêtes du journal économique L'Expansion.

Mieux vivre votre argent

www.mieuxvivre.fr

Tout comme la revue, le site Mieux vivre votre argent est spécialisé dans la Bourse et la gestion de patrimoine. Il donne accès à des cours pour bien placer votre argent, à différents outils (réducteur d'impôts, calculs financiers, tests), à un forum (pour échanger vos idées avec d'autres personnes), aux dépêches de l'AFP et à de nombreuses archives.

Squarefinance

www.laviefinanciere.com

La Vie financière donne de nombreux conseils aux investisseurs (valeur du jour, à suivre, palmarès, privatisations, top 50, warrants, opportunités graphiques, introductions), indique les valeurs à acheter, à vendre et à conserver, donne accès à de nombreux conseils, analyses techniques. Un paradis pour les investisseurs débutants ou confirmés.

Tecupol

tecupol.bertrand-lemaire.com/economie

Sur Tecupol, le webzine de la société de l'information : informatique, technologies, économie, politique et culture.

Valeurs actuelles

www.valeursactuelles.com

Le site du mensuel Valeurs actuelles présente le numéro en cours et donne accès à de nombreux articles archivés.

Education

Documentation et orientation

Afpa 

www.afpa.fr

L'Afpa est le premier organisme de formation et d'orientation professionnelles pour adultes en France et en Europe. Le site propose des offres de stages, des services en gestion de carrière et de ressources humaines, en ingénierie, conseil, expertise, des services aux partenaires de l'Afpa et aux conseils généraux.

Aide personnalisée gratuite pour l'orientation scolaire

www.orientation.fr/s/cmsorientation

Orientation.com est le premier service français d'aide personnalisée à l'orientation scolaire et professionnelle. Plus de 20 000 familles ont déjà fait confiance à ce site pour répondre à leurs questions personnelles sur les filières, les métiers, les écoles, les débouchés.

Aid'Orient 

perso.wanadoo.fr/alain.paineau

Ce site est principalement destiné aux psychologues intervenant dans le conseil en orientation. Il présente le test psychologique Aid'Orient (élaboration, validation, utilisation…) ainsi que sa version informatisée.

BonWeb - Education, orientation et formation 

www.bonweb.com/p_8_1201.php

Sélection des meilleurs sites dédiés à l'orientation et à la formation des étudiants par bonweb.com.

Centre d'information et de documentation jeunesse 

www.cidj.asso.fr

Le Centre d'information et de documentation de la jeunesse (CIDJ) diffuse des documentations auprès des étudiants (études, santé, vie pratique, loisirs) et propose des offres de stages.

Centre national de documentation pédagogique

www.cndp.fr

Le Centre national de la documentation pédagogique (CNDP) diffuse de la documentation administrative et des outils documentaires auprès des enseignants et des établissements scolaires.

Dianosys : soutien et orientation scolaire

www.dianosys.fr

Dianosys, société française basée à Versailles, développe sur Internet des contenus, services et produits éducatifs. Présente depuis 1999, elle est aujourd'hui un acteur de premier plan de l'accompagnement scolaire et de l'orientation scolaire sur Internet.

Educagri.fr 

www.educagri.fr

Site de l'enseignement agricole public : agenda, système éducatif agricole, ressources éducatives et documentaires, études et innovations, annuaires.

Education.gouv.fr 

www.education.gouv.fr/orient/default.htm

Ce site aide les jeunes à s'informer, à s'orienter et à préparer leur insertion dans le monde professionnel.

Egide

www.egide.asso.fr

Informations utiles pour la formation en France des étudiants, universitaires, chercheurs et professionnels étrangers : logement, visa, carte de séjour, stages et bourses.

Etudier 

www.etudier.com

Etudier.com, le spécialiste du bac + 1 (BTS, DUT) donne accès à plus de 5 000 établissements scolaires dans sa base de données.

Formations ingénieurs

www.cefi.org

Le site du Comité d'études sur les formations d'ingénieurs (Céfi) donne des renseignements sur les filières de formation, les établissements et l'environnement des formations, aide le futur élève ingénieur à bien choisir son orientation initiale et complémentaire.

INJEP, centre de documentation 

www.injep.fr/docu

Le centre de documentation, au cœur des activités de formation et de recherche, offre un fonds unique en France sur la jeunesse, la vie associative, l'éducation populaire, l'animation. Depuis sa création, il n'a cessé de se moderniser, d'enrichir ses collections et d'étendre ses services.

L'Etudiant 

www.letudiant.fr

Le site du magazine de l'étudiant : métiers, formations et stages, premier emploi (offres, services aux jeunes diplômés, les entreprises qui recrutent, l'actualité de l'emploi, réussir sa recherche d'emploi, l'agenda de l'emploi), librairie (les guides et le magazine).

Ministère de l'Education nationale

www.education.gouv.fr 

Le site du ministère de l'Education nationale vous informe sur le ministre, le système éducatif, les enseignements, la formation continue, etc.

ONISEP

www.onisep.fr

Destiné aux lycéens et aux universitaires, le site de l'Office national d'information sur les enseignements et les professions (ONISEP) donne accès aux guides d'orientation, à l'atlas des formations et aux fiches métiers.

Onisep orientation

www.onisep.fr/national/orientation/html/orientationaccueil.htm

Toutes les étapes et démarches à connaître pour construire votre projet de formation et d'insertion professionnelle.

Orientation scolaire

perso.wanadoo.fr/bruno.devauchelle/orientation.htm

L'orientation scolaire et l'insertion professionnelle : quel usage peut-on faire des technologies de l'information et de la communication ?

Orientation scolaire - principales étapes

vosdroits.service-public.fr/particuliers/ARBO/NX06.html

Sur ce site, le service public vous informe de vos droits et démarches en matière d'orientation scolaire, au collège et au lycée.

Orientation scolaire et professionnelle 

mon.orientation.net/v2/n.pl/o/orientation/inscription

Après une inscription gratuite sur ce site, vous pourrez obtenir l'aide recherchée en matière d'orientation scolaire : filières, métiers, écoles, lettre de motivation, CV, financer ses études, se loger, etc.

Orientation scolaire et professionnelle

www.orientation.fr

Orientation.fr est un service gratuit d'aide

personnalisée à l'orientation scolaire. Il donne accès à une base de questions/réponses sur les débouchés, les diplômes, les métiers et les filières, vous permet de demander de l'aide aux internautes et aux "cyberprofs" pour vous aider dans un devoir ou une préparation d'examen, et permet de trouver l'école qui correspond à vos souhaits.

Orientation scolaire et professionnelle suisse

www.orientation.ch

Sur ce site, vous trouverez des informations sur les professions, les entreprises, les associations professionnelles, les conseillers en orientation, les offices d'orientation, la formation continue, le perfectionnement, etc.

Orientation scolaire et professionnelle vaudoise

www.orientation.vd.ch/cgi-bin/search/hyperseek.cgi

Le site de l'Orientation scolaire et professionnelle s'adresse à toute personne, jeune ou adulte, employée ou non, qui se trouve en situation de choix scolaire ou professionnel. Il répond à un certain nombre de questions types et propose des documentations ciblées.

Orientation.phosphore.com

www.phosphore.com/carrefour/home.jsp

Le site du carrefour de l'orientation vous donne rendez-vous avec plus de 250 métiers et les formations qui y mènent.

Orientations service

www.orientations-service.com

Le site orientations-service.com est un portail, dédié à l'orientation des 16-25 ans et à leur avenir professionnel. On y retrouve un répertoire complet des études post-bac, des témoignages de jeunes étudiants, un espace Réorientation pour permettre aux jeunes de changer de voie en cours d'année, un espace Alternance pour faire un point complet sur cette filière et présenter les entreprises qui recrutent *via* l'alternance, un espace Formations pour découvrir des fiches écoles où sont exposées leurs formations ainsi que les informations utiles, des informations pratiques sur les bons plans de la vie étudiante.

Petit Monde

www.petitmonde.com/sections/Education.asp

Sur le volet Education du portail de la famille et de l'enfance, vous trouverez divers articles en rapport avec l'éducation de vos enfants.

Pinocchio.org

www.pinocchio.org

Base de données des établissements et lieux pour les familles avec un enfant handicapé dans l'Union européenne.

Profession infirmière

www.infirmiers.com

Ce site est consacré à toute la profession infirmière, du concours à la vie professionnelle, en passant par les études (cours, protocoles, emploi, annonces, témoignages, IFSI, concours).

Service d'information sur les études et les professions

www.siep.be

Ce site décrit les principaux services proposés par le SIEP : séances d'information, orientation, salons d'information et publications.

Service public - orientation scolaire

vosdroits.service-public.fr/particuliers/ARBO/NX06.html

Service-Public.fr vous informe sur l'orientation scolaire : étapes de l'orientation, procédures, sortie du système scolaire.

SIEP magazine

www.metiers.be

Informations sur les métiers pour les jeunes : métiers du mois, portraits de pros, métiers insolites, bonnes adresses, événements.

Studyrama

www.studyrama.com

Guide lycéen, étudiant et jeune diplômé : choisir son métier, son orientation, un stage, un job, un emploi, étudier à l'étranger, soirées, logement.

Universités, facultés, hautes écoles

www.liensutiles.org/unif.htm

Cette page référence les universités, facultés et grandes écoles belges.

Juniors

10 000 coloriages

10000Coloriages.free.fr

Annuaire de coloriages à imprimer. Tu cherches une activité ? Choisis ton coloriage : yu-gi-ho, Tarzan, Winnie, le roi Lion, Blanche-neige, Pokémon, Digimon, Noël, Halloween, animaux.

AB Net, activités pour les petits

mapage.noos.fr/ab.net

Tu aimes le bricolage et les travaux manuels ? Vite, cours après le petit papillon, il te donnera plein d'idées et de conseils. Tu trouveras aussi des coloriages en pagaille, des conseils pour construire des mangeoires, des recettes qui donnent faim, des chansons et des histoires faites par d'autres enfants.

Ah ! Pouletfrites

www.pouletfrites.com

Un site dédié aux petits curieux, aux petits gourmands et à tous ceux qui aiment les histoires, les jeux, les chansons, les blagues, les gâteaux, etc.

Allô l'espace, ici la Terre

www.allolespace.com

Ce site se propose d'apprendre l'espace à de jeunes élèves de la maternelle et du primaire.

Après l'école

www.apreslecole.fr

Tout pour s'amuser, gagner et apprendre : un forum, un chat, des petites annonces, des actualités, un moteur de recherche et plein d'autres choses sur Après l'école, le site des 5-14 ans.

Au pays de Titi

enfant.free.fr

Coloriages, activités et jeux pour enfants.

Au tableau

www.chez.com/autableau

Vous aimez la création et le bricolage ? Vous cherchez des idées pour occuper vos fauves ? Vous adorez tripoter la pâte à sel, découper du carton, du papier, manier les aiguilles ? Vous avez des idées plein la tête ? Ce site est fait pour vous…

Aux petites mains 

auxpetitesmains.free.fr

Ce site se destine aux enfants et à leurs parents. Il propose diverses activités : jeux, bricolages, coloriages, recettes, histoires, comptines, chansons, découpages, événements et fêtes de l'année.

Avec mon ami Patapouf  

membres.lycos.fr/grospatapouf

Patapouf est dédié aux enfants et aux jeunes ados francophones. Ils vont pouvoir télécharger un karaoké gratuit, prendre leur photo directement depuis leur ordinateur, rencontrer de nouveaux copains et leur envoyer des messages gratuitement.

Bibliokid

perso.wanadoo.fr/bibliokid

Bienvenue sur la planète des "lectovores" en herbe.

BonWeb - Connaissances, primaires  

www.bonweb.com/p_8_199.php

Sélection des meilleurs sites dédiés aux juniors (éducation primaire) par bonweb.com.

Boowa et Kwala 

www.boowaquoila.com

Le site de Boowa et Kwala est bien adapté aux tout-petits et aux enfants de maternelle : histoires, activités manuelles, jeux gratuits, chansons.

Ça peut servir - 9000 verbes à tous les temps

www.capeutservir.com/verbes

Capeutservir.com propose de nombreux services utiles, comme la conjugaison de verbes en ligne, une aide pour les mots croisés, ou encore un annuaire des extensions informatiques.

Caillou.com

www.caillou.com/fra/index.htm

Caillou, un bambin de 4 ans fort éveillé, découvre la vie : de la cour de sa maison jusqu'à son premier voyage en avion, Caillou ressent la magie et l'émerveillement d'être un tout petit garçon dans un univers immense.

Caramax la tortue

www.caramax.com/index.html

Site éducatif musical pour jeunes enfants.

Cartables.net  

www.cartables.net

Site des sites consacrés à l'enseignement primaire francophone à travers le monde.

Castokids

www.castokids.com

Castokids est un site de jeux en ligne parrainé par Castorama : coloriages, puzzles, ateliers pédagogiques pour apprendre à vos enfants le bricolage, la décoration, le jardinage… Egalement, des jeux à réaliser en famille.

Chat sur Kazibao 

www.kazibao.net

Le site gratuit des filles et garçons qui veulent animer le chat ou le forum de discussion de leur choix (sport, cinéma, musique, lecture).

ChatBleu.com

www.chatbleu.com

Le chat bleu propose des exercices et des programmes interactifs en mathématiques, du CP à la 3e.

Chez Merlin.com

www.chez-merlin.com

Jeux ludo-éducatifs pour les 6-12 ans, pour s'amuser à apprendre avec Merlin, le grand magicien.

Chiffres romains

www.chez.com/cvos/ chiffresromains.htm

Pour apprendre à convertir les chiffres arabes en chiffres romains, visitez ce site.

CityJunior

www.cityjunior.com

Toute l'actualité des sorties et des loisirs pour enfants de 0 à 12 ans. Chaque semaine, trouvez des idées pour vos enfants et gagnez des invitations gratuites.

Click souris

www.clicksouris.com

Un site pour les enfants curieux qui aiment lire des histoires passionnantes auxquelles ils peuvent participer (histoires interactives, ateliers d'écriture poétique pour jouer avec les mots et les images). Des liens intéressants et une nouvelle façon de concevoir la lecture.

Cogeo - La France

www.cogeo.com

Cogeo, professeur virtuel de géographie sur Internet, vous propose d'apprendre la position des villes de différents pays. Les exercices peuvent être utilisés gratuitement depuis le Web.

Colles pour écoliers

www.chez.com/martmat

Questions ludiques destinées aux enfants de 9 à 13 ans en histoire, géographie, sport, français et maths.

Colore a moin

www.runisland.com/coloreamoin.html

Avec Colore a moin, le dessin c'est facile ! Tu découvres les couleurs, tu imprimes le dessin que tu as choisi, et tu le colories. Crayons de couleurs, feutres, gouache, c'est toi qui choisis.

Coloriage.com

www.coloriage.com

La magie du coloriage interactif sur un site tout en couleurs.

Coloriages pour enfants

www.coloriages.org

Des pages de coloriages pour les enfants de tout âge (grande variété de dessins à imprimer et à colorier).

Comme un Dimanche 

www.commeundimanche.com

Ce site propose des idées de sorties pour les enfants de 0 à 12 ans. Les consultations se font par âge, prix ou mots clés (par exemple : parcs, musées, châteaux, zoos, expos, etc.).

Cuisine pour enfants

pages.infinit.net/laventur/enfants.htm

Cuisine pour enfants permet aux enfants de découvrir le monde merveilleux de la cuisine à l'aide de recettes faciles et délicieuses.

Cumulus

www.geocities.com/livres_jeux/accueil/accueil.htm

Jeux éducatifs classés par saisons.

Cyber-mag des juniors

www.chez.com/polen30

Espace pour les juniors sur le thème de la nature : jeux, photos, blagues, reportages, poèmes.

Cyberprof

www.francite.net/education/ cyberprof

Cyberprof se veut une classe virtuelle de français. L'objectif est de tester vos connaissances grammaticales, orthographiques et culturelles par l'intermédiaire de différents tests. Tout se déroule en ligne et le résultat est obtenu immédiatement.

Cybersciences-Junior

www.cybersciences-junior.org/accueil/index1.asp

Assoiffé de connaissances ? Insatiable gourmand intellectuel ? En quête d'informations pour impressionner votre prof ? Vous êtes au bon endroit !

Dis papa !

perso.wanadoo.fr/dit_papa

Site d'assistance aux pères de famille qui n'arrivent pas à répondre à toutes les questions de leur progéniture…

Dix 15

www.10-15.com

Dix 15 est le titre d'un ensemble de journaux réalisés par des écoliers, collégiens et lycéens sur la vie de leurs départements et régions ou sur les disciplines scientifiques et techniques.

Durbuy

www.durbuyadventure.be/index.html

La société Durbuy Adventure est spécialisée dans l'organisation d'activités de groupes (écoles, familles, entreprises) dans les Ardennes belges. Programme à la carte : 4×4, quad, mountainbike, rafting, golf, teambuilding, hébergement, sensation, challenge, hélicoptère.

EduNet

www.edunet.ch

Site télématique au service des écoles primaires et secondaires fondé sur de solides projets pédagogiques conçus et animés tout au long de l'année par les enseignants et leur classe.

En classe

www.momes.net/education/index.html

Internet pour les enfants : sites d'écoles francophones, documents et adresses de sites sélectionnés, exercices pour enfants à partir de 3 ans, parents et enseignants.

Enfance-jeunesse

www.liensutiles.org/enfance.htm

Cette page référence de nombreux sites pour enfants.

Espace enfants

www.espaceenfants.fr.st

Sur ce site, enfants, parents et enseignants trouveront des petits jeux éducatifs ciblés sur une seule difficulté par logiciel et venant en complément à plusieurs apprentissages scolaires et préscolaires.

Espiegle.org

www.espiegle.org

Ce site présente des articles écrits par les jeunes reporters de 8 à 18 ans ou envoyés par de jeunes internautes.

Ethnokids

www.ethnokids.net

Site ressource des enfants et écoles francophones du monde entier. Ressources pédagogiques pour les enseignants de l'école primaire. Pays par pays, les enfants se racontent.

Exercices en ligne

perso.club-internet.fr/pujol/exercices/sommaire.html

Ce site propose des exercices en ligne pour le cours préparatoire.

Explorian

www.explorian.com

Inciter ses élèves à créer un site Internet est dans l'air du temps, mais travailler avec eux, en classe, grâce à Internet, c'est leur ouvrir de nouveaux horizons, et c'est ce qu'Explorian vous propose.

Famille, les enfants

www.dossierfamilial.com/user/standard.php?idrub=7

Guide des meilleurs sites pour enfants.

Fédération internationale de Pierre-Feuille-Ciseaux

www.chez.com/pierrefeuilleciseaux

Retrouvez toutes les bases théoriques du jeu Pierre-Feuille-Ciseaux, participez au débat sur les nouveaux symboles et adhérez à la FIPFC.

Fiesta i Fiesta

www.fiesta-i-fiesta.com

Fiesta i Fiesta propose un très grand nombre d'idées simples et faciles à mettre en œuvre pour faire la fête : recettes, jeux, déguisements et décorations, farces, blagues et devinettes, cartes à colorier ou envoyer, contes et histoires.

Fleur de Lampaul

www.sos-planete-eau.org/fleurdelampaul/bateau.php

Pendant plus d'un an, une dizaine d'enfants, accompagnés de sept adultes, ont voyagé à bord du bateau Fleur de Lampaul. Les apprentis navigateurs vous relatent leurs rencontres et découvertes à travers des reportages mensuels.

Fox Kids

www.foxkids.fr

Des jeux, des chats et des compilations pour les 6-10 ans : Digimon, Pokémon, Power Rangers, dessins animés, etc.

France 5 - Les maternelles

www.france5.fr/maternelles

Les Maternelles sur France 5 vous présente des reportages et des débats sur la vie des parents et des enfants : grossesse, maternité, congé paternité, petite enfance. Retrouvez en ligne les conseils des spécialistes, le programme des émissions et des fiches pratiques.

Génies en herbe

pages.infinit.net/geh

Parcourez l'historique de l'activité Génies en herbe à Thetford Mines : questionnaire, statistiques, théorie, sons, images, actualité, opinion. Tout pour l'herbogéniste !

Gerbille-land - Tout sur les gerbilles

perso.wanadoo.fr/gerbille

Tout sur les gerbilles : élevage, nourriture, habitat, soins.

Grandir

grandir.infinit.net

Grandir, le magazine des parents : chronique de bébé de 0 à 12 mois, galerie de dessins, histoires de bébé.

Habitudes de vie

pages.infinit.net/fenicia/pagehabitudes.htm

Améliore tes habitudes de vie, en particulier en ce qui concerne l'alimentation, le sommeil, l'hygiène corporelle, la posture et les loisirs.

Harry Potter

www.ifrance.com/potter/harry.htm

Site consacré à Harry Potter, le sorcier le plus merveilleux de la littérature !

Hebdo du mercredi

www.lhebdodumercredi.com

L'Hebdo du mercredi pour les enfants des classes primaires : pour apprendre et jouer en lisant une histoire.

Henri Dès

www.henrides.com

Sur le site officiel d'Henri Dès : biographie, dates des spectacles, discographie, extraits audio, textes de toutes ses chansons, club des fans, actualité, etc.

Histoires, histoires

membres.lycos.fr/histoirhistoires/Page_1x.html

Histoires illustrées pour le plus jeune public.

Imagier des premiers pas

www.momes.net/imagier/index.html

Un alphabet tout en images pour les jeunes enfants qui commencent à cliquer.

J'écris

www.jecris.com

Contes, comptines, jeux, poésies, dessins, coloriages, cartes, reportages, bandes dessinées, lectures et activités pour les enfants.

Jeux éducatifs amusants pour les enfants du primaire

www.nal.qc.ca/do/sam

Les enfants du primaire trouveront sur ce site des jeux de mots amusants et éducatifs en images et en musique.

Jeux-pour-apprendre.com

www.jeux-pour-apprendre.com

Vous trouverez ici de nombreux logiciels ludiques pour apprendre à écrire et à compter. Plusieurs thèmes sont disponibles : les animaux, les couleurs, les métiers, les fruits, les légumes, le western, les additions, les multiplications.

Junior-Web

www.juniorweb.com

Centre spécialisé pour les enfants et la famille : soins, santé, éducation, pédiatrie, alimentation, pédagogie, programmes éducatifs, ressources, références, développement préscolaire.

Kid Ado

kidado.free.fr

Le site des enfants, des ados et de leurs parents.

Kid City

www.kidcity.be

Cet espace dédié aux plus jeunes propose des jeux, concours et nouvelles en tout genre.

Kooiz, l'enfer du quiz

www.kooiz.com

Venez tester vos connaissances parmi de nombreux thèmes et créer votre propre quiz.

La grande aventure du sommeil

www.sommeil.org

Le sommeil de l'enfant expliqué aux enfants et aux adultes…

La mission

www.onfjeunesse.ca/lamission/home_f.php

La mission te propose : des jeux interactifs à contenu scientifique, des animations et des quiz cocasses qui expliquent des découvertes scientifiques faisant partie de notre quotidien.

La petite ferme

station05.qc.ca/csrs/ferme

Ce site t'apprend à connaître les animaux de la ferme et à développer ton habileté en lecture et en écriture.

La planète des livres pour enfants

www.planete-enfants.com

Découvrez le monde interactif des livres pour enfants aux commandes d'un vaisseau spatial. Approche éducative et ludique pour permettre aux petits et aux grands de se repérer dans la littérature de jeunesse.

L'acné

www.chez.com/jeane/acne.html

Cette FAQ sur l'acné répond aux nombreuses questions que se posent les adolescents sur ce sujet. En consultant le forum, ils peuvent également échanger leurs expériences personnelles.

L'arbre à poèmes

www.poesie.net/enfants

Poésie animée pour et par les enfants.

Le brevet

www.lebrevet.com

Sujets corrigés du brevet : 80 professeurs de troisième planchent pour vous…

Le coin des enfants

www.clparc-beauvais.fr/enfant

La santé ce n'est pas que pour les grands. Les enfants aussi ont besoin d'explications. Destiné aux plus jeunes, ce site donne des informations sur le corps humain, la prévention et les maladies, et propose des aires de jeu, de création et de vote.

Le coin des petits

www.coindespetits.com

Dans le coin des petits, les enfants trouveront des comptines, des fables, des contes, du bricolage, du coloriage, des jeux pour apprendre à compter et à calculer, des contes et de nombreuses activités (jeux, labyrinthe, méli-mélo, casse-tête, marionnettes, dessins, etc.).

Le Dico

www.momes.net/dictionnaire

Dictionnaire encyclopédique en ligne pour enfants.

Le grand monde du préscolaire

prescolaire.grandmonde.com 

Le grand monde du préscolaire propose de nombreuses ressources pour les enseignants et les parents d'enfants au préscolaire.

Le grand monde du primaire 

primaire.grandmonde.com

Le grand monde du primaire est une banque de ressources pour les enseignants et les parents d'enfants au primaire : outils didactiques, résumés de livres et de logiciels, situations d'apprentissage.

Le journal des enfants 

www.jde.fr

Hebdomadaire d'actualité pour les 8-14 ans.

Le kangourou des mathématiques

www.kangmath.com

Le kangourou des mathématiques vous présente ses nouvelles rubriques : le concours du kangourou, maths & malices.net, la cité des maths, les tests du kangourou, kangourou sans frontières, le club olympique et bien d'autres choses encore.

Le musée amusant de France 5

www.france5.fr/zouzous/museeamusant

Musée virtuel destiné aux plus jeunes pour leur apprendre à jouer avec la lumière et les couleurs.

Le petit vélo rouge

petitvelorouge.free.fr

Histoires animées et jeux en Flash pour enfants. Très belle réalisation.

Le Pic-Vert 

perso.wanadoo.fr/pic-vert

Le Pic-Vert propose aux enfants des articles portant sur l'écologie, la nature, la zoologie, la géologie, la botanique, la météorologie, les volcans, l'éthologie, la paléontologie, etc.

Le site de Jojo 

www.kidcomics.com/jojo

Un univers rond et mignon pour un petit garçon plein d'imagination, c'est le nouveau site de Jojo : des jeux, un atelier de création de bandes dessinées, des cadeaux, des dessins animés et plein d'autres surprises Jojo.

Le site des cyberjeunes 

cyberjeunes.free.fr

Le but de ce site est de créer un espace réservé aux jeunes, où chacun pourra trouver une rubrique à son goût : BD, cinéma, journal, correspondant, image, blagues, etc.

L'eau, c'est la santé

www.crem.qc.ca/jeunesse

Un site sur l'eau rempli de jeux et d'expériences : découvre l'importance de l'eau dans la vie de tous les jours, comment l'eau circule dans l'environnement et pourquoi notre santé en dépend.

L'école animée

membres.lycos.fr/ecoleanimee

Sur ce site, vous trouverez plein de couleurs, d'animations et de surprises ! Les "Ti-poux" pourront y apprendre les lettres de l'alphabet, les chiffres et leur écriture. Par la suite, ils pourront lire de courtes phrases imagées. Enfin, ils pourront se divertir avec de petits jeux de mémoire amusants.

Lecture

www.momes.net/education/lecture/biblio/biblio.html

Bibliographie thématique pour enfants sur les chats, les bateaux, les contes, les mots, les sorcières, l'amour, l'école, le collège, les différences, la mer, les vaches et le foot : tout un programme !

L'Envolerie

www.envolerie.com

De divertissantes activités à caractère éducatif pour les enfants de 4 à 10 ans, en français, mathématique, musique et sciences.

Les champions en maths

championmath.free.fr

Mathématiques pour les enfants de 6 à 11 ans. Choix du niveau (CP, CE1, CE2, CM1, CM2) et entraînement aux additions, soustractions, multiplications, divisions, mais aussi problèmes, exercices sur les nombres et sur les mesures.

Les Clés de l'actualité junior 

www.lesclesjunior.com

L'actualité expliquée aux 8-12 ans.

Les Débrouillards 

www.lesdebrouillards.qc.ca

Le site des Débrouillards guide les jeunes de 9 à 12 ans dans l'univers des sciences. Les comment et pourquoi de notre vie quotidienne à travers des expériences, défis et démonstrations rigolotes.

Les droits de l'enfant 

www.droitsenfant.com

Très complet, ce site propose un grand nombre de ressources sur les droits de l'enfant.

Les fables de Jean de La Fontaine 

www.memodata.com/lafontaine/index.htm

Toutes les fables de Jean de La Fontaine : un site pour des enfants, par des enfants.

Les farfadas 

www.lesfarfadas.net

Ce groupe pour "jeune public" organise des concerts dans toute la France. Sur le site : dates des concerts, spectacles, vidéos, jeux, photos, voyages, MP3 à télécharger, karaoké, visite de notre vaisseau.

Les jeux de Lulu, le lutin malin

perso.wanadoo.fr/jeux.lulu

Jeux éducatifs en ligne pour enfants. Niveaux maternelle et élémentaire (4 à 12 ans et plus).

Les p'tits bricoleurs, atelier 5-8 ans

membres.lycos.fr/malikanne

Atelier pour les 5-8 ans propose : des bricolages sympas au fil des saisons, des recettes de cuisine faciles, du jardinage destiné aux petits, des illustrations et des explications pour comprendre pas à pas chaque activité.

Les scientifines

www.scientifines.qc.ca

Tu es une fille âgée de 9 à 12 ans et les sciences t'intéressent ? Rends-toi vite sur ce site qui est fait pour toi…

L'Escale

www.lescale.net

Les enfants de 4 à 12 ans trouveront sur ce site un archipel rempli d'activités interactives.

L'internaute - téléchargement junior

telechargement.linternaute.com/liste/162/2/1/juniors

Ce site donne accès à des logiciels en libre téléchargement pour les juniors.

L'Internaute

www.linternaute.com/junior

La page Enfants de ce site propose des recherches de sites pour enfants, pour parents, des sites de soutien scolaire en ligne, d'activités pour occuper les enfants pendant les vacances, des sites de jouets, etc.

Lire avec Léo et Léa

www.leolea.org

Pour construire une alternative aux méthodes de lecture à départ global, l'Association Lire avec Léo et Léa met en place le réseau L.I.R.A.S.

L'Univers de Lulue

universdelulue.free.fr

Activités pour enfants : bricolages, coloriages, jeux, cartes virtuelles, histoires, dessins, recettes, cartes et enveloppes, fêtes spéciales de l'année. Site utile aux parents et aux animateurs.

Maternet'Info

www.maternetinfo.org

Enseignants, parents, étudiants, professionnels au service de la petite enfance, Maternet'Info est votre site. Vous y trouverez de nombreux liens classés et commentés dans les annuaires, ainsi qu'un répertoire de logiciels et de mémoires.

Mediajunior.com

www.mediajunior.com

MédiaJunior propose plusieurs magazines d'actualité pour les jeunes internautes (CM1, CM2 et collège) : international, francophonie, Europe, droits de l'homme, environnement, découvertes, citoyenneté, actualités, culture, sports, énergie, BD, etc.

Milan Presse

www.milanpresse.com

Milan Presse est éditeur de magazines et de livres pour la jeunesse et le grand public. Le site propose un service d'abonnement et de vente en ligne.

Miniclic, l'univers des enfants

www.miniclic.com

Guide de sites culturels et ludiques pour enfants.

Mouvement Freinet

www.freinet.org

Le site de la Fédération internationale des mouvements d'école moderne, pédagogie Freinet.

Muriel animations

murielanim.free.fr

Découvre comment réaliser des bijoux, des personnages et des animaux avec des pierres de rocaille, et comment fabriquer un origami.

Navi

www.navikid.net

Site pour les enfants de 8 à 12 ans : articles sur la nature, l'histoire, les voyages, le cinéma, la musique, la cuisine, des jeux en ligne, un forum, un chat.

Némo en Amérique

www.nemoenamerique.com

Apprenez l'anglais avec Némo et découvrez les principaux épisodes du livre de Dominique Simonnet et Nicole Bacharan, aux éditions du Seuil, animés grâce à la technologie Flash.

Noboys.com

www.noboys.com

La Web communauté des juniors : mode, infos exclusives, liens de stars, news musicales, bons plans sorties, etc.

Nourrir les hommes

museum.agropolis.fr/pages/expos/nourrirleshommes/index.html

Abordant de nombreux sujets en liaison avec les programmes scolaires, Nourrir les hommes illustre dans un langage adapté aux 9-13 ans les grands enjeux de l'alimentation dans le monde d'aujourd'hui.

Okapi, Bayard Presse

www.okapi.bayardpresse.fr

Okapi s'intéresse à l'actualité, la musique, les films, les documentaires, les BD, les forums. Le site permet de découvrir le sommaire complet du numéro en cours ainsi que certaines rubriques en ligne. Il est également possible de souscrire un abonnement en ligne.

Orthographe grammaticale et orthographe d'usage

www.chez.com/orthographe

Améliorer l'orthographe grammaticale et l'orthographe d'usage des élèves de CM1 jusqu'à la 5e, tel est l'objectif pédagogique des manuels de français de J. Nicloux, publiés aux éditions J. Bovrisse. Ce site présente quelques modèles de leçons et une proposition d'aide.

Parcours Imaths

parcours.qc.ca/imaths

Répertoire de notions mathématiques pour le primaire : numération, logique, mesure, géométrie, fractions.

Pédago site maternelle

pedagosite.net

Site pédagogique pour les écoles maternelles.

Petitsminous.com

www.petitsminous.com

Berceuses, chansons, comptines, histoires, dessins animés en vidéocassettes, élaborés avec les crèches et maternelles de France.

Pixel et Pica

www.rocler.qc.ca/pixeletpica

Le monde de Pixel et Pica : jeux, histoires, bricolages, album à colorier, cartes postales, liens intéressants, quilles, marionnettes, la couleur du temps, etc.

Planète Pokémon

www.pokemon.tm.fr

Le site officiel des Pokémon. A faire découvrir d'urgence aux 6-12 ans.

Premiers pas sur Internet

www.momes.net

Comme son nom l'indique, Momes.net est un site dédié aux enfants. On y trouve des informations sur les émissions de TV, les livres et les BD, des comptines, des histoires, des jeux et jouets. Bref, tout ce qui peut occuper nos têtes blondes sur le Net.

Premiers pas vers la lecture

www.momes.net/Lecture.html#appr

Ce site aide les jeunes enfants à faire leurs premiers pas vers la lecture en proposant des contes interactifs.

Professeur Toutenson

www.geocities.com/EnchantedForest/Tower/7625

Le professeur Toutenson propose aux enfants de 3 à 10 ans d'amusantes activités musicales : chansons, initiation à la musique, histoires, rires et jeux.

P'tit Ange

www.ptitange.com

Site d'éveil et de jeux pour les tout-petits.

P'titclic

www.ptitclic.net/sommaire.htm

Site dédié aux enfants : ateliers de création, jeux, cartes virtuelles et plein d'autres choses à découvrir.

Radio-Canada.ca, Jeunesse

radio-canada.ca/jeunesse/ index.html

Sur ce site pour les enfants : cartes virtuelles, forums, jeux, etc.

Sécurité pour tous

www.securite-pour-tous.com

Sur ce site de sensibilisation à la prévention routière créé par Renault, vous apprendrez les bons réflexes de la sécurité routière et du Code de la route grâce à des jeux, des éléments de pédagogie et des informations sur la sécurité automobile.

SILC

www.silc.fr

SILC organise et propose des voyages, des séjours linguistiques, des stages, des jobs, des cours de langue, des séjours au pair, junior, étudiant et adulte partout dans le monde.

Site officiel du petit prince

www.lepetitprince.com

Le petit prince de Saint-Exupéry propose aux enfants de jouer avec lui : dessins, jeu de mémoire, jeu des planètes, jeu d'aventures.

Sites pour juniors

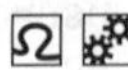

www.sites-fr.com/annuaire/99.html

Sélection de sites pour les juniors.

Sites pour enfants.com 

www.sitespourenfants.com

SitesPourEnfants.com regroupe une sélection de plusieurs centaines de sites consacrés aux enfants, dans divers domaines comme les matières scolaires et les divertissements. De nombreux autres services sont offerts directement depuis ce site : forum, jeux, activités, etc.

Takatrouver 

www.takatrouver.net

Annuaire de recherche éducatif pour les enfants de 7 à 12 ans utilisant la classification des bibliothèques scolaires et municipales.

Tectonique des plaques

www.ggl.ulaval.ca/personnel/bourque/s1

Ce site décrit comment se sont développés la théorie de la tectonique des plaques et ses différents concepts, et surtout en quoi consiste cette théorie qui fournit aujourd'hui un modèle unificateur expliquant les grands phénomènes géologiques qui affectent notre planète.

Teletubbies

www.enter-net.com/~9sagerec/tubbyben.htm

Site entièrement dédié aux Teletubbies.

Tes amies les bêtes 

www.tesamieslesbetes.com

Le site Tes amies les bêtes propose des chansons, des musiques et des jeux pour enfants de 2 à 7 ans sur le thème des animaux du monde.

Tests de mémoire pour jeunes de 9 à 16 ans 

qi98.free.fr

Test de fiabilité de la mémoire des jeunes de 9 à 16 ans.

Tfou

www.tfou.fr

Le site de TF1 pour les enfants.

Tralalere.com

www.tralalere.com

Tralalere.com est un site ludo-culturel et musical destiné aux enfants, qui réunit une majorité d'artistes francophones. Adapté aux 3-10 ans par son ergonomie conviviale et animée, le site peut être personnalisé en fonction du profil de l'enfant.

Verbes irréguliers en anglais

users.skynet.be/bd/eiv

Sur ce site, la liste complète des verbes irréguliers anglais défile dans le navigateur sous Flash.

Vocabulaire illustré

users.skynet.be/providence/vocabulaire/anglais/menu.htm

Révision illustrée de quelques mots de vocabulaire de base en français, en anglais, en danois et en néerlandais.

Web Pass 

membres.lycos.fr/webpass

Portail Internet pour les juniors (8 à 12 ans).

Yahoo! France, Nos découvertes pour les enfants

fr.docs.yahoo.com/selection/enfants

Yahoo! France donne accès à une sélection de sites pour enfants.

Organismes de formation, écoles

A3 Formation

www.a3formation.com

Moteur de recherche de formations professionnelles. Faites votre recherche parmi les 100 000 formations référencées et cliquez sur les stages qui vous intéressent.

ABC Bac

www.abcbac.com

ABC Bac aide les élèves de terminale à préparer leur baccalauréat en proposant des sujets corrigés, des annales et des exercices. Préparation par matières, des maths à la philo, planning personnalisé de révision, corrigés types et résultats.

AFS Vivre sans frontière

www.afs-fr.org

AFS VSF, association française partenaire de AFS International, propose des séjours longs en immersion pour étudier dans un pays étranger. Le réseau AFS, vieux de cinquante ans, existe dans cinquante-cinq pays.

Agence pour l'enseignement français à l'étranger

www.aefe.diplomatie.fr/aefe/texte.nsf/PageAccueil?Readform

Site de l'Agence pour l'enseignement français à l'étranger.

Association Contacts

www.contacts.org

Ce site propose des stages linguistiques à l'étranger en anglais, allemand, espagnol et italien. Ecoles de langue, séjour chez le professeur, en immersion ou au pair. Stages : USA, Canada, Irlande, Angleterre, Grande-Bretagne.

Atout.Net

www.atout.net

Site pédagogique de la direction de la formation professionnelle de l'Union des caisses nationales de sécurité sociale.

Campus électronique

www.campus-electronique.tm.fr

Site d'enseignement à distance du CNED : catalogues de formation, autoévaluations, forums.

Centre national d'enseignement à distance

www.cned.fr

Etablissement public du ministère de l'Education nationale, le Centre national d'enseignement à distance est, avec 400 000 inscriptions, le premier opérateur d'enseignement à distance en France et dans le monde francophone. Le site vous informe sur les formations proposées et sur les modalités d'inscription.

Centre national privé de formation à distance

hometown.aol.com/cnfdi/index.htm

Le CNFDI est un centre de formation privé soumis au contrôle pédagogique de l'Etat. Le site présente le centre de formation, les formations, les stages, et permet d'obtenir une documentation gratuite sur tel ou tel cours.

CER Paris

www.paris.ensam.fr

Le site de l'Ecole nationale supérieure des arts et métiers (ENSAM) donne des informations sur les formations, la recherche, le centre de documentation et les actualités de l'école.

CNFDI

www.cnfdi.com

Site du Centre national privé de formation à distance, soumis au contrôle pédagogique de l'Etat.

Conservatoire national des arts et métiers

www.cnam.fr

Le Conservatoire national des arts et métiers : formation, enseignement, recherche, musée, bibliothèque.

Cours gratuits

cours.telecampus.edu/search/index.cfm?fuseaction=freeCourses

Le répertoire TéléCampus abrite plus de 4 500 cours en ligne gratuits.

Cybergénie

www.cybergenie.fr.fm

Adresses de sites qui diffusent des cours pour le lycée : mathématiques, physique, chimie, économie, philosophie, français, allemand, anglais, etc.

CyberProf

francite.net/education/cyberprof

CyberProf se veut une classe virtuelle de français. L'objectif est de tester vos connaissances grammaticales, orthographiques et culturelles. Tout se déroule en ligne et le résultat est obtenu immédiatement.

Des profs à portée de Web

www.kelprof.com/cp.php

Site spécialisé dans l'annonce gratuite de cours particuliers et la correction de copies en ligne.

Ecole centrale d'électronique

www.ece.fr

Le site de l'Ecole centrale d'électronique donne des informations sur son enseignement, les admissions, le pôle Entreprise et la vie associative.

Ecole des Mines d'Alès

www.ema.fr

Le site EERIE de l'Ecole des mines d'Alès (en partenariat avec la CCI de Nîmes) est un centre de recherche, une option informatique ou automatique/ingénierie de production, des formations spécialisées, un centre de transfert de technologies et un centre documentaire.

Ecole nationale supérieure des arts décoratifs

www.ensad.fr

Le site de l'Ecole nationale supérieure des arts décoratifs, à Paris : informations sur les études dispensées, sur les travaux des étudiants, des pages perso, les travaux de l'école et l'association des anciens élèves.

Ecole supérieure de commerce de Paris

www.escp-eap.net

European School of Management (ESCP-EAP) est un établissement d'enseignement supérieur, bénéficiant d'une expérience de premier rang dans l'organisation de cursus en cohérence avec les structures pédagogiques des autres établissements européens présents sur le marché mondial des formations supérieures au management.

EduFrance

www.edufrance.fr

Vue d'ensemble des études supérieures en France, informations et services aux étudiants étrangers.

ESIEA

www.esiea.fr

Le site de l'Ecole supérieure d'informatique électronique automatique présente le groupe (école, recherche, institut, activités des anciens élèves) et permet de recevoir une documentation et une fiche d'inscription.

ESTES de Strasbourg

www.estes.edu

Ecole multifilière de formation de travailleurs sociaux, l'ESTES dispense les formations préparatoires aux diplômes d'Etat d'éducateur spécialisé, assistant de service social, éducateur technique spécialisé et gère le Centre de formation des directeurs d'établissement social. Elle assure la formation continue des professionnels de l'éducation spécialisée et du travail social.

ETPA Toulouse

www.etpa.net

L'école d'infographie, de photographie et multimédia ETPA propose plusieurs formations : BTS de photographie, praticien photographe, technicien en multimédia, infographie.

Etude et enseignement du français

www.lettres.net

Le site des professeurs de lettres. Au menu, un forum de discussion, des ressources sur le bac français, des cours en ligne, un lexique littéraire et une porte ouverte vers d'autres sites éducatifs.

Exam.fr

www.exam.fr

Pour apprendre et réviser toutes les matières, des tests et des rappels de cours préparés par des professeurs, du CM2 à la terminale.

FFFOD, cours en ligne

www.fffod.org/fr

Annuaire de sites proposant des cours en ligne gratuits.

Groupe Esra

www.esra.edu

Le groupe Esra délivre un enseignement pluridisciplinaire des métiers du cinéma, de la vidéo, du son, de l'image de synthèse 3D et du multimédia, et renseigne sur les filières, les sites, les anciens élèves, les stages et emplois, les contacts.

Icours, tous les cours en ligne

www.chez.com/icours

Ce site référence les cours et les formations dans de nombreux domaines.

Institut pratique du journalisme

www.ipjparis.org

Créé en 1978, l'Institut pratique de journalisme est un établissement d'enseignement supérieur technique privé, reconnu par l'Etat et par la profession, habilité à percevoir la taxe d'apprentissage et les subventions au titre du mécénat des entreprises. L'IPJ organise des sessions de perfectionnement "sur mesure" et des cycles de formation par alternance.

Kelprof

www.kelprof.com

Totalement gratuit, ce site propose aux élèves comme aux professeurs de déposer leurs annonces pour trouver des cours particuliers aux quatre coins de la France.

Le Devoir conjugal

www.pomme.ualberta.ca/devoir

Ce site vous aide à conjuguer 7 913 verbes français. Certains sont peu usités, d'autres spécifiques au Canada.

Le portail des portails éducatifs

www.scolaweb.com

Le portail des portails éducatifs référence les meilleurs sites pédagogiques du Web.

MB Prépa

www.mbprepa.com

Le premier site d'autoformation aux passages des concours de l'administration française : attaché territorial, rédacteur territorial, lieutenant de police.

Netlangues.com

www.netlangues.com

Netlangues offre une grande diversité de formations à l'anglais et autres langues *via* Internet.

Offres de formation

www.afdas.com/formations

Ce site donne accès à des organismes de formation. La recherche se fait par département, par domaine de formation ou de compétence.

Planete-education.fr.st

www.planete-education.fr.st

Annuaire des applications pédagogiques d'Internet (plus de 1 000 sites référencés).

Rechercher France - formation

rechercher-france.com/formation.html

Sélection de sites dédiés à la formation, par Rechercher France.

Sciences Po

www.sciences-po.fr

Le site de Sciences Po présente la formation, la formation continue, le pôle Recherche, la vie étudiante, et donne accès à la documentation de l'école.

Sup de cours 

www.supdecours.net

Préparation à domicile des concours d'entrée aux carrières sociales, administratives, paramédicales, fonction publique, médecine, pharmacie, professeur des écoles et BTS.

Thot 

thot.cursus.edu

Actualité de la formation à distance : nouveaux cours, technologies, institutions, événements en formation à distance. Mise à jour continuelle.

TOPOS Consultants

www.topos.fr

TOPOS Consultants est un cabinet de conseil spécialisé dans l'orientation des lycéens, la réorientation des étudiants et la construction de projet professionnel pour les jeunes diplômés.

Toutapprendre.com 

www.toutapprendre.com

Ce site de formation en ligne propose des cours pour tous sur la bureautique, l'informatique, les langues, le management, les finances, la Bourse, les loisirs, la culture, le domaine médical et scolaire.

Sites pour enseignants

Bulletin officiel de l'Education nationale

www.education.gouv.fr/bo

Site du bulletin officiel de l'Education nationale.

Cartables.net 

cartables.net

Le Net des Cartables est essentiellement dédié aux enseignants du primaire. Il donne accès à de nombreuses ressources pour les maîtres (pédagogie, outils, informations administratives, etc.), à des logiciels éducatifs, permet d'effectuer des recherches documentaires et d'accéder aux écoles qui ont leur site.

Chimie interactive 

site.ifrance.com/okapi/chimie.htm

Ce site propose des cours de chimie pour collèges et lycées : tableau périodique des éléments, notions de base en chimie, tests, quiz, exercices, tables de données, téléchargement.

CIEP 

www.ciep.fr

Le CIEP contribue depuis sa création, en 1945, au développement de la coopération internationale en éducation. Il a permis à des centaines de milliers d'enseignants et de responsables des systèmes éducatifs de se rencontrer, d'échanger, de confronter et partager leurs expériences. Le site propose des formations (cadres des systèmes éducatifs, professeurs de français), des certifications (TCF, Delf Dalf), des liens pour des échanges éducatifs entre professeurs de français.

CIRFFI 

www.cirffi.org

Le CIRFFI a pour but de favoriser le développement et la diffusion des connaissances et ressources nécessaires aux divers acteurs de la formation et de l'insertion : centre de formation et d'ingénierie, espace Nouvelles

Technologies, pôle Europe et centre de ressources documentaires.

Club InterNest

www.internest.org

Bourse d'échanges de logements entre enseignants du monde entier. Ce site est la version Web de l'Organisation internationale d'échanges de logements et de locations entre collègues enseignants.

CNFETP de Nantes

www.cnfetp-nantes.asso.fr

Le Centre national de formation de l'enseignement technique privé (CNFETP) présente son catalogue de formations pour les professeurs de l'enseignement technique.

Conseil national de l'enseignement agricole privé

cneap.scolanet.org

Site du Conseil national de l'enseignement agricole privé.

CyberEcoles

www.cyberecoles.org

La rencontre de l'éducation et d'Internet, CyberEcoles, ou comment réussir des projets éducatifs par une utilisation créative des nouvelles technologies.

Ecole-Plus

www.ecole-plus.com

Vous trouverez ici un ensemble d'outils pour gérer et animer les classes de maternelle et de primaire.

Educasource

www.educasource.education.fr

Ce site propose aux enseignants des milliers de références, de ressources et de notices documentaires.

Educasup

www.educasup.education.fr

Educasup est un dispositif national sur les ressources multimédias pour l'enseignement supérieur : analyses documentaires et pédagogiques sur les ressources multimédias et audiovisuelles, agenda sur les manifestations TICE.

EducaTIC

educatic.grics.qc.ca

EducaTIC est un site dédié à la formation et au perfectionnement des enseignantes, des enseignants et du personnel des directions d'écoles sur l'utilisation des technologies de l'information et des communications (TIC).

Education.com

fr.education.com/default2.asp

Portail éducatif de référence du groupe Vivendi Universal Publishing. Ancré solidement dans le domaine scolaire, Education.com offre des contenus riches et variés issus des grandes maisons d'édition papier et multimédia.

Educlic

www.educlic.education.fr

Elaboré par le CNDP, Educlic est un répertoire de sites et documents sélectionnés pour leur contenu lié au domaine éducatif.

Educnet

www.educnet.education.fr

Actions du ministère de l'Education nationale en faveur des nouvelles technologies (équipement, formation, ressources) et information sur les pratiques pédagogiques innovantes du réseau académique. Egalement des actualités, forums et listes de discussion.

Eduscol

www.eduscol.education.fr

Le site de l'enseignement primaire et secondaire : lycée général et professionnel, éducation prioritaire, vie scolaire et éducative, enseignement professionnel, formation continue des enseignants et des adultes, international.

Enseignants d'EPS

aeeps.chez.tiscali.fr

Site de l'association des enseignants d'EPS.

Enseignants.com

www.enseignants.com

Ce site propose des ressources pédagogiques et des documents d'actualité sélectionnés sur des sites partenaires.

Enseignement technique et professionnel

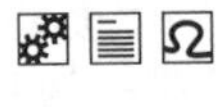

www.education.gouv.fr/enspro/default.htm

Le site du ministère délégué à l'Enseignement professionnel.

Enseigner l'histoire et la géographie

pedagogie.ac-toulouse.fr/histgeo/index.php

Site des professeurs d'histoire-géographie de l'académie de Toulouse.

Espace Ecoles

www.espace-ecoles.com

Ce service dédié aux écoles primaires francophones permet de rechercher des informations, produire, échanger et communiquer en intégrant Internet dans la pratique pédagogique.

European Schoolnet

www.eun.org/portal/index-fr.cfm

Ce site propose diverses ressources à destination des enseignants et maîtres des écoles : innovation, collaboration, formation professionnelle, nouvelles, etc.

FCPE nationale

www.fcpe.asso.fr

Le site officiel de la FCPE nationale, le guide pratique, l'agenda, l'actualité de l'éducation, les communiqués de presse.

Fédération des commissions scolaires du Québec

www.fcsq.qc.ca/sitesref

La Fédération des commissions scolaires du Québec regroupe 61 commissions scolaires du Québec. Elle contribue à promouvoir l'éducation et défend avec détermination les intérêts de ses membres depuis 1947.

GestProf

membres.lycos.fr/cbecart

Ce site permet de télécharger un logiciel de gestion de notes pour enseignant. Ce logiciel existe en version 16 bits et 32 bits.

INPR 

www.inrp.fr

Site de l'Institut national de recherche pédagogique : actualité, recherche, colloques/séminaires, observatoires, innovation, publications, bibliothèque, banques de données, musée.

Internet Ecoles 

www.enseignants.com/e-home.asp

Le journal des instituteurs et des professeurs des écoles.

IUFM 

www.iufm.fr

Le portail des IUFM de France offre un accès unique aux différents sites Web des IUFM. L'information délivrée est organisée en différentes rubriques : qu'est-ce qu'un IUFM ?, la formation, les ressources pédagogiques, les technologies de l'information et de la communication, etc.

Jardin malin 

jardinmalin.tripod.com

Projet d'école : apprendre à connaître notre environnement, en aménageant des lieux de vie respectueux du milieu (végétal, animal, humain). Les enfants "cultivent" leur curiosité et l'envie de connaître l'autre, le différent, le particulier, en collaboration avec des partenaires : artistes, parents, professionnels, services municipaux…

Jardinons à l'école

www.jardinons-alecole.org

Jardinage à l'école : aides et conseils pour les enseignants des écoles maternelles et primaires, documentation et prolongements pédagogiques.

Kelprof, le dénicheur de professeurs

kelprof.com 

Totalement gratuit ce site propose aux élèves et aux professeurs de déposer leurs annonces pour trouver des cours particuliers aux quatre coins de la France.

La main à la pâte 

www.inrp.fr/lamap

Site dédié à l'enseignement des sciences à l'école maternelle et élémentaire.

La Toile édumatique 

www.geocities.com/Athens/Acropolis/6739

Ce site propose une sélection de sites NTIC pour les enseignants en primaire, secondaire et en sciences humaines.

La Z.I.L. 

lazil.free.fr

La zone d'idées libres est un site dédié aux instituteurs : fiches d'évaluation, courriers des lecteurs, actualité cinématographique, infos pour les débutants, forum.

L'assistance en philosophie

www.webphilo.com

Portail d'assistance en philosophie : enseignants, base de textes, corrigés, conseils, méthodes, discussions en direct.

Le Lutin 

www.lelutin.com

Le site du monde de l'éducation.

Le portail des professionnels de l'éducation

educlic.education.fr

Ce portail des professionnels de l'éducation ouvre sur de nombreux domaines en rapport avec l'école.

Le Préscolaire.com

www.prescolaire.com

Le Préscolaire.com est un site qui mise sur le partage des idées. Son but est d'offrir un maximum d'activités, d'utilitaires et de liens aux professionnels de la petite enfance.

L'école buissonnière

www.mylinea.com/buissonniere

L'annuaire de l'éducation "école buissonnière" propose des ressources pour le second cycle d'enseignement.

L'éducation prioritaire

www.cndp.fr/zeprep

Pour les enseignants et coordonnateurs : documentation, textes officiels, sélection de sites, forums sur les pratiques pédagogiques et la politique des ZEP.

Lenglez.net

www.lenglez.net

Véronique Lenglez, institutrice en maternelle à l'Ecole autonome de la communauté française de Mons (Hainaut-Belgique), propose des activités pédagogiques et des liens pour la maternelle.

Les Clionautes

www.clionautes.org/index.htm

Site dédié à l'enseignement de l'histoire, de la géographie et de l'éducation civique.

Les sciences physiques au collège

electrons.free.fr

Vous trouverez ici de nombreuses ressources pour enseignants et élèves de collèges : pédagogie, cours, logiciels, exercices interactifs, dossiers scientifiques, résumés de cours.

Livre électronique de physique et de chimie

members.tripod.com/crefoc/ kebili.htm

Ce site propose des ressources aux enseignants de physique et de chimie des lycées : programmes officiels, matériel didactique, fiches de TP, autoévaluation, produits chimiques à risques, etc.

Maison des universités

www.cpu.fr

Informations utiles et actualité universitaire pour les professionnels de l'enseignement supérieur, par la Conférence des présidents d'université et l'agence de modernisation.

Mariposa services

www.mariposa-services.com/pages/sitesdiv.htm

Mariposa propose des formations de formateurs, un magazine pour enseignants, des services de traduction et de correction, des séjours linguistiques, etc.

Mots mêlés et mots croisés à l'école

o.bacquet.free.fr/index.html

Ce site propose aux enseignants en cycles II et III (enfants 6-11 ans) des exercices individuels ou de travail de groupe, permettant des activités de recherche, de soutien, de solution ou d'évaluation.

NOE, un site pour les profs

noe-education.org

Ressources pédagogiques pour les enseignants francophones.

Observatoire des zones prioritaires

perso.club-internet.fr/ozp.zep

L'association OZP a pour objectif de favoriser les débats sur les dispositifs prioritaires dans l'éducation.

Pédago site maternelle

pedagosite.net

Site pédagogique pour les écoles maternelles.

Planète éducation

www.planete-education.com

Portail, annuaire et moteur éducationnel vers les meilleures ressources pédagogiques scolaires gratuites sur l'Internet francophone pour l'enseignement, la formation et les études aux niveaux préscolaire, primaire, secondaire, professionnel et technique.

Planète Enseignant

www.planete-enseignant.com

Planète Enseignant est le site Ressources de la collectivité éducative : ressources pédagogiques, de la maternelle à l'université, programmes scolaires, annales, statuts, syndicats, etc.

Portail des professionnels de l'éducation

educlic.education.fr

Le portail pour les professionnels de l'éducation permet de faire des recherches thématiques ou par mots clés sur un ensemble de sites éducatifs.

Préscolaire.com

www.geocities.com/philfo22

Ressource pour les intervenant(e)s auprès de la petite enfance. Beaucoup d'idées d'activités, des recettes, des chansons.

Prof-Inet

www.cslaval.qc.ca/Prof-Inet/ index.asp

Ce site vous permet de tirer profit d'Internet en classe : communication, collaboration, documentation, publication. Il contribue à améliorer la fonction et la vie des enseignants en répondant à leurs besoins d'information.

Quali-gratuit, enseignants

www.quali-gratuit.com/Annuairegratuit/etudes/enseignants.htm

Quali-gratuit propose une sélection de sites pour les enseignants.

Rue des Ecoles

www.ruedesecoles.com

Site de ressources éducatives et de soutien scolaire à destination des enseignants, des documentalistes, des élèves et des parents.

Scolasite.com

www.scolasite.com

Annuaire de liens pédagogiques et de services divers concernant les enseignants du primaire et secondaire.

Sélection de sites

www.chez.com/sylviecastaing/sites1.htm

Sylvie Castaing, enseignante spécialisée chargée de rééducation en RASED (Réseau d'aides spécialisées aux élèves en difficulté), propose sa sélection de sites pour enseignants.

Sites pour enseignants 

prescolaire.grandmonde.com/sites/sites_enseignants.htm

Le grand monde du préscolaire est une banque de ressources destinée aux intervenants et aux parents d'enfants en maternelle et en milieu de garde.

Sitinstit 

sitinstit.net

Les sites inscrits à "l'anneau des instituteurs francophones" sont conçus par des acteurs de l'enseignement primaire et/ou spécialisé. Il ne s'agit pas de sites d'écoles.

Snuipp, FSU

www.snuipp.fr

Le site du Syndicat national unitaire des instituteurs, professeurs d'école et PEGC.

SOS Histoire Géographie 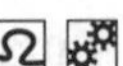

membres.lycos.fr/soshg

Un site vraiment complet sur l'histoire et la géographie : pour les profs, moteurs de recherche, programmes et concours, best of, logiciels, liens, CD-ROM, etc.

Virage

www.meq.gouv.qc.ca/virage/ index.htm

Réforme de l'éducation au Québec : publications, bulletins, textes destinés au personnel scolaire.

Vous Nous Ils  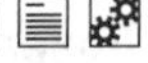

www.vousnousils.fr

Vous Nous Ils vous présente son portail multiservice d'information sur l'Education nationale : enseignement, actualité, dossier de presse, culture.

WebRing éducation 

j.webring.com/hub?ring=educ

Anneau des ressources francophones de l'Education nationale.

Zéro de conduite 

www.zdc-fr.com

Portail pédagogique : projets et travaux d'élèves, pages ludiques, correspondances de classes en quatre langues, ressources pédagogiques, exercices interactifs.

ZOOL 2000 

membres.lycos.fr/zool2000

Annuaire de ressources pédagogiques pour l'école primaire.

Sites pour étudiants, lycéens

Académie des sciences

www.academie-sciences.fr

Site de l'Académie des sciences (Paris).

ADDAI

addal.u-strasbg.fr

L'Association des doctorants et docteurs d'Alsace aide les étudiants chercheurs (DEA, thèse et après thèse) à Strasbourg et en Alsace : présentation de l'association, bulletin d'information, organisation de forums, annuaire, offres de bourses, etc.

Adele

www.adele.org

Site de l'Association pour le développement économique du logement étudiant.

Ados.fr

www.ados.fr

Le site des ados propose des rubriques séries, musique, cinéma, jeux, sport, photos et sortie. Il permet également de créer son site perso, d'envoyer des cartes virtuelles et de gagner des cadeaux.

Aidologement.com

www.aidologement.com

Sur Aidologement.com, obtenez immédiatement en ligne l'avance gratuite de votre caution locative (loca-pass), la garantie locative gratuite pour louer votre appartement, un prêt au taux de 1,5 % l'an pour réaliser vos travaux, une aide financière pour passer un cap difficile.

Allô prof !

www.alloprof.qc.ca

Allô prof! est un service téléphonique d'aide aux devoirs pour tous les jeunes du primaire et du secondaire. C'est aussi une intervention éducative qui ne nécessite aucun déplacement et qui est tout à fait gratuite. Ainsi, du lundi au jeudi, de 17 heures à 20 heures, tout élève qui éprouve des difficultés à faire ses devoirs pourra contacter un professeur.

AnglaisFacile.com

www.anglaisfacile.com

AnglaisFacile.com est l'un des meilleurs sites pour apprendre ou entretenir l'anglais. A consulter d'urgence. Vous ne serez pas déçu(e).

Animafac

www.animafac.net

Ce site propose un réseau et divers outils destinés aux associations étudiantes.

Anneau des ressources francophones de l'éducation

www.arfe-cursus.com

Ce portail d'accueil associatif et mutualiste sur l'éducation francophone est réalisé par des enseignants, professeurs et chercheurs.

Annuaire des associations étudiantes

www.associationsetudiantes.com

Annuaire des associations étudiantes de grandes écoles et d'universités.

Association des parents d'élèves de Paris

apel75.com

Association des parents d'élèves de Paris : 1 structure qui vous représente, 5 secteurs qui vous informent, 126 établissements qui vous accueillent, une mission que vous nous confiez et à laquelle vous participez.

Association du magistère de droit d'Aix-en-Provence

membres.lycos.fr/magistere1

Les étudiants du magistère publient la doctrine d'Aix en droit des affaires, fiscalité, IT, etc.

BDE Mines de Paris

webeleve.ensmp.fr/bde

Site du bureau des élèves des Mines de Paris : rôle, équipe, partenariats, cours particuliers, vie aux Mines, voyages, soirées, achats.

Bêtisiers

perso.club-Internet.fr/an_sofi

Plusieurs bêtisiers pour étudiants vous attendent sur ce site : lycée, élèves, économie, fac, fous, histoire-géo, X.

Biologie et multimédia

www.snv.jussieu.fr/bmedia

Ce site donne accès à divers documents relatifs à l'enseignement des différentes disciplines de la biologie (biologie cellulaire, biologie végétale, virologie et développement, biochimie, petit Buffon électronique, physiologie végétale).

Biologie et recherche sur le Net

www.123bio.net

Biologie et recherche sur le Net : cours de biologie, articles de revues, offres d'emploi, pense-bête.

Biologie.net

biologienet.free.fr

Site dédié à la biologie humaine. Découvrez de nombreux schémas à compléter en ligne avec leur correctif. Découvrez aussi le fonctionnement et le rôle de nombreux organes du corps humain de façon simple et claire.

BonWeb - Education, étudiants

www.bonweb.com/p_8_87.php

Sélection des meilleurs sites pour étudiants par bonweb.com.

BonWeb - Education, secondaire

www.bonweb.com/p_8_609.php

Sélection des meilleurs sites dédiés aux lycéens par bonweb.com.

BouScol

www.station05.qc.ca/csrs/BouScol

Répertoire de ressources Internet classées par modèles et par écoles. Ce site est un lieu de référence pour tous les intervenants qui œuvrent dans le milieu scolaire.

Bureau national des élèves ingénieurs

membres.lycos.fr/bnei

Le Bureau national des élèves ingénieurs fédère tous les BDE et organise des congrès. Il représente les élèves ingénieurs auprès des différents ministères, CDEDI, CTI, H3E, CGE.

Campus Montréal

www.campusmontreal.com

Le portail pour les étudiants de Montréal donne des informations sur les "partys", les cinémas, les activités sportives, le logement et les livres scolaires.

CAP avocat

www.capavocat.fr

Ecole de préparation à l'examen d'entrée au CRFPA (Centre régional de formation à la profession d'avocat). Préparation intensive et estivale.

CapCampus

www.capcampus.com

Depuis novembre 1997, CapCampus est le premier site portail de la communauté étudiante et des jeunes diplômés. Il permet de trouver un job, une formation ou un premier emploi, d'échanger ou d'acheter à prix étudiant, de voyager, bouger, cultiver ses passions, s'informer et informer.

Carrefour éducation

carrefour- education.telequebec.qc.ca

Le portail éducatif des enseignants québécois propose des ressources didactiques pour le préscolaire, le primaire et le secondaire. On y trouve de l'autoformation, des télécollaborations, des commentaires de sites, des évaluations de logiciels, des scénarios d'intégration des TIC à l'enseignement et bien d'autres choses.

Centre de mathématiques de l'Ecole polytechnique

math.polytechnique.fr

Site du centre de mathématiques de l'Ecole polytechnique (Palaiseau).

Centre d'études supérieures de la Renaissance

www.cesr.univ-tours.fr

Créé en 1956, le Centre d'études supérieures de la Renaissance est, d'une part, l'une des neuf unités de formation et de recherche (UFR) de l'université François-Rabelais, et, d'autre part, une unité mixte de recherche (UMR) du CNRS.

Chimie.net

chimie.net.free.fr

Site dédié à la chimie. Découvrez le tableau périodique des éléments, ainsi que de nombreux exercices corrigés clôturant chaque chapitre : molécule, valence, atome, loi de Lavoisier, métaux, etc.

Choisir sa formation

www.maformation.com

Informations essentielles pour choisir sa formation, découvrir des métiers et mieux connaître les secteurs d'activités.

CLEMI

www.clemi.org

Au sein du ministère de l'Education français, le CLEMI conçoit et développe des programmes d'éducation, en France et dans le monde.

Club Campus.com

www.club-campus.com

Ce guide de l'étudiant et du jeune diplômé à l'étranger vous informe sur les études, les écoles et les informations pour partir étudier et travailler à l'étranger.

Collège virtuel

portail.virtuel.collegebdeb.qc.ca

Le collège du Bois-de-Boulogne propose un annuaire qui classe les cours en ligne par matières.

Comité national d'évaluation 

www.cne-evaluation.fr

Site du Comité national d'évaluation (CNE).

Conseil national de l'enseignement agricole privé

cneap.scolanet.org

Site du Conseil national de l'enseignement agricole privé.

CoolEtude  

www.cooletude.com

Coolétude vous permet de chercher cours, fiches, exercices, annales du lycée et de la fac : moteur de recherche, forums de discussion et d'entraide, chat, agenda, mail gratuit, petites annonces.

Crous de Corbeil 

www.guichet-etudiant.com

Le site du Crous de Corbeil (Essonne) : aides financières, orientation, logement, loisirs, syndicats étudiants, santé, bons plans.

Cursus 

cursus.cursus.edu

Cursus offre un répertoire de cours en ligne et d'enseignement à distance.

Cyberthèses 

www.cybertheses.org

Sur ce site, vous trouverez les références aux thèses soutenues dans les différents établissements participant à Cyberthèses et les liens hypertexte menant au texte intégral de chacune d'elles.

Dictionnaire encyclopédique de l'astronomie

www.anaconda-2.net/andromeda.html

Andromeda est un dictionnaire encyclopédique pour étudiants et amateurs de l'astronomie et/ou amoureux du ciel. Il donne également accès à des sites complémentaires et propose une bibliographie spécialisée.

Ecole de notariat de Nantes 

www.ecole-notariat.com

Site de l'école de notariat de Nantes : présentation de l'école, programme, demande d'inscription, bureau des étudiants.

Ecole nationale d'administration 

www.ena.fr

Depuis 1945, l'Ecole nationale d'administration remplit la même mission : celle de recruter et de former la haute fonction publique de l'Etat. Cette mission est menée en étroite relation avec l'avenir national, européen et mondial de notre pays.

Ecole nationale de la magistrature

www.enm.justice.fr 

Sur le site de l'ENM : présentation de l'école, recrutement, formation initiale, relations internationales, centre de ressources, communication, documentation.

Ecole nationale supérieure des arts décoratifs

www.ensad.fr

Site de l'Ecole nationale supérieure des arts décoratifs.

Edhec.com

www.edhec.com

Découvrez la galaxie des sites Edhec : agenda, actualité, conférences, pédagogie, entreprises, diplômés, associations, fondation, droit.

Education.fr

www.education.fr

Portail de référence sur l'éducation.

EduFrance

www.edufrance.fr

EduFrance est un site très complet dédié à l'éducation française à l'étranger. Vous y trouverez de nombreux liens vers des sites complémentaires.

Edutemps

www.edutemps.fr

Edutemps est un portail à destination des étudiants et des enseignants. Pour chaque discipline, il propose un annuaire de sites spécialisés, des publications en ligne, des extraits d'ouvrages, des bibliographies et une rubrique d'aide à la préparation des concours.

ESICAD - Ecole d'enseignement supérieur de Montpellier et Toulouse

www.esicad.com

En choisissant l'ESICAD, l'étudiant s'approprie les valeurs d'une école dont l'objectif est de l'amener à devenir un manager commercial, financier, administratif, ouvert et dynamique.

Espace-études.com

www.espace-etudes.com

Pour bien choisir son école et préparer les concours, une visite sur ce site s'impose…

Etnoka

www.etnoka.fr

Lieu d'échange et de divertissement pour étudiants : bons plans, sorties, soirées, forums, chats, rencontres, blagues, photos, concours, formations, stages.

Etudes de droit

www.droitenligne.com/etudes/menu.htm

Sélection de sites pour les étudiants en droit.

Etudiants du monde

www.studentsoftheworld.info/indexfr.html

Ce site propose : des correspondants pour les jeunes du monde entier, des jeux éducatifs, des informations culturelles (géographie, cartes interactives, écoles, statistiques, photos) sur tous les pays du monde.

Europestudy.com

www.europestudy.com

Le site du Salon électronique de l'enseignement et des métiers donne des conseils aux étudiants afin de les aider à choisir leur orientation.

Exoline.com

www.exoline.com

Sur Exoline.com, retrouvez les fiches de révision et les solutions commentées de tous les exercices de vos livres scolaires de la sixième à la terminale en maths, physique et chimie.

Expériences d'optique

membres.lycos.fr/tpoptique

Présentation d'expériences d'optique géométrique et ondulatoire, réalisées en premier cycle universitaire.

Expert-Sup

www.expert-sup.com

Expert-sup est un portail de formation à l'expertise comptable de Dunod Editeur. Il propose des informations sur la formation, la préparation des diplômes DPECF, DECF, DESCF, DEC, les épreuves de comptabilité gestion, les livres de l'expertise comptable, la profession, les stages, les métiers et l'enseignement à distance.

Faim d'études

www.faimdetudes.com

Publiez vos travaux sur Faimdetudes.com afin de partager vos connaissances, de les protéger et d'être cité par d'autres chercheurs ou étudiants.

FCPE 66 - Pyrénées-Orientales

www.fcpe66.org

Informations et aide pour les élèves et parents d'élèves, de la maternelle au lycée.

Fédération nationale OCCE

www.occe.net/federation/index.htm

L'Office central de la coopération à l'école est un organisme national qui fédère la vie et l'action pédagogique d'environ 50 000 coopératives scolaires et foyers coopératifs. Plus de quatre millions d'enfants et d'adolescents, de la maternelle au post-bac, rencontrent la coopération grâce à l'OCCE.

FirstCampus

213.91.3.155/nc/NetCommunity?nh=4&frameset=yes

Le site Firstcampus est un portail dédié à la vie étudiante. On y retrouve des informations sur tous les sujets pouvant intéresser les étudiants : première année à la fac, bourses et aides, étudier à l'étranger, guide des études, rechercher un stage ou un emploi, etc.

Forum Jeunesse

www.youthforum.org

Site du Forum européen de la jeunesse.

France-examen.com

f6.www.france-examen.com

Pour réviser le bac ou le brevet, retrouvez gratuitement les annales des années précédentes, académie par académie, la liste des sujets les plus probables, ainsi que des corrigés et les agendas de toutes les épreuves.

Franceworld

www.franceworld.com

Service de recherche de correspondants étrangers (plus de 15 000 correspondants à travers le monde).

GARAC

www.garac.com

Ecole nationale spécialisée dans l'automobile, la moto et le véhicule industriel en mécanique, carrosserie, peinture, vente, gestion, management et qualité.

Génération Bac

www.generationbac.com

Génération Bac vous propose de préparer votre baccalauréat grâce à des fiches de révision, des QCM, des annales corrigées. Vous y trouverez également quelques conseils pour vous préparer à l'examen.

Graphologie

perso.club-Internet.fr/guibour

Ce site de graphologie est destiné aux étudiants en recherche d'emploi et plus généralement à tous ceux qui cherchent une orientation ou un conseil professionnel.

Guide ressources pour l'étudiant

www.toile.qc.ca/guides/education/ressources_etudiant

Ce guide propose un grand nombre de sites utiles à l'étudiant pour trouver des outils de référence, améliorer son vocabulaire et apprendre à chercher efficacement. Il permet également de consulter des encyclopédies, dictionnaires et bibliothèques en ligne.

Hatier

www.editions-hatier.fr

Hatier, éditeur scolaire et parascolaire (Bescherelle, Annabac, Profil, Ratus), propose aux élèves, enseignants, parents et libraires, des exercices et corrigés, des concours, des forums, ses catalogues.

ICTIA

membres.lycos.fr/ictia

Site de l'école de l'industrie et de l'automobile de la ville de Liège.

Infologement.org

www.infologement.org

Portail du logement étudiant : cités universitaires, résidences étudiantes, colocation, foyers, HLM, adresses utiles, etc.

Informations annuaire

www.urec.cnrs.fr/annuaire

Annuaire des sites Web correspondant à l'enseignement supérieur et à la recherche en France.

Internet au service des études

www.gymnase-morges.ch/docs/Serveurs_edu.html

Le gymnase de Morges propose une sélection de sites en rapport avec les études.

IPESUP-PREPASUP

www.ipesup.fr

IPESUP-PREPASUP : Instituts de préparation aux examens et concours de l'enseignement supérieur.

Jetudie.com

www.jetudie.com

Orientation et formation tous niveaux et tous métiers. Trouvez votre formation en alternance rémunérée, stages, jobs étudiants, cours e-learning. Déposez vos candidatures en ligne.

Jeunes Plus

www.jeunesplus.org

Parents, enseignants, aidez vos enfants : des dossiers, des liens, des livres, un annuaire du soutien scolaire.

Job-etudiant.com

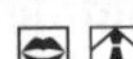

www.jobetudiant.com

Trouvez un stage, une formation en alternance ou un job d'été en quelques clics.

Josette Lanteigne

www.cam.org/~lanteign

Ressources philosophiques de Josette Lanteigne classées par catégories : portraits de philosophes, magazines, expériences de pensée, associations, etc.

Katalog Deutsch

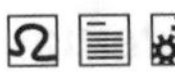

katalogdeutsch.infoliens.com/index.html

Annuaire de ressources pour l'allemand (langue étrangère) ou pour s'informer sur les pays de langue allemande.

KeepSchool

www.keepschool.com

Cours, quiz et copies corrigées dans toutes les matières du lycée : maths, physique, français, anglais, histoire, philo, etc. KeepSchool propose également un soutien scolaire pour vos exercices, dissertations et la préparation au bac.

La famille en Europe

www.uniondesfamilles.org/sites_etudiants.htm

Sélection de sites pour étudiants : jobs d'été, permis de conduire, comment trouver un logement, etc.

La Fémis

www.femis.fr

Site de l'Ecole nationale supérieure des métiers de l'image et du son.

La grande école

www.lagrandeecole.com

Site dédié aux étudiants des grandes écoles de commerce et d'ingénieurs : photos, ragots, stages, emplois, associations. Bref, toute la vie étudiante.

La Maison des examens

www.siec.education.fr

La Maison des examens gère les examens pour les académies de Créteil, Paris, Versailles, les examens interacadémiques, les concours nationaux et d'entrée aux grandes écoles d'ingénieur.

La Péniche/Artelio

www.la-peniche.com

Webzine culturel étudiant interactif des étudiants de Sciences-po : cinéma, théâtre, expositions, musique, littérature, forums, témoignages CEI.

La vie étudiante

www.cnous.fr

Le site du Cnous présente les prestations offertes aux étudiants français et étrangers : réglementation en matière de bourses, saisie du DSE, bases logements et restaurants universitaires.

Le brevet

www.lebrevet.com

Sujets corrigés du brevet : 80 professeurs de troisième planchent pour vous…

Le cochon logique

perso.wanadoo.fr/mikeperso

Ce site est dédié à tous ceux qui sont dingues de problèmes, de sciences, de paris, aux professeurs mais aussi à ceux qui aiment épater la galerie et à tous les autres qui sont là par hasard. Il propose des problèmes et des expériences très amusants.

Le quartier français du village planétaire

www.urich.edu/~jpaulsen/ gvfrench.html

Le quartier français du village planétaire ouvre les portes vers une quantité de sites et de références pouvant être utiles à l'éducation en langue française à travers le monde. Plusieurs thèmes sont abordés, dont : kiosque à journaux, office de tourisme, musées, forum des profs, bibliothèque, ressources de la littérature et de la civilisation française, café électronique, école de la langue française, école de commerce, école primaire, terrain des sports, etc.

Lebac.com

www.lebac.com

Sujets corrigés des bacs généraux et technologiques : 150 professeurs de terminales planchent pour vous !

L'Ecole nationale de la statistique et de l'administration économique

www.ensae.fr

Site de l'Ecole nationale de la statistique et de l'administration économique (ENSAE).

Les Amphis de la Cinquième

www.univ-nancy2.fr/Amphis

Les Amphis de la Cinquième est une émission journalière diffusée sur la Cinquième comprenant des cours vidéo, des conférences de l'Université de tous les savoirs, la diffusion des amphis à la demande et enfin Canal U, la webTV des universités françaises.

Les enfants d'Anatole

www.ac-amiens.fr/college60/afrance_montataire

Le portail du collège Anatole-France de Montataire (Oise, académie d'Amiens) diffuse des contes, fables, poèmes et romans écrits en français, anglais et portugais par les élèves du collège.

L'Etudiant

www.letudiant.fr

Le site du magazine L'Etudiant s'intéresse à l'actualité du monde étudiant, propose des offres d'emploi, des services aux jeunes diplômés, donne des tuyaux pour réussir les recherches d'emploi et oriente le futur diplômé vers les entreprises qui recrutent.

Lisidip 

lisidip.univ-lille1.fr

Base de données des diplômes de troisième cycle directement mise à jour par les universités françaises.

Lycée cantonal et école supérieure de commerce de Porrentruy

www.jura.ch/lcp/recherche.html

Le lycée cantonal et l'école supérieure de commerce de Porrentruy font une étude des outils de recherche sur le Net et proposent des cours en ligne (comptabilité, histoire, informatique, latin, mathématiques).

Lyoncampus

www.lyoncampus.org

Guide des étudiants de la ville de Lyon : les logements universitaires, les universités lyonnaises, le campus étudiant de Villeurbanne, informations pour les étudiants, les associations étudiantes, l'obtention d'une bourse étudiante, la formation universitaire à Lyon, etc.

MB Prépa

www.mbprepa.com

Le premier site d'autoformation aux passages des concours de l'administration française : attaché territorial, rédacteur territorial, lieutenant de police.

Mémoire online

memoireonline.free.fr

Ce site contient des mémoires réalisés par des étudiants de troisième cycle, ayant pour sujet les nouvelles technologies et/ou le droit.

Michael Page junior

www.michaelpagejunior.com

Découvrez le site des étudiants en recherche de stage : offres de stage en France, à l'étranger, conseils (CV, entretien, jobs, lettre de motivation).

MJENR

www.education.gouv.fr/orient

Ce site aide les jeunes à s'informer, à s'orienter et à préparer leur insertion professionnelle.

NTIC.org - Le portail des TIC

ntic.org

Ce site veut promouvoir et soutenir l'intégration des technologies de l'information et des communications dans l'enseignement.

NTIC.org - Sites éducatifs francophones

isef.ntic.org

Ce répertoire comprend environ 1 000 sites pédagogiques francophones, triés sur le volet et reconnus pour la qualité de leur contenu en ressources disciplinaires et la présence de liens commentés.

Objectif grandes écoles

www.objectifgrandesecoles.com

Portail francophone de la gestion et du management, Objectif grandes écoles présente toutes les ressources nécessaires aux étudiants, enseignants, chercheurs, professionnels de la gestion et du management.

Oboulo.com

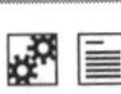

www.oboulo.com

Oboulo.com est la première bibliothèque virtuelle de travaux d'étudiants. Vous y trouverez des fiches de lecture, des dissertations, des exposés et des plans dans toutes les matières.

Office pour la jeunesse

www.ofaj.org

Site de l'Office franco-allemand pour la jeunesse.

Orientations Service

www.orientations-service.com

Un guide d'orientation en ligne pour étudiants.

Paraschool

www.paraschool.com

Toutes les clés de la réussite scolaire : orientation scolaire, conseils d'experts, tests, quiz, interactions avec des professeurs.

Paris étudiant

www.parisetudiant.com

Portail étudiant regroupant des informations sur les études à Paris : universités, écoles, soirées, stages, cinéma, musique, expos.

Philagora

www.philagora.net

Philagora est essentiellement destiné aux étudiants : philosophie, épistémologie, art, livres, forums.

Phosphore.com

www.phosphore.com

Le site du magazine Phosphore s'adresse aux jeunes de 15 à 25 ans. Il aborde des sujets très ciblés : loisirs, culture, études, emploi, stages, vie quotidienne, petites annonces, santé, près de chez vous. Il est possible de s'abonner au magazine en ligne.

Photo de classe

www.photo-de-classe.com

Grâce à ce site, retrouvez une photo de classe ou un ancien copain de classe perdu de vue. Entrez et faites revivre le passé, votre histoire.

Planète-éducation.com

www.mylinea.com/tic

Portail, annuaire et moteur de l'éducation vers les meilleures applications pédagogiques et scolaires sur l'Internet francophone pour l'école, l'enseignement et la formation.

Platomic

www.platomic.com

Sur le nouveau portail du Net francophone Platomic, vous pourrez innover, trouver, dialoguer, vous divertir, faire des rencontres, vous informer, écouter, participer, gagner, vous amuser et découvrir.

Portail étudiant francophone

www.alafac.fr

Portail étudiant francophone : travaux d'étudiants en ligne, mémoires, exposés, dissertations, bourse aux livres, annonces de cours particuliers.

Quali-gratuit, lycéens et étudiants

www.quali-gratuit.com/Annuairegratuit/etudes/lyceens_etudiants.htm

Quali-gratuit propose une sélection de sites pour les lycéens et les étudiants.

Radio Campus Paris

www.radiocampusparis.org

Rendez-vous sur le portail étudiant francilien pour consulter les émissions en ligne, l'agenda, les annonces, les bons plans, et prendre des contacts.

Rapport de stage.com

www.rapportdestage.com

Le site Rapport de stage.com, va "sauver" plus d'un étudiant : méthodologie des rapports de stage, rapports à télécharger, chat, adresses utiles pour les étudiants.

Remède

www.remede.org

Ce site offre un accès direct aux sites pédagogiques orientés médecine existant sur le réseau. Il tente également de favoriser les échanges entre étudiants et avec toutes les personnes concernées par le domaine de la santé.

Site médical à l'usage des étudiants

www.med.univ-rennes1.fr/etud/index4.htm

Ce site médical à l'usage des étudiants en hématologie, hépatologie, gastro-entérologie, cardiologie, médecine du travail, médecine légale, neurologie, pédiatrie, pharmacologie et urologie propose diverses notes de cours, des forums de discussion et annuaires des enseignants.

Sites éducationnels

iquebec.ifrance.com/cph

Ce site propose un annuaire éducationnel pour enfants, adolescents, parents et enseignants.

SNASEA

www.snasea.org

Site du Syndicat national des associations pour la sauvegarde de l'enfant à l'adulte, branche professionnelle sanitaire, médicosociale.

Stages Alsace.Net

www.stages-alsace.net

Avec ce site, la Région Alsace et les chambres de commerce et d'industrie d'Alsace se mobilisent pour faciliter l'accès à l'information pour les étudiants de l'enseignement supérieur d'Alsace, permettre aux entreprises de diffuser leurs offres de stages auprès de ces derniers, assurer une meilleure adéquation entre les besoins des entreprises et ceux des étudiants.

Stribe

www.stribe.com

Etudiants, jeunes, STRIBE est à votre service pour toutes vos recherches : forums, rencontres, chat, annonces, emplois, universités, musique, cinéma, etc.

Studentwards.com

www.boursetudes.com

BoursEtudes assiste l'étudiant dans sa recherche de bourses.

Studyrama

www.studyrama.com

Guide lycéen, étudiant et jeune diplômé : choisir son métier, son orientation, un stage, un job, un emploi, étudier à l'étranger, soirées, logement.

Sup de cours

www.supdecours.net

Cours par correspondance ou en formation continue dans plusieurs écoles françaises afin de préparer les concours d'entrée aux carrières sociales, administratives, paramédicales, fonction publique, médecine, pharmacie, professeur des écoles, BTS.

SUP Exam

www.supexam.fr

Enseignement supérieur privé pour les métiers de médecine, pharmacie et des sciences.

Riche de ses vingt ans d'expérience et de réussite, SUP Exam vous prépare également aux concours d'entrée dans les écoles paramédicales. Programme et demande de dossier en ligne.

Surdoue.net

www.surdoue.net

Cette page propose une sélection de sites sur l'enfant surdoué et sur l'enfant intellectuellement précoce.

Tremplin pour l'emploi

www.tremplinpourlemploi.be

Au programme : des jobs et des stages de qualité pour étudiants et jeunes diplômés toute l'année.

Trombi.com

www.associationsetudiantes.com

Annuaire des associations étudiantes des grandes écoles et universités (plus de 4 000 associations référencées).

UFJT

www.ufjt.org

Site de l'Union des foyers et services des jeunes travailleurs : accueil, habitat, emploi, formation, santé, ouverture culturelle, citoyenneté.

UNEF Evry

evry.unef.org

Site de l'Union nationale des étudiants de France d'Evry : informations sur l'université, ses activités et ses étudiants.

UNEF

unef.org

Ce site est celui de l'UNEF qui résiste à la liquidation du syndicalisme étudiant en France, qui refuse la prétendue réunification décrétée par l'UNEF-ID et la direction illégitime de l'UNEF.

Université René-Descartes

www.necker.fr

Site de la faculté de médecine Necker : enseignements, unités/services, bibliothèques, séminaires.

UNME

www.unme-asso.com

L'UNME accompagne les étudiants dans leur recherche de logement.

Zetud.net

www.zetud.net

Site étudiant et lycéen : cours et devoirs, lycée et université, droit, économie, français, maths, informations pour le bac, les examens, les partiels.

Soutien scolaire

2F Open-js

www.2fopen.com

2F Open-js est la Fédération française omnisports des personnels de l'Education nationale jeunesse et sports. Elle offre l'opportunité à ses membres de pratiquer leurs sports favoris dans le respect de la devise "sport - amitié - détente".

Abos

abos.fr

La société Abos propose des cours particuliers à domicile sur la France entière, tous niveaux, toutes matières.

Acadomia

www.acadomia.fr/site/indexg.php

Acadomia propose une solution pédagogique adaptée à chaque élève : sélection du professeur correspondant le mieux à la problématique pédagogique de chaque enfant, évaluation pédagogique avec un Bilan Nathan.

Aide aux devoirs en français

www.lettres.net/sos

Une équipe de professeurs répond à certaines demandes d'aide aux devoirs en français.

Ailite

perso.wanadoo.fr/ailite/#

Ailite propose des cours à domicile ou dans ses locaux (toutes matières, tous niveaux). Sélection rigoureuse des enseignants, réel suivi pédagogique, attention particulière pour les dyslexiques, précoces, préparation aux examens et stages de vacances intensifs.

Aroeven de Toulouse

pedagogie.ac-toulouse.fr/aroeven-toulouse

Association régionale des œuvres éducatives et de vacances de l'Education nationale. Cette association gère des centres de vacances et propose des formations d'animateur.

BonWeb - Education, soutien scolaire payant

www.bonweb.com/p_8_1203.php

Sélection des meilleurs sites de soutien scolaire payant par bonweb.com.

BonWeb - Education, soutien scolaire

www.bonweb.com/p_8_822.php

Sélection des meilleurs sites de soutien scolaire gratuit par bonweb.com.

Conjugaison et grammaire du verbe

www.leconjugueur.com

Ce site propose un logiciel d'aide à la conjugaison pour Windows 9x/NT/2000/Me et Macintosh. Ce logiciel peut également être utilisé en ligne : indiquez le verbe et validez. Sa conjugaison à l'indicatif, au conditionnel, au subjonctif et à l'impératif est immédiatement affichée.

Cyberpapy

www.cyberpapy.com

Le site de soutien scolaire entre les générations.

Education/Jeunesse

onfjeunesse.ca/jeunesse/index.html

Vous trouverez ici : des jeux, des casse-tête, des films et documentaires destinés aux jeunes (mieux comprendre la science, films pédagogiques pour le primaire, le secondaire et le supérieur).

Edutemps

www.edutemps.fr

Edutemps est un portail à destination des étudiants et des enseignants. Pour chaque discipline, il propose un annuaire de sites spécialisés, des publications en ligne, des extraits d'ouvrages, des bibliographies et une rubrique d'aide à la préparation des concours.

FAS-USU

www.fas-usu.com.fr

Association de type 1901, les Autonomes de Solidarité viennent en aide à tous les personnels de l'enseignement public et laïque.

Hatier

www.annabac.com

Les Annabac Hatier vous proposent des sujets de bac blanc pour vous entraîner, un espace d'entraide dans toutes les matières, une sélection des meilleurs sites Web, matière par matière.

La Ligue de l'enseignement

www.laligue.org

La Ligue de l'enseignement a été créée en 1866. Ce mouvement d'éducation populaire fédère plus de 30 000 associations locales qui agissent dans de nombreux domaines : citoyenneté, éducation, formation, culture, débats, sport, vacances, jeunesse, lutte contre les discriminations, rural-urbain, environnement et développement durable, Europe et solidarité internationale.

Les cours Legendre

www.cours-legendre.fr

Les cours Legendre, leaders du soutien scolaire, proposent une aide aux devoirs, un tutorat en ligne et plusieurs formules de soutien scolaire.

Magister, travaux dirigés de français

www.site-magister.com

Travaux dirigés de français à l'usage des lycéens, étudiants, professeurs. Etude et enseignement du français et des lettres. Cours en ligne, œuvres complètes et groupements de textes. Bac de français, concours aux grandes écoles, aide aux devoirs.

Mes cours Atlas

alsg.mescoursatlas.com

Service de soutien scolaire des éditions Atlas, de la sixième à la seconde.

Prépa Math

www.prepamath.com

Centre pédagogique privé de soutien scolaire animé par des élèves de Polytechnique, Centrale, des Mines, de Normale Sup. Stages intensifs et cours particuliers. Edition de livres scolaires et parascolaires : les interros des lycées, les mini-interros, coédition avec Nathan.

Pupilles de l'Enseignement Public

www.pupilles.org

Reconnus d'utilité publique, les PEP (Pupilles de l'Enseignement Public) sont une association loi 1901, complémentaire de l'école publique. Animés par les valeurs de laïcité et de solidarité, les PEP aident les enfants et les jeunes délaissés, exclus, en difficulté matérielle ou morale.

Rue des Ecoles

www.ruedesecoles.com

Site de ressources éducatives et de soutien scolaire à destination des enseignants, des documentalistes, des élèves et des parents.

Solidarité laïque

www.solidarite-laique.asso.fr

Cette association, reconnue d'utilité publique, agit pour venir en aide aux victimes du sous-développement économique, de l'exclusion, de la misère et de la guerre, en France et dans le monde.

SOS Philo, Hatier 

www.sosphilo.com

Soutien en ligne avec des professeurs/conseillers pour vous aider dans vos devoirs de philosophie.

Soutien scolaire, collège, lycée 

perso.wanadoo.fr/diogene

Soutien pédagogique pour les collégiens et lycéens.

Emploi, entreprises, services

Aide à la création de CV, banques de CV, sites d'annonces

1 Job For You

www.1jobforyou.com

Ce site permet aux cadres et techniciens qualifiés de déposer leur CV et de consulter de nombreuses offres d'annonces.

100cv.com

www.100cv.com

Modèles inédits de mises en page de CV (Web et papier).

Abajob.com

www.abajob.com

Site d'emplois spécialisé dans les domaines suivants : informatique, banque, finance, ressources humaines, marketing et commercial.

Action Emploi

www.action-emploi.net

Offres d'emploi en France, en Europe et à l'étranger, argus des salaires, stages, formations, banques de CV et de nombreuses informations sur l'emploi et le monde du travail.

Aéro emploi formation

www.aeroemploiformation.com

Site spécialisé dans les métiers de l'aéronautique, l'enseignement, la formation et les écoles de l'industrie aérospatiale.

AFIJ

www.afij.org

Le site de l'Association pour faciliter l'insertion des jeunes diplômés (AFIJ) recense de très nombreuses offres de premier emploi. Vous y trouverez également des conseils et une liste de liens complémentaires.

Agence Nourrice.com

www.agence-nourrice.com

La plus grande base de CV dédiée à la garde d'enfants : assistantes maternelles agréées, nourrices à domicile, baby-sitters, filles au pair, gardes partagées, emplois à domicile.

Animateur.net

www.animateur.net

Site dédié aux animateurs de centres de jeunes (BAFA, BEATEP, animateurs multimédias, animateurs sportifs) : offres de jobs, dépôts de CV en ligne, sites complémentaires, actualités et débats, fiches techniques imprimables sur l'enfant et les activités.

Annonces-carrieres.com

www.annonces-carrieres.com/fre

Annonces et Carrières diffuse toutes les offres et demandes d'emploi des services annonces et carrières.

ANPE - Espace employeur

anpe.acorus.fr

Base de CV de l'ANPE avec recherche par secteur et localité.

ANPE

www.anpe.fr

Le site de l'Agence nationale pour l'emploi (ANPE) donne accès à de très nombreuses offres dans tous les secteurs d'activités. Les demandeurs peuvent consulter les offres et déposer leur CV. Les employeurs peuvent déposer leurs offres.

APEC

www.apec.fr

Plus de 11 000 offres d'emploi pour les cadres et les jeunes diplômés, toute l'actualité sur le marché de l'emploi cadre et les entreprises qui recrutent, et une mine d'informations et de conseils pour choisir une formation, travailler à l'étranger, etc.

APR-Job

Apr-job.com

Annuaire des professionnels du recrutement : offres d'emploi, annonces (dépôt et consultation), enregistrement de CV, recherche de profils, liste de plus de 1 000 cabinets de conseil en recrutement et de plus de 1 600 entreprises.

Association Bernard Gregory

www.abg.asso.fr

Le site de l'association Bernard Gregory s'intéresse au marché de l'emploi des docteurs en sciences.

Banque de CV de jeunes docteurs

www.netfly.fr/webabg

L'association Bernard Grégory vous présente un millier de jeunes docteurs de toutes disciplines, à la recherche de leur premier emploi en entreprise.

BonJob

www.bonjob.com

BonJob.com permet aux employeurs et aux chercheurs d'emploi de rentrer rapidement en contact (emplois stables et stages).

Bonjour

www.bonjour.fr

La version en ligne du journal de petites annonces Bonjour.

BonWeb - Travail, offres d'emploi spécialisées

www.bonweb.com/p_6_552.php

Sélection des meilleurs sites d'offres d'emploi spécialisées par bonweb.com.

BonWeb - Travail, offres d'emploi

www.bonweb.com/p_6_554.php

Sélection des meilleurs sites d'offres d'emploi par bonweb.com.

Cadre Emploi

www.cadremploi.fr

Le site de Cadre Emploi permet de consulter de très nombreuses offres d'emploi réservées aux cadres, de déposer son CV et de manager sa carrière. Vous trouverez également divers articles en rapport avec l'actualité, l'actualité des entreprises, des enquêtes et des sites complémentaires à découvrir.

Cadremploi.fr

www.cadremploi.fr

Tout sur l'emploi des cadres : des milliers d'offres actualisées, votre CV en toute confidentialité, de nombreux conseils carrière et des informations sur le marché de l'emploi.

Cadres Online

www.cadresonline.com

Cadres Online donne accès à de très nombreuses offres d'emploi pour cadres : high-tech, industrie, BTP, santé, commercial, marketing, finance, gestion, jeunes diplômés, international. Vous pouvez consulter les offres répertoriées, laisser votre CV et vous documenter par l'intermédiaire de nombreuses rubriques d'actualité et d'orientation.

Centraljob

www.centraljob.fr

Site d'offres et de recherche d'emploi pratique, rapide et totalement gratuit.

Chouette Carrière

www.chouettecarriere.ca

Service canadien de recrutement en ligne.

Contact Emploi

www.contact-emploi.com

Site dédié au recrutement et à l'emploi : saisie de vos offres d'emploi et CV en ligne. Service gratuit pour les demandeurs d'emploi.

Curriculum-Vitae.com

www.curriculum-vitae.com

Candidats, déposez votre CV en ligne et consultez nos milliers d'offres d'emploi. Recruteurs, déposez vos offres aux meilleurs tarifs.

CV Banque

www.cv-banque.com

Mettez votre CV sur Internet (l'inscription est gratuite et permanente), visitez la boutique de livres sur l'emploi.

CV Conseils

www.cvconseils.com

Un professionnel du recrutement vous aide à optimiser l'impact de votre CV et de votre lettre de motivation.

CV des centraliens

www.source-aux-centraliens.com

Ce site héberge les CV des élèves et anciens des quatre écoles Centrale.

CV Dispatch

www.cvdispatch.com

En quelques clics, CV Dispatch vous permet de créer gratuitement votre CV formaté selon les standards des professionnels du recrutement, de saisir votre CV en anglais, de sélectionner les destinataires de votre candidature spontanée à partir d'une liste établie selon votre profil et vos objectifs professionnels, de procéder instantanément à l'envoi de votre candidature, de gérer l'évolution de vos candidatures à partir de votre compte utilisateur.

CV Land

www.cvland.com

CV Land propose des offres d'emploi : dépôt d'annonces en ligne pour employeurs et cabinets de recrutement ; consultation en ligne pour les chercheurs d'emploi.

CV.Meunerie.com

cv.meunerie.com/cvenligne

Aide à la création de CV en ligne.

CV-enligne

www.cv.enligne-fr.com/index.php

Ce portail permet de trouver des recruteurs généralistes et spécialisés, des missions, des emplois et des demandeurs d'emploi, des stages et des stagiaires.

CV-Motivation

www.cv-motivation.com

Sur ce site, vous trouverez 200 modèles de CV accompagnés de leurs lettres de motivation. Vous bénéficierez également de plusieurs aides à la rédaction de lettres de motivation et de CV.

CV-performant

www.cv-performant.com

Ce site propose des modèles de CV classés par compétence. Vous pouvez librement les télécharger (format Word) et les adapter à votre expérience professionnelle.

Cyber Base Cap Alpha

www.cyberbase-montpellier.com

La Cyber Base Cap Alpha est un service de Montpellier agglomération. C'est votre outil Internet pour faire aboutir votre projet professionnel : recherche d'emploi, reconversion professionnelle ou création d'activité.

Cyber Emploi

www.cyber-emploi-centre.com/site/default.htm

Ce site donne des pistes pour trouver un emploi, un stage ou une formation professionnelle.

Direct-CV

www.direct-cv.com

Le site de recrutement des formations supérieures : jeunes diplômés et cadres expérimentés, profil commerce/gestion ou high-tech. Offres d'emploi, confidentialité des CV, fiches entreprises complètes.

DP Recrutement

www.dprecrutement.com

DP Recrutement propose gratuitement aux titulaires d'un diplôme bac + 2 à bac + 5 de consulter ses offres d'emploi, de postuler aux postes et de déposer leur CV pour recevoir des offres d'emploi personnalisées.

Easy-CV.com

www.easy-cv.com

Candidats, votre CV sur Internet avec une adresse facile à communiquer du type : vous.cv.fm. Recruteurs, vos offres d'emploi ont désormais une adresse simple du type : vous.rh.fm.

E-CV

www.easy-cv.com

E-CV rapproche les candidats des recruteurs par le dépôt d'annonces et de CV. E-CV est aussi un outil Internet/intranet de recrutement pour les SSII, les agences de recrutement et les DRH.

Emailjob

www.emailjob.com

Emailjob propose de nombreuses offres d'emploi dans les secteurs suivants : BTP, banque/assurance, distribution, environnement, informatique, transport. Vous pouvez déposer votre CV, consulter les annonces en ligne ou les recevoir dans votre boîte aux lettres.

Emploi médical

www.emploi-medical.com

Déposez votre CV et consultez les annonces dans le secteur médical.

Emplois de la CAO

www.cao-emplois.com

CAO-Emplois est le premier site d'emplois dans le domaine de la CAO. Le dépôt de CV et d'offres est gratuit.

Emplois et jobs

www.chirac.org

Site pour l'emploi. Trouvez du travail grâce au CHIRAC (Concept Hypertexte Internet Rassemblant les Acteurs contre le Chômage), déposez et consultez des CV.

Etudis

www.etudis.com

Ce site perso est fait pour relier entreprises et étudiants : offres et demandes de stages, contrats de qualification, CSNE/VSNE, intérim, etc.

Fédération européenne d'initiatives pour l'emploi

www.feipe.com

Née en 1995 sous l'impulsion de professionnels et d'associations indépendantes, la FEIPE a vocation de fédérer l'ensemble des initiatives utiles et concrètes en faveur de l'emploi et de la recherche d'emploi.

Formaguide

www.dz.formaguide.com/vacataires/vac_lecture.php

Site portail de la formation continue. Depuis 1997, Formaguide regroupe les organismes de formation et les formateurs indépendants pour répondre rapidement et efficacement à vos recherches de formation.

France 5 - Le site emploi

www.france5.fr/emploi/

Portail dédié au monde du travail, de l'économie et de la formation. Le site propose en particulier un agenda, une sélection de liens, des dossiers pratiques et d'actualité.

Guide du recrutement et de la recherche d'emploi

www.1jobforme.com

Guide du recrutement et de la recherche d'emploi sur Internet : annuaire de sites, fiches pratiques et agenda des salons de l'emploi.

Help Emploi

www.helpemploi.fr

Ce site répertorie de nombreuses offres d'emploi temporaire dans tous les domaines d'activité. Les recherches peuvent se faire par secteurs d'activités, par fonctions ou mots clés. Il est également possible de laisser son CV.

Hommes et Missions

www.hommes-et-missions.fr/home.asp

Hommes et Missions aide les entreprises à recruter des cadres de 50 ans au niveau dirigeant, cadre supérieur et middle management, en CDI ou en CDD, dans toutes les fonctions.

Informatique, Banque de CV

www.adhocinfo.fr/entreprises.htm

Sur Adhocinfo, vous pouvez diffuser vos offres d'emploi, consulter notre base de données d'informaticiens en utilisant le moteur de recherche, et commander en ligne les CV qui vous intéressent.

Initiatives et recherche emploi

www.init-emploi.tm.fr

Initiatives Emploi propose de nombreuses offres dans tous les secteurs d'activités. La consultation peut se faire par secteurs d'activités ou mots clés. Les entreprises peuvent publier leurs offres. Une rubrique donne également quelques informations sur l'actualité de l'emploi et un forum permet aux personnes connectées de dialoguer sur l'emploi.

iQuesta.com

www.iquesta.com

iQuesta propose des offres de stage en entreprise et de premier emploi et publie des travaux universitaires (mémoires et thèses).

Job Transport

www.jobtransport.com

Job Transport, site emploi et stage spécialisé en transport et logistique : offres d'emploi, dépôt de CV, consultation des offres, espace dédié aux formations (écoles, IUT, CFA) du secteur transport et logistique, annuaires, actualités, agenda.

Jobsaison

www.jobsaison.com

Site dédié aux jobs saisonniers.

Jobstage

www.jobstage.com

Jobstage est un site où les jeunes à la recherche d'un stage, d'un emploi, d'un contrat en alternance ou d'intérim peuvent déposer leur CV et consulter les offres déposées par les entreprises.

Jobuniverse.France

www.jobuniverse.fr

Vous recherchez un emploi ou un job en informatique ? Découvrez les petites annonces de Jobuniverse.

Kalifeye

www.kalifeye.com

Avec Kalifeye.com, les entreprises peuvent recruter des profils qualifiés pour des besoins ponctuels, des emplois en CDD, en free lance, en indépendant, des missions en intérim ou en régie.

Kap'stages

www.kapstages.com

Le premier service Internet gratuit dédié exclusivement aux stages. Candidats, découvrez les entreprises qui recrutent. Recruteurs, découvrez les écoles et leurs candidats.

La Gazette des communes, des départements, des régions

www.lagazettedescommunes.com

Tout sur l'actualité des collectivités locales et l'emploi public territorial : articles, textes officiels, offres d'emploi, statut des fonctionnaires, préparation aux concours, forums.

La Guilde des métiers du logiciel

www.fr.scguild.com

Organisation de consultants et de prestataires dans le domaine du logiciel : banque de CV, offres de mission, offres d'emploi.

La seule place pour votre CV

www.my.cv

Dépôt et consultation de CV, tous pays.

Le Rucher, Offres d'emploi

www.lerucher.com

Recherche d'emploi et de stage, offres, informations…

Le Rucher.com

www.lerucher.com/recruteurs/consult-cv.asp

Dépôt de CV et consultation de la banque de CV de LeRucher.com.

Le site de l'emploi

membres.lycos.fr/years

Venez consulter et déposer gratuitement des CV et/ou des offres d'emploi sur ce site.

Les Echos, Offres d'emploi

www.lesechos.fr/services/emploi/offres.htm

Découvrez les offres d'emploi du journal Les Echos, les aides à la rédaction de CV et à la préparation d'entretiens d'embauche.

Les offres d'emploi de jobtel.com

www.parisienpa.com/servlet/adx?mtmpl=jobtel_ad_search

Ce site permet aux demandeurs d'emploi de consulter les offres et aux entreprises de publier leurs offres.

Les Pages emploi

www.les-pages-emploi.com

Ce site propose des répertoires sur le marché de l'emploi en France et dans le monde. Très complet.

Les petites annonces gratuites de Libre-annonce

www.libre-annonce.com

Libre-annonce.com propose de passer vos annonces gratuitement pour vendre, louer, échanger, acheter votre bien dans tous les domaines : immobilier, emploi, informatique, rencontres/amis, etc.

Lesjeudis.com

www.lesjeudis.com

Lesjeudis.com est spécialisé dans le recrutement informatique et high-tech (technicien, administrateur réseau, ingénieur Java, chef de projet informatique, analyste programmeur, etc.). Des milliers d'offres ciblées vous attendent sur ce site.

Libération, Emploi

www.liberation.fr/page.php?Rubrique=EMPLOI

Espace Emploi du journal Libération.

Libremploi

www.libremploi.fr

Libremploi est une plate-forme d'échange entre les demandeurs d'emploi et les entreprises. Les demandeurs d'emploi peuvent consulter les offres et déposer leur CV. Les entreprises peuvent consulter les CV déposés.

Mediacom Emploi

emploi.mediacom87.com

Mediacom Emploi vous permet de faire une recherche active ou une veille professionnelle sur le marché de l'emploi. Déposez votre CV ou consultez les offres d'emploi que les recruteurs auront enregistrées pour vous.

Monster.fr

www.monster.fr

Monster.fr, leader mondial de l'emploi sur Internet, vous propose de consulter de très nombreuses offres d'emploi en France, en Europe et à l'étranger.

Mots d'emploi

mots.d.emploi.free.fr

Pas de travail ? Pas de diplôme ? Pas le sourire ? Une visite à Mots d'emploi s'impose ;-).

MoveUp

www.hobsons.be

Répertoire d'offres d'emploi et de postes vacants dans les sociétés qui recrutent en Belgique et à l'étranger.

Offres d'emploi en France et en Europe

www.job.fr

Jobpilot propose des offres d'emploi et de stages en France et en Europe dans tous les secteurs d'activités. Ce site offre également une gamme complète de services gratuits pour vous aider à manager votre carrière.

Oubah

emploi.oubah.com/modeles_cv.php

Venez télécharger 110 modèles de CV sur Oubah et adaptez-les à vos propres compétences.

Petites-annonces.fr

www.petites-annonces.fr

Consultez 250 000 annonces (auto, immobilier, emploi, rencontres, bonnes affaires) issues de professionnels, de particuliers et remises à jour quotidiennement. Passez et gérez vous-même vos annonces grâce à votre dossier perso.

Phosphore.com

www.phosphore.com/french/intro/sommaire.html

La chaîne Etudes et emplois diffuse toutes les informations nécessaires pour trouver un emploi.

Planet emploi

www.planet-emploi.com/cv.htm

Déposez votre candidature ou effectuez une recherche multicritère avancée sur les bases de données d'offres d'emploi et de CV. Egalement stages et formations.

Planète Chimie

perso.club-Internet.fr/magnin

Site pratique sur le monde de la chimie : entreprises, écoles, emplois, bases de données.

Recherche d'emploi

emploi.cv.free.fr

Site dédié à la recherche d'emploi et banque de CV.

Recrunet

www.recrunet.com

Site dédié au recrutement des cadres.

Recrut

www.recrut.com

Sur Recrut, consultez les offres d'emploi et déposez votre CV.

Références

www.references.be

Site emploi du journal Le Soir.

Robopost.com

www.robopost.com

Déposez gratuitement vos annonces emploi, immobilières ou automobiles sur Robopost qui les duplique instantanément sur cinq, quinze ou cinquante sites spécialisés.

Serveur annonces informatiques ADE

membres.lycos.fr/ade17/index.html

Sur ce site : dépôt gratuit de CV pour les demandeurs d'emploi, consultation payante de CV pour les entreprises.

Service emploi et ingénieurs

www.indutec.be/emploi

Site d'emploi consacré aux ingénieurs belges : recherche et insertion de CV et d'offres, conseils, services spécialisés pour sociétés de recrutement, etc.

Site emploi de la communauté juive francophone

www.communemploi.net

Site interactif de l'emploi de la communauté juive francophone. Déposez votre candidature et consultez les offres d'emploi. Employeurs, déposez vos offres.

Site emploi des jeunes diplômés et jeunes cadres

www.e-go.fr

Site emploi et formation des jeunes diplômés et des jeunes cadres.

Startup-Emploi.com

www.startup-emploi.com

Des offres d'emploi dans les start-up et la nouvelle économie, dépôt de CV...

Super-secretaire.com

www.supersecretaire.com

Plate-forme de recrutement de secrétaires et assistantes.

Tchooze.com

tchooze.com

Tchooze.com vous dit tout ce que vous devez savoir sur votre futur employeur : conseils et avis de salariés, offres d'emploi, actualité des entreprises. Vous aussi, exprimez-vous sur Tchooze et contribuez à une plus grande transparence dans le monde du travail.

Télé-mail, offres et demandes d'emploi

www.tele-mail.net

Offres d'emploi et de stages d'entreprises, de cabinets de recrutement et de chasseurs de tête. Conseils en recrutement adressés aux candidats à la recherche d'emploi. Banque de CV et demandes d'emploi.

Tremplin pour l'emploi

www.tremplinpourlemploi.be

Au programme : des jobs et des stages de qualité pour étudiants et jeunes diplômés toute l'année.

Webcible

www.webcible.com

Site emploi spécialisé : dépôt de CV et offres emploi dans les domaines NTIC, commerce, marketing, communication, publicité.

Annuaires d'entreprises, portails, moteurs de recherche

ABC Salles

www.abcsalles.com

Centrale de salles de réception et de séminaire : service gratuit pour professionnels et particuliers, annuaire, contact direct, présentation des salles, photos, visite virtuelle.

Adminet France

adminet.com/comp

Liste alphabétique des sociétés françaises les plus importantes.

Africannuaire

www.africannuaire.com

Africannuaire est une vaste base de données répertoriant des milliers d'entreprises d'Afrique francophone. Les informations sont régulièrement mises à jour grâce à des enquêtes locales effectuées chaque année par Edicomm.

Aide Emploi

www.aide-emploi.net

Tous les conseils pour la recherche d'emploi, comment faire un CV, rédiger une lettre de candidature, préparer entretien ou concours, trouver des offres et passer des tests de sélection.

Annuaire d'entreprises BTP

www.sageret.com/sageret/annuaire-entreprise-btp.html

Annuaire des entreprises du BTP Sageret : plus de 25 000 références.

Annuaire des entreprises françaises

www.bottin.fr

Annuaire des entreprises françaises.

Annuaire des professionnels du BTP

www.batiweb.com

Le site BatiWeb est dédié aux professionnels du BTP. Il donne accès à un catalogue de produits très complet qui permet d'accéder en quelques clics aux sites des fabricants, précise les événements de la profession (salons, conférences, colloques), propose un service d'annonces en ligne et un espace Particuliers pour tous ceux qui désirent améliorer leur logement.

Annuaire des professionnels

www.annuaire-des- professionnels.com

L'Annuaire des professionnels est un annuaire français de sites Internet professionnels d'entreprises, de PME-PMI, de TPE, de collectivités, solos, professions libérales, d'artisans et de commerçants. Cet annuaire payant ne s'adresse qu'aux sites professionnels et fait partie du réseau PME-France.

BonWeb - Entreprises, annuaires

www.bonweb.com/p_6_53.php

Sélection des meilleurs annuaires d'entreprises par bonweb.com.

BonWeb - Entreprises, portails

www.bonweb.com/p_6_42.php

Sélection des meilleurs portails d'entreprises par bonweb.com.

BonWeb - Travail, formation

www.bonweb.com/p_6_133.php

Sélection des meilleurs sites de formation au monde du travail par bonweb.com.

BonWeb - Travail, ressources

www.bonweb.com/p_6_44.php

Sélection des meilleurs sites de ressources sur le monde du travail par bonweb.com.

BonWeb - Travail, services

www.bonweb.com/p_6_894.php

Sélection des meilleurs sites de services sur le monde du travail par bonweb.com.

Business-engine

www.business-engine.com/index.html

Business-engine est un annuaire d'entreprises. Il propose un classement par code NAF, APE, SIREN et par activités.

CCI

www.francetelefirm.com/bin/cci_potence.onglets.cgi

Portail des chambres de commerce et d'industrie.

Convention France-Maghreb

www.cjdim.com

Offres d'emploi, conseils et mise en relation des diplômés issus de l'immigration maghrébine en France avec des chefs d'entreprises.

Cyber archi

www.cyberbtp.com

CyberBTP est un annuaire thématique dédié aux professionnels de l'architecture et du BTP. Il répertorie les entreprises, les fabricants, les architectes, les maîtres d'œuvre, les experts, les décorateurs, etc., et donne accès à des fiches pratiques (conseils, financement, TVA 5,5 %, etc.). Les personnes connectées peuvent également échanger leur avis en participant à des forums ou en s'abonnant à une liste de diffusion.

Cybersearch

www.cybersearch.fr

Cybersearch est le premier salon virtuel permanent de l'emploi sur Internet : plus de 6 000 offres d'emploi et plus de 10 600 recruteurs renommés sont présents sur les salons virtuels (informatique/réseaux, télécoms, commerce/marketing, etc.).

Easy's intérim

www.easys-interim.com

Easy's intérim intervient sur le marché du recrutement temporaire spécialisé dans les intérimaires cadres et non cadres, pour des missions de courte et de longue durée.

Embauche.com

embauche.com

Moteur de recherche et annuaire de l'emploi, tous secteurs d'activités.

Emploi.com

www1.emploi.com

Portail généraliste de l'emploi. Candidats, déposez votre CV et consultez les offres d'emploi. Recruteurs, déposez vos offres d'emploi et consultez librement la CVthèque. Guide du candidat et du recruteur, actualités, services pratiques.

Emploi-en-ligne.com

www.emploi-en-ligne.com

Annuaire francophone répertoriant les sites sur l'emploi, classés par catégories. Mise à jour hebdomadaire.

Emploi-textile.com

www.emploi-textile.com

Emploi-textile.com est un moteur de recherche d'emploi spécialisé dans la mode et le textile.

FNAR

www.fnar.org

Créée il y a plus de cent ans, la FNAR est l'organisation professionnelle représentative de l'artisanat rural. Elle regroupe à ce titre des artisans installés en communes rurales et dont les activités relèvent des secteurs du machinisme agricole, du matériel de parcs et jardins, de l'équipement d'élevage, de l'habitat rural, de la construction-métallerie et de la maréchalerie.

France 5 - Le site emploi 

www.france5.fr/emploi

Portail dédié au monde du travail, de l'économie et de la formation. Le site propose en particulier un agenda, une sélection de liens, des dossiers pratiques et d'actualité…

Galileo France 

www.galileo-france.com

Annuaire des entreprises sur le Web en France : actualité, agenda, affaires, emplois, institutions, financement, territoires.

Infogreffe

www.infogreffe.fr/infogreffe/index.jsp

Le site de Greftel, l'information officielle sur les entreprises, vous permet de consulter toutes les informations juridiques, financières et légales des entreprises.

Infos-emploi.com 

www.infos-emploi.com

Infos-emploi.com est un portail et un annuaire de l'emploi, de l'orientation scolaire/professionnelle et de la création d'entreprise.

JobGate 

www.jobgate.fr

Trouvez votre prochain emploi ou votre futur collaborateur avec JobGate, le premier moteur de recherche d'emploi : offres d'emploi, stages, dépôt de CV, communication RH, outil de gestion des candidatures, salons de recrutement, conseils, gestion de carrières.

Jobscout24 France 

Apr-job.com

Annuaire des professionnels du recrutement : offres d'emploi, annonces, enregistrement de CV et recherche de profils, liste de plus de 1 000 cabinets de conseil en recrutement et de plus de 1 600 entreprises, tests, conseils…

Kompass.com 

www.kompass.fr

Moteur de recherche de l'Internet professionnel : 1,6 million de sociétés, 23 millions de produits et services référencés, 3,2 millions de noms de dirigeants, 744 000 marques et 50 000 codes de nomenclature.

Le journal de l'emploi 

www.journaldelemploi.com

L'emploi près de chez vous, l'emploi et la formation région par région. Accédez aux offres d'emploi, de formation et à l'actualité de votre région.

Le portail du monde de l'emploi 

www.net-work.fr

Sur net-work.fr, le guide référence du monde de l'emploi en ligne, retrouvez toutes les infos et les liens pour trouver le meilleur de l'emploi : recrutements, candidatures, formations, liens vers les sites spécialisés emploi.

Les annuaires - entreprises 

www.lesannuaires.com/annuaire-entreprise.html

Rubrique Entreprise de l'annuaire, proposant une liste d'annuaires d'entreprises : annuaire sectoriel de sociétés et de services, bilans et résultats d'entreprises.

Les Pages Emploi

emploi.hrnet.fr

Portail qui donne accès à des milliers de pages dédiées à l'emploi en France. Il est également possible d'effectuer des recherches par mots clés et de s'abonner à plusieurs lettres d'information.

Les Pages pro

www1.pagespro.com

Annuaire des professionnels, par France Télécom.

Liens emplois

perso.wanadoo.fr/alain.laemle

Cette page recense de nombreux sites dédiés à l'emploi. Le classement est effectué par entreprises, activités, pays et régions.

LudoWeb

www.ludoweb.net/produits_portail.php

Le portail Entreprise Globalnet View constitue un nouvel espace de travail collaboratif et un accès permanent à l'information dynamique de l'entreprise. Il permet de capter et fidéliser vos clients, fournisseurs, partenaires, les collaborateurs de l'entreprise, le grand public et les prospects.

MonacoNet

www.monaco.net/rubC.shtml

Le portail de Monaco Monte Carlo, section Education et emploi.

Obs-emploi

www.obs-emploi.com

Sur Obs-emploi : toutes les offres marketing, management, responsables de point de vente, vendeurs, technico-commerciaux, développement de la franchise et des réseaux.

Offres d'emploi

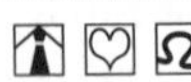

www.travail-emploi.com

Très vaste portail sur le monde de l'emploi.

ORT

www.ort.fr

ORT, le premier site d'informations sur les entreprises, donne accès à des informations financières, commerciales et légales sur les entreprises pour voir au-delà des apparences…

Pagesjaunes.fr, demandez c'est trouvé !

www.pagesjaunes.fr/pj.cgi?

Annuaire téléphonique, plans, photos, adresses des professionnels et particuliers.

Portail du monde de l'emploi

www.net-work.fr

Le portail du monde de l'emploi donne accès à plus de 4 800 sites classés et légendés et à plus de 100 000 offres d'emploi. Sur le site, vous pouvez effectuer une recherche par mots clés ou par thèmes, déposer votre CV, vous connecter sur les sites des entreprises, des agences d'intérim ou des cabinets de recrutement, publier des offres d'emploi, etc.

Portail tunisien pour l'emploi

www.tunijob.com.tn

Le portail tunisien pour l'emploi propose des offres dans tous les secteurs économiques en Tunisie, des conseils, des tests, des news, etc.

Rebondir.fr

www.rebondir.fr

Rebondir, le portail de l'emploi, propose sa sélection des meilleurs sites, la formation, la création d'entreprise, le télétravail, l'intérim et les petites annonces.

SAP Masters

www.geocities.com/sap_emploi

Répertoires de cabinets de recrutement, de consultants et des annonces.

Solidarités nouvelles face au chômage

www.snc.asso.fr

Association de lutte contre le chômage et l'exclusion.

Télétravail.net

www.teletravail.net

L'annuaire professionnel du télétravail vous présente des professionnels indépendants travaillant à distance (entreprises et télétravailleurs indépendants).

Uptolink

www.uptolink.com

Moteur de recherche d'emploi. Entrez les caractéristiques de l'emploi recherché (fonction, temps partiel/complet, CDD/intérim/CDI/stage, région, etc.) et lancez la recherche.

Villes emplois

www.villes-emplois.com

L'objectif est de centraliser toutes les informations nécessaires pour faire de Villes emplois le point central de votre recherche d'emploi dans votre ville.

Artisans

123 meuble

www.123meuble.com

Vente en ligne et restauration de meubles rares et d'éléments de décoration intérieure.

AB Blown Glass manufactory

www.abblownglass.com

Les souffleurs de verre de cette entreprise pratiquent l'art du soufflage de verre depuis de nombreuses années et créent des articles fonctionnels en verre (borosilicate) pour la table et la maison.

Annuaire des artisans

www.lesannuaires.com/annuaire-artisanat-et-artisans.html

La rubrique Artisanat de l'annuaire propose une liste d'annuaires d'artisans, commerces et entreprises d'art et d'artisanat.

Artifrance

www.artifrance.fr/artiweb/com.html

Annuaire et commerce électronique de l'artisanat en France.

ArtiRegions.net

www.artiregions.net

Portail dédié aux artistes et artisans d'art. Mise à jour régulière d'une vitrine de six œuvres, avec zoom sur les lieux d'exposition, les agendas, les formations des artistes et artisans d'art.

Artisans.be

users.skynet.be/bk379122/index_artisanat.html

Annuaire de l'artisanat en Belgique.

Atelier Escobar, bijoutier joaillier créateur

www.atelierescobar.fr/index_fr.htm

De père en fils, l'atelier Escobar conserve la tradition du savoir-faire artisanal français pour la création et la restauration de bijoux.

Ateliers Scriptioris

membres.lycos.fr/ atelierscriptioris

Découvrez cette jeune entreprise artisanale de calligraphie et enluminure à destination des professionnels et des particuliers.

Bottin artisanat et artisan d'art 

www.lesannuaires.com/annuaire-artisanat-et-artisans.html

Cette rubrique de l'annuaire propose une liste d'annuaires d'artisans, commerces et entreprises d'art et d'artisanat.

Boutique Elfique 

www.chez.com/ambreagorn/index.html

Création artisanale de bijoux en cuivre trempés dans l'or ou l'argent, touche "elfique", légendes et réputations des pierres.

Caradèle

www.caradele.com

Caradèle est née afin de mettre les caprices de femme à la portée de toutes. Chacune des parures présentées est une création unique.

Creargos

creargos.free.fr

Design, ébénisterie, brocante et restauration du bois.

Didier Guillemain, joaillier

www.didierguillemain.com

Didier Guillemain, bijoutier joaillier créateur, présente son palmarès ainsi que ses collections de bijoux de haute joaillerie, en or et titane, bijoux originaux sur le thème du Yi King, créations sur mesure…

E-artisan.com 

www.e-commerce-artisan.com/index.php

Ce portail de l'artisanat propose un indice de satisfaction (vote des internautes) et une charte de qualité.

Faïences et émaux de Longwy

perso.club-Internet.fr/lisafab/emaux.htm

Histoire des faïences et émaux de Longwy.

Fibres libres 

www.fibreslibres.com

Portail sur l'art et l'artisanat à Pont-Scorff, dans le Morbihan. Fabrication artisanale de papier, papiers marbrés, sites sur la restauration de tableaux, l'aquarelle, les peintres et artisans.

Handicrafts 

www.tropiquenicaragua.com

Tropique est une société au service de toutes vos commandes en artisanat utilitaire et traditionnel du Nicaragua et d'Amérique centrale. A votre disposition, des centaines d'articles et produits faits entièrement à la main.

L'atelier des grottes

www.meublespeints-fr.com

Meubles peints et effets de patine, flore stylisée… Egalement de nombreux stages à découvrir.

Marqueterie Bernard Lacombe 

www.marqueterie.fr

Galerie et exposition de marqueterie contemporaine.

Monge secrétariat 

www.monge-secretariat.com

Vous êtes artisan ? Monge secrétariat domicilie votre entreprise à Paris pour atteindre de nouveaux clients : secrétariat, permanence téléphonique, location de bureaux.

Mosaïque, les trois fleurons

www.stagesmosaique.com/mosaiques

Annick et Didier Marcouire, mosaïstes confirmés, sont à votre écoute. Ils répondent à vos questions, vous conseillent et vous aident dans vos projets.

Pierre Cotte, sellier

www.pierre-cotte.com

Présentation d'une sélection d'articles de maroquinerie parmi la gamme de sacs à main, bagages, petites maroquineries, ceintures, accessoires pour la chasse fabriqués en France par Pierre Cotte.

Portail des artisans de France 

www.planet-artisans.com

Ce site regroupe les artisans d'art, du bâtiment, de l'alimentation et des services, ainsi que des architectes et des associations d'artisans et commerçants.

Portail des professionnels du bâtiment 

www.build2pro.fr

Le portail des professionnels du bâtiment : services et conseils pour les entreprises et professionnels du bâtiment (maçonnerie, plomberie, menuiserie, électricité, peinture), renseignements et fiches techniques sur les matériaux de construction, les chantiers, le matériel et la sécurité.

Prunelle Paris 

www.prunelle.fr

Cette entreprise artisanale crée et produit des articles brodés à offrir : tabliers, maniques et frises pour étagères.

Associations

Annuaire général associations françaises 

www.agaf.org

Annuaire général des associations françaises : inscription en ligne de votre association, recherche par villes, par thèmes ou par sous-thèmes.

Artistes peignant avec la bouche et les pieds 

www.aapbp.com

Site de l'Association mondiale des artistes peignant avec la bouche et les pieds.

Association Mairie-Emploi

www.ame.asso.fr

Vingt-cinq villes des Yvelines et des Hauts-de-Seine présentent des mini-CV pour vous aider à recruter vos futurs collaborateurs.

Associations pour l'emploi

www-doctorant.utt.fr/associations-emploi

Ce site présente diverses associations destinées à favoriser la recherche d'emploi des doctorants.

Banque de CV de jeunes docteurs

www.abg-jobs.com/cv

L'association Bernard Grégory vous présente plus de 700 jeunes docteurs de toutes disciplines, à la recherche de leur premier emploi en entreprise.

Carrefours pour l'emploi

www.100cv.com/forums/carrefoursemploi.html

Association nationale régie par la loi du 1er juillet 1901, au service de l'emploi. Partenaire du ministère de la Défense.

Education des enfants sourds 

membres.lycos.fr/anpes

Site de l'Association nationale des parents d'enfants sourds : informations sur l'éducation bilingue des enfants sourds, actions auprès des pouvoirs publics, ressources pour les familles.

Fédération des clubs de téléprospection 

www.fctp.org

Ce site a pour vocation de promouvoir l'association et de permettre à ses membres de pouvoir consulter en ligne la base de données contenant la liste des contacts, et les différentes offres d'emploi mises à leur disposition.

FranceSurf.net 

www.francesurf.net/associations_pour_emploi/index,0,0,0,195.htm

Cet annuaire de référencement et de géolocalisation donne accès à différentes associations destinées à favoriser l'insertion professionnelle.

Guide annuaire de l'économie sociale  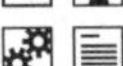

www.gaes.org

Le site de référence des associations et fondations. Un guide pour tous ceux qui s'intéressent au monde associatif. Un outil indispensable pour les acteurs de l'économie sociale.

Maires de grandes villes 

www.grandesvilles.org

Site de l'Association des maires de grandes villes de France.

Vie-associative.gouv.fr 

www.vie-associative.gouv.fr

Site gouvernemental destiné à favoriser les échanges entre tous les acteurs intéressés par la vie associative et ses problématiques : premières Assises nationales de la vie associative, textes de référence sur les associations, liens et forums de discussion.

Cabinets de recrutement

Abcys

www.abcys.fr

Réseau de conseils en recrutement des dirigeants, cadres et commerciaux.

Actuel Recrutement

www.actuel-recrutement.com

Ce cabinet de recrutement intervient sur les secteurs industriels et services au niveau techniciens et ingénieurs.

Adia

www.adia.fr

Le guichet emploi permet au personnel intérim de préparer au mieux sa mission : contrat intérim, comparatif de recrutement en ligne, travail temporaire spécialisé.

Approcher un cabinet de recrutement

www.lerucher.com/dossiers/1099/interview1.asp?from=savoir_recrut

Approcher un cabinet de recrutement : interview de Pierre Cabanié, consultant du cabinet de recrutement Décision Plus.

Capfor

www.capfor.com

Capfor, cabinet de recrutement et de conseil en ressources humaines, propose régulièrement des offres d'emploi en ligne et offre la possibilité de déposer des candidatures spontanées.

Curriculum-Vitae.com

www.curriculum-vitae.com/sat/cabient-recrutement.htm

Portail français de l'emploi : candidats, déposez votre CV en ligne et consultez plusieurs milliers d'offres d'emploi. Recruteurs, déposez vos offres aux meilleurs tarifs.

Direct Recrutement

www.directrecrutement.com

De nombreuses offres d'emploi dans l'informatique, les télécoms, la finance, le marketing, les ressources humaines vous attendent sur Direct Recrutement. Commerciaux, bac + 2, cadres, ingénieurs, déposez votre CV en ligne et consultez les offres d'emploi.

Groupe Expectra

www.expectra.fr/jobs/exp_legroupe.jsp

Le groupe Expectra est une filiale du groupe Vedior, un des plus gros acteurs en matière de ressources humaines dans le monde.

IDG Conseil

www.idgconseil.com

Cabinet de recrutement spécialisé dans les domaines de l'informatique et des télécommunications.

Intersearch France

www.intersearchfrance.com

L'un des 10 plus importants groupes mondiaux de conseil en recrutement de cadres et de dirigeants. Présent dans 40 pays, 300 consultants implantés dans 95 des plus grandes villes du monde. Conduit des opérations de recrutement dans plus de 20 langues différentes.

Job Attitude

www.job-attitude.com

Le premier portail du projet professionnel : magazine pour mieux vivre son temps (perso, boulot, réseaux), développement personnel, professionnel et vie associative.

La cour des grands

www.lacourdesgrands.com

La cour des grands est un réseau national de cabinets de recrutement de dirigeants, managers, cadres et techniciens.

Labeille Conseil

www.labeille-conseil.fr

Cabinet de conseil en recrutement et en ressources humaines.

Ores Search

www.oressearch.com

Le cabinet de recrutement Ores Search est spécialisé dans le recrutement de cadres dirigeants par approche directe.

SDSearch

www.sdsearch.net

Cabinet de recrutement, situé à Levallois-Perret, spécialisé dans le recrutement de fonctions commerciales.

Tele-mail, offres et demandes d'emploi

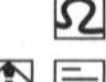

www.tele-mail.net

Offres d'emploi et de stages d'entreprises, de cabinets de recrutement et de chasseurs de tête. Conseils en recrutement adressés aux candidats à la recherche d'emploi. Banque de CV et demandes d'emploi.

Création d'entreprise, d'association

ADIE

www.adie.org

Association pour le droit à l'initiative économique.

Agence française de développement

www.afd.fr

Au cœur du dispositif français d'aide au développement, l'AFD (Agence française de développement) est le principal outil financier de la mise en œuvre de l'aide-projet de la France.

Agence française pour l'innovation

www.anvar.fr

L'Anvar, Agence française de l'innovation, aide à la création d'entreprises innovantes, au recrutement de cadres et de techniciens, au financement de projets et au transfert de technologies.

Aide à la création d'entreprise

www.easy-consulting.com/fr_annuaire_creation_d_entreprise.htm

Ce site est spécialisé dans le conseil en création et reprise d'entreprise : business plan, stratégie d'entreprise commerciale, marketing, développement et financement des entreprises, subventions, etc.

APCE

www.apce.com

Le site de l'Agence pour la création d'entreprises donne de nombreux conseils aux créateurs d'entreprises en herbe. Quelques-uns des sujets abordés : créer ou reprendre une entreprise, actualité, où s'informer, aide au démarrage en zone urbaine sensible, forum et annonces.

Assemblée des chambres françaises de commerce et d'industrie

www.acfci.cci.fr

Le site des chambres de commerce et d'industrie françaises.

Associanet

www.associanet.com

Site des associations et acteurs de la vie associative, aide à la gestion des associations, magazine de société francophone, culture, actualité, médias, presse, actions associatives, reportage, informations.

Associations, mode d'emploi

www.associationmodeemploi.fr

Guide pratique du responsable associatif : informations sur les lois les plus récentes, la réglementation et le quotidien des associations.

BonWeb - Entreprises, création

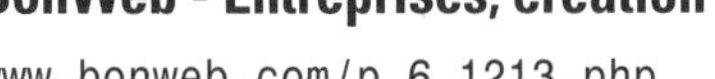

www.bonweb.com/p_6_1213.php

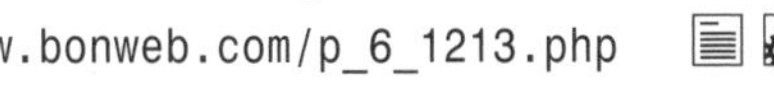

Sélection des meilleurs sites dédiés à la création d'entreprise par bonweb.com.

Bravo.com

fr.okbravo.com/creation-entreprise

Volet Création d'entreprise du moteur de recherche Bravo.

Centre Incubation

www.centreincubation.com

Le Centre Incubation est un incubateur public d'entreprises en région centre. Il aide et suit les personnes dans leurs initiatives entreprenariales.

Chambre de commerce et d'industrie de Versailles

www.versailles.cci.fr

La chambre de commerce et d'industrie de Versailles propose son appui aux créateurs d'entreprises et aux responsables de PME/PMI : formalités, aides publiques, opportunités d'affaires, vente de fichiers d'entreprises, import-export, stages de formation professionnelle continue, formations en apprentissage, annonces classées.

Copilote

copilote.ccmx.com

Vous démarrez et vous voulez avant tout vous concentrer sur votre métier ? Faites appel à un professionnel de la gestion et de la comptabilité qui effectuera à distance un travail d'expert-comptable pour votre société.

Création d'entreprise

www.lentreprise.com/creation

Véritable centre de ressources, enrichi d'articles, d'outils pratiques et d'un carnet d'adresses, ce site vous accompagnera dans les différentes étapes de votre parcours de création d'entreprise.

EADS Développement

eads-developpement.hq.eads.net

EADS Développement, filiale du groupe EADS, vous présente ses actions d'aide à la création d'entreprise et de financement de projets liés à la création d'entreprises.

Entreprendre

www.reseau-entreprendre.org

Composé de chefs d'entreprises, le réseau Entreprendre aide et conseille sur la manière de financer des projets d'entreprises.

Guide de l'entrepreneur 

www.bcentral.fr/chaines/lecreateurdentreprise/leguidedelacreation/default.asp

Envie de créer votre entreprise ? Retrouvez toutes les informations utiles et nécessaires à la réussite de chaque étape de création de votre entreprise sur ce site.

Informations pratiques entreprises

www.pme-commerce-artisanat.gouv.fr/informations

Création d'entreprise, adresses utiles, éditions, foires et salons, guide du commerçant, chambres de métiers, protection sociale des commerçants et artisans, informations et protection du consommateur, développement économique des entreprises.

Je crée en Nord Pas de Calais

www.jecree.com/index.php

Cette base de données sur la création d'entreprise donne des informations sur toutes les étapes nécessaires à la création d'une entreprise : projet, étude de marché, choix de statuts, etc.

Jurimodel 

www.jurimodel.com

Jurimodel.com propose (entre autres) des packs sur le droit des sociétés : constitution, statuts, approbation des comptes, cession de parts sociales, transfert de siège.

Les CCI de Rhône-Alpes 

www.rhone-alpes.cci.fr

Site de la chambre régionale de commerce et d'industrie Rhône-Alpes.

Les CCI françaises par la CCI de Lille Métropole

www.lille.cci.fr/ccis

La CCI (chambre de commerce et d'industrie) de Lille recense les CCI françaises, en France et à l'étranger.

Paradis fiscaux 

www.paradisfiscaux.com

Tout pour monter soi-même sa société dans un paradis fiscal.

Place publique 

www.place-publique.fr

Place publique vous dit tout ce qu'il faut savoir pour créer et faire vivre une association : différents statuts, création, gestion, financement, transformation d'une association en une entreprise, FAQ, etc. Ce site donne également une liste de partenaires et de médias dédiés au monde associatif.

Site Microsoft pour l'entrepreneur 

www.microsoft.com/france/ entrepreneur

Ce guide interactif vous apporte toutes les informations directement utiles et décrit les bénéfices que vous pouvez attendre de l'informatique à chaque étape de la vie de votre entreprise.

Status online

www.statutsonline.com

Ce portail, entièrement consacré aux aides publiques, vous aidera à trouver des aides à la création, au développement et à la reprise d'entreprise.

Strategic road

www.mayaconcept.com/escreation

Le portail de la création d'entreprise.

TPE-PME.com

www.tpe-pme.com/creation_entreprise.html

Toute l'information relative à la création et au développement de votre entreprise est sur TPE-PME.com.

Emploi à l'étranger

BonWeb - Travail à l'étranger

www.bonweb.com/p_6_553.php

Sélection des meilleurs sites dédiés au travail à l'étranger par bonweb.com.

Dialogue avec les citoyens et les entreprises

europa.eu.int/citizensrights

Donnez votre pays d'origine et indiquez le pays d'Europe dans lequel vous voudriez vivre, travailler ou étudier : un ensemble de renseignements utiles apparaîtra à l'écran.

Dix7 - Offres d'emploi à l'étranger

www.dix7.com/annonceurs/trouver/offre_emploi_etranger

Sélection de sites pour l'emploi à l'étranger, par Dix7.

ExpatMag

www.mobilite-expat.com/expatriation

Magazine d'information et de conseils sur l'expatriation et sur l'emploi à l'étranger.

Expatriation.com

www.expatriation.com

Travailler et vivre à l'étranger est plus simple quand la mobilité internationale est à votre portée. Expatriation.com explique et propose les moyens de s'expatrier.

I.S.P.

www.planetscontacts.com

I.S.P. vous propose des guides pratiques sur la recherche d'emplois et de stages à l'international. Le site met à votre disposition près de 300 adresses sélectionnées pour faciliter votre recherche, des modèles de CV et de lettres de motivation pour votre candidature à l'étranger.

Immigrer au Canada

www.montreal-net.com/immigrer

Site informatif pour les nouveaux arrivés au Canada.

Les guides du Job trotter

www.jobtrotter.com

Depuis 1994, les guides du Job-trotter explorent les meilleures pistes pour trouver un job ou un stage à l'étranger.

Ministère de l'Economie 

www.commerce-exterieur.gouv.fr

Le ministère de l'Economie, des Finances et de l'Industrie donne des renseignements sur l'emploi et les stages à l'étranger.

Office des migrations internationales

www.omi.social.fr

Le site de l'Office des migrations internationales : travailler hors de France (offres d'emploi, stages professionnels, guide pratique), résider en France (être accueilli, rentrer au pays d'origine, guide pratique).

Réacteur - Emploi à l'étranger 

www.reacteur.com/search?kw=Emploi %20 etranger&searchzone=local

Sélection de sites pour l'emploi à l'étranger, par Réacteur.

S'expatrier 

www.directrecrutement.com/MoteurDR/expatrier.asp

Découvrez les offres d'emploi à l'international et à l'étranger sur Direct Recrutement.

Stages à l'étranger 

www.directexpat.com

Consultez DirectExpat, le site des offres de stage et d'emploi à l'étranger. Recruteurs, déposez gratuitement vos offres de stage à l'international.

Travailler à l'étranger 

www.action-emploi.net/infos/etranger.htm

Action emploi.net vous informe sur ce que vous devez savoir pour partir travailler à l'étranger et propose des offres d'emploi partout dans le monde.

Voyage et travail à l'étranger 

membres.lycos.fr/fdall

Sur ce site, vous trouverez : des adresses pour acheter des billets d'avion sur Internet, des trucs de voyages et des informations pertinentes pour voyager ou s'installer à l'étranger.

Webexpat 

www.webexpat.com

Magazine dédié à la mobilité et à l'expatriation.

World Student 

www.worldstudent.com

Vous trouverez ici de nombreuses informations concernant les études et le travail à l'étranger. Choisissez votre future école et votre formation dans plus de 50 pays, et découvrez les entreprises qui recrutent à travers le monde.

Entreprises

3Com recrute 

www.3com.fr/drh

Page de recrutement de la société 3Com.

Air France recrute 

www.airfrance.com/double6/fr/jobs.nsf/(lookuppublishedweb)/fr-index-homeie?opendocument

Espace Métiers et recrutement d'Air France.

Alain Afflelou - Petites annonces

www.alainafflelou.com/rejoignez/b_pannonces.cfm

Rejoignez les 2 200 salariés de l'enseigne en consultant les petites annonces.

Annuaire de La Poste

www.annuaire.laposte.fr

Un annuaire de 1 700 000 entreprises françaises : coordonnées complètes, nom du responsable, effectif, plan d'accès…

Armée de terre

www.recrutement.terre.defense.gouv.fr

Site de recrutement de l'armée de terre.

Autogrill recrute

www.autogrill.fr/Asp/Recrute.asp

Consultez les offres d'emploi, répondez à l'une d'elles ou déposez votre candidature spontanée.

Aventis Pharma France

www.aventispharma.fr

Aventis Pharma France est l'une des quatre composantes d'Aventis. Elle est issue de l'alliance Hoechst Marion Roussel/Rhône-Poulenc Rorer et représente 4,3 % du marché mondial.

BHV

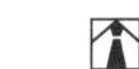

www.bhv.fr

Le site du Bazar de l'Hôtel-de-Ville (BHV) donne accès à de nombreuses informations. Entre autres : historique, engagements et magasins BHV, boîte à idées, service clientèle, listes de mariage, chèques cadeau, la maison plaisir, la maison décorative, la maison confort.

Bilans et chiffres clés

www.bilans.net

Ce site donne accès au bilan et aux informations légales des entreprises. Actualisation toutes les semaines.

Boulanger

www.boulanger.fr

Boulanger, un distributeur image/son/micro et électroménager à visage humain. Découvrez les cinquante-six magasins Boulanger en France, les services et initiatives qui vous sont destinés, le label 100 % facile, la fondation d'entreprise Boulanger.

Bouygues recrute

www.bouygues.fr

Présentation de la société Bouygues et accès à la page Recrutement.

Bull France

www.bull.com/fr

Le site Web de Bull fournit aux entreprises françaises une information actualisée sur ses produits et ses services, et leur permet d'établir des contacts dans chacun des domaines de son offre.

C&A, fashion for living

www.fashion-lifestyle.com/fr

Le site de C&A, le n° 1 de l'habillement en Europe, vous permet de découvrir l'historique de la société, les magasins, le service clientèle ainsi que diverses rubriques d'actualité.

Cap Gemini

www.fr.capgemini.com/home

Présentation de la société Cap Gemini et accès à la page de recrutement.

CEA

www.cea.fr

En vous connectant sur le site du Commissariat à l'énergie atomique (CEA), vous saurez tout sur cette entreprise, pourrez suivre l'actualité la concernant et accéder aux sites apparentés.

Cegetel

www.cegetel.fr

Créé en 1997 par le groupe Vivendi Universal, le groupe Cegetel propose un portefeuille complet d'offres télécoms et Internet, tant pour les particuliers et les entreprises que pour les professionnels et les collectivités locales. Depuis février 1998, en France, le groupe Cegetel propose des services de téléphonie nationale et internationale qui s'ajoutent à l'offre de SFR en téléphonie mobile.

Charbonnages de France

www.charbonnagesdefrance.fr/accueil.php?id_articledujour=42

Les activités du groupe Charbonnages de France sont très diversifiées : production d'électricité, cokéfaction, ingénierie, valorisation des cendres des centrales, recherche, etc. Le site présente l'historique et les activités du groupe, dresse la saga du charbon (matière énergétique, techniques d'utilisation, économie) et donne accès à une photothèque très fournie.

Club Coca-Cola

clubcocacola.net

Site français consacré à Coca-Cola : histoire, compagnie, vidéos et musiques des publicités, forum, chat, petites annonces, photos, affiches, etc.

Coca-Cola

www.coca-cola.fr

Le site de Coca-Cola vous propose des "plans" sport, musique, ciné, jeux et high-tech.

Cote crédit

www.cote-credit.com

Informations sur les entreprises et analyse financière (bilans, jugements, notes, ratios, comparatifs, analyses commentées) sur les sociétés.

Crédit mutuel

www.creditmutuel.fr/job

Les offres d'emploi du Crédit mutuel.

Culligan

www.culligan.site-recrutement.com

Depuis quarante ans, Culligan contribue à améliorer la qualité de l'eau au quotidien. Consultez les offres d'emploi de cette société.

Darty

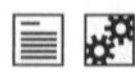

www.darty.com

Sur le site de Darty, vous pouvez consulter l'historique de la société, trouver le magasin le plus proche de votre domicile, connaître les services proposés et passer votre commande en ligne.

Datar

www.datar.gouv.fr

Dans de nombreux domaines, la Datar (Délégation à l'aménagement du territoire) est à l'origine de propositions innovantes qui favorisent un aménagement équilibré du territoire, où développement économique rime avec solidarité nationale, qualité de vie et présence des services publics.

Descamps 

www.descamps.com

Après plus de cent années d'existence, Descamps demeure le symbole du plaisir, le plaisir de la matière et du décor. Le site vous propose de découvrir les collections produits, les boutiques, et de commander sans quitter votre fauteuil. Si vous comptez ouvrir une enseigne de la marque, vous saurez tout sur le procédé de la franchise.

E. Leclerc 

www.e-leclerc.com

Le site des magasins Leclerc vous donne des informations sur les produits phares, vous permet de trouver le magasin le plus proche de chez vous, vous informe sur l'opération menée par les centres pour protéger l'environnement, sur le passage à l'euro et vous permet de faire vos achats en ligne.

EDF

www.edf.fr/index.php4?coe_i_id=1

Le site Electricité de France (EDF) donne des informations sur la production d'électricité et la protection de l'environnement, donne des conseils pour mieux consommer et améliorer votre logement, et vous permet d'accéder à votre agence en ligne.

France Télécom recrute 

www.francetelecom.com/fr/groupe/recrutement/index.html

Page Campus et emploi de l'opérateur France Télécom : offres d'emploi, stages de formation, relations avec les écoles et universités.

French economic report 

www.actufax.com

Ce site donne accès à plus de 2 000 entreprises françaises exportatrices référencées par secteurs d'activités ou régions. Il publie également une revue de presse hebdomadaire.

Galeries Lafayette 

www.galerieslafayette.com

Le site des Galeries Lafayette propose cinq rubriques : quoi de neuf ? (événements, expositions, etc.), boutique (chèques cadeaux, cadeaux tendance), mariage (offrir un cadeau, ouvrir et consulter une liste), services (carte Mod'pass, agence de voyages, mannequin virtuel) et la carte galerie (mon compte, mes avantages, ouverture en ligne).

Gaz Métropolitain 

www.gazmetro.com

Gaz Métropolitain est un distributeur canadien de gaz naturel pour les résidences, entreprises et institutions.

Génération Xerox 

www.orc.fr/xerox

Page de recrutement du groupe Xerox France, leader sur le marché du numérique et des nouvelles technologies liées au traitement de l'information.

Gitem

www.gitem.fr

Le site des magasins Gitem (plus de 600 magasins en France spécialisés en électroménager, image, son et multimédia) présente les produits commercialisés et donne accès aux bonnes affaires en cours.

Go Sport

www.go-sport.fr

Tous les produits de l'enseigne Go Sport sont accessibles sur le site. Vous pouvez obtenir des informations techniques sur chacun d'entre eux et les commander sans quitter votre fauteuil. Vous pouvez également prendre connaissance de l'actualité Go Sport et connaître le magasin le plus proche de votre domicile.

Groupe Air Liquide

www.airliquide.com

Page de recrutement du groupe Air Liquide.

Guillemot Corporation

www.guillemot.fr/corp/index.php

Offres d'emploi des filiales françaises du groupe Guillemot Corporation.

Hifissimo

www.hifissimo.com

Planète Discount, le portail de la technologie à prix discount : ampli, tuner, baladeur, lecteur, chaîne, accessoires, acoustique.

IBM France, emploi

www-5.ibm.com/employment/fr/index.html

Page de recrutement de la société IBM France.

Ifop Europe

www.ifop.com/europe/index.asp

Page de recrutement du groupe Ifop, présent sur quatre continents : l'Europe (Paris), l'Asie (Shanghai), l'Amérique du Nord (Toronto) et l'Amérique latine (Buenos Aires).

IKEA

www.ikea.fr

Le site des magasins Ikea présente les produits commercialisés, donne des idées d'aménagement, indique le magasin le plus proche de votre habitation, permet de passer une commande depuis votre ordinateur et de rejoindre le club IKEA family.

Illel

www.illel.fr

Pour acheter votre équipement hi-fi, TV, vidéo, home cinéma aux prix les plus bas, faites un tour sur le site Illel.fr.

Informatique La Rochelle

www.star-bureautique.fr

Retrouvez la société informatique Star Bureautique (La Rochelle), votre partenaire solution réseau, Internet, gestion, formation.

Jardiland

www.jardiland.fr

Le site de Jardiland - le spécialiste en animalerie, plantes, fleurs, conseils et services pour mieux jardiner - donne des conseils en ligne pour mieux semer, planter et créer vos compositions florales. Le site propose également une FAQ et donne accès à une liste de diffusion.

La Poste

www.laposte.fr

Le site du groupe La Poste vous propose d'acheter en ligne de nombreux produits (timbres, emballages, liasses préaffranchies, etc.), d'effectuer le suivi de votre courrier, d'accéder aux services financiers et à vos comptes, de rechercher et d'acheter des timbres de collection dans la boutique du timbre, etc.

Lagardere.com

www.lagardere.fr/ressources_humaines/index.cfm

Page de recrutement du groupe Lagardère.

Le GAN recrute

www.gan.fr/site/Espace/GANEspaceEmploi.asp?theme=21

Ce site permet de consulter les offres d'emploi du GAN et d'envoyer votre candidature.

Leroy Merlin

www.leroymerlin.fr

Leroy Merlin, le spécialiste du bricolage, de la construction, de la décoration et du jardinage, vous permet de trouver le magasin le plus proche de votre domicile, de visionner des fiches conseil et d'acheter des articles en ligne.

L'Oréal recrute

www.lorealv2france.com/_fr/_fr

Site de recrutement du groupe l'Oréal.

Magasins Connexion

www.connexion.fr

Connexion est l'un des distributeurs français leaders de l'électronique domestique. Le site vous propose de découvrir les différents magasins.

Manpower France

www.manpower.fr

Consultez les offres d'emploi et déposez votre CV chez Manpower.

Meunier promotion

www.meunier-promotion.fr

Meunier, filiale immobilière de la BNP, intervient à Paris et dans l'ensemble de l'Ile-de-France dans le domaine de l'habitat (plus de 8 000 logements réalisés depuis sa création) et dans le domaine de l'immobilier d'entreprise (plus de 1 300 000 m^2 de bureaux construits depuis sa création).

Michelin Emplois

www.michelin-emplois.com

Michelin propose des postes à responsabilité de cadres et ingénieurs dans le secteur automobile. Retrouvez les offres d'emploi pour le recrutement national et international du leader mondial du pneumatique.

Michelin

www.michelin.fr

Le site des pneus Michelin donne les résultats financiers de la société, vous permet de choisir le pneu le mieux adapté à votre voiture et propose des offres d'emploi.

Micropole-Univers

www.micropole-univers.com

Depuis plus de 15 ans, le groupe Micropole-Univers vous accompagne dans l'optimisation de vos processus métiers, afin d'augmenter votre réactivité et d'accroître vos performances, à tous niveaux. 700 consultants et ingénieurs sont à votre écoute pour répondre à vos préoccupations stratégiques, vous orienter vers des solutions évolutives et durables tout en intégrant vos contraintes d'infrastructures.

Midiway

www.midiway.com

Midiway propose aux entreprises les moyens et les outils pour tirer rapidement profit d'une communication efficace dans un environnement interactif. Partenaire solution Microsoft, Midiway a acquis une solide expérience sur le marché des nouvelles technologies de l'information, en développant des sites Internet pour le e-business, des applications intranet et extranet, un outil de gestion électronique de documents, un serveur de forum.

Monoprix/Prisunic

www.monoprix.fr

Le site présente le groupe Monoprix/Prisunic, les marques et produits du groupe, des offres d'emploi et des stages.

Nestlé, Etudiants

www.nestle.fr/nestle-etudiants/infos/f-stages.html

Page de recrutement de la société Nestlé.

Net-entreprises.fr

www.net-entreprises.fr

Service officiel permettant aux entreprises d'effectuer leurs déclarations sociales en ligne : Urssaf, Assédic, retraite et retraites complémentaires.

Norauto

www.norauto.fr/norscripts/emploi.asp

Page de recrutement de la société Norauto.

Pechiney

www.recrut.pechiney.com

Retrouvez le groupe, les activités, les informations financières, l'agenda, les hommes et les procédés de Pechiney sur leur site Web et accédez aux autres sites du groupe Pechiney (PEA, Satma, Tomago…).

Picard.fr

www.picard.fr

Picard, le spécialiste du surgelé, vous propose de faire vos courses en ligne. Egalement des informations sur les 445 magasins, des recettes, des infos sur la marque et les produits.

Pioneer France SA

www.pioneer.fr

Découvrez la société, les produits et l'actualité de la société Pioneer France.

Portail de l'emploi

i.like.to.be.free.fr/emploi.htm

Pour une recherche efficace, les principaux acteurs de l'emploi ont été regroupés sur une seule page.

PSA Peugeot Citroen

www.psa-peugeot-citroen.com/fr/matin.php

Page de recrutement de la société PSA Peugeot-Citroën.

Recrunet 

www.recrunet.com

Site de recrutement spécialisé dans les cadres et dirigeants. Consultez les offres d'emploi, déposez votre CV et obtenez des informations sur les entreprises qui recrutent.

Sagem

www.sagem.com/fr/offres-emploi/menu-carrieres.htm

Page de recrutement de la société Sagem.

Saint-Gobain

www.saint-gobain.fr

Ce site présente le groupe Saint-Gobain, ses pôles de compétence et l'actualité qui lui est liée (communiqués de presse, presse, salons internationaux). Vous y trouverez également des informations financières, un espace Actionnaires et un outil de liaison avec les sites Web des sociétés du groupe.

Sennheiser France

www.sennheiser.fr

Site du constructeur musical Sennheiser France.

Siemens France recrutement

https://career.siemens.fr/publice/hermes.hmgen.htm

Offres d'emploi de Siemens France dans différents métiers (ingénieurs, projets, commerciaux, gestion, finance) et secteurs (industrie, transport, informatique, électronique).

Siemens France

www.siemens.com/index.jsp?sdc_p=dpofc5812smnu

Site de la société Siemens : groupe, métiers, communication, ressources humaines.

SNCF Recrutement

www.sncf.com/rh/cad/HTML/home/accueil.htm

Site de recrutement de la SNCF, du BEPC à bac + 5.

Société française de chimie

www.sfc.fr

La SFC propose une gamme de services orientés chimie : calendrier de manifestations scientifiques, offres d'emploi, données industrielles du monde de la chimie, filières d'enseignement.

Société Ricard SA

www.ricard-sa.com/rejoindre

Leader mondial du pastis avec Ricard, la société Ricard offre de véritables possibilités aux jeunes diplômés. Notamment, chef de secteur hors domicile.

Suez

www.suez-lyonnaise-eaux.fr

Le site de Suez vous informe sur les activités et l'actualité du groupe, donne accès à l'espace Actionnaires et au point presse.

Sun Microsystems France recrute

fr.sun.com/societe/emploi/opportunites

Page de recrutement de la société Sun Microsystems France.

Supermarchés G20

www.g20-livraison.com

Ce site vous permet de passer votre commande dans le magasin G20 le plus proche de votre domicile. Pour faciliter votre choix, des promotions et une sélection de produits sont accessibles dès la page d'accueil.

Tir groupé

www.tir-groupe.fr

Tir groupé met à la disposition de toutes les entreprises et comités d'entreprise ses vingt ans d'expérience dans la motivation des forces de vente, l'organisation de campagnes promotionnelles et la gestion de budgets cadeaux.

Total 

www.totalfinaelf.com/ho/fr/ index.htm

Ce site présente le groupe TotalFinaElf, ses finances (rapports annuels, résultats, AG), ses activités, ses engagements, les objectifs scientifiques et l'engagement du groupe dans les sports mécaniques.

Truffaut 

www.truffaut.com

Truffaut, le spécialiste jardin, animaux et décoration, propose de nombreuses rubriques très intéressantes (promotions, FAQ jardin, animaux et décoration, fiches conseils…). Le site indique également ce qu'il faut faire dans votre jardin au moment où vous vous connectez ainsi que le magasin Truffaut le plus proche de votre domicile.

Unilever, offres d'emploi 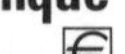

www.you-unilever.com

Offres d'emploi et de stage du groupe Unilever pour jeunes diplômés.

Vente en ligne de matériel scientifique

www.allsciences.com

La société Revol vend en ligne aux professionnels, particuliers, enseignants, médecins et étudiants : optique, instruments de mesure, verrerie de laboratoire, produits chimiques, matériel médical, modèles d'anatomie.

Volkswagen France recrute 

www.gr-vw.fr/drh

Page de recrutement du groupe Volkswagen France.

Etudes de marché, conseil en marketing

ABC marketing

www.abcmarketing.fr

En s'appuyant sur son expérience, ABC Marketing a développé des techniques d'études et des démarches marketing spécifiques aux marchés B to B. Vous pouvez faire appel à cette société pour réaliser des études quantitatives et qualitatives et mettre au point une stratégie marketing.

BVA 

www.bva.fr

Le site BVA, l'institut d'études de marché et d'opinions, propose un accès thématique aux multiples sondages réalisés ainsi qu'à diverses expertises sectorielles.

CSA 

www.csa-tmo.fr

Institut de sondages d'opinion et d'études de marché en France et en Europe.

Etudes de marché sectorielles 

www.plusdetudes.com

Plusdetudes.com : le plus large choix d'études de marché destinées à l'analyse économique, stratégique et concurrentielle de votre secteur d'activité.

Etudes de marché.com 

www.etudes-de-marche.com

Etudes de marché.com est le libre-service des études de marché : plus de 100 000 documents accessibles.

Intelligence center.com 

c.asselin.free.fr/french/etudemarche.htm

Sélection de ressources proposant des études de marché gratuites ou payantes.

Marketers

www.alfanwt.fr

Alfa.nwt, le conseil en développement des ventes, propose un conseil stratégique en données marketing (expertises, études de marché, recherches de données, enquêtes), marketing opérationnel (préconisations, suivi d'actions de stimulation, fidélisation, promotion) et communication (stratégie, conseil créatif, rédaction de plans média, suivi publicité).

Sofrecom

www.sofrecom.com

Bénéficiant du savoir-faire de France Télécom, les experts de Sofrecom disposent de l'ensemble des compétences, méthodes, outils et solutions pour vous accompagner dans les étapes de votre développement : anticipation des besoins du marché, maîtrise rapide des dernières technologies, gestion de la relation client à l'aide du système d'information adapté et définition des services associés à offrir.

Formation professionnelle

50 liens sur la formation 

www.em-g.com/formation

Sélection critique de plus de 200 sites ayant trait à la formation professionnelle continue. Actualisation régulière. Moteur de recherche intégré.

ABC de la formation 

www.abcdelaformation.com/index.html

Site proposant différentes formations en entreprise et à domicile : présentation de la société, des formations, tarifs et contacts.

ACLI France 

www.aclifrance.com

Site officiel de l'ACLI France : formation professionnelle et aide aux travailleurs italiens.

ADF  

www.annuairedeformation.com

Cet annuaire de formation permet aux entreprises de consulter un catalogue complet de formations et propose aux prestataires de formations de répondre aux appels d'offres des entreprises.

Adiscos 

www.adiscos.com

Parce que la formation continue doit être adaptée à chaque entreprise et à chacun de ses collaborateurs, Adiscos vous propose des formules modulables, individuelles ou en petit groupe sur le lieu de travail ou au domicile du salarié.

AEFP 

www.evta.net/main/index.asp

Association européenne pour la formation professionnelle.

APEC

www.apec.fr

Le site de l'Agence pour l'emploi des cadres (APEC) donne accès à des formations et des offres d'emploi (en France et à l'étranger), permet aux entreprises de saisir leurs offres et aux demandeurs d'emploi de recevoir des offres ciblées dans leur boîte aux lettres.

CARIF

www.carif.asso.fr

Site du Centre d'animation de ressources et d'information sur les formations en Ile-de-France.

Centre de formation aux métiers de la montagne

mfcfmm.hautesavoie.net

Le Centre de formation aux métiers de la montagne (Thônes, Haute-Savoie) est un organisme de formation professionnelle privé, association loi 1901, subventionné par le ministère de l'Agriculture et de la Forêt et agréé par le ministère de la Jeunesse et des Sports.

Centre Inffo

www.centre-inffo.fr

Site du Centre de la formation permanente : produits et services, actualité, sources documentaires, rapports et dossiers, expériences innovantes, listes de discussion, etc.

CESI 

www.cesi.fr

Le CESI vous propose ses formations inter-entreprises et intra-entreprises : formations professionnelles, formations d'ingénieurs, alternance, etc.

Club formation   

www.club-formation.com

Plus de 850 acteurs de la formation vous accueillent sur Club Formation.

Comefica

www.comefica.com

Comefica donne des informations sur ses formations sur le terrain, ses didacticiels et ses cours e-learning.

Cursus 

www.cursus.edu

Cursus est la base de données francophone des cours de formation à distance disponibles sur demande. Cours, manuels, didacticiels indexés par sujets, professions et mots clés.

Dale Carnegie 

www.dalecarnegie.fr

Site du leader mondial de la formation continue pour les particuliers et les entreprises : développement personnel, prise de parole, communication, management, leadership, vente et avantage commercial.

Demos 

www.demos.fr

Le groupe Demos propose des formations dans de nombreux domaines pour les salariés, les demandeurs d'emploi et les entreprises : informatique, langues, vente, gestion.

Docendi 

www.docendi.com

Docendi propose des formations de deux jours pour tous, rapides, dynamiques, efficaces pour booster votre carrière. Des formations pour acquérir des compétences additionnelles. Accédez aux savoirs fondamentaux : management, efficacité personnelle, Internet, gestion, finance, commercial, droit social.

Durance formation

www.durance-formation.com

Durance formation propose des formations professionnelles dans les secteurs sanitaire, social et enfance.

Ecoris - L'école de l'entreprise

www.ecoris.com

Ecoris, basé à Lyon, propose des formations professionnelles continues, des formations bac + 2 et bac + 3 en alternance sous contrat de qualification.

EdisFrance

www.edisfrance.com

Edisfrance, spécialiste des cours par correspondance pour les concours administratifs, l'assistance et le secrétariat, vous propose ses cours par correspondance.

ENS Cachan

www.fcd.ens-cachan.fr

Les formations de l'ENS Cachan s'adressent à un public varié : salariés, étudiants recherchant des formations professionnelles spécialisées après leur cursus, techniciens, ingénieurs ou cadres demandeurs d'emploi.

Etudes en France

www.etudes-en-france.com

Ce site répertorie toutes les formations et l'enseignement supérieur en France.

Euroformation

www.euroformation.fr

Site de l'organisme de formation Euroformation, basé à Mulhouse (Alsace) : formation en gestion, informatique, secrétariat, comptabilité.

Fédération de la formation professionnelle

www.ffp.org

Site du syndicat professionnel des organismes privés de formation. Sa mission consiste à assurer la promotion et la représentation des organismes privés de formation (plus de 300 adhérents).

Foragora

www.foragora.com

Foragora vous informe sur le marché de la formation et des ressources humaines.

Formaguide

www.formaguide.com

Ce site portail de la formation continue regroupe les organismes de formation et les formateurs indépendants pour répondre rapidement et efficacement à vos recherches de formation.

Formatel

www.formatel.com

Formatel est la plus importante base de données sur la formation professionnelle en France. Elle présente l'offre de plus de 4 500 organismes de formation, soit plus de 100 000 offres de formation.

Formation professionnelle continue en France

www.centre-inffo.fr/maq100901/dispositif

Sur le site Centre-Inffo, dédié à la formation professionnelle continue : publics, financement, prestataires, structures d'information et d'accueil.

Formation professionnelle

www.travail.gouv.fr/formation.html

Site de la formation professionnelle du ministère des Affaires Sociales, du Travail et de la Solidarité : témoignages vidéo, fiches pratiques, validation des acquis et de l'expérience, expérimentations en régions, archives, etc.

Formation.info

www.formation.info

Toute l'information sur la formation : formation professionnelle, apprentissage, éducation, apprentissages loisirs, pédagogie, etc.

Formations hommes conseils

www.fhc.fr

Construction et animation de programmes de formation sur mesure, de l'analyse des besoins à l'évaluation. Expertise en matière de pédagogie active et de formation à distance. Formations qualifiantes de formateurs, occasionnels ou expérimentés.

Formations Jacques Abecassis

www.jabk6.com

Conseils et formations destinés à améliorer les relations clients-fournisseurs internes et externes dans l'industrie, les services, le secteur hospitalier pour des entreprises de toute taille.

Génération Formation

www.generation-formation.fr

L'actualité de la formation continue, les organismes, la législation, les relais d'information...

Groupe IGS

www.groupe-igs.asso.fr

Avec des écoles, des centres de formation en alternance (contrat de qualification ou contrat d'apprentissage), ainsi que des centres de formation continue, le groupe IGS répond à vos attentes de formation quel que soit votre âge, votre statut ou votre niveau d'études.

Habitat formation

www.habitat-formation.fr

Le Fonds d'assurance formation des acteurs de la ville propose aux dirigeants, aux responsables de formation et aux représentants du personnel une série de services pour construire les compétences de demain.

Online Forma Pro

www.onlineformapro.com

Participez gratuitement à des formations professionnelles en ligne (200 modules au choix). A visiter d'urgence !

OREA

www.orea.fr

Site d'OREA, spécialiste de la formation professionnelle dans le secteur tertiaire administratif et commercial.

Portail des professionnels de l'éducation 

educlic.education.fr

Educlic, un portail pour les professionnels de l'éducation.

SBPA

www.sbpa.be

Le SBPA est une formation en management centrée sur la Belgique et orientée vers le XXIe siècle.

UniGE - Formation continue

www.unige.ch/formcont/programme/domaines.html

Classification par domaines, liste des formations diplômantes, des sessions et des conférences de l'université de Genève.

Université - Coopérative européenne

www.universite-cooperative.coop

L'UCE, née de l'association des collèges coopératifs, pratique l'éducation et la formation permanente par la recherche-action et accompagne l'émergence de l'économie solidaire par l'animation de réseaux européens dans le champ du développement économique et social.

Intérim

1Trim.com 

www.1trim.com

Site d'emploi spécialisé dans l'intérim : déposez votre CV, trouvez la mission qui vous convient parmi les offres de centaines d'agences en France.

Activité intérim 

www.chez.com/guides/interim

Droits de l'intérimaire (contrat de travail, protection sociale, fin de mission) et annonces des agences d'intérim.

Addit 

www.addit.com

Sur le site de l'agence d'intérim Addit (spécialisée dans le notariat, le secteur tertiaire, les arts graphiques, l'imprimerie, la PAO et le multimédia), vous pouvez déposer votre CV et consulter les offres. Attention, pour visiter ce site, vous devez installer le lecteur Macromedia Flash.

Adecco 

www.adecco.fr

Adecco dispose de plusieurs milliers d'offres d'emploi en ligne. Découvrez ses outils de recrutement, informez-vous sur l'intérim, recherchez les coordonnées d'une agence.

APIAD 

www.apiad.com

La société APIAD est spécialisée dans la délégation de profils adaptés à tous les domaines d'expertise du tertiaire et de la haute technologie.

Appel médical 

www.appelmedical.com

Appel médical est le n° 1 du travail temporaire dans le domaine paramédical. Son site permet de consulter les offres d'emploi et de déposer son CV. Il donne également des infos santé et présente l'agenda des salons à venir.

Atoll

www.atoll.fr

Gagner, durer, s'épanouir, grandir et être les meilleurs sont les règles de conduite du groupe Atoll et de ses partenaires multilocaux du travail temporaire.

Crit Job 

www.crit-job.com

Crit-Job.com propose aux internautes de s'inscrire dans la base de données CRIT, afin de trouver une mission. Le principe est très simple : vous inscrivez votre CV sur le site, vous consultez les offres, et vous postulez à l'une d'entre elles. Votre CV est alors transmis à l'agence concernée qui l'étudie et vous contacte.

Energie Intérim

www.energie-interim.fr

Le site d'Energie Intérim, le spécialiste de l'intérim transport et logistique, vous permet de consulter les offres d'emploi, de déposer votre CV et de connaître l'agence la plus proche de votre domicile.

Groupement de l'intérim français

www.gif.fr

Le Groupement de l'intérim français (GIF) réunit plusieurs agences d'intérim. Son site permet de consulter les annonces par agences ou de façon globale.

Intérim Nation 

www.interim-nation.fr

Nombreuses offres d'emploi temporaire et annonces en travail temporaire.

Intérim-enligne.com

www.interim.enligne-fr.com/annonces_de.php

Ce service d'Intérim-enligne permet de trouver des CV de candidats spécialisés.

Kelly Services intérim 

www.kellyservices.fr

Présentation de la société d'intérim Kelly. Dépôt de CV, questions/réponses, actualités.

Klekoon 

www.klekoon.com

Avec Klekoon, site de recrutement et place de marché, répondez aux appels d'offres, trouvez votre fournisseur informatique, utilisez l'annuaire entreprises et bénéficiez de notre service offres d'emploi international pour recruter ou déposer un CV.

L'officiel de l'intérim 

www.officiel-interim.com

Portail Web de l'intérim.

LTD International 

www.ltd-international.com

Site de LTD International, le spécialiste de la délégation de personnel tertiaire bilingue/trilingue.

Manpower 

www.manpower.fr

Offres d'emploi intérimaires, conseil en recrutement, annonces pour des missions temporaires, 850 agences d'intérim.

Page Intérim

www.pageinterim.com

Page Intérim est une agence d'intérim spécialisée dans la comptabilité, les finances, la banque, les services juridiques et fiscaux, le marketing, la force de vente et la direction. Ses agences sont situées à Paris, Lille, Rennes et Lyon. Son site permet, pour les candidats, de consulter les offres d'emploi et de créer un dossier de candidature, pour les entreprises, de confier une mission et de proposer des offres d'emploi.

Partner Intérim

www.partnerinterim.com

Partner Interim, spécialiste du recrutement temporaire en finance et comptabilité, recrute des collaborateurs cadres et non cadres spécialistes des métiers financiers et comptables.

Plus Intérim

www.plusinterim.fr

Plus Intérim est une agence d'intérim spécialisée dans les métiers du tertiaire, les nouvelles technologies, la finance, la comptabilité, l'ingénierie, la production, le marketing, le domaine juridique et administratif et les ressources humaines. Son site permet de consulter les offres d'emploi et d'adresser une candidature.

Randstad

www.randstad.fr

Agence intérim spécialisée dans le recrutement des cadres et experts, Randstad propose plusieurs offres et services facilitant la vie de l'intérimaire.

Top Intérim

www.topinterim.be

Site de l'agence d'intérim belge Top Intérim.

Vediorbis

www.vediorbis.com

Suite au regroupement des forces de Bis, Elan et Vedior, l'ensemble du groupe Vedior se place parmi les leaders européens du travail temporaire avec plus de 1 300 agences réparties dans huit pays d'Europe.

Organismes de formation, écoles

BioForma

www.bioforma.net

Site gratuit de formation continue des biologistes français.

Chrysalid Formation

www.chrysalid.fr

L'organisme de formation professionnelle Chrysalid propose des formations en communication, métiers du téléphone, management, marketing-vente, gestion-comptabilité, bureautique, PAO, multimédia, programmation, réseaux et groupware.

Ecole chez soi

www.ecolechezsoi.com

L'école chez soi est le spécialiste des formations à distance du BTP. Elle est référencée dans les milieux du bâtiment et des travaux publics, et connue pour la qualité de ses formations à distance.

Euro pages

formation.europages.fr

Annuaire de la formation : informatique, commerciale, technique, industrielle, entreprises B2B et organismes de formation professionnelle.

Institut de l'environnement urbain

www.ieu.tm.fr

L'Institut de l'environnement urbain est un centre de formation spécialisé dans l'apprentissage des métiers de services à l'environnement.

Les métiers du livre

www.univ-bpclermont.fr/metiers_livre

Le CRFB intervient dans le cadre des diplômes à finalité professionnelle de l'université Blaise-Pascal de Clermont-Ferrand II, dans les domaines du livre, de l'image, du son.

Réacteur - formation professionnelle

www.reacteur.com/search?kw=Organisme%20de%20formation%20professionnelle&searchzone=local

Sélection de sites d'organisme de formation professionnelle, par Réacteur.

Petites annonces

Accès commercial, Commerce, marketing, export

www.accescommercial.com

1 Job For You : accès commercial.

Accès Direction générale

www.accesdg.com

1 Job For You : accès direction générale.

Accès emplois, fonctions diverses

www.accesemploi.com

1 Job For You est un site entièrement dédié à l'emploi des cadres et des techniciens qualifiés dont tous les services sont gratuits.

Accès Gestion, comptabilité, finance

www.accesgestion.com

1 Job For You : accès gestion.

Accès indépendant, affaires

www.accesindependant.com

1 Job For You : accès affaires.

Accès informatique

www.accesinformatique.com

1 Job For You : accès informatique.

Accès production, Logistique, achat, technique

www.acceslogistique.com

1 Job For You : accès production.

Accès recherche et développement

www.accesrd.com

1 Job For You : accès recherche et développement.

Accès ressources Humaines, juridique, formation

www.accesrh.com

1 Job For You : accès ressources humaines.

Accès télécoms, électronique

www.accestelecom.com

1 Job For You : accès télécommunications.

Acejob.net

www.acejob.net

Nouveau service pour les recruteurs, DRH et candidats. Service ciblé pour les candidats de niveau ingénieur. Annonces internationales Europe et USA. Domaines des hautes technologies et de l'informatique.

Aces

www.aces-fr.com

Offres d'emploi et sites d'offres d'emploi à travers le monde. Enregistrement des CV et consultation des offres gratuits. Insertion d'annonces à un prix discount.

Action-emploi

www.action-emploi.net/autresoffres/pa.htm

Trouvez un emploi grâce aux sites de petites annonces répertoriés par Action-emploi.net.

Adhocinfo

www.adhocinfo.fr

Portail de l'emploi informatique : grands comptes, cabinets de recrutement, SSII, éditeurs.

Anim'Jobs

www.animjobs.com

Site d'emploi des métiers de l'animation, Anim'Jobs réunit les animateurs et leurs employeurs : dépôt de CV, offres d'emploi, portail et autres services gratuits.

Annonces Center

www.annonces-center.com

Petites annonces classées gratuites avec photos, moteur de recherche, ventes aux enchères (immobilier, automobiles, véhicules, autos, motos, emploi, rencontres, informatique, etc.).

Annonces médicales

www.annonces-medicales.com

Petites annonces médicales et paramédicales : emplois, remplacements, associations, cessions et matériel.

Annuaire des professionnels du recrutement

apr-job.com

Annuaire des professionnels du recrutement, dépôt et consultation d'annonces, enregistrement de CV et recherche de profils, accès à plus de 1 000 cabinets de conseil en recrutement.

Annujob

www.annujob.com

Annuaire et portail comparant les sites d'offres d'emploi.

Bio Emploi 

www.bioemploi.net

Site emploi francophone des métiers de la biologie.

BonJob.com 

www.bonjob.com

BonJob.com permet aux employeurs et aux chercheurs d'emploi de rentrer rapidement en contact (emplois stables ou stages).

Bourse internationale de l'emploi

pro.ch/bie

Service international d'offres et de demandes d'emploi, pour toutes professions, postes fixes ou temporaires.

Bretagne-emploi.org 

www.bretagne-emploi.org

Réseau emploi de la région Bretagne.

Btp.emailjob 

btp.emailjob.com

Email Job offre des offres d'emploi tout secteur *via* e-mail ou sur son site Web.

Cadrenet 

emploi.cica.fr

Page emploi du Centre international de communication avancée.

Cadres Online 

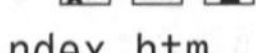

www.cadresonline.com/fr/index.htm

Site d'offres d'emploi consacré aux cadres : recherche rapide multicritère, présentation des entreprises qui recrutent, annonces classées par professions.

Centremploi 

www.centremploi.com

Centremploi est la plus importante source d'annonces d'emploi en Auvergne, Limousin et Centre. Avec des centaines d'offres d'emploi actualisées chaque semaine, Centremploi met en contact chaque jour des entreprises ou des professionnels du recrutement avec les candidats.

Club des 1 000 

www.cg56.fr/club1000

Le club des 1 000 : 1 000 entreprises départementales, régionales et nationales pour lutter contre le chômage des jeunes.

Compétences pour l'emploi 

www.competences-emploi.com

Pour recruter un collaborateur, trouver un emploi : mini-CV, offres d'emploi, adresses utiles, infos pratiques pour organiser ses recherches.

Créfac 

www.crefac.com

Retrouvez les offres d'emploi et les stages du centre d'étude et de formation Créfac.

Cyber Emploi 

www.paris-jeunes-emploi.org

Le site Cyber Emploi rassemble plus de 5 500 liens et des informations pour trouver un emploi, un stage ou une formation professionnelle en France et à l'étranger.

Cyberjob 

www.cyber-job.com

Ce site propose des offres d'emploi en informatique, donne des informations sur ce marché et met en contact candidats et recruteurs.

Distrib.fr

www.distrib.fr

Distrib.fr, le portail de la grande distribution, propose des offres d'emploi, de stages, permet aux recruteurs de laisser leurs offres, donne des conseils, propose des formations et permet de télécharger des logiciels (gestion de congés payés, suivi de chiffre d'affaires, etc.).

Domtomjob

www.domtomjob.com

Ce site propose des pistes pour trouver un emploi outre-mer.

Dynarel on line

www.dynarel.fr

Site emploi spécialisé dans les domaines de l'informatique, des réseaux et des télécoms.

E-go

www.e-go.fr

Site emploi des jeunes diplômés et jeunes cadres.

Embauche.com

www.embauche.com

Sur ce site, des offres d'emploi, de stages ou d'intérim en France principalement.

Emploi Center

emploi.journaldunet.com/php/commun/index.php

Site emploi des professionnels du high-tech.

Emploi des cadres en Normandie

www.clemajob.fr/pages/accueil.php

Déposez et consultez gratuitement les offres d'emploi cadres localisées sur la Normandie.

Emploi Québec

www.canada-annonces.com/annonces.php?categorie=Emploi

Petites annonces emploi classées par métiers au Canada.

Emploi.org

www.emploi.org

Conçu comme un site pointeur, emploi.org donne accès à différents sites dédiés à l'emploi.

Expectra

www.expectra.fr

Ce site propose des missions temporaires pour experts en informatique et en finance.

Fitness-Internet

www.fitness-Internet.com

Sur ce site, consultez/déposez des offres d'emploi dans le domaine du fitness.

Fonctio

www.fonctio.com

Ce site diffuse des informations et aide à la préparation des concours de la fonction publique : guide et calendrier en ligne, dates des épreuves, préparation du recrutement.

FraGGo.com, offres d'emploi

www.fraggo.com/Emploi

Consultez les offres d'emploi du secteur transport/logistique/export, recrutez des spécialistes, déposez vos annonces.

France 2, Rubrique emploi de Télé Matin

www.france2.fr

Retrouvez des offres d'emploi de l'émission Télé Matin de France 2 et inscrivez-vous au club France Télévision pour bénéficier de ses services.

Freesurf - Petites annonces

pa.freesurf.fr

Petites annonces (emploi et stages, immobilier, véhicules, etc.) par Freesurf.fr.

GM Emploi

perso.wanadoo.fr/gilles-martin

Ce site a pour but de vous aider à trouver un emploi ou un stage en Ille-et-Vilaine.

Gojobsite

www.gojobsite.fr

Sur gojobsite.fr, recherchez un emploi et recevez des offres d'emploi par e-mail.

Gulliver.com, Annonces d'emploi

annonces.gulliver.com/index_ann.html

Gulliver.com donne accès à de nombreuses annonces : emploi, automobile, immobilier, informatique, etc.

Hotelrestojob.com

www.cihr-connexion.com

Cabinet de recrutement spécialisé dans les métiers de l'hôtellerie/restauration/tourisme à travers le monde.

Immo Carrières

www.immocarrieres.com

Site du recrutement des métiers de l'immobilier : promotion, entreprises, administration de biens, transaction, organismes financiers et assurances.

Javarecrut.com

www.javarecrut.com

Premier site français et européen d'offres d'emploi, de stages et de formations dédié aux professionnels du langage Java.

Job Freelance

www.jobfreelance.com

Site emploi spécialisé dans les domaines NTIC, commerce, marketing, communication et publicité.

Job Marketing Vente

www.jobmarketingvente.com/web/index.asp

Ce site est destiné aux cadres marketing et vente (directeurs marketing, responsables et ingénieurs commerciaux). Il propose des opportunités de carrières, un annuaire recruteurs, diffuse des annonces et des informations pour l'emploi.

Job marketing

www.jobmarkcom.com

Des milliers d'annonces : marketing, commerciaux, publicité et communication.

Job Tech

www.jobtech.fr

Site emploi dédié exclusivement aux carrières de l'industrie et du BTP : ingénieurs, techniciens, agents de maîtrise.

Job50

www.job50.fr

Job50 vous propose des services spécifiques pour vous accompagner dans votre vie professionnelle et vous aider dans la gestion de votre carrière.

Jobalacarte.com, Bourse à l'emploi

www.jobalacarte.com

Jobalacarte optimise votre recherche d'emploi de courte durée ou à temps partiel en vous proposant des CDD, des missions d'intérim, des petits boulots étudiants, des emplois saisonniers et des stages.

Joblive

www.joblive.com

Joblive propose des offres d'emploi et de stages. Les professionnels du recrutement et les entreprises peuvent consulter la CVthèque des candidats et déposer des annonces.

Jobpilot.fr

www.jobpilot.fr

Offres d'emploi et de stages en France et en Europe dans tous les secteurs d'activités. Jobpilot offre une gamme complète de services gratuits pour vous aider à manager votre carrière.

Jobs.fr

www.jobs.fr

Consultation d'offres d'emploi en direct des entreprises. Dépôt de CV en ligne gratuit. Mise à jour quotidienne. Service e-mail de réception des offres.

Jobstage

www.jobstage.com

Jobstage est un site où les jeunes à la recherche d'un stage, d'un emploi, d'un contrat en alternance ou d'intérim peuvent déposer leur CV et consulter les offres déposées par les entreprises.

Jobvente.com

www.jobvente.com

Le spécialiste emploi pour les métiers de la vente et du marketing. Gratuit pour les candidats. Dépôt de CV anonymes ou non, offres d'emploi, profils automatiques, gestion des contacts de recrutement.

Keljob

www.keljob.com

Moteur de recherche d'emplois. A consulter d'urgence.

Kilos.com

www.kilos.com

Sur Kilos.com, consultez et déposez gratuitement vos annonces d'emploi et abonnez-vous pour recevoir les nouvelles offres dans votre boîte e-mail.

Lolix/Linux

www.lolix.org

La société Lolix SA édite les sites emploi fr.lolix.org (forum emploi spécialisé dans les logiciels libres) et fr.joinux.com (spécialisé dans les métiers ayant trait aux systèmes d'exploitation à base de noyau Linux).

Markevente

www.marketvente.fr

Site emploi 100 % commerciaux et marketing. Gratuit pour les candidats. Dépôt de CV anonymes ou non, offres d'emploi, profils automatiques, gestion des contacts de recrutement.

Médioffice

www.medicalite.com

Médioffice est une société spécialisée depuis plusieurs années dans le remplacement et le recrutement de professionnels qualifiés en secteur médical et paramédical.

Michael Page junior

www.michaelpagejunior.com

Découvrez le site des étudiants en recherche de stage : offres de stages en France, à l'étranger, conseils (CV, entretien, jobs, lettre de motivation).

Monster.fr

offres.monster.fr

Ce leader mondial de l'emploi propose des offres dans tous les secteurs, en France et à l'étranger, des conseils, des tests, des news… C'est aussi l'outil indispensable des sociétés qui recrutent.

Netpage, Emploi

www.netpage.tm.fr/emploi

Déposez vos CV, consultez les offres d'emploi et les espaces Candidats et professionnels.

Optioncarriere.com

www.optioncarriere.com

Guide et moteur de recherche d'emploi.

Ouest France Emploi

www.ouestfrance-emploi.com

Retrouvez ici les offres d'emploi du journal Ouest France, tous les secteurs, toutes les fonctions.

Packmanagers

www.packmanagers.fr

Serveur réservé à l'emploi des cadres et futurs cadres : référencement de CV, base de CV, stages, offres d'emploi en ligne, etc.

Planet emploi

www.planet-emploi.com

Serveur d'offres et de demandes d'emploi en France. Recherche multicritère avancée, stages et formations.

Plein Emploi

www.pleinemploi.com/index.php

Offres d'emploi de la presse quotidienne régionale.

PME BTP

www.pmebtp.com

Site emploi dédié exclusivement aux carrières du BTP : ouvriers, conducteurs de travaux, ingénieurs, techniciens, agents de maîtrise.

Prisma Presse

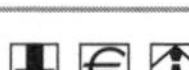

www.prisma-presse.com/rh/pages/opportunites/offres_choix.php

Le site de Prisma Presse propose des offres d'emploi, un guide de sites testés par la rédaction, des astuces pour mieux utiliser Internet ainsi qu'une zone de téléchargement.

Qualisteam

www.qualisteam.fr/emploi

Site emploi spécialisé dans la finance.

Réacteur - Annonces emploi

www.reacteur.com/search?kw=Annonces%20emploi&searchzone=local

Sélection de sites qui diffusent des petites annonces pour l'emploi, par Réacteur.

Recrulex

www.recrulex.com/fr/index.asp

Ce site diffuse des petites annonces pour avocats, juristes, fiscalistes, et vous permet de déposer votre CV.

Services emploi, M6

www.m6.fr/services/emploi

Découvrez les offres d'emploi diffusées par la "petite chaîne qui monte".

SOS Hôtellerie

www.soshotellerie.com

SOS Hôtellerie propose des offres d'emploi dans le domaine de l'hôtellerie et de la restauration, en France et à l'étranger.

StepStone

www.stepstone.fr

StepStone propose des offres d'emploi, jeunes diplômés et professionnels du recrutement. Dépôt et consultation de CV, conseil en recrutement, consultations des offres d'emploi et de stages.

Travail temps partiel et indépendant

www.ifrance.com/ajpb/11-TTI.htm

Site spécialisé dans les annonces en temps partiel et pour les indépendants. Informations légales et consultation des offres par régions.

Portails de professions

Annuaire Emploi.com

www.mylinea.com/annuemploi/interim

Portail gratuit de l'emploi en ligne.

Cap PME PMI TPE

www.cap-pme.fr/Frame.html

Portail des PME et PMI : modèles de lettres, contrats et discours, droit du travail, tableaux de bord et d'analyse, paye, réduction des impôts et des taxes, guide du comité d'entreprise, etc.

Conventions collectives

www.les-conventions-collectives.com

Sur ce site, une banque de données offre l'accès aux synthèses de conventions collectives nationales et régionales, propose la synthèse des 35 h et du droit du travail.

Entreprises du commerce et de la distribution

www.fcd.asso.fr

Organisation professionnelle, la FCD rassemble principalement les entreprises du commerce et de la distribution de gros et de détail, à prédominance alimentaire.

GrandesEcoles.com

www.grandesecoles.com

Espace d'information et de rencontres destiné aux étudiants et anciens élèves des grandes écoles et 3e cycle d'université : annuaire des anciens, annonces d'emploi pour les jeunes diplômés et cadres expérimentés, annuaire d'entreprises, conseils sur la recherche d'emploi et la gestion de carrière, forums, actualité des écoles.

L'Observatoire de la franchise

www.observatoiredelafranchise.fr

Site d'informations sur la franchise et les réseaux commerciaux : annuaire, législation, événements, salons.

Médicalis

infirmiers.medicalis-fr.com

Venez rejoindre le portail des infirmiers afin de mettre en ligne vos cours, TFE, etc. Des forums sont là pour que vous vous exprimiez.

Mon Emploi

www.monemploi.com

Guide en ligne sur le marché du travail : 1 500 métiers et professions, 450 programmes de formation, 300 établissements d'enseignement, les entreprises qui recrutent, le marché du travail, la formation continue.

Net PME

www.netpme.fr

Portail des entreprises françaises (PME, PMI, TPE) pour les décideurs : actualités financières, juridiques et sociales, lettre d'informations personnalisées, e-mail gratuit pour les entreprises.

Oasis

www.travail-social.com

Educateur spécialisé, assistante sociale, professionnels de l'éducation spécialisée ou du travail social, OASIS vous propose un index thématique, des infos en direct, un magazine, des forums.

Offres de stages Direct Etudiant

www.directetudiant.com

Consultez les offres de stages pour ingénieur commercial, en marketing, communication, finance, gestion, informatique, télécoms… pour étudiants de bac + 2 à bac + 5.

SalaireOnline.com

www.salaireonline.com

Quelle est votre juste rémunération ? Analyse détaillée de votre rémunération par région et par taille de l'entreprise. Consultez les offres d'emploi, déposez votre CV, consultez les dossiers conseils, etc.

Sylvae

www.sylvae.com/base_sites/Sites_divers/Histoire_des_professions/index.php4

Portail des paramédicaux francophones : bases documentaires, échanges, discussions, établissements de soins, filières, etc.

Terre-net.fr

www.terre-net.fr

Portail de l'agriculture française.

Restauration

Alloresto

www.alloresto.fr/alloresto

Alloresto.fr, anciennement Eatonline, c'est plus de 600 restaurants pour vous faire livrer à domicile. Envie d'une pizza et de sushi chez vous ? Cliquez pour commander. Débordé au bureau, profitez de la livraison de plateaux-repas d'entreprise. Livraison assurée en 30 à 45 minutes.

Chronoresto

www.chronoresto.fr/home.asp

Chronoresto.com vous permet de commander vos repas auprès d'une sélection de restaurants de qualité. Choisissez un service (livraison ou vente à emporter), une localité ou un code postal, vous obtiendrez une liste de restaurants qui effectuent la livraison à domicile.

CNOUS

www.cnous.fr/vieetud/resto.htm

Ce site donne accès à la base de données des restaurants universitaires et indique comment en bénéficier.

Equip'Hôtel

www.equiphotel.tm.fr

Connectez-vous sur le site d'Equip'Hôtel, le salon mondial de la restauration, de l'hôtellerie, des cafés et des collectivités, pour demander une invitation, réserver un stand ou prendre connaissance des infos presse.

Le guide - Restauration à domicile

www.leguide.com/restaurations_a_domicile.htm

Comparez les prix de la restauration à domicile, avec LeGuide.com.

McDonald's France

www.mcdonalds.fr

Site officiel de McDonald's France. Retrouvez l'actualité et le plan des restaurants, les offres d'emploi et de stage, la fondation Ronald McDonald et une présentation de l'entreprise.

Restauration scolaire

www.education.gouv.fr/prat/restauration_scolaire.htm

Informations pratiques sur la restauration scolaire par le ministère de l'Education nationale.

Sodexho

www.sodexho.com

La société Sodhexo œuvre dans le domaine des chèques et cartes de services, de la restauration et des services ainsi que du tourisme fluvial et portuaire. Son site vous invite à mieux connaître ses activités, à visiter l'espace Actionnaires et à consulter son point presse.

Web Dinner

www.Web-dinner.com

Web Dinner, le site de la restauration à domicile en France, recense plus de 3 000 restaurants qui livrent à domicile. Deux clics suffisent pour obtenir la liste des restaurants de votre département !

Services publics

Annuaire de l'administration

lesservices.service-public.fr/national

La rubrique Services de niveau national de l'annuaire de l'administration donne accès aux coordonnées de 6 500 services publics nationaux avec les noms de leurs responsables.

Annuaire des services de l'administration

lesservices.service-public.fr

Cette page permet de rechercher un service ou un responsable appartenant à l'administration française.

Portail des agents de la Sécurité sociale

mapage.noos.fr/miccran/index.html

L'annuaire Sécu est un portail destiné à aider le personnel de la Sécurité sociale à utiliser Internet comme outil de travail au quotidien.

Service des pensions

www.pensions.minefi.gouv.fr

Ce site est destiné aux pensionnés et futurs pensionnés de l'Etat qui peuvent y trouver toute l'information utile.

Service public

lessites.service-public.fr

Annuaire des sites Web publics français accessibles par nom d'organisme et par thèmes.

Service-public.fr

www.service-public.fr

Service-public.fr : le portail de l'administration française.

Services publics.be

www.cfwb.be/portail

Portail des services publics de la communauté française de Belgique.

UTP

www.utp.fr

Conçu comme un portail d'information, le site www.utp.fr ouvre les portes de l'actualité des transports publics et répond aux attentes des acteurs du secteur.

Sociétés de services

Agri-réseau

www.agrireseau.qc.ca

Agri-réseau s'est donné pour mission d'accélérer la diffusion de l'information de pointe auprès des entreprises et des professionnels québécois de l'agriculture et de l'agroalimentaire par le biais de sites Internet.

Agropolis

www.agropolis.fr

Pôle international ayant pour principal objectif le développement économique et social des régions méditerranéennes et tropicales.

Bilan des entreprises et des PME

www.bilan-entreprise.com

Ce site vous explique comment accéder à un bilan d'entreprise et le déchiffrer. Présentation du bilan et du compte de résultat, analyse économique et financière de l'entreprise, scoring de solvabilité.

Cabestan e-mail manager

www.cabestan.com

Cabestan-WebManager propose des solutions de e-messaging.

CDPressDirect.com

www.cdpressdirect.com/cdpress

Spécialiste de la duplication de CD : pressage de CD-ROM, CD audio, CD carte de visite, CD-card, CD-R personnalisé.

Centre d'information de l'eau

www.cieau.com

Centre d'information des entreprises du service de l'eau et de l'assainissement : informations sur le cycle de l'eau, la distribution de l'eau, son prix, la qualité et le contrôle de l'eau potable, les ressources, l'assainissement, l'eau du robinet, la gestion des eaux usées.

Citélis

www.citelis.com

Citélis propose des solutions clés en main complètes pour créer, installer et maintenir votre boutique en ligne.

Conseil national de l'ordre des médecins

www.conseil-national.medecin.fr

Un site réservé aux médecins : actualités, code de déontologie, exercice professionnel, bulletin de l'ordre.

ECG, Energie Consulting

www.energie-consulting.com

Energie Consulting optimise le management de vos énergies : aide aux décisions énergétiques, optimisation et négociation des contrats, autoproduction/cogénération, utilisation rationnelle de l'énergie, externalisation des ressources.

Elites Consulting

www.elites-consulting.com

Elites Consulting est spécialisée dans la conception, la réalisation et l'intégration de projets autour des nouvelles technologies pour les grands comptes dans des secteurs tels que la finance, les médias et les télécoms.

GlobalMedic santé ASP

www.globalmedic.com/L1/index.jsp

Leader parmi les fournisseurs de services d'applicatifs dans le secteur de la santé, GlobalMedic connecte les personnes, les entreprises, les professionnels de la santé et les payeurs. Le site vous en dit plus sur les services de consultation ainsi que sur les services santé et de gestion santé de GlobalMedic.

HitechPros.com

enterprise.hitechpros.com

HiTechPros est dédié aux appels d'offres informatiques : SSII, informaticiens indépendants, formation informatique (assistance technique, mission régie, projets informatiques).

I point

www.polydis.fr

Depuis sa création, la société Internet Point dispose de références dans tous les secteurs économiques, entre autres dans le domaine judiciaire et notarial. En vous connectant sur le site, vous découvrirez comment intégrer votre projet en cohérence avec les orientations de la profession et accéderez à quelques sites complémentaires.

Management environnemental

www.oree.org

Site pour les entreprises sur le management environnemental : informations sur le droit de l'environnement, actualité, expériences et forum.

Marchés on line

www.marchesonline.com

Intermédiation entre acheteurs et fournisseurs : consultation et passation d'appels d'offres de marchés publics et privés, du BTP, de l'industrie et des services aux PME, pour tout mode de passation.

Nawak  

www.nawak.com

Depuis 1999, Nawak "Rich Media Agency" assure toutes les compétences globales d'une Web agency : conception, ergonomie, design, promotion.

PHARMAnetwork

www.pharmanetwork.com/courrier.html

PHARMAnetwork courrier propose des services de gestion d'e-mail, de messages vocaux, de fax, des lettres postales, des annuaires aux professionnels de la santé.

Planeteclient.com 

www.planeteclient.com

Portail de la relation client, Planète client est un "infomédiaire" entre les prestataires de la nouvelle économie et les entreprises souhaitant améliorer leur relation client.

Polar France 

www.polar-france.com

Polar France est le leader français du traitement de l'eau pour les plombiers.

Qualitas

www.boutiquescanada.com/boutiques/qualitaspro/c30904.1.html

Qualitas Pro offre une gamme étendue de produits et services informatiques de qualité.

Référencement de sites

www.brioude-Internet.fr

Référencement 2000 est une société spécialisée en référencement et en promotion de sites Web : plus de 450 sites référencés professionnellement chaque mois par la société et plus de 8 000 par mois avec l'outil de référencement gratuit.

Réseau ANACT 

www.anact.fr

Le réseau ANACT propose ses prestations de conseil aux entreprises, ses publications ainsi que son service de veille sur l'actualité du travail et ses évolutions.

Responsables d'entreprise  

www.decideur.com/accueil.htm

Quels que soient vos centres d'intérêt (économie, finance, gestion, commerce électronique, informatique, Internet, communication, marketing), vous trouverez ici des recommandations, des informations et des outils pour assurer la gestion de votre entreprise/service.

Sivea Informatique

www.sivea.com

Site de la société Sivea Informatique : présentation et services.

SSII-enligne.com

www.ssii.enligne-fr.com

Ce portail permet de trouver des informaticiens généralistes et spécialisés, des missions, des emplois et des demandeurs d'emploi, des stages et des stagiaires.

Wstore

www.wstore.fr

Wstore offre aux entreprises une large gamme de ressources technologiques pour les aider dans leur croissance. Wstore, c'est un catalogue en ligne de 15 000 références informatiques et télécoms livrables en 48 h.

Télétravail et travailleurs indépendants

ABC, Informatique et emploi

www.abc-independants.com

Abc-indépendants est un groupement d'indépendants et freelance de l'informatique. L'entreprise favorise le rapprochement des travailleurs informaticiens indépendants et des entreprises avec un service de dépôt de CV et de consultation des offres.

Action Emploi.net - Télétravail

www.action-emploi.net/autresoffres/teletravail.htm

Sur ce site, vous trouverez des informations sur le télétravail et des offres de missions.

ADAPT - Télétravail

perso.wanadoo.fr/ladapt.troyes

Site de la formation télétravail du centre ADAPT de Troyes.

ADTEL

www.ad-teletravail.com

Entreprises, artisans, particuliers, recrutez des télétravailleurs et travailleurs indépendants. Télétravailleurs, freelances et indépendants, vous trouverez ici des conseils, un annuaire, une banque de CV et un forum.

Affaire@domicile

www.proprepatrondechezsoi.com

Travailler de chez vous et être votre propre patron ? Doubler ou tripler votre revenu avec une activité à temps choisi ? Dans le réseau MLM (*Multi Level Marketing*), vous pouvez déterminer vous-même votre affaire et vos heures de travail.

Annuaire francophone du télétravail

www.teletravailonline.com

Communauté francophone du travail à distance : annuaire emploi classé par régions et par activités.

Annuaire professionnel du télétravail

www.teletravail.fr

Ce site propose un annuaire par spécialités et un annuaire géographique des professionnels du télétravail.

Avocat Online - Télétravail

www.murielle-cahen.com/ page2400.asp

Conseils juridiques de Murielle Cahen sur le télétravail.

BonWeb - Travail, travail temporaire

www.bonweb.com/p_6_841.php 

Sélection des meilleurs sites dédiés au travail temporaire par bonweb.com.

Bourse internationale du télétravail

www.pro.ch/bit 

La Bourse internationale du télétravail est un service destiné à la parution des offres et des demandes de télétravail.

Cyberworkers.com 

www.cyberworkers.com

Le site des cybertravailleurs : vos questions aux experts, achat et vente de services en ligne, offres de missions, bureau virtuel.

Intérim et freelance 

www.excite.fr/directory/World/Français/Commerce_et_économie/Emploi/Intérim_et_free-lance

Répertoire de l'intérim et du freelance par Excite.

Kalifeye.com

www.new-business.com/index2.php

Kalifeye SA se consacre à la sélection et à la délégation de personnel en freelance depuis mars 2000. Cette société intervient dans les domaines de l'informatique, des télécommunications, du conseil, de la formation, de la finance et de la communication.

L'Autonome 

www.magazinelautonome.com

Magazine des travailleurs autonomes et de la micro-entreprise.

Le télétravail

www.mayetic.fr/Home.nsf/Pages/Teletravail

Vous souhaitez externaliser des ressources en leur permettant de travailler à temps partiel ou complet en télétravail ? Rien de plus facile… à condition de maîtriser la technologie et le système d'information nécessaires à ce type d'organisation du travail.

Les sites de télétravail 

perso.wanadoo.fr/alain.laemle/recrute/teletravail

Vous trouverez ici une sélection de liens vers des sites dédiés au télétravail et au travail à domicile.

Monster.ca - Télétravail 

teletravail.monster.ca

Le volet Télétravail de Monster.ca.

Motamot 

www.motamot.com

Portail d'informations et de services pour les professions libérales et autres travailleurs indépendants/freelances : annuaire, offres de mission, actualité, news, forum.

Mylinea.com - Indépendants/ Freelance

www.mylinea.com/annuemploi/independants-freelance

Sur AnnuairEmploi.com, le portail gratuit de l'emploi en ligne, retrouvez de nombreux liens vers des sites dédiés aux travailleurs indépendants.

Portage salarial et conseil en télétravail

www.portage-plus.com

Portage Plus est un conseil en télétravail, téléservices, télésecrétariat et NTIC.

Recrutement International.com - Télétravail

www.recrutement-international.com/teletravail

Le magazine de la mobilité internationale et du recrutement vous parle du télétravail.

Secrétaire et télétravail

www.secretaire-teletravail.com

Le télétravail effectué par une professionnelle : corrections, rewriting, secrétariat, tous travaux administratifs.

Télécottages du Berry

www.chez.com/telecentre/ARCTIC

L'originalité des télécottages du Berry réside dans leur volonté de combiner un projet de développement social en milieu rural avec un lieu d'activité économique et commerciale.

Téléjob

telejob.2mia.com

Référence en matière de propositions de services émises par les télétravailleurs, tous domaines confondus.

Télétravail - Documentation technique

www.eladoc.com

Entreprise spécialisée depuis 1990 dans la conception et la rédaction de documents (manuel utilisateur, documentation technique), Télétravail réalise des guides électroniques ou sur papier pour présenter et expliquer les logiciels et les procédures.

Télétravail en France

www.teletravailenfrance.com

Un site développé par Alcatel pour informer sur les nouvelles perspectives offertes par le télétravail en France.

Télétravail

web639.petrel.ch/french/emploi/emploi_teletravail.htm

Le Monde de l'emploi - Télétravail donne accès à des sites spécialisés dans le télétravail.

Tradifax

www.tradifax.com

Sur ce site, vous trouverez la solution à tous vos problèmes de traduction : une phrase ou plusieurs pages, e-mails, résumés, traduction juridique, technique, expertisée, certifiée conforme, urgente ou non, interprétariat, recherche d'informations…

Virtua

www.virtua.fr

Virtua est un annuaire de travailleurs indépendants, spécialisés dans le travail à distance (télétravail). Un travail urgent à réaliser ? Trouvez en quelques minutes de nombreux prestataires professionnels dans tous les domaines.

W3Workers

www.w3workers.com

Service spécialisé pour les travailleurs indépendants, télétravailleurs et freelances : référencement et dynamique d'échanges.

Wanadoo - Télétravail

www.wanadoo.fr/bin/frame.cgi?s=recherche&u=http%3a//guide-wanadoo.search.ke.voila.fr/11000/13650/13705/13710

Sélection de sites dédiés au télétravail par Wanadoo.

Haut débit

Cinéma

Ciné Cinéma

www.cineinfo.fr

Découvrez les programmes des six chaînes Ciné cinéma et visitez la sélection de sites dédiés au monde du 7e art.

Cine-courts

www.cine-courts.com

Cine-courts est dédié aux courts-métrages. Plus de 35 films sont proposés en libre téléchargement aux formats DivX, QuickTime et RealVideo. Sur ce site, vous trouverez également des infos et des forums en rapport avec le film court.

Cinéma/Bandes annonces

www.bacfilms.com

BAC Films, distributeur en France de longs-métrages, présente ses films sur Internet. Au programme : infos, jeux, avant-premières, shopping, etc. Les vidéos sont au format RealAudio/RealVideo, Windows Media ou QuickTime.

Diffusion en ligne

123cam

www.123cam.com

123cam est le moteur de recherche de toutes les webcams dans le monde. La recherche peut se faire par pays ou par thèmes : mer, montagne, ville, étrange, trafic, météo.

ADSL Facile

www.adsl-facile.com

Ce site va vous permettre de comprendre ce qu'est l'ADSL sans avoir à connaître le jargon des informaticiens. Venez tester l'éligibilité de votre ligne téléphonique, trouvez votre chemin parmi les offres d'abonnement ADSL pour entreprises et particuliers, consultez le comparatif ADSL et le baromètre vous indiquant les offres les plus demandées du moment.

Café du Live

www.cafedulive.com

Le label musical d'Universal Music France permet aux artistes de diffuser leur musique au format MP3.

DS Studio

www.chez.com/dsstudio

DS Studio est dédié à la production, la diffusion et la promotion de courts et moyens-métrages.

Itelevision.fr

www.itelevision.fr

Chaîne d'info continue de Canal Satellite.

LCI, La Chaîne Info 7

www.lci.fr

Découvrez les émissions de la chaîne LCI en live.

Le seuil TV

www.seuil.com//SeuilTV/SeuilTV.asp?MagID=43&rublibelid=14

Ce site présente plusieurs interviews d'auteurs en RealVideo.

Les Inrock - Sélection vidéo

www.lesinrocks.com/home_voir.cfm

Venez découvrir la sélection de clips, lives et interviews en vidéo du site Les Inrock.com.

MediaGong.com

www.mediagong.com

Portail des meilleures sélections et liens audio et vidéo en streaming gratuit.

Musique TV.com

www.musique-tv.com

Actualité de la musique en RealVideo : magazine hebdomadaire, concerts et images en direct, clips vidéo, etc.

Neolabmusic

www.neolabmusic.com

Au programme de cette webTV : diffusion de vidéos de concerts, reportages, interviews sur les musiques actuelles.

Nouvelle Télé

www.nouvelletele.com

Située à Alès en Cévennes, la webTV nouveltetele.com propose des reportages, des événements sportifs, un espace Entreprises et des vidéos personnelles.

Tokyozone films

www.tokyozone.org/film.html

Portail sur le Japon artistique et contemporain : festival, films en ligne, magazine. Le meilleur de la création japonaise dans le cinéma, la musique, le multimédia, la danse… Un contenu indépendant et inédit.

Jeux en ligne

Amnésie.net

www.amnesie.net

Aventure interactive : vous vous réveillez, amnésique, dans un monde qui vous est encore inconnu, et découvrez au fur et à mesure votre rôle dans l'histoire.

Banja

www.banja.com

Banja est le premier jeu d'aventure communautaire en Flash 3D évoluant en temps réel et exclusivement sur le Web. Explorez le monde d'Itland et découvrez à chaque épisode de nouveaux jeux, de nouveaux décors, de la musique et des cadeaux…

Dark Age of Camelot

camelot-europe.goa.com

Pour jouer à Dark Age of Camelot, édité par Wanadoo Editions et Goa.com, vous devez au préalable vous procurer un exemplaire du jeu disponible dans les points de vente traditionnels. Présentation du jeu, forum de discussion, foire aux questions et modalités d'abonnement en ligne.

Ecoville

www.ademe.fr/particuliers/jeu2/ADEME/ECOVILLE/index.htm

L'Agence pour le développement et la maîtrise de l'énergie (ADEME) propose un jeu de simulation en ligne dans lequel vous devez gérer une ville en vous souciant de tous les aspects écologiques du développement.

Frutiparc

www.frutiparc.com

Pour jouer à de nombreux jeux gratuits d'arcade ou de réflexion, participer à des tournois, discuter avec les autres joueurs, créer votre propre équipe et gagner, venez vite sur Frutiparc.

Games-fed

www.games-fed.com

Games-fed, le portail des jeux de compétition, fédère les jeux vidéo et organise des compétitions en ligne et dans des salles de jeu en réseau.

GOA

www.goa.com

Service de jeux multijoueurs en ligne ouvert à tous les internautes.

GozoGozo

www.gozogozo.com

GozoGozo donne accès à plusieurs jeux en Flash résolument rétro.

HUB.lo

www.hublo.com

Jeux de plate-forme évolutifs à jouer en ligne.

Hypraspeed

www.hypraspeed.com

Ce site donne accès au jeu Flash HypraSpeed 2, dans lequel vous devez piloter un hydroglisseur en temps réel (plusieurs circuits, plusieurs niveaux, monojoueur ou multijoueur).

John Scrolling dans L'Affaire Lectron

www.versunmondemeilleur.com/john

Pendant quelques minutes, vous allez être John Scrolling, un détective privé. Vous pourrez vous déplacer en taxi ou en métro, rencontrer des gens, téléphoner, boire et manger, etc. Le haut débit assure un confort de jeu maximal.

Jos Games

www.josgames.net

Jos Games propose plus de 500 jeux en ligne gratuits et sans inscription. Pour améliorer la navigation, les jeux sont classés en différentes catégories.

Jungle Attitude Xtrem Snowboarding

www.yamago.net/xtrem/snow

Devenez le maître incontesté du snowboard acrobatique.

K'oya

www.k-oya.com

Découvrez l'univers de Momo le caméléon et prenez part à la vie de la communauté K'oya.

Les jeux de Voila.fr

webgames.goa.com/voila/fr

Vous trouverez sur ce site une sélection de jeux d'arcade à télécharger et une plateforme permettant d'affronter d'autres joueurs sur vos jeux préférés (Age of Empires 2, Counterstrike, Medal of honor, Warcraft 3, Age of mythology, etc.).

Les Tontons Flasheurs

www.lestontonsflasheurs.com

Ce site donne accès à quelques jeux en Flash à travers une interface originale : tir, réflexion, sport, flippers, arcade, shoot'em up, etc.

Mondes virtuels 3D

www.mondesvirtuels.com

Etes-vous prêt pour le grand saut ? Avec le site des mondes virtuels, vous allez découvrir une superbe collection d'univers virtuels 3D VRML à visiter ou à construire.

Pétanque52

www.petanque52.com

Jeu de pétanque multijoueur réalisé avec Flash 5. Débutez en amateur, puis atteignez le niveau pro lorsque votre expérience sera suffisante.

Ploucs show

ploucsshow.free.fr

Venez (re)découvrir les vidéos des meilleures pubs, des chutes et des gaffes, des clips insolites. L'humour fait son show !

Station-V

www.station-v.com

Fabien Veançon, graphiste et illustrateur de BD et de publicité, vous ouvre son atelier : animations Flash, bandes dessinées, Web design, peintures, dessins, illustrations presse et pub.

Studio K-Putty

www.k-putty.com

Vous trouverez sur ce site des bandes dessinées et des dessins animés gratuits d'artistes indépendants.

SuperShoes

www.supershoes.com.fr

SuperShoes est une BD animée réalisée en Flash par le collectif lyonnais KCS production.

Tarentule

www.tarentule.com

Vous trouverez sur ce site des cartes virtuelles originales, animées et interactives en Flash : anniversaires, événements spéciaux, etc.

Ubi Soft

www.ubi.com

Ubi Soft présente le groupe et ses filiales, donne accès au catalogue des produits, fournit des trucs et astuces pour ses jeux, propose des démonstrations à télécharger et des sessions de jeu en ligne.

Uzinagaz

www.uzinagaz.com

Produit par un petit groupe d'artistes indépendants, ce site propose des jeux en Flash et des blagues illustrées.

Video-Gag.com

www.video-gag.com

Ce site est dédié à la vidéo humoristique. Que ce soit un gag, une publicité ou du sport, toutes les vidéos présentées ont un lien commun : l'humour et la bonne ambiance.

VideoMuseum

www.videomuseum.fr

Banque de données de 100 000 œuvres d'art moderne et contemporain réalisée par un consortium de 43 musées et collections publiques françaises.

Wanadoo Jeux

webgames.goa.com/wanadoo/fr

Le portail de jeux de Wanadoo vous propose de nombreux jeux Flash à jouer en ligne ou à télécharger. Une vraie mine !

WebJeux

www.webjeux.com

Portail de jeux en ligne gratuits : action, sport, réflexion, grands classiques.

Jeux en ligne pour enfants

3TOON

www.3toon.com

Dessins animés interactifs, jeux et cartes Flash raviront les moins de 10 ans.

Barbie en ligne

fr.barbie.com

Activités et jeux en ligne pour les filles.

Bricocité

www.cite-sciences.fr/francais/web_cite/experime/bricocite/frame_brico_fran.htm

La Cité des sciences et de l'industrie présente Le site des petits curieux. Les enfants qui aiment la nature, les animaux et les plantes y trouveront des informations et des trucs pour fabriquer des objets, élever des animaux, cultiver des plantes.

Casto Kids

www.castokids.com

Casto Kids est un site de jeux en ligne parrainé par Castorama. Il propose des coloriages, des puzzles, des ateliers pédagogiques pour apprendre à vos enfants le bricolage, la décoration, le jardinage.

Chez Louisette

www.chezlouisette.com

Bienvenue chez Louisette. Ce site de divertissement est essentiellement destiné aux enfants de 3 à 6 ans. Il donne accès à des histoires et des jeux en ligne.

Club Leo

clubleo.mazetweb.com

Au programme de ce club de loisirs pour les petits et jeunes ados : reportages, jeux, comptines, actualité, activités du mercredi.

Découvrir le monde

www.lepetitprince.com

Le Petit Prince de Saint-Exupéry te propose de jouer avec lui : dessins, jeu de mémoire, jeu des planètes, jeu d'aventures. Découvre vite son univers merveilleux.

Disney Online

www.disney.fr

Tout l'univers de Disney en un seul site. Venez vite passer un bon moment avec vos amis de toujours.

Jeux pour enfants

www.jeuxpourenfants.org

Jeux en ligne pour enfants : coloriages, labyrinthes, cartes animées.

Kid city

www.kidcity.be

La ville des enfants propose de nombreux jeux en Flash à travers une interface originale : en visitant les maisons d'une ville, une ou plusieurs activités ludiques sont offertes.

Les voyages de Balthazar

www.france5.fr/balthazar

Venez découvrir le monde sous une forme ludique (jeux Flash) avec le petit tigre Balthazar, personnage de dessin animé de la chaîne France 5.

Mon Père-Noël

www.monperenoel.net

Grâce au site québécois officiel du Père Noël, retrouvez le Père Noël dans son village du pôle Nord. Visitez sa maison, son magasin, sa galerie d'art, son atelier, etc.

PTifou

www.ptifou.com

Sur PTifou, de nombreuses activités et jeux attendent les tout-petits de 2 à 6 ans : coloriages, jeux d'éveil, dessins avec Franklin, Barbapapa, les tweenies, les petites crapules et les toons.

Radio Junior

www.radiojunior.com

Découvrez la webradio des moins de 15 ans : émissions, junior zone, parent zone, music zone, toon zone.

Télétoon

www.teletoon.com

Site officiel de Télétoon, la seule chaîne canadienne bilingue de dessins animés en ondes 24 heures sur 24. Teletoon.com présente un site d'animation immersif où les enfants peuvent trouver des infos sur leurs personnages favoris, des jeux et des concours.

Tibao

www.tibao.com

En route pour la grande aventure ! Pars vite à la découverte de Little Big Baobab, l'arbre magique de Tibao : plein de belles histoires, de jeux rigolos et d'activités amusantes à découvrir en famille.

Tralalere.com

www.tralalere.com

Tralalere.com est un site ludo-culturel et musical destiné aux enfants. Adapté aux 3-10 ans par son ergonomie conviviale et animée, le site est personnalisé en fonction du profil de l'enfant.

Opérateurs

9 Télécom

www.bonsplanstelephonie.com

Découvrez les forfaits ADSL parmi les moins chers du moment.

ADSL 512k Tiscali

www.tiscali.fr

Découvrez les offres ADSL 512K, 1 024K et 2 048K.

Alice ADSL

www.aliceadsl.fr

Choisissez Télécom Italia pour votre abonnement téléphonique principal et profitez de l'offre Alice ADSL.

Cegetel ADSL

www.adsl-facile.com

Non content de proposer des forfaits ADSL à bas prix, Cegetel vous présente ses forfaits téléphoniques illimités.

Club-Internet ADSL

www.club-internet.fr

Découvrez les offres ADSL 512K, 1 024K et 2 048K de Club-Internet.

Noosnet haut débit

www.noos.fr

Noos présente ses forfaits câble 160K, 640K, 1 280K et 2 560K, et ses forfaits TV Découverte, Magic et Infinity.

Tele2 ADSL

www.tele2.fr

Découvrez les offres haut débit de Tele2, à partir de 13,85 € par mois pour une connexion 128K avec présélection téléphonique.

Radio, webradio

1000 Films

www.1000films.com

Du Fabuleux Destin d'Amélie Poulain à Spider-Man 2 en passant par Star Wars Episode 3, accédez à tous les sites officiels internationaux.

Allo Ciné Vision

www.allocine-vision.com

Au menu, plus de 8 000 sujets d'actualité sur les films, les acteurs et les réalisateurs : bande-annonce, extraits, making-of, interviews, etc.

Alternative Bass Fréquence

radio.abf.free.fr

ABF est exclusivement diffusée sur le Net. Choisissez votre émission et écoutez-la en quelques clics de souris : reggae, musique électronique, groove, dub, hip-hop, jazz, latino, etc.

Alternative radio libre

www.darksite.ch/radioalternative

Radio MP3 en direct sur le Net et sur les ondes FM de radio-cité 92.2 MHz, à Genève.

Artotal Streamline

www.artotal.com/streamline/streamy.htm

Ce site donne accès à des webradios de tous les styles : techno, classique, jazz, etc. La sélection se fait par fréquences ou par style de musique.

BandeOriginale.com

www.bandeoriginale.com

Cette radio diffuse des musiques de films au format Realplayer et MP3.

Bandes-annonces.com

www.bandes-annonces.com

Visualisez les bandes-annonces et les photos des films récents, consultez les critiques, participez au forum.

BFM

bfm.iside.net

Sur la radio de l'économie : émissions, Bourse, grille des programmes, signatures BFM, liste des fréquences.

Bide&musique

www.bide-et-musique.com

Bide&Musique, la webradio aux 5 000 titres et 2 000 artistes, pour un courant musical vraiment alternatif !

Canal 3H

www.canal3h.com

Ce site diffuse gratuitement des vidéos et des musiques au format Realplayer : clips, concerts, documentaires, fictions, etc.

Canal média

www.canalmedia.com

L'œil et l'oreille du Web : divertissement, shopping, musique, clips, cinéma, vidéo, radios et télévisions sont sur Canal média.

Canal Obs

www.tvobs.com

WebTV du Nouvel Observateur.

Channel Riviera

www.channelriviera.com/cr/frmain.asp

Découvrez les programmes de Channel Riviera, la webTV de la Côte d'Azur.

Chante France

www.chantefrance.fr

Première radio sans pub orientée 100 % chanson française. Possibilité d'acheter en ligne les titres diffusés. Diffusion en Windows Media.

ChérieFM

www.cheriefm.fr/web/index.php

Ecoutez Chérie FM en direct et accédez aux rubriques, aux moments exclusifs et aux meilleurs titres diffusés.

ComFM

www.comfm.com

ComFM permet d'accéder à des radios et télévisions en live, et diffuse les programmes numériques par satellite des chaînes de radio et télévision.

Contact FM

www.contactfm.com

Contact FM, la radio de la musique électronique (dance, techno, house, trance, R'nB), du rythme et de la nouveauté.

Directlive.org

www.directlive.fr.fm

Cet annuaire regroupe plus de 350 webTV, plus de 150 webradios, ainsi que des centaines de webcams référencées par catégories.

Europe 2

www.europe2.fr

Retrouvez les valeurs développées par la station : exclusivité, proximité, innovation, interactivité, bonne humeur et rythme. Sous les flashs et les webcams du studio, écoutez la radio en ligne avec le meilleur de chaque courant musical (d'Avril Lavigne à Linkin Park en passant par Muse, Placebo ou Evanescence).

Europe1.fr

www.europe1.fr

Ecoutez la radio en direct, accédez aux archives et parcourez les programmes d'Europe 1, la radio de l'actualité nationale et internationale.

FIP

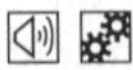

www.radiofrance.fr/chaines/fip/direct

Venez écouter cette radio musicale parisienne en ligne.

France Bleu

www.radiofrance.fr/sites/france-bleu/sommaire

France Bleu vous propose toute l'actualité, la météo et les reportages de votre région.

France Culture

www.radiofrance.fr/chaines/france-culture2/sommaire

Retrouvez la station culturelle du groupe Radio France : programme, émissions, agenda culturel, sélection de liens, fréquences.

France Info

www.radiofrance.fr/chaines/france-info/accueil

Le site de la radio d'information continue. Ecoutez la radio en direct, faites votre sélection de chroniques, retrouvez tous les jours un reportage multimédia.

France Inter

www.radiofrance.fr/chaines/france-inter01/direct

Venez écouter France Inter en direct. Découvrez les programmes de la semaine, les chroniques, les émissions, la sélection musicale, etc.

France Musiques

www.radiofrance.fr/chaines/france-musiques/direct

Sur le site France Musiques, découvrez les émissions, les programmes, la revue de presse d'Ivan Levaï, les biographies de musiciens, et écoutez la radio en ligne.

Fun Radio

www.funradio.fr

Sur le site de Fun Radio : radio en direct, magazine, jeux, chats.

Fun TV

funtv.m6.fr/html/index.shtml

Fun TV, c'est la chaîne 100 % live sur TPS et sur le câble. De C'est pas trop tôt à Clip Combat en passant par Ça se passe entre nous, Fun TV vous propose de nombreuses émissions en direct.

Kiss FM

www.kissfm.cc/index.asp

Découvrez les programmes, le top des diffusions, les artistes, l'équipe, et écoutez Kiss FM en RealAudio, où que vous soyez dans le monde.

Le Mouv'

www.radiofrance.fr/chaines/lemouv/sommaire

Cette station de Radio France est destinée aux moins de 30 ans. Sur le site : diffusion en direct, magazines, programmation musicale, dessins humoristiques, fréquences, annuaire des artistes.

Les Indépendants

www.lesindependants.com

Les Indépendants donne accès à plus de 80 radios régionales en quelques clics de souris.

M6

www.m6.fr/html/info/index.jhtml

Visualisez les éditions de 11 h 54 et 19 h 54 en différé.

MaXXima

www.maxxima.org

Découvrez les programmes de cette webradio qui succède à MaXXimum : playlist, hiphop et R'nB, agenda des soirées.

Net Radio

www.netradio.fr

Net Radio diffuse ses programmes sur le Net et sur TPS 24 heures sur 24. Elle s'adresse à un public jeune 15-25 ans.

Neuf Cinéma

cinema9.neuf.fr/video

Visualisez les bandes-annonces des dernières sorties cinéma et les avant-premières en exclusivité sur le portail de 9 Télécom.

Neuf Humour

www.neuf.fr/humour

Détendez-vous avec des sketches… à mourir de rire.

Neuf Metaboli

metaboli.neuf.fr

Téléchargez les démonstrations des derniers jeux PC (action, aventure, stratégie, sport, simulation, arcade) sur le portail de 9 Télécom.

Neuf Téléchargement

www.neuf.fr/multimedia/
logitheque.asp

Bibliothèque de plus de 5 000 logiciels librement téléchargeables : bureautique, communication, développement, éducation, etc.

Neuf Vidéoclub

videoclub.neuf.fr

Visualisez des films en ligne en vous inscrivant au vidéoclub de 9 Télécom.

Nostalgie.fr

www.nostalgie.fr

Venez écouter la radio Nostalgie (variété française, internationale) en direct sur le Net : émissions, fréquences radio, programmes, actualité, chroniques, top 10.

Novaplanet

www.novaplanet.com

Découvrez tous les bons plans pour sortir à Paris, l'agenda rempli de concerts, de clubs, l'actualité culturelle. Immergez-vous dans le guide gastronomique avec plus de 1 000 adresses de restaurants et de bars. Retrouvez Radio Nova, avec ses mix, ses DJ, sa playlist.

NRJ

www.nrj.fr/ 7

Sur le portail officiel de NRJ : radio en direct, émissions, programmes et fréquences, extraits MP3, interviews, sites de stars et actualités musicales. Retrouvez également les concerts et les bons plans à Paris et en province.

Oui FM

www.ouirock.com/home/index.php

Sur la radio du rock : écoute en direct, événements, playlist, programmes, concerts, extraits d'albums.

Planète Reggae

www.planetereggae.com

Amateurs d'évasion, passionnés de musique, fans de reggae, de ska, de rockstaedy, cette radio est faite pour vous.

Pulsations

pulsations.fr.fm

La webradio belge Pulsations vous propose de retrouver le meilleur de la dance, de la techno, de la trance et de la house sur son site 100 % dance.

PVSP

www.pvsp.net

PVSP produit et diffuse des films de cinéastes et studios indépendants. Ces films peuvent être librement téléchargés au format Realplayer ou DivX.

Radio 13

www.radio13.net

La webradio Radio13 propose un programme de 24 styles musicaux, en live et en rediffusion.

Radio bébés

www.radiobebes.com

Radiobebes.com, la webradio d'Infobebes.com, diffuse toutes les comptines enfantines et chansons préférées de votre bébé. Retrouvez les meilleurs auteurs : Henri Dès, Anne Sylvestre, Annie Brocoli.

Radio bleue - Mahina, France

www.radiobleue.pf/ 7

Radio bleue est une radio FM tahitienne accessible sur le Web. Retrouvez les programmes, les animateurs, les fréquences, etc.

Radio classique

www.radioclassique.fr

Radio classique laisse la parole à la musique et aux acteurs de la vie économique.

Radio du livre - Actualité

www.radiofrance.fr/divers/thematiques/radiodulivre/actualite

Lancée par Radio France, la radio du livre est entièrement consacrée à l'univers littéraire : actualité du livre, agenda du livre, le livre de la semaine, émissions ou chroniques de Radio France ayant trait au livre.

Radio France

www.radiofrance.fr

Sur le site : programmes et fréquences des stations de Radio France, informations politiques, régionales, économiques, culturelles et internationales, reportages multimédias, et nombreux services en ligne (boutique, météo, inforoute, Bourse).

Radio France Internationale

www.rfi.fr

Sur le site de RFI, retrouvez l'actualité internationale en français et en 19 langues, découvrez les dossiers d'actualité, les programmes et les fréquences de RFI à travers le monde, toutes les émissions, le club RFI, la langue française, les forums de discussion, les revues de presse, les éditoriaux, la météo marine, MFI.

Radio Latina

www.latina.fr

Sur la radio officielle de la fiesta : radio en direct, programmes, playlist, artistes.

Radio Nostalgie

www.nostalgie.com

Ecoutez radio Nostalgie (variété française et internationale) en direct sur le Net, découvrez ses émissions et ses fréquences radio.

Radio Pulsar

www.radio-pulsar.org

Les oreilles de Pulsar traînent partout avec un seul objectif : satisfaire la soif de découverte de ses auditeurs. Du jazz à la house, de l'easy listening au reggae, de la chanson au trip-hop, venez écouter cette radio au format RealAudio.

Rire et chansons

www.rireetchansons.fr

Retrouvez le meilleur de l'humour sur Rire et chansons.fr : blagues, sketches, spectacles comiques, etc.

RMC Info

www.rmcinfo.fr

RMCInfo, la radio qui vous donne la parole. Avec Brigitte Lahaie, Jean-Michel Larqué, Véronique et Davina, Le Doc, Christian Spitz. Ecoute en direct, visite panoramique des studios, émissions, fréquences et programmes.

RTL

www.rtl.fr

Retrouvez les infos en direct (dossiers d'actualité, politique, économique…), les news sportives (football…), et écoutez toutes les émissions de la radio en ligne : les Grosses Têtes, Quitte ou Double.

RTL Livres

www.rtl.fr/players/livres

Avec L'Express Livres, Lire.fr et Auteurs.net, venez écouter des écrivains sur RTL Livres.

RTL2

www.rtl2.fr

Sur le site de la radio pop-rock : direct, actualité musicale, concerts en live, artistes.

Skyrock

www.skyrock.com

Skyrock, première radio jeune sur le rap, R'nB, reggae, avec Planète Rap et Radio Libre.

Southvibes

www.southvibes.com

Southvibes, la webradio du sud de la France, diffuse des programmes de jungle, D'n'B et de musiques nouvelles.

Sud Radio

www.sudradio.fr

Ecoutez Sud Radio en direct live au format RealAudio : informations, météo, spectacles, programmes, fréquences.

Syxy.com

radios.syxy.com

D'un simple clic de souris, ce site donne accès à une mosaïque de radios accessibles sur le Net.

Telebretagne

www.telebretagne.com

Depuis juillet 2000, cette webTV diffuse des programmes sur la Bretagne.

TV-Radio.com

www.tv-radio.com

TV-radio.com, filiale de TDF et leader européen de la diffusion audiovisuelle sur Internet, met à votre disposition les dernières technologies de streaming et le savoir-faire de ses équipes pour une solution clés en main.

Wanadoo radios 

music.wanadoo.fr/radios.html

Wanadoo donne accès à plus de 150 radios en ligne.

Wattcast 

www.wattcast.com

Wattcast sélectionne pour vous les chaînes TV qui émettent en direct ou en différé sur Internet. Le choix d'une chaîne peut également se faire par son contenu : émission, feuilleton, série, radio, sport.

Web Radio Actu.com 

www.webradioactu.com

Portail indépendant d'information sur les webradios : actualité, forum de discussion, revue de presse, interviews, etc.

Web Radio.fr 

www.webradio.fr

Portail de la radio "streaming on-demand" sur le Web, Web Radio décortique l'actualité artistique, juridique et technologique de la diffusion musicale interactive.

Zone80.com 

www.zone80.com

Zone80 diffuse le meilleur des années 70, 80 et 90, en direct de Liège (Belgique).

Sciences, technologies

Au temps des mammouths 

www.mnhn.fr/mammouths

Après un immense voyage de 30 000 ans, les mammouths vous accueillent au Muséum national d'histoire naturelle pour raconter leur histoire, du 17 mars 2004 au 10 janvier 2005.

Cité des sciences et de l'industrie 

www.cite-sciences.fr 

La Cité des sciences à Paris propose plusieurs expositions interactives sur la science, pour apprendre, jouer et découvrir.

CNES  

www.cnes.fr

Site officiel du CNES, Centre national d'études spatiales, l'agence française de l'espace.

DSLvalley.com

www.dslvalley.com

Que vous soyez simple internaute, professionnel ou passionné d'informatique, vous trouvez ici tout ce qu'il faut savoir sur les technologies DSL en France.

Feel free to say no 

www.feel-free.info

Campagne de l'Union européenne contre le tabagisme.

Festival des très courts 

trescourt.com

Une kyrielle de très courts (films de moins de 3 minutes comprenant un titre et un générique) sélectionnés pour leur originalité, leur impertinence, leur humour, leur générosité, leur mauvais goût… et éventuellement leur qualité technique.

Grotte Chauvet 

www.culture.gouv.fr/culture/arcnat/chauvet/fr/index.html

La grotte Chauvet Pont-d'Arc, découverte en 1994, contient un extraordinaire bestiaire (plus de 400 représentations d'animaux) datant de 30 000 ans avant notre ère. Ce site vous permet de faire une visite virtuelle de la grotte.

HiFocus.net 

www.hifocus.net

Ce site est dédié à tous ceux qui possèdent (ou qui prévoient d'acquérir) une connexion ADSL. Vous y trouverez un comparatif des offres ADSL, des forums de discussion, l'actualité du haut débit, les derniers pilotes pour votre modem, et bien d'autres choses encore.

Hi-Speed Zone 

www.hispeedzone.com

Ce portail, consacré aux sites haut débit, propose une liste de sites musicaux, de webTV, de jeux et de sites d'actualité du haut débit.

HONmédia 

www.hon.ch/HONmedia/index_f.html

HONmédia est une collection unique de plus de 3 300 illustrations et vidéos médicales se rapportant à plus de 1 700 thèmes. Cette base de données a été créée manuellement par HON, et de nouvelles illustrations médicales issues d'Internet y sont continuellement ajoutées.

JeanPaulGaultier.com 

www.jeanpaul-gaultier.com

Derniers défilés de Jean-Paul Gaultier en vidéo.

Jesuismanipulé.com 

www.jesuismanipule.com

La Caisse d'assurance maladie, en partenariat avec la Ligue contre le cancer et le CFES, diffuse des informations sur les manipulations des fabricants de tabac et donne accès à de nombreux sites complémentaires.

Journal de l'astronomie et de l'espace  

astronomie.cite-sciences.fr

Le Journal de l'astronomie et des sciences de la Cité des sciences (Paris, la Villette) vous informe sur l'actualité de l'astronomie : reportages, interviews, photographies et vidéos.

La cellule 

www.cellule.science.gouv.fr

A l'aide d'animations vidéo, ce site diffuse de nombreuses informations qui vous permettront de comprendre ce qu'est une cellule : noyau, réticulum endoplasmique, ribosomes, appareil de Golgi, etc.

Le guide du haut débit Wanadoo 

rechercherhd.wanadoo.fr 

Sélection de sites francophones et anglophones incontournables pour les internautes disposant d'une connexion haut débit.

Le mail à haut débit

www.arobase.org/mag/haut-debit.htm

Avez-vous adapté votre comportement de correspondant électronique au haut débit ? C'est ce que vous propose de vérifier ce site.

L'évolution

www.cnrs.fr/cw/dossiers/dosevol/accueil.html

Ce site retrace l'histoire de l'évolution biologique des espèces. Il est agrémenté de nombreux documents multimédias : photos, films, diaporamas, panoramiques, schémas.

Marie Curie 

mariecurie.science.gouv.fr

Ce site du ministère de la Recherche présente la vie et les travaux de Marie Curie et donne des explications claires et complètes sur le phénomène de la radioactivité. Les animations sont au format Flash.

Numéricable

www.numericable.com

NC Numéricable propose 130 chaînes généralistes et thématiques, un accès Internet haut débit illimité, un portail sur lequel on trouve des contenus adaptés au haut débit : téléchargement de films et de jeux, radios numériques, services pratiques, programmes TV câble.

Objectif Mars 

mars.bw.qc.ca

Renseignements complets sur la planète Mars pour tous les passionnés d'astronomie. Les animations en Flash nécessitent une connexion haut débit.

Premiers secours 

www.premierssecours.com

Sous la forme de diaporamas, la Croix-Rouge présente les gestes qui sauvent en cas d'hémorragie, d'étouffement, d'inconscience, d'arrêt cardio-respiratoire, etc.

Sesam.tv 

www.sesamtv.com

Ce site vous propose de connecter votre PC sur un poste de télévision pour lire des fichiers DivX, MPEG, MP3, JPEG et des DVD. Le tout contrôlé avec une télécommande sans fil.

Téléchargement, musique en ligne

Bipsonore.com 

www.bipsonore.com

Avec Bipsonore.com, mettez gratuitement des stars sur votre répondeur téléphonique, fixe ou portable.

Clubic  

www.clubic.com

Sur la première communauté informatique et multimédia : actualité informatique permanente, 1 500 logiciels et jeux vidéo en téléchargement direct (haut débit conseillé), fonds d'écran, conseils, astuces, comparateur de prix, avant-premières, etc.

Ebooks

www.ebooksgratuits.com

Ce site permet de télécharger gratuitement tous les classiques de la littérature au format PDF.

e-compil

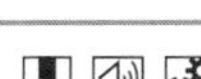

www.e-compil.fr

Téléchargez tous les styles de musique au format MP3. A partir de 0,77 € la chanson.

Jeux d'arcade

telecharger.01net.com/windows/Jeux/arcade/gra_index.html

Plus de 150 jeux d'arcade en libre téléchargement vous attendent sur cette page : Tip Tap, Donkey Kong, Thunder Strike, etc.

Jeux de simulation

telecharger.01net.com/windows/Jeux/simulations/gra_index.html

Vous trouverez sur cette page divers jeux de simulation en libre téléchargement : courses de voitures, de ski, de sous-marin ou... de vaisseau spatial.

Kungfou

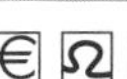

www.kungfou.com

Vous trouverez ici une vingtaine de courts-métrages proposés en libre téléchargement par leurs auteurs.

Mp3.fr

www.mp3.fr

Ce site communautaire grand public a plusieurs vocations : promotion musicale pour artistes indépendants, téléchargement gratuit, information entièrement dédiée au MP3 (actualité, logiciels, matériels et information dans le domaine de la musique).

Musique-radio.com

www.musique-radio.com

Musique-radio propose un programme 100 % hits rempli de peps et de bonne humeur. Vous y trouverez également des programmes thématiques réalisés par des DJ et des artistes : house, techno, dance, funk, 80's, 90's, rap, groove, pop-rock, chill-out, etc.

Peoplesound.fr

fr.peoplesound.com/index.htm

Sur ce site dédié au téléchargement de MP3 en Europe, découvrez des milliers d'artistes et/ou faites-vous connaître.

TéléWeb

www.teleweb.org

Teleweb.org est une plate-forme multimédia permettant la création gratuite de webTV et de webradios en accès libre.

Vitaminic

www.vitaminic.fr

Ecoutez et téléchargez (gratuitement ou non) des milliers de titres MP3 de tout genre : alternative/punk, classique, électronique/dance/hip-hop/R'nB/soul, jazz/blues, métal, pop, reggae, rock, variété, world music.

TV, webTV

Alibi TV

www.alibitivi.com

La webTV Alibi TV propose un contenu original, des reportages, de la musique, des courts-métrages, des minutes de vérité et… vos créations au format RealVideo.

Animez vous

www.animezvous.com

Base de données de dessins animés d'hier et d'aujourd'hui : résumés, vidéos, musiques et images.

Annuaire de la télévision et du cinéma

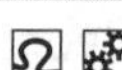

www.telecineweb.com

L'Annuaire de la télé et du ciné référence tous les sites amateurs ou professionnels ayant un rapport avec les séries télé et les films, les affiches, DVD, etc.

Archives de guerre

www.ina.fr/voir_revoir/guerre/index.fr.html

Consultation des actualités cinématographique diffusées durant la Seconde Guerre mondiale dans les salles de cinéma françaises. Près de 14 heures de vidéos sont accessibles.

Assemblée nationale

www.assemblee-nationale.fr/seance/seancedirect.asp

Retransmission en direct de la séance publique de l'Assemblée nationale, au format RealVideo ou Windows Media.

Autodeclics.tv

www.autodeclics.com/php2/TV.php3

WebTV 100 % auto. Retrouvez chaque jour la programmation live d'Autodeclics.com : essais, reportages, magazines.

Bechamel.com

www.bechamel.com

Bechamel produit et diffuse des divertissements en ligne : courts-métrages, animations, dessins animés, séries, jeux, musiques.

Canal IRD

www.canal.ird.fr

L'Institut de la recherche pour le développement vous propose une illustration régulière des principaux événements qui font la vie de l'institut et de ses chercheurs. Vous découvrirez les vidéos des conférences, travaux de recherche, etc. Egalement, un gros plan sur les travaux d'un chercheur du centre, l'agenda des manifestations, et une présentation en image de l'IRD.

Canal Jimmy

www.canaljimmy.fr

Vous aimez les séries ? Prenez quelques minutes pour naviguer sur Jimmy.fr afin de découvrir les programmes de la chaîne Canal Jimmy.

Canal U

www.canal-u.education.fr

Canal U, la webTV des universités, propose de nombreuses ressources audiovisuelles en ligne (vidéos pour l'enseignement supérieur, conférences en ligne, campus numériques, etc.).

CanalPlus

www.canalplus.fr/accueil/accueil

Le site de la chaîne cryptée donne accès à de nombreuses séquences vidéo : 7 jours au groland, le Vrai Journal, les Guignols de l'info, le Zapping, les vidéos de Cannes, bandes-annonces de Canal+, etc.

Cinéma-TV.com

www.cinema-tv.com

Ce magazine d'actualité sur le cinéma propose des bandes-annonces, des reportages et des courts-métrages en RealVideo.

CNES-TV

www.cnes-tv.net

Sur la web TV du Centre National d'Etudes Spatiales, vous trouverez des interview, des films et des archives. Plus de 240 vidéos au format RealVideo ou Windows Media Player classées par thématiques vous y attendent.

ComFM

www.comfm.com

ComFM permet d'accéder à des radios et télévisions en live et diffuse les programmes numériques par satellite des chaînes de radio et télévision.

Cuisine TV

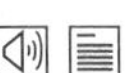

www.cuisine.tv

Cuisine TV aborde la cuisine au sens large du terme : produits, métiers, arts de la table, terroir, gastronomie, forme et équilibre, équipement, vins et fromages, traditions culinaires.

Dan Bolender

www.danbolender.com

Reporter et spécialiste des caméras cachées, Dan Bolender vous propose de retrouver ses sujets en vidéo à la demande.

Dreamzap

www.dreamzap.com

WebTV originale et indépendante faite pour vous : informations et divertissements en vidéo, magazine, humour, cinéma, musique, voyages, gastronomie, jeux vidéo, sports, mode.

EM6.fr

www.em6.fr

Le site de l'émission E=M6 vous fait découvrir les nouvelles technologies, l'espace, la santé, la médecine. Votre curiosité sur la robotique et les découvertes technologiques sera comblée.

Escales

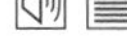

www.escalestv.fr/scripts/videos.asp

Découvrez diverses vidéos consacrées au voyage, de la chaîne Escales.

Euronews

www.euronews.net

Euronews diffuse en sept langues (allemand, anglais, espagnol, français, italien, portugais et grec) un programme pan-européen d'information en vidéo.

Eurosport.fr

www.eurosport.fr

Retrouvez l'actualité du sport sur cette chaîne de télévision diffusée sur le câble et le satellite. Le site propose de nombreuses vidéos en ligne au format RealVideo.

France Télécom Câble

www.francetelecomcable.fr

France Télécom Câble, cablo-opérateur, propose des abonnements à la télévision numérique à la carte et des forfaits Internet illimités par le câble.

Freebox Tel

adsl.free.fr/tel

Free propose à tous les abonnés Free Haut Débit équipés du terminal Freebox un service de téléphonie sans aucune contrainte ni aucun engagement. Ce service est sans surcoût. Venez le découvrir sur ce site.

Freebox TV

adsl.free.fr/tv

Free innove en offrant la télévision numérique *via* la prise de téléphone, sur la France entière. Découvrez l'offre Freebox TV sur ce site.

Fun TV

funtv.m6.fr

Chaîne 100 % live diffusée sur TPS et le câble. De C'est pas trop tôt à Clip Combat en passant par Ça se passe entre nous, Fun TV vous propose de nombreuses émissions en direct.

GénéDA

geneda.lestelevores.com

Redécouvrez les génériques des dessins animés de votre enfance aux formats MP3 et RealVideo.

Génériquestélé.com

www.generiquestele.com

Ecoutez et regardez les génériques des dessins animés qui ont bercé votre enfance. D'Adrien le sauveur du monde à Zorro en passant par l'inspecteur Gadget et Sailor Moon.

Homeview Sénégal

www.homeviewsenegal.sn

Cette webTV généraliste propose de visualiser les journaux télévisés en français, wolof, diola, pulaar, soninké, serrer et mandinka, et d'écouter en différé les chaînes nationales Dakar FM, RSI et Sud FM.

INA, Raconte-moi

www.ina.fr/fresque/index.fr.html

Visionnez, écoutez et redécouvrez les émissions phares, les événements clés, les évolutions majeures qui ont marqué l'audiovisuel français du XXe siècle.

JT de France3

videojts.france3.fr

Visualisez les journaux télévisés de France 3 en RealVideo : éditions nationales 12/14, 19/20 et Soir 3, éditions régionales et éditions locales.

JT de France2

videojts.france2.fr

Visualisez les journaux télévisés de France 2 en RealVideo : éditions nationales de 8 heures, 13 heures et 20 heures.

JT de TF1 à la carte

www.tf1.fr/video/news/lesjt

Ce site donne accès à tous les journaux télévisés de TF1 indexés sujet par sujet depuis le 1er décembre 1999.

Les cinquante ans du JT

www.ina.fr/voir_revoir/jt/index.fr.html

La télévision française propose son premier journal d'information en 1949. Ce nouveau genre mettra vingt ans à se définir. L'INA propose un petit aperçu d'une histoire qui se poursuit sous nos yeux.

Les vidéos de France

www.france5.fr/videos

Visualisez en ligne une sélection d'émissions, de reportages, d'extraits documentaires et d'entretiens de la chaîne France 5.

Les vidéos de Voyage.fr

www.voyage.fr/chaine/Toutes_nos_videos/index.shtml

Voyage.fr, c'est plus de 700 reportages, des dizaines de bandes-annonces, des extraits d'émissions, des portraits des animateurs. Faites vous-même votre programmation. De nombreux programmes sont à votre disposition pour votre plus grand plaisir.

LibertéTV

www.liberte-tv.com

Découvrez les clips vidéo et audio de Liberté TV, la webTV de l'évasion, et informez-vous sur les services de diffusion et de création de films d'entreprise.

LOFTV.com

www.loftv.com

Guide des vidéos TV, webTV, lives, différés et archives des contenus vidéo diffusés sur Internet (plus de 900 chaînes classées par thèmes et par pays).

Looney Tunes

looneytunes.warnerbros.fr

Retrouvez tous les personnages Looney Tunes : Bugs Bunny, Daffy Duck, Vil Coyote, Bip Bip, Elmer Fudd, Porky, Taz, Titi et Grosminet. Ce site propose de nombreuses activités interactives : coloriages, dessins animés, blagues.

M6Music.fr

m6music.m6.fr

Portail de l'actualité musicale de M6 : émissions musicales (format RealVideo ou Windows Media), grille des programmes, communauté, sorties CD, musique gratuite, musique en ligne, Webcast, webTV, etc.

Mai 68

www.ina.fr/voir_revoir/mai-68

L'INA propose de retrouver un reportage des actualités françaises et quelques extraits radiophoniques "autour de 1968".

Mannequins TV

www.mannequins-tv.com

Cette webTV présente des mannequins et des modèles, diffuse des annonces de casting et des reportages au format RealVideo.

MCM On Line

www.mcm.net

La 1re chaîne musicale vous propose l'actualité rap, rock, techno, variété, cinéma et jeux vidéo. Retrouvez les interviews vidéo, concerts, clips, les programmes TV, sans oublier les forums, l'annuaire, la newsletter et les jeux-concours.

Media Pulp

www.mediapulp.com

Sur la webTV MediaPulp, découvrez une sélection de nouveaux talents de l'audiovisuel, de l'animation 3D et de la musique électronique.

Monbébé.tv

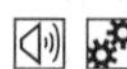

www.monbebe.tv

Tous les mois, sur la webTV Monbébé, une trentaine de nouvelles émissions sont disponibles gratuitement pour le bonheur des parents. Regroupées en 10 chaînes, des centaines d'émissions ont été réalisées avec le concours de spécialistes issus du monde médical ou paramédical.

MondoVision

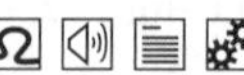

www.mondovision.com

Ce site recense un grand nombre de vidéos et de webTV sur le Web, classées par genres.

Mouviz

www.mouviz.com

MOUVIZ est un site de diffusion francophone de courts-métrages et de films indépendants.

Neige.TV

www.neige.tv

Cette webTV diffuse des vidéos sur le snowboard, le ski, les sports extrêmes, l'alpinisme et les pro riders. Les vidéos sont au format RealVideo, Windows Media ou QuickTime.

Noos

www.noos.com

Site du distributeur de contenus numériques Noos : présentation de l'entreprise, offres, espace Recrutement, accueil presse.

OC-TV.net

www.oc-tv.net

Avec la webTV/webradio OC-TV.net, partez à la découverte de la culture occitane, des troubadours à nos jours.

Paris Première

www.paris-premiere.fr/page.php?P=data/video

Programmes et émissions de la chaîne parisienne. Critiques, tendances et guide des bons plans : mode, cinéma, musiques, livres, restaurants, concerts, soirées et théâtre pour sortir à Paris.

Pegase.TV

www.pegase.tv

Pegase est une webTV dédiée à l'aviation : photos aériennes, art, invitation au voyage en avion par Bernard Chabbert.

Psychonet.TV

www.psychonet.tv

Cette webTV gratuite est centrée sur la psychologie et le bien-être. Elle est dotée d'une grille de programmes riches en chroniques, reportages, micro-trottoirs, interviews et témoignages sur la vie affective, familiale, sexuelle, sociale et professionnelle.

Public Sénat

www.publicsenat.fr/archives/archives.asp

Ce site vous propose de visionner une sélection de vidéos (format RealVideo ou Windows Media) des émissions diffusées sur la chaîne Public Sénat.

PubsTV.com

www.pubstv.com

Présentation d'une sélection de publicités télévision et cinéma.

Riroscope

www.riroscope.com

Riroscope diffuse tous les jours une nouvelle chronique vidéo destinée à détendre par le rire les employés de grands groupes, sociétés familiales, PME, etc.

RunIsland.TV

www.runisland.tv

Plate-forme de diffusion de vidéos des îles de l'océan Indien.

Sénat

www.senat.fr/live.ram

Dernière séance en direct des débats au Sénat.

Télé Bretagne

www.tele-bretagne.com

Cette télévision bretonne régionale est diffusée sur le Web et par satellite. Elle propose des reportages, des courts-métrages de fiction, des retransmissions de festivals au format Media Player.

TéléSavoirs

www.telesavoirs.com

Cette webTV au format RealVideo est spécialisée dans le débat scientifique. Quelques-uns des thèmes abordés : l'eau sous toutes ses phases, le vieillissement, les insectes, la couleur, les comportements animaux, etc.

TF1.fr vidéo

www.tf1.fr/video

Plus de 20 000 vidéos et 3 000 heures de programmes sont accessibles sur ce site : divertissement, musique, clips, JT à la carte, etc.

The Mode TV

www.themode.tv

Cette webTV présente l'actualité internationale de la mode, du luxe, de la beauté et des arts du design en vidéo. Elle donne également accès aux derniers défilés, diffuse des interviews de créateurs et analyse les dernières tendances.

Turbo.fr

www.turbo.fr

Turbo.fr est le portail automobile francophone de M6 : bancs d'essai, base de données de plus de 40 000 véhicules neufs, sport automobile.

TV Bébés

www.tvbebes.com

Sur cette webTV, vous trouverez tous les conseils pour être enceinte, bien vivre sa grossesse et aider bébé de 0 à 3 ans à bien grandir : point de vue santé, nutrition, éveil.

TV Citroën

www.tvcitroen.com

Citroën innove en proposant une webTV privative. Pour la marque, c'est un nouveau moyen de faire partager sa vision du futur automobile.

TVMountain

www.tvmountain.com

Retrouvez l'actualité du ski, de l'alpinisme et de la randonnée sous la forme de vidéos au format RealVideo.

TV-Wonder.com

www.tv-wonder.com

Diffusion de reportages, courts-métrages et clips vidéo aux formats RealAudio et RealVideo.

Web TV

www.01net.com/article/237209.html

Web TV est un petit logiciel qui vous permet d'accéder rapidement aux différents programmes TV consultables sur Internet.

Web TV5

www.tv5.org/TV5Site/webtv/index.php

Sur la webTV de TV5, découvrez tous les reportages vidéo de TV5 : cinéma francophone, cultures du monde, journal télévisé, clips vidéo de musique francophone.

Zoom TV

www.zoom-tv.com

ZOOM TV est une webTV dédiée à la musique : jazz, techno, pop, rock, ska, musiques électroniques, hip-hop, reggae, ragga, folklore, classique.

Voyages, visites virtuelles

Agoride

www.agoride.com

Toute l'information et toutes les vidéos de la glisse vous attendent sur ce site.

Aniwa TV

www.aniwatv.com

WebTV animalière. Accès live, par émission, par animal ou par thème.

Château de Versailles

www.chateauversailles.fr

Visite virtuelle du château de Versailles : galerie des Glaces, Trianon, salle du Jeu de paume, jardins à la française, Grandes Eaux, musée des Carrosses, orangerie, Grand Trianon, Petit Trianon, écurie.

Escales

www.escalestv.com

Sur le site de la chaîne Voyage du groupe AB, découvrez : les vidéos de la chaîne, les programmes, les émissions, les rendez-vous.

Escrime-TV

www.escrime-tv.com

Toute l'escrime en streaming vidéo : l'actualité, les reportages, les interviews des champions, les résumés des compétitions internationales... et de nombreuses photos à découvrir.

F1-Live.com

f1.racing-live.com/fr/index.html

Vivez les séances d'essais et les grands prix de F1 en direct. Les news sont actualisées plusieurs fois par jour.

Futuroscope

www.futuroscope.com

Visitez le parc du Futuroscope en Flash.

Génération Surf

www.generationsurf.fr

WebTV dédiée aux sports de glisse.

Ministère de la Défense

www.defense.gouv.fr/visites_virtuelles

Visite virtuelle de l'hôtel de Brienne, du char Leclerc et du porte-avions Charles-de-Gaulle.

Nouvelle Télé sport

www.nouvelletelesport.com

WebTV dédiée au sport : VTT, boxe, moto, auto, combat, extrême.

Parcs nationaux de France

www.parcsnationaux-fr.com

Présentation Flash des sept parcs nationaux français : un patrimoine biologique précieux et des paysages exceptionnels.

Parillusion

www.parillusion.com

Parillusion.com, le site de l'autre regard sur Paris, vous propose de redécouvrir la capitale à travers des photos, panoramas et vidéos.

Tour Eiffel

www.tour-eiffel.fr

Site officiel de la tour Eiffel : 500 pages, 1 000 illustrations, visites virtuelles à 360° et en 3D, vidéos du scintillement de la tour Eiffel et du feu d'artifice du nouveau millénaire, jeux, etc.

Ultra Sport

www.ultrasport.fr

Ultrasport filme et médiatise les événements de sport de glisse sur les grandes chaînes de télévision : émissions et reportages, création de sites Web dynamiques.

Wanadoo Terre des hommes 

services.wanadoo.fr/adsl/accueil/decouverte/voyage.html

Ras le bol de votre train-train quotidien ? Partez à la découverte du monde en mettant le cap sur les 36 destinations les plus en vogue de la planète ! Partez en croisière dans les Antilles, déambulez dans les marchés de Dakar, remontez le cours du Nil légendaire, dansez toute la nuit sous les étoiles de Cuba, visitez le vrai paradis, Tahiti…

Webcams

Webcam Connection 

www.webcam-connection.com

Webcam Connection donne accès à un grand nombre de webcams dans le monde, classées par thèmes : divertissement, culture, média, lieux, transports, entreprise, insolite, sciences, éducation.

Webcams en folie 

www.blue.fr/folles

Plutôt que de vous présenter un grand nombre de webcams que vous ne regarderez jamais, Webcams en folie a préféré sélectionner une quinzaine de webcams aussi délirantes les unes que les autres.

Informatique

Actualité, presse, livres, manifestations

01.Net

www.01net.com

Le site 01.net réunit les magazines 01 Informatique, 01 Réseaux, Décision, Internet Professionnel, NewBiz, Le Nouvel Hebdo et L'Ordinateur individuel. Il donne accès à des articles sur l'actualité informatique, à des tests matériels, à des programmes et des jeux en libre téléchargement, à des trucs et astuces, etc.

01Net Business & technologies

www.01net.com/BusinessTechnologies

En complément du journal NewBiz, le site

01Net apporte un éclairage objectif sur la nouvelle économie : indice TMT, baromètre, introductions en Bourse, fusions/acquisitions, levées de fonds, annuaire, etc.

100 % informatique

www.yacapa.com

Magazine en ligne de l'informatique sous tous ses angles : sécurité (alerte virus et faille), actualité (processeurs, matériel, mises à jour, innovations...) et téléchargements (mise à jour, patch, nouveautés...). Vous y trouverez également des guides, des explications et des astuces.

ACBM

www.acbm.com

Présentation des revues du groupe ACBM : Game Boy, Les Puces informatiques, Pirates Mag, Virus informatique.

Active-Hardware.com

www.active-hardware.com/francais/mainfr.htm

Test de matériel informatique, nouvelles et ressources utiles pour les utilisateurs d'ordinateur.

Apple computer France

www.apple.com/fr/hardware

Découvrez l'actualité du monde Macintosh et faites vos achats en ligne.

Artisan2k

www.artisan2k.com

Des gratuiciels, des actualités et des nouveautés informatiques tous les mois.

Avenir Consult

www.avenir-consult.com

Découvrez le catalogue de cette société qui propose de nombreux livres de formation professionnelle.

Biblimedia.com

www.biblimedia.com

Diffusion exclusive de livres et supports de cours dédiés à la bureautique et l'informatique. Vente de livres et support de cours exclusivement dédiés à l'informatique.

Blue Hardware

www.blue-hardware.com

Blue-Hardware.com est un site informatique français spécialisé dans l'informatique et le stockage de données. Mis à jour quotidiennement, le site dévoile les dernières nouveautés informatiques et propose régulièrement de nouveaux dossiers, comparatifs, tests de matériels et logiciels.

BonWeb - Informatique, actualité francophone

www.bonweb.com/p_2_294.php

Sélection des meilleurs sites francophones d'actualité informatique par bonweb.com.

BonWeb - Informatique, actualité Macintosh

www.bonweb.com/p_2_317.php

Sélection des meilleurs sites francophones d'actualité sur la gamme d'ordinateurs Macintosh par bonweb.com.

BonWeb - Informatique, actualité

www.bonweb.com/s_98.php

Sélection d'actualités informatiques par bonweb.com.

Clubic

www.clubic.com

Actualité informatique 24 h sur 24, 7 jours sur 7, 1 500 logiciels et jeux vidéo en téléchargement, fonds d'écran, conseils, astuces, comparateur de prix, forum de discussion, avant-premières, etc.

Comment ça marche ?

www.commentcamarche.net

Excellent site de vulgarisation de l'informatique.

Demarrez.com

www.demarrez.com

Le site Demarrez.com s'intéresse à l'actualité informatique (hard, multimédia, périphériques, logiciels, jeux), donne accès à de nombreux logiciels classés par thèmes, à des pilotes de périphériques, à des trucs et astuces sur les jeux et à des petites annonces informatiques.

Docteur-PC.com

www.docteur-pc.com

Le site informatique le plus généraliste du Web : tests, dossiers, news, prix, pilotes de périphériques et aide.

Edgnetworks

www.edgnetworks.com

Toute l'info en continu des professionnels des réseaux, télécoms et d'Internet.

Editions Dunod

www.dunod.com

Le site des éditions Dunod vous informe sur les nouveaux ouvrages, donne accès au catalogue, au magazine et permet de passer une commande en ligne.

Editions Marabout

www.marabout.com

Le site des éditions Marabout, pour tout savoir des nouveautés, accéder au catalogue et aux librairies, écrire aux auteurs.

Essentiel PC

www.essentielpc.com

Des tests complets des meilleurs logiciels du marché, des aides en français à télécharger et de nombreuses news dans le domaine de l'informatique.

eTourismeNewsletter.com

etourismenewsletter.com

Analyses et tendances de l'e-tourisme.

Evilgames.net

evilgames.online.fr

Site consacré à tous les jeux sur PC et consoles : Dreamcast, Game Boy Advance, GameCube, PlayStation 1 et 2, XBOX.

Eyrolles

www.editions-eyrolles.com

Consultez le catalogue informatique de la librairie Eyrolles : programmation et langages, réseaux et télécoms, Internet et intranet, systèmes d'exploitation, systèmes d'information, graphisme et PAO.

First Interactive

www.efirst.com/EFIindex.asp

Consultez et achetez en ligne les livres publiés par les éditions First Interactive.

Fullgamers

www.fullgamers.org

Actualité des jeux vidéo en ligne toutes consoles confondues, astuces, actualités, téléchargements, forums et petites annonces.

Histoire de l'informatique

histoire.info.online.fr/index.html

Découvrez l'histoire de l'informatique… entre -3000 et 1986 !

Index of the Computer's Historic Web

clecoeur.free.fr

Historique sur l'informatique en cinq catégories classées par dates : compagnies, logiciels, micros, microprocesseurs et divers.

Infonote, informatique et nouvelles technologies

infonote.free.fr

Site de l'informatique et des nouvelles technologies : DVD, MP3, MP4, ADSL, disques durs, photo numérique, etc.

Informatech

informatech.free.fr

Au programme : news, articles, tests, comparatifs d'applications, logithèque des meilleurs logiciels freewares, astuces et plein d'autres rubriques.

Infos-du-Net.com

www.infos-du-net.com

Toute l'actualité informatique sur Infos-du-Net.com : hardware, logiciels, jeux, sujets divers, astuces, dossiers, tests.

Infothèque

www.infotheque.com

Librairie informatique Infothèque : plus de 30 000 ouvrages sont référencés, publiés par les éditeurs français et américains. Beaucoup sont en stock et livrés sous 48 h.

Internet Actu

www.fing.org/index.php?rubrique=lettre

Actualité hebdomadaire gratuite sur Internet, les NTIC et l'informatique.

Interop.fr

www.interop.fr

Interop organise un salon dédié à l'informatique et aux nouvelles technologies et diffuse l'annuaire des entreprises participantes.

Jdnet solutions

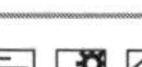

www.journalinformatique.com

L'actualité informatique au jour le jour.

Jeebiz's page

www.pc-fute.com

Des prix, des conseils, des infos sur le matériel informatique.

La liste de l'informatique

monsite.ifrance.com/mailing-list

Ce site donne accès à une liste de diffusion pour tous les passionnés d'informatique qui veulent échanger des infos sur les derniers processeurs, cartes, mémoires, etc.

L'actualité des MMORPG

www.actu-mmorpg.com

Retrouvez chaque jour l'actualité des jeux vidéo et d'Internet.

Lc-informatique.com

www.lc-informatique.com

Actualité informatique et Internet, téléchargements, sécurité informatique et Internet, annuaire des services Internet gratuits et payants, annuaire informatique et Internet professionnel.

Le bulletin du mois

membres.lycos.fr/lbdm

Le bulletin du mois est un magazine gratuit envoyé par e-mail une fois par mois. Tous les mois, un sujet complet informatique/Internet, des liens, des news, des infos pratiques, des tests, des coups de cœur et divers articles.

Le JDNet Solutions

solutions.journaldunet.com

Toute l'actualité informatique, tous les jours.

Le Lien multimédia

www.lienmultimedia.com

Bulletin d'information sur le multimédia et les nouvelles technologies : CD-ROM, bornes interactives, contenus en ligne et hors ligne, Internet, animation, jeux vidéo, etc.

Le Monde informatique

www.weblmi.com

Le site du magazine Le Monde informatique donne accès à une sélection d'articles de la version papier, permet de consulter les archives depuis 1997, informe des manifestations à ne pas manquer et vous propose de recevoir tous les jeudis une synthèse de l'actualité informatique dans votre boîte aux lettres.

Le Monde.fr - Sciences

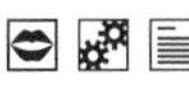

www.lemonde.fr/web/sequence/0,2-3244,1-0,0.html

Site du journal Le Monde interactif : enquêtes, Net-économie, cyberculture, citoyen du Web, technologie, portraits…

Les Nik's News

www.niksnews.com

Ce site présente une synthèse de l'actualité informatique.

MacGameZone

www.macgamezone.com

MacGameZone est le premier site Mac francophone d'actualité sur les jeux. Constamment mis à jour, il fait partie du Macintosh News Network, le plus grand réseau d'information Mac américain : actualité, dossiers, tests, dates de sortie, screenshots, forums.

Macgeneration.com

www.macgeneration.com

MacGeneration est un site francophone d'actualité continue sur le Macintosh. Constamment mis à jour, il fait partie du Macintosh News Network, le plus grand réseau d'information Mac américain.

Macplus

www.macplus.net

Actualité du Macintosh et des nouvelles technologies : matériel, logiciels, OS, jeux, articles, tests, annonces, forum.

Magnet

kertel.free.fr

Analyse de la presse micro et actualité informatique.

Micro Application

www.microapp.com

Micro Application, éditeur de livres d'informatique, de CD-ROM et de papiers d'impression, donne accès à son catalogue, présente en détail ses nouveautés et coups de cœur, vous informe des meilleures ventes (le "Top Ventes") et des sites Web dédiés à un produit édité.

Micro news 

micronews.online.fr

Au programme : news quotidiennes sur l'informatique et le multimédia, tests et comparatifs de matériel PC, mise à jour de drivers, derniers BIOS, tests, news, démos et patchs, jeux gratuits, économiseurs d'écran, blagues, dessins et bêtisiers.

Micromalin 

www.micromalin.com

Micromalin, le site de la micro pratique donne accès à une multitude de sites informatique triés sur le volet : GSM, hardwares, outils pratiques, jeux vidéo, humour, MP3, freewares et sharewares, finance et Bourse, etc.

Micromania 

www.micromania.fr

Le site de la société Micromania donne des informations sur les promotions en cours, les articles vendus et vous indique comment assembler votre machine. Vous pouvez également accéder à l'espace Occasions pour acheter des pièces détachées d'occasion et au forum de discussion pour échanger vos idées avec d'autres passionnés.

Moniteurs.com 

www.moniteurs.com

Avant d'acheter votre prochain moniteur, jetez donc un œil sur ce site...

Montage PC 

membres.lycos.fr/montagepc

Actualité du monde de l'informatique et d'Internet, assistance en ligne gratuite, explications sur le montage d'un PC, forum, chat, articles de fond, liens complémentaires...

Mos magazine

www.mosarca.com

Version électronique du magazine des technologies et des applications du stockage de données et de la gestion électronique de documents.

Multi-Hardware   

www.multi-hardware.com

Sur Multi-Hardware : actualité informatique, aide Windows, guides d'achat. Destiné aussi bien aux débutants qu'aux experts, Multi-Hardware est une véritable communauté d'internautes.

My systems journal 

www.itpro.fr

Ce portail des technologies systèmes d'entreprise s'intéresse à Windows NT, Windows 2000, AS/400, Linux, Unix, SQL Server, etc.

Net Extension

www.netextension.info

Dans Net Extension, vous trouverez des articles rédigés par des professionnels des secteurs des hautes technologies, ainsi que des interviews de chefs d'entreprise, de consultants de haut niveau et d'utilisateurs.

Net@scope

www.netscope.org

Version électronique du mensuel Net@scope consacré à l'Internet de poche.

NetEconomie.com

www.neteconomie.com/perl/navig.pl/neteconomie/accueil

Webzine sur l'actualité micro et la Net-économie.

NetJ

www.netj.fr

Portail événementiel et webzine pour les 16-25 ans dédié à l'actualité du Net (mise à jour quotidienne) : études, jobs, sorties, musique, santé, voyages, sports, jeux.

Nospoon

www.nospoon.org

Webzine dédié à l'actualité informatique et aux consoles qui vaut le détour.

OrdiWorld

www.ordiworld.com

Sur Ordiworld, découvrez les news de l'informatique, d'Internet et des nouvelles technologies, agrémentées d'interviews, de dossiers et d'astuces.

PC Astuces

www.pcastuces.com

Le portail de l'informatique francophone : actualité, forums, astuces, créer son site Web, matériel, Internet, dossiers.

PC Expert

www.vnunet.fr/pce/home.htm

ZD Net teste des produits informatiques (ordinateurs, périphériques, processeurs, moniteurs, modems, DVD, scanners, imprimantes) et vous propose ses guides d'achat.

PC Inpact.com

www.pcinpact.com

Au programme de ce site : actualité informatique, tests de matériels, dossiers pratiques, astuces d'optimisation, utilitaires, pilotes, forum.

PC Liens

www.pcliens.com

Portail et moteur de recherche spécifique informatique PC, Mac et Linux, PC Liens propose également : référencement gratuit, ressources, actualités, articles, divertissement, jeux vidéos sur PC, Mac et consoles, sharewares et freewares à télécharger.

PdaFrance.com

www.pdafrance.com

Une source d'informations sur les Palm Pilot, Windows CE devices, HPC, HPC Pro, Palm III, Palm V, Newton et Palm-Size PC.

Pearson Education France

www.pearsoneducation.fr

Pearson Education France publie des livres d'informatique pour les particuliers et les professionnels sous les marques Campus-Press et Peachpit Press.

Pixelmag

www.pixelmag.com

Le site de la revue Pixel, le magazine des nouvelles images, donne accès aux news de l'imagerie, à des bancs d'essai logiciels et matériels, à des dossiers, et permet de commander en ligne les anciens numéros.

Présence PC

www.presence-pc.com

News quotidiennes sur l'informatique, le multimédia et les télécoms, tests et comparatifs de matériel PC, mises à jour de drivers, derniers BIOS, freewares, savoir acheter au meilleur prix sur le Net.

Press-0-Tech

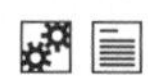

www.pressotech.com

Press-0-Tech recense et critique la presse informatique/NTIC francophone, avec plus 500 références passées et présentes. Retrouvez aussi l'actualité presse, les sommaires et les analyses.

Pressemicro.net

www.pressemicro.net

Le site de la presse informatique française.

Prisma Presse

www.prisma-presse.com

Le site du groupe Prisma Presse vous propose de découvrir ses publications : Géo, Ça m'intéresse, National Geographic France, Prisma, Femme actuelle, Cuisine actuelle, Capital et management, Voici, Gala, Télé Loisirs, TV grandes chaînes, etc.

Pro-C-Ssor

membres.lycos.fr/procssor

Ce site a pour but de vous faire découvrir les processeurs des anciennes et nouvelles générations.

Puces 3D

www.puces3d.com

Site de référence pour obtenir des informations sur les cartes graphiques, DVD et PDA.

Québec Micro

www.quebecmicro.com

Webzine québécois de l'informatique.

Reboot...

www.macfinder.org

Webzine dédié au Macintosh et à ses systèmes d'exploitation.

ResetMag.com

www.resetmag.com/accueil.asp

Toutes les infos et l'actualité des jeux vidéo sur PC et consoles.

Silicon

www.silicon.fr

Dédié aux responsables SI, aux managers de l'e-business, des télécoms et des réseaux, Silicon informe sur l'actualité du e-business.

TunisNet

www.tunisnet.com

TunisNet propose une sélection software à télécharger gratuitement ainsi que les dernières informations sur les virus et les différentes protections possibles.

VTR Hardware

www.vtr-hardware.com

Sur le site VTR-Hardware, découvrez toutes les news de l'informatique personnelle.

X86 Hebdo

thomas.linard.free.fr

Ce site propose une approche différente du matériel informatique PC pour mieux en comprendre les mécanismes fondamentaux.

ZDNet Actualité

www.zdnet.fr/actualites

Sur ZDNet Actualité, retrouvez l'actualité quotidienne des nouvelles technologies et d'Internet.

ZDNet France

www.zdnet.fr

L'expert en micro-informatique : achat PC, matériel, logiciels, téléchargement, tests et comparatifs. Retrouvez toute l'actualité PC ainsi que la lettre de diffusion ZD Net.

ZDNet NetBuyer

www.zdnet.fr/shopping

Consultez NetBuyer, l'expert en micro-informatique : achat PC, matériel, logiciels, téléchargement, tests et comparatifs. Retrouvez également toute l'actualité PC, ainsi que la newsletter ZD Net.

Aide, astuces, didacticiels, clubs

@.M.I.E

membres.lycos.fr/sbernard

Plus de 1 000 liens vers des sites sur l'informatique ou l'électronique, des dossiers à thèmes, un forum et une liste de discussion.

Abondance

www.abondance.com

Site dédié aux outils de recherche. Vous y trouverez, entre autres, les fiches descriptives des principaux moteurs et annuaires, les réponses aux questions que vous vous posez en termes de législation concernant les outils de recherche, des outils de référencement commerciaux et une méthodologie de référencement et de positionnement de sites Web.

Accelerator PC

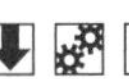 

membres.lycos.fr/acceleratorpc

Guide d'optimisation des PC.

Adalog

perso.wanadoo.fr/adalog/index.htm

Adalog est une société spécialisée dans les services liés au langage Ada : formation, expertise et conseil.

Adhock

www.adhock.org

Ce site propose plusieurs documentations pour développeurs évoluant dans le monde Linux.

Afficher et imprimer le caractère € (euro)

www.mapomme.com/art/1061.shtml

Etude des solutions pour afficher et imprimer le caractère € (euro).

Aideonline.com

www.aideonline.com

Aide technique gratuite sur le dépannage des ordinateurs : news, dossiers techniques, trucs et astuces, guides pratiques.

ALL VB

membres.lycos.fr/allvb

Tout ce qu'il vous faut pour bien débuter avec le langage de programmation Visual Basic.

All4mysite

www.all4mysite.com

Annuaire destiné aux webmestres : langages du Web (HTML, XML, WML, PHP, Wap, etc.), technologies, actualités, outils, scripts, cours.

Annuaire des webmasters et hackers

marweb.free.fr

Ce site propose aux webmestres en herbe une multitude d'informations et de ressources pour réaliser leur site perso et approfondir leurs connaissances dans les langages du Web.

Apple user's Homepage

julpie.free.fr/french/

Espace dédié aux utilisateurs d'ordinateurs Macintosh : dossiers, astuces, infos, téléchargement, tests, recherches, lexique, chat, forum, lettre de diffusion, événements, liens complémentaires.

Apprendre le langage HTML en s'amusant

polygonal.fr

Comment devenir un dieu du Web quand on se moque de l'informatique ? Les néophytes trouveront ici les notions de base pour créer leur site Web.

Astuces Windows, JavaScript, 1001 Astuces

www.namani.net

Ce site présente des astuces pour Windows et propose du code JavaScript pour vos pages Web. Vous y apprendrez également comment dépanner et mettre à jour le BIOS de votre PC.

Astuces-Win.com

www.astuces-win.com

Vous trouverez sur ce site des trucs et astuces pour optimiser Windows (95, 98, 98 SE, Me, NT, 2000, XP) et votre PC afin de le rendre plus rapide et plus stable.

Atout Micro

www.atoutmicro.ca

Site d'Atout Micro, un magazine de vulgarisation de l'utilisation de l'ordinateur destiné aux Canadiens francophones et aux autres francophones qui utilisent un ordinateur, des logiciels ou Internet.

Au secours, j'y arrive pas !

www.oskour.com

Oskour vous propose un espace dédié à l'entraide informatique. Posez vos questions sur les problèmes que vous rencontrez quotidiennement en matière d'informatique, d'autres internautes y répondront.

AutoCAD

www.didier-lourdelle.com

Trucs et astuces sur AutoCAD par Didier Lourdelle.

BonWeb - Informatique, monter un PC

www.bonweb.com/p_2_898.php

Sélection des meilleurs sites francophones d'aide au montage d'un PC par bonweb.com.

BonWeb - Informatique, aide

www.bonweb.com/p_2_308.php

Sélection des meilleurs sites francophones d'aide aux informaticiens par bonweb.com.

Chez Alain

homeusers.brutele.be/bienvenuechezalain

Entraide entre internautes, liens, forum, annuaire francophone et cartes virtuelles.

Choisir son PC pièce par pièce

www.choixpc.com

Ce site vous aide dans le choix des composantes de votre PC et vous indique comment dépanner et faire évoluer votre PC.

Comment ça marche l'informatique ?

www.commentcamarche.net

Site de vulgarisation de l'informatique : langages, bases de données, Web, systèmes, client/serveur, programmation, etc.

Courrier électronique

www.learnthenet.com/french/html/20how.htm

Site de vulgarisation sur le fonctionnement du courrier électronique.

DactylO

www.toutapprendre.com/select.asp?cmd=mod&idm=hbf

DactylO est une méthode interactive pour apprendre à taper au clavier, sans le regarder, avec tous les doigts. DactylO est un programme Java et peut donc être utilisé depuis un simple navigateur Web qui supporte Java.

Didactiwebs

www.didactiweb.com

Différents des guides techniques traditionnels, ces didactiwebs vont à l'essentiel et proposent une succession de dossiers synthétiques à destination des débutants qui souhaitent apprendre à manipuler les outils courants du Web.

Docteur-PC.com

www.docteur-pc.com

Le site informatique le plus généraliste du Web : tests, dossiers, news, prix, pilotes de périphériques et aide.

Documents de programmation

www.docsdunet.com/

Répertoire des meilleurs cours et tutoriels du Net traitant des langages de programmation, des bases de données, des réseaux, des systèmes d'exploitation, en passant par la cryptologie et tout ce qui touche aux nouvelles technologies.

Dr. Micro

membres.lycos.fr/gilbert

Tout sur l'overclocking, l'informatique, la connectique PC, le matériel, les logiciels, les news, les acronymes et plein d'autres sujets.

Easynet

www.easynet.fr

Le portail Easynet, opérateur européen d'accès, d'hébergement et de services Internet à valeur ajoutée vous conseille dans votre stratégie Internet et apporte à votre entreprise des solutions simples à mettre en œuvre et parfaitement sécurisées.

Entretien et dépannage de votre ordinateur

www.chez.com/apollo0302

Ce site a été créé à l'intention de tous ceux qui ont été confrontés à des problèmes avec leur ordinateur sans avoir aucune connaissance en informatique. Vous y trouverez des informations et des explications illustrées de copies d'écran sur différents sujets en rapport avec le dépannage.

Essentiel PC

www.essentielpc.com

Des tests complets des meilleurs logiciels du marché, des aides en français à télécharger et de nombreuses news dans le domaine de l'informatique.

Exelabo

www.excelabo.net/index.php

Ce site est avant tout celui des utilisateurs du forum Microsoft.public.Fr.Excel : plus de 850 astuces pour Excel et VBA classés sur 38 pages thématiques, plus de 70 classeurs de démo et plus de 75 jeux en VBA. Mais aussi les meilleurs hors-sujet (HS) du forum.

Expansive PC

membres.lycos.fr/expansivepc

Conseils pour acheter et mettre à jour son PC : guide d'achat, exemples de configurations, jeu, graphisme, musique, news, dossiers, sujets d'actualité, astuces.

Funnymac

go.to/funnymac

Ce site répertorie tous les raccourcis clavier du Macintosh. Vous y trouverez également quelques trucs et astuces, des informations sur la photo et la vidéo numérique ainsi que des liens vers d'autres pages complémentaires.

GIRI

www.bibl.ulaval.ca/vitrine/giri

Le site GIRI (Guide d'initiation à la recherche dans Internet) s'adresse aux débutants. Il propose une initiation du réseau des réseaux et à la recherche : présentation d'Internet, recherche par navigation, recherche par Internet.

GIRI 2, Filtre à questions

www.bibl.ulaval.ca/vitrine/giri/giri2/index.html

Guide des indispensables de la recherche dans Internet.

Hardware.fr

www.hardware.fr

Site français d'information sur les composantes matérielles des PC.

HF-vision

users.skynet.be/fredo001z

Sur ce site d'aide informatique, vous trouverez : des trucs & astuces, des informations pour optimiser Windows XP, des codes JavaScript et bien d'autres choses encore.

Hoaxbuster

www.hoaxbuster.com

Des milliers d'e-mails relatant de fausses informations circulent sur le réseau. La plupart du temps alarmants, ces messages ne sont en fait que des hoax (canulars). Ce site s'efforce de rétablir la vérité et de lutter contre ces mensonges électroniques.

Informania

www.informania-fr.com

Site de vulgarisation consacré au monde des PC : overclocking, Linux, Windows, MP3, zone téléchargement, BIOS, mise à niveau, serveur, GIF animés, etc.

Informatique Club Rhône-Alpes

www.icra.asso.fr

Site de l'Informatique Club Rhône-Alpes : tout sur l'utilisation d'Internet et la pratique de création des pages Web. Tarifsréduits pour les connexions. Initiation gratuite.

Informatique pour tous

www.iptsos.com

Formation et aide informatique pour utiliser et optimiser Windows et les composantes matérielles d'un PC, téléchargement de fonds d'écran, météo, programme TV, annuaire de bonnes adresses.

Informatique pratique

www.infoprat.net

Astuces pour Windows 95/98, Internet et Office 9x, glossaires informatiques téléchargeables, innombrables liens, espace Téléchargement, forums d'entraide et plein d'autres choses à découvrir. A visiter d'urgence !

Informatique-facile

www.informatique-facile.net

Au menu : actualité informatique, astuces et dossiers qui vous facilitent l'informatique.

InterTruc

www.intertruc.com

Portail de trucs et astuces informatiques : Internet, sites Web, Windows, Office, matériel, téléchargement, programmation, etc.

Jeebiz's page

www.pc-fute.com

Prix, conseils et infos sur le matériel informatique : processeurs, overclocking, pilotes de périphériques, PC du mois, forum, liens complémentaires, etc.

La guilde des scoliens

www.geocities.com/ ResearchTriangle/ Forum/2140

Vous trouverez ici toutes les ressources dont vous avez besoin en tant que visiteur ou créateur de mondes 3D : galeries d'avatars, trucs et astuces pour programmer en Scol, FAQ, forum.

La page des réseaux

www.guill.net

Documentation complète sur les réseaux : comment ça marche, protocoles et normes, réseaux haut débit, sécurité, architectures, programmation, foire aux questions (FAQ), etc.

La technologie RAID 

www.froverio.fr.st

Tout sur la technologie RAID, Linux et ses principales commandes.

Langlade Informatique Club 

perso.wanadoo.fr/langlade

Cette association de formation à l'outil informatique propose divers ateliers et des cours par correspondance de développement sous Visual Basic.

Le Hardware en une heure 

hardware.en1heure.com

Apprenez rapidement et simplement les bases du hardware PC, afin de composer ou de mettre à jour vous-même votre ordinateur pièce par pièce.

Le Jargon Français

www.linux-france.org/prj/jargonf

Pour tout savoir sur les termes techniques utilisés en informatique.

Le moteur de recherche humain 

www.1h05.com/question

Grâce à son équipe de cyberlimiers, Question.fr trouve les réponses les plus pertinentes à vos questions, ainsi que les informations relatives au sujet qui vous intéresse.

Le MS-DOS

thierryma.free.fr/msdos.htm

Aide sur le MS-DOS et ses principales commandes.

Léa 

www.lea-linux.org

Aide aux débutants du monde Linux.

Learn the Net 

www.learnthenet.com/french/index.html

Un tutoriel en cinq langues (anglais, français, espagnol, italien et allemand) pour apprendre Internet : Web, courrier électronique, moteurs de recherche, forums, etc.

Learn the Net, courrier électronique

www.learnthenet.com/french/html/20how.htm

Ce site donne de nombreuses informations sur les utilisations du courrier électronique. Essentiellement pour les débutants.

Les docs de Frédéric Heissler

worldserver.oleane.com/heissler/index.html

Ce site donne accès à des informations concernant l'architecture matérielle du PC, la programmation et les moteurs de recherche.

Liste d'entraide informatique 

www.liensutiles.org/listinf.htm

Cette page donne accès à une liste de diffusion dédiée à l'entraide informatique entre internautes. Venez poser vos questions et/ou répondre à celles des autres.

Ma Pomme 

www.mapomme.com

Trucs et astuces pour les utilisateurs de ClarisWorks et AppleWorks, téléchargements de mises à jour et liste de diffusion.

Mac Power User

www.macpoweruser.net

Site d'aide à l'utilisation du Macintosh : infos, dossiers, jeux, etc.

Memoclic

www.memoclic.com

Memoclic est un site de formation en ligne gratuit dans les domaines de l'informatique et d'Internet.

Microsoft France

www.microsoft.com/France

Page d'accueil du site Web Microsoft France : logiciels, solutions pour l'entreprise, support, informations Microsoft.

Microsoft France, Support

support.microsoft.com/?ln=FR

Le site support de Microsoft France.

Microsoft Technet

www.microsoft.com/france/technet/default.asp

Microsoft Technet diffuse l'information clé pour les spécialistes de l'informatique en entreprise.

Monphp.net

www.monphp.net

Des informations sur le PHP, MySQL, les systèmes d'exploitation et la téléphonie mobile.

Netscape Central !

nscentral.online.fr

Netscape Online vous informe sur les derniers perfectionnements apportés au navigateur, permet de télécharger des plug-in et donne des astuces de fonctionnement.

Novice, l'Internet facile

perso.wanadoo.fr/novice2

L'Internet facile pour les novices et les experts : des astuces, des gags et des plug-in pour IE5, les meilleurs moteurs (MP3 et autres), les outils indispensables du Web, etc.

PC Fastoche - astuces hardware

www.pc-fastoche.com/astuceshardware.htm

Ce site vous aide sur l'installation matérielle, l'utilisation de logiciels et d'Internet. Il donne également accès aux news et à un forum d'aide.

PC Spirit

www.pcspirit.com

Tout sur l'informatique : astuces, aides, tutoriaux, monter son PC soi-même, jeux vidéo, tests, previews, dates de sorties, top 10, forum.

PC Webmania

www.pcwebmania.com

Au sommaire : dossiers et actualités hardware et software, astuces pour mieux utiliser votre machine, forum, chat dans l'espace Membres.

PC-Boost.com

www.pc-boost.com

Ce site est dédié à l'optimisation sous toutes ses formes ainsi qu'à l'overclocking des processeurs et des cartes graphiques : news, articles, pilotes et logiciels spécialisés.

PHP Facile

www.toutestfacile.com/phpinit.php?tef_site=php

Ce site vous apprend à utiliser PHP : scripts commentés, forum, tutoriels.

Planète 4D

www.planete4d.com

Planète 4D, le premier magazine pour apprendre à mieux développer dans l'environnement de développement 4D, publié par 4D SA.

Programmation en ANSI-C

www.ltam.lu/Tutoriel-Ansi-C

Autoformation en ligne à la programmation en ANSI-C.

SCSI, mon amour

www.alyon.org/~byc/scsi

Tout ce que vous avez toujours voulu savoir sur le SCSI sans jamais oser le demander.

Self Access

www.self-access.com

Self Access vous propose une initiation à Java, Word, Access, ASP, ainsi que des applets freeware et shareware pour vos pages Web.

SESAM

www.sesam.org

Présentation de l'association SESAM qui a été créée pour gérer les droits des auteurs dans le multimédia.

SOS Ordi

www.sosordi.net

Assistance informatique gratuite, derniers pilotes, astuces, fiches, forums et salon de discussion.

Tatunca graphisme

perso.wanadoo.fr/tatunca

Ce site contient des tutoriels sur Photoshop, Flash, Illustrator et Corel Draw, des textures, des polices et des ressources graphiques à télécharger et donne accès à une galerie d'images de synthèse.

TopAstuces

www.topastuces.com

De nombreuses astuces pour Word, Excel, Windows, Internet, l'optimisation d'un PC, l'overcloking ainsi que des méthodes pour gagner de l'argent pendant votre connexion Internet ou grâce à votre site Web.

Tout HTML

membres.lycos.fr/touthtml

A partir de leçons didactiques et progressives, ce site vous apprend les bases du HTML, puis du JavaScript.

Tout savoir sur Windows 98

aide.windows.free.fr

Site spécialisé dans les astuces et les problèmes que l'on rencontre dans le système Windows : configuration, réglages, réseau, forum de discussion.

Trucs en vrac

www.trucsenvrac.com

TrucsenVrac est un forum d'entraide informatique. Vous y trouverez des news, des trucs et astuces en tout genre et de quoi personnaliser votre bureau.

Trucs et Astuces

trucsetastuces.free.fr

Aide en informatique et Internet : Windows, Office, logiciels, matériel informatique, sécurité.

Trucs Web

www.trucsweb.com

Trucs Web donne accès à plus de 400 tutoriels sur les langages de programmation.

Uranium cyberculture

uranium.free.fr

Infos, tutoriels, codes sources et forums Visual Basic, Win32, DirectX 7 et 8, logiciels sharewares et freewares Uranium Software.

Web-Consulting

www.Web-consulting.fr

Des conseils pour maîtriser Internet : référencement manuel, création de site, publicité en ligne.

Webdeveloppeur.com

www.webdeveloppeur.com

Des tutoriels, des trucs, des astuces et de nombreuses ressources à l'intention des webmestres francophones.

Windows 98, la totale

membres.lycos.fr/win98totale

Site consacré au système d'exploitation Windows 98 : points forts et imperfections, astuces, liste de diffusion, etc.

World-informatique.com, assistance informatique

www.world-informatique.com

Aide informatique : news, astuces, assistance technique gratuite, infos Internet, matériel, forum, petites annonces informatiques, chats, etc.

Zdnet, PC Direct

www.vnunet.fr/pcd/home.htm

L'expert en micro-informatique : achat PC, matériel, logiciels, téléchargement, tests et comparatifs. Retrouvez toute l'actualité PC ainsi que la lettre de diffusion ZD Net.

Amélioration, bricolage du PC

Accelerator PC

membres.lycos.fr/acceleratorpc

Guide d'optimisation des PC.

Active-hardware.com

active-hardware.com/francais/mainfr.htm

Ce site est dédié à tous ceux qui n'ont pas peur d'ouvrir leur PC pour effectuer des modifications, améliorations et ajouts. Vous y trouverez des tests matériels (cartes mères, cartes graphiques, cartes son, etc.), des conseils pour optimiser votre bête de course, les news du secteur et des outils à télécharger pour tester/améliorer votre ordinateur.

BonWeb - Informatique, améliorer un PC

www.bonweb.com/p_2_298.php

Vous trouverez ici une sélection des meilleurs sites permettant d'améliorer un PC existant par bonweb.com.

BonWeb - Informatique, périphériques

www.bonweb.com/p_2_636.php

Sélection des meilleurs sites francophones pour aider au choix de périphériques par bonweb.com.

Choisir son PC pièce par pièce

www.choixpc.com

Aide au choix des différentes composantes de votre PC, même si vous êtes novice. Comment dépanner et faire évoluer votre PC, choisir et comparer processeur, disque dur, carte graphique, etc.

Enter Web

www.enter-Web.com

Vous trouverez ici de nombreux articles sur l'assemblage de PC, le matériel informatique, les réseaux et pourrez accéder à la base de compatibilité matérielle Linux.

Guide de l'amélioration du PC

site.ifrance.com/pcupgrade

Pour apprendre à mettre à jour votre PC : changement de pièces, ajout de cartes, etc.

Informanews

www.informanews.net

Site dédié à l'actualité et l'optimisation du matériel informatique. Trouvez des conseils d'achat et des guides d'installation. Les forums vous aident à résoudre vos problèmes rapidement.

Karmax

pages.infinit.net/karmax

Site dédié à l'optimisation de Windows et du PC.

Micro Performance

membres.lycos.fr/mperformance/index.html

Tout pour optimiser les performances de votre PC : news, optimisations, trucs et astuces, guide du savoir, tests, comparatifs, etc.

MicroNews

micronews.online.fr/liens.htm

Ce site, dédié à l'actualité informatique, donne également de nombreux renseignements sur l'optimisation du BIOS, du modem, du disque dur, etc.

Optimisation du PC

www.pc-infopratique.com/Optimisation.html

Ce site s'intéresse à l'optimisation logicielle ou BIOS, et à l'overclocking.

Optimiser son PC

optimisersonpc.free.fr

Ce site a été créé dans plusieurs optiques : vous aider à comprendre les principales manipulations informatiques, résoudre vos pannes informatiques et vous donner des astuces pour optimiser votre PC.

Optimize

optimize.free.fr

Techniques pour booster un ordinateur, optimisation de Windows et des connexions Internet, assemblage d'un PC, construction d'un réseau local, décryptage du BIOS, tout sur le MP3, moteurs de recherche MP3, optimisation d'un site peso, etc.

PC Astuces

www.pcastuces.com

Tout pour garder votre ordinateur au mieux de sa forme : actualité, bases pour bien débuter, matériel, création d'un site Web, MP3, utilitaires, forums, dossiers, sécurité.

PC market

www.popfactory.com/pcmarket

Catalogue des assembleurs et revendeurs de PC en France (30 revendeurs, plus de 600 produits, plus de 70 configurations complètes).

PC-Boost.com

www.pc-boost.com

Bible des pilotes de périphériques (drivers), de l'overclocking et de l'optimisation.

Planète Ordi

planeteordi.free.fr

Des renseignements utiles sur les ordinateurs et leurs périphériques : tests, actualités, périphériques, overclocking, trucs et astuces, téléchargement, etc.

SG1 Micka

membres.lycos.fr/sg1micka

Des schémas de câbles à paires torsadées, RJ45, nul-modem, audio vidéo, etc.

SOS Ordi

www.sosordi.net

Toute une communauté de passionnés prêts à vous aider pour l'amélioration et le dépannage matériel et logiciel de votre ordinateur.

TT-Hardware

www.tt-hardware.com

Site de référence consacré à l'étude des composantes des PC : dossiers (montage d'un PC, 3D, DVD, etc.), news, forum, lettre de diffusion, test exclusif chaque semaine, etc.

Divers

@.M.I.E

membres.lycos.fr/sbernard

Plus de 1 000 liens vers des sites sur l'informatique ou l'électronique, des dossiers à thèmes, un forum et une liste de discussion...

BonWeb - Informatique, portails

www.bonweb.com/p_2_295.php

Sélection des meilleurs portails informatiques par bonweb.com.

CommunauTech.com

www.communautech.com

Portail des professionnels Microsoft : actualités, annuaire, boutique, emploi, listes de discussion, formation, téléchargement, newsletters.

Europages

www.europages.com/home-fr.html

Europages, l'annuaire européen des affaires, vous propose d'accéder à 500 000 entreprises sélectionnées dans 30 pays, d'effectuer une recherche par produits, services et/ou raison sociale.

Gotcha

www.gotcha.qc.ca/index.asp

Annuaire thématique et moteur de recherche (québécois) par mots clés.

IMCRA

www.archi.fr/IMCRA

Moteur de recherche sur les sites du réseau @archi.fr.

La Toile du Québec

www.toile.qc.ca

L'outil de recherche des Québécois sur Internet. Tout y est : le Web du Québec classé par catégories, des guides offrant une sélection des meilleurs sites sur une foule de sujets ainsi qu'un accès à la recherche par mots clés dans tout le Web.

Le Futuroscope et les webcams

perso.club-Internet.fr/dgouygou

Au programme : visite des salles du Futuroscope, systèmes sonores au cinéma (THX, DTS, Dolby, etc.) et sélection des meilleures webcams.

Les docs de Frédéric Heissler

worldserver.oleane.com/heissler/index.html

Ce site donne accès à des informations concernant l'architecture matérielle du PC, la programmation et les moteurs de recherche.

Netscape.fr

netscape.fr

Le site de Netscape France permet de télécharger la dernière version du navigateur, de lire les infos concernant la société et d'accéder de façon thématique à un ensemble de pages sélectionnées (auto, culture, économie, éducation, emploi, etc.).

PC Liens

www.pcliens.com

PC Liens est un portail et un moteur de recherche spécifique informatique (PC, Mac et autres micro-ordinateurs) : promotion et référencement gratuits, téléchargement, concours, top 20, forum, chat, livre d'or, scripts.

PC-boost.com

www.pc-boost.com/drivers.htm

Cette page donne accès à un moteur de recherche spécialisé dans les pilotes de périphériques. Les recherches peuvent s'effectuer par sociétés et/ou par catégories.

Rétif

www-rocq.inria.fr/qui/Philippe.Deschamp/RETIF

Le site Rétif a pour ambition de permettre la diffusion et la promotion d'un vocabulaire français pour l'informatique (au sens large, comprenant une partie des réseaux et Internet).

Web Départ

www.webdepart.com

Portail qui renvoie vers des sites traitant de jeux d'arcade, de dés, de cartes, de sports, de mémoire, de casino, de lettres et de stratégie.

Emulation

Amigamania

amigamania.free.fr

Ce site est entièrement dédié à l'émulation de l'Amiga sur PC. Des centaines de programmes sont disponibles. Au menu : jeux, CD, utilitaires, configuration, documentations, liens vers des sites complémentaires.

Emulation factory

www.emufactory.net

Emulation Factory vous informe sur les sites d'émulation et les émulateurs, et vous oriente vers les sites d'émulation populaires.

Emulation.fr

www.emulation.fr

Site dédié à l'émulation (Atari Jaguar, Lynx, Commodore 64, Dreamcast, Game Boy, Game Boy Advance, GameCube, Nintendo 64, PlayStation 2, Saturn, XBOX, etc.) et aux consoles de jeu.

Espace Emulation

www.100ballesprod.com/100balles/espace-emulation

Ce site propose des ROM et des émulateurs pour SNES, Megadrive, GameGear, Game Boy Advance, N64, PS1, PS2, etc. Vous y trouverez également des tutoriaux, des astuces, des soluces, des news, ainsi que des logiciels pour créer vos propres jeux.

Force émulation

www.force-emu.com

Force-Emulation propose plus de 9 000 ROM pour N64/NES/SNES, des émulateurs, des astuces, des soluces et des dossiers sur chaque jeu.

Toudy.com, l'émulation au quotidien

www.toudy.com

Jouez à vos jeux consoles sur PC grâce aux émulateurs. De nombreux jeux sont disponibles en téléchargement.

Graphisme, 3D

3Ds Max TV

membres.lycos.fr/maxtv

Ce site propose des aides vidéo à télécharger sur le logiciel graphique 3Ds Max.

Amigos 3D

perso.wanadoo.fr/amigos

Des images 3D et des textures d'objets 3D.

Annie Béland, graphiste

www.anniebeland.com

Portfolio Flash des principales réalisations de cette internaute : illustrations, graphisme, sites Internet et photomontages.

BonWeb - Informatique, outils graphiques

www.bonweb.com/p_2_827.php

Sélection des meilleurs sites proposant des utilitaires graphiques par bonweb.com.

BonWeb - Informatique, ressources vidéo

www.bonweb.com/p_2_1048.php

Sélection des meilleurs sites proposant des ressources logicielles pour les cartes graphiques par bonweb.com.

BonWeb - Informatique, 3D

www.bonweb.com/p_2_1037.php

Sélection des meilleurs sites dédiés à l'univers de la 3D par bonweb.com.

Clubic - Cartes graphiques

www.clubic.com/ar/index.php?idgroupe=3

Tests et comparatif de cartes graphiques sur la communauté informatique et multimédia Clubic.com.

CSDesign

membres.lycos.fr/desingworld

Ce site propose des trucs, astuces et formations sur l'application Photoshop 6.0.

Digital Vision

www.digitalvision.com/account/dvuseraccount.asp?cmd=chooselanguagedisplayform

Digital Vision est le premier fournisseur mondial d'images et d'animations de qualité libres de droits. Fondé par des professionnels expérimentés issus du domaine de la photographie d'archives, Digital Vision s'efforce de répondre à la demande croissante d'images et de photos numériques libres de droits.

Freegaia

freegaia.kitgrafik.com/home

En partenariat avec KitGrafik.com, Freegaia vous propose des kits graphiques de qualité réalisés par des professionnels du graphisme Web. Ces kits répondent à un cahier des charges complet, vous garantissant une qualité de conception et une facilité de personnalisation.

Graphiland

www.graphiland.fr

Graphiland est le site francophone de la création graphique et multimédia, de l'information en temps réel à la vente de tous les outils pour les graphistes.

Katrinet

www.katrinet.com

Portail dédié au graphisme et au multimédia : annuaire, news, tutoriaux et bien d'autres choses vous y attendent.

Les mondes virtuels

www.mondesvirtuels.com

Conception d'espaces virtuels en 3D VRML.

Les univers créatifs du Zéphyr

elfwind.free.fr

Création et expériences 3D pour les jeux vidéo et le multimédia et création d'illustrations pour l'édition de romans et de jeux de rôle.

Logomotion

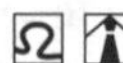

www.logomotion.fr

Logomotion imagine de nouveaux concepts de navigation, conçoit des interfaces graphiques ergonomiques et innovantes, développe des gestions de contenus dynamiques et apporte une dimension multimédia à vos projets.

Matériel.be

www.materiel.be/cg/21cg/page1.php

Comparaison de 21 cartes graphiques récentes, de marque nVidia et ATI.

Mosaïque 2000

www.imagetomosaic.com

Découvrez le logiciel Mosaïque 2000, qui permet de construire des mosaïques à utiliser dans votre salle de bains, dans votre cuisine, dans une douche, dans un jacuzzi, sur une table basse, autour d'un miroir, dans une fontaine de jardin ou dans une piscine.

Net2Hardware.com

www.net2hardware.com/article.asp?CAT=3

Ce site donne accès à divers dossiers et comparatifs sur les cartes graphiques. Parcourez-les pour ne pas acheter votre prochaine carte à l'aveuglette.

Picbull.com

www.monphotoservice.com

Portail grand public d'informations et de services dans le domaine de l'image numérique. Création gratuite d'albums photo en ligne, tirages argentiques de vos images numériques.

PickImage

www.pickmage.com

Le logiciel proposé sur ce site permet de visualiser vos images numériques le plus simplement du monde.

PixEdit 5

www.pixedit.fr

Découvrez PixEdit, une application professionnelle pour le dessin et le traitement des documents fichiers raster, aussi bien pour les services administratifs que pour l'ingénierie.

POV-Monde

pov.monde.free.fr

Vous trouverez ici de nombreuses adresses de ressources en français sur le logiciel de raytracing POV-Ray : documentation, didacticiels, utilitaires. Si vous débutez, commencez par le "kit de bienvenue", et consultez le forum.

Povray sites

membres.lycos.fr/povsite

Annuaire de sites dédiés au logiciel de raytracing POV-Ray.

Praktica

www.praktica.net

Un site unique, qui présente en français les adresses de sites ressources pour tous les créatifs numériques et les meilleurs sites graphiques.

Présence PC - Multi écran

www.presence-pc.com/articlev3.php?article=11

Qui n'a jamais eu assez de place sur son bureau virtuel sous Windows ? Si les 19 pouces sont de plus en plus courants, un grand écran n'est pas toujours la solution. Pourquoi ne pas passer à deux écrans ? Ce site explore les cartes bi-écrans de nVidia, ATI et Matrox.

Silhouette

www.silhouetteonline.com

Découvrez le logiciel graphique pour Macintosh, Silhouette, qui convertit instantanément une image bitmap noir et blanc ou couleur en un dessin vectoriel.

TerraFormers

pro.wanadoo.fr/terraformers/index.html

Terragen est un merveilleux programme shareware qui génère des paysages virtuels sous Windows.

Visuelimage.com

www.visuelimage.com

Le site de tous ceux (amateurs et professionnels) qui aiment l'image et la création visuelle.

Gratuits

ABU

abu.cnam.fr

Accès libre au texte intégral d'œuvres du domaine public francophone sur Internet depuis 1993.

AFUL

www.aful.org

L'AFUL est une association d'utilisateurs et de professionnels du logiciel libre. Elle comprend des membres - individus, sociétés commerciales, autres associations - dans une dizaine de pays francophones (France, Belgique, Suisse, Québec, Maroc, Tunisie, Algérie).

Aide Linux

www.aidelinux.org

Site pour vous aider à faire vos premiers pas dans le monde Linux.

Alain-Lefebvre.com

www.alain-lefebvre.com

La page de l'open source (logiciels à code ouvert) en mouvement.

Annuaire du gratuit

www.annuairedugratuit.com

Annuaire et portail du gratuit : SMS, météo, jeux, cartes postales, horoscope, concours, logiciels, bons plans, etc.

Annuaires de sites

www.fabricesautereau.com/sautereau/liens.htm

Annuaire de sites gratuits : musique, MP3, images, GIF animés, moteurs de recherche, polices, ressources pour webmestres, etc.

Annuaires-net

www.annuaires-net.ch

Annuaire suisse des sites gratuits du Net.

BelCenter

www.belcenter.com/start

Le service belge BelCenter propose de récompenser les utilisateurs qui se connectent à Internet à travers leurs services en bons d'achats et promotions auprès d'annonceurs.

Best of Gratuit - matériel informatique

www.bestofgratuit.com/Informatique_materiel.html

Bienvenue sur la rubrique dédiée au matériel informatique d'occasion à prix discount.

Best Sponsors

www.best-sponsors.com

Services et ressources gratuites pour créer, améliorer et promouvoir un site Web, annuaire des affiliations Web pour gagner de l'argent, annuaire des boosters gratuits de trafic Web : le paradis des webmestres !

Caramail

www.caramail.lycos.fr

Caramail est essentiellement connu pour la création d'adresses e-mail gratuites, mais il donne également accès à un gigantesque service de chats.

Chezmomo.com

www.chezmomo.com

Les bons plans gratuits et le gratuit du Net : musique MP3, logiciels à télécharger, humour, chat, e-mails, forums, cadeaux, argent, SMS, etc.

Coin des experts

perso.wanadoo.fr/coin.des.experts

Comparatif des services gratuits destinés aux webmestres.

Coolsite.net

coolsite.free.fr

Les gratuits du Net : services, hébergement, e-mails, compteurs, etc.

Digital Vision

www.digitalvision.com

Digital Vision est le premier fournisseur mondial d'images et d'animations de qualité libres de droits. Fondé par des professionnels expérimentés issus du domaine de la photographie d'archives, Digital Vision s'efforce de répondre à la demande croissante d'images et de photos numériques libres de droits.

Dugratos

www.mysunrise.ch/users/zigogratuit/index2.htm

Ce répertoire référence les ressources gratuites du Web et vous dit comment gagner de l'argent avec Internet.

Francegratuit

www.francegratuit.com

Annuaire et moteur de recherche de tout ce qui est gratuit sur Internet. Trouvez tous les services gratuits en ligne en quelques clics !

Freenix

www.freenix.fr

Freenix est un regroupement d'utilisateurs d'Unix libre.

Génération Web

www.generationweb.net

Essentiellement orienté vers l'aide à l'utilisateur et au soutien des webmestres, ce site propose de nombreux services gratuits. A découvrir absolument !

GratisNette

www.gratisnette.com

Tout est gratuit sur l'annuaire GratisNette : outils et services gratuits, petites annonces, webcam, photos, images, cliparts, cartes et vœux virtuels, SMS, logos, freewares, jeux, journaux, radios, etc.

Gratissimo.com

www.gratissimo.com

Annuaire des meilleurs sites gratuits : graphisme, culture, actualité, informatique, vie pratique, loisirs, MP3, etc.

Gratous.com

www.gratous.com

Comment téléphoner gratuitement *via* Internet, héberger gratuitement vos sites Web, envoyer des fax gratuitement, trouver des cartes téléphoniques à prix réduit…

Gratuit sur Internet

www.liensutiles.org/gratuit.htm

Cette page référence de nombreux sites qui proposent des ressources gratuites.

Gratuit.org

www.gratuit.org

Tout le gratuit du Net : téléchargement, hébergement, petites annonces, e-mails, graphisme, publicité, référencement, humour, concours, communication, webcams, etc. A consulter d'urgence.

Guide francophone et logiciels gratuits

www.guidefrancophone.fr.st

Guide de liens francophones et de logiciels gratuits à télécharger.

Gwadalou

www.gwadalou.org

Tout sur Linux et les logiciels libres.

Internet rémunéré

www.Internet-remunere.com

Portail conseil sur l'Internet 100 % gratuit, les services rémunérés et les jeux primés du Web.

Itroovetoo.com

www.itroovetoo.com

Portail incontournable du Web pratique et gratuit.

Laselection.net

www.laselection.net

Sélection de sites et services gratuits par thèmes : programmation Internet, gagner de l'argent, les fournisseurs d'accès, news quotidiennes en informatique, Linux et piratage, annuaire inversé, etc.

Le gratuit du Net

www.gratuit-utile.com

Le gratuit du Net propose un annuaire de services gratuits. Sa mise à jour est journalière.

Legratuit.com

www.legratuit.com

Ce site vous aide à trouver tout ce qui est gratuit sur le Net. La recherche se fait par catégories ou mots clés.

Le portail du gratuit

www.gratuit-fr.com

Le portail du gratuit vous renseigne sur tout ce que vous pourrez trouver de gratuit sur la Toile. Agréable et efficace.

Le tout gratuit

www.letoutgratuit.com

LeToutGratuit, annuaire du gratuit, vous présente une sélection de sites et de services gratuits.

Linux Center

www.linux-center.org

Le projet Linux Center est un index thématique de pages Web consacrées au système d'exploitation Linux, à ses applications et plus généralement au logiciel libre.

Linux Magazine France

www.linuxmag-france.org

Site de Linux Magazine France, le magazine français 100 % GNU/Linux.

NetCourrier

www.netcourrier.com

NetCourrier vous propose de créer une adresse e-mail gratuite. L'accès à votre boîte aux lettres peut se faire par PC, à l'aide d'un téléphone Wap, d'un téléphone fixe ou mobile, d'un télécopieur ou d'un Minitel.

Partenaires

toutlegratuit2000.free.fr

Annuaire des services gratuits du Net.

Plangratuit.com

www.plangratuit.com

Une sélection des meilleurs sites gratuits et utiles du Net dans les domaines les plus variés : charme, jeux, MP3, téléphonie, sports, astuces PC, humour.

Quali-Gratuit

www.quali-gratuit.com

Annuaire du 100 % gratuit 100 % qualité : MP3, création de sites, vie quotidienne, loisirs, charme, etc.

Réferenceur et portail de sites gratuits

www.creationsite.net

Ce moteur de recherche et portail vous oriente vers des sites personnels et des sites gratuits.

Ressources

membres.lycos.fr/worldressource

Ce site recense les ressources gratuites d'Internet : loisirs, webmestres, utilitaires, communication, jeux, moteurs de recherche.

Savolcoo.com

www.savolcoo.com

Annuaire des ressources gratuites sur le Net : logiciel, MP3, texto, jeux, applications, ressources pour webmestres, etc.

SuperGratuit

www.asiaflash.com/supergratuit

Ce site donne accès à tout ce qui est gratuit sur le Web.

Top Gratuit.com

www.topgratuit.com

Cette page donne accès à de nombreux sites et services gratuits : gagner de l'argent, cadeaux, MP3, photos, charme, annuaire inversé, concours, SMS, coupons de réduction, comparaison de prix, téléchargement, chat, webcams, blagues, annonces.

Tout à zéro

www.tout-a-zero.fr.st

Annuaire de produits gratuits sur le Net : alimentation, autocollants, produits de beauté, CD-ROM, magazines, etc.

Tout gratuit.com

www.toutgratuit.com

Ce site répertorie tout ce qui est gratuit sur le Net : logiciels pour Windows et Linux, musique MP3, petites annonces gratuites, cartes postales, jeux, concours, webcams, thèmes, fonds et économiseurs d'écran, envoi de SMS, etc.

Visitmail

www.visitmail.com

VisitMail.com vous propose de créer une adresse e-mail gratuite.

Vitavous

www.vitavous.com

Annuaire de sites gratuits, jeux en ligne, chat, coupons, concours, réductions, forums, newsletter, reportages, interviews, bons plans, comment gagner de l'argent sur Internet…

Voila mail

mail1.voila.fr/webmail/login.html?redirection_init=true

Voila vous propose de créer une adresse e-mail gratuite.

Webgr@tuit

www.webgratuit.com

Annuaire des ressources gratuites : MP3, photos, images GIF, charme, images, jeux, SMS, webmestres, freewares, sharewares, rencontres, e-mails, cliparts, etc. Indispensable !

Zéro Bla-Bla

zeroblabla.free.fr

Répertoire de sites utiles et gratuits. Pas de bla-bla, des résultats.

Zone Gratuite

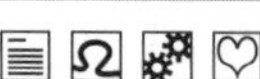

www.zonegratuite.com

Pour trouver tout ce qui est gratuit sur Internet : SMS, MP3, dictionnaire en ligne, traduction, cliparts, GIF, petites annonces, webcams, bons de réduction, remboursement de produits, charme, etc.

Internet, création de sites

0 faute

www.0faute.com

Sur 0Faute, vous trouverez des conseils de bon sens et des considérations techniques destinés à faire de votre site la référence de son domaine.

123 Domaine

www.123domaine.com

Trois étapes suffisent pour créer votre nom de domaine.

3x+ Net

www.3foisplusnet.com

Site de l'émission TV 3 Fois Plus Net de Florian Gazan et Orianne Garcia.

ABC Creat-Web

www.abc-creatweb.com

Des ressources gratuites pour les webmestres, des images, du code HTML et JavaScript, des cartes postales, un annuaire et des outils de création Internet.

Absolute référencement

www.absolute-referencement.com

La méthode "Absolute" vous propose de référencer de manière professionnelle vos sites Web : garantie de positionnement au sein des deux premières pages, programme exclusif de popularité.

Actyweb.com

www.actyweb.com

Portail généraliste comprenant un annuaire, une aide au référencement de sites Web, des trucs et astuces, des liens pour surfer efficacement, des aides à la création de sites, une rubrique 100 % utile, des logiciels à télécharger.

Adcom

www.adcom.fr

La société Adcom est spécialisée dans l'audit, l'expertise, le conseil et l'accompagnement pour le référencement de sites.

Admiroutes, le guide-âne du webmaster

www.admiroutes.asso.fr/webmestre/index.htm

Fiches de travail pour webmestres.

AFNIC

www.afnic.fr

Site de l'AFNIC, Association française pour le nommage Internet en coopération.

Aide HTML

membres.lycos.fr/aidehtml76

Ce site est dédié à l'apprentissage du langage HTML. Vous pourrez également y télécharger des scripts et échanger votre point de vue de programmeur sur le forum.

Annuaire de logiciels de All HTML

www.allhtml.com/telechargement/index.php

Plus de 200 logiciels pour webmestres à télécharger.

Annuaire des webmasters et hackers

marweb.free.fr

Ce site propose aux webmestres en herbe une multitude d'informations et de ressources pour réaliser leur site perso et approfondir leurs connaissances dans les langages du Web.

Annuaire des webmasters

www.mylinea.com/annuwebmaster

Plus de 1 000 sites sont référencés dans cet annuaire pour vous aider dans la création de votre site, dans l'apprentissage des langages Web, dans la connaissance de vos droits, dans la promotion de votre site, etc.

Annuaire du Web

www.gxlinks.com

Comment gagner plus de visiteurs sur votre site grâce au classement gxlinks : plus de 50 rubriques à votre disposition.

Another light

www.anotherlight.com/domain_name.php

Anotherlight vous propose d'héberger votre nom de domaine, votre site Web et/ou votre e-commerce. Le serveur est compatible PHP3, PHP4, CGI, Perl, ming et MySQL.

Atoutsref - Référencement

www.atoutsref.com

Site de la société de référencement AtoutsRef, basée à Perpignan.

Autorité de régulation des télécommunications 

www.art-telecom.fr

Site de l'Autorité de régulation des télécommunications (ART) : présentation, textes de référence, actualité, dossiers, télécoms mode d'emploi, publications, observatoires, guichet interactif.

Café Cyber Seventys 

www.cyberseventys.com

Site officiel du Cyber Café Seventys.

Chez Fire 

www.angedefeu.com

Poésie, littérature, pensées, histoire de l'art, ressources pour sites Web.

Chez Nirgve et Mavy

www.chez.com/chezmavy

Des ressources en tout genre pour construire vos pages Web ou votre Bureau Windows.

Choosit 

choosit.com

Grâce à ce site, réalisez gratuitement votre boutique en ligne.

Clicky Web

www.clicky-Web.net

Ressources et services gratuits pour webmestres et surfers.

Comclick, Régie publicitaire 

www.comclick.com

Comment augmenter son trafic ou gagner de l'argent avec la régie publicitaire Comclick et son programme d'affiliation.

CommentFaireUnSite.com 

www.commentfaireunsite.com

Ce site vous assiste dans la création d'un site Web : conception, design, langages, 3D, animation, son, hébergement, référencement.

ComuWeb 

comuweb.online.fr

Tout ce qu'il faut pour les non-initiés et les webmestres en quête d'innovation, tout ce qu'il faut pour concevoir un site à la hauteur de vos attentes : des tonnes d'astuces, des cours de JavaScript, HTML, DHTML et Paint Shop Pro 5.

Concept Net Web

www.conceptnetweb.net

Equipe de Montréal, spécialisée dans la conception de sites Web : prix très compétitifs, page sécurisée pour accéder à votre dossier personnel, conseil sur l'hébergement, moteur de recherche, etc.

Conception & gestion de sites Web

alliance.partner.free.fr

Ce webmestre indépendant propose la création, la conception et la gestion de vos projets Internet, des ressources pour webmestres et des cours pour novices du Web.

Créabannières

www.creabannieres.xdir.org

Créabannières vous propose de créer gratuitement tous types de bannières au format gif.

Création de sites

www.creation-de-site.net/annuaires

Cet annuaire donne accès à plusieurs centaines de sites gratuits proposant des ressources pour webmestres.

Créationik

www.creationik.com

Conception de sites Web : design, nom de domaine, hosting.

Créer son site Web de A à Z

www.chez.com/creersonsitedeaaz

Toutes les étapes de création d'un site Web : bases du langage HTML, le choix d'un éditeur HTML, publicités, compteurs de visites/de clics, hébergeurs, logiciels de transfert FTP, référencement.

Créez votre livre multimédia sur le Web

www.keeboo.com

Le logiciel gratuit KeeBoo permet de créer des livres virtuels. Vous pouvez le télécharger librement sur ce site.

Cyberbag

www.cyberbag.com

Accédez au commerce électronique en quelques clics : création automatique d'un catalogue *via* Cyberbag sur Internet avec ou sans paiement sécurisé.

Découvrir Internet

www.francophonie.org/Decouvrir/Index1.htm

Initiative de l'Agence de la francophonie, ce site a été conçu pour vous ouvrir les portes d'Internet en général et du réseau francophone en particulier.

DevParadise

www.devparadise.com

DevParadise, le portail des créateurs de sites Web : outils gratuits, téléchargement gratuit, référencement gratuit et bien d'autres choses encore à découvrir.

Domainoo

www.domainoo.com

Domainoo est spécialisé dans l'enregistrement des noms de domaine, la création de sites Web et la protection électronique des entreprises.

DreamNuance

www.dreamnuance.com

DreamNuance est une société spécialisée dans les services Internet : création, marketing et développement publicitaire. Ses principales qualités sont : la simplicité, les tarifs et le design.

E-composer

composer.e-styler.com

Ce site propose un outil d'aide à la création de pages perso qui s'utilise directement en ligne, sans transfert FTP. Son interface, simple et intuitive, permet aux internautes de créer leur page en quelques minutes, sans aucune connaissance en HTML.

Eddymailwebsite

www.ifrance.com/eddymailwebsite

Ce site propose des ressources pour webmestres : boutons, fonds d'écran, utilitaires et liens complémentaires.

Enregistrement de noms de domaine

www.webnom.com

WebNom est spécialisé dans l'enregistrement des noms de domaine.

Enter Web

www.enter-Web.com

Tout l'univers des PC : assemblage, zones Linux, Microsoft, webmestre, Internet et ADSL, chat, compatibilité matérielle Linux.

Espace de promotion

www.505promoweb.com

Gérez vous-même la promotion de votre site pour augmenter votre trafic.

Explorian

www.explorian.com

Inciter ses élèves à créer un site Internet est dans l'air du temps, mais travailler avec eux, en classe, grâce à Internet, c'est leur ouvrir de nouveaux horizons, et c'est ce qu'Explorian propose.

ExpressoWeb

expressoweb.online.fr

Créer des centaines de pages HTML le temps d'un café ! Rapide, facile et indépendant de toute base de données, ExpressoWeb vous aide à créer vos sites. A conseiller à tous les webmestres en herbe.

Formation Internet

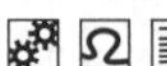

www.atout-formation.com

Vous trouverez sur ce site toutes les sources d'informations pour ouvrir une boutique sur Internet, faire la promotion de votre site, créer un intranet : livres, sites de référence, liste de diffusion, salons, séminaires de formation.

France référencement

www.france-referencement.com

Outil payant de référencement de sites Web dans les plus importants moteurs de recherche.

Francewebmasters.com

www.francewebmasters.com/modules/news

Sur ce portail dédié aux outils pour webmestres, vous trouverez toutes les informations nécessaires à la création, au référencement et à la maintenance d'un site Web.

Freegaia

www.freegaia.com

Freegaia est un site de ressources et services gratuits qui s'adresse à tous. Les webmestres y trouveront de nombreux services et ressources pour leurs sites, les surfeurs y glaneront des ressources pour personnaliser leurs PC et logiciels.

GASP

www.gasp-fr.com

Site dédié aux Active Server Pages (ASP).

Génération Web

www.generationweb.net

Essentiellement orienté vers l'aide à l'utilisateur et au soutien des webmestres, ce site propose de nombreux services gratuits. A découvrir absolument !

Genhit.com

www.genhit.com

GenHit est un générateur/hébergeur automatique et gratuit de "topsites personnalisés", lesquels vont drainer sur votre site un public ciblé.

Giffissimo

www.giffissimo.ht.lv

Sur Giffissimo, vous trouverez de nombreuses images GIF, des fonds d'écran, des bannières, des avatars, etc. pour animer vos sites Web. Divers services gratuits sont également proposés, ainsi que des liens complémentaires.

Global cash solutions

www.globalcashsolutions.com

Ce site présente un système sécurisé de reversement et de paiement électronique en ligne.

Global-dev

www.global-dev.com

Guides de développement Web. Ressources techniques (méta-tags, 3DML, nouvelles technologies) et marketing (modèles économiques), dossiers.

Goto software

www.goto.fr

Téléchargez gratuitement des logiciels intelligents permettant de mieux exploiter le Web, de surfer plus vite ou d'accéder au Minitel depuis votre PC. Egalement des jeux de réflexion et un support technique très complet.

Graphiks

www.graphiks.net

Ce site est conçu dans le but d'aider les webmestres à créer leurs sites. Le PHP est l'un des sujets qui est le plus abordé. Vous trouverez aussi des scripts PHP, des tutoriaux sur les langages PHP, HTML et JavaScript et sur l'application Photoshop.

Gratuit-du-webmaster

www.gratuit-du-webmaster.com

Annuaire de services pour les webmestres : code, référencement, annuaires, questions/réponses, bannières gratuites, etc.

Grenadine.net

www.grenadine.net

Collection de ressources pour créateurs de sites Web : images, outils de conception, sites complémentaires.

I(France)

www.ifrance.com/heberg/offre_site/hebergement_plus.htm

i(France), site de services Internet gratuits, offre tous les outils pour créer des sites personnels, gérer ses e-mails, partager ses favoris, son agenda, participer aux forums et s'informer sur ses centres d'intérêt.

Imalog

perso.wanadoo.fr/ovnipage/index33.html

Conception de logos, boutons, lignes et publicités pour pages Web. Le tout gratuit, bien entendu…

INDOMCO

www.indomco.fr

Moteur de recherche mondial des noms de domaine.

InformatiqueGifs.com

www.informatiquegifs.com

Informatique Gifs et 123Gifs.biz sont les références incontournables des webmestres. Si vous recherchez des images GIF simples ou animées à télécharger, vous êtes à la bonne adresse. A consulter d'urgence !

Internet Juridique

www.Internet-juridique.net

Site dédié aux aspects juridiques d'Internet : des chroniques juridiques, des informations sur la cryptographie et la signature électronique, un panorama de la jurisprudence française en matière d'Internet et un annuaire de sites Web juridiques classés par thèmes.

Internet Services

www.i-services.net

De nombreux services gratuits pour votre site : forum, livre d'or, compteurs de clics et de visites, script d'affichage aléatoire, etc.

Internet Society France

www.isocfrance.org

Internet Society France présente des initiatives qui visent à promouvoir le développement d'Internet en France.

Internet.gouv.fr

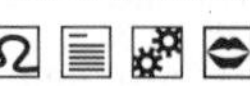

archives.internet.gouv.fr/affichage.php?val=/francais//index.html

Le site du programme d'action gouvernemental pour la société de l'information.

Inter-Webmasters

www.interwebmasters.com

Ce site s'adresse à tous les webmestres, débutants ou confirmés. Au menu : ressources logicielles et graphiques, aides à la conception de sites, outils divers.

IRIS, Imaginons un réseau Internet solidaire

www.iris.sgdg.org

L'association IRIS (Imaginons un réseau Internet solidaire) vise à favoriser la défense et l'élargissement des droits de chacun à la libre utilisation d'Internet.

JavaFacile

www.javafacile.com

Sur Javafacile, vous trouverez des tutoriaux sur le langage Java et des scripts écrits… en Java.

Karitsa

www.karitsa.net

Services professionnels de conception et de design de sites Web.

Lanote.com

www.lanote.com

Lanote.com est un créateur et hébergeur de sites Web professionnels et personnels. A partir d'une simple idée, Lanote construit votre site, assure son fonctionnement ou l'améliore.

Le Coin des experts

perso.wanadoo.fr/coin.des.experts

Ce site propose un ensemble de questions/ réponses pour vous aider à concevoir vos pages Web.

Le MailClub

www.mailclub.fr

MailClub est un spécialiste du dépôt de noms de domaine (toutes extensions), des adresses e-mails gratuites, des redirections mail et URL, de l'hébergement et du référencement.

Le Relais Internet

www.lerelaisInternet.com

Le Relais Internet permet d'associer un nom de domaine à vos boîtes e-mail et sites Web. Service payant.

Le Tout Gratuit Webmaster

ipconcept.dyndns.org

Annuaire de contenus gratuits pour webmestres à utiliser librement dans un site Web.

Le Web perso

www.lewebperso.net

Cet annuaire référence les sites personnels dans des catégories dédiées aux webmestres.

Les créations graphiques Jumafred

www.jumafred.com/creagraph

Ce site propose des boutons et arrière-plans pour pages Web.

Les Dossiers du Net

services.wanadoo.fr/wanadoo_et_moi/comprendre

Les Dossiers du Net vous présentent de façon claire et pratique les grands usages d'Internet.

Les outils du webmaster

membres.lycos.fr/cougar3

Des ressources pour webmestres : GIF animées, fonds de page, sources HTML et JavaScript, bandeaux, etc.

Logiprat

www.logiprat.com

Ce site vous permet de créer votre site commercial en ligne (entreprises, artisans, associations, professions libérales, indépendants, artistes), sans aucune connaissance préalable sur le sujet.

Lookimage

www.looKimage.com

Images gratuites, optimisation GIF et JPEG et annuaire de ressources graphiques (images, photos, logiciels, tutoriels).

Magazine des webmasters et décideurs

www.sam-mag.com

Le magazine des webmestres et des décideurs qui veulent doper leur site : stratégie, création, promotion, maintenance, juridique, information quotidienne.

MaXXimum.org

www.maxximum.org

maXXimum.org vous permet de réserver instantanément un nom de domaine. En quelques minutes, vous vous inscrivez et faites pointer votre nom de domaine vers votre page perso.

Mobiloscope.com

mobiloscope.sonnerie.net/index.php?forcelang=FR

Informations et services pour votre mobile : news quotidiennes, fiches produits, envoi de SMS, sonneries et logos, téléchargement, etc.

Mon Yahoo!

fr.my.yahoo.com

Cette page permet de sélectionner les services de Yahoo! qui vous intéressent et ceux-là seulement (actualité, cotations boursières, résultats sportifs, météo, etc.) pour créer votre propre page Yahoo!

Monaco télématique MC-Tel

www.mctel.fr

En téléchargeant le plug-in VTxPlus, accédez au Minitel avec votre navigateur : nombreux services gratuits, dont certaines messageries roses.

MonRepertoire.com

www.monrepertoire.com

Ce répertoire virtuel vous permet d'inscrire les cordonnées de vos amis et de vos contacts.

MSN Groupes

groups.msn.com/home.msnw?pgmarket=fr-fr

Créez simplement votre propre communauté : celle de votre famille, de vos amis ou de votre activité préférée. Vous pourrez ainsi échanger des messages privés, communiquer à travers une liste de diffusion et partager des fichiers.

Nameshield

www.nameshield.net

Nameshield propose la vérification et la réservation instantanée de noms de domaine dans le monde entier.

Netbooster

www.netbooster.fr

NetBooster Référencement référence votre site et optimise votre positionnement sur le Web. Leader parmi les référenceurs professionnels, ses consultants garantissent l'apparition de votre site en tête de liste sur les annuaires et moteurs de recherche.

NetCourrier

netcourrier.com

NetCourrier vous permet de disposer gratuitement d'un bureau virtuel composé d'outils tels que e-mail, agenda, clubs et toolbar.

NetGraphiste

www.netgraphiste.com

Net-Graphiste est un site dédié aux graphistes, maquettistes, webmestres et professionnels de l'image. Vous y trouverez des conseils, des techniques, des formations et des trucs & astuces pour Photoshop et Illustrator.

NewsduNet.com

www.lesnewsdunet.com

Portail de l'actualité et des news des sites Web francophones. Toutes les nouveautés du Net sont sur NewsDuNet.com.

Nominem, noms de domaine et marques

www.nominem.com

Vente de noms de domaine français et anglais de qualité, dans tous les secteurs d'activités, et création sur mesure de noms de domaine et de marques.

Olt

www.on-line-today.com

Olt est un cyberguide qui va augmenter votre popularité sur les outils de recherche connus et reconnus : référencement rapide et intuitif sur plusieurs outils, aide, conseil, service gratuit d'échange de bannières.

Oodrive

www.oodrive.com

Avec Oodrive, bénéficiez gratuitement d'un disque dur Internet d'une capacité pouvant atteindre 100 Mo. Vos fichiers seront ainsi accessibles dans le monde entier.

Oragora

www.oragora.com

Oragora vous propose de créer gratuitement votre forum, votre liste de diffusion ou votre système d'annonces en deux minutes.

OVH Net

www.ovh.net

Ce site propose un ensemble de services pour webmestres francophones : installation de compteurs de fréquentation, de moteurs de recherche, de forums, de listes de diffusion, etc.

PC Astuces

www.pcastuces.com

Le portail de l'informatique francophone : actualité, forums, astuces, créer son site Web, matériel, Internet, dossiers.

Philgate

www.philgate.com

Des conseils pour créer votre site Web.

Premiers pas sur Internet et Wanadoo

services.wanadoo.fr/wanadoo_et_moi/comprendre

Vos premiers pas sur Internet et Wanadoo avec Ludo la Débrouille : découvrez le Web, la messagerie électronique et les groupes de discussion.

PrésenceWeb

www.presenceweb.net

PrésenceWeb permet de rechercher l'existence d'un nom de domaine et d'enregistrer un nouveau nom de domaine.

Prestataires.com

www.prestataires.com

Prestataires.com est un annuaire de prestataires Internet, NTIC et informatiques diffusant également des appels d'offres. Ses principaux domaines d'action : création ou refonte de sites Web, intranet et extranet, hébergement, référencement, accès à Internet, nom de domaine, bases de données, développement d'applications, etc.

Procreaweb

www.procreaweb.com

PROCREAWEB est une agence de création de sites Web pour toutes activités, du site vitrine au site e-commerce et webmarketing.

Promoweb

www.promo-Web.org

Guide des ressources pour promouvoir un site Web : référencement, échanges de liens, relations presse, publicité, promotion en ligne.

Provence site Web développement

www.pswd.online.fr

Etudes et réalisation de sites Internet, bannières, logos, graphisme, design et toutes promotions sur le Web pour administrations, entreprises, artisans, commerces et associations.

Provitrine

www.provitrine.com

Basé à Rennes, Provitrine crée des applications multimédias et des sites Internet.

Pub Line

www.pub-line.com

Ce service d'échange de bannières vous propose un ratio de 1 pour 1 avec 2 000 affichages gratuits lors de l'inscription.

Raie bleue

www.raiebleue.fr.st

Tout ce que vous avez toujours voulu savoir sur l'ADSL se trouve sur ce site. A consulter avant de choisir un fournisseur d'accès.

Rapports d'audience pour sites Web

www.estat.com

Estat propose un outil de statistiques d'audience pour sites Web.

Real Studio

membres.lycos.fr/realstudio

Sur ce site, vous trouverez des fonds d'écran et des textures destinés à vos pages Web.

Référencement

www.referenceur.com

Le Référenceur effectue un référencement professionnel auprès de 100 outils de recherche francophones et 200 internationaux.

Référencement 2000

www.brioude-internet.com

Service de référencement de sites Web et de positionnement avec garanties et statistiques de trafic du prestataire Brioude-Internet.

Refgratuit.com

www.refgratuit.com

Soumission et référencement gratuit dans les moteurs de recherche français, les annuaires, les guides, les index, les métamoteurs, et promotion (webmarketing) de sites Web.

Rentabilisez vos listes de diffusion

www.adonmail.com/fr

Ad On Mail propose un système permettant d'insérer de la publicité dans vos courriers électroniques.

Reroutage.com

www.progecko.com

Vous êtes très nombreux à profiter des hébergements gratuits offerts par Wanadoo, Club-Internet, AOL, Free, Libertysurf, etc. Le reroutage est conçu pour vous : choisissez un vrai nom de domaine en .com, .net, .org ou .fr, le public qui tapera votre nom de domaine sera redirigé vers vos pages, instantanément et sans écran intermédiaire.

Sam Mag

www.sam-mag.com

Magazine des webmestres et des décideurs qui veulent "doper" leur site : stratégie, création, promotion, maintenance, juridique. Information quotidienne.

Service gratuit de page de démarrage personnelle francophone

isuisse.ifrance.com/medicaltech/perso

Vous êtes très nombreux à profiter des hébergements gratuits offerts par Wanadoo, Club-Internet, AOL, Free, Libertysurf, etc. Le reroutage est conçu pour vous : choisissez un vrai nom de domaine en .com, .net, .org ou .fr, le public qui tapera votre nom de domaine sera redirigé vers vos pages, instantanément et sans écran intermédiaire.

SOS-Domaines

www.sos-domaines.com

Ce site donne accès à quelque 300 pages d'information sur les noms de domaine. Recherche immédiate de disponibilité sur 550 extensions et lettre de diffusion gratuite.

Surf Valley

www.surf-valley.com

Portail et annuaire généraliste, services particuliers aux webmestres.

Toile.org

www.toile.org

Conception et développement de sites Web spécialisés en droit international : répertoire PSI, paix et sécurité internationales, réseau Internet pour le droit international, actualité et droit international.

Toutanho

www.toutanho.com

Avec Toutanho, la visibilité et le trafic de vos sites sont garantis par une méthode et des techniques éprouvées sur de nombreux sites depuis 1999 (PME, sociétés cotées, collectivités, organisations, etc.).

Tuyaux.ch

www.tuyaux.ch

Centre de ressources Web pour internautes de tout niveau.

Ukibi

www.ukibi.com

Ukibi est un agenda virtuel : notez vos rendez-vous, vos adresses e-mail et/ou vos liens préférés, ces informations seront toujours à portée de main, où que vous soyez.

Ulimit.com

www.ulimit.com/fr

Au lieu d'une adresse longue et non représentative pour votre site Web, optez pour une adresse plus courte et facile à retenir. Ulimit.com se charge de rediriger automatiquement et gratuitement votre nouveau nom de domaine vers votre adresse actuelle.

UNGI

www.ungi.com

UNGI, un guide très complet sur tout ce qui concerne Internet, de l'utilisation à la programmation. Outre les informations données en ligne, il est possible de suivre des stages de formation au Net.

Webmestres.weborama.fr

webmestre.weborama.fr

Ce site propose des outils gratuits pour webmestres de sites francophones : mesure d'audience, chat, sondage en ligne, compteur Weboscope Gold, statistiques, promotion, benchmark.

WebVisio

www.webvisio.fr

Services pour webmestres : hébergement économique, réservation de noms de domaine, mise en place de scripts CGI, boutique en ligne.

Winopub.com

www.winopub.com

Winopub est le premier site proposant de la publicité gratuite aux webmestres. Vous vous inscrivez, vous jouez à des jeux et gagnez des points. Vous les échangez ensuite contre de la publicité sur les nombreux partenaires de Winopub.

Witbe

www.witbe.net

Witbe mesure et surveille les performances, le trafic et le bon fonctionnement de votre site. En cas de problème, vous êtes alerté par e-mail.

Wysigot

www.wysigot.com/fr

Centre de capture et de navigation Web hors connexion avec agents permettant veille, organisation, mise à jour intelligente, recherche, saisie de formulaires.

X-Recherche

www.x-recherche.com

X-Recherche propose aux webmestres un moteur de recherche qui peut être facilement intégré sur leurs pages.

Yahoo! Mobile

fr.mobile.yahoo.com

Pages mobiles de Yahoo! France : actualité, sélection de sites Wap, téléchargement d'outils et d'un navigateur pour prévisualiser des sites Wap sur un ordinateur.

Yahoo! Mode d'emploi

fr.docs.yahoo.com/aide

Guide de bord de l'internaute par Yahoo! France : actualité, recherches, surfer intelligent, etc.

Yahoo! Porte-documents

fr.briefcase.yahoo.com

Le porte-documents de Wanadoo donne accès à un espace de stockage personnel de 30 Mo pour tous vos fichiers, textes ou photos.

Yamafoto.com

www.yamafoto.com

Yamafoto est un site communautaire qui vous permet de créer gratuitement vos albums photo en ligne, pour les partager avec vos proches ou avec le public.

Yatou.net

www.yatou.net

Informations et ressources gratuites pour webmestres : conception de pages, référencement, contenus gratuits, hébergement, affiliation, langages, scripts, etc.

Jeux et consoles

@Jeux

www.ajeux.com

Tout pour Counter Strike, Soldier of Fortune, Black and White, Unreal, Tournament, Deus Ex, Starcraft, Quake3, Grim Fandango, Tomb Raider 3 et 4, HomeWorld Cataclysm, Age of Empires, etc.

3D Games Creator

www.games-creator.com

Ce site propose un logiciel de création de jeux vidéo en 3D.

Abbaye Pokémon

membres.lycos.fr/abbayepokemon

Tout le monde connaît Pokémon, le célèbre jeu Nintendo, aujourd'hui en dessin animé. Sur ce site, vous trouverez des jeux, des sons, des vidéos, des images et le "pokédex" des 151 Pokémon.

Accro Pokémon

membres.lycos.fr/accropoke

Le site Accro Pokémon est consacré aux fans et aux personnes complètement accros des Pokémon. Sur ce site, découvrez l'univers magique et captivant des Pokémon : les jeux Nintendo sur Game Boy et Nintendo 64, les images, l'histoire des Pokémon, le film et les meilleurs liens.

Actugames

www.actugames.net

Site généraliste sur les jeux vidéo proposant des téléchargements de démos, de patchs, de mods, etc., mais aussi des news, des previews et des tests de jeux.

Add-On Collection

www.jeuxvideopc.com

Add-On Collection vous propose de télécharger des centaines d'add-on de jeux PC gratuitement.

Age of Empires II

membres.lycos.fr/flyingfinn

Site dédié au jeu Microsoft Age of Empires II, The Age of Kings : des civilisations, des unités, des bâtiments, des triches, des images et des liens vers des sites complémentaires.

Au grand bazar

www.augrandbazar.com

De nombreux jeux Flash en ligne vous attendent sur ce site.

B-17 Flying fortress

sites.ubisoft.fr/b17

Le site du jeu Ubi Soft B17 Flying Fortress.

Best 4 Gamers

www.best4gamers.com

Actualité mondiale des jeux vidéo PC, magazine en ligne.

Civilization II

perso.wanadoo.fr/seths/civilization_ii/index.htm

Site dédié au jeu Civilisation II : description du jeu, méthode pour mieux jouer, scénarios et liens vers des sites complémentaires.

Consoles Fan

www.cf-network.com/cfan

Sur Consoles Fan, la face cachée du jeu vidéo : tests, previews, news, dossiers, interviews, chat et forum sur les jeux vidéo.

Consoles Games

www.consoles-games.com

Toute l'actualité des jeux vidéo, tous les jours : Dreamcast, PS2, Game Boy Advance, XBOX, etc.

Consoles portables

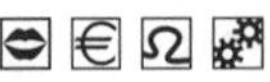

www.consoles-portables.com

Portail des jeux vidéo d'actualité quotidienne et des tests/previews sur consoles portables (GP32, GBA, PSP, Wonderswan, NGPC, etc.).

ConsoleS-VidéoS.com

www.consoles-videos.com

Des milliers de vidéos issues de jeux PS2, GameCube et XBOX vous attendent sur ConsoleS-VidéoS.com.

Counter Strike France

www.counter-strike.com.fr

Site français des joueurs de Counter Strike.

Créateurs de codes Action Replay

cfccar.free.fr

Site du Club français des créateurs de codes Action Replay pour PlayStation.

Démineur

www.planete-demineur.com

Tout ce que vous devez savoir sur le démineur : nombreux conseils, astuces, records, triche, liens.

Domaine des jeux vidéo

membres.lycos.fr/pagejeux

Mine d'informations sur les jeux vidéo : codes, tests, news, solutions, démos, patchs, astuces, liens, adresses complémentaires.

Fédération française de jeux de rôle

www.ffjdr.org

Site Web officiel de la Fédération française de jeux de rôle (FFJdR).

Foudjeux

www.foudjeux.com

Ce guide vous présente les principales loteries et jeux gratuits sur Internet.

Fullgames.com

www.fullgamers.org

Actualité des jeux vidéo en ligne, toutes consoles confondues, astuces, actualités, téléchargements, forums et petites annonces.

Game Up

www.azursoft.fr/gameup.com

Tests et astuces sur PC, PlayStation, Nintendo 64, Dreamcast, Game Boy et autres consoles, téléchargement de démos de jeux.

Game25

www.chez.com/game25

Game25 est un annuaire de jeux vidéo consacré aux sites perso. Il permet de trouver facilement des astuces et des mises à jour pour tous vos jeux vidéo.

Game-attitude.com

www.game-attitude.com

Site sur tous les jeux vidéo qui sont sortis ou qui sortiront sur PC ou console : tests, astuces, codes, news.

Game-fr.com

www.game-fr.com

Game-fr.com publie depuis 1998 des articles sur l'actualité des jeux vidéo et les jeux en réseau. Le site propose notamment des trucs et astuces, des démos en téléchargement, des patchs et des forums.

Gamekult

www.gamekult.com

Toute l'actualité des jeux vidéo : test, previews, news.

Games Creators Network

www.games-creators.org/annu-creators

Annuaire des sites dédiés aux créateurs de jeux vidéo.

Gamuz.com

www.gamuz.com

Des dizaines de jeux en ligne (action, arcade, aventure, réflexion, sport) vous attendent sur ce site. Jouez directement en un clic sans rien télécharger. Jeux en Flash, Java et Shockwave.

Half-Life passion

perso.club-Internet.fr/gryzor/half-life

Site des passionnés de Half-Life : très nombreux screenshots, descriptions des amis, ennemis, armes, niveaux, pistes audio, etc.

Half-Life world

www.halflifexpert.com/hlworld/sommaire.htm

Site généraliste dédié au jeu Half-Life.

HardGamers.org

www.hardgamers.org

Retrouvez tous les jeux vidéo sur PC et consoles sur Hardgamers.org : soluces, astuces, démos à télécharger, tests, news, previews.

HCGamer

www.hcgamer.fr.st

Ce site est dédié aux jeux vidéo sur PC : Half-Life, Counter-Strike, Team Fortress, Starcraft, Diablo I et II, Warcraft III, etc.

Infogrames France

www.fr.infogrames.com

Site de l'éditeur informatique Infogrames France : news, jeux, support technique, liens, société.

Internet Chess Club

www.chessclub.com/french

Le meilleur site pour jouer aux échecs sur Internet (plus de 88 000 parties jouées par jour !).

Jeux de la logithèque

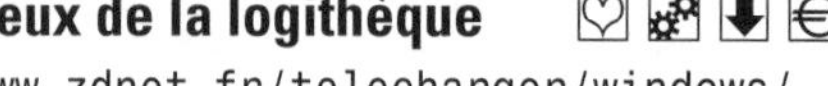

www.zdnet.fr/telecharger/windows/categorie/0,39021356,10010008r-1+8,00.htm

Portail jeux du groupe ZD : top GameSpot, guides de jeu, sorties à venir, téléchargements. Une vraie mine !

Jeux Mac

www.jeuxmac.com

Toute l'actualité du jeu sur Macintosh : tests, previews, dossiers, centre de téléchargement, dates de sortie, interviews et news quotidiennes.

Jeux Network

www.jeuxnetwork.com

Toute l'actualité des jeux vidéo console et PC : tests, previews, astuces, nombreux espaces interactifs.

Jeux.qc.ca

www.jeux.qc.ca

Jeux.qc.ca est la référence des jeux au Québec : tests, téléchargements et avant-premières, sur PC et consoles.

Jeuxvideo.com

www.jeuxvideo.com

Le meilleur site de jeux vidéo pour PC, consoles PSX, N64, Saturn, SNES et Megadrive : trucs et astuces, cheats codes, news, démos, tests, patchs, forums, dialogue en direct.

Jeuxvideopc.com

www.jeuxvideopc.com

Add-On Collection vous propose de télécharger des centaines d'add-on de jeux vidéo PC gratuitement.

Jouez

jouez.branchez-vous.com

Votre guide des jeux sur Internet : les 100 meilleurs jeux et les nouveaux jeux d'action, de société, d'arcade, de sports et de stratégie. Démos à télécharger.

Kja! Import

go.to/kjaimport

Source d'informations sur les consoles japonaises Dreamcast et PlayStation 2.

La galerie de Lara Croft

laraplay.free.fr

Découvrez Lara Croft sous tous les angles avec plus de 260 photos !

La page à Top65

www.dromadaire.com/top65/jeux/principal

Ce site sélectionne le "jeu du mois", donne accès à une section cheats et propose une série de sites complémentaires.

Laraforever.fr.st

www.ifrance.com/laraforever

Un autre site pour les fans de Lara Croft : biographie, le film, solutions, codes et patchs de Tomb Raider (1 à 5), galerie, modèles officiels, Lara dans la pub, les comics, la presse, les figurines, des liens vers des sites complémentaires, etc.

Laraplay

members.aol.com/laraplay

Découvrez les solutions de Tomb Raider, les codes, des démos et patchs, l'actualité, des utilitaires, la galerie photos et l'histoire de la plus belle héroïne virtuelle.

L'Association Virandia Project

www.virandia.org

Virandia est un jeu de rôle de qualité professionnelle disponible gratuitement sur Internet.

Le Compte est bon

fred.just.free.fr/Cjuste

Ce site propose en téléchargement un clone du jeu Le Compte est bon.

Le Cruciverbiste

www.cruciverbiste.com

Des centaines de grilles de mots croisés à imprimer et à jouer en interactif.

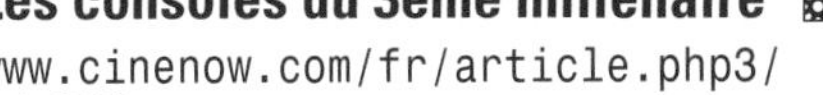

Les consoles du 3ème millénaire

www.cinenow.com/fr/article.php3/id,286

Elles ont fait l'objet de bien des débats, elles suscitent moult conjectures : la PlayStation 2, la XBOX ou autre GameCube constituent aujourd'hui l'un des événements majeurs du "home entertainment". Vous trouverez ici une série de reportages pour vous informer de l'évolution du marché.

Les jeux de Lulu, le lutin malin

perso.wanadoo.fr/jeux.lulu

Jeux éducatifs en ligne pour enfants. Niveau maternelle et élémentaire (4 à 12 ans et plus).

Les jeux vidéo

membres.lycos.fr/lesjeuxvideos

Sur ce site : essais de jeux, astuces, dossiers, forum, images et téléchargements divers.

M6game

m6game.m6.fr/html/index.shtml

Portail M6 dédié aux jeux vidéo : tests, reportages, astuces et téléchargements.

MaXoE64.com

www.maxoegames.com/n64

Site en français consacré à la Nintendo 64 : previews, reviews, votes, codes, vidéos, concours, forum de discussion, chat, petites annonces, top des sites de jeux vidéo.

MaXoEGB.com

www.maxoegames.com/gb

Ce site s'intéresse à l'actualité Nintendo 64. Quelques-unes des ressources offertes : avant-premières, dates de sortie, codes, solutions, téléchargement d'images, de sons, FAQ console, forums, petites annonces, etc.

MCFAO

www.mcfao.com

Vous trouverez sur ce site des grilles de mots croisés/fléchés thématiques (gastronomie, félins, informatique) en JavaScript ou à imprimer, une grille concours sur la France, un mini-annuaire et bien d'autres choses encore.

Microids

www.microids.com

Site officiel de Microids : présentation des jeux (PC, PS1, PS2, XBOX, Game Boy Color et Advance) et de la société, solutions, support technique.

Micromania

www.micromania.fr

Micromania propose des tests de jeux, le calendrier des prochaines sorties, les nouveautés, 17 000 codes et astuces, et permet de visualiser votre compte mégacarte.

Microsoft Games

www.microsoft.com/france/jeux/listepc.asp

La page des jeux pour PC de Microsoft.

Microsoft Jeux, Liens 2001

www.microsoft.com/france/jeux/links2001

Cette nouvelle version du jeu de golf de Microsoft repose sur un moteur de rendu entièrement nouveau. Elle s'appuie également sur l'éditeur de parcours Arnold Palmer Course Designer, qui permet aux joueurs de créer leurs propres parcours.

Midtown Madness 2

www.microsoft.com/france/jeux/midtown2

A vous les courses les plus fun avec Midtown Madness 2.

Mindscape

www.mindscape.com/home/default.asp

Découvrez les programmes interactifs de Montparnasse Multimédia à destination de la famille : culturel, ludo-éducatif, vie pratique.

Mo5.com

mo5.com

Cet espace virtuel est dédié à la préservation des ordinateurs et consoles de jeux vidéo d'antan.

Montecristo Games

www.montecristogames.com

Site de la société MonteCristo Games (Crazy Factory, Economic War, Airline Tycoon, TV Star, Starpeace).

Multimedia-Fr

membres.lycos.fr/multimediafr

Site dédié aux jeux vidéo : news, tests, previews, solutions, chats.

Neo-Arcadia.com

www.neo-arcadia.com

Site Néogéo dédié aux jeux d'arcade : tests, previews, flyers, trainers, émulateurs d'arcades, tournois en ligne en émulation.

Nintendo Europe

www.nintendo-europe.com

Site officiel Nintendo France : consoles Game Boy couleurs et Nintendo 64, jeux vidéo (Mario, Zelda, Donkey-Kong, Pokémon...). Nouveautés, trucs et astuces, club Nintendo.

Nintendo GameCube

www.nintendo-europe.com/NOE/fr/FR/system/gcn_topic1.jsp

Site consacré à la nouvelle console Nintendo GameCube.

Nono 2

bgaliana.free.fr

Tout pour la PSX : gravure, images GIF animées, téléchargement, bricolages PSX, jeux complets, liens complémentaires, etc.

Nospoon

www.nospoon.org

Un webzine dédié à l'actualité informatique et consoles qui vaut le détour.

Objectif Micro

www.objectifmicro.com

Argus des jeux vidéo et DVD destinés aux professionnels du multimédia.

Overgame

www.overgame.com

Toute l'actualité des jeux vidéo au quotidien : brèves, téléchargements, patch, forums, tests, concours, tips, solutions. PC, PlayStation, N64, Dreamcast, tous les jeux vidéo sont abordés sur Overgame !

Play2company

www.chez.com/play2company

Tout sur l'univers de la PS2.

PlayStation 2 France

www.playfrance.com/index.html

Site dédié à l'actualité de la console PlayStation 2 de Sony.

POD

sites.ubisoft.fr/pod/FRENCH

Un site pour les passionnés de POD2. Entre autres rubriques : téléchargement, voitures, circuits, gazette, patchs.

Poké Web

membres.lycos.fr/pokeweb2

Site très complet dédié aux Pokémon : codes, astuces, soluces, pokédex, images, GIF animées, fonds d'écran, œufs de Pokémon, conseils pour toutes versions (or, argent, cristal, pinball, bleu, rouge).

Power 3D

www.power3d.com

Toute l'actualité des jeux vidéo, de la 3D et des consoles : les derniers fichiers à télécharger, un forum, des concours, des news, des tournois, des tests, des trucs et astuces, etc.

Rayman 3

sites.ubisoft.fr/rayman2/fr

Présentation du jeu de plate-forme Rayman 3 : histoire, interviews des concepteurs, personnages.

Rubixmag

www.rubixmag.com

Rubixmag, informatique et jeux vidéo : actu, tests, démos, vidéos, patchs, dossiers, goodies.

Samouraï

manuel.esteban.free.fr

Site dédié aux jeux, aux MP3, aux utilitaires Windows et à l'optimisation matérielle des PC.

Serial Gamer

www.serial-gamer.com

Le seul site qui, chaque jour, fait le point sur tout ce qui s'est passé sur le Net ludique : liste de tous les tests et previews, signalisation d'événements à ne pas manquer, programme TV de vos chaînes de jeux sur le Net, etc.

Serious Sam

www.serious-sam.fr.st

Site non officiel du jeu Serious Sam.

Shadowgame.com

sher.free.fr

Site dédié aux jeux vidéo : tests, dossiers, etc.

SolucePC

www.solucepc.com

Des solutions complètes de jeux PC, des cheats codes, des trucs et astuces, des codes hexadécimaux, etc.

Sudden Strike

www.suddenfrance.com

Site dédié au jeu Sudden Strike.

Sugoi

www.the-sugoi.com

Webzine dédié aux jeux vidéo sur PC et consoles : news, top 10, previews, tests, astuces, FAQ.

Survivhor

www.survivhor.com

Le refuge des survivants du jeu Resident Hill.

The Game Way

www.thegameway.com

Actualités sur les jeux PC : démos, solutions, drivers, articles, tests.

Tilou.com

www.tilou.com

Des jeux, des activités sportives, des e-cartes et des puzzles qui occuperont intelligemment tous les "tilous".

Tomb Raider 4 et 5, solution complète

jacoop.free.fr

La solution complète de Tomb Raider 4 en images 640 × 480 points.

Tomb Raider 4

membres.lycos.fr/tr4

Tout sur Tomb Raider 4 : solution complète en français, tous les codes, la présentation du jeu et de nombreuses choses à télécharger.

Tomb Raider par captain Alban

www.captain-alban.com

Tout sur Tomb Raider et Lara Croft : actualité, conseils, solutions, concours, images, patchs, démos et nombreux liens.

TomCat Soft

www.tomcatsoft.com

Ce site propose des jeux éducatifs en ligne ou en téléchargement.

Trainers City

www.trainerscity.com

Finissez vos jeux PC avec des trainers, des cheats codes, des éditeurs, des sauvegardes de parties, des hints, des solutions et des FAQ. Mise à jour régulière.

Ubi Soft

www.ubi.com

Découvrez le site Ubi Soft : infos, démos, téléchargements, consoles, jeux, CD-ROM éducatifs, trucs et astuces, sharewares.

Univers Jeux

www.universjeux.net

Site consacré à l'actualité des jeux vidéo.

Vgames

www.vgames.com

Site dédié aux jeux vidéo : essais et critiques, soluces, téléchargements d'émulateurs et fiches techniques de jeux.

Virtual Skipper 2

www.virtualskipper2.com

Virtual Skipper est le premier jeu en ligne de régate en 3D temps réel. Jusqu'à huit skippers virtuels régatent en ligne…

Web Départ

www.webdepart.com

Si vous avez épuisé vos compilations de jeux, rendez-vous sur ce site où vous attendent plus de 1 670 liens vers des sites extérieurs, 44 jeux différents, 292 défis ! Des heures de plaisir !

Welcome to Webstation

www.chez.com/thewebstation

Le meilleur de l'actualité des jeux vidéo, de la micro, du sport et de l'émulation.

World Maniac Player

www.chez.com/wmp

Site dédié aux jeux vidéo : tests, dossiers, actualités, liste de diffusion et espaces de discussion.

XBOX Power

membres.lycos.fr/xboxpower

Tout sur la console XBOX de Microsoft.

Xbox.consolemul

xbox.consolemul.com

Site sur la XBOX, la console la plus puissante au monde de Microsoft.

Zeronews

www.zeronews-fr.com

Toutes les news sur l'informatique et les jeux vidéo : démos, captures d'écran, liens, patchs, le tout en français et mis à jour quotidiennement.

Jeux et consoles : vente

Absolute Games

www.absolute.fr/cgi-bin/ag.pl

Vente en ligne de jeux et consoles de jeux.

Beabase

vente.beabase.com/vente-jeux-video.htm

Portail dédié à la vente de jeux vidéo neufs ou d'occasion.

Cédérom.net

www.cederom.net

Sur cette boutique en ligne : accessoires multimédias, CD audio, CD-ROM, DVD-Vidéo, DVD-ROM, livres, nouveautés PlayStation, N64, Dreamcast et Game Boy Color.

Cyber DVD Film

https://www.cyberdvdfilm.com/gsweb/microcom.gswa

Premier site francophone de vente en ligne de DVD.

Deux fois moins cher - Jeux vidéo

www.2xmoinscher.com/jeux

Sur le volet Jeux vidéo de 2xMoinsCher.com, vendez et achetez en toute sécurité vos jeux vidéo, toutes consoles.

eBay - Jeux vidéo

jeux-video.ebay.fr

Volet Jeux vidéo pour consoles de eBay : Sega, Nintendo, Sony, Microsoft.

Gamesbond.com

www.gamesbond.com

Boutique en ligne spécialisée dans les jeux vidéo.

Playdiscount

www.ifrance.com/playdiscount

Achat groupé de PlayStation 2.

PlayStation.com

fr.playstation.com

Boutique en ligne des produits PlayStation (hardware, jeux, périphériques, produits dérivés) et DVD.

PriceMinister - Jeux pour consoles

www.priceminister.com/navigation/default/category/root_games

Achat et vente de jeux vidéo d'occasion pour PC et consoles PS2, PlayStation, Dreamcast, Nintendo, Game Boy, XBOX, GameCube.

Langages Internet

Aide4Web

www.aide4web.com

Sur Aide4web, vous trouverez toutes les étapes pour devenir un parfait webmestre : cours sur les langages de programmation, tutoriels, exemples, news.

All HTML

www.allhtml.com

Portail pour webmestres : langages (HTML, XML, WML, PHP, SQL…), technologies, actualités, astuces, forums et chat.

Annuaire francophone des scripts CGI

www.scripts-fr.com

Cet annuaire francophone permet de trouver facilement les scripts CGI que vous cherchez. Les scripts sont répartis en plusieurs catégories et présentés en français, brièvement ou en détail.

Aspfr.com

www.aspfr.com

De nombreux codes sources pour ASP, VBScript, JavaScript et Active Server Pages.

Cyb warrior

www.cybwarrior.com

Site dédié à la programmation traditionnelle et Internet. JavaScript en téléchargement, compteurs gratuits, forums d'entraide…

Développez.com

www.developpez.com

Sur ce club informatique gratuit, vous trouverez : un forum, des cours et tutoriels en programmation (Delphi, C, C++, Java, VB, .NET, C#, Pascal, PHP, ASP, UML, XML).

Expérience HTML

www.xhtml.net

Tout ce dont vous avez besoin pour construire votre site : études de cas, scripts, applets, forum.

Flash Net

perso.club-internet.fr/arobini/france

Ce site contient des exemples gratuits téléchargeables et des cours animés pour comprendre et apprendre la technologie Flash de Macromedia.

Formation en ligne

www.agie-formation.com

Ce site est utilisé dans le cadre de formations au multimédia et de webmestres.

Java.Scripts-Fr.com

java.scripts-fr.com

Scripts France regroupe des exemples en JavaScript et CGI.

JavaWeb

membres.lycos.fr/javaweb/index/index.html

De nombreux scripts, applets et GIF animées pour vous donner des idées et vous aider à concevoir vos pages Web.

L'Altruiste

www.laltruiste.com/accueil.php

Ce site présente les principaux langages utilisés pour construire des sites Web : du HTML au .Net, en passant par le JavaScript et l'ASP.

La Zone Flash

www.martignan.com/echarton/flash

Ressources pour développeurs utilisant la technologie Flash de Macromedia.

Learn the Net

www.learnthenet.com/french/ index.html

Un tutoriel en cinq langues (anglais, français, espagnol, italien et allemand) pour apprendre Internet : Web, courrier électronique, moteurs de recherche, forums, etc.

L'Editeur JavaScript

www.editeurjavascript.com

Ce site vous permet d'écrire du JavaScript sans savoir programmer : l'éditeur en ligne crée des scripts suivant les paramètres que vous lui donnez. Simple et rapide !

L'Info Web Net

www.ifrance.com/infoweb-net

De nombreuses ressources pour webmestres avertis.

Linux Center - Langages de programmation

www.linux-center.org/fr/development/languages

Langages de programmation utilisés sous Linux.

Macromedia France

www.macromedia.com/fr

Macromedia France est la source principale d'informations pour Shockwave, outil multimédia de création pour le Web.

PC-Aide Flash

www.pc-aide.org/articles/flash.php3

Apprenez pas à pas le langage Flash pour réaliser des sites Web animés.

PHP facile

www.toutestfacile.com/phpinit.php?tef_site=php

Ce site vous apprend à utiliser PHP : scripts commentés, forum, tutoriels.

PHPindex

www.phpindex.com

PHPIndex propose un large éventail de liens, news, trucs et astuces et articles sur les technologies PHP telles que : PHP, PHP/FI, PHP3, PHP4 (Zend), Cookies, Sessions, IMAP, LDAP, mSQL, MySQL, PDFLib, PostgreSQL, Regex, XML, Zend, Zlib, etc.

Pierresoft

www.pierresoft.com

Pierresoft.com propose de nombreuses ressources destinées aux webmestres, comme l'excellent Web Construction Kit 3.0. Des versions de démonstration peuvent être téléchargées.

Script Masters

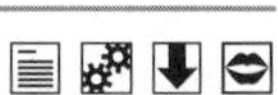

www.script-masters.com/home

Des dizaines de ressources JavaScript, DHTML et PHP pour tous les webmestres, divers services gratuits pour votre site et des astuces pour le dynamiser.

Scripts CGI et Perl gratuits

www.perl-gratuit.com

Des modules interactifs, des scripts CGI et Perl prêts à l'emploi pour ajouter de l'interactivité à votre site.

Tout HTML

membres.lycos.fr/touthtml

A partir de leçons didactiques et progressives, ce site vous apprend les bases du HTML, puis du JavaScript.

Tout JavaScript.com 

www.toutjavascript.com

Des dizaines de JavaScripts à essayer en ligne et à télécharger gratuitement, des tutoriels pour apprendre le JavaScript, un forum de discussion, des liens utiles et une boutique.

Toutwebmaster 

www.toutwebmaster.be.lm-corporation.be

Tout pour créer votre site Web : ressources HTML, JavaScript, PHP, CGI, WML, dossiers, astuces, méta-tags, forum, etc.

Tutoriels.com 

www.tutoriels.com/doc.php

Cet annuaire regroupe les aides gratuites, didacticiels, guides et cours pour se former en ligne sur l'informatique : Internet, multimédia, programmation Web.

WebExpert de Visicom Media 

softwares.visicommedia.com/fr/products/webexpert

Ce site vous permet de télécharger l'éditeur HTML francophone WebExpert, référence dans ce domaine.

Webfr 

www.webfr.org

Service francophone proposant des tutoriels PHP, MySQL, Access, HTML, un annuaire/moteur de recherche et une adresse e-mail gratuite.

WebOrigine 

membres.lycos.fr/weborigine

De nombreuses ressources JavaScript, DHTML, Java et PHP pour webmestres.

Logiciels

2001 Informatique 

www.2001informatique.com

Boutique informatique en ligne : matériel, logiciels et accessoires informatiques ou télécoms.

ACD Systems 

www.acdsystems.com/francais/products/index.htm

Le site d'ACD Systems, les créateurs des gestionnaires d'imagerie digitale et du système prié de messagerie éclair, donne des informations sur les logiciels au catalogue (dont le fameux ACDSee). Il permet également de télécharger des versions d'essai de ses programmes et d'effectuer vos achats en ligne.

Adobe Acrobat Reader 

www.adobe.fr/products/acrobat/readermain.html

Ce site permet de télécharger la dernière version du logiciel Adobe Acrobat Reader, qui permet de lire les fichiers au format PDF.

Alsace Software  

www.strasbourg.cci.fr/web/services/ac_internet/alsace_software.html

Site des éditeurs/développeurs alsaciens de logiciels et progiciels.

Apple 

www.apple.com/fr/find

Le site de la marque à la pomme : actualité, produits, services, support, iTools, espace Développeurs, solutions.

Autodesk

www.autodesk.fr

Des informations sur les produits au catalogue et sur les revendeurs, présentation des nouveautés, possibilité d'achat en ligne.

Avanquest

www.avanquest.fr/absoft

Site d'information et de vente en ligne de logiciels en français et d'accessoires pour portables : logiciels utilitaires, de communication, de sécurité, de maîtrise de l'image, accessoires, périphériques USB, PCMCIA, FireWire et Cardbus pour Mac et PC.

Borland France

www.borland.fr

Cette société fournit des langages de programmation et interfaces (Delphi, C++ Builder, VisiBroker, etc.) destinés aux développeurs.

BusiBoutique.Com

www.busiboutique.com/acatalog/index.html

Sur BusiBoutique.Com, vous trouverez des logiciels, du matériel informatique et des services.

Ciel

www.ciel.com

Ciel, éditeur de logiciels de gestion, propose une gamme complète destinée aux petites entreprises et aux indépendants.

Computer Dialysis

www.cdfinformatique.com

Vente en ligne de matériel et de logiciels informatiques.

Corel

www.corel.fr

Corel France propose des solutions pour la bureautique, le graphisme, le Web et l'édition. Son site donne accès au catalogue, présente l'assistance technique et vous tient au courant des événements majeurs.

CXP

www.cxp.fr

Analyser, évaluer, comparer les solutions et environnements technologiques du marché, les produits et les services des fournisseurs, telle est l'approche développée par CXP pour piloter les entreprises dans leurs phases de choix et d'implantation de progiciels.

Cyber Jeux Vidéo

www.cyberjeuxvideo.com

Premier site francophone de vente en ligne de DVD.

Help Drivers

www.helpdrivers.com/frances/index.htm

L'actualité des derniers pilotes de périphériques. Un must !

Infogrames France

www.fr.infogrames.com

Site de l'éditeur informatique Infogrames France : news, jeux, support technique, liens, la société.

Informatic Gallery

www.informatic-gallery.com

Galerie marchande informatique, consommables, imprimantes, logiciels. Promotion de la semaine à prix discount.

Internet Explorer

www.microsoft.com/windows/ie%5Fintl/fr

Cette page permet de télécharger la dernière version du navigateur Internet Explorer de Microsoft.

It@est.com

www.itaest-informatique.com

Retrouvez le meilleur équipement sélectionné parmi les plus grandes marques. Logiciels (santé, agriculture, gestion, utilitaires…). Toutes prestations : vente, assistance, formation.

La Centrale, enchères

fr.kelkoo.com/b/a/m_211501_petites_annonces_la_centrale_encheres.html

Site d'enchères de Kelkoo.com : achat et vente de produits d'occasion, logiciels, matériel informatique, hi-fi, vidéo, brocante, appareils photo, livres anciens, etc.

Le salon permanent du logiciel

www.demorum.com

Ce site organise de façon régulière des démonstrations de logiciels professionnels sur toute la France. Liaison simplifiée par visioconférence.

Macromedia France

www.macromedia.com/fr

Le site de Macromedia présente la société, donne accès au catalogue, au support et aux ressources et vous informe des nouveautés.

MemoData

www.memodata.com/index.shtml

Les solutions MemoData fournissent la puissance descriptive du langage humain, et améliorent largement la performance des logiciels de recherche d'informations.

Microsoft France

www.microsoft.com/France

Le site du n° 1 du logiciel est une vraie mine d'informations sur les produits de la marque. Egalement les modalités d'inscription aux séminaires, formations et certifications, des trucs et astuces, de nombreuses ressources à télécharger et diverses offres logicielles.

Microsoft FrontPage

www.microsoft.com/france/office/frontpage/prodinfo

Toute l'actualité de Microsoft FrontPage 2000.

Microsoft Office

www.microsoft.com/france/office

Découvrez tous les produits de la famille Microsoft Office.

Netscape

www.netscape.fr

Cette page permet de télécharger la dernière version du navigateur Internet Communicator de Netscape.

Oracle France

www.oracle.com/fr

Le site d'Oracle présente les différents produits du catalogue, donne accès aux communautés d'utilisateurs, aux informations concernant la marque (kiosque, événements, support, conseils), permet de télécharger diverses ressources et d'effectuer vos achats en ligne.

Outlook Express

www.eu.microsoft.com/france/Internet/produits/outlook

Ce site rassemble l'information pratique sur les solutions technologiques de Microsoft en rapport avec Internet.

PédagoJiC

jc.meier.free.fr

Site pédagogique où l'on trouve des logiciels gratuits, des programmes éducatifs, des tests de connaissance en ligne, des QCM, des sources de programmes et de jeux en Delphi, TI-82 et PHP.

Progiforum

progiforum2004.tarsusgroup.com

Site du salon des progiciels de gestion (CNIT, Paris La Défense).

Provitrine

www.provitrine.com

Basé à Rennes, Provitrine crée des applications multimédias et des sites Internet.

Salon Progiciels et Qualita

salons.hautesavoie.net

Progiciels 2003 est un forum organisé par le Centre Productique Haute-Savoie dans le but de favoriser la rencontre des industriels PMI/PME de la région et des producteurs de progiciels.

SARC

www.symantec.fr/region/fr/avcenter

Site de la société Symantec, éditeur de logiciels utilitaires et antivirus.

Softissimo

www.softissimo.com/index-f.htm

Découvrez et testez en ligne les logiciels de traduction Softissimo.

StarOffice

soo.alomphega.com

Site francophone de StarOffice, officiellement sponsorisé par Sun Microsystems France.

Surcouf

www.surcouf.com

Visitez les stands de la foire informatique Surcouf, informez-vous sur les possibilités de financement et… passez commande.

UCL/SRI

www.sri.ucl.ac.be/SRI/jpk/logIntMacFr.html

Le service des réseaux d'information UCL met au point une suite de logiciels orientés Internet pour Macintosh.

VTrain

www.paul-raedle.de/vtrain/home-fr.htm

VTrain est un logiciel pour apprendre du vocabulaire par l'intermédiaire de questionnaires. VTrain vous pose des questions et classe automatiquement ces questions par niveaux de difficulté en fonction du nombre de bonnes réponses.

Yaka Informatique 

www.yaka.ch

Yaka Informatique : vente de matériel et de logiciels, conseils et services, Internet, solutions e-commerce complètes, dépannage, installations, maintenance de parcs informatiques.

Yaskifo 

www.yaskifo.com/fr

Service sécurisé d'achat/vente de logiciels par carte bancaire. Les utilisateurs peuvent acheter leurs logiciels dans la monnaie de leur pays. Les auteurs ont un relevé détaillé des ventes réalisées.

Matériel

3com France 

www.3com.fr

3COM, ancien US Robotics, est un des leaders du marché des modems. Le site détaille les solutions, produits et services de la marque, donne accès à un espace Téléchargement et au support technique.

Acer Brand Operations, France

www.acer.fr

Acer est un fabricant d'ordinateurs de bureau, de portables, de serveurs, de périphériques, de réseaux et d'outils de communication. Le site détaille l'intégralité du catalogue, donne accès aux news, au support technique et à la liste des magasins agréés.

Adaptec Europe 

www.adaptec.fr

Le site du constructeur Adaptec présente les différents produits en vente dans les domaines SCSI, RAID, gestion de réseau, stockage IP, fibres, FireWire 1394, et donne accès à une liste de revendeurs et distributeurs.

AMD 

www.amd.com/fr-fr

Site du constructeur informatique AMD (processeurs, mémoires, réseaux et télécommunications).

Apple Expo et Apple Tour 

perso.wanadoo.fr/monperforma

Des conseils, liens et caractéristiques techniques des ordinateurs Performas 5xxx et 6xxx, des tests de cartes graphiques et des informations sur les dernières Apple Expo.

Apple 

www.apple.com/fr

Le site officiel d'Apple France : informez-vous sur les nouveautés et téléchargez des utilitaires.

Asustek Computer Inc.  

france.asus.com

La société Asus est essentiellement connue pour ses cartes mères de grande qualité. Elle fabrique également des ordinateurs portables, des périphériques multimédias et des serveurs. Connectez-vous sur ce site pour accéder à tous les produits du catalogue, à la zone de téléchargement, au support technique, et pour connaître les différents points de vente.

Atelier informatique Fizz

www.fizzconsulting.tsx.org

Présentation de l'entreprise de montage d'ordinateurs sur mesure Fizz Consulting.

Azimut.com

www.azimut.com

Site d'un spécialiste de l'informatique nomade et des ordinateurs de poche : Psion, PC de poche sous Windows CE, PalmPilot, etc.

Billzone

cedric.laforet.free.fr

Site comparatif sur le matériel des PC et les fournisseurs d'accès à Internet. A voir.

Bower

www.bower.fr

Le site du constructeur informatique Bower : produits et services.

Brother France

www.brother.fr

Le site du constructeur Brother donne accès à la gamme complète des produits commercialisés : imprimantes, télécopieurs, étiqueteuses, outils d'écriture électronique et plastifieuses.

Canon France

www.canon.fr

Le site de la société Canon présente les différents produits du catalogue (bureautique, photo, vidéo, informatique, médical, optique), donne accès à la zone de téléchargement, aux news et au service clients.

Casio Europe

www.casio-europe.com/fr

Site de Casio France.

Choisir son PC pièce par pièce

www.choixpc.com

Aide au choix des différentes composantes de votre PC, même si vous êtes novice. Comment dépanner et faire évoluer votre PC, choisir et comparer processeur, disque dur, carte graphique, etc.

Cidy Hardware

cidyweb.free.fr

Site dédié aux cartes du constructeur ABIT.

Club des utilisateurs de Psion

www.cabuzel.com/psion

Cette page présente le club des utilisateurs de Psion et ses activités.

Com One Telecommunication

www.com1.fr

Le groupe COMone est spécialisé dans les télécommunications. Son site détaille les produits du catalogue, donne accès au support, aux mises à jour et au point presse.

Creative Labs Europe

fr.europe.creative.com

Site du constructeur informatique multimédia Creative Labs.

Cuomocomputers.ch 

www.cuomocomputers.ch

Site du détaillant informatique CuomoComputers, Lausanne.

Dell computer

www1.euro.dell.com/content/default.aspx?c=fr&l=fr&s=gen

La société Dell présente ses offres (grand public, PME, grands comptes/grands groupes, administration et parapublic), permet de recevoir les dernières promotions par e-mail, donne accès au support et au catalogue au format PDF.

Dev'ColdFire

coldfire.online.fr

Site dédié aux microprocesseurs ColdFire de Motorola.

Enter Web 

www.enter-Web.com

Vous trouverez ici de nombreux articles sur l'assemblage de PC, le matériel informatique, les réseaux et pourrez accéder à la base de compatibilité matérielle Linux.

Foire informatique de Flemalle

membres.lycos.fr/fifbe

Site de la foire de l'informatique en Belgique.

Formac 

www.formac.fr

Formac est un fabricant de moniteurs, d'unités de stockage et de cartes accélératrices. Son site détaille tous les produits de son catalogue, permet de télécharger des fiches techniques au format PDF, donne une liste de revendeurs et indique comment accéder au support technique.

Forum Hardware.fr

forum.hardware.fr

Accès direct au forum du site Hardware.fr. Venez discuter matériel PC et profitez des conseils de plusieurs millions de personnes.

Génération 5 

www.generation5.fr

Génération 5 se consacre depuis plus de dix ans au multimédia éducatif et culturel pour tout public : CD-ROM et gamme d'accessoires multimédias (clavier pour bébés, souris pour tout-petits).

Guillemot Corporation 

www.guillemot.fr/corp/index.php

Guillemot est un constructeur de périphériques pour consoles de jeux et ordinateurs domestiques. Sur le site, vous accédez à la gamme des produits, au support technique, à la zone de téléchargement, aux communiqués de presse et à diverses informations concernant les actionnaires.

Hardware.fr 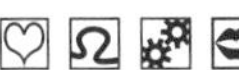

www.hardware.fr

Site d'information sur le hardware des PC.

Hewlett-Packard France 

welcome.hp.com/country/fr/fr/welcome.html

Site du constructeur informatique Hewlett-Packard : présentation de la filiale française et de sa gamme de produits, offres d'emploi, actualités, revue de presse.

Hitachi Computer Division

www.hitachi.fr

Hitachi conçoit et produit des systèmes de stockage de données avec technologie RAID. Les familles de produits couvrent aussi bien le domaine des gros systèmes que celui des systèmes ouverts, offrant une très grande capacité et de hautes performances. Le site donne des informations sur l'entreprise, les produits du catalogue, les services et l'actualité de la société.

Hypermédia

www.hypermedia.fr

Hypermédia, la plus grande chaîne européenne de produits d'électronique grand public, avec plus de 200 mégastores dans 10 pays.

Iam Numeris, Routeurs

www.kortex.com

Sur ce site, le fabricant de modems Kortex détaille son catalogue, fournit les informations concernant le support, les revendeurs, et donne accès à un point presse.

IBM France

www.ibm.com/fr

Le site du constructeur IBM présente les produits de sa gamme, donne accès aux news, au site de téléchargement, et permet de passer des commandes en ligne.

Ifacette.com

www.ifacette.com

Site du magasin Ifacette (Marseille) : vente de PC et d'accessoires, occasions, forums, liens.

IIYama

www.iiyama.fr

IIYama est une société bien connue pour la qualité de ses moniteurs. Sur son site, vous accédez à la totalité des produits commercialisés, au support technique, à la liste des revendeurs, au point presse et aux news.

Infomoinscher.net

www.infomoinscher.net

Le site Infomoinscher répertorie les caractéristiques et le prix de vente des matériels informatiques dans la plupart des boutiques en ligne.

Informatique Le Mans

www.atol.fr

Centre informatique et communication au Mans ouvert 24 h sur 24, ATOL propose la vente de micro-ordinateurs et la conception multimédia (Internet, CD-ROM, bornes multimédias).

Intel

www.intel.com/corporate/europe/emea/fra/index_fra.htm

Page d'accueil d'Intel, n° 1 mondial du circuit intégré et fabricant de premier plan de produits micro-informatiques pour les réseaux et les communications.

Intermicronet

www.intermicronet.fr

Cette boutique en ligne vous présente son catalogue de produits informatiques. Livraison dans tous les pays francophones de l'Europe.

Iomega Europe

www.iomega-europe.com/eu

Découvrez le catalogue du constructeur informatique IOMega, accédez au support technique et téléchargez les derniers pilotes.

It@est.com

www.itaest-informatique.com

Retrouvez les meilleurs équipements sélectionnés parmi les plus grandes marques. Progiciels santé, agriculture, gestion, utilitaires. Toutes prestations : vente, assistance, formation…

Komogo

www.komogo.com

Cette filiale de Casino vend en ligne ordinateurs, logiciels, consoles et appareils photo. Elle permet également de consulter l'actualité des nouvelles technologies.

Kyocera Mita France

www.kyocera.fr

La société Kyocera est essentiellement connue pour ses imprimantes laser et photocopieurs. Elle intervient également dans le domaine de la photo, des composants céramiques et de l'énergie solaire.

La centrale d'achat.com

www.lcha.com

La centrale d'achat est spécialisée dans la vente de matériel high-tech : 5 000 produits informatiques et électroniques, appareils photo numériques, ordinateurs, vidéo numérique, logiciels et périphériques y sont proposés.

La technologie RAID

www.froverio.fr.st

Sur ce site, la technologie RAID, Linux et ses principales commandes.

Lespuces.net

lespuces.net

Site dédié aux puces… informatiques : infos, trucs, conseils, coloriages, fonds d'écran, calendriers et bande dessinée sur l'informatique.

Lexmark France

www.lexmark.com/site/home/0,6334,256846_0_0_fr,00.html

Lexmark est un constructeur d'imprimantes laser personnelles et professionnelles. Le site donne accès aux caractéristiques de toutes les imprimantes du catalogue, propose des solutions de financement et des solutions adaptées à votre configuration.

L'histoire d'Apple

www.est.claranet.fr

Découvrez l'histoire de la société Apple à travers le bon vieil Apple II.

MacBidouille

www.macbidouille.com

Toute la "bidouille" hardware sur Macintosh : disques, mémoire, vidéo, extensions, cartes PCI, etc.

Macway en ligne

www.macway.com/v1/index.php

Magasin leader de la VPC Mac : nouveautés, promotions et occasions d'unités centrales et périphériques.

Matrox

www.matrox.com/home_fra.htm

La société Matrox commercialise des cartes graphiques, des outils vidéo professionnels, des logiciels et matériels d'imagerie et de solution réseau. Sur le site, retrouvez tous les produits du catalogue et consultez les offres d'emploi de la société.

Matrox, Cartes graphiques

www.matrox.com/mga/francais

Matrox Graphics présente sa gamme de cartes graphiques de dernière génération et donne accès au support en ligne.

Minolta

www.minolta.fr

Retrouvez tout Minolta sur ce site : bureautique (copieurs, imprimantes laser, télécopieurs, scanners), photo (appareils numériques et traditionnels, Caméscopes), photométrie et colorimétrie.

Mitsumi electronics Europe

www.mitsumi.de/index5.html

Site du constructeur informatique Mitsumi : l'entreprise, la présentation des produits, le support, les liens complémentaires.

Monsieur prix

www.monsieurprix.com

Ce comparateur de prix vous dit où acheter votre matériel informatique au meilleur prix. Indispensable !

MSI

www.msi-computer.fr

Le site de la société MSI présente les différentes cartes mères commercialisées, donne accès à différentes aides techniques et FAQ, à la revue de presse, aux dossiers d'actualité, et permet de télécharger les derniers drivers et BIOS.

Nanocomputer.com

www.nanocomputer.com

Site de vente micro-informatique en ligne.

NEC

www.nec.fr

NEC est un fabricant de moniteurs et de projecteurs multimédias bien connu. Son site donne accès à tous les produits du catalogue, au point presse, aux news, aux distributeurs et à l'espace Matériel d'occasion.

Olitec

www.olitec.com

Olitec est un constructeur français de modems, connu et distribué dans le monde entier. Son site présente les derniers modèles de modems traditionnels et ADSL, donne accès à une zone de téléchargement, à un point presse et aux infos Bourse de la société.

Packard Bell France

www.packardbell.fr

Le site du constructeur informatique Packard Bell : ordinateurs personnels, de bureau et portables pour un usage domestique. Information sur les produits, logiciels et offres Internet.

Palm.com

www.palm.com/fr

Le site des ordinateurs de poche Palm.

Panasonic France

www.panasonic.fr

Panasonic intervient dans des domaines très divers : son, image, électroménager, télécommunications, informatique, biens d'équipements. Son site présente la totalité de son catalogue, donne accès à un point presse et à une zone de téléchargement (logiciels et pilotes, catalogues).

PC Astuces

www.pcastuces.com

Le portail de l'informatique francophone : actualité, forums, astuces, créer son site Web, matériel, Internet, dossiers.

PC-Fastoche.com

www.pc-fastoche.com

Ce site vous aide dans l'installation matérielle de votre ordinateur, dans l'utilisation de logiciels et d'Internet. Il propose également des news, des astuces, des conseils et donne accès à des forums d'aide.

Philips France

www.philips.fr

Philips France intervient dans des domaines personnels (électronique, téléphonie, appareils domestiques, éclairage) et professionnels (éclairage, systèmes médicaux, composants, semi-conducteurs, électronique professionnelle). Son site détaille la totalité de l'offre et donne des informations sur la société.

Pinnacle Systems

www.pinnaclesys.com/default.asp?Langue_ID=1

La société Pinnacle commercialise des logiciels dans le domaine de la vidéo, de la création de CD/DVD, du webcasting, des effets spéciaux numériques, etc. Le site donne accès à tous les produits du catalogue, au support technique, aux informations sur la société et aux communiqués de presse.

Ricoh

www.ricoh.fr

La société Ricoh conçoit des copieurs, imprimantes, duplicopieurs, télécopieurs, appareils photo numériques et graveurs. Tous les produits du catalogue sont détaillés sur le site.

Rue-Montgallet.com

www.rue-montgallet.com

Les meilleurs prix du matériel informatique, pratiqués dans les boutiques du quartier de la rue Montgallet (Paris, 12e), des infos sur les magasins, les produits et des conseils pour acheter son matériel informatique dans les meilleures conditions.

Samsung Electronics France

www.samsung.fr

Le constructeur Samsung intervient au niveau informatique (moniteurs, portables, imprimantes), électroménager (micro-ondes, réfrigérateurs), communication (GSM, fax, DECT), professionnel (Access Network, key phone) et loisirs (TV, lecteurs DVD, magnétoscope). Son site donne accès à l'intégralité de son catalogue ainsi qu'au support technique.

SCSI, mon amour

www.alyon.org/~byc/scsi

Tout ce que vous avez toujours voulu savoir sur le SCSI sans jamais oser le demander.

Sharp Electronic France

www.sharp.fr

Le site de Sharp présente l'entreprise, ses services, son réseau de distribution et ses produits (imprimantes, appareils photo et Caméscopes numériques, écrans, etc.).

Sony

www.sony-cp.com/fr/index2.html

En informatique, Sony est connu pour l'excellente qualité de ses moniteurs et de ses périphériques (appareils photo numériques, scanners, lecteurs de CD-ROM, portables). Son site détaille l'intégralité de son catalogue.

Steinberg France

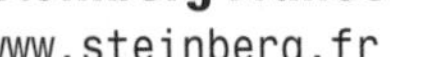

www.steinberg.fr

Steinberg France œuvre dans le domaine de la musique électronique. Sur son site, vous trouverez toutes les informations sur les produits du catalogue et les revendeurs, vous pourrez télécharger des documents PDF contenant les news et faire vos achats en ligne.

Tally

www.tally.fr

Site du constructeur d'imprimantes jet d'encre, laser et matricielles Tally.

Tests Hardware

www.tests-hardware.com

Annuaire et moteur de recherche des tests matériels sur PC.

Tom's hardware

www.tomshardware.fr

Un site incontournable dédié au hardware des PC : news, cartes mères, cartes graphiques, processeurs, moniteurs, stockage, audio et vidéo, tendances.

Toshiba France

www.toshiba.fr

Le site du constructeur informatique Toshiba présente son catalogue.

Toute la connectique

ssl.conector.fr

Connector distribue une large gamme connectique : informatique (Mac et PC), réseaux, audio et vidéo, téléphonie.

TT-Hardware

www.tt-hardware.com

TT-Hardware est un site de référence où tous les composants d'un ordinateur sont étudiés, du processeur au boîtier. Le site propose un test exclusif chaque semaine, des dossiers complets (montage d'un PC, 3D, DVD, etc.), des news, un forum, une lettre de diffusion, etc.

Unika Computer SA

www.unika.com

Le site du constructeur informatique Unika : produits, services, promotions, distributeurs.

ViewSonic

www.viewsoniceurope.com/fr

ViewSonic est un fabricant de moniteurs et de projecteurs multimédias. Son site donne accès à la totalité du catalogue, aux infos concernant la société, au support client et à un espace de téléchargement (pilotes et accessoires).

Xerox - France

www.xerox.fr

Xerox fabrique des imprimantes, des fax, des copieurs couleur, des systèmes multifonctions, des systèmes de production et des consommables. Tous ces éléments sont présentés sur le site. Vous y trouverez également des informations et actualités du groupe Xerox, les services offerts par la marque et les événements marquants.

Yamaha International

www.yamaha-europe.com/yamaha_europe/france

Site du constructeur audio et informatique Yamaha : actualités, événements, téléchargement, liens.

Zyxel France

www.zyxel.fr

Zyxel est un fabricant de modems, d'adaptateurs RNIS et de routeurs (RNIS, TRC, WAN et xDSL). Son site donne accès à tous ses produits, aux nouveautés, au support technique et à la liste des revendeurs.

Matériel : Vente

2001 Informatique

www.2001informatique.com

Boutique informatique en ligne : matériel, logiciels, télécoms, accessoires, livres, mobilier.

2sti

www.rsinformatique.com/2sti

Boutique informatique en ligne.

321 Jachete.com

www.321jachete.com

Vous trouverez ici tous les renseignements utiles à connaître avant un achat chez RueDuCommerce.fr, et vous pourrez passer vos commandes en ligne.

A4etplus

www.a4etplus.com/shop

Ce site commercialise à bas prix des cartouches et papiers pour imprimantes. Les plus grandes marques sont représentées : Apple, Brother, Canon, HP, Epson, Lexmark, Olivetti.

AB Soft

www.avanquest.fr/absoft

Site d'information et de vente en ligne de logiciels en français et d'accessoires pour portables : logiciels utilitaires, de communication, de sécurité, de maîtrise de l'image, accessoires, périphériques USB, PCMCIA, FireWire et Cardbus pour Mac et PC.

Aboutbatteries.com

www.aboutbatteries.com

Boutique en ligne d'un spécialiste des batteries pour portables : téléphones, ordinateurs, Caméscopes.

Accueil Komogo

www.komogo.fr

Vente en ligne de matériel informatique, périphériques, consommables, logiciels et jeux vidéo.

ACF Informatique

www.acf-informatique.com

Feuilletez le catalogue de cette boutique virtuelle pour acheter en ligne votre ordinateur, vos périphériques, accessoires et consommables.

Actualis

www.actualis.com

Montez votre PC sur mesure. Profitez des prix Actualis sur le matériel informatique, les portables et périphériques.

Adobe Systems

www.adobe.fr

Le site du constructeur Adobe présente son catalogue de produits, ses nouveautés, et permet de télécharger et d'acheter des applications en ligne.

AGEM Informatique

agem-informatique.com

Boutique en ligne : des centaines de référence en pièces détachées (informatique et périphériques). Commandes en ligne, support technique assuré.

Alpha-Stock

www.alpha-stock.com

Ce site pratique la vente de cartouches laser et jet d'encre à prix discount pour les imprimantes Apple, Canon, Epson, Lexmark, Hewlett-Packard, Panasonic et Mannesmann Tally.

APY

www.apyweb.com

Au programme du catalogue APY : Maya, Lightwave, DPS, Realviz, SGI, 3D, vidéo, solutions de montage numérique, stations 3D, rack de calcul, etc.

AuBonMicro.com

www.aubonmicro.com

Vente en ligne de micro informatique, propose des liens utiles (tests, drivers, BIOS, firmware, fiches techniques) et une assistance technique *via* des forums, une FAQ et e-mail.

Bechtle Direct

www.bechtle.fr

Consultez le catalogue de cette boutique informatique et effectuez vos achats en ligne.

Best of Micro

www.bestofmicro.com

La centrale des meilleures offres de la micro-informatique en France vous propose des ordinateurs et périphériques à prix compétitif.

Bim Europe

www.bim-europe.com

Spécialiste du discount et du déstockage, cette boutique en ligne vous permet d'acheter matériel informatique et vidéo.

Boutique Proram

boutique.proram.fr

Vente en ligne aux grands comptes, administrations et PME-PMI de mémoires, produits réseau, disques durs et imprimantes pour tout type de PC, Macintosh, stations de travail et portables.

BusiBoutique.Com

www.busiboutique.com/acatalog/index.html

Des logiciels, du matériel informatique et des services.

CAFCA (78)

www.cafca.fr

La boutique CAFCA présente son catalogue : hubs, routeurs, câbles et composants informatiques.

Carri Systems

www.carri.com

Le site du constructeur informatique Carri : produits, services et promotions.

Cartouches Compatibles

www.c-compatibles.com

Vente en ligne de périphériques et consommables informatiques.

Cédérom.net

www.cederom.net

Sur cette boutique en ligne : accessoires multimédias, CD audio, CD-ROM, DVD-Vidéo, DVD-ROM, livres, nouveautés PlayStation, N64, Dreamcast et Game Boy Color.

Computer Dialysis

www.cdfinformatique.com

Vente en ligne de matériel et de logiciels informatiques.

Configs PC.com

www.configspc.com/choix_configs.html

Ce site vous propose de choisir les composants et de monter votre futur PC. Il donne également accès à plusieurs guides et comparatifs de matériel informatique.

Conrad Electronic

www1.fr.conrad.com

Le spécialiste européen en électronique et technique propose 15 000 références en ligne. Téléchargement gratuit de documentations techniques, conseils, nouveautés, bonnes affaires.

Consommables HP

www.hp-expo.com/fr/fre/products/supplies/entry.html

Boutique de périphériques et consommables HP.

Consommables Saver

www.saver.fr

Vente en ligne de consommables pour imprimantes : toner, cartouches pour jet d'encre, rubans, etc.

Crab Chemical

www.encre.com

Vente en ligne de cartouche pour imprimantes jet d'encre et de toner pour imprimantes laser Canon, Epson, Hewlett-Packard et Lexmark.

Cyberjet

www.cyberjet.fr

Cyberjet conçoit des systèmes informatiques pour le transport aérien et vend en ligne du matériel informatique, des accessoires et des logiciels.

Dell Computer, Vente en ligne

www1.euro.dell.com/content/default.aspx?c=fr&l=fr&s=gen

Le site du constructeur Dell permet d'acheter des ordinateurs et périphériques en ligne (grand public, PME, grands comptes, grands groupes, administrations).

Digital Shopping

www.digital-shopping.fr

Site spécialisé dans la vente d'appareils photo et vidéo numériques. Retrouvez toutes les grandes marques, les prix, les accessoires et des fiches techniques.

Efatshop.com

www.efatshop.com

Vente de matériel informatique, assemblage d'ordinateurs, pièces détachées, conseil en informatique, installation de réseaux et création de sites Internet.

Elonex

www.elonex.fr

Elonex est un constructeur européen qui pratique la vente directe de micro-ordinateurs PC professionnels. Son site présente tous les produits Elonex, les offres exceptionnelles, le groupe, les services, les offres de financement, etc.

Epson

www.epson.fr

Accédez à l'ensemble du catalogue des produits Epson : imprimantes jet d'encre, laser et matricielles. Découvrez les offres promotionnelles en cours, les nouvelles technologies, les services des supports techniques, et téléchargez les derniers pilotes.

Euralliance.com

www.euralliance.com

Euralliance vend des PC de grandes marques, des logiciels et périphériques, et s'engage à vous livrer en moins de 24 h.

Eurodeal.net

www.eurodeal.net

Eurodeal commercialise les plus grandes marques de micro-ordinateurs et de stations de travail d'occasion à des prix très bas, pour les particuliers et les entreprises. La livraison peut s'effectuer en France et à l'étranger. Tous les matériels sont audités, testés et reconditionnés, garantis en standard un mois retour atelier, sauf indication contraire.

FEVAD

www.fevad.com

Le site de la VPC et du commerce électronique : shopping en ligne, annuaire et lettre d'information de la VPC, liste des entreprises membres, chiffres clés de la VAD, guide pour bien acheter en VPC, règles juridiques, déontologie.

Gateway France

www.gateway2000.fr

La société Gateway présente son catalogue grand public et entreprise, donne accès à des offres spéciales, au support technique, et permet de passer une commande en ligne.

Grosbill Micro (75)

www.grosbill.com

Site du magasin Grosbill Micro (Paris) : catalogue, petites annonces, occasions. Une référence à savourer d'urgence !

HCS Misco

www.hcsmisco.fr

Le site de l'enseigne de VPC micro HCS Misco présente son catalogue et permet de faire vos achats en ligne.

Hersys.com

www.hersys.com

Vente en ligne de matériel informatique.

HP France

welcome.hp.com/country/fr/fr/welcome.html

Le site du constructeur Hewlett-Packard (HP) présente l'entreprise, le catalogue, les promotions et les partenaires de la marque. Vous pouvez également accéder au support technique, aux derniers pilotes de périphériques et passer vos commandes en ligne.

IBM - Produits et services

www.ibm.com/products/fr

Site de vente en ligne du constructeur informatique IBM.

ICOS

www.icos.fr

La société Icos vend des ordinateurs et périphériques en ligne. Consultez son catalogue et passez votre commande.

Informatic Gallery

www.informatic-gallery.com

Galerie marchande de produits informatiques, consommables, imprimantes, logiciels, micro. Promotion de la semaine à prix discount.

InformatiqueXpress

www.informatiquexpress.com

Vente de composants informatiques, consommables, ordinateurs, périphériques, écrans plats. Découvrez le catalogue de 4 000 produits toutes marques, nouveautés, coups de cœur et promotions à des prix attractifs.

Inmac

www.inmac.fr

Inmac commercialise des ordinateurs portables et de bureau, des assistants numériques, de la mémoire, des disques durs, des imprimantes, des logiciels et câbles informatiques. Le site présente les différents produits au catalogue, donne accès au support technique et permet d'effectuer vos achats en ligne.

Internet France direct

www.Internet-france-direct.com

Dans la boutique en ligne IFD, vous trouverez les meilleurs prix du Net sur les produits réseaux ou télécoms.

Jumper Direct

jumper-direct.ifrance.com

Dans la boutique en ligne Jumper Direct, des périphériques et pièces détachées informatiques, des ordinateurs complets et des logiciels.

La centrale des encres

www.lacentraledesencres.fr

Le site de toutes les cartouches d'encre à prix réduits. Plus de 2 500 références en stock.

LDLC.com

www.ldlc.com

Vente en ligne d'ordinateurs, de périphériques et de consommables.

Les meilleurs prix des PC à Strasbourg

www.chez.com/strasspc

Les meilleurs prix du matériel informatique sur Strasbourg.

Materiel.net

www.materiel.net

Toute l'informatique aux meilleurs prix : matériel, logiciels, jeux, consoles, cartes mères, disques durs, graveurs, CD-ROM, cartes graphiques, etc.

Micro-Génie

www.micro-genie.fr

Vente, maintenance, service après-vente de matériel informatique, logiciels, CD-ROM, pièces détachées, commande en ligne.

Octopussy Informatique

www.ifrance.com/octopussy

Feuilletez le catalogue de cette boutique informatique en ligne et passez votre commande.

PC City

www.pccity.fr

Vente en ligne de matériels, logiciels et consommables informatiques.

PC Market

www.popfactory.com/pcmarket

Catalogue des assembleurs et revendeurs de PC en France (30 revendeurs, plus de 600 produits et 70 configurations complètes).

PC On-Line

www.pconline.fr

PC On-line propose des services réseau clés en main, des services outsourcing, un archivage électronique d'informations et de documents, assure la distribution de fournitures informatiques et d'équipement de réseau ainsi que la location financière.

PC Price

www.pcprice.fr

Retrouvez le catalogue de l'enseigne informatique PC Price, les configurations, les pièces détachées et les adresses des magasins de la chaîne.

Pearl Diffusion

www.pearl.fr/accueil.html

Site de vente par correspondance de matériel informatique. Vous y dénicherez des articles difficilement trouvables ailleurs.

Planète Discount.com

www.planetediscount.com

PlaneteDiscount.com, le portail de la technologie à prix discount : ordinateurs, imprimantes, moniteurs, accessoires, consommables, modems, etc.

Plugstore

www.plugstore.com

Vente en ligne de matériel informatique et téléphonique.

Radiospares

www.radiospares.fr

Vente en ligne de composants et fournitures industriels et informatiques.

Shopibm, Stockage

www.storage.ibm.com

Ce site présente la gamme complète de supports de stockage (disque, bande, disque optique) d'IBM et permet d'effectuer vos commandes en ligne.

Siener Informatique

www.sienerinformatique.fr

Siener Informatique pratique la vente de matériels et de logiciels informatiques en ligne.

Surcouf 

www.surcouf.com

Visitez les stands de la foire informatique Surcouf, informez-vous sur les possibilités de financement et passez commande.

The Apple Store (France) 

store.apple.com/Apple/WebObjects/francestore

Vente en ligne d'ordinateurs et périphériques Macintosh.

Toner Express 

www.toner-express.com

Toner Express est un fabricant et un distributeur de cartouches compatibles pour imprimantes laser. Il répare également imprimantes, copieurs et télécopieurs. Le site donne accès aux consommables, aux conditions de réparation, et permet de télécharger un driver pour votre imprimante.

Toner Services 

www.inovart.org/toner

Toner Services commercialise des cartouches de toner pour imprimantes laser. Le site permet de consulter le catalogue et de passer une commande en ligne.

TopAchat  

www.topachat.com

Toutes les semaines une sélection de produits informatiques qui font l'actualité à des prix très compétitifs : PC, modems, imprimantes, scanners, graveurs, jeux, logiciels, consommables, accessoires.

TopAchat.com - Boutique DVD 

www.topachat.com/imageson/index.php

Toutes les semaines, une sélection de produits informatiques, DVD, numérique, téléphonie et jeux qui font l'actualité, à des prix très compétitifs.

TopAchat.com - Boutique Jeux 

www.topachat.com/jeux/

Toutes les semaines, une sélection de produits (informatique, DVD, numérique, téléphonie et jeux) à des prix très compétitifs.

TopOrdi 

www.topordi.com

Toute l'informatique à petits prix : PC de bureau et portables (du Pentium II au Pentium 4), écrans, imprimantes, réseau, pièces détachées.

Twing 

www.twing.fr

Faites votre shopping informatique chez Twing sans quitter votre fauteuil.

W3 Store 

membres.lycos.fr/W3store

Site de la boutique informatique W3 Store, rue du Faubourg-Saint-Honoré, à Paris.

YAKA Informatique 

www.yaka.ch

YAKA Informatique : vente de matériel et de logiciels, conseils et services, Internet, solutions e-commerce complètes, dépannage, installations, maintenance de parcs informatiques.

ZDNet NetBuyer

www.zdnet.fr/shopping

Consultez NetBuyer, l'expert en micro-informatique : achat PC, matériel, logiciels, téléchargement, tests et comparatifs. Retrouvez également toute l'actualité PC, ainsi que la newsletter ZD Net.

Musique

Ad Libitum

membres.lycos.fr/valfie

Fichiers MIDI et paroles de chansons anglaises et françaises, MIDI pratique, techniques, cours, chant, voix.

Annuaire de plus de 1 000 liens

www.fabricesautereau.com/sautereau/liens.htm

Annuaire de sites gratuits de musique, MP3, images, GIF, moteurs de recherche, polices, ressources pour webmestres…

Carisch-Musicom

www.carisch.com/francese

Retrouvez l'immense catalogue musical de Carisch en ligne : 100 000 titres et plus de 30 000 articles. Partitions, textes avec accords, méthodes, fichiers MIDI, vidéos, CD, etc.

Edirol

www.edirol.fr

Découvrez tout le matériel et les logiciels pour faire de la musique et de la vidéo sur votre ordinateur : interfaces et claviers MIDI, modules Sound Canvas, USB audio, montage vidéo, mélangeurs, etc.

Espace Midi

www.espace-midi.com

Ce site contient des fichiers de musique classique, essentiellement romantique, au format MIDI. Vous y trouverez également un tutorial MIDI avec des conseils et astuces pour réaliser vos propres séquences et des liens vers des sites de fichiers MIDI personnels ou des archives.

Fbstraxx.com

www.fbstraxx.com

Le site référence sur la trance : mix, MP3, agenda des soirées, etc.

Génération MP3

www.generationmp3.com

De très nombreuses ressources sur le MP3 : matériels et logiciels, moteurs de recherche, boutiques, édito, P2P.

Guitare classique

www.classicalguitarmidi.com/francaise.html

Ce site contient un large éventail de fichiers musicaux MIDI pour guitare classique. Vous y trouverez également un historique du format MIDI et des explications sur les tablatures.

Guitare online

www.guitar-online.com

Cours de guitare en ligne, *via* e-mail ou sur CD-ROM.

Hypermédia

www.hypermedia.fr

Hypermédia, la plus grande chaîne européenne de produits d'électronique grand public, avec plus de 200 mégastores dans 10 pays.

Kmicaz

membres.lycos.fr/kmicaz

Plusieurs albums de rap MP3 vous attendent en libre téléchargement sur ce site.

Langocha 

www.langocha.com

Langocha propose des vidéos, des adresses de sites à visiter, des MP3 et une nouvelle énigme à résoudre chaque semaine.

L'annuaire du Real 8

www.real-and-smil.com

Annuaire de sites diffusant de la musique au format Realplayer 8.

Le wroom wroom du toutou 

www.montoutou.net

Moteur de recherche et annuaire du Web, moteur de recherche de MP3, cartes virtuelles animées, petites annonces, classement de sites, actualités, programme TV, météo, papier peint Windows.

Ma Planète

maplanete.free.fr

Ma Planète propose des centaines de partitions françaises et anglo-saxonnes, des MP3, des émulateurs, des CD-ROM et plein d'autres surprises à découvrir.

MIDI Hi-Fi 

midihifi.free.fr

Le meilleur des fichiers MIDI de blues et jazz : plus de 550 fichiers librement téléchargeables à portée de souris.

MIDI Net 

perso.wanadoo.fr/midinet

Une grande variété de fichiers MIDI classés par genres et par thèmes.

Midi World 

www.midiworld.fr.fm

Sur ce site, vous trouverez de nombreuses séquences MIDI. Tous les styles de musiques sont présents, du classique au moderne, en passant par la variété française et internationale.

Monsieur Z

www.audiogalaxy.com/bands/monsieurz/newsite/accueil.html

Quelques musiques MP3 à télécharger.

MP3, le format 

membres.lycos.fr/mp3

Tout pour les utilisateurs de MP3 : définition du format, lecteurs, compresseurs, copieurs de CD, création, exemples et recherche de MP3.

Mp3.fr 

www.mp3.fr

Ce site propose de nombreux outils à télécharger, l'actualité du MP3, présente plusieurs artistes et donne accès à de très nombreux morceaux.

Musiques du bout du monde

www.loz-production.com

Extraits musicaux de CD au format RealAudio et MP3 de musiques du bout du monde.

ToutPourLaMusique.com

www.tplm.com

Qu'attendez vous pour faire de la musique ? MAO, instruments, logiciels, playback, karaoké, samples, MP3, fichiers MIDI, loops : vous trouverez tout pour la musique sur tplm.com.

Vitaminic France MP3

www.vitaminic.fr/main

Le site France MP3 propose une initiation au MP3, différents programmes, tests et comparatifs.

PDA, calculatrices, ordinateurs de poche, annonces

Azimut.com

www.azimut.com

Site d'un spécialiste de l'informatique nomade et des ordinateurs de poche : Psion, PC de poche sous Windows CE, PalmPilot, etc.

B-gsm.com mobile information

www.b-gsm.com

News et promotions des GSM, codes secrets, mélodies et logos des opérateurs.

BonWeb - Informatique, applications PDA

www.bonweb.com/p_2_1218.php

Sélection des meilleurs sites francophones proposant des applications pour PDA par bonweb.com.

BonWeb - Informatique, PocketPC

www.bonweb.com/p_2_869.php

Sélection des meilleurs sites dédiés aux PocketPC par bonweb.com.

BonWeb - Informatique, PDA

www.bonweb.com/p_2_577.php

Sélection des meilleurs sites dédiés à l'univers des PDA et autres PocketPC par bonweb.com.

Declasser.com

declasser.com

Declasser.com propose des produits de sortie d'usine de tout type à prix discount : fin de série, déstockage, matériel d'exposition, invendus, sortie de catalogue.

Dukeland

membres.lycos.fr/dke

Tout pour votre TI 82 (programmes, jeux, plans), liens vers toutes sortes de sites complémentaires, téléchargements, forum et chat.

Epocboulevard.com

www.epocboulevard.com

Ce site présente les caractéristiques, les logiciels ainsi que des trucs et astuces pour les PDA qui utilisent le système d'exploitation Epoc.

GPS et PDA

v2.webdistrib.com/(d6ee1a0a0ac2e50b)/cat/gps-pda.php

Les performances et les fonctionnalités d'un GPS PDA dépendent plus du PDA et du logiciel de cartographie utilisés que du récepteur GPS en lui-même. Venez faire votre choix sur ce site marchand.

Grosbill Micro (75)

www.grosbill.com

Site du magasin Grosbill Micro (Paris) : catalogue, petites annonces, occasions. Une référence à savourer d'urgence !

GSM Factory

www.gsmfactory.com

Toute l'actualité sur la téléphonie mobile en France : fiches techniques, astuces, mélodies, logo, secret, câble, SMS, etc.

GSM Paradise

www.gsmparadise.com

Boutique en ligne spécialisée dans les mobiles et PDA.

La page Web du petit Fabien

www.fabien.free.fr

Infographie et téléchargement HP48, galerie de dessins et peintures, sélection de BD et comics, photos et anecdotes sur les ours en peluche.

Les organiseurs Palm

www.palmagik.com

Tout ce que vous avez toujours voulu savoir sur le Palm sans jamais oser le demander.

Logithèque PDA

pocketpc.logitheque.com

Venez télécharger gratuitement des logiciels de bureautique, des jeux, des outils graphiques, des utilitaires pour votre assistant sur le volet PDA de Logithèque.com.

Mobicity

www.mobicity.com

Portail du mobile : toute l'information, les sites Internet, les téléphones testés et commentés, les forfaits, les prépayés, les boutiques, etc.

PalmAttitude

palmattitude.org/dossiers/freewares/index.php

Sur ce site, dédié à tous les amateurs de PDA sous PalmOS, vous trouverez un forum, des dossiers, des guides, des tests, une sélection de logiciels librement téléchargeables, un comparateur matériel, etc.

Palmbox, l'esprit Palm

www.palmbox.com

Référence dans le monde du Palm et des PDA, PalmBox contient toute l'information du monde Palm : news, téléchargement de logiciels/sharewares, liens, accessoires, dossiers, concours, clubs.

PocketPC France

www.pocketpcfrance.info

Toute l'actualité PocketPC mise à jour quotidiennement.

Site d'Aymeric

aym.online.fr

Site consacré au Palm V de 3Com (logiciels, documents, équipements, nouvelles, articles de fond, liens complémentaires) et au roller.

Site-wap.com : SMS, Wap, sonneries

www.site-wap.com

Cet annuaire français des sites Wap vous propose de nombreuses sonneries pour portables, l'envoi gratuit de messages SMS, des émulateurs Wap, un forum et des utilitaires pour tous les créateurs de sites.

Ti80.Online

www.ti80.online.fr

Site dédié à la TI-80 : jeux et programmes gratuits, forum et lettre de diffusion, conseils pour tirer le meilleur parti de la calculatrice.

Ultimate Pocket

www.ultimatepocket.com/modules.php?op=modload&name=News&file=article&sid=1599

Cette page propose des packs contenant des logiciels freewares (100 % gratuits) indispensables pour PocketPC.

Photos, cliparts

ABGraphix

www.abgraphix.com

Cette bibliothèque regroupe un grand nombre de GIF animées, d'images, de cliparts, de fonds d'écran, etc.

Appletworld

appletworld.free.fr

Pour créer vos propres logos et applets, gratuitement et rapidement.

BonWeb - Informatique, cliparts

www.bonweb.com/p_2_1028.php

Sélection des meilleurs sites qui proposent des bibliothèques de cliparts par bonweb.com.

Calendriers

www.liensutiles.org/calendrier.htm

Une sélection de calendriers pour vos sites Web.

Caricature zone

www.magixl.com/caric./vue.html

Cette page donne accès à 300 caricatures de stars internationales, propose des jeux en Shockwave et des animations délirantes sur le thème de la caricature.

Cartes et cliparts

johan.lemarchand.free.fr

Des cartes et cliparts sur la cartographie pour illustrer vos pages Web, des liens sur la cartographie et des informations sur les satellites d'observation de la Terre et les systèmes d'information géographique.

Clipart World

clipartworld.free.fr

Portail des ressources graphiques et utiles pour webmestres.

Clipart2001

membres.lycos.fr/clipart2001

Téléchargez gratuitement les meilleurs cliparts du Net, classés par catégories.

Gloubi-Web

gloubiweb.free.fr

Au menu : GIF et cliparts de qualité, animations, textures et JavaScripts pour sites Web, cartes virtuelles inédites, fonds d'écran, etc.

Images du Temps

www.euratlas.com/eon

Ce site propose des images et des fonds d'écran libres de droits représentant le cours de l'histoire.

Imalog.fr.st

www.imalog.fr.st

Des images, des logos, des compteurs, des textures, des scripts et des outils pour mettre en valeur votre site Web.

JavaWeb

membres.lycos.fr/javaweb/index/index.html

De nombreux scripts, applets et GIF animées pour vous donner des idées et vous aider à concevoir vos pages Web.

La Boîte à GIF

boitagifs.free.fr

Ce site propose des centaines de GIF classés par thèmes pour embellir vos pages Web et vos messages e-mail.

Le Monde du GIF

lemondedugif.free.fr

Des centaines de GIF animés inédits, classés par thèmes et par catégories.

Photos Gratis

www.photosgratis.com

Ce site fournit gratuitement des photos de haute qualité et en plusieurs résolutions.

Programmation

Adalog

perso.wanadoo.fr/adalog/index.htm

Adalog est une société spécialisée dans les services liés au langage Ada : formation, expertise et conseil.

Adhock

www.adhock.org

Ce site propose plusieurs documentations pour développeurs évoluant dans le monde Linux.

Alain-Lefebvre.com

www.alain-lefebvre.com

La page de l'open source (logiciels à code ouvert) en mouvement.

Allprog

www.allprog.com/Sommaire.htm

Nombreuses informations sur la plupart des langages de programmation : Asp, C++, C++ Builder, DirectX, Java, JavaScript, Perl, PHP3, SQL.

ASP Magazine

www.asp-magazine.com

Ce webzine présente des cours et exemples de programmation pour les langages suivants : ASP, PHP, JavaScript, Java, XML, HTML, SQL.

Association d'entraide des développeurs francophones

www.developpez.com

Ce site dispense des cours de programmation Delphi, langage C, C++, Java, Pascal, Internet et propose des ressources pour les développeurs francophones.

BonWeb - Informatique, ASP

www.bonweb.com/asp-webdevelopment-developpement.php

Sélection des meilleurs sites dédiés à la programmation ASP par bonweb.com.

BonWeb - Informatique, développement

www.bonweb.com/ressources-open-source-informatique.php

Sélection des meilleurs sites pour développeurs open source par bonweb.com.

BonWeb - Informatique, HTML

www.bonweb.com/html-webdevelopment-developpement.php

Sélection des meilleurs sites dédiés au langage HTML par bonweb.com.

BonWeb - Informatique, langages

www.bonweb.com/langages-programmation-developpement.php

Sélection des meilleurs sites dédiés à un ou plusieurs langages de programmation par bonweb.com.

BonWeb - Informatique, PHP

www.bonweb.com/portails-php-francophones-webdevelopment-developpement.php

Sélection des meilleurs sites dédiés à la programmation PHP par bonweb.com.

BonWeb - Informatique, programmation Web

www.bonweb.com/programmation-serveur-webdevelopment-developpement.php

Sélection des meilleurs sites de programmation Web par bonweb.com.

BonWeb - Informatique, Scripts

www.bonweb.com/javascript-webdevelopment-developpement.php

Sélection des meilleurs sites de programmation par scripts par bonweb.com.

BonWeb - Informatique, XML

www.bonweb.com/xml-webdevelopment-developpement.php

Sélection des meilleurs sites de programmation XML par bonweb.com.

Borland France

`www.borland.fr`

Le site de Borland France donne accès aux différents produits commercialisés (développement, déploiement et administration), présente les nouveautés et donne les modalités d'inscription aux séminaires et au club des utilisateurs.

CFacile

`www.infres.enst.fr/~charon/ CFacile`

Ce site propose un didacticiel dédié à l'apprentissage du langage C. Vous pourrez également y tester vos connaissances par l'intermédiaire d'un ensemble d'exercices.

Comment ça marche l'informatique ?

`www.commentcamarche.net`

Site de vulgarisation de l'informatique : langages, bases de données, Web, systèmes, client/serveur, programmation, etc.

CppFrance.com

`www.cppfrance.com`

Sur ce site, vous trouverez des codes sources C++.

Delphi vu par Fobec

`www.fobec.com/protec/corps_accueil.php3`

Ce site, dédié au langage Delphi, propose chaque mois le code source d'un programme complet, des trucs et astuces, des liens complémentaires et des aides.

Documentations sur le PC

`worldserver.oleane.com/heissler/index.html`

Petits cours sur le petit monde du PC : architecture interne, programmation, outils hardware et système, dictionnaire, liste d'acronymes, etc.

Documents de programmation

`www.docsdunet.com`

Répertoire des meilleurs cours et tutoriels du Net traitant des langages de programmation, des bases de données, des réseaux, des systèmes d'exploitation, en passant par la cryptologie et tout ce qui touche aux nouvelles technologies.

DRI - Digital Rural Informatique

`dri.fr/tarifcom/visual_basic`

Des exemples de codes sources Visual Basic très légers à télécharger.

EasyVB

`easyvb.free.fr`

Ce site s'intéresse à la programmation en Visual Basic. Vous y trouverez un cours de programmation, des codes sources, des outils, un forum, des programmes exécutables et un ensemble de liens apparentés.

Eteks : du C/C++ à Java

`eteks.com`

Grâce à un cours et à une série d'exemples simples, apprenez tout sur Java : les classes, les exceptions, les threads, comment créer une interface graphique pour programmer des applets et des applications.

Guide du langage HTML

werbach.com/barebones/
fr_barebone.html

Le guide rapide du langage HTML établit la liste de toutes les étiquettes que les versions courantes des navigateurs Web sont capables de reconnaître. Le site renvoie également vers d'autres guides du langage HTML.

Guide pour débutant en HTML

www.loria.fr/~charoy/htmlfrench/
html.html

Guide pour bien débuter en programmation HTML.

Histoire des langages de programmation

www.scriptol.org/histlang.html

Histoire des langages de programmation, orientée sur l'évolution de la syntaxe.

Inprise

www.borland.fr

Cette société fournit des langages de programmation et interfaces (Delphi, C++ Builder, VisiBroker, etc.) destinés aux développeurs.

Introduction à la programmation en ANSI-C

www.ltam.lu/Tutoriel_Ansi_C

Ce site donne accès à un didacticiel dédié à l'apprentissage du langage ANSI-C. Très clair et bien structuré, il propose également un ensemble d'exercices pour tester vos connaissances.

Javaside.com

www.javaside.com/fr

JavaSide est un site vraiment complet consacré à l'univers Java. Vous y trouverez une documentation sur le langage, un très grand nombre d'applets et de jeux, des trucs et astuces, le JDK de Sun, des composants ASP en Java et des offres d'emploi pour les programmeurs confirmés.

La Caverne Informatique

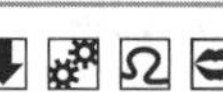

cavinfo.fr.st

Ce site aborde la programmation en assembleur, C, Java, JavaScript, Ada, Lisp à travers des exemples concrets. Egalement des articles complets sur le HTML, les feuilles de style, les cookies, le DHTML, le projet SOS et plein d'autres choses.

La page d'Isabelle

www.shellunix.com

Découvrez les principales commandes Linux, le Bourne Shell, le C Shell, le Korp Shell.

Langages informatiques

langagesinformatiques.chez.tiscali .fr

Ce site propose des cours sur les langages Turbo Pascal, HTML et JavaScript.

Le Club Java

www.club-java.com

Le club des utilisateurs Java s'adresse à l'actualité du monde Java : les événements à ne pas manquer, les news du monde Java, accès à une initiation et à de nombreuses ressources en Java.

Le magazine en ligne d'ASP

www.asp-magazine.com

Webzine présentant des cours et exemples de programmation dans les domaines suivants : ASP, PHP, JavaScript, Java, XML, HTML, SQL.

L'éditeur JavaScript

www.editeurjavascript.com

Ce site vous permet d'écrire du JavaScript sans savoir programmer : l'éditeur en ligne crée des scripts suivant les paramètres que vous lui donnez. Simple et rapide !

Les docs de Frédéric Heissler

worldserver.oleane.com/heissler/index.html

Ce site donne accès à des informations concernant l'architecture matérielle du PC, la programmation et les moteurs de recherche.

Les langages du Web

membres.lycos.fr/mbolo/debut.html

Formation aux principaux langages du Web : HTML, JavaScript et Java (cours téléchargeables, FAQ, conseils et astuces, glossaire, logiciels utilitaires, etc.).

Les langages informatiques

membres.lycos.fr/dliard/Sciences/Informatique/Langages

Cours sur les différents langages informatiques (impératifs, fonctionnels et logiques).

Microsoft Visual Basic

www.microsoft.com/france/vbasic

Le site officiel de Microsoft Visual Basic : toute l'actualité du langage, une formation en ligne, un forum et une zone de téléchargement.

MSDN France

www.microsoft.com/france/msdn

Page d'accueil MSDN France pour les développeurs utilisant les langages et/ou les systèmes d'exploitation de Microsoft.

News Langages de Voila.fr

news.voila.fr/news/fr.comp.lang.

Les groupes de news sont souvent une aide précieuse pour résoudre les problèmes ponctuels que l'on rencontre en programmation. N'hésitez pas à consulter cette page pour accéder à des groupes généralistes ou spécialisés dans un langage.

Opération MAIA

webvilles.org/maiaweb

L'opération MAIA consiste à regrouper des ressources libres de droits et à les mettre gratuitement à la disposition des enseignants, des auteurs de logiciels éducatifs et de toute personne intéressée par leur utilisation.

Programmation en ANSI-C

www.ltam.lu/Tutoriel-Ansi-C

Autoformation en ligne à la programmation en ANSI-C.

Programmation HTML, Delphi et Pascal

membres.lycos.fr/cha/pages/frcouleur.htm

Par l'intermédiaire de son site, l'auteur communique son savoir à ses visiteurs en matière de Delphi, Linux et HTML.

SelfAccess

www.self-access.com

Le site SelfAccess vous propose une initiation

à Java, Word, Access, ASP, ainsi que des applets freeware et shareware pour vos pages Web.

Site Alpha

s.alpha.free.fr

Pour apprendre et progresser dans la programmation Visual Basic, venez sur ce site. Grâce à de multiples exemples dans tous les domaines (3D, graphismes, gestion des fichiers, etc.), vous allez pouvoir vous améliorer.

Sun Microsystems France

fr.sun.com

La société Sun Microsystems est à l'origine du langage Java. Son site donne accès au catalogue, aux produits et solutions, aux services et formations, ainsi qu'aux partenaires de la société.

Tout JavaScript.com

www.toutjavascript.com

Tout sur le langage JavaScript : scripts, tutoriels, forum.

Tutorials On Line

www.tutorials-online.com

Grâce à ce site, formez-vous à Visual Basic 5/6 et Office 97/2000. Cours en ligne ou sur CD-ROM pour entreprises et particuliers, basés sur la réalisation d'exercices pratiques.

Tutoriels ASP, ODBC et Active Server Pages

www.asp-fr.net

Référence française des développeurs Active Server Pages, SQL et ODBC.

Uranium cyberculture

uranium.free.fr

Infos, tutoriels, codes sources et forums Visual Basic, Win32, DirectX 7 et 8, logiciels sharewares et freewares Uranium Software.

VbFrance.com

www.vbfrance.com

Très nombreux codes sources Visual Basic. La présentation agréable et pratique de ce site renforce son contenu.

Sécurité

Abc de la sécurité informatique

abcdelasecurite.free.fr

Sur ce site dédié aux freewares de sécurité, apprenez à protéger votre intimité, vérifiez votre antivirus, testez la sécurité de votre connexion, surfez anonymement, sachez qui vous observe…

Aladdin

www.aladdin.fr

Aladdin est un leader global dans la sécurisation de contenus numériques, depuis les logiciels applicatifs jusqu'à l'accès et l'usage d'Internet. Le site détaille les produits du catalogue, donne accès au support et à l'espace de téléchargement, aux news et aux événements marquants de la société.

Anti-hack.org

www.anti-hack.org

Ce site vous explique comment vous défendre contre les pirates informatiques : intrusions disques durs, flood ICQ, mailbombing, virus, nukes...

Anti-Piraterie

www.anti-piraterie.com.fr

Anti-Piraterie, l'observatoire des pratiques "contrefaisantes" sur Internet.

Attac.net

www.attac.net

Ce site vous informe des indices des attaques virales sur l'instant. Il vous permet également de tester vos antivirus en des codes de tests avec le protocole HTTP.

BonWeb - Informatique, sécurité - anonymat

www.bonweb.com/p_2_581.php

Sélection des meilleurs sites proposant des techniques qui vous permettront de préserver votre anonymat sur le Net par bonweb.com.

BonWeb - Informatique, sécurité - antivirus

www.bonweb.com/p_2_781.php

Sélection des meilleurs sites dédiés aux antivirus par bonweb.com.

BonWeb - Informatique, sécurité - cryptologie

www.bonweb.com/anonymat-securite-informatique.php

Sélection des meilleurs sites de cryptologie (cryptage, stéganographie, PGP, etc.) par bonweb.com.

BonWeb - Informatique, sécurité - hackers

www.bonweb.com/p_2_875.php

Sélection des meilleurs sites francophones qui s'intéressent aux hackers par bonweb.com.

BonWeb - Informatique, sécurité - intrusion

www.bonweb.com/p_2_867.php

Sélection des meilleurs sites proposant des solutions pour éviter toute intrusion sur votre ordinateur par le Net par bonweb.com.

BonWeb - Informatique, sécurité - ressources

www.bonweb.com/p_2_518.php

Sélection des meilleurs sites dédiés à la sécurité informatique par bonweb.com.

BonWeb - Informatique, sécurité - sauvegarde

www.bonweb.com/sauvegarde-et-recuperation-securite-informatique.php

Sélection des meilleurs sites qui proposent des outils de sauvegarde par bonweb.com.

BSA en France

www.bsa.org/france

La Business Software Alliance est un regroupement d'éditeurs de logiciels qui combat le piratage.

CIGREF

www.cigref.fr

Le Club Informatique des Grandes Entreprises Françaises assure la de promotion et le bon usage des systèmes d'information comme facteur de compétitivité et de création de valeur pour l'entreprise. Retrouvez sur le site : actualités, événements, revue de presse, rapports.

Clusif

www.clusif.asso.fr/index.asp

Site du Club de la sécurité des systèmes d'information français : infos juridiques, documents et outils à télécharger, sélection de liens, etc.

Digital Connexion

www.digital-connexion.info

Présentation de la société Digital Connexion dont la mission est l'information et l'éducation dans le domaine de la sécurité informatique.

Inoculer.com

www.inoculer.com/webantivirus.php3

Ce site donne accès à différents antivirus en ligne. Connectez-vous sur l'un d'entre eux, téléchargez le programme antivirus indiqué et testez l'intégrité de votre ordinateur.

IXUS.NET

www.ixus.net

IXUS.net est un site d'information francophone indépendant dédié à la sécurité informatique, aux outils réseau et aux distributions Linux sécurisées destinées à la mise en place de passerelles, firewalls et VPN, ainsi qu'au partage de connexion ADSL.

La sécurité sur le Net

securinet.free.fr

Découvrez tout ce que vous avez toujours voulu savoir sur la sécurité et Internet : précautions à prendre contre le piratage, virus, chevaux de Troie, applications et principes de la cryptologie, espionnage sur Internet (traces, programme Echelon).

Les virus informatiques

www.geocities.com/SiliconValley/Hills/4227

Ce site s'intéresse aux techniques utilisées par les divers virus et antivirus existants.

Panda ActiveScan

www.pandasoftware.com/activescan/fr/activescan_principal.htm

Ce site donne accès à un antivirus en ligne, remis à jour en permanence.

Securis-info

securis.info

Une véritable armurerie pour qui souhaite protéger sa machine : antivirus, firewalls, anonymat/protection de la vie privée, traceurs, mail... Le meilleur du freeware sécurité.

Sécurité publique - Canada

www.safecanada.ca/topic_f.asp?category=3

Le site de sécurité publique du Canada fournit toute l'information du gouvernement du Canada sur la sécurité publique, incluant la sécurité sur Internet, la protection parentale, les virus, le piratage, etc.

Sécurité.org

www.securite.org

Site francophone consacré à la sécurité informatique et réseau, la cryptographie et Linux.

Secuser News

www.secuser.com/index.htm

Infos, conseils, outils et liens pour préserver vos données et votre vie privée : sécurité informatique, protection contre les hackers, virus, worms, spams, mailbombs, et préservation de votre anonymat sur le Net.

Symantec

www.symantec.fr

Le site de Symantec, le leader de la sécurité Internet, donne des informations sur les produits commercialisés, permet d'accéder aux services de la marque, au support technique, et d'effectuer vos achats en ligne.

Trend Micro

fr.trendmicro-europe.com

Ce site s'intéresse aux antivirus pour réseaux locaux et messageries, intranet et Internet, et propose divers logiciels en téléchargement gratuit.

Zataz

www.zataz.com

Magazine d'actualité sur la sécurité informatique : pirates, hackers, protections, virus, cybercriminels, vie privée, cryptage, reportages, interviews.

Sharewares, freewares, téléchargement

01Jeux

www.01jeux.net

Découvrez de nombreux jeux gratuits à télécharger pour Windows 9x/XP.

100 % Telechargement

telecharger.yacapa.com

Site de téléchargement de logiciels shareware et freeware : jeux, utilitaires pour MP3 et DivX, copie de DVD et CD, émulateurs, antivirus, firewall, etc.

1000 fonts

1000fonts.com

De très nombreuses polices TrueType librement téléchargeables, accessibles par ordre alphabétique.

AbracadaMac

abracadamac.free.fr

Annuaire du freeware pour Macintosh.

ActuShare

www.actushare.com

Sélection de logiciels shareware et freeware librement téléchargeables, classés par catégories et commentés.

Allo Polices

perso.wanadoo.fr/technologies

Sur ce site, 500 polices de caractère gratuites à télécharger.

Annuaire du shareware

www.microchiot.com

Vous trouverez ici plus de 11 000 sharewares et freewares en français à télécharger sur Internet. Les logiciels sont classés dans plus de 150 rubriques pour faciliter vos recherches.

Annuware

www.annuware.com

Annuaire des sites francophones de freewares et sharewares.

Anshare

www.anshare.com

Plus de 6 000 logiciels sharewares et freewares librement téléchargeables vous attendent sur ce site.

Apalron.fr.st

www.apalron.fr.st

Sur ce site, découvrez et téléchargez des gratuiciels français pour PC et Macintosh.

ArachnoSoft

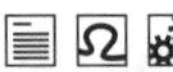

www.arachnosoft.com

ArachnoSoft propose des logiciels gratuits, des jeux en ligne, de la musique gratuite, des liens et des articles sur la programmation, l'émulation et les freewares ainsi que des informations pour webmestres.

Artisan2k

www.artisan2k.com

Tous les mois des gratuiciels, des actualités et des nouveautés informatiques.

Association française des auteurs de sharewares

www.afas-fr.org

Créée en novembre 1995, l'AFAS (Association française des auteurs de sharewares) œuvre pour améliorer l'image du shareware en France. Vous trouverez sur le site une foule d'informations sur le shareware et l'AFAS, que vous soyez utilisateur, auteur ou diffuseur.

Aux Freewares d'Osted System

auxfreewaresdosted.free.fr

Freewares en téléchargement pour Windows, classés par thèmes : bureautique, Internet, HTML, utilitaires, multimédia et jeux.

Blymp

blymp.free.fr/vb

Vous trouverez ici des programmes librement téléchargeables, écrits en Visual Basic 5 ou 6. Presque tous les programmes sont exécutables directement si vous avez le bon "Runtime" VB.

Boncarmaz arena

boncarmaz2.free.fr

Ce site multithème propose des utilitaires à télécharger, des bruitages, des arrière-plans pour votre bureau, des vidéos, des astuces pour Windows 98 et plein d'autres choses à découvrir.

BonWeb - Informatique, logithèques

www.bonweb.com/p_2_18.php

Sélection des meilleurs sites de téléchargement par bonweb.com.

BonWeb - Informatique, logithèques francophones

www.bonweb.com/p_2_757.php

Sélection des meilleurs sites de téléchargement francophones par bonweb.com.

Calogiciel - Windows

telecharger.caloga.com

Site de téléchargement de freewares et sharewares.

Charly77

membres.lycos.fr/courbis/charly77

Ce site propose une sélection de MP3 de tout style, un top 20, un moteur de recherche de fichiers téléchargeables et de pochettes CD sur le Net.

Clubic

www.clubic.com

Actualité informatique en continu. Près de 1 500 logiciels et jeux vidéo en téléchargement direct, fonds d'écran, conseils, astuces, comparateur de prix, forum de discussion, avant-premières, etc.

Convertisseur

membres.lycos.fr/convertisseurwal

Convertisseur gratuit, téléchargeable ou utilisable en ligne. Monnaies : euros, francs français et suisse, dollars, livres sterling, yens. Mais également températures : degré Celsius, Fahrenheit, Kelvin. Les taux de conversion sont mis à jour tous les mois sur le site.

Distribuciel Shareware

www.distribuciel.com/index.php3

Ce site propose quelques programmes en version limitée pour petites configurations fonctionnant sous Windows 3.1. La version complète de chacun des programmes peut être commandée par la Poste.

Djouls.com

www.djouls.com

Ce site propose de très nombreux morceaux en RealAudio, 700 chroniques CD, des dizaines de discographies d'artistes et de labels essentiels et plein d'autres surprises.

Docteur-PC.com

www.docteur-pc.com

Le site informatique le plus généraliste du Web : téléchargements, tests, dossiers, news, prix, pilotes de périphériques et aide.

Economiseurs d'écran

www.liensutiles.org/ screensaver.htm

Cette page recense et permet de télécharger de nombreux économiseurs d'écran.

Econseils

www.econseils.com

Portail de la typographie en ligne : news, manuels, livres, téléchargement et histoire.

Ecrans 2 veille

lcseguin.free.fr/ecrans2veille

Vous trouverez sur ce site des écrans de veille pour Windows. Ils sont tous distribués en PostCardWare. Envoyez une carte postale au webmestre si vous désirez en garder un.

Espace francophone

www.espacefr.com

Recueil de logiciels francophones gratuits pour Windows : Internet, éducatifs, jeux. Liens vers quelques sites complémentaires.

Eworldmusic.com

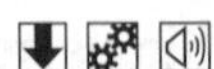

www.eworldmusic.ca

Téléchargez une sélection de fichiers MP3 de tout style (techno, hip-hop, pop, alternatif, jazz, musiques du monde et enfants).

Excel Downloads

www.excel-downloads.com

Ce site vous permet de télécharger librement des programmes pour Excel, classés par catégories : convertisseurs euro, applications professionnelles, utilitaires, jeux. Vous y trouverez également une lettre de diffusion, un forum et des actualités.

Fonds d'écran de Yannick

membres.lycos.fr/coleno/theme.htm

De nombreux fonds d'écran de tout type, illustrés par des imagettes afin d'être sûr de télécharger ce que vous désirez.

FP, sharewares pour PC

www.pratique.fr/net/softs/pc/
index.html

Une sélection de sharewares à télécharger pour PC fonctionnant sous Windows 3.1, 95 ou supérieur.

Free & Share

freeshareweb.com/index.php

Vous trouverez ici des freewares et des sharewares librement téléchargeables pour Windows et Palm OS.

Free Prog

www.chez.com/freeprog

Ce site propose une sélection de logiciels freewares pour Windows 3.x ou 9x.

Freeware Heaven

www.frheaven.com

Ce site propose des freewares classés par thèmes (jeux, Internet, utilitaires, divers, Linux).

FreewareFrance

www.freewarefrance.com

Sur FreewareFrance, découvrez une sélection de freewares pour Palm et PC, en français ou en anglais, testés et retenus pour leur utilité et leurs fonctionnalités.

FSF France

fsffrance.org

Ce site s'intéresse aux logiciels gratuits : GPL, GNU, guide pour webmestres.

Giganet.fr.st

www.ifrance.com/giganet

De nombreux fonds d'écran de tout type, illustrés par des imagettes afin d'être sûr de télécharger ce que vous désirez.

Gr@tifree

www.minelog.com/gratifree

Ce site permet de télécharger de nombreux graticiels pour Windows.

Graphic Obsession

www.graphicobsession.fr/index.jsp

Ce site présente des milliers de polices de caractères. Utilisez le moteur de recherche multicritère intégré pour trouver la police dont vous avez besoin.

Graphiland

www.graphiland.fr

Graphiland vous permet d'acheter en ligne et de télécharger des logiciels graphiques et multimédias.

Graticiels pédagogiques

adminet.com/graticiels

Ce site propose un ensemble de logiciels pédagogiques gratuits.

Gratuiciel

www.gratuiciel.com

Site de téléchargement de gratuiciels (logiciels gratuits) en français pour Windows.

HiToo

www.hitoo.com/Windows/Freeware.php

Téléchargez plus de 12 500 logiciels gratuits sur HitOO.com. Devant une telle abondance, les auteurs du site ont eu la bonne idée de classer les freewares dans plusieurs catégories et sous-catégories.

Icônes pour Windows

touslesicones.ifrance.com/01icones

Ce site vous permet de télécharger de nombreuses icônes classées par thèmes au format Zip.

Info et musique

www.ifrance.com/brian

Une profusion de fichiers aux formats RealAudio et MP3.

Jdnet téléchargement

telechargement.journaldunet.com

Plate-forme de logiciels gratuits à télécharger. Sélection mensuelle et actualité du téléchargement de logiciels gratuits. Les logiciels sont classés par rubriques et commentés.

Jereb

jerebat.free.fr

Sur le site de JeReMiE : sélection de logiciels, liens classés par thèmes, actualité, moteurs de recherche, Java, etc.

JeTelecharge.com

www.jetelecharge.com

Site de téléchargement libre et gratuit de freewares et sharewares.

Jeux Gratis.com

www.jeuxgratis.com

Des centaines de jeux 100 % gratuits à télécharger : adresse, action, arcade, cartes, casino, réflexion, sport, stratégie, plate-forme, etc.

Jeux gratuits.net

www.jeuxgratuits.net

Une centaine de jeux gratuits et complets pour toute la famille à télécharger : arcade, action, cartes, pour enfants, éducatifs, plateau, stratégie, rôle, sport.

Journal du Net, Logiciels

telechargement.journaldunet.com

Plate-forme de logiciels gratuits à télécharger pour Windows et Palm OS : utilitaires, éditeurs HTML, compresseurs MP3, démos de jeux vidéo, etc.

Kood'main, le comptoir du freeware

www.koodmain.com

Annuaire de freewares pour PC.

La logithèque d'Anshare

www.logitheque.com

Ce site permet de télécharger une sélection des meilleurs freewares/sharewares dans les domaines suivants : bureautique, comptabilité et gestion, éducation, graphisme et multimédia, Internet, jeux, loisirs et famille, utilitaires.

La page des Sciences Physiques

perso.club-internet.fr/rene.balderacchi/index.html

Ce site donne accès à une page de téléchargement de programmes de physique et d'utilitaires, à des cours et travaux pratiques de physique/chimie (5e, 4e, 3e).

La Toile francophone

www.toilefrancophone.net

Ce site propose une sélection de freewares scientifiques et informatiques : astronomie, biologie, mathématiques, Internet, physique, développement, etc.

Le Burodrome

burodrome.free.fr

Des idées, des textures, des icônes, des scripts et des liens pour transformer votre Bureau Windows.

Le Gratuit

www.legratuit.com

Annuaire de ressources gratuites : MP3, photos, GIF, charme, images, jeux, SMS, logiciels, etc.

Le solfège sans solfège

www.happynote.com

De vrais jeux vidéo à télécharger pour apprendre la musique et le solfège !

Let's Download

www.lets-download.com

Let's Download est un énorme annuaire de plus d'un millier de logiciels, tous testés et notés. A découvrir d'urgence.

Logiciels indispensables

www.liensutiles.org/logind.htm

Cette page répertorie un ensemble de plug-in pour Internet Explorer et donne accès au site permettant de les télécharger.

Logithèque Yahoo!, Ziff-Davis

fr.shareware.yahoo.com

Cette page permet d'effectuer des recherches dans la logithèque de Yahoo!, ZDNet.

Logithèque

www.logitheque.fr

Site de téléchargement de logiciels freeware et shareware.

MacFreeware

membres.lycos.fr/macfreeware/menu.html

Plus d'une centaine de logiciels libres de droits pour les ordinateurs Macintosh. Les logiciels sont classés par catégories pour faciliter leur repérage : Internet, divers/intéressant, système, jeux/humour, image/son, économiseurs d'écran, utilitaires, inclassables.

Manipil

www.manipil.com

Ce site propose un logiciel pour l'automatisation domestique : arrosage, lumières et gestion de chauffage : horaire, délestage.

Mégagiciel

www.megagiciel.com

Mégagiciel est un vaste répertoire qui donne accès à des logiciels pour PC et Macintosh. La recherche peut se faire de façon thématique ou par mots clés.

Montagne 3D

cjain.free.fr

Découvrez et téléchargez un logiciel de synthèse fractale de paysages 3D.

MP3 gratuit

www.legratis.com/mp3gratuit

Des milliers de fichiers MP3 de tout style à télécharger gratuitement et un webzine pour vous informer de l'actualité musicale. Vous pouvez aussi soumettre vos créations musicales.

MP3 Plus

membres.lycos.fr/mp3plus

Des musiques MP3, des outils pour les manipuler et de nombreuses explications sur leur format.

Mp3.fr

www.mp3.fr

Site communautaire grand public de promotion musicale (artistes indépendants), de téléchargement gratuit et d'information entièrement dédié au MP3 : actualité, softwares, matériel et information dans le domaine de la musique.

MP3-VQF

membres.lycos.fr/essair

MP3 et VQF : news, logiciels, matériels, tests, comparaison.

Net France

www.net-france.com

Net-France offre de nombreux services vous permettant de communiquer sur Internet gratuitement : envoi de SMS et ressources pour les webmestres (sondages gratuits, modules d'envoi de SMS, liste de diffusion, référencement).

Net4dev - Logithèque

www.lalogitheque.com

Annuaire de sharewares et freewares à télécharger librement.

PC-Boost.com

www.pc-boost.com

Bible des pilotes de périphériques (drivers), de l'overclocking et de l'optimisation.

Pilotes de périphériques

www.liensutiles.org/driver.htm

Cette page vous oriente vers des sites qui proposent des pilotes de périphériques librement téléchargeables.

Planète Soft

www.planetesoft.com

Annuaire de partagiciels et gratuiciels francophones.

Planète Typographie

www.planete-typographie.com

Pour trouver une police de caractères parmi des milliers d'autres, une photo ou une illustration dans une base de données riche de centaines de milliers de visuels.

Plus de 1000 fabricants et prestataires en direct

www.achatsdirects.fr/index.php?domain=logicielsindustrie.com

Portail de progiciels et logiciels pour l'industrie en gestion intégrée, ERP, GPAO, supervision, méthodes, gestion d'atelier, supply chain, stocks, entrepôts, GQAO, MSP, mesure, GMAO, SAV, temps, CAO, FAO, DAO, IAO, PID.

PocketPCFreewares

www.pocketpcfreewares.com

Base de données assez complète de freewares pour Pocket PC, mais également revues, commentaires, forums et chat dédié au Pocket PC.

Polices de caractères

www.liensutiles.org/polices.htm

Cette page donne accès à de nombreux sites qui proposent des polices de caractères en libre téléchargement.

Polices TrueType manuscrites

perso.wanadoo.fr/dephitro

Ce site propose des polices TrueType en téléchargement ainsi que votre propre police manuscrite.

Programmes TV

www.liensutiles.org/progtv.htm

Les programmes du jour des six chaînes françaises ainsi que des liens vers de nombreux sites proposant des programmes TV dans toute la francophonie et aux Etats-Unis.

Regroupement des utilisateurs de sharewares

webvilles.org/rushweb/index.php3

RUSH est une association loi 1901 regroupant tous les acteurs du shareware : auteurs, éditeurs, diffuseurs, médias, clubs, associations et utilisateurs.

Rien que des freewares

www.gratilog.net

Vous trouverez ici des logiciels français et anglais à télécharger librement, ainsi que des animations d'écran.

Screensavershot.com

www.screensavershot.com

De très nombreux économiseurs d'écran pour Windows peuvent être téléchargés sur ce site. Les économiseurs sont classés par catégories et illustrés d'une imagette pour les télécharger en toute connaissance de cause.

Sharedif

www.sharedif.com

Pour tout savoir (ou presque) sur le shareware. Les auteurs trouveront ici de nombreux conseils pour la programmation et la diffusion de leurs sharewares.

Shareware & freeware, Comptabilité & gestion

www.logitheque.com/
theme.asp?O=1&C=8&S=1&M=1

Les dernières nouveautés freeware/shareware à télécharger dans les domaines suivants : Bourse actions sicav, calculer vos impôts, calculs d'amortissements et autres, comptabilité et gestion, convertisseur euro/franc, convertisseurs multidevise/euro utilitaires, gestion commerciale, gestion de budget personnel, gestion de locations, gestion de projets, planning, gestion de stock, gestion des associations, gestion du personnel, immobilier, logiciels de caisse, logiciels de comptabilité, paie.

Shareware & freeware, graphisme & multimédia

www.logitheque.com/
theme.asp?O=1&C=10&S=1&M=1

Les dernières nouveautés freewares/sharewares à télécharger dans les domaines suivants : apprentissage de la musique, capture écran, conversion de graphiques, création et gestion d'icônes, générateurs de fractales, graphisme infographie, MP3, multimédia, musique, utilitaires divers, visionneuses et browser.

Shareware & freeware, bureautique

www.logitheque.com/
type.asp?O=1&T=38&S=1&M=1

Les dernières nouveautés freewares/sharewares à télécharger dans les domaines suivants : agenda, bloc-notes/Post-it, bureautique, calculatrices, calendriers, carnets d'adresses/répertoires, codes postaux, dictionnaires traduction, Excel, fax scanner OCR, gestion de documents, gestion des contacts, horloges, organiseurs, SGBDR.

Shareware & freeware, éducation

www.logitheque.com/
theme.asp?O=1&C=9&S=1&M=1

Les dernières nouveautés freewares/sharewares à télécharger dans les domaines suivants : apprentissage du clavier, conjugaison, divers, géographie, géométrie, gestion des notes et élèves, histoire, langues, lecture et écriture, maths et calculs, maths, les bases, sciences et technologies, textes littéraires, utilitaires.

Shareware & freeware, Internet 

www.logitheque.com/
theme.asp?O=1&C=6&S=1&M=1

Les dernières nouveautés freewares/sharewares à télécharger dans les domaines suivants : aspirateur, bases de données, commerce électronique, compteurs, conception de site éditeurs HTML, conception de sites/ outils, courrier mail, divers, FTP, gestion des images, gestion des signets, IRC chat, listes de diffusions et mailing, logiciels antipub, navigateur et recherche, partage de connexion, plug-in, telnet et terminaux.

Shareware & freeware, jeux 

www.logitheque.com/
theme.asp?O=1&C=7&S=1&M=1

Les dernières nouveautés freewares/sharewares à télécharger dans les domaines suivants : casse-tête et puzzles, jeux d'action et shooter, jeux d'arcade, d'argent, d'échecs et de dames, de bataille navale, de briques, de cartes, de chiffres et lettres, de dés, de lettres, utilitaires, jeux de mémoire, de morpion, de plateau, de stratégie, de type Master Mind, jeux éducatifs et culturels…

Shareware & freeware, loisir et famille

www.logitheque.com/theme.asp?O=1&C=2&S=1&M=1

Les dernières nouveautés freewares/sharewares à télécharger dans les domaines suivants : aéronautisme, album photo, bandes dessinées, CB morse radio, ésotérisme, foot et loto sportif, gastronomie, généalogie, gestion de collections, gestion K7 vidéo et audio, humour, jardinage botanique, Loto, Kéno, PMU, religion, santé, sports, téléphonie, vie pratique.

Shareware & freeware, programmation

www.logitheque.com/theme.asp?O=1&C=5&S=1&M=1

Les dernières nouveautés freewares/sharewares à télécharger dans les domaines suivants : composants et DLL, installation/ désinstallation, les outils du shareware, programmation, programmation et base de données, programmation des fichiers HLP.

Shareware & freeware, utilitaires

www.logitheque.com/theme.asp?O=1&C=3&S=1&M=1

Les dernières nouveautés freewares/sharewares à télécharger dans les domaines suivants : antivirus, barre de bouton, d'icônes, communication, compression décompression, coupeurs de fichiers, cryptographie, écrans de veille, éditeur de texte, gestion parc informatique, interfaces et gestionnaires de fichiers, lanceurs d'applications, lecteur de CD, nettoyeurs, papiers peints et curseurs, polices, programmation de scripts et macros, protection de l'ordinateur, sauvegarde, suppression des fichiers, synchronisation, téléphonie, utilitaires disque, utilitaires divers, utilitaires pour CD-ROM, utilitaires système.

Sharewares sélectionnés

www.pratique.fr/net/softs

Sharewares pour Macintosh et PC : les dernières versions en téléchargement avec captures d'écran.

Tarifcom

dri.fr/tarifcom

Ce site propose trois sharewares pour Internet : TarifCom (compteur Internet), APIAF (un autre compteur Internet plus simple), AGI (outil de surveillance du trafic sur Internet), ainsi que quelques autres logiciels apparentés en freeware.

Telechargeons.fr.st

www.telechargeons.fr.st

Telechargeons.fr.st donne accès à de nombreux utilitaires et programmes gratuits librement téléchargeables.

Telecharger.com

telecharger.01net.com

Plus de 3 000 sharewares et freewares en français à télécharger. Les logiciels sont classés dans plus de 80 rubriques pour faciliter vos recherches.

The Beatles

www.chez.com/abbey

Tous sur les Beatles : album photo, fichiers RealAudio et RealVideo, morceaux MIDI et MP3, histoire du phénomène Beatles.

Tous les jeux

www.games-navigator.com

Base de données de TOUS les jeux sur PC, PlayStation 2, PSOne, XBOX, GameCube, Dreamcast, Game Boy couleurs, Game Boy Advance et Nintendo 64. A consulter d'urgence.

Toutwebmaster

www.toutwebmaster.be.lm-corporation.be

Des logiciels, des ressources, de l'aide et un forum pour vous aider à créer votre site.

Versee

www.versee.com/vs.fr

Ce site propose une visionneuse d'images et un éditeur de photos freeware.

Vitaminic - France MP3

www.vitaminic.fr/main

De nombreux morceaux MP3 à télécharger, ainsi qu'un magasin consacré à la musique.

Vitaminic

www.vitaminic.fr

Vitaminic, site musical de téléchargement avec plus de 50 000 artistes, propose des milliers de MP3 gratuits et une nouvelle formule d'abonnement payant (format MP3, RealAudio ou Windows Média).

Vnunet.fr, Téléchargement de logiciels Mac

svmmac.logitheque.com

Site de téléchargement de freewares et sharewares pour ordinateurs Macintosh.

Vnunet.fr, Téléchargement de logiciels PC

vnu.logitheque.com

Site de téléchargement de freewares et sharewares pour ordinateurs PC.

Web Hebdo

www.webhebdo.net

Téléchargez des centaines d'applications, jeux et utilitaires gratuits sur ce site.

WebCompta

www.webcompta.com

Ce site propose de télécharger le logiciel de comptabilité WebCompta. Ce logiciel est parfaitement adapté aux besoins des petites entreprises et sociétés de services, commerçants et artisans. Il permet de travailler étroitement avec son expert-comptable en échangeant sa comptabilité de manière sécurisée *via* e-mail.

ZDNet France

www.zdnet.fr

L'expert en micro-informatique : achat PC, matériel, logiciels, téléchargement, tests et comparatifs. Retrouvez toute l'actualité PC ainsi que la lettre de diffusion ZD Net.

ZDNet Logithèque

www.zdnet.fr/telecharger/windows/index.htm

Plusieurs milliers de logiciels freewares et sharewares à télécharger gratuitement.

Zeronews

www.zeronews-fr.com

Toutes les news sur l'informatique et les jeux vidéo : démos, captures d'écran, liens, patchs, le tout en français et mis à jour quotidiennement.

Sites pour enseignants

ADProgs

membres.lycos.fr/adprogs

Découvrez le logiciel ADWorks, didacticiel auteur qui permet de créer des documents actifs destinés à tous les degrés de formation et d'apprentissage.

CDI-doc.com

www.cdi-doc.com

Découvrez les nouveaux outils destinés aux enseignants et aux documentalistes.

E-QCM.net

e-qcm.net

Sur le site e-QCM.net, vous pouvez créer gratuitement tout type de questionnaires en ligne, en quelques clics. Cela en fait un excellent outil pédagogique. Visitez le répertoire de QCM, qui contient des quiz prêts à l'emploi de toutes sortes.

FADBEN

www.fadben.asso.fr

Site de la Fédération des enseignants documentalistes de l'Education nationale.

FramaSoft

www.framasoft.net

La participation d'une équipe d'enseignants à un Internet associatif. Plusieurs centaines de références triées sur le volet, accompagnées de nombreux articles et liens connexes.

IUFM

www.iufm.education.fr

Le portail des IUFM de France offre un accès unique aux différents sites Web des IUFM. Il précise également les missions, l'organisation et les personnels des IUFM.

La super profette d'anglais

www.profette.com/versionag/ index.htm

Site du n° 1 des logiciels éducatifs d'apprentissage de l'anglais en shareware.

Lecture Zigzag

www.zigzag.uqam.ca

Lecture Zigzag est un outil informatisé pour évaluer la compréhension et la vitesse en lecture. C'est aussi un outil d'apprentissage pour favoriser le développement d'automatismes langagiers, en langue maternelle comme en langue seconde.

L'intégration scolaire

intescol.free.fr

Ce site rassemble les informations disponibles auprès des différents acteurs de l'intégration scolaire. Il propose des documents et des références sur l'intégration scolaire.

Logiciels pédagogiques

dl2p.free.fr/welcome.php3

Ce site propose une gamme de logiciels pédagogiques (lecture, problèmes, météo) et professionnels (direction, BCD) pour les écoles maternelles, élémentaires et les collèges.

LogiTron

pages.infinit.net/logitron

Ce site propose des logiciels éducatifs pour favoriser l'apprentissage des mathématiques, du français et de la dactylographie.

LogoLab

www.logolab.net

Laboratoire de langues virtuel : numérisation et utilisation de documents audio, vidéo, texte et image, suivi complet des travaux des élèves.

Surf rémunéré

Affiliez-vous.com

www.affiliez-vous.com

Observatoire du programme d'affiliation francophone.

Argentissimo.com

www.argentissimo.com

Annuaire des sociétés qui vous rémunèrent pour surfer, jouer, lire des e-mails et placer des bannières sur votre site.

Axinet.fr

www.axinet.fr

Le site où, enfin, on gagne de beaux cadeaux à tous les coups !

Best Sponsors

www.best-sponsors.com

Services et ressources gratuites pour créer, améliorer et promouvoir un site Web, annuaire des affiliations Web pour gagner de l'argent, annuaire des boosters gratuits de trafic Web : le paradis des webmestres !

Comclick, régie publicitaire

www.comclick.com

Ou comment augmenter son trafic ou gagner de l'argent avec la régie publicitaire Comclick et son programme d'affiliation.

Edengo

www.edengo.com

Avec Edengo, profitez des bonnes affaires ou des offres exclusives, gagnez des points en surfant sur les sites partenaires. Vous pourrez ensuite les échanger contre des cadeaux.

Eurobarre

www.eurobarre.com

EuroBarre vous permet de gagner de l'argent pendant que vous utilisez Internet. Une fois installée sur votre ordinateur, la barre de navigation EuroBarre diffuse des bannières publicitaires en haut de votre écran, et vous êtes payé en points, convertibles en argent, pour chaque bannière vue.

Internet rémunéré

www.Internet-remunere.com

Portail conseil sur l'Internet 100 % gratuit, les services rémunérés et les jeux primés du Web.

Le surf rémunéré

membres.lycos.fr/laetitia76

Ce site vous montre comment gagner de l'argent sur le Net : en surfant, en lisant des mails, en donnant votre avis. Il propose également des bons plans pour recevoir des cadeaux gratuitement.

Médiabarre

www.mediabarre.com

La médiabarre est un système qui vous permet de surfer sur Internet en étant payé. Vous gagnez 30 % du CA chaque fois qu'une bannière publicitaire défile sur la médiabarre. C'est simple et gratuit : il suffit de s'inscrire, de télécharger et d'installer un logiciel sur votre disque.

Millechoses

www.ifrance.com/millechoses

Tout ce qui concerne Internet : jeux gratuits, programmes d'affiliations, boutiques en ligne, astuces, blagues, photos, plus pour webmestres.

Mistercado

www.mistercado.com/jeux/surf.php

MisterCado.com a référencé pour vous quelques sites qui vous payent pour surfer sur le Net.

Surf And Paid

perso.wanadoo.fr/surfandpaid

Annuaire du surf rémunéré.

Surf rémunéré

anousleskados.free.fr/gagner-argent-surf.htm

Ce site passe en revue les différentes façons de gagner de l'argent en surfant sur le Net.

Trucs, astuces et webcam sur Webjamy

membres.lycos.fr/planetecours

Ce site vous montre comment gagner de l'argent en surfant, propose des astuces pour mobiles, des programmes pour Psion et plein d'autres choses encore…

Winamax.com

www.winamax.com

Jouez et gagnez des cadeaux et/ou de l'argent en vous amusant.

Winbe

www.winbe.com

Winbe est une barre de services qui vous rémunère lorsque vous surfez sur Internet. Vous pouvez également suivre les infos en direct, jouer, profiter des meilleures promos du Net… tout en gagnant de l'argent.

Systèmes d'exploitation

AFUU

www.linux-france.org/prj/jargonf/A/AFUU.html

L'Association française des utilisateurs d'Unix et des systèmes ouverts (AFUU) donne accès à une liste de diffusion permettant d'être informé des dernières évolutions du système Unix.

Aide Linux

www.aidelinux.org

Site pour vous aider à faire vos premiers pas dans le monde Linux.

BonWeb - Informatique, Windows

www.bonweb.com/p_2_108.php

Sélection des meilleurs sites dédiés au système d'exploitation Windows par bonweb.com.

BonWeb - Informatique, Windows XP

www.bonweb.com/p_2_1127.php

Sélection des meilleurs sites dédiés à Windows XP par bonweb.com.

Comment ça marche - Systèmes d'exploitation

www.commentcamarche.net/systemes/sysintro.php3

Sur cette page, vous apprendrez ce qu'est un système d'exploitation, quelles sont les tâches qui lui incombent et quels sont les différents systèmes multitâches existants.

Debian gnu/linux

www.fr.debian.org

Site dédié à la distribution Debian de Linux : actualités, distribution, assistance, développement, recherche sur le Web.

FAQ Windows NT/2000

www.ntfaqfr.com

La FAQ Windows NT et Windows 2000 : réponses à toutes les questions sur Windows NT.

FAQ Windows XP

a.vouillon.free.fr/faq-winxp.htm

Digest des questions les plus fréquentes posées sur Windows XP par les utilisateurs des forums en ligne.

Freenix

www.freenix.fr

Freenix est un regroupement d'utilisateurs d'Unix libres.

Gwadalou

www.gwadalou.org

Tout sur Linux et les logiciels libres.

Hotline-PC

www.hotline-pc.org

Ce site décrit les problèmes que vous pouvez rencontrer sous Windows 98, Windows Me et Windows XP et indique comment les corriger.

iMac

i.et.mac.free.fr

Site consacré à iMac et Mac OS. Apprenez à résoudre les problèmes rencontrés sur cet ordinateur et découvrez son système.

IT Pro

www.itpro.fr

Ce portail des technologies systèmes d'entreprise s'intéresse à Windows NT, Windows 2000, AS/400, Linux, Unix, SQL Server, etc.

La technologie RAID

www.froverio.fr.st

La technologie RAID, Linux et ses principales commandes.

Le Butineur

www.chez.com/beos

Le Butineur, le portail francophone de la communauté BeOS, est entièrement consacré au système d'exploitation BeOS : découverte, recherche d'un programme existant, développement sous BeOS, news.

Le petit journal du Linuxien novice

www.linux-france.org/article/cesar

Petit journal d'un "Linuxien" novice : installation et configuration de Linux.

Léa

www.lea-linux.org

Aide aux débutants du monde Linux.

L'Echo de Linux

echo-linux.alienor.fr

Cette page n'est plus mise à jour, mais elle propose un ensemble de liens dignes d'intérêt sur l'environnement Linux.

L'environnement de bureau KDE

www.kde.org/fr

Ce site est dédié à l'environnement graphique KDE pour système Unix. Il donne accès à un tutoriel, permet de télécharger une version stable ou en cours de développement ainsi que des applications écrites pour fonctionner sous KDE, donne des informations aux développeurs et propose une liste de sites apparentés.

Les systèmes d'exploitation

cui.unige.ch/~billard/systemeII

Cours technique sur l'architecture des systèmes d'exploitation.

Linux Center

www.linux-center.org/fr

Le projet Linux Center est un index thématique de pages Web consacrées au système d'exploitation Linux, à ses applications et plus généralement au logiciel libre. Pour faciliter leur accès, les sites sont référencés par thèmes.

Linux Magazine France

www.linuxmag-france.org

Site de Linux Magazine France, le magazine français 100 % GNU/Linux.

Linux Mandrake

www.mandrakelinux.com/fr

Site consacré à la distribution Mandrake de Linux : actualités, présentation du système, distribution, support, assistance, développement.

Linux, Débutons

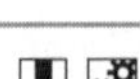

perso.wanadoo.fr/r-thomas

Un site pour faire ses premiers pas avec Linux : les différentes distributions, où trouver Linux, préparation avant l'installation, installation, configuration, documentation, aide, quelques programmes…

Microsoft Windows NT Server

www.microsoft.com/france/ntserver

Le site officiel de Microsoft Windows NT Server donne des informations sur le système, propose diverses documentations, trucs et ressources, et donne accès aux newsgroups du système.

Microsoft Windows

www.microsoft.com/france/windows

Cette page d'accueil donne accès aux sites des systèmes d'exploitation de Microsoft.

Mo5.com

mo5.com

Espace virtuel dédié à la préservation des ordinateurs et consoles de jeux vidéo d'antan.

OS X Facile

www.osxfacile.com

Ce site vous aide à bien débuter sous OS X : installation, optimisation, entretien, trucs et astuces, défragmentation, swap, autorisations, etc.

Pocket PC

www.microsoft.com/france/windowsmobile/pocketpc/default.asp

Site officiel des PocketPC chez Microsoft France.

RedHat France

www.redhat.fr/training/rhce/rh033_desc.php3

Ce site permet aux utilisateurs de Red Hat Linux de devenir extrêmement productifs dans l'utilisation et la personnalisation de leur système, en particulier en ce qui concerne les opérations communes en ligne de commande et les tâches de bureau.

SuSE

www.suse.de/en

Site dédié à la distribution SuSE de Linux : actualités, présentation du système, formation, nouveautés, revendeurs, support, assistance technique, développement.

Toolinux

www.toolinux.com/linavista

Tout Linux en quelques clics : news, tests de distributions, guides d'installation et de configuration, annuaire de liens, etc. Une référence !

Tout sur Windows

www.toutwindows.com

Ce site contient un guide pas à pas de la migration de parc sous Windows 2000. Vous trouverez aussi des trucs et astuces. Ces pages sont le résultat de plusieurs expériences personnelles.

UnixTech

www.unixtech.be

Portail belge du monde Linux et du logiciel libre.

Windows 2000 magazine

www.itpro.fr/index.asp?one=w2k

Portail des technologies systèmes d'entreprise : technologie, stratégie, outils, revue de presse.

Windows 98, la totale

membres.lycos.fr/win98totale

Site consacré au système d'exploitation Windows 98 : points forts et imperfections, astuces, liste de diffusion, etc.

Windows CE

www.microsoft.com/france/windows/embedded/windowsce.asp

Vous trouverez ici toutes les informations et actualités concernant le système d'exploitation Windows CE.

Windows XP 64 bits

www.microsoft.com/france/windows/xp/64bit/default.asp

Site officiel de Windows XP 64 bits chez Microsoft France.

Windows XP Edition Familiale

www.microsoft.com/france/windows/xp/home/default.asp

Site officiel de Windows XP Edition Familiale chez Microsoft France.

Windows XP Edition Professionnelle

www.microsoft.com/france/windows/xp/pro/default.asp

Site officiel de Windows XP Edition Professionnelle chez Microsoft France.

Yahoo encyclopédie - Les systèmes d'exploitation

fr.encyclopedia.yahoo.com/articles/ne/ne_0043_p0.html

Découvrez les fonctionnalités d'un système d'exploitation sur l'encyclopédie en ligne Yahoo!.

Wap, mobiles

Accueil France Télécom

www.francetelecom.fr

Site de l'opérateur mondial de télécommunication (fixe, mobiles, Internet, Wap, données, réseaux). Boutique en ligne, espace Client et entreprise, guide et conseils.

Aladdino.com

www.aladdino.com

Aladdino offre aux utilisateurs de plates-formes mobiles, assistants personnels et téléphones Wap, un ensemble de services gratuits personnels (Bourse, sport, jeux, cinéma) et de solutions professionnelles (intranet, extranet et CRM mobile).

All HTML - WML

www.allhtml.com/wml/index.php

Vous trouverez ici des didacticiels, des cours, des conseils et des exemples pour apprendre le langage WML, destiné aux mobiles WAP.

Bouygues Télécom

www.bouygtel.com

Le site de Bouygues Télécom vous informe sur les forfaits, les services, les téléphones, la couverture française et internationale.

Dumobile.com

www.kabiloo.fr/dumobile

Logos, sonneries, fiches techniques de mobiles Wap, comment débloquer son mobile, actualité Internet mobile, services, portail Wap…

France Mobiles

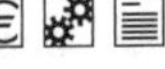

www.francemobiles.com

Actualité de la téléphonie mobile en France concernant Itineris, SFR, Bouygues Télécom et Ola. Plus de 100 téléphones et packs répertoriés, de nombreuses rubriques actualisées : news, comparatifs, tableau d'évaluation, forfaits proposés, trucs et astuces.

FranceSMS.com

www.francesms.com

Envoi gratuit de messages SMS sur téléphones mobiles SFR, Bouygues et Itineris.

GSM Factory

www.gsmfactory.com

Toute l'actualité sur la téléphonie mobile en France : fiches techniques, astuces, mélodies, logo, secret, câble, SMS, etc.

Introduction à la technologie WAP

www.commentcamarche.net/wap/wapintro.php3

Ce site introduit la technologie WAP (*Wireless Application Protocol*).

Kiwee

www.kiwee.com

Tous les services de la téléphonie mobile : logos pour portable, sonneries téléchargeables, envoi gratuit de SMS, communauté, chat, forums (WML, GPRS, UMPS), opérateurs téléphoniques.

Langage de programmation WML

xentraz.free.fr/langages/?page=wap

Ce site vous propose de l'aide pour débuter en programmation WML : news, tutoriels, trucs et astuces, utilitaires, etc.

Les e-zines et les émulateurs

www.deblok.net

Tout pour votre téléphone portable : plus de 3 000 logos, 1 500 sonneries, 1 000 astuces. Vous pouvez aussi débloquer votre téléphone, télécharger des logiciels, envoyer des SMS, etc.

Macarte, carte téléphonique personnalisée

www.macarte.com

Vente en ligne de tickets France Télécom, création de cartes téléphoniques personnalisées sur différents supports (recharge Mobicarte, Télécarte, codcarte) pour les utiliser comme cartes de vœux ou cadeaux.

Minitexto

www.minitexto.com/sms.htm

Envoi illimité de messages SMS sur téléphones mobiles SFR, Bouygues et Itineris.

Mistersuper.com

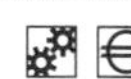

www.mistersuper.com

Vente en ligne de mobiles, télévision, hi-fi, appareils photo, Caméscopes, etc.

Mobilee

www.mobilee.lu

Tout sur et pour les mobiles : news, fiches techniques, logos, sonneries, jeux, softs, liste de diffusion, câbles, sites complémentaires.

Net-GSM

www.net-gsm.net

Portail de la téléphonie mobile : sonneries, logos, astuces, SMS gratuits, boutique de câbles, forums, chat, répondeurs, logiciels pour Nokia, Ericsson et Sagem, etc.

Orange.fr

www.orange.fr

Présentation de la gamme mobile Orange et Mobicarte. Services liés au téléphone portable : SMS, Wap, jeux, service clients, achat de coffrets, souscription de forfaits GSM.

Phone Valley

www.phonevalley.com

Phone Valley offre aux opérateurs, grands portails, FAI, intégrateurs mais aussi aux entreprises, des solutions mobiles qui apportent une valeur ajoutée à leur activité. Ces solutions sont orientées aussi bien vers l'acquisition et la fidélisation de clients que vers l'amélioration de l'organisation interne.

Réseaux & Télécom 

www.reseaux-telecoms.net

Site du magazine n° 1 de la presse télécommunications et réseaux d'entreprise.

SFR 

www.sfr.fr

La téléphonie mobile SFR : pack SFR, SFR pro, carte SFR, messages SMS, forfaits SFR, services Wap.

SMS Gratuit

www.smsgratuit.com

Sur ce site, envoyez gratuitement un mini-message SMS sur les réseaux de téléphones portables mobiles GSM, Itineris, SFR et Bouygues Télécom.

Télé2 France  

www.tele2.fr

Présentation et inscription aux services téléphoniques Tele2 (avec son préfixe 4, Tele2 offre des appels nationaux et internationaux moins chers que France Télécom).

Telecom.gouv.fr 

www.telecom.gouv.fr

Le ministère de l'Economie, des Finances et de l'Industrie donne des informations sur les télécommunications : textes de références sur les NTIC, dossiers thématiques, rapports concernant Internet.

Téléphonie et vidéophonie sur Internet 

www.sit.ulaval.ca/pp/rva/presteleconf

Présentation de la téléphonie et de la vidéophonie sur Internet : fonctionnement, matériel, avantages et inconvénients.

Videlec 

www.videlec.fr

Vente en ligne de téléphones portables, packs, forfaits et accessoires, cassettes audio et vidéo, CD-ROM vierges, boîtiers, etc.

WAP et WML

www.ccim.be/ccim328/wap/index.htm

Wap @ Wml propose les bases nécessaires sur le langage WML et tous les outils pour créer facilement votre site WAP.

Wap on the Net 

www.waponthenet.com

Portail francophone dédié au Wap : GSM, opérateurs, sites, etc.

Wappup.com  

www.wappup.com

Tout l'univers du Wap : pages perso, petites annonces, logos, SMS gratuits, lire sur le Wap, alertes, comparatif de mobiles, etc.

Waptoo

test.waptoo.com/v2

Waptoo, une SSII spécialisée dans les téléphones mobiles, propose des services Wap à la carte (conseils boursiers, calculs d'itinéraires, horoscopes, etc.).

Xgsm online 

www.xgsmonline.com

Personnalisez votre téléphone Nokia ou Ericsson : sonneries, logos, astuces codes pour 3310, 8210, 3210, 6110, 6210, T28, SMS gratuits, câble et infrarouge, déblocage, etc.

Loisirs

Auto, moto, vélo

Access Bike

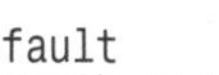

vs44.hostfr.net/catalog/default.php?language=fr&res=1&w=1024&h=768

Vente en ligne d'accessoires pour motos et motards. Des milliers de produits à des prix défiant toute concurrence.

Annonces Center

www.centrale-annonces.net

Petites annonces classées gratuites, agrémentées de photos, moteur de recherche et ventes aux enchères. Les secteurs visés sont : immobilier, automobiles, autos, motos, emploi, rencontres, informatique, etc.

Annoncez.com

www.annoncez.com

Service gratuit d'annonces classées et de rencontres du Québec, conçu à partir d'une carte des distances des 500 villes les plus populeuses du Québec.

Auto35.net

www.auto35.net

Vous voulez faire de réelles économies en faisant vous-même l'entretien mécanique de votre voiture ? Auto35 est là pour vous fournir l'aide nécessaire.

Autoactu

www.autoactu.com

Au programme sur Autoactu.com : information automobile pour les professionnels, actualité en continu, lettre quotidienne gratuite, offres d'emploi, statistiques du marché, liens et services.

Auto-innovations.com

www.auto-innovations.com

Bibliothèque des innovations automobiles : glossaire, dossiers, quiz innovations et adresses.

AutoNetOne.com

www.autonetone.com

Sur AutoNetOne.com : toute l'automobile en neuf et occasion, crédit auto, nouveautés, actualité, essais, assurance, annonces, sport auto, location, conseil auto.

AutoTitre.com

www.autotitre.com

Autotitre.com rassemble toute l'actualité automobile du Net sur un seul site et propose de multiples services : comparatif d'assurance et de crédit automobile, forum, sondage, etc.

Avensis

www.nouvelle-avensis.com

Découvrez la nouvelle Toyota Avensis : ligne, motorisation, confort, tenue de route, sécurité.

BonWeb - Annonces auto

www.bonweb.com/p_4_441.php

Sélection des meilleurs sites d'annonces auto par bonweb.com.

BonWeb - Loisirs, Constructeurs auto

www.bonweb.com/p_4_819.php

Sélection de sites de constructeurs auto par bonweb.com.

BonWeb - Loisirs, magazines auto

www.bonweb.com/p_4_1216.php

Sélection des meilleurs sites de magazines auto/moto par bonweb.com.

BonWeb - Loisirs, magazines moto

www.bonweb.com/p_4_1228.php

Sélection des meilleurs sites de magazines moto par bonweb.com.

BonWeb - Loisirs, aide et documentation

www.bonweb.com/p_4_322.php

Sélection des meilleurs sites de documentation auto (base de données mécanique, entretien et réparations de base, fiches techniques, etc.) par bonweb.com.

BonWeb - Loisirs, auto

www.bonweb.com/p_4_1229.php

Sélection des meilleurs portails auto par bonweb.com.

BonWeb - Loisirs, moto

www.bonweb.com/p_4_92.php

Sélection des meilleurs portails moto par bonweb.com.

BonWeb - Loisirs, sports auto

www.bonweb.com/p_4_442.php

Sélection des meilleurs sites de sports auto par bonweb.com.

BonWeb - Loisirs, sports moto

www.bonweb.com/p_4_1215.php

Sélection des meilleurs sites de sports moto par bonweb.com.

Caraudiovideo.com

www.caraudiovideo.com

Portail de l'audio et de la vidéo en automobile : actualité, installations, technique, sites complémentaires.

Cyber-Moto.com

www.cyber-moto.com

Guide virtuel de la moto en France : annuaire de sites consacrés à la moto, rubriques spéciales sur le Transalp et l'Africa Twin, événements, voyages, petites annonces, etc.

FanBazar

www.fanbazar.com

Vente en ligne d'accessoires et de vêtements moto.

FUBicy

fubicy.org

Le site de la Fédération française des usagers de la bicyclette (FUBicy) regroupe la plupart des associations françaises dont l'objectif est de promouvoir et de défendre l'usage de la bicyclette en tant que moyen de déplacement.

Guide du VTT en France

www.vttfrance.com

Ce site recense un certain nombre de lieux français où l'on peut rouler en VTT. Pour chacun d'entre eux, vous trouverez, entre autres, une description des sentiers, une carte ainsi que les adresses des loueurs (ou réparateurs) de cycles.

Harley-Davidson

www.harley-davidson.com

Admirez les motos de la célèbre marque américaine. Découvrez leurs caractéristiques et visionnez les présentations vidéo de certains modèles.

Hist vélo

members.aol.com/maujas/veloweb/Page1.html

L'histoire de la bicyclette permet de comprendre comment l'homme a réussi à créer des instruments de plus en plus perfectionnés.

Histoire de la moto

perso.wanadoo.fr/moto.histo/frames.htm

Au programme : généralités, histoire des moteurs, moteurs à quatre temps, moteurs à deux temps, pays et marques, cycles, accessoires, pilotes.

Infomoto

www.infomoto.org

Ce portail moto donne accès à un annuaire de l'ensemble des sites et à une revue de presse quotidienne sur l'actualité de la moto sport et loisirs : nouveautés, tests, motos, services, petites annonces occasions, conseils accessoires et équipement.

Ivelo.com

www.ivelo.com/index.php

Ivelo.com propose un ensemble de sites dédiés au vélo sur le Web, une FAQ sur le vélo, référence plus de 200 fabricants et propose des programmes pour rouler en vacances.

Le repaire des motards

www.lerepairedesmotards.com

Premier site d'informations moto indépendant : actualités, essais, reportages, conseils, motos et motards.

L'équipe de Joe Bar

www.joebarf3.com

Ce site est réalisé par une bande de motards fans de Joe Bar Team : essais, conseils, humour, forum, actualités, liens.

Loisirs VTT

www.loisirs-vtt.fr

Site dédié aux loisirs VTT : présentation des produits, news, revue de presse, vente en ligne d'un grand nombre d'articles de sport (vêtements, accessoires VTT, VTT, BMX, vélos de route).

Mon album photo

monalbumphoto.9online.fr

Album photo : auto, moto, régions de France, jardins, architecture, etc.

Motos et balades

www.balades.net

Pour ceux qui aiment découvrir les régions de France par les petites routes. Des milliers de kilomètres de petites routes, plusieurs centaines de photos.

Panneaux de signalisation routière

perso.wanadoo.fr/signalisation

Histoire du panneau de signalisation routière en France, bêtisier de la route, collection de panneaux anciens, créations artistiques inspirées de signaux routiers, signalisation étrangère, publicités à partir de panneaux routiers, signalisation routière dans la BD et sur Internet.

Petites annonces auto

autoannonce.free.fr

Service d'annonces auto gratuites.

Recycles

www.recycles.fr

Dépôt-vente spécialisé dans le vélo de qualité. Offres de VTT, route, triathlon, accessoires cycles d'occasion et fins de série.

Rock'n bike

www.rocknbike.com

Ce site commercialise de nombreux articles pour pratiquer le vélo de route et le VTT. consultez le catalogue et commandez en ligne.

The Barracuda company

www.barracuda.be/fr

Sur ce site, vous trouverez plus de 1 000 produits pour vélos de grande qualité et à un prix défiant toute concurrence.

Vélo 101

www.velo101.com

Vélo 101, le premier magazine en ligne du cyclisme, s'adresse à tous les pratiquants du vélo. Retrouvez toute l'actualité du cyclisme, des forums de discussion, des tests de matériel, des jeux concours, des dossiers et des conseils pratiques.

Velostore

www.velostore.com

Achats de vélos en ligne (vélos Bernard Hinault, roues Mavic), forum, petites annonces, conseils.

VTT Net

www.vtt.org

Site canadien dédié au VTT : news, recherches, e-zine PlaNetVTT, calendrier, petites annonces, etc.

WebEncyclo

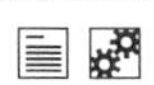

www.webencyclo.com

La première encyclopédie en ligne consacrée au vélo.

Yahoo sports - Moto

fr.sports.yahoo.com/mo

Le volet Moto de Yahoo! Sports donne les résultats des dernières compétitions.

Yahoo sports - Rallye

fr.sports.yahoo.com/rl

Le volet Rallyes de Yahoo! Sports donne accès à l'actualité du monde des rallyes auto.

Aviation

Aero.net

www.aeronet-fr.org

Un jeune élève pilote qui rêve de devenir pilote de ligne vous fait partager sa passion pour l'aviation.

Aeroclass

www.aeroclass.com

Pilotage, résumés théoriques, tests de connaissance, météorologie, histoire de l'aviation, téléchargement.

Aéro-club du bassin d'Arcachon

www.acba-fr.com

Présentation des activités de l'aéro-club du bassin d'Arcachon. Photos d'avions et de la région.

Ailes anciennes Toulouse

aatlse.free.fr

Association toulousaine de restauration d'avions anciens destinés au Musée aéronautique de Toulouse.

Airbus

membres.lycos.fr/airbus

Le site de l'association Alpha India contient des informations sur les avions de la gamme

Airbus : A320, A319, A330, A318, A340, A3XX, Beluga.

Airbus a340

a340.ifrance.com

Site consacré aux Airbus A340.

Association de spotters

www.kerozen.org

Ce site propose des photos aériennes, des photos d'avions et d'aéroports.

Aviaweb

aviaweb.calexo.org

Photos de meetings aériens, aéroports, musées aéronautiques, forum, chat, quiz, nombreux liens. A voir absolument.

BonWeb - Loisirs, aviation

www.bonweb.com/p_8_158.php

Sélection des meilleurs sites dédiés à l'aéronautique et à l'aviation par bonweb.com.

Centre école du Markstein

www.centreecolemarkstein.com

Site du centre école du Markstein : école de parapente et de deltaplane à Oderen (68), dans le Haut-Rhin, au pied du massif du Markstein, carte des sites de vol libre en Alsace et dans les Vosges.

Construction amateur

celag.free.fr/avions/present.htm

Ce site s'adresse à ceux qui souhaitent se lancer dans la "formidable aventure" qu'est la construction de son propre aéronef.

Coolaéro, pilotage pour tous

coolaero.altajeux.com

Site destiné à rendre accessibles les notions de pilotage et de technologies relatives à l'aviation en général et au combat aérien en particulier.

Cyb'air

www.cybair.com

Annuaire dédié à l'aviation et aux sports aériens en France. Les informations sont accessibles par thèmes et par mots clés.

De Latécoère à l'Aéropostale

www.latecoere.com/accueil.htm

L'association culturelle Pierre-Georges-Latécoère présente des expositions itinérantes sur l'histoire de l'aviation et de l'hydraviation en France (Antoine de Saint-Exupéry, De Latécoère à l'Aéropostale), ainsi que l'exposition itinérante aérophilatélique La ligne Mermoz.

Decollage.org

www.decollage.org

Ce site, consacré à l'aviation générale, vous invite à découvrir plus de 500 photos d'avions.

Escadron de chasse 03.003 Ardennes

www.ec3-3ardennes.com

Site officiel de l'Association de l'escadron de chasse 03/003 Ardennes.

FAQ de fr.rec.aviation

faq.bigip.mine.nu:8008/simu/index.php

Ce site résume les questions les plus fréquentes des utilisateurs du forum fr.rec.aviation.

FFSMC

www.ffsmc.com

Site français de maquettisme et de services aux amateurs.

France Warbirds

francewarbirds.free.fr

Actualité des avions de légende français.

Histoire de l'aviation

www.chez.com/avion

Des débuts jusqu'à 1918, toute l'aviation : pilotes, avions, photos d'époque.

L'aviation militaire

didf1.free.fr

Sur ce site consacré à l'aviation, vous trouverez des fiches techniques, des infos et de nombreuses photos d'avions de chasse.

Les ailes militaires belges

www.ailes-militaires-belges.be

Site non officiel consacré à la Force aérienne belge et aux unités aériennes de la Force terrestre, de la Marine et de la Police fédérale.

Les avions légendaires

avions.legendaires.free.fr

Retrouvez les avions mythiques qui ont marqué l'histoire ainsi que les avions d'aujourd'hui dans des fiches descriptives : histoire, schémas, photos, dessins.

NetAviation

www.chez.com/netaviation

NetAviation vous présente les fiches techniques de plusieurs dizaines d'avions militaires modernes, un dossier complet consacré au Rafale et l'écoute en direct de tours de contrôle.

Reunion by air

perso.wanadoo.fr/reunionbysat

Reunion by air, le site tropical magique qui vous donnera des ailes…

Skynetway aviation

www.skynetway.net

Site utile au pilotage avion léger : école, voltige, navigation, voyages, logiciels, instrumentation, réglementation, forums, photos, téléchargement.

Tout ce qui vole

www.ifrance.com/prouprout

Site d'informations sur les avions et les hélicoptères.

ULM en France

www.finale24.com

Ce site est dédié au montage, au service et à la vente d'ULM en France et en Europe.

Bricolage

ABC d'une bricoleuse

www.bricolons.ch

Sur ce site dédié au bricolage, à la maison et au jardin, vous trouverez de nombreuses idées : gestes pratiques (décapage, peinture), déco papier-mâché, glacis maison, construction d'un poulailler, d'une serre, aménagements divers.

Annuaire des loisirs créatifs

www.mylinea.com/iena/bricolage

Tous les sites pour bricoler à la maison.

Annuaire français du bricolage

www.bricoler.com/customer/home.php

Annuaire français du bricolage, du jardinage et de l'aménagement de la maison.

Artisanat pour tous

pages.webnet.qc.ca/~siubhan/main.htm

Techniques, projets et modèles en broderie, couture, bricolage, macramé, crochet, tricot, des activités et décorations pour Halloween et Noël.

Au cœur de l'arbre

www.aucoeurdelarbre.com

Nul besoin de connaître le bois ou la mécanique pour se faire rapidement plaisir avec un tour à bois. Tous ceux et toutes celles qui y ont goûté vous le diront… Aussi n'ayez aucune appréhension particulière si cela vous démange : non seulement vous y arriverez, mais, grâce aux méthodes d'enseignement pratiquées depuis 1994 à l'atelier, vous vous étonnerez vous-même.

Au tableau

www.chez.com/autableau

Vous aimez la création et le bricolage ? Vous cherchez des idées pour occuper vos fauves ? Vous adorez tripoter la pâte à sel, découper du carton, du papier, manier les aiguilles ? Vous avez des idées plein la tête ? Ce site est fait pour vous.

Auto35.net

www.auto35.net

Vous voulez faire de réelles économies en faisant vous-même l'entretien mécanique de votre voiture ? Auto35 est là pour vous fournir l'aide nécessaire.

Bienvenue au bricolage

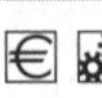 

www.aidaubricolage.com

Pour vous aider à réaliser vos travaux de bricolage, de peinture, de plomberie, d'électricité aussi bien qu'un professionnel : forum, moteurs, ventes d'occasion.

Boissonnade s.a.

www.boissonnade.fr

Fournisseurs d'outillage, d'articles de quincaillerie, électricité, éclairage et fournitures industrielles. Depuis trente-cinq ans, cette enseigne conseille les professionnels des métiers du bâtiment, de l'industrie, des administrations et collectivités locales.

BonWeb - Loisirs, bricolage

www.bonweb.com/p_7_823.php

Sélection des meilleurs sites de bricolage par bonweb.com.

BonWeb - Loisirs, maison et décoration

www.bonweb.com/p_7_95.php

Sélection des meilleurs sites de décoration intérieure par bonweb.com.

Brico Guide

www.brico-guide.com

Le site des bricoleurs : fiches techniques, conseils, démos. Toute l'info sur le bricolage.

Bricolage, jardinage et maison

membres.lycos.fr/bricoler/

Annuaire français du bricolage, du jardinage et de l'aménagement de la maison.

Bricom.fr

www.bricom.fr

Sur Bricom.fr, vous trouverez les meilleurs prix et les plus grandes marques : 20 000 articles en bricolage, 1 500 en électroménager.

Castorama

www.castorama.fr

Retrouvez ici tous les bons gestes et conseils sur le bricolage, le jardinage et la décoration : "castostages", forums, FAQ du bricolage, magasins et promotions Castorama.

COFAQ

www.cofaq.fr

Découvrez la centrale d'achats et de services COFAQ : outils de plomberie, outillage, électricité, décoration, jardinage, matériel agricole, électroménager, matériaux de construction, vêtement de protection, sécurité, quincaillerie, matériel pour le bricolage.

Comme un pro

www.commeunpro.com

Le meilleur du bricolage et de la maison vous attend sur ce site. Ne manquez pas les cinéfiches en Flash, les guides Comme un pro, l'annuaire des meilleurs sites sur le bricolage et la maison, le forum, les dossiers pro et les plans gratuits.

CommeUnPro - Bricolage et maison

www.commeunpro.com/annuaire/links

Annuaire du bricolage et de la maison. A consulter avant d'entreprendre des travaux chez soi pour trouver les bonnes adresses, les conseils, s'informer, échanger et télécharger une foule de plans, schémas ou fiches, le tout dans le respect des normes.

Construire sa piscine

jpayen.free.fr

Si, comme moi, vous avez toujours rêvé d'avoir un petit morceau de vacances dans votre jardin, si vous ne pouvez pas dépenser les quelque 10 000 euros minimum nécessaires à la fabrication de ce qui ressemblera vaguement à une piscine, si vous êtes prêt à dépenser quelques litres de sueur et pas mal de temps pour réaliser votre rêve, alors ce site est fait pour vous.

Construire une maison

www.cayucas.com/99993.htm

Tout ce que vous devez savoir avant de construire ou faire construire votre maison.

Cyber mécanique.com

cybermecanique.free.fr

Ce site est destiné aux apprentis, élèves, stagiaires en formation en mécanique automobile. Bien sûr, tous les passionnés du monde de l'automobile pourront aussi trouver quelques ressources intéressantes et participer au forum. Les enseignants trouveront aussi une rubrique pour échanger tant sur leurs pratiques que sur leurs savoirs. Cet espace s'appelle "La salle des profs".

Cyberbricoleur

www.cyberbricoleur.com

Passionné du bricolage ou bricoleur par nécessité, Cyberbricoleur vous est destiné. Le BHV, partenaire des bricoleurs, a conçu ce forum pour vous permettre de rencontrer d'autres bricoleurs et d'enrichir vos connaissances.

Delbard

www.delbard.com

Vente en ligne de rosiers, fruitiers, fleurs, plantes, vivaces, bulbes et accessoires pour le jardin. Fiches conseils et magazine d'information sur le jardinage et les produits Delbard.

Encadrement d'art à Orléans

membres.lycos.fr/bisorleans/centre.htm

Pour apprendre à encadrer soi-même ses créations artistiques (photos, cartes postales, aquarelles, huiles) ou celles de ses proches avec toutes les techniques des professionnels : biseaux (lolo, à la française, anglais), passe-partout, lavis, etc.

Esprit-Jardin

www.espritjardin.fr

Sur Esprit-Jardin : vente de graines de fleurs et de semences potagères, bambous, rosiers, lotus, etc.

Faq forum bricolage

i.dutailly.free.fr

Réponses aux questions les plus fréquemment posées dans le groupe de discussion fr.rec.bricolage. Ces réponses sont complétées par les adresses des bricoleurs, leurs livres favoris, une page d'actualité et les réalisations.

Habitat et jardin

www.habitatetjardin.com

Vente en ligne d'une gamme complète de bricolage pour les pros et les bricoleurs : outillage, sanitaire, décoration, électricité, etc.

Idées maison

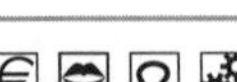

www.ideesmaison.com

Le guide pratique de la maison : construction, bricolage, éconoguide, vente en ligne, forums, plans de maison.

Jardins et jardineries de Gally

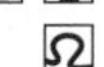

www.gally.com

Sur le site des jardineries de Gally : articles sur les plantes, dossiers d'achat, conseils, idées de réalisation de jardins et de jeux pour les enfants.

La boîte à outils

www.la-boite-a-outils.fr

Ce site est dédié à l'aménagement de votre maison et de votre jardin : liens, outils de bricolage, jardinage, forum bricolage, devis de bricolage, outillage à main, outillage à bois, ponceuse, scie circulaire, marteau et tondeuse pour le jardin.

La menuiserie

users.skynet.be/fa087141

Sur ce site dédié à la menuiserie sont décrites les différentes techniques de travail du bois. Vous y trouverez également plusieurs rubriques : essences, parquet, lambris, restauration, plans, quincaillerie, défauts du bois.

Lapeyre 

www.lapeyre.fr

Site de l'enseigne Lapeyre : découverte, catalogue, services, conseils, achats en ligne.

Le bricolage selon Michel Flégon

perso.wanadoo.fr/michel.flegon/bri/index.htm

Ce site propose des bricolages en tout genre : rendre une maison autonome, autoconstruction, etc.

Leroy Merlin, fiches conseils 

www.leroymerlin.fr/appl/srvtop10

Une difficulté, un problème à résoudre ? Plus de 7 000 réponses à vos questions sur le bricolage !

Leroy Merlin, l'annuaire de l'habitat 

annuaire.leroymerlin.fr

Sélection des meilleurs sites Internet francophones consacrés au bricolage, à la décoration, l'aménagement de la maison et au jardinage.

Mains habiles

iquebec.ifrance.com/ladyjo100/bricolages/mains_habiles/cadre_mains_habiles.htm

Ce site propose divers bricolages et vous guide pas à pas dans leur réalisation.

Maison facile 

www.maison-facile.com

Ce site propose des astuces pour les parents, les enfants, les ados et les animaux domestiques. Il diffuse également des trucs et des fiches pour la cuisine, la décoration, le bricolage, l'entretien, le jardinage et les loisirs.

Maison-Annuaire 

www.mylinea.com/aidaubricolage

Annuaire de la maison : bricolage, fiches conseil, astuces, aides, fournisseurs, entreprises, matériaux, locations, achats, etc.

Miniatura.com  

www.miniaturama.com

Miniaturama propose plus de 350 pages de ressources pour vous initier ou vous perfectionner dans la réalisation de vos vitrines miniatures, dioramas et décors miniatures.

Moteur sur l'électricité 

info.electro.free.fr/index.htm

Ce site pour les électriciens et les non-électriciens donne accès à une base de données sur le bricolage électrique.

Mr. Bricolage 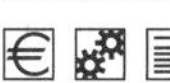 

www.mr-bricolage.fr

Astuces, conseils et techniques de bricolage et de jardinage.

NetBricolage 

bricologie.free.fr

L'atelier de bricologie, ex-atelier du bricoleur, est un site destiné à tous les bricoleurs confirmés et traite de nombreux sujets dans des applications très diverses.

Orchidees.fr 

www.orchidees.fr

Site des orchidophiles francophones : encyclopédie photographique, informations botaniques et spécifiques, boutiques en ligne, conseils de culture.

Perlalyly

www.perlalyly.net

Le petit monde des perles de rocaille vu par Lyly : ateliers pour petits et grands, réalisation de colliers, broches, bracelets, boucles d'oreilles et divers objets.

Plantes et jardins

www.plantesetjardins.com

Sur Plantes et jardins : fleurs, plantes et produits de jardinage en vente, fiches conseils, informations pratiques pour le jardin, calendrier des travaux et agenda des manifestations nationales horticoles.

Provence Outillage

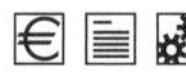

www.provence-outillage.fr

L'équipe de Provence Outillage propose une gamme de produits originaux au meilleur prix : bricolage, outillage, équipement de la maison, loisirs, jardinage.

Tout coller

www.toutcoller.com

Guide sur l'utilisation de la colle à la maison et dans le BTP : bricolage, décoration, réparation, pose de revêtements, assemblage, menuiserie.

Tout sur le bricolage

perso.wanadoo.fr/stippylesite

Ce site propose des dizaines de trucs et astuces et des reportages pour aider les bricoleurs.

Tridome

www.tridome.fr

Ce site s'adresse en priorité aux bricoleurs : astuces et fiches conseils sur le bricolage, le jardinage, la décoration.

TrucsMaison.com

www.trucsmaison.com

Trucs et astuces pour la maison. Interactif, ce site grandit grâce aux suggestions des internautes qui envoient leurs idées sur l'entretien ménager, les soins personnels, la décoration, les animaux domestiques, le bricolage, etc.

Weldom

www.weldom.com

Weldom, le réseau des spécialistes du bricolage, outillage, jardinage, électroménager, sanitaire, isolation et vente de matériaux pour la décoration et l'équipement de la maison, présente son site officiel.

Zone Experts

www.zone-experts.com

Version électronique du magazine Zone Experts dédié aux passionnés de bricolage et de décoration.

Chasse et pêche

Actupêche

www.actupeche.com

Le moteur de recherche des sites de pêche, de loisirs et de chasse : coins de pêche, fédérations, matériel, techniques, etc.

Bécasse

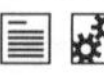

www.becasse.com

Bécasse, le magazine des passionnés de la chasse à la bécasse, est conçu avec le concours de scientifiques, de professionnels du milieu et de chasseurs de renom. Le site Becasse.com complète le magazine en offrant une information quotidienne et interactive.

BonWeb - Loisirs, chasse et pêche

www.bonweb.com/p_4_751.php

Sélection des meilleurs sites dédiés à la chasse et à la pêche par bonweb.com.

Chasse aux petits gibiers

maraisgivray.free.fr

Présentation de la chasse aux gibiers d'eau (canard, perdrix, faisan, bécassine, bécasse) dans le marais de Givray. Possibilité de réservation de journées de chasse.

Chasse Index

www.chasseindex.com

La chasse, les principaux gibiers et les différents modes de chasse. Egalement taxidermie, fauconnerie, chiens de chasse, forum et petites annonces.

Chasse Passion

www.chassepassion.net

L'univers virtuel de la chasse, le gibier, les armes, les chiens, l'actualité.

Chasse Pêche Direct

www.chasse-pechedirect.com

La boutique chasse et pêche du Net vous fait économiser de 10 à 40 % dans les plus grandes marques du marché.

Chasse, pêche, nature et traditions

www.cpnt.asso.fr/index.php3

Actualités, communiqués de presse, lois, régions, Europe, nature.

Chasser-en-France.net

www.chasser-en-france.net

Tout sur la chasse dans l'Hexagone : gibiers, chiens, législation, actualités et de nombreux autres services destinés aux chasseurs expérimentés ou débutants.

Chtipecheur

www.chtipecheur.com

Site dédié à la pêche du bord de mer à Dunkerque et Banyuls : étang de Wambrechies, surfcasting, lancer, bouchon coulissant, etc.

Fauna Safari Club

www.fauna-safari-club.com

Safari de chasse en Afrique et voyages de chasse dans le monde.

Hobbypeche

www.hobbypeche.com/xoops

Portail communautaire sur la pêche en eau douce et sur le monde halieutique en général.

La chasse en France

www.chasseurdefrance.com/dossiers/economie/economie.htm

Un état de la chasse en France : chiffres clés, profil du chasseur, chasse-plaisir/chasse-culture, partenaire économique, moyen de développement durable.

La galerie marchande de la pêche de loisir

www.cyberpeche.com

Vente en ligne d'articles de pêche au meilleur prix.

La pêche en eau douce

www.universpeche.free.fr

Site dédié à la pêche en eau douce : poissons, techniques et montages, amorces, sites et coins de pêche, albums photo, trucs et astuces.

La pêche sur Internet

membres.lycos.fr/macfly43

Site dédié à la pêche, aux différentes techniques de pêche moderne et aux rivières de France.

La pêche, une passion

perso.club-Internet.fr/dbsp

Vulgarisation pédagogique de la pêche : poissons, habitats, anatomie, techniques, matériel, lexique, liens, gastronomie, philatélie halieutique.

Lachasse.net

www.lachasse.net

Guide généraliste de la chasse et de ses à-côtés.

Le Pêcheur

www.pecheur.com

Le Pêcheur vous présente le premier annuaire de la pêche francophone sur le Web. e-mails gratuits et carnet de pêche virtuel, coin des experts, petites annonces, météo, boutiques, offres promotionnelles, sondages, statistiques, jeux concours.

Le site de la chasse

www.chez.com/chasse

Portail vers le monde de la chasse.

Ma chasse

volcelest.chez.tiscali.fr

La chasse à courre et la chasse sous terre.

Nature&Chasse

nature-chasse.chez.tiscali.fr

Nature et chasse : articles, dossiers, forum, liens, petites annonces.

Office national de la chasse et de la faune sauvage

www.oncfs.gouv.fr

Site de l'Office national de la chasse, de l'aménagement du territoire et de l'environnement propose de nombreuses informations et ressources iconographiques.

Pascal Cognard

www.pascalcognard.free.fr

Site officiel de Pascal Cognard, trois fois champion du monde de pêche sportive à la mouche.

Pêche à la mouche - Site français

www.pechealamouche.com

Le site des pêcheurs à la mouche : actualités, matériels et accessoires, événements, guides, conseils pratiques, lieux de pêche, météo.

Pêche à la mouche - Portail francophone

lapechealamouche.free.fr

Portail francophone sur la pêche à la mouche : articles, revue de presse, actualités, anneau des sites Web mouche francophone, forums de discussion rivière et mer, newsletter, etc.

Pêche Aveyron

www.pecheaveyron.com

Découvrez les poissons et les techniques de pêche en Aveyron. Parcours types avec photos et descriptions.

Pêche truite

www.pechetruite.com

Si vous êtes un pêcheur de truites à la mouche, au toc, à la cuiller, au vairon ainsi qu'à tous les autres appâts, vous trouverez sur Pêche truite les informations que vous recherchez.

Pêche

www.peche.net

Site éditorial consacré à la pêche, à son environnement et aux techniques de pêche. Vous y trouverez des conseils, les lieux de pêche et des idées de voyages.

Pechemedia.com

www.pechemedia.com

Site portail de la pêche en France. Référencement par départements, forum et photos de grosses prises.

PêcheXtreme.com

www.pechextreme.com

Le portail européen de la pêche au gros. Si vous voulez pêcher le thon, l'espadon, le marlin, le requin, la coryphène, les bonites, ou tout simplement pratiquer la pêche en mer, au gros ou sportive, vous êtes sur le bon site.

Portail francophone sur la pêche à la mouche

lapechealamouche.free.fr

La pêche à la mouche sur le Net : référencement, articles, revue de presse, actualités, anneau de sites mouche, forums mouche, newsletter, adresses, liens, moteur de recherche, cartographie, etc.

Saumon Québec

www.saumonquebec.com/NASApp/sqc/actions/displayHome?lg=fr

Sillonné de lacs et de rivières, le Québec est un véritable paradis pour les pêcheurs, particulièrement pour ceux qui aiment taquiner le saumon. Ce site regroupe tous les renseignements utiles sur la pêche du saumon au Québec.

Sea River

www.sea-river-news.com

Tout sur la pêche de loisirs en France et dans le monde. Très complet.

TRAK, publications cartographiques

www.trakmaps.com

Ce site donne accès à des cartes bathymétriques et marines pour les adeptes de chasse, pêche, ornithologie et observation de la faune.

Collections, fêtes et costumes

A la découverte de Titi

montiti.site.voila.fr

Nombreuses ressources sur le dessin animé Titi et Gros Minet : figurines, GIF animées, expressions, images, etc.

A la fête, Herblay (95)

perso.club-Internet.fr/alafete

Le site de la boutique A la fête, dans le Val-d'Oise, spécialisée dans les accessoires de la fête propose toutes sortes d'articles, de déguisements, de décorations, loue des smokings et des jaquettes.

AG-télécartes

site.ifrance.com/ag-telecartes

Que vous soyez néophyte ou collectionneur chevronné, ce site consacré à la télécarte ne vous laissera pas indifférent.

Air de fête Ω

www.airdefete.com

Ballons éclairants pour cinéma et télévision, location, vente, prestation de service, signalétique pour stands et expos, décorations en ballons latex et Mylar.

Alpha Loisirs € Ω

www.alpha-loisirs.fr

Tout pour toutes vos fêtes : ballons, cotillons, décorations, etc.

Aquitaine Dinky Toys collections Ω

aquitaine33.com/dinky

Informations sur les Dinky Toys : voitures miniatures, accessoires, boîtes, pneus et catalogues.

Arthur et Marie

www.arthur-et-marie.com

Une enseigne qui a acquis sa notoriété depuis une dizaine d'années auprès des écoles maternelles et des crèches : découvrez son histoire, ses ateliers et les jouets qui feront le bonheur de vos enfants.

Atelier Mascarade

www.atelier-mascarade.com

Par correspondance ou à Blois, vente et location de costumes (Halloween, époque, aubes, cérémonie, carnaval, folkloriques), déguisements, articles de fêtes et de mariage, cadeaux humoristiques, farces, etc.

Au Bal masqué (Lyon)

www.au-bal-masque.fr

Une fête à organiser ? Vous êtes à la bonne adresse : plus de 4 000 costumes en location et le plus beau choix de feux d'artifice de Lyon.

Au Clown Montmartre

www.clown.fr

Location de costumes de 7,62 à 22,87 euros, adultes et enfants, accessoires et déguisements, maquillages, perruques, décorations, cotillons, masques, farces et attrapes, ballons.

B.A.-Ba de la fête

www.fetes.org/
Subcategory.php?SubcategoryID=16&C
ategoryID=1

Vous trouverez ici de nombreuses idées pour (bien) inviter : fêtes à thème, fête des cinéphiles, fête jeux, etc.

Ballons à gogo

www.ballons-a-gogo.com

Site de la société Ballons à gogo, spécialisée dans la décoration par le ballon : photos, conseils et nouveautés.

Belle Fête

www.bellefete.com

Vente d'articles pour faire la fête aux particuliers et aux professionnels : cotillons, feux d'artifice, déguisements, etc.

Bien organiser une fête

membres.lycos.fr/dragon8/organiser-fete.html

Trucs et astuces pour bien réussir une fête : anniversaire d'un enfant, première communion, fin d'année scolaire, etc.

Brin de folie

www.brin-dfolie.com

La société www.brin-dfolie.com est spécialisée dans les masques et costumes pour fêtes et carnavals. Consultez son catalogue et passez votre commande en ligne.

Canal Collection

www.canal-search.com/collection

Portail et annuaire des collectionneurs.

Canal CPA

€

www.canalcpa.com

Canal CPA vend en ligne des cartes postales anciennes.

Cashprod

www.cashprod.com

Site portail d'informations sur les collections, collectionneurs, antiquités et produits de deuxième main : cotations, archives, interview, annonces, recherche, assurance de collection en ligne.

Cérès philatélie

www.ceres.fr

Depuis cinquante ans au service des philatélistes, catalogues de cotation de timbres, CD-ROM, années complètes, achats et ventes, commande en ligne et boutique dans Paris.

Cocacollection

cocacollection.ifrance.com

Site dédié aux collectionneurs de canettes Coca-Cola.

Collection du monde

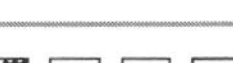

www.collection-du-monde.com

Dénichez les collectionneurs du monde qui partagent votre passion et laissez-les vous dénicher. Efficace et gratuit…

Collectionneurs de flippers

flippers-jukeboxes.com/acc.php

Le site des collectionneurs de flippers. consultez la liste mondiale, l'historique, les annonces, les échanges, les infos.

Collectionneurs de plaques d'Immatriculation

plaque.free.fr

Le site des Collectionneurs francophones de plaques d'immatriculation rassemble de nombreuses photos, des conseils pour débutants, des informations exclusives pour les collectionneurs avertis.

Collectool.com

www.collectool.com

Tout pour le collectionneur : annonces gratuites, news, manifestations, trucs et astuces, etc.

Complètement timbrés

membres.lycos.fr/timbre

Ce site se veut un véritable supermarché du timbre, des télécartes, des billets et des pièces de monnaie sur Internet.

Cotillons Decorshop (38)

www.cotillons-decorshop.com

Dans l'Isère, vente en gros et aux collectivités d'accessoires de fêtes : cotillons, déguisements, décorations, jeux multiples, feux d'artifice, trophées, etc.

CPR OR

www.cpror.com/index5.htm

L'histoire de France pièce par pièce à l'intention des numismates. Pour chaque pièce, cliquez pour découvrir l'avers et le revers en photos de haute qualité.

Décors Fiesta

www.decors-fiesta-cadeaux.com

Cette boutique en ligne vous permet de commander toutes sortes de déguisements, accessoires et feux d'artifice pour réussir vos soirées.

Delcampe.com

www.delcampe.com/main.php?language=F

Pour acheter et vendre des timbres de collection du monde entier.

Entomologiste amateur

butterflies.freeservers.com

Le site des amateurs de papillons : échanges, images GIF animées, galerie photo, expédition entomologique en Guyane française, etc.

Equip'pro

equippro.fr

Sur le site de la boutique Equip'pro, tout ce qui rendra vos fêtes inoubliables : décorations, ballons gonflables et accessoires, etc.

Family Prod

perso.wanadoo.fr/family.prod

Idées de costumes et animations pour fêtes et soirées : Halloween, Noël, nouvel an, goûters d'enfants.

Feta, Lyon et Roanne

www.feta.fr

Pour toutes vos fêtes, Feta propose des articles de fêtes, déguisements, ballons imprimés, etc.

Fêtes online

www.lafeste.com

Site de vente en ligne d'articles pour toutes les fêtes (Halloween, goûters d'anniversaire, mariage, Noël, etc.) proposant des conseils de déguisement et décorations. Animation multimédia et concours photos mensuel sont aussi au rendez-vous dans cet univers de la fête.

Fiesta

www.fiesta-i-fiesta.com

Fiesta i Fiesta propose un très grand nombre d'idées simples et faciles à mettre en œuvre pour faire la fête : recettes, jeux, déguisements et décorations, farces, blagues et devinettes, cartes à colorier ou envoyer, contes et histoires.

Fiest'Concept Laon (02)

www.chez.com/fiestconcept

Sur le site de la boutique Fiest' Concept, dans l'Aisne, des idées de déguisements, accessoires de fêtes et effets pyrotechniques.

Firplast

www.firplast.com

Vente en ligne d'articles et d'accessoires de divertissement et de fête, décorations, déguisements, animations pour des événements tels que Noël, Halloween, mardi gras, mariage, naissance. Catalogue de cotillons, ballons, maquillages, lampions, chapeaux, coiffures, jouets, vaisselle.

France Cotillons (68)

www.rmcnet.fr/france-cotillons

France Cotillons, manufacture d'articles pour fêtes à Colmar : Noël, réveillons, nouvel an, carnaval, mariages, baptêmes, anniversaires, 14 juillet, matchs de football, kermesses, feux d'artifice, etc.

Kollectoo

www.kollectoo.com/annuaires.php3

Les collectionneurs et leurs collections se retrouvent sur Kollectoo. Participez aux enchères, publiez vos petites annonces, faites connaître votre site dans l'annuaire Kollectoo.

La Bamboula

www.bamboula.com

Tout pour la fête, de la pyrotechnie aux décors en passant par les déguisements.

La bande des crados

crados.zeklub.com

Le site des autocollants de notre enfance : les Crados, MASK, Winnie l'Ourson, Fantastickers, Nesquick…

La malle aux costumes

www.malle-costumes.com

La malle aux costumes : création et fabrication de costumes, location de costumes, déguisements pour professionnels et particuliers.

La page des anniversaires

membres.lycos.fr/anniversaires

La page des anniversaires vous permet de savoir quelle célébrité est née le même jour que vous (plus de 1 900 personnalités répertoriées).

La Postale Philatélie

www.la-postale-philatelie.fr

Achat de timbres, catalogue et expertise.

La Postale

iis7.domicile.fr/lapostale/htm/files/frameset.htm

Sur le site La Postale, spécialisé en philatélie, venez faire un voyage dans le temps et commander des pièces rares en ligne.

La Poste, Commander en direct

www.laposte.fr/actutimbree

Le site de philatélie de La Poste : actualité philatélique et boutique en ligne.

L'Arlequin

perso.wanadoo.fr/arlequin02

Le magasin L'Arlequin propose des articles pour les fêtes en tout genre : déguisements, peluches, jouets, farces et attrapes.

Le Clown de la République

www.location-de-costumes.com

Site des magasins Le Clown de la République et L'Académie du bal costumé : location de costumes, feux d'artifice, Halloween, articles de fête.

Le club des timbres

www.mylinea.com/collections

Annuaire de collections : philatélie, télécartes, cartes postales.

Le Fil doré (37)

perso.wanadoo.fr/lefildore

L'atelier Le Fil doré, en Indre-et-Loire, est spécialisé dans la création de costumes de fêtes. Consultez son catalogue et faites part de vos souhaits.

Le Grenier médiéval

www.grenier-medieval.com

Des objets de décoration médiévaux, des armes, des costumes, de la calligraphie, des tapisseries...

Le métro et les timbres

membres.lycos.fr/jacques77

Créé par un passionné de philatélie, utilisateur quotidien des transports parisiens, ce site illustre les stations du métropolitain de Paris *via* les timbres français.

Le monde de la maquette

www.maquettepassion.fr.fm

Sur ce site, vous trouverez de nombreuses photos de maquettes personnelles, des conseils pour faire vos maquettes, des liens et bien d'autres choses encore.

Le site du Serval

xerval.free.fr/index.htm

Portail pour les amateurs et collectionneurs d'art africain.

Ma collection d'appareils photo

as.halgand.free.fr

Présentation d'une collection d'appareils photo anciens et de photos stéréo.

Masque mascarade

masques.free.fr

Site de Fanny, artiste créatrice de masques. Son art : réaliser des masques pour charmer vos ambiances ou compléter une collection.

Monnaie de Paris - Boutique en ligne

boutique.monnaiedeparis.fr

Sur la boutique en ligne de la Monnaie de Paris, 300 cadeaux en or, argent, bronze vous attendent : monnaies, bijoux, décorations, médailles, bronzes.

Monnaie de Paris

www.monnaiedeparis.fr

La Monnaie de Paris produit des pièces de monnaie (franc, euro), des monnaies de collection (or, argent), des objets d'art (médailles, bronzes), des décorations officielles et des bijoux.

Montres de collection

www.w-watch.ch

Amateurs de montres de collection, ce site est fait pour vous.

Ours et merveilles

www.gallery-regards.com

Sur son site, Evelyne vous fait découvrir une sélection d'ours en peluche : plus de 200 modèles disponibles dans sa galerie.

Parfums miniatures

www.miniperfume.com

Parfums miniatures, échantillons de parfum et flacons pour collectionneurs, petites annonces gratuites.

Télécarte

www.telecarte.tm.fr

Vente en ligne de télécartes de l'année, des dernières nouveautés et séries limitées. Indispensable pour les collectionneurs !

Top Fêtes

www.topfetes.com

Feuilletez le catalogue d'objets et décorations pour toutes les fêtes et événements et passez votre commande en ligne.

Vide-greniers

les.vide.greniers.free.fr/index.php

Ce site recense tous les vide-greniers de France et de Belgique.

Yu-gi-oh

membres.lycos.fr/yugimaniaque

Tout sur le manga Yu Gi Oh : jeu en ligne, images à profusion, musiques, quiz, forum, chat, goodies, présentation des personnages, résumé des battles, jeux, cartes.

Yvert et Tellier

www.yvert-et-tellier.fr

Le site du spécialiste de la philatélie.

Gastronomie

A boire et à manger

www.aboiretmanger.com

Annuaire des métiers de bouche : traiteurs, restaurants, produits du terroir, vins, etc. Egalement des services clients et des services professionnels : offres d'emploi, actualités.

ABC des gourmets

www.gourmetsmarket.com

Ce site est destiné aux professionnels et amateurs de la grande gastronomie qui souhaitent connaître ou acheter les meilleurs produits gastronomiques sur Internet.

Annuaire-gourmand.com

www.mylinea.com/myleneaag

Annuaire gastronomique français et francophone.

Arts-culinaires.com

www.arts-culinaires.com

Le guide du Web gourmand référence tous les sites sur la gastronomie, les vins, les cuisines et les recettes du monde, les produits du terroir, les voyages gourmands et les formations culinaires.

Aux délices de la Biliais

www.saucisson-sec.com

Une charcuterie de quartier ouverte sur le monde. Derrière la porte, il y a le savoir-faire de l'artisan et la qualité gastronomique made in France.

Aux plaisirs de la table

www.plaisirs-table.com

Les saveurs et le savoir-faire des terroirs des provinces de France. Paniers gourmands, coups de cœur, cadeaux d'affaires et personnalisés.

Bien Manger

www.bienmanger.com

BienManger.com vous propose des produits du terroir et des recettes en direct des producteurs. Plus de 1 000 produits gourmands (produits de la mer, charcuterie, foie gras, miels, confitures, fromages) à commander en ligne.

Biofood, l'alimentation bio en ligne

www.naturosante.com/categories/alimentation_biologique/general

Vente en ligne de produits français issus de l'agriculture biologique, paniers cadeaux, conseils du chef, recettes bio, informations sur l'alimentation biologique.

Bon appétit bien sûr

bonappetitbiensur.france3.fr

Joël Robuchon partage avec vous ses bons moments gourmands en compagnie de grandes toques venues de toutes les régions de France : recettes simples et peu onéreuses, explications sur les tours de main et astuces des grands chefs.

BonWeb - Loisirs, restauration à domicile

www.bonweb.com/p_7_521.php

Sélection des meilleurs sites de restauration à domicile par bonweb.com.

BonWeb - Loisirs, épicerie fine

www.bonweb.com/p_7_105.php

Sélection des meilleurs sites d'épicerie fine par bonweb.com.

Boulangerie Net

www.boulangerie.net

Portail de la boulangerie pâtisserie : actualités, bonnes adresses, formation, info-consommateur, bibliothèque, forums, échange de recettes, etc.

Camembert

www.camembert-france.com

Camembert : un village de Normandie, un fromage de renommée mondiale.

Camembert de Normandie

www.camembert-aoc.org

Le camembert de Normandie est aujourd'hui plus qu'un simple fromage, c'est l'un des symboles de la gastronomie française. Le

Syndicat normand des fabricants de camembert vous dévoile les richesses de ce fromage.

Cha Yuan

www.cha-yuan.com

Site consacré au thé et à son histoire. Catalogue en ligne de plus de 300 thés, théière Yi Xing, accessoires, etc.

Chef Bernard Loiseau

www.bernard-loiseau.com

Le site officiel du chef Bernard Loiseau en Côte-d'Or (Bourgogne).

Chef Guy Savoy

www.guysavoy.com

Le site officiel du chef Guy Savoy à Paris.

Chezemile.com !

www.chezemile.com

Vente en ligne de produits gastronomiques et gourmands.

Choco-club

www.choco-club.com

Mis à jour toutes les semaines, Choco-club, le site des amateurs de chocolat, vous propose un annuaire, un agenda, des chococartes, des fiches dégustation, un magazine du chocolat, des forums et des liens vers d'autres sites apparentés.

Colis Provence

www.colis-provence.fr

Colis Provence pratique la vente en ligne de produits provençaux.

Comtesse du Barry

www.comtessedubarry.com

Fondée en 1908, la Comtesse du Barry est une référence dans le monde de la gastronomie française.

Coquillages.com

www.coquillages.com

Pour tout savoir sur les coquillages : techniques d'élevage, histoire, art culinaire, propriétés bienfaitrices pour le corps, etc.

Corsica Shopping

www.corsica-shopping.com

Vente en ligne de produits du terroir corse : confiture, confiserie, alcool, miel AOC, huile d'olive, etc.

Créations Bernard Navailles

www.labeyrie.com

Le meilleur des foies gras, saumons fumés, caviar et produits du terroir.

Cuisinons.com

www.cuisinons.com

Portail de l'art culinaire : boutique gourmande, menu de la semaine, à la une, forum, liste de diffusion.

Domaine apicole de Chezelles (36)

www.apiculture.com/chezelles/index.html

Découvrez le domaine apicole de Chézelles, dans l'Indre, et faites vos achats en ligne : gelée royale, pollen, miel et pain d'épices.

E-caviar

caviar-lucian.tripod.com

Vente en ligne de caviar de Béluga.

Eole VPC

www.eolevpc.com

Leader depuis huit ans sur le marché des produits monastiques, associatifs et régionaux. Plus de 300 articles disponibles, de l'alimentation fine aux produits de soins.

Epicurieux

www.epicurieux.com

Epiceries fines traditionnelles, épices, aromates, condiments, curiosités gastronomiques, produits artisanaux du terroir, naturels, biologiques ou diététiques.

Ermitage

www.ermitage.com

Venez visiter la cave à fromages l'Ermitage (comté, munster, raclette, morbier, emmental, brie, etc.).

Euro info tourisme

www.2travelandeat.com

Au programme : gastronomie et traditions en Europe, coutumes et fêtes, spécialités régionales et attraits touristiques du terroir français et européen.

Faire son pain

fairesonpain.free.fr

Le pain accompagne chaque repas, d'où l'importance de sa qualité, de son goût. Votre boulanger n'est pas à la hauteur de vos attentes ? Vous n'avez qu'un médiocre "point chaud" près de chez vous ? La seule et la meilleure solution : faire soi-même son pain.

Fauchon commande en ligne

www.fauchon.com/ML/e-shop/index.aspx

Vente en ligne de chocolats, confiseries, paniers gourmands, épicerie fine, foies gras, vins, alcools et champagnes.

Ferme du Rondeau

www.ifrance.com/fermerondeau

La ferme auberge de Rondeau (Doubs) vend ses produits en ligne (charcuteries, fromages de chèvre et pains) et permet de réserver des chambres d'hôtes.

Foie gras de Strasbourg

www.edouard-artzner.com

Le monde du foie gras selon Edouard Artzner : guide pratique, cadeaux, boutique de vente en ligne, histoire, recettes.

France Fromages

www.francefromage.com

Le point de rencontre des amateurs de fromages : fromageries, laiteries, distributeurs, consommateurs, information sur le fromage, fabrication, histoire, cuisine, échanges d'idées.

France Gourmet Tradition

www.gourmet-tradition.com

Sélection de produits gastronomiques français : épicerie fine, fromages, vins et champagnes, colis cadeaux. Vente en ligne, livraison express dans 220 pays.

France Gourmet

www.france-gourmet.com

La gastronomie française, livrée en express partout dans le monde !

Fromag.com

www.fromag.com

Pour tout savoir sur le fromage : producteurs, grossistes, recettes, statistiques, annuaires, galerie marchande, etc.

Fromageries Riches Monts

www.richesmonts.com

Les fromageries Riches Monts sont les héritières directes d'un savoir-faire reconnu depuis plusieurs dizaines d'années. Ce savoir-faire est celui des fromagers. Les fromageries Riches Monts sont leader sur de nombreux segments de marché : la raclette en Allemagne, le brie aux Pays-Bas, en Grande-Bretagne et aux Etats-Unis.

Fromages de Suisse

www.fromagesdesuisse.com

Site à contenu pédagogique et ludique pour tout savoir sur les fromages de Suisse : origine, savoir-faire, procédés de fabrication, recettes, tradition… Un questionnaire en ligne permet d'intégrer la Confrérie des fromages de Suisse dont la vocation est de défendre les traditions, les valeurs du terroir et le savoir-faire ancestral de fabrication de ces fromages savoureux issus d'une nature préservée.

Garçon

www.arts-culinaires.com/garcon

Annuaire des gourmands : gastronomie, vins français, restaurants, produits du terroir.

Gastronomie française

www.goutsdefrance.com

Une sélection des produits du terroir : foie gras, truffe, farandole de charcuterie et assortiments de chocolat. Découvrez toutes les saveurs de la gastronomie française avec les paniers gourmands et les recettes de cuisine.

Gastronomie.com

www.gastronomie.com

Le rendez-vous des amateurs de bonne chère. Recettes, restaurants, vins et produits du terroir, tout est accessible depuis le site de la gastronomie française.

Gastronomy.fr

www.gastronomy.fr

Vente de produits gastronomiques à prix étudiés : produits fermiers et de terroir, foie gras, plats cuisinés, charcuterie, fromages, idées cadeaux et produits bio.

GaultMillau

www.gaultmillau.fr

Le site propose de consulter en ligne le guide Gault et Millau et l'actualité gastronomique, et donne accès à plusieurs forums de discussion.

Gers, Gascogne

www.gascogne.fr

Site portail des Gascons d'ici et d'ailleurs, de sang ou de cœur, fiers de leurs traditions et d'un certain art de vivre.

Guide du Gourmet

guide-du-gourmet.com/fr

Ce portail de la gastronomie française répond aux attentes et aux besoins de tous en matière d'alimentation santé, diététique, gastronomie, recettes, terroirs, vins, bio, etc.

Hypergourmet.com

www.hypergourmet.com

Vente en ligne de chocolats, condiments, truffes, caviar et autres délices.

Jacques Hesse restauration

www.jacqueshesse.fr

Livraison à domicile de repas (Paris et région parisienne) : chaque jour, dix plateaux-repas différents.

La cancoillotte Raguin

www.cancoillotte.com

Venez vous informer et peut-être acheter en ligne de la cancoillotte à la fromagerie Raguin.

La fabuleuse histoire du chocolat belge

users.skynet.be/chocolat/fr/index.html

Le chocolat belge ou la praline : son histoire depuis les Aztèques, sa fabrication, ses vertus, quelques recettes.

La fourme d'Ambert

www.fourme-ambert.com

Site de la fourme d'Ambert, fromage AOC depuis 1972.

La gastronomie française

www.francegourmande.com

Dans un esprit de tradition et d'innovation, France gourmande réinvente les goûts et saveurs d'autrefois et vous offre une sélection de plats cuisinés dignes de la grande gastronomie française. Commande en ligne et livraison à domicile.

La maison de l'ail 

www.maison-de-lail.com

La maison de l'ail est un lieu d'exposition, d'information et de vente en ligne d'ail blanc et violet.

La Maison du chocolat

www.lamaisonduchocolat.com

La Maison du chocolat est un lieu de dégustation : longueur en bouche, parfums subtils, tendresse ou goût corsé, pour révéler la puissance du chocolat sans jamais la couvrir.

L'Amateur de cigare

www.amateurdecigare.com

Le magazine des amateurs de cigares donne toutes les informations nécessaires pour bien choisir un cigare, vous initier à la dégustation d'un cigare et effectuer vos achats en toute connaissance de cause.

Le comté

www.comte.com

Le Comité interprofessionnel du comté présente le site officiel du comté, premier fromage AOC en France.

Le gruyère

www.gruyere.com

Le site officiel du gruyère : origine, fabrication, recettes, news, liens…

Le meilleur des fromages français

www.fromages.com

Ce site permet aux amateurs de fromages traditionnels français de commander en ligne des plateaux de fromages de saison. La livraison à domicile en express et un emballage spécifique

garantissent la parfaite conservation des fromages, quel que soit le lieu.

Le Meilleur du chef

www.meilleurduchef.com

Boutique (plus de 500 produits), club des membres, cours de cuisine, diététique, plus de 1 000 recettes, CD-ROM...

Le monde des épices

www.epicesduweb.com

Bienvenue dans le monde des épices, des herbes aromatiques et des plantes médicinales. Sur ce site de vente en ligne, vous trouverez également des recettes et un moteur de recherche consultable par nom d'épice, par pays ou par type d'épices.

Le Passeport gourmand pour gourmets

www.passeport-gourmand.com

Guide régional du passeport gourmand : 50 % de réduction dans les restaurants et de fortes remises sur les loisirs et la culture.

Le pro de la cuisine

www.leprodelacuisine.com

Au menu de ce site, découvrez des recettes de cuisine exotiques et européennes du monde entier. Du Mexique à la Chine en passant par la Réunion, voyagez gratuitement et goûtez aux saveurs locales.

Les boutiques bretonnes

www.brittany-shops.com

Faites vos achats et découvrez les entreprises bretonnes qui constituent Brittany-Shops.

Les cercles de fermières du Québec

www.cfq.qc.ca/plaisirs/a_table/

Vous recevez ? Que vous soyez à la recherche d'un mets ou d'un menu complet, fiez-vous au savoir-faire des gardiennes du patrimoine culinaire québécois depuis des générations, sur le site officiel des Cercles de fermières du Québec.

Les Halles de la ferme

www.les-halles.com

Les Halles de la ferme vous permettent de rechercher un produit spécifique ou de faire voyager votre palais en découvrant des produits régionaux.

Les Mondes des fromages

www.monde-des-fromages.com

Le magazine en ligne Les Mondes des fromages, pour tout savoir sur les fromages.

Les produits de l'Océan Indien

www.runweb.com/marche

Le Marché des îles vous propose un grand choix de produits de l'océan Indien.

L'univers des gourmands et des gourmets

www.valgourmand.com

Confiserie, chocolats, produits gastronomiques et cadeaux d'entreprises. Nombreuses promotions, offres spéciales et déstockages.

Mademoiselle Mela

www.mademoisellemela.com

A l'épicerie Mademoiselle Mela, un grand choix de produits traditionnels provençaux.

Mangez.com

www.mangez.com

L'alimentation et la gastronomie en ligne : actualités, recettes et conseils, saveurs du monde.

Masalchi (46)

www.masalchi.fr

Univers des épices et des aromates, grande diversité, qualité biologique contrôlée, transformation à la meule de pierre. En direct du Lot.

Miellerie des Clauses

perso.club-Internet.fr/gaecfc

En plein pays cathare, la boutique Miellerie des Clauses vous propose ses produits : miels classiques, miels parfumés, pains d'épices, hydromel, bougies, cire naturelle.

Natoora.fr

www.natoora.fr

Natoora.fr vous propose de faire vos courses de produits frais directement chez les producteurs : laitages, viandes, poissons, fruits, légumes, épicerie. Livraison en région parisienne en 24 heures.

Natto du dragon

www.natto-dragon.com

Le site officiel du natto du dragon, producteur de natto, produit typique japonais à base de soja fermenté. Un produit bio qui allie tradition et santé. Informations, contacts et vente en ligne.

Paniers.com

www.paniers.com

Vente en ligne de produits du terroir, originalité et tradition : épices, rillettes au foie gras, confitures, apéritifs, plats préparés. Une visite s'impose sur ce site qui saura vous séduire : shopping pratique, carte de fidélité, magazines gourmands, recettes, paniers cadeaux.

Paul Bocuse

www.bocuse.fr

Le site officiel du maître Paul Bocuse.

Plats-net.com

www.plats-net.com

Spécialiste des recettes de cuisine, ce moteur de recherche culinaire vous permettra de trouver les meilleures recettes (diététiques, traditionnelles, terroir, exotiques, orientales, d'Asie) du Web.

Poilâne

www.poilane.fr

Découvrez les différentes étapes de fabrication du pain Poilâne, ainsi que la liste des points de vente et des recettes de sandwichs de grands chefs.

Poleducommerce

www.poleducommerce.com

Foies gras de canard, confits, plats cuisinés, cafés et thés, livres, vêtements, un guide d'hôtels et de restaurants, des outils pour webmestres, des devis de matériels informatiques et plein d'autres surprises.

Pour les gourmets et les gourmands

perso.wanadoo.fr/yves.huot- marchand

Visite de la France gourmande : recettes par régions, cahier du débutant.

Reblochon de Savoie

www.reblochon.fr

Le Syndicat interprofessionnel du reblochon (SIR) vous présente le site officiel du reblochon de Savoie : méthodes de fabrication, zones de production AOC, recettes, liens.

Rivoire-Jacquemin

www.rivoire-jacquemin.com

Le comté Rivoire-Jacquemin : cent quarante ans d'expérience dans le métier d'affineur feront toujours la différence.

Roquefort Papillon

www.roquefort-papillon.com

Pour visiter les fromageries Papillon et leur environnement, découvrir les différents fromages et faire vos achats en ligne.

Ruchers Saint-François-Xavier (33)

rsfx.ifrance.com/rsfx

Apiculture et vente de miel des ruchers Saint-François-Xavier, en Gironde.

Salade.com

www.salade.com

Entre recherche variétale et culture raisonnée, entre recherche éperdue de fraîcheur et obligation de traçabilité, les producteurs de salades s'engagent depuis longtemps dans le combat pour la qualité totale, soutenus par des consommateurs qui poussent à l'excellence.

Saveurs du monde, Desserts

saveurs.sympatico.ca/ recetsweet.htm

Le plus grand site gastronomique de langue française : cuisine, gastronomie, recettes, produits, techniques, traditions culinaires, grandes toques. Un site de référence pour tous les gourmands.

Saveurs du monde, La pomme

saveurs.sympatico.ca/ency_4/pomme/pomme.htm

La pomme de A à Z… Mangez des pommes !

Saveurs du monde, Le sirop d'érable et le sucre de pays

saveurs.sympatico.ca/ency_8/erable/erable.htm

Le sirop d'érable et le sucre de pays : histoire, fabrication, utilisation.

Saveurs occitanes

www.perigord.com/saveurs-occitanes

Produits de noix vendus sous la marque OccitaNoix : l'authenticité et la qualité des produits paysans du Périgord.

Savoie Shop

www.savoie-shop.com

Tous les produits du terroir des deux Savoies rigoureusement sélectionnés. Découvrez les goûts authentiques de la gastronomie savoyarde en dégustant charcuterie, fromages, terrines, vins et chocolats.

Shopping Imagin Ouest

shopping.imaginouest.com

La boutique Imagin Ouest vous propose une gamme variée de produits : culture, décoration, produits du terroir, confort de la maison, jeux et jouets, art et pièces uniques.

Tabasco

www.lapetitegoutte.com

Site de la marque TABASCO. Faites un geste TABASCO, la petite goutte qui change tout. Retrouvez des recettes originales, découvrez des astuces et des conseils pour aromatiser vos plats avec la célèbre sauce aux piments de Louisiane.

Toil'd'épices

toildepices.free.fr

Le site des épices et herbes aromatiques : origine, composition chimique, biologie, utilisation…

Votre marché au fil des saisons

www.frais.fr.fm

Votre marché au fil des saisons, ou comment choisir les produits frais au moment où ils sont les meilleurs.

Votre santé

www.vous-et-votre-sante.com

Tous les mois, Que manger ?, le mensuel d'information pour le libre choix thérapeutique, la liberté de prescrire et la liberté vaccinale, vous propose un article original.

Zchocolat

www.zchocolat.com

Vente en ligne de chocolats artisanaux français en coffrets cadeaux pour vos amis et vos clients. Un présent raffiné et gourmand.

Gastronomie : alimentation bio

Baumstal

www.baumstal.com

Ce site propose des ustensiles de cuisine pour une cuisson sans eau, sans graisse et sans sel.

Bio attitude

www.bio-attitude.com/liens1.html

Sélection de sites Web traitant du bio sous toutes ses formes.

Biomarkets

www.biomarkets.com

Pour ceux qui voient plus qu'une couleur dans le vert… Plus de 100 produits bio à commander en ligne.

BioMonde

perso.wanadoo.fr/biomonde/index.htm

Créez une supérette biologique en devenant partenaire de BioMonde.

Biovert.com

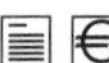

www.biovert.com

Alimentation biologique diététique et naturelle, articles sur la santé, l'environnement, le bien-être, forum de discussion, agenda, annuaire et moteur de recherche, agence de presse.

GrainVert

www.grainvert.com/rubrique.php3?id_rubrique=1

Toutes les adresses de l'alimentation bio dans le grand Sud-Ouest, en régions Midi-Pyrénées, Aquitaine et Languedoc-Roussillon, du producteur au consommateur, en passant par les transformateurs, les marchés biologiques et tous les modes de distribution.

Notre terroir

www.notre-terroir.com

Vous trouverez ici des produits du terroir, des produits régionaux et de l'épicerie fine (terrines, vinaigre, plats cuisinés, pâtés, foie gras, chocolat, confiserie et confiture), mais également des produits de l'agriculture biologique, pour retrouver les saveurs authentiques d'autrefois.

Gastronomie : restaurants, bars

Amarine

www.amarine.fr

Site officiel de la chaîne de restaurants Amarine, spécialisée dans les produits de la mer (poissons, coquillages, crustacés). Précommande en ligne de plateaux de fruits de mer et offres d'emploi dans les métiers de la restauration.

Bambou's Café (22)

chez.com/bambouscafe

Site de Bambou's Café, bar d'ambiance, rhumerie, musique et soleil à deux pas de la plage, à Trébeurden, dans les Côtes-d'Armor.

Bistrot du sommelier

www.bistrotdusommelier.com

La vie parisienne ne s'est jamais imaginée sans une sortie au restaurant de Philippe Faure-Brac, élu meilleur sommelier du monde en 1992.

Café Suisse (44)

perso.wanadoo.fr/cafe-suisse

Visitez Le Café Suisse, bar sympathique de Châteaubriant, en Loire-Atlantique.

Châteaux et hôtels de France

www.chateauxhotels.com

Ce site donne accès à 552 châteaux et hôtels en France : séminaire, hébergement de luxe, mariage, etc.

Clicresto

www.clicresto.fr

Sur clicresto.fr, vous pouvez consulter les menus des restaurateurs et des traiteurs livrant dans la zone de votre choix, effectuer votre commande et la régler à la livraison, sans aucune majoration de prix.

Eat in Paris

www.eatinparis.com

Guide des restaurants de Paris (plus de 2 300 références).

Flunchtour

www.flunchtour.com

Site de la chaîne de restaurants Flunch : restauration de groupes, réservation en ligne, espace Flunchtour réservé aux professionnels du tourisme.

Francebars.com

www.francebars.com

Le site Francebars.com favorise gratuitement la promotion de ses membres, espérant ainsi participer à la renommée des bars de France et des artistes.

Garçon

www.arts-culinaires.com/garcon

Annuaire Web des gourmands : gastronomie, vins français, restaurants, produits du terroir.

Hippopotamus

www.hippopotamus.fr

Site de la chaîne de restaurants Hippopotamus… Préparez-vous à gratter l'addition.

Hôtel-restaurant du Pic de la Belle Etoile

www.pbetoile.com

Site de l'hôtel-restaurant du Pic de la Belle Etoile, au cœur de la vallée du Haut-Breda, face aux montagnes des 7 Laux.

La Crêperie

www.chez.com/lacreperie

Le site du cyberrestaurant La Crêperie propose des jeux en réseau, des CD à consulter, un accès Internet et un chat.

La terrasse du Yéti

elgrandeyeti.free.fr

Site du bar restaurant savoyard Le Yéti.

Le Lotus bleu

www.lotus-bleu.fr

Envie de rester chez vous ? Le restaurant Le Lotus bleu vous livre sa cuisine chinoise (Paris, Boulogne, Neuilly et Levallois-Perret).

Le temps perdu

www.le-temps-perdu.com

Ce restaurant de Saint-Germain-des-Prés est devenu le rendez-vous des artistes et écrivains. Il a reçu la médaille d'or de l'art de vivre de la Ville de Paris.

L'Escale pastorale

escalepastorale.free.fr

Site de L'Escale pastorale, restaurant traiteur de la région lyonnaise.

Paris Planresto

www.paris.planresto.fr

La restauration parisienne à votre service : recherchez un restaurant par spécialité, prix et lieu.

ParisFree

www.parisfree.com

Sur ParisFree, découvrez toute l'actualité parisienne, les sorties, les bons plans, les bars et les restaurants.

Quick Restaurants

www.quick-restaurants.com

Le site officiel de la chaîne de restauration rapide Quick.

Restaurant à Paris

www.restoaparis.com/accueil.html

Restoaparis, c'est plus de 400 restaurants parisiens critiqués en toute impartialité, mais c'est également un espace pour échanger vos meilleures adresses.

Restaurant Maritonnes

www.maritonnes.com

Site de l'hôtel-restaurant 3 étoiles, Maritonnes, dans le Beaujolais.

Restaurants à Paris

paris.org/Restaurants

Liste de restaurants à Paris, par arrondissement.

Resto Guide

www.resto-guide.fr

Grâce à l'annuaire Resto Guide, choisissez les restaurants, brasseries, crêperies, pizzerias, bistros et bars de votre région.

Resto Show

www.restoshow.com

Vous cherchez des restaurants dans le cadre de votre profession ou pour sortir avec des amis ? Les nombreux commentaires de Resto Show vous aideront à faire votre choix.

Ticket restaurant

www.ticketrestaurant.fr

Ticket Restaurant France, le n° 1 du titre restaurant. Cette solution commercialisée par Accor Services permet à l'employeur de bénéficier d'exonération de charges et au salarié de profiter d'une participation de l'entreprise nette de toutes retenues.

Gastronomie : vins et boissons

1000champagnes.com

www.1000champagnes.com

Annuaire du champagne.

1855

www.1855.com

Le plus grand choix de vins de toutes les régions sur Internet (plus de 10 000 références de vins et de champagnes).

75cl.com, le portail du vin

www.75cl.com

Vente en ligne de vins français, chiliens, australiens et d'ailleurs.

Acheter et apprendre avec Vinsurvins

www.75cl.com

Site de vente de vins rouges et blancs (2 000 AOC) et d'informations (vinification, mets et vins, fiches détaillées).

Acheterduvin.com

www.acheterduvin.com

Sept passionnés du vin ont un jour décidé de développer un site Internet sur lequel on peut se documenter et acheter du vin.

Alavotre.com

www.alavotre.com

Boutique des vins médaillés de France.

Annuaire de tous les vins

www.vinup.com

Vous cherchez un vin, une appellation ? Ce portail, annuaire, moteur de recherche de vins, trouve tout avec garantie de réponse.

Annuaire des vins de France 

perso.wanadoo.fr/cg.graphic

Annuaire et référencement gratuit des vins de France. Petites annonces gratuites du monde viticole et divers autres services.

Beerpalace 

www.maitrebrasseur.free.fr

Tout sur toutes les bières : fabrication, brasseries, liens, collection de sous-bocks... Bienvenue au palais de la bière !

Berlinparade

www.berlinparade.de/francais/index.asp

Venez découvrir Berlin à roulettes. Sur le site, vous trouverez le tracé et les renseignements sur la randonnée organisée tous les ans en octobre.

BonWeb - Loisirs, boissons 

www.bonweb.com/p_7_144.php

Sélection des meilleurs sites dédiés aux cocktails et aux boissons, par bonweb.com.

BonWeb - Loisirs, cavistes 

www.bonweb.com/p_7_589.php

Sélection des meilleurs sites de cavistes, par bonweb.com.

Bureau national interprofessionnel du cognac

www.cognac.fr

Pour tout savoir sur le cognac, son terroir, sa fabrication, ses modes de consommation, son interprofession.

Buveurs.com, jeux de bières 

www.buveurs.com

Portail des alcools et spiritueux, à la fois humoristique (jeux, remèdes contre la gueule de bois, humour, cartes postales virtuelles, etc.) et sérieux (articles, critiques, forums, annuaires de liens, etc.).

Café Malongo  

www.malongo.com

Ce site est dédié aux amateurs de café : Blue Mountain de Jamaïque, Bonifieur de Guadeloupe, Brésil Sul de Minas, Moka Sidamo d'Ethiopie, grands cafés décaféinés, cafés bio, expresso. Tous les cafés de qualité et tous les grands crus sont en vente dans la cyberboutique.

Cave de récoltants 

www.cave-de-recoltants.fr

Vente en ligne de vins fins et grands crus.

Champagne Perrier-Jouet

www.perrier-jouet.fr

Champagne Perrier-Jouet : pour les amateurs de champagne et d'art nouveau.

Champagnedirect.com 

www.champagnedirect.com

Champagne direct, à Epernay, vous propose l'achat sécurisé de champagnes, de la plus grande marque au récoltant. Livraison en Europe aux particuliers et aux professionnels.

Châteaunet, grands vins de Bordeaux 

www.chateaunet.com

Site commercial de grands vins de Bordeaux : margaux, saint-julien, pauillac, saint-estèphe, saint-emilion, pomerol, pessac-léognan, etc.

ChateauOnline.fr  

www.fr.chateauonline.com/pages

Vente en ligne de vins et de champagnes : bordeaux, bourgogne, beaujolais, vins italiens ou vins australiens, millésimes.

Cocktails Space

www.cocktail-space.com

L'art du cocktail est avant tout un art de vivre, un art d'aimer, un art de recevoir. Vous en saurez plus en consultant ce site.

C-tendance 

www.c-tendance.com/vins.php

Suivez les conseils d'un ancien sommelier du Ritz…, vous êtes sur le meilleur site marchand de vente de vin.

Cuisine et Vins de France en ligne

209.238.104.91

Cuisine et Vins de France : le magazine de l'accord parfait des mets et des vins.

Fine Wine World 

www.fine-wine-world.com

Vente en ligne des vins du monde.

French paradox 

www.frenchedonist.com

Les vertus du vin et de l'huile d'olive au service de la beauté.

Garçon 

www.arts-culinaires.com/garcon

Annuaire Web des gourmands : gastronomie, vins français, restaurants, produits du terroir.

Gourmandia 

www.gourmandia.com

Vente en ligne de grands vins.

Grand Marnier

www.grand-marnier.com

Ce site vous dit tout sur le Grand Marnier : fabrication, histoire, gamme de produits, recettes de cocktail.

Guepe.com 

www.guepe.com

Découvrez toutes les bières belges : histoire, fabrication, recettes, news, livres.

Guideduvin.org 

www.guideduvin.com

Comment bien choisir un vin, le conserver et le servir. Conseils inédits, recommandations et déceptions.

Joker

www.joker.fr

Le site des jus de fruits Joker.

La Carte des vins

www.lacartedesvins.com

Pour tout savoir sur les vins de Bourgogne : histoire, cépages, appellations, millésimes et étiquettes. Consultez le catalogue complet des vins sélectionnés et passez votre commande en ligne.

La cave de la cour du roy

michel.badre.free.fr

Vente en ligne de vins du Midi et du Gard.

La cave du cep d'or

www.millesimes.com

Votre caviste à domicile : vins fins, vieux millésimes, petites annonces gratuites, accessoires et livres sur les alcools, les vins et la gastronomie.

La cérémonie du thé

www.gms.lu/~fr_jap/chanoyu.htm

La cérémonie du thé, chanoyu en japonais, est un passe-temps esthétique au cours duquel on sert et on boit le matcha, ou thé vert en poudre, selon des rites ancestraux.

La Chope

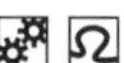

www.lachope.com

Toute l'actualité de la bière en général, et de la bière du Nord en particulier.

La Maison du Whisky

www.whisky.fr/index.php3

La Maison du Whisky veut faire partager plus de quarante ans de passion et de recherche en Ecosse, en Irlande et aux Etats-Unis.

La planète vin

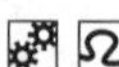

abrege.com/lpv

Découvrez les bons vins du monde : vigne et vignerons, cépages, appellations, millésimes, achat, conservation, service du vin, accord des vins et des mets, dégustation.

L'Amour du vin

www.amourduvin.com

Les meilleurs vins sélectionnés par Patrick Dussert-Gerber.

LBVP, le site des amateurs de porto

www.lbvp.com

Site des amateurs de porto : magazine, explications, forum de discussion, histoire, contexte, conseils de dégustation et d'achat, les portos rares.

Le Palais des thés

www.palaisdesthes.com/fre/index.cgi

A la découverte des cultures du monde, le Palais des thés vous invite à choisir votre thé autrement. Découvrez les saveurs les mieux adaptées à votre goût : Darjeeling, thé vert, Earl Grey, jasmin…

Les galeries gourmandes

www.galeries-gourmandes.com/caveonline

Vente de vins et de champagnes. Livraison en moins de 24 heures.

L'Esprit du vin

www.enology.net

Le site L'Esprit du vin permet de découvrir, d'acheter, de déguster, de reconnaître, de servir, de conserver, de s'informer, de se former, d'échanger autour du vin.

Marysa, antiquités achats ventes

www25.brinkster.com/marysa

Site de la galerie Marysa du Village suisse, spécialiste de caves à liqueurs, caves à cigares et coffrets anciens.

Monsieur Bière

www.monsieur-biere.com

Bières du monde (plus de 800 références), société, cours d'analyses sensorielles, diplômes de dégustateur.

Nicolas

www.nicolas.tm.fr

Le site de Nicolas, spécialiste du vin depuis 1822.

Oenolia

www.oenolia-grands-vins.com/bienvenue/index.php

Découvrez une sélection de grands vins de France et du monde, qui vous donnera un avant-goût du savoir-faire d'Oenolia.

Oenologie, citations et humour

och.free.fr

Cet annuaire des œnophiles propose 1 600 liens : mets et vins, conseils, 500 vins dégustés, coups de cœur, bons rapports qualité/prix, sondages, citations par auteurs et catégories.

Orangina

www.orangina.fr

Le site de la marque Orangina.

Place des délices

www.placedesdelices.com

La boutique Place des Délices vous propose de découvrir sa gamme de vins et de produits gastronomiques en ligne.

Prodégustation

www.prodegustation.com

Prodégustation vous propose des cours d'œnologie de tous niveaux, partout en France.

Réseau des cavistes

www.vinomedia.fr

Commandez votre vin auprès d'un réseau de cavistes. Livraison dans la journée et paiement à la livraison.

Rouge & Blanc

www.rouge-blanc.com/fr

Découvrez les vins du monde. Vente directe en ligne, toutes appellations.

Saint-Martin-Belle-Roche (71)

www.ville-st-martin-belle-roche.fr

Situé en Bourgogne, dans le département de la Saône-et-Loire, Saint-Martin-Belle-Roche fait partie du canton de Mâcon nord. Le village appartient à l'ancien comté du Mâconnais. Découvrez ce village en suivant la route des vins.

Site père Magloire

www.pere-magloire.com

Le site officiel du père Magloire : vente en ligne de calvados, visite des chais et du musée, news.

Tea-taster.com

www.admirable-tea-boutique.com

Tout l'univers du thé : vente en ligne de thés sélectionnés sur les meilleures récoltes mondiales par un goûteur professionnel : thé vert, Darjeeling, Earl Grey, jasmin, camélia, etc.

Tout sur le vin

www.toutsurlevin.com

Entrez dans le monde du vin. Les meilleurs sites Web, l'achat en ligne et les dossiers thématiques pour tout savoir sur le nectar des dieux…

Vente de vin en ligne

www.rouge-blanc.com/fr

Ce site pratique la vente directe de vins, toutes appellations.

Vigneron indépendant

www.vigneron-independant.com

La Confédération nationale des caves particulières (CNCP) est un organisme syndical qui regroupe trente-trois fédérations départementales regroupées en dix fédérations régionales.

VinaVista, l'annuaire du vin

vinavista.free.fr

Retrouvez tous les liens du monde du vin : des vignerons aux vendeurs en ligne en passant par les arts de la table ou le matériel agricole, tout est référencé sur VinaVista.

Vins AOC du Languedoc

www.languedoc-wines.com

Découvrez les vins AOC du Languedoc : corbières, coteaux du Languedoc, minervois, saint-chinian, fitou, faugères, limoux, clairette du Languedoc, picpoul de pinet, malepère, cabardes, minervois la livinière.

Vins de Bordeaux et d'ailleurs sur Château Internet

www.chateauInternet.com

Château Internet propose une sélection de vins fins de Bordeaux, de France et du reste du monde (Allemagne, Afrique du Sud, etc.). Plus de 500 références sélectionnées par l'équipe, un sommelier, un viticulteur, des amateurs passionnés.

VInternet

www.vInternet.fr

Découvrez le monde du vin et profitez d'une large gamme de vins élaborée par le comité de sélection de Wine and Co (plus de 1 500 références).

Whisky club

www.grandsmalts.com

Club français de passionnés du whisky dont la vocation est de découvrir et déguster des malts d'exception, des bruts de fût, d'organiser des voyages découvertes vers les distilleries écossaises.

Wine and Co

www.wineandco.fr

Achetez les meilleurs vins sans intermédiaire, donc au meilleur prix, informez-vous sur l'actualité du vignoble, partagez votre passion du vin avec des amateurs du monde entier.

World Wine Web

www.worldwineweb.com/cgi-bin/e-wine.cgi

Vente en ligne d'une sélection de vins exceptionnels.

Glisse

AFS

www.afs-fr.com

Site officiel de l'Association française de snowboard.

Agoride

www.agoride.com

Le monde du surf, windsurf, bodyboard, flysurf, wakeboard, snowboard, ski, roller, skateboard, BMX et motocross : news, événements live, rider, spots, photos et vidéos.

Annuaire, info neige, ski et montagne

www.neige.com

Portail de la neige et des sports de glisse : ski, alpinisme, enneigement, snowboard, escalade, météo, photos et vidéos. Tous les liens vers les stations de ski, webcam, compétitions, organismes, guides de haute montagne, agences de voyages, etc.

Avalanche-net

www.avalanche-net.com

Tout sur la neige et l'enneigement, la montagne, la rando, les techniques, le surf, la sécurité, les avalanches, la flore, la météo, mais aussi des fonds d'écran et des panoramas.

BonWeb - Loisirs, glisse

www.bonweb.com/p_4_639.php

Sélection des sites dédiés aux sports de glisse, par bonweb.com.

Bzh'ecume

www.bzhecume.com/index.php

Site consacré au surf en Bretagne.

Cébé, Lunettes et accessoires

www.cebe.com

Vente en ligne de lunettes et accessoires de sport et ski Cébé.

Comité régional de ski du Lyonnais

www.lyonski.com

Site du Comité régional de ski du Lyonnais : clubs, courses, licences, formation, comité, jeunes.

Destination poudreuse

www.destination-poudreuse.com

Réservez vos séjours de ski, héliski et snowcat au Canada, en Alaska, aux USA, dans l'Himalaya, au Chili et en Nouvelle-Zélande.

Directwind

www.directwind.com

Magazine de windsurf et flysurf : tests, petites annonces gratuites, météo, infos, spots, etc.

Ecole de ski hors piste

perso.wanadoo.fr/tetra

Ecole de ski hors piste : forts de leur expérience, des moniteurs de ski et des guides de haute montagne sauront vous faire partager leur passion en toute sécurité.

EDUG

www.ecole-de-glisse.com

L'école de glisse est une association pour les étudiants. Elle propose un cadre convivial et sympathique pour favoriser la pratique de la glisse.

Fédération française de la montagne et de l'escalade

www.ffme.fr/index.htm

Le site officiel de la Fédération française de la montagne et de l'escalade aborde plusieurs thèmes : alpinisme, escalade, expédition, ski, surf, raquette à neige, canyoning, randonnée, club.

Fédération française de pulka et traîneau à chiens

www.chiens-de-traineau.com

Le site de la Fédération française de pulka et traîneau à chiens.

Fédération française de ski

www.ffs.fr

Le site officiel de la Fédération française de ski : infos, équipes, disciplines, actualités, licences, résultats.

France ski de fond

www.ski-nordic-france.com

France ski de fond, la référence en matière de ski nordique.

Génération surf

www.generationsurf.fr

Site de l'émission diffusée sur TF1 : extraits, vidéos et forum.

Grenoble passion glisse

www.passion-glisse.com

Ouvert à tous, le club vous accueille pour découvrir les joies de la glisse, lors de nombreuses sorties organisées en semaine en partant de Grenoble.

Hawaii Surf

www.hawaiisurf.com

Tout l'univers de la glisse depuis 1976. Dans cette boutique, vous êtes conseillé et vous trouvez tout ce qui touche aux sports de glisse : roller, snowboard, skate, skimboard, surf, bodyboard, etc.

Hiver.com

www.hiver.com

Tout pour ne pas rater vos vacances à la montagne : stations de ski, hébergement, sports de glisse, matériel, météo et conseils pratiques.

IfYouSki.fr

www.ifyouski.fr/home/french

Les meilleures offres de séjours à la montagne disponibles en France et à l'étranger, les coups de cœur et les news de la montagne.

Le Windsnow Café

perso.wanadoo.fr/windsnow

Le Windsnow Café, lieu de toutes les glisses : ski, surf, long board, snowboard, flysurf…

NetF4Ski.com

www.net4Ski.com

Plus de 10 000 locations d'hébergement dans 65 stations de ski en France, de particulier à particulier. Réservation de studios, chalets, appartements, hôtels et résidences à la montagne.

Ridespirit

www.ridespirit.com

Vente en ligne de matériels, accessoires et vêtements de glisse : skate, BMX, snowboard, surf, bodyboard, windsurf, roller, ski. Vous y trouverez également actualité, événements, promos, photos de glisse, spots et bons plans pour tous les riders.

Rollernet

www.rollernet.com

Le portail du roller en France : infos, news, randonnées, boutiques, marques, tests, interviews, spots, parcours, forums, jeux.

Rossignol

www.skisrossignol.com

Présentation de la gamme de skis Rossignol : actualités, sponsoring et catalogue.

Salomon

www.salomonsports.com/fr/home.asp

Le site officiel de la marque Salomon présente l'actualité du snowblade, du snowboard, du ski nordique, du roller in line et de la randonnée.

SIG

www.sig-grenoble.com

Ce site vous dit tout sur le Salon international de la glisse qui se déroule à Grenoble en début d'année. Découvrez les nouveaux modèles de skis, de skates ou de vêtements de neige.

Ski et loisirs

www.ski-loisirs.com

Sur ce site, louez à l'avance vos équipements de ski (skis, chaussures, snowboard, snowblade) dans un magasin Sport 2000 des plus grandes stations de ski des Alpes françaises.

Ski et snowboard freeride et freestyle

www.skipass.com

Webzine dédié au ski et au snowboard : les meilleurs reportages, les plus belles photos, des fonds d'écran splendides, les forums les plus animés du Net.

Ski France

www.skifrance.fr

SkiFrance.fr est le site portail des 100 stations de montagne Ski France qui adhèrent à l'Association des maires des stations françaises de sports d'hiver et d'été.

Ski Surf

www.skisurf.8m.com

Site dédié au ski et au surf de vagues : forums de discussion, galeries photos, conseils, informations sur la sécurité, lexiques, renseignements sur les stations de ski et sur les meilleurs spots de surf.

Skihoo

www.skihoo.com

Le meilleur de la montagne sur le Web : stations de ski, snowboard, escalade, VTT, raquettes, ski de fond, alpinisme, parapente, sports d'eau vive, canyoning, randonnée.

Ski-planet

www.ski-planet.com

Informations sur les stations de ski françaises, réservation en ligne de votre logement et nombreux autres services : webcams, photos, fonds d'écran.

SkiSet

www.skiset.com

Pour réserver vos skis et snowboards en ligne.

Sports de glisse extrêmes 

www.sport.fr/glisse

Sur ce site, dédié à l'actualité des sports de glisse, vous trouverez l'information de votre choix en trois clics.

Trotti-skate 

www.trotti-skate.com

La nouvelle glisse urbaine : le trotti-skate est issu de la fusion entre un skate-board et une trottinette. Il provoque des effets de glisse dans les virages pour le plus grand plaisir des "glisseurs".

Vacances au Québec 

www.outquest.to/canada.html

Forfaits vacances de motoneige, traîneau, et équitation au Québec (Canada).

Heroic fantasy, fées, sorcières

Adventurias

www.adventurias.fr.st

Jeu de rôle médiéval gratuit en ligne.

Cercle Zetetique

www.zetetique.ldh.org/ sorcieres.html

Sorcières, entre mythe et réalité.

Chronique d'un loup-garou 

membres.lycos.fr/chronique/ loup-garou.htm

Site dédié aux jeux de rôle : sections AD&D, étrange, mythes et légendes, littéraire, etc.

Elbakin  

www.elbakin.net

Elbakin.net est le premier portail francophone dédié à JRR Tolkien et à l'heroic fantasy.

Epées & armures médiévales

www.medieval-store.com/index.htm

Vous trouverez dans ces pages les plus belles reproductions d'épées jamais réalisées : médiévales, heroic fantasy, épée ninja et katanas, ainsi que des armures, des heaumes et des boucliers. Tous les articles de Médiéval Store sont réalisés à Tolède (Espagne).

Féerûne

ibelgique.ifrance.com/feerune

Le site officiel de la marque Salomon présente l'actualité du snowblade, du snowboard, du ski nordique, du roller in line et de la randonnée.

Heroic fantasy

membres.lycos.fr/kingconan

Tout sur les royaumes oubliés, Lancedragon, Tolkien, les Dragons et Everquest : histoire, géographie, races, divinités, artefacts, ballades et poèmes, magie, héros et vilains, bouquins, galerie d'art, etc.

Le domaine de Gorn

www.domainegorn.com

Ce site vous fait découvrir toute la bande dessinée à travers quatre univers. Pour chacune des trente séries, une description et des galeries d'images ainsi que l'avis des lecteurs permettent de découvrir l'œuvre dans son ensemble.

Le menu de l'heroic fantasy

www.sden.org/inspi/litterature/menuhtml/menuheroicfantasy.shtml

Vous trouverez ici : une définition de l'heroic fantasy, des fiches de lecture et des nouvelles écrites par des internautes motivés.

Le monde d'Akian

membres.lycos.fr/akian

Au programme : jeux de rôle et dessins animés.

NooSFere

www.noosfere.com

Très imposant par sa richesse, ce site répertorie et critique un très grand nombre de parutions SF et fantasy.

Zoo-logique.org

www.zoo-logique.org/portail/8/10/1849

Les amateurs d'heroic fantasy ou des Terres du Milieu identifient le troll comme une créature apparentée aux ogres et vraiment repoussante. Quant aux internautes, ils utilisent le même terme dans les forums de discussion. Zoo-logique a enquêté pour tenter de résoudre ce mystère.

Hobbies, loisirs créatifs

123 broderies, 456 points de croix

broderie.kwaoo.com

Site de broderie. Grand choix de points de croix comptés et imprimés, canevas, fils, tissus, accessoires et supports de broderie. Forum de discussion, galerie des particuliers, conseils gratuits, classement par thèmes et fournisseurs.

A faire soi-même

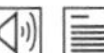

www.afairesoimeme.com

Tout pour les loisirs créatifs et les travaux manuels : fabrication de bougies en cire, de bijoux, de mosaïques. Vente en ligne de 2 500 produits (large gamme de plateaux en bois et d'objets en bois brut).

Arts & créations

www.artcrea.ch

Salon international des activités artistiques et loisirs créatifs.

Aux broderies d'Anne-Sophie

www.point-de-croix.com

Découvrez sur ce site des round robin et de nombreux ouvrages au point de croix.

BonWeb - Loisirs, hobbies

www.bonweb.com/p_4_166.php

Sélection des meilleurs sites dédiés aux hobbies et aux collectionneurs, par bonweb.com.

Clairette et la pâte à sel

clairette1.chez.tiscali.fr

Un site qui miniaturise des scènes de la vie quotidienne… Plus vraies que nature !

Créamalice

www.creamalice.com

Portail de loisirs créatifs et d'activités manuelles qui vous donnera toutes les clés pour réaliser des objets originaux qui égayeront votre quotidien.

Distart inc.

chez.com/distart

Roses en plumes, le cadeau idéal. Découvrez les 48 étapes de fabrication, entièrement à la main.

Figurines

www.histofig.com/figurines

Webzine français dédié au monde de la figurine : tradition, actualité, technique.

Guide de la prospection  

www.detecteur.net

Guide de la prospection au détecteur de métaux : présentation du hobby, fonctionnement d'un détecteur, guide d'achat, photos de trouvailles, trucs et astuces, lois, FAQ, forum, pratique, etc.

HistoFig

www.histofig.com/tradition

Magazine en ligne de la figurine historique, des uniformes et des collections.

Hobbies 

www.affection.org/clubs.html

Affection.org se veut le point de départ de tous ceux qui cherchent des personnes partageant leurs centres d'intérêt.

La boutique des loisirs créatifs 

www.primactif.com

Plus de 50 ateliers avec leurs modes d'emploi, les produits nécessaires dans la boutique, perles de rocailles, bois, polystyrène ou styropor, scrapbooking, chemage, etc.

Le Monde de Christelle 

www.chez.com/lemondechristelle

Site consacré à la pâte à sel : photos, recettes et astuces pour vous aider dans vos réalisations, liens vers des sites de travaux manuels.

Le point compté 

pointdecroix.ifrance.com

Site dédié à tous les passionnés de point de croix : grilles, forum, expositions, librairie, cours pour débutants.

Les cc6500 ou les reines du 1500 VO

www.mistraletcapitole.net

Tout, absolument tout sur les motrices CC 6500 : vidéos, photos, infos exclusives, liens, anecdotes croustillantes, etc. Bref, tout pour vous documenter en vue de réaliser un modèle miniature.

Les radioamateurs en France

www.chez.com/radios

Les radioamateurs français : licences, fréquences, classes d'émission, le morse, le code Q et le spectre radio français.

Lilootes et compagnie

www.lilootes.com

Site dédié au point de croix et à la bonne humeur : création de modèles gratuits, moteur de recherche de grilles gratuites.

Loco Revue

www.locorevue.com

Ce site s'adresse aux amoureux des chemins de fer. Il donne accès aux magazines Loco Revue et Voie libre, à un forum et à des sites complémentaires.

Loisirs créatifs

www.loisirs-creatifs.fr

Vente en ligne de fournitures pour les activités manuelles et le bricolage pour enfants et parents : perles de rocaille, accessoires de peinture, kits bois, etc.

Passion Broderie

perso.wanadoo.fr/passion.broderie

La passion du point de croix.

Perlalyly

www.perlalyly.net

Le petit monde des perles de rocaille : ateliers pour petits et grands, réalisation de colliers, broches, bracelets, boucles d'oreilles et autres objets.

Phil info

www.laposte.fr/actutimbree

Mensuel en ligne des timbres de La Poste.

RAC

www.rac.ca/index.htm

Le site officiel de radioamateurs du Canada.

Répertoire des sites ferroviaires

users.skynet.be/sky34004/ repfer.html

Le site d'un passionné de trains : forums français et belge, horaires européens, bourses, photos et diapos, histoire des chemins de fer.

Welcome (38)

www.welcome.online.fr

Boutique grenobloise spécialisée dans le patchwork et le point de croix.

Humour

Annuaire du rire et des gags

www.goodiesmania.com

Portail des gags en tous genres : blagues, images, vidéos, jeux, sons.

Autofolie.org

www.autofolie.org

Humour et charme sur le site officiel de la folie automobile.

Beaufmen

perso.wanadoo.fr/regis.minetto/BEAUF/beaufmen.htm

Beauf'land, la galerie du kitsch et du mauvais goût. Au programme : qu'est-ce qu'un beauf, que mange le beauf, le beauf est-il honnête, etc.

Bêtisiers

perso.club-Internet.fr/an_sofi

Plusieurs bêtisiers pour étudiants : lycée, élèves, économie, fac, fous, histoire-géo, X.

Bienvenue chez Jo

www.ifrance.com/jo-le-mort

Si vous avez aimé la série Urgences, vous allez adorer le site de Jo le mort.

Big Délires

bigdelires.free.fr

Big Délires, l'expert en images insolites, delirium, vidéos gag et musiques drôles, fournit un grand nombre de liens pour tous les amateurs d'humour "gras".

Bigard

www.bigard.com

Sur le site de Jean-Marie Bigard, découvrez des blagues, devinettes, citations, sketches, mais aussi des extraits du spectacle au Zénith.

Blagues online

www.blagues.net

Compilation de blagues et d'histoires drôles dans tous les domaines.

BonWeb - Loisirs, humour

www.bonweb.com/p_4_167.php

Sélection des meilleurs sites d'humour, par bonweb.com.

Bugg's Garage

membres.lycos.fr/bugg

Des tonnes de blagues sur l'automobile et près de 140 liens répertoriés en catégories pour trouver le site que vous cherchez.

Cagades.com, tout l'humour du Net

www.cagades.com

Tout l'humour du Net : plus de 1 000 images, BD, images GIF animées, 100 vidéos, 1 000 blagues, 100 sons dans tous les domaines.

Camenerve.com

www.camenerve.com

Cela fait combien de temps que vous vous énervez en silence ? Si vous en avez assez de crier dans le désert, connectez-vous à ce site et découvrez que vous n'êtes pas seul à fulminer.

Canal Plus Rebelz.org

www.chez.com/sausages

Ce site propose dix chaînes TV virtuelles humoristiques en Realplayer.

Caricature zone

www.magixl.com

Des caricatures de stars internationales, des jeux drôles et un quiz.

Caricaturnet, caricatures et dessins

www.caricaturnet.com

Caricaturnet réalise des caricatures, des dessins humoristiques, des caricatures en live, des dessins coquins, des dessins sur tee-shirt, des cartes d'anniversaire, des cartes.

Comedie.com

www.comedie.com

Site d'humour : spots, vidéos, kiosque, jeux, chat, cadeaux.

Comic strip Lapin

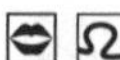

www.lapin.org

Bienvenue dans le monde de Lapin, le monde

absurde d'une bestiole moche en tissu pourri. Si vous aimez l'humour, vous aimerez Lapin.

Comixs.net

www.comixs.net

Rien de tel qu'une bonne blague pour mettre de l'ambiance...

Défigurez vos stars

kaboom.free.fr

Ce site vous propose de défigurer vos stars préférées en quelques clics.

Dinde Magazine

www.ifrance.com/dindemagazine

Magazine rédigé pour les "dindes" par des "dindes" : parodie de journal féminin.

Diplomes.org

www.diplomes.org

Créez des... faux diplômes en ligne et envoyez-les à vos amis, juste pour rire !

DirectJoke

www.directjoke.com

Piégez vos amis au téléphone et écoutez leurs réactions...

Espace GAF

gaf.free.fr

La devise de ce site est "Si tu te lèves avec l'envie de travailler, recouche-toi, ça passera". Les "rienfairistes" trouveront sur ce site jeux, proverbes, astuces pour les conforter dans leur "art de vivre".

Fédération française des gobeurs de Flanby

www.gobage.com

Le site de la Fédération française des gobeurs de Flanby fédère l'activité de gobage de Flanby...

Flax

www.ifrance.com/coluche

Site entièrement dédié à Coluche : biographie, citations, filmographie, discographie, MP3, vidéos, photos, sketches, forum, liens complémentaires.

Frères Taloche

www.taloche.be

Le site officiel des frères Taloche, ces duettistes dont l'interprétation de J'ai encore rêvé d'elle a fait le tour des chaînes de télévision francophones.

Frites.be

www.frites.be

Le webzine du pur belgo-belge. Le rendez-vous francophone pour les piqués de la Toile belgo-belge. Un webzine touristique, exotique, gastronomique, humoristique et, surtout, pas sérieux.

Fun4fun, 100 % humour

www.fun4fun.com

De nombreuses images et vidéos fun.

Fundelire

www.fundelire.com

Best of de l'humour : plus de 1 000 images, 1 000 blagues et 100 vidéos.

FunHumour.com

www.funhumour.com

Au menu : l'actualité insolite du jour, des milliers de blagues et d'images amusantes, des vidéos (parodies, insolites), des jeux, des textes comiques et bien d'autres choses amusantes.

Gustave Parking

www.gustaveparking.com

Site de l'humoriste Gustave Parking.

Humour du Net

www.humourdunet.com

Guide de l'humour. Venez rire avec des cartes virtuelles, des vidéos, des PPS et bien d'autres fichiers d'humour.

Humour Québec

www.humourqc.com

Le plus gros site d'humour au Québec : plusieurs milliers de blagues, des centaines d'images humoristiques, des dizaines de cartes virtuelles. Le tout mis à jour quotidiennement.

Humour quotidien

www.humourquotidien.com

Les meilleures blagues et farces du Web, pour votre pause quotidienne et votre dose de rire du jour.

Humour sexy

www.humoursexy.com

Vous en avez assez de travailler et avez envie de rigoler ? Venez vite visiter ce site qui ne parle que d'humour et seulement d'humour.

Humour vache

isuisse.ifrance.com/humourvache

Humour vache, LE site suisse d'humour.

Humour.com

www.humour.com

La pause-café de votre journée Web. Découvrez l'humour sous toutes ses formes.

Humourzone

www.humourzone.com

Le site des liens d'humour francophone : des centaines de sites rigolos, des blagues, des cartoons, des images, des vidéos humoristiques, des parodies, du cynisme, etc.

Jamel Debbouze

www.chez.com/jameldebbouze

Site dédié à l'humoriste Jamel Debbouze.

Je me marre

www.jememarre.com

Plus de 1 500 blagues, images délirantes, dessins humoristiques, programmes marrants, vidéos bidonnantes, animations à se tordre de rire… Abonnez-vous gratuitement à la liste de diffusion.

Kapwé, stars comiques du Web

www.kapwe.net

Votre quart d'heure de célébrité approche. Devenez la première star comique du Web. L'inscription est gratuite et ouverte à tous.

La caverne du rire

www.rireunpeu.com

Des heures de rire et de détente vous attendent sur ce site : blagues, images, bandes dessinées, jeux, cartes virtuelles, etc.

La page d'humour à Mario

pages.globetrotter.net/mcordeau/index.html

Plus de 1 500 pages d'humour, des lettres humoristiques à poster, des affiches hilarantes et des caricatures.

La vidéo de la semaine

videorigolo.com/videorigolo.html

Une vidéo désopilante inédite toutes les semaines.

Langocha

www.langocha.com

Langocha propose des vidéos, des adresses de sites à visiter, des MP3 et une nouvelle énigme à résoudre chaque semaine.

lavache.com

www.lavache.com

Le site lavache.com est celui de tous ses adorateurs.

Le Bêtisier

www.lebetisier.com

Un énorme bêtisier de toutes les professions.

Le dictionnaire de Géraldine

membres.lycos.fr/dicogege

Dictionnaire pour rire : sons, images, vidéos, textes. Surprises garanties.

Le monde DDARKA

membres.lycos.fr/ddarka/index-1.html

Un peu de tout sur ce site : blagues, jeux, mélodies pour portables, top models, répondeurs comiques, MP3, chats, citations, etc.

Le paradis de l'Internaute

membres.lycos.fr/smarty2000

Plus d'une centaine de textes d'humour vous attendent sur ce site au design recherché.

Le site d'Ericus

membres.lycos.fr/ericus

Sur ce site d'humour, vous trouverez des centaines de liens, des outils pour webmestres, du tarot (images GIF animées, livres, jeux, jeux en ligne, listes de diffusion, webring).

Le Web pour rigoler

www.rigoler.com

Des blagues inédites et originales, des images et vidéos humoristiques…

Les adorateurs des Pim's

www.lepims.com

Site d'humour autour des Pim's.

Les caribouteries d'al-kashi

membres.lycos.fr/caribouteries

Un site d'humour à base de caractères ASCII. A voir…

Les Cécèls news

cecelnews.free.fr

Ce site parle d'humour, de cartoons et de légion étrangère.

Les Chevaliers du fiel

www.chevaliers-du-fiel.com

Le site officiel des Chevaliers du fiel.

Les chroniques du menteur

menteur.com

Billets d'humeur et d'humour sur l'actualité (sujets de société, médias, marketing, multimédia, économie, romantisme, téléphones portables), mais aussi portail artisanal mis à jour quotidiennement (revue de presse antilibérale, infos copinage).

Les Lois de Murphy

www.courtois.cc/murphy/murphy.html

Venez en apprendre un peu plus sur la loi de Murphy et ses dérivées. Sérieux s'abstenir !

Les Moules

www.lesmoules.com

En parcourant ce site, vous saurez si vous faites partie des "moules" et autres mollassons. Sujets abordés : cinéma, musique, livres, TV, Net.

Les Nuls

www.lesnuls.net/index.php3

Tout sur les Nuls en ligne : 150 fausses pubs, les meilleurs moments TV, La Cité de la peur, toutes leurs émissions, les Bricol girls…

L'incroyable site

www.incroyablement.com

L'incontournable pause humour de votre journée : plus de 270 vidéos fun, des blagues sélectionnées, des téléchargements humoristiques, des jeux en ligne interactifs et dynamiques, des images insolites. Bref, de tout pour un parfait moment de détente.

Ma commune légère

pages.infinit.net/commune

Un groupe de joyeux éditorialistes québécois, impertinents et sans concessions, trempent leurs plumes dans l'humour pour épingler comportements divers, actualité ou petits phénomènes du quotidien à travers des chroniques iconoclastes.

Michel Courtemanche

www.riezencore.com/fhtml/principale.asp?id=mc

Le site officiel de l'humoriste Michel Courtemanche.

Nains de jardin

www.menj.com

Premier site français sur les nains de jardin. Le Mouvement d'émancipation des nains de jardin glorifie ces êtres espiègles et malicieux. Découvrez la galerie, la boutique… et tout le reste.

Page superfétatoire

www.c-zinzin.com

La direction décline toute responsabilité sur votre état mental après la visite de ce site. Cette page est à utiliser avec modération et précaution. Elle contient un dictionnaire à usage unique, l'actualité de la semaine, un horoscope, un chat…

Pascal Légitimus

www.legitimus.com

Bienvenue sur le site officiel de Pascal Légitimus : biographie, actualité, production, famille.

Pierre Desproges

www.desproges.fr

Le site officiel de l'humoriste Pierre Desproges.

Pince-mi et Pince-moi

www.tartrais.com

Jeux et animations pour les tout-petits (plug-in Flash 4 nécessaire).

Poussemoi.com

www.poussemoi.com

Bibliothèque de vidéos, blagues et images drôles.

Pubstv.com

www.pubstv.com

Les plus drôles et les plus belles pubs TV du monde : par pays, par campagnes, fausses pubs, images de pubs, recherche de pubs.

Quoi ma gueule ?

www.quoimagueule.com

Votez pour élire la meilleure "trombine" du Web.

Radio Gag

www.radiogag.com

Radio Gag, la première radio d'humour sur le Net : blagues, webcam, concours de grimaces, vidéo, news, best of comiques, forum, chat.

Raymond Devos

www.ifrance.com/aubonsketch/DEVOS.htm

Quelques-uns de ses meilleurs sketches.

Rigolade.net

www.rigolade.net

Site de référence en matière d'humour : blagues, vidéos, images, sons, programmes marrants, BD, etc.

Rire et Chansons

www.rireetchansons.fr

Retrouvez le meilleur de l'humour : blagues, sketches (MP3, vidéos, textes), actualité du spectacle comique. Radio en direct, programmes, fréquences, jeux.

Rire et Sourire

www.rire-et-sourire.com

Pour rire ou sourire, de l'humour, des blagues, des images, des vidéos, des proverbes, des citations et des poèmes.

Scan Concours

www.scanconcours.com

Scan Concours, c'est le concours permanent de scans stupides. La règle du jeu est simple : scanner tout ce qui n'est pas fait pour être scanné…

Sylvie Joly

www.sylviejoly.com

Le site officiel de l'humoriste Sylvie Joly.

Tout l'humour

www.toutlhumour.com

Annuaire et guide des meilleurs sites d'humour et de divertissement du Web.

Umour.com

www.umour.com

Faites le plein d'humour pour rire, rigoler et vous détendre au bureau : vidéos, images, photos, blagues sur votre chef, vos collègues, le travail…

Upian.com

www.upian.com

Des programmes Web en Flash, de l'humour politique et des dessins animés.

Vent de folie.com

www.ventdefolie.com

Grâce à Vent de folie, envoyez un cadeau sexy à vos amis et rendez-leur la bonne humeur.

Web délire

perso.wanadoo.fr/sylvain2

Retrouvez le zapping de Canal+ au format RealVideo.

Web Matin

www.webmatin.com

Quotidien satirique au format Flash : dessins humoristiques, actualités, presse, information.

Web pour rigoler

www.rigoler.com

Blagues, liens d'humour, images fun, vidéos fun, cartes virtuelles, cartoons, jeux, bluff et trucs…

Windows Crash

windowscrash.free.fr

La plus belle galerie de crashs, plantages et bugs sous Windows.

Zone humour

www.zone-humour.com

Bienvenue sur la plus grosse réserve d'humour du Web. Au programme : des tonnes de vidéos, des blagues, des jeux, des MP3 et bien d'autres choses encore.

Jardinage

ABC du jardinage

perso.normandnet.fr/bodillard

Venez faire une balade en photos parmi les fleurs, dans un jardin de Provence : sauges, mimosas, lagerstroemias… le tout, au son des cigales.

ABC luxe

www.abc-luxe.com

Présentation d'une collection de variétés, expédition de bouquets virtuels, histoire des fleurs, recettes à base de violettes, forum de discussion et d'échanges, nombreuses illustrations.

Alp' bonsaï

www.abonsai.com

Conseil et vente par correspondance de bonsaïs.

Annuaire des pépiniéristes en Europe

www.plantindex.com

Guide européen d'horticulture.

Annuaire français du bricolage

www.bricoler.com/customer/home.php

Annuaire français du bricolage, du jardinage et de l'aménagement de la maison.

Annuaire jardinage

www.lesannuaires.com/annuaire-jardinage-jardin.html

Le site Les annuaires donne accès à plusieurs annuaires spécialisés dans le jardinage.

Aquatechnobel

www.aquatechnobel.be

Découvrez la technique pour fabriquer un aquarium et un bassin de jardin : construction, biotope, plantes et poissons.

Association des jardiniers de France

www.jardiniersdefrance.com

Retrouvez des conseils pour le jardin et le potager, la revue Pour nos jardins, le calendrier des semences, l'agenda des manifestations horticoles et participez à des formations, des réunions de jardinage et au forum de discussion.

Au cactus francophone

www.cactuspro.com

Découvrez ces plantes merveilleuses et obtenez les informations nécessaires pour les cultiver.

Aujardin Info/

www.aujardin.info

Site consacré au jardinage. Vous y trouverez des fiches conseils sur la culture des plantes, l'entretien et l'aménagement des jardins (potagers, vergers et bassins), un calendrier des travaux ainsi qu'un espace réservé aux forums.

Balade en fleur dans notre jardin

baladefleurie.free.fr/

Cultiver son jardin d'une façon biologique ou écologique, c'est utiliser des engrais verts, des insecticides naturels et favoriser la biodiversité en retrouvant des variétés anciennes.

Bassins de jardins et koïs

membres.lycos.fr/lebt/index.html

Site consacré aux plantes de terre argileuse. Agenda des manifestations florales et liste des jardins privés à visiter dans le Pas-de-Calais.

Bazterrak (64)

members.aol.com/bazterrak/conseil.html

Bazterrak donne tous les conseils pratiques (adresses, agenda) et fait découvrir les plus beaux jardins, plantes et fleurs pour intérieurs, balcons et terrasses.

BonWeb - Vie pratique, jardinage

www.bonweb.com/p_7_99.php

Sélection des meilleurs sites de jardinage, par bonweb.com.

Botanic

www.botanic.fr

Consacré à l'horticulture de loisir, ce site présente également des rubriques très pointues qui aident à mieux connaître les plantes pour répondre à leurs divers besoins.

Botanic, le jardin

www.botanic.com

Cultiver son jardin d'une façon biologique ou écologique, c'est utiliser des engrais verts, des insecticides naturels, et favoriser la biodiversité en retrouvant des variétés anciennes.

Bourse aux plantes

www.jardinez.com

Favoriser l'échange et mettre en relation des gens passionnés par la vie de la terre avec des outils adaptés : forum, petites annonces gratuites et affichage en ligne des bourses aux plantes. Le site répertorie également les parcs et jardins de France où l'on peut se promener et donne un calendrier du jardinage.

Cactus & Rosalie

www.cactus-et-rosalie.com

La chaîne Jardin de Cliclavie donne tous les conseils pratiques (adresses, agenda) et fait découvrir les plus beaux jardins, plantes et fleurs pour intérieurs, balcons et terrasses.

Castorama

www.castorama.fr

Retrouvez tous les bons gestes et conseils sur le bricolage, le jardinage et la décoration : "castostages", forums, FAQ du bricolage, magasins et promotions Castorama.

Champimousse

sarl.champimousse.free.fr/ champisite

Champimousse commercialise des racines de gentiane, du buis et autres feuillages coupés, du lichen de pin sylvestre, des champignons, des narcisses et des jonquilles.

Cyberlandscape

www.cyberlandscape.com

Site dédié au patrimoine végétal.

Didacticiel de biologie végétale

www.creaweb.fr/bv

Ce site est dédié au monde végétal (caractéristiques des végétaux, règne végétal). Il propose un test de connaissances et un ensemble de liens complémentaires.

Edenplanet

www.edenplanet.com

Edenplanet vous propose une sélection de sites Internet sur le jardin et la maison, des dossiers pratiques et une boutique en ligne.

EDG Bonsaï

www.edgbonsai-fr.com

Site francophone de référence sur les bonsaïs.

Fabre Graines

www.fabre-graines.com

Boutique en ligne pour les amateurs de jardinage : sélection de graines, fleurs, légumes et de produits de jardinage.

Fédération des producteurs de l'horticulture

www.hortifrance.com

L'horticulture ornementale en France : les entreprises de production, les végétaux, les fleurs. Une gamme de services destinée aux producteurs de plantes, pour les passionnés du monde végétal, particuliers et professionnels.

Fertiligène

www.fertiligene.com

Conseils pour réussir et embellir jardins, plates-bandes, balcons, terrasses et jardinières : géraniums, plantes à massif, arbres, arbustes, fruitiers, plantes vertes et fleuries. Ce site vous aidera également pour vos plantations à l'intérieur de la maison.

Floréal (88)

www.floreal.org

Mieux connaître les fougères pour les intégrer à votre jardin.

Forum espaces verts

www.forumespacesverts.com

Site du spécialiste des fougères rustiques et arborescentes d'Orléans.

Grelinette

www.grelinette.com

Libérez-vous de l'éreintant bêchage du jardin ! Découvrez sur ce site les dents de la terre. Grâce à elles, l'éprouvante corvée devient un travail rapide et agréable.

Guide jardinage

www.horticolor.fr/liens.htm

Site de Horticolor, éditeur de livres d'horticulture et de CD-ROM sur les plantes et le jardinage.

Horticole.com

www.horticole.com

Site d'information horticole proposant notamment un forum de discussion très fréquenté.

Horticulteurs et pépiniéristes de Poitou-Charentes

www.horti-poitou-charentes.com

Annuaire des horticulteurs et pépiniéristes de Poitou-Charentes, guide de l'acheteur, liste complète ou recherche d'un produit dans un département.

Hortilien

www.hortilien.com

Le site de la filière horticole : agenda, annuaire matériel, forum, petites annonces, espace Entreprises.

Ijardin.com

www.ijardin.com

Point de rencontre et plate-forme d'échanges entre les passionnés, les pépiniéristes, les horticulteurs, les fabricants de matériel de jardin et leurs distributeurs ou détaillants.

Implanter

www.pelouses-net.com

Choisir, implanter et entretenir une pelouse avec un gazon de qualité. Ce site donne des informations sur les graminées pour gazons.

Jardin

www.jardin-de-chandoysel.com

Site personnel d'un passionné de jardins, contenant de nombreuses photos commentées et une importante encyclopédie sur les plantes.

Jardin de Caroline

perso.club-Internet.fr/goldmann

Page consacrée surtout aux rosiers, aux bulbes, à la taille et aux moyens de lutte biologique contre les maladies des végétaux.

Jardin de Tucker

tucker77.free.fr

Initiation au jardin. Ce site évite l'emploi de termes trop techniques. Vous trouverez pour chaque mois les travaux à effectuer, des conseils, des photos et des croquis.

Jardin des Monet

www.jardindesmonet.fr.fm

Découvrez des trucs et astuces de jardinage en visitant le jardin des Monet. Vous pouvez également consulter les fiches plantes et donner votre avis.

Jardin en fleur

nature.jardin.free.fr

Encyclopédie pratique du jardin.

Jardin express

www.jardinexpress.fr

Vente par correspondance de fleurs annuelles, bisannuelles et vivaces en jeunes plants : géranium, impatiens, pétunia, pensée, fuchsia, bégonia, cosmos, lobelia, myosotis, sauge, pâquerette, verveine, tomate…

Jardin, l'encyclopédie

nature.jardin.free.fr

Cet annuaire regroupe 300 horticulteurs et pépiniéristes de Poitou-Charentes.

Jardinage et conseils, le calendrier du jardin

www.gerbeaud.com/jardin

Conseils de jardinage, travaux du jardin et calendrier des cultures, entretien du verger, soin de la pelouse, détail des plantations, fiches pratiques.

Jardinage.net

www.jardinage.net/index.phtml

La ressource incontournable en horticulture francophone : agenda, conseils du pro, annuaire, insectes et maladies, bonne idée, lexique, forum, etc.

Jardinet

jardinet.ifrance.com

Tout pour réussir votre jardin : fiches pratiques, conseils, forum.

Jardinez et jasez potager

www.jardinpotager.com

Tout sur le jardinage d'un potager : trucs et conseils, forums et échange de semences de légumes anciens.

Jardinons à l'école

www.jardinons-alecole.org

Jardinage à l'école : aide et conseils pour les enseignants des écoles maternelles et primaires, documentation et prolongements pédagogiques.

Jardirama

jardirama.free.fr

Site sur les maladies et parasites des végétaux.

Jardishop

www.jardishop.com

La jardinerie Lemonnier vous propose des bouquets et tout type de végétaux. Vous y trouverez également : abris de jardin, outils, engrais, livres, aliments et accessoires pour animaux.

KB, produits et conseils du jardin

www.kb-jardin.com

Avec KB, jardinez simplement. Guide conseil du jardin et des plantes d'intérieur.

L'Annuaire du bricolage, du jardinage et de la maison

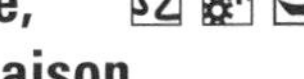

membres.lycos.fr/bricoler

Annuaire français du bricolage, du jardinage et de l'aménagement de la maison.

L'annuaire du jardin

annuaire.aujardin.info

Sur l'annuaire des jardins : professionnels, parcs et jardins, jardin loisir, sites de conseils, écoles de jardinage, parcs, etc.

Le calendrier du jardin

www.gerbeaud.com/jardin

Au menu : conseils de jardinage, travaux du jardin et calendrier des cultures, entretien du verger, soin de la pelouse, fiches pratiques plantations et plantes.

Le jardin et les fleurs, par Roundup

www.roundup-jardin.com

Le site des passionnés du jardin et des fleurs. Profitez des conseils sur les désherbants.

Le jardin mangeable

membres.lycos.fr/mverdon

Plusieurs plantes et fleurs, jolies à regarder et à sentir, qui peuvent aussi agrémenter un bon repas.

Le jardin

perso.wanadoo.fr/les.trois.d/Jardin/jardin.htm

Au menu, entre autres : rotation des cultures, choix des légumes à planter, calendrier des travaux du jardin, tomates, haie fleurie, paillage et bienfaits de l'ortie.

Le jardinage

www.feminin.ch/jardinage/index_jardin.htm

Volet Jardinage du site Féminin.ch : calendrier des floraisons, les enfants jardiniers, caissettes italiennes, langage des fleurs, potées hivernales.

Les beaux jardins

lesbeauxjardins.com

Magazine virtuel d'actualité horticole et agricole.

Les bonsaïs

artbonsai.free.fr

Tout sur les bonsaïs : entretien, guide de survie, annuaire, forum, sélection d'articles, techniques, calendrier.

Les jardins aquatiques

www.lesjardinsaquatiques.fr

Avoir chez soi des carpes koï colorées qui ondulent entre les nénuphars et les lotus en fleurs procure un spectacle permanent. Dans l'Ain, un spécialiste peut concevoir ce ravissement à vos mesures.

Les jardins de Saquet Bas

perso.wanadoo.fr/franck.aupetit

Visitez les différents jardins de cet amateur chevronné : agrumes, orchidées, bonsaïs, cactées et plantes vertes.

Les milieux des orchidées

www.univ-lille1.fr/orchid/bioforet/milorcja.htm

Les milieux des orchidées, du marais au biotope humide.

Les palmiers

jp.pinguet.free.fr

Site personnel d'un amateur de palmiers : conseils, techniques de culture et galeries de photos.

Les plantes carnivores

www.geocities.com/RainForest/2982

Site consacré aux plantes carnivores : culture, semis, biologie, utilisations médicales, photos, etc.

Les plantes d'intérieur

www.greenquest.com/mainvert/plantes/gplantet.htm

Guide complet sur les plantes d'intérieur : description, conditions, rempotage, repos, problèmes.

Les trucs du jardinier

perso.wanadoo.fr/girard.guilleme/index.htm

Débarrassez-vous des taupes qui hantent votre jardin.

Les violettes

perso.wanadoo.fr/n.casbas

Si vous aimez particulièrement les violettes, visitez ce site qui leur est exclusivement consacré.

L'oléiculture en France

www.afidol.org

Informations techniques et économiques sur l'oléiculture française.

Mouvement de culture biodynamique

www.bio-dynamie.org

Site officiel du mouvement de culture biodynamique : livre, information, préparations pour l'agriculture biodynamique, formation, etc.

Mr. Bricolage

www.mr-bricolage.fr

Astuces, conseils et techniques concernant le bricolage et le jardinage.

Nature et aliments (44)

www.nature-aliments.com

Cette entreprise artisanale et familiale orientée vers l'agriculture biologique vend ses produits en ligne.

Nénuphars.com

www.nenuphars.com

Portail des passionnés de jardins aquatiques.

Net-flowers

www.net-flowers.com

Service de transmission florale permettant de livrer des fleurs 7 jours sur 7 en France, en moins d'un jour et dans 28 autres pays avec "téléfleurs" et "fleurs éclair".

Orchid photos

www.orchidworks.com/orchids/french.htm

Sur ce site, vous allez découvrir plus de 100 orchidées fabuleuses, provenant de concours AOS (Austrian Orchid Society) ou de collections privées.

Persil, sauge, romarin et thym

pages.infinit.net/belber

Informations sur la culture d'herbes aromatiques, culinaires ou médicinales, sur les fleurs comestibles, le langage des fleurs, le compagnonnage et sur d'autres sujets.

Plaisance 3000

plaisance3000.free.fr

Vente et réparation de matériels d'espaces verts : tondeuses, tracteurs, quads, Karchers, motoculteurs et tronçonneuses de grandes marques.

Plantes et graines exotiques à Saint-Leu

www.baobabs.com

Vente de plantes et graines tropicales (baobabs, frangipaniers, aloès, etc.).

Plantes et jardins, vente en ligne, décoration

www.plantes-et-jardins.com

Boutique virtuelle de fleurs, plantes et produits de jardinage. Catalogue, fiches conseils, informations pratiques pour le jardin, calendrier des travaux et agenda des manifestations nationales horticoles.

Plantyfolia

www.plantyfolia.com

De nombreuses plantes et le matériel nécessaire à leur culture. Toutes les deux semaines, une nouvelle fiche sur un végétal. D'autres services également : météo, cadeaux gagnés en donnant votre opinion, lexique.

Potager naturel

sddelorm.free.fr/potager/ potager.htm

Rotation et association de cultures au potager naturel.

Produits de jardin et conseils

www.sem-jardin.com

Conseils aux jardiniers amateurs, FAQ, liste de magasins et liens complémentaires.

Realgarden

www.realgarden.fr

Activités, idées jardin, calendrier du jardinage, techniques utiles, conseils.

Roses Guide

roses.guide.free.fr

Site d'information sur les roses et les rosiers, réalisé pour et par des amateurs de roses.

Silence, ça pousse

www.france5.fr/jardinage

Avoir la main verte est désormais très facile, il suffit de regarder la télévision. La Cinquième présente Silence, ça pousse, un magazine qui vous propose treize minutes d'immersion totale dans le monde du jardinage.

Système D

perso.wanadoo.fr/vers/systeme.d

Berjon, le savoir-faire d'un semencier : fourniture de graines, plantes et bulbes pour jardiniers amateurs, conseils de culture, réponses personnalisées à vos questions sur le jardinage.

Tout sur le jardin

www.jardicom.com

Encyclopédie, annuaire des professionnels, calendrier des travaux, manifestations, médias et vente par correspondance.

Truffaut, jardin, animaux et décoration

www.truffaut.com

Truffaut : "Plus belle sera la terre". Vivez votre passion du jardin, des animaux et de la maison. Un réseau de magasins spécialisés à votre service.

Tulipes sauvages.com

www.tulipessauvages.com

Site consacré aux tulipes botaniques : culture, espèces, histoire, protection, photos.

Un jardin tout en couleurs

www.globetrotter.net/gt/usagers/nadeauc

Bienvenue aux passionnés de jardins et de fleurs. Découvrez comment réaliser d'harmonieuses combinaisons de couleurs au jardin.

Vaionline

directory.vaionline.it/Siti_Mondiali/World/Fran_ais/Maison/Jardin/more3.html

Venez écouter battre le cœur des plantes…

Webjardinier

www.webjardinier.com

Tout sur l'art du jardinage : découvertes, sélections, infos, jardin d'idées, conseils pour les jardiniers en herbe, etc.

Willemse France

www.willemsefrance.fr

Découvrez les produits Willemse France : graines, plantes, pots et outillage. Consultez les conseils et le calendrier horticole.

Jeux, parcs d'attractions, fêtes

ABC jeux

www.abcjeux.net

Ce site répertorie tous les jeux gratuits du Web : description, commentaires et classement.

Aqualand

www.aqualand.fr

Le site des parcs aquatiques Aqualand situés au Cap-d'Agde, à Gujan-Mestras, à Port-Leucate, à Saint-Cyprien et à Saint-Cyr-sur-Mer.

Atelier du Père Noël

www.vivenoel.com

Jeux interactifs, lettres au Père Noël, cartes virtuelles, contes et chansons de Noël, calendrier de l'Avent.

Aux petites mains 

auxpetitesmains.free.fr

Activités, jeux, bricolage, coloriages, recettes, histoires, comptines, chansons, découpages, événements et fêtes de l'année.

Bagatelle

www.bagatelle.fr

Dédié à la nature et aux attractions, Bagatelle est le pionnier des parcs d'attractions français. A 5 kilomètres de la mer sur la Côte d'Opale, il s'étend sur 30 hectares.

Bananalotto

fr.bananalotto.com

Chaque jour, 1 million d'euros à portée de clic !

Billard

www3.sympatico.ca/eric.perreault

Site de référence pour les joueurs de billard et de snooker. Vous y trouverez les règlements, les principes, les coupes, les effets, les cross, des tests de connaissances et un forum de discussion.

Carrefour du Scrabble francophone 

chr.amet.chez.tiscali.fr/index.htm

Ce professeur de maths de Saint-Dié-des-Vosges, président du club de Scrabble, vous invite à partager sa passion.

Crepeman 

www.ifrance.com/crepeman/menu.htm

Des centaines d'idées pour vos "crêpes-parties".

Débuter aux échecs et au bridge

membres.lycos.fr/zugzwang

Les bases des échecs et du bridge.

Devi-Net

www.devi-net.com

Soyez logique et armez-vous de patience pour résoudre les casse-tête posés sur ce site.

Disneyland Paris

www.disneylandparis.com

Accédez à l'univers magique de Disneyland Paris : actualité, Disney village, infos pratiques, réservations, découverte.

Du Pokémon au Mokémon 

membres.lycos.fr/mokemon

Mokémon, le site antiPokémon : pour tenter d'enrayer l'épidémie qui touche les enfants...

Enigmatum, centre des énigmes 

www.bde.enseeiht.fr/~hangarg

Ce site traite du vaste sujet des énigmes logiques et mathématiques.

Enigmes et casse-tête

membres.lycos.fr/fmichel/sommaire.htm

58 énigmes vous sont proposées, liées à des problèmes de déplacement, des problèmes pratiques, des processus déductifs, des pseudo-paradoxes, des problèmes d'arithmétique élémentaire, de dénombrement, de probabilités et de graphiques.

Entrez dans la magie d'Halloween 

www.halloween.tm.fr

Les secrets de l'histoire d'Halloween : comment fêter Halloween (jeux, farces, déguisements, recettes, dont le Samain, gâteau officiel d'Halloween), rituels (trick-or-treat, Jack O'Lantern). Vous y trouverez aussi des cartes postales, des clip-arts, une zone d'achat en ligne et un forum.

Equinoxe animation

perso.wanadoo.fr/equinoxe.anim

Prestations de services en animation, sonorisation et éclairage.

Europa park fan club

membres.lycos.fr/eprust

Découvrez le plus grand parc allemand à travers plus de 500 photos.

Faerie 

www.faerie.fr

Spécialiste de la vente par correspondance dans le domaine du jeu et du loisir, Faerie est présent depuis plusieurs années, notamment dans la presse spécialisée, et aujourd'hui sur Internet.

Fédération française de carrom

www.carrom.net

Présentation du billard indien (ou carrom). Histoire du jeu, règles, joueurs, principaux coups en animations Flash et actualité de la fédération et des clubs.

Fédération française de tarot

www.fftarot.asso.fr

Le site officiel de la Fédération française de tarot : cartes, règles, techniques de jeu, clubs, tournois.

Fédération française des échecs 

www.echecs.asso.fr

Site de la fédération française des échecs.

Fédération française du jeu de go 

ffg.jeudego.org/intro-f.html 

La FFG (association loi 1901) a pour mission de promouvoir le jeu de go, en favorisant la création de clubs, en coordonnant l'action des associations adhérentes et en collaborant avec les associations étrangères ou internationales de même but.

Fédération Internationale de Pierre-Feuille-Ciseaux

www.chez.com/pierrefeuilleciseaux

La FIPFC vous propose de découvrir en détail ce jeu de mains fantastique qu'est le Pierre-Feuille-Ciseaux.

Festyland

www.festyland.com

Le site du parc Festyland, implanté à Bretteville-sur-Odon (Calvados) : visite, nouveautés, spectacle, restauration, histoire, informations.

Fêtes 

www.inra.fr/dpenv/desfetes.htm

Toutes les fêtes, saints patrons et dictons du monde agricole.

Fiesta i fiesta, tout pour la fête 

www.fiesta-i-fiesta.com

Un très grand nombre d'idées faciles à mettre en œuvre pour faire la fête : recettes, jeux, déguisements et décorations, farces, blagues et devinettes, cartes à colorier ou envoyer, contes et histoires.

Foire du trône 

www.foiredutrone.com

Renseignements sur tout ce qui concerne la foire : histoire, renseignements pratiques, dates et horaires.

Française des jeux

www.fdjeux.com

Présentation des produits de la Française des jeux. Consultation des résultats, statistiques des jeux informatisés et des centres de paiement.

France échecs

www.france-echecs.com

Le site des passionnés du jeu d'échecs : actualités, tournois, théorie, clubs, arbitrage, études.

France miniature

www.franceminiature.com

Une immense carte de France en relief présentant les plus belles richesses de notre patrimoine : 170 monuments, 15 villages pittoresques et d'extraordinaires maquettes.

France-fetes.com 

www.france-fetes.com

Vente en ligne d'articles de fêtes pour les particuliers.

Futuroscope

www.futuroscope.com/fr/index.php?lg=fr

Visitez le Futuroscope de Poitiers sans quitter votre siège.

Halloween sonorisation

www.halloween-sonorisation.com

Site incontournable pour les organisateurs de soirées et les disc-jockeys : sonorisation et éclairage, location et animation, événements privés et publics.

Hoolashop  

fr.kelkoo.com/b/a/m_197101_linge_de_maison_hoolashop.html

Boutique en ligne pour tous les cadeaux de fêtes : fête des Mères, anniversaires, Noël, etc.

Infoparks  

www.infoparks.com

Ce guide des parcs européens vous invite à découvrir, grâce à différentes techniques de recherche, près de 500 parcs situés dans 16 pays d'Europe. Le magazine vous informe sur les nouveautés de la saison dans les parcs, sur les projets de création, sur les nouveaux parcs ouverts dans l'année.

Jabiru 

perso.wanadoo.fr/jabiru

Téléchargez (pour PC ou Mac) un jeu du type Master Mind ou un jeu d'anagrammes et accédez à d'autres sites dédiés aux jeux de mots.

Jesweb, jeux de société

pnl.nerim.net/jw

Site dédié aux jeux de société : critiques de jeux, énigmes, jeux inédits, interviews et articles.

Jeu de go

jeudego.org

Le jeu de go est apparu en Chine il y a plusieurs milliers d'années. Ce site vous le fait découvrir étape par étape.

Jeux de cartes.net

www.jeuxdecartes.net

Tout sur les jeux de cartes : actualités, histoire, cartes du monde, triche, expressions, jeux, sites complémentaires.

Jeux divers et variés

www.momes.net/jeux/index.html

Que vous soyez seul ou plusieurs, avec du matériel ou démuni, à l'intérieur ou à l'extérieur, amusez-vous en retrouvant les jeux d'hier et d'aujourd'hui et inventez ceux de demain.

Jeux gratuits pour enfants

www.jeuxpourenfants.org

Jeux pour enfants et activités qui les amuseront des journées entières : puzzles, labyrinthes, jeux de course, erreurs et des centaines d'autres jeux.

Jeux par e-mail

www.arobase.org/services/pbem.htm

Découvrez le monde du jeu par e-mail, sa diversité et sa richesse.

Jeux-concours

www.superwin.net/F/jeux- concours.html

Superwin est un moteur de recherche par mots clés spécialisé dans les jeux-concours.

Koodpo.com

www.koodpo.com

Jouez tous les jours au loto sur Koodpo. C'est gratuit et vous pouvez gagner 155 000 euros ou de nombreux autres lots.

La Mer de sable

www.merdesable.fr

La Mer de sable d'Ermenonville (Oise) est un parc d'attractions où l'on aime venir passer une journée de détente et d'amusement avec ses enfants, sa famille ou ses amis.

La montagne des singes

www.montagnedessinges.com

Le site de la montagne des singes de Kintzheim (Bas-Rhin) : présentation, infos pratiques, réservations, visite.

La petite excuse de Vauréal

tarot95.fr.st

Site du tarot-club de Vauréal (Val-d'Oise).

Labyrinthus, le parc des labyrinthes

www.labyrinthus.com

Déjà un million de visiteurs venus s'égarer dans les dédales des Labyrinthus ! Cet été, de nouveaux labyrinthes géants de maïs et de fleurs, peuplés de comédiens, entraîneront les visiteurs dans de folles aventures.

Le Cruciverbiste

www.cruciverbiste.com

Des centaines de grilles de mots croisés à imprimer ou à remplir en ligne vous attendent.

Le grand concours de râteaux

www.rateaux.com

Venez participer au concours de râteaux. Mesurez-vous aux plus grands maîtres de la discipline et battez le record du monde du plus beau râteau.

Le village enchanté

www.village-enchante.fr

Un parc naturel aménagé, situé au cœur du bocage mortainais dans le Sud-Manche. De petits sentiers vous emmènent dans le monde de l'enfance et de l'imaginaire, à travers forêts et ruisseaux.

Les énigmes de Conan

www.chez.com/enigmes

Sur ce site : énigmes, devinettes, jeux, problèmes mathématiques et graphiques. Toutes les dix semaines, un nouveau concours avec 10 énigmes par semaine.

Lescourses.com

www.lescourses.com

Le meilleur compagnon pour jouer aux courses hippiques : conseils, pronostics, résultats et calendrier.

L'étrange Noël de Mr Jack

www.etrange-noel.net

Halloween et tout ce qui s'y rattache : masques, citrouilles, recettes de cuisine, cartes postales virtuelles, etc.

Liens utiles - Loisirs, fêtes et parcs d'attraction

www.liensutiles.org/loisirsgen.htm

Sélection de sites en rapport avec les loisirs, les fêtes et les parcs d'attraction par Liens utiles.org.

Logique

www.chez.com/logique

Vous trouverez ici diverses énigmes pour tester vos neurones.

Mathématiques amusantes

carredas.free.fr

Ce site est destiné aux amateurs d'énigmes mathématiques. Il en contient plusieurs dizaines et en donne les solutions. Vous pouvez également participer à un championnat en ligne, en répondant aux questions challenge et superchallenge.

Micropolis, Cité des insectes

www.micropolis-cite-des-insectes.tm.fr

Visitez le complexe Micropolis de Saint-Léon (Aveyron), inspiré du film Microcosmos.

Millechoses

www.ifrance.com/millechoses

Tout ce qui concerne Internet : jeux gratuits, programmes d'affiliations, boutiques en ligne, astuces, blagues, photos, tuyaux pour webmestres.

Mirage

www.MagieFrance.com

Le site français de la prestidigitation.

Mondial billes

www.worldmarbles.com

Le site du championnat du monde de billes sur sable.

Mots croisés de Michel Hannequart

www.hannequart.com

Mots croisés de Michel Hannequart à imprimer.

Mots croisés de Nicole Hannequart

membres.lycos.fr/nicolehannequart

Grilles de mots croisés Flash et Java, à résoudre en ligne, petite histoire des mots croisés et définitions amusantes.

Mots croisés interactifs sous Flash

perso.club-Internet.fr/lannic

Mots croisés sous Flash, développés à partir des grilles de Nicole Hannequart.

Mots croisés

www.mots-croises.ch/?Page=lien

Site dédié aux mots croisés : grilles à résoudre en ligne dans divers formats (interactifs ou non), dictionnaire de mots croisés, liens vers des sites complémentaires.

Mscomm

saveurs.sympatico.ca/noel/noel.htm

Fêtez Noël, le Nouvel An ou la Saint-Sylvestre avec Mscomm : traditions, coutumes et menus reflétant les tables d'Europe, d'Asie et d'Amérique.

Noël éternel

www.noeleternel.com

Découvrez les origines et traditions de Noël, les grands chants et cantiques ainsi que les recettes traditionnelles.

Notzaï

www.notzai.info

L'actualité du jeu d'échecs.

Oceanopolis

www.oceanopolis.com

Le premier parc de loisirs des sciences de la mer s'agrandit et s'ouvre à tous les océans du monde : nouveaux pavillons (polaire, tempéré, tropical), vie sous-marine, faune et flore, mammifères (phoques, manchots, baleines).

Parc Astérix

www.parcasterix.fr

Le site du parc Astérix.

Parc Internet, jeux de lettres

www.parc-Internet.com

Tout pour les amateurs du jeu Pyramide : règles, sélections, clubs, énigmes.

PMU, Pari Mutuel Urbain

www.pmu.fr

Découvrez l'univers des courses. Apprenez à parier et à utiliser le vocabulaire hippique.

Portail de loto, Québec

www.loto-quebec.com

Portail de Loto-Québec, société d'Etat du gouvernement du Québec.

Prozic animations

www.pro-zic.com

Présentation et réservation de Prozic disco mobile : animations et mariages dans le Sud-Ouest de la France.

Puy du Fou

www.puydufou.tm.fr

Découverte du premier parc historique et écologique d'Europe et de la cinéscénie, spectacle unique au monde. Préréservation et accès pour les agences de tourisme et les agences de presse.

Scouts Canada

www.qc.scouts.ca

Site du scoutisme québécois.

Société des loteries de l'Atlantique

www.alc.ca

Site de la société des loteries de l'Atlantique.

Sono by number one animation

www.number-one.fr

Vente et location de matériel (sonorisation, éclairage, vidéo et karaoké), prestations et animations en tout genre.

Sonovente.com

www.sonovente.com

Premier site européen de vente de matériel de sonorisation, éclairage et vidéo. Prix, entre 10 et 40 % de moins que sur le marché.

String figures

membres.lycos.fr/myriamn

Découvrez les jeux de ficelles. Pour tout public.

Taquinerie

slacreuse.free.fr

Ce site propose une collection de taquins (pousse-pousse).

Toojeux

www.toojeux.com

Découvrez tous les jeux du Net : jeux-concours, loto, grattage, cadeaux gratuits, jeux-clic, casino, chasse au trésor, jeux à télécharger, etc.

Top DJ

topdj.free.fr

Présentation de disc-jockeys spécialisés dans l'animation de mariages et de soirées CE.

Traditions de Noël en France et au Canada

www.culture.gouv.fr/culture/noel

Découvrez les traditions de Noël en France et au Canada : fête familiale, religieuse, communautaire, origines, Moyen Age.

Turf

www.turf-fr.com

Tout sur les courses hippiques en France : tiercé, quarté quinté+, pronostics PMU, méthodes, résultats, logiciels, forum, concours de pronostics primés et actualités.

Univers kids

www.universkids.com

Guide des loisirs pour les 8-14 ans : un magazine mensuel sélectionnant bandes dessinées, jeux vidéo, cassettes vidéo, idées tourisme pour enfants, sites Internet pour les plus jeunes, etc.

Variantes

www.variantes.com

La boutique virtuelle du joueur d'échecs permet de commander de nombreux articles depuis votre fauteuil : livres, échiquiers, logiciels, etc.

Voila - Parcs d'attraction

guide.voila.fr/11000/13168/16868

Sélection de sites en rapport avec les parcs d'attraction par Voila.fr.

Yahoo - Parcs d'attraction

fr.dir.yahoo.com/Divertissement/Sorties__soirees_et_fetes/Parcs_d_attraction_et_fetes_foraines

Sélection de parcs d'attraction et de fêtes foraines par Yahoo! France.

Photo

A propos de relief

membres.lycos.fr/stereoscopie

Ce site est dédié à la photographie en relief et plus largement à toutes les techniques 3D qui permettent de recréer un effet de relief sur un support 2D.

Ali Baba photo

www.alibabaphoto.com

Annuaire thématique de l'image photographique.

Arrimage photo

www.arrimagephoto.com

Annuaire de référencement et moteur de recherche de sites dédiés à la photographie.

BonWeb - Loisirs, photo

www.bonweb.com/p_4_730.php

Sélection des meilleurs sites dédiés à la photographie (guide de la photo, techniques de base, annuaires de photographes, webzines, etc.), par bonweb.com.

BVS Photo

bvsphoto.online.fr

Techniques de base pour faire de bonnes photos, pour créer un film en QuickTime VR, ou encore pour exposer vos photos sur le Net.

Centre national de la photographie

www.cnp-photographie.com

Programme détaillé des expositions et activités culturelles (édition, journal, soirées vidéo) et pédagogiques du CNP.

Chasseur d'images

www.photim.com

Magazine photo, vidéo et image numérique : infos, petites annonces, argus, matériel d'occasion, photojournalisme, tests et bancs d'essais d'appareils photo, Caméscopes et objectifs, galerie photo.

Espace photo

www.espacephoto.org

Approche didactique de la photographie : dictionnaire des termes spécifiques, rubriques techniques et pratiques (la photo de nuit, l'infrarouge noir et blanc, les filtres, le diaporama).

Fujifilm France

www.fujifilm.fr

Sur le site de FujiFilm : gammes de produits, nouveautés, dossiers de presse et liste des distributeurs.

Itisphoto

www.itisphoto.com

Le guide Internet des photographes et de la photographie : liens, annuaires, galeries, modèles, technique, magazine, forum de discussion, forum images, stages photo.

Jacques-Henri Lartigue

www.lartigue.org

L'Association des amis de Jacques-Henri Lartigue est chargée d'assurer la conservation, la diffusion et la mise en valeur de son œuvre.

La photographie pas à pas

photopazapa.ifrance.com

Cours de photographie pour débutants : le film et son exposition, l'appareil photo, la variation de la vitesse et de l'ouverture. Galerie, glossaire, liens, FAQ.

Man Ray Photo

www.manray-photo.com

Photothèque numérique de l'artiste Man Ray.

Megapixel.net

www.megapixel.net

E-zine mensuel de la photographie numérique : édito, nouvelles, tests d'appareils, articles, forums, petites annonces, glossaire, liens.

Mon œil

www.mon-oeil.com

Galerie photo créée par un passionné d'images et d'infographie.

Musée Nicéphore Niepce

www.museeniepce.com

Le musée Niepce conserve les premiers appareils photographiques du monde. Il présente une exceptionnelle collection d'appareils de toutes les époques.

Patrimoine photo

www.patrimoine-photo.org

Patrimoine Photographique est une association culturelle qui conserve, gère et diffuse des collections photographiques appartenant à l'Etat français (ministère de la Culture).

Photo

www.espacephoto.org

Vous trouverez dans ce site un dictionnaire des termes spécifiques, une rubrique technique et pratique (la photo de nuit, l'infrarouge noir et blanc, les filtres, le diaporama, etc.), une liste de discussion, un lieu d'exposition, un agenda des expositions en Belgique et en France, une librairie permettant l'achat de livres sur la photographie, etc.

Photoccasion.com

www.photoccasion.com

Ce site propose du matériel photo d'occasion garanti par des professionnels.

Photogramme

www.photogramme.org

Club photo virtuel. Vous y apprendrez tout sur le tirage à la gomme, sur la cyanotypie, sur le papier salé et sur bien d'autres techniques.

Photographie

www.photographie.com

Magazine photo sur Internet. Tous les mois, vous y retrouverez la une, les news, l'agenda du photographe, la revue de presse, les événements marquants, les portraits et la galerie photo.

Photo-Numerique.com

www.photo-numerique.com

Site dédié à la photo numérique (Sony, Kodak, Casio, Nikon, Minolta, Epson, HP, Fujifilm, Olympus, Philips).

ReVue

www.revue.com

Magazine de photo documentaire : thème du mois, portfolio, histoires, interprétations photographiques.

Transphoto.net

www.transphoto.net

Le portail photo sur Internet : forum, galeries, stages, agenda, annuaires, pratique, etc.

Web Photo

www.photo.fr

Le site du mensuel Photo donne le sommaire du numéro à paraître. Il propose également un agenda du photographe, un ensemble de liens vers des sites de qualité, des conseils d'achat, des livres, des jeux concours, un forum et… la liste de toutes les écoles de photo dans le monde.

Randonnée, montagne

Alpimages - Photos de montagne

www.alpimages.net

Plus de 1 000 photos de montagne vous attendent sur ce site : paysages montagnards, randonnées à pied, à ski, escalade, alpinisme, neige, glace, rocher, animaux, ciel bleu, brouillard, soleil couchant, soleil levant, etc.

Alpinisme camptocamp

alpinisme.camptocamp.com

Topo-guide interactif pour l'alpinisme, l'escalade sur rochers, neige, glace ou l'escalade mixte. Les conditions de la montagne sur les Alpes et l'ensemble des montagnes du monde. Le site est complété par un album photo et un forum de discussion.

Altitude

perso.wanadoo.fr/jmlt

Quelques informations et randonnées dans les Alpes et en Corse.

Association 9 vallées

www.9vallees.com/index2.html

Les guides des 9 vallées vous ouvrent la voie vers les cimes d'itinéraires inédits et de combes secrètes. A ski ou à pied, selon la saison, à travers les montagnes du monde.

Balades familiales en montagne

baladeenfamille.free.fr

Balades et randonnées familiales en montagne. Photos de lacs, sommets, glaciers, villes étapes, faune.

Balades

www.balades-france.fr

Site éditorial consacré à la découverte de la France en randonnée, à ses paysages, ses terroirs, son histoire et son patrimoine.

BonWeb - Loisirs, montagne

www.bonweb.com/p_4_483.php

Sélection des meilleurs sites sur la montagne (portails, fédérations de sports, informations sur la sécurité, etc.), par bonweb.com.

Club Aventure

62.39.92.7/clubaventure

Venez rêver avec 350 randonnées et voyages découverte en France et dans le monde entier.

Escalade

escalade.camptocamp.com

Toute l'escalade en France : les falaises, les clubs, les formations, les techniques de corde, les guides et BE, les services, la météo, les fabricants de matériel, les vendeurs, les voyages, etc.

Escapades en région Ardennes

www.escapades.be

Ce site renseigne les marcheurs et amateurs de VTT sur des dizaines de promenades en Ardennes-Eifel.

FFRP

www.montagnes.com/ffrp/index.asp

Site officiel de la Fédération française de randonnée pédestre.

Handi cap évasion

www.hce.asso.fr

Partager, dans des séjours d'une semaine, sa passion pour la randonnée, mais surtout permettre aux valides et aux handicapés de mieux se connaître et s'apprécier.

Horizon-montagne.com

www.horizon-montagne.com

Site destiné au partage de l'émotion et du bonheur ressentis à parcourir de grands espaces. Il rassemble quelques-unes des plus belles photographies rapportées lors d'évasions dans les Alpes, en Corse et ailleurs. Partez pour l'aventure, laissez-vous surprendre par une visite guidée et profitez-en pour laisser vos impressions.

Itinéraires de randonnée

www.vercors-net.com/?cat_id=29

Découvrez les meilleurs itinéraires du Vercors. La GTV (Grande Traversée du Vercors) a été dessinée pour que les randonneurs empruntent les zones sauvages des forêts et des crêtes. Rencontre en altitude, avec la nature et la tranquillité, en allant de gîte en gîte.

Le tour du mont Blanc en randonnée

membres.lycos.fr/chabest

Randonnée pédestre : le tour du mont Blanc en 9 étapes, itinéraires et refuges.

Lfweb, balade et randonnée

www.chez.com/lfweb/frprinci.html

Ce site est consacré au tourisme et à la randonnée, en France et en Europe. Des photos (paysages, curiosités, fleurs, animaux sauvages), des itinéraires, des conseils pratiques pour découvrir les parcs naturels, l'Ile-de-France (Essonne, vallée de Chevreuse, Fontainebleau), les Alpes (Mercantour), la Champagne, Etretat, la Baie de Somme, l'Islande, la Bulgarie, la Grande-Bretagne (le Kent), les îles Canaries (Tenerife) ou encore Madère.

Montagne 

www.upmf-grenoble.fr/~agueda/montagne

60 randonnées pédestres, en raquettes à neige, en ski de randonnée ou *via ferrata*, dans les Alpes (françaises, italiennes, et autrichiennes), les Pyrénées, le Massif Central, en Corse et aux Canaries.

Paris balades 

www.parisbalades.com

Nombreuses promenades historiques, géographiques et architecturales dans Paris.

Provence-Côte d'Azur, Sport et Randonnées

www.provenceweb.com/f/mag/ outdoor.htm

Ce site propose des activités sportives pour tous en Provence et Côte d'Azur : randonnée pédestre, ski, golf, sports d'eau vive, randonnée équestre, pêche, randonnée VTT, montgolfière, escalade, canyoning.

Quartz

www.alpage.com/quartz

Un site ouvert sur toutes les passions liées à la montagne : alpinisme, escalade, glace, ski, randonnée, etc.

Quechua

www.quechua.com

Présentation des produits Quechua, adaptés à l'escalade, à la randonnée et au ski : sacs à dos, chaussures, sacs de couchage, tentes et vêtements.

Randonnee.net 

www.randonnee.net

L'annuaire francophone de la randonnée.

Romandie randonnées 

www.geocities.com/romrando

Guide de randonnées hors des sentiers battus : VTT, randonnées, etc.

Sentiers de France 

www.sentiersdefrance.com

L'agence de voyages Sentiers de France vous propose un vaste choix de randonnées pédestres haut de gamme dans les plus belles contrées françaises.

Skirando

www.skirando.ch

Skirando est un site interactif où les adeptes du ski de randonnée peuvent partager des idées d'itinéraires originaux et des informations récentes sur les conditions de neige en montagne.

SunSite Voyage 

voyage.sunsitemag.com/
randonnee_trekking.php

SunSite Voyage propose des séjours randonnée et trekking pour novice ou marcheur chevronné.

Rencontres, annonces, mariage

1001 listes

www.1001listes.fr

Déposez ici votre liste de mariage, de naissance ou de fête parmi 200 boutiques. Idées cadeaux pour bébé, enfant, mariés, cadeaux d'anniversaire groupé, Noël, cadeaux d'affaires, clients, comités d'entreprise.

123 Rencontres

www.123rencontres.com

Petites annonces de rencontres classées par régions et par thèmes.

123love

www.123love.com

Cette page donne accès à des sites de rencontres par petites annonces, à des canaux de discussion, à des sites spécialisés dans les sorties, plus particulièrement adaptés aux femmes (mode, beauté, shopping, santé, recettes) ou aux hommes (auto, sport, loto, Bourse).

A.D.Quation (92)

www.adquation.fr

L'agence matrimoniale A.D.Quation des Hauts-de-Seine présente ses clients, contrats et services.

Affection.org

www.affection.org

Un service complet et gratuit d'annonces, rencontres et chat.

Alafolie mariage

www.alafolie.com

Tout pour l'organisation de votre mariage : réservez la salle de réception, trouvez votre traiteur ou votre photographe, choisissez un DJ... Egalement des informations sur les formalités et de nombreux conseils pour choisir sa robe de mariée et déposer sa liste de mariage.

Amour Love

www.amourlove.org/fr/rencontres.html

Plusieurs milliers de petites annonces avec photos vous attendent sur le site : rencontres amicales, amoureuses, coquines ou pour fonder un foyer, locales ou internationales.

Amour.fr

www.amour.fr

L'amour avec un grand A, vous en rêvez ? Laissez-vous séduire par le chat d'Amour.fr.

Amoureux.com

www.amoureux.com

La communauté des amoureux : annonces, e-mails gratuits, cartes postales, mots d'amour, informations, chat, romance, forum, annonces.

Amour-mariage.net

www.amour-mariage.net

Rencontres sur mesure. Suivi personnalisé. Résultats confirmés.

Anniversaires de mariage

www.fleurs-guillonneau.com/conseils/anniversaires.htm

Tous les anniversaires de mariage, de 1 an à 80 ans...

Astro Mariage

www.eutraco.com/cristal/mag/astromariage

Entente dans le couple ou désaccord en amour, Astro Mariage est là pour vous apporter un certain éclairage sur les relations que peuvent avoir deux personnes qui vivent ou veulent vivre ensemble.

Astrologie avec Elizabeth Teissier

www.astrocenter.club-internet.fr

Passion d'été ou amour durable ? Commandez dès maintenant une étude personnalisée de votre année sentimentale.

Aufeminin.com 

www.aufeminin.com/mariage/accueilmariage.asp

Conseils pour réussir votre mariage : style de robe, faire-part, contrat de mariage, rétroplanning, lieu de mariage, programme beauté, liste de mariage, etc.

Banque mondiale des bisous

www.ebizous.com

Banque mondiale des bisous. Envoyez une e-card à l'élu(e) de votre cœur à chaque occasion ou "non-occasion" qui se présentera. A consommer sans retenue !

BCBG, Annonces 

www.bcbg-fr.com

Petites annonces de rencontres gratuites.

Bonheur pour tous (47)

www.bonheurpourtous.fr

Site de l'agence matrimoniale Bonheur pour tous (Lot-et-Garonne).

BonWeb - Loisirs, mariage  

www.bonweb.com/p_7_507.php

Sélection des meilleurs sites dédiés au mariage (réception, budget, liste, démarches, etc.) par bonweb.com.

BonWeb - Loisirs, rencontres  

www.bonweb.com/p_7_102.php

Sélection des meilleurs sites de rencontre francophones par bonweb.com.

Cartes de la Saint-Valentin

www.angelfire.com/va/valentine3/index.html

Une profusion de cartes de la Saint-Valentin : uniques, distinctives, imaginatives, créatrices, fabuleuses et exclusives…

Célib@Web 

www.celibaweb.com/sommaire.asp

Vous êtes à quelques clics de la galerie photos et des annonces que cet espace de rencontres propose.

Celibat.com

www.celibat.com

Sur ce site, des milliers d'annonces de rencontres de femmes et d'hommes seuls. Un magazine plein d'infos, conseils, mode, horoscope, voyages, promotions pour les célibataires amoureux.

Célibataires Magazine   

www.webzinemaker.com/celibataire-mag

La vocation de ce journal est de permettre à tout célibataire de s'exprimer sur tout sujet et notamment sur sa quête d'amour, d'amitié, ou son désir de rencontre afin de ne plus rester seul(e).

Chère Adèle

www.chere-adele.com

Base de données internationale pour rencontrer l'âme sœur sur l'un des cinq continents.

Club Rencontres

www.clubrencontres.com

Club Rencontres propose aux adultes de faire de nouvelles connaissances grâce au Web.

Clubmat

www.clubmat.com

Agence matrimoniale sans intermédiaires pour les célibataires qui aspirent au mariage et désirent fonder un foyer.

Cocktail club sélect (25)

www.matrimonial-est.com

Un cabinet matrimonial établi depuis plus de vingt-huit ans dans le Doubs. Rencontres de qualité.

Cœur à cœur

www.coeuracoeur.com

Annonces de rencontres par pays et tranches d'âge. Rubrique sur les reportages des médias.

Contact Avenue

www.contact-avenue.com

Lieu de rencontres sérieux et facile à utiliser permettant toutes sortes de rencontres…

Cum.fr

www.cum.fr

Site de rencontres : sélectionnez vos critères, dialoguez en direct *via* votre boîte aux lettres.

Cupidon Club

www.cupidonclub.com

Club de rencontres sur Internet. Mise en relation d'hommes et de femmes. Inscription gratuite pour tous.

Cyberencontre

www.cyberencontre.com

Site de rencontres gratuit : plus de 8 500 annonces en ligne, dialogue en direct, photos, messagerie interne avec transfert de BAL, forum, galeries de photos.

Del'Amour.com

www.delamour.com/index.htm

Venez apprendre à séduire avec humour, sans timidité, à communiquer avec romantisme et sensualité, et à vous épanouir dans le rire.

Divorcé ou monoparental

www.divorceoumonop.com

Le site portail des divorcés et des familles monoparentales : conseils, clubs/associations, petites annonces, forums, club de rencontres.

Dome connection

www.francodome.com

Cet espace de rencontre vous permettra de dialoguer avec des internautes du monde entier. Nombreux sondages et forums à découvrir.

Elysa

www.unites.uqam.ca/dsexo

Le site Elysa est issu d'un regroupement d'enseignants du département de sexologie de l'université du Québec à Montréal (UQAM) qui a pour but d'offrir des informations et des conseils de haut niveau sur la sexualité humaine.

Equilibres

perso.wanadoo.fr/fb76/equilibres

Services relationnels, référencement de votre site Web, espaces publicitaires, diététique...

Espace Rencontres

www.espace-rencontres.fr

Espace Rencontres, le cabinet de Sylvie Barde, le n° 1 en Côte-d'Or : onze ans d'expérience et trois agences pour mieux vous servir.

eValentin.com

www.evalentin.com

Faites des rencontres sur eValentin.com : trouvez votre valentin/valentine parmi des milliers de petites annonces.

Fetedesamoureux.com

elfinet.fr/fetedesamoureux

Fetedesamoureux.com, c'est la fête des amoureux chaque jour. Toujours une occasion de lui déclarer ou de lui renouveler votre flamme.

Fidelio

www.fidelio.fr

Présentation des agences matrimoniales Fidelio, témoignages d'adhérents et carnet d'adresses.

Friend Spirit

www.friendspirit.com

Espace éthique d'échanges et de rencontres pour les célibataires et leurs amis : petites annonces, conseils psychologiques, diététiques, beauté, amour et actualité des stars et des spectacles.

Galeries Lafayette

www.galerieslafayette.fr

Retrouvez les Galeries Lafayette en ligne : actualité mode, boutique cadeaux, listes de mariage, prêt-à-porter, conseils beauté, services des magasins, etc.

Guide d'amour

www.guidedamour.com

Guide des sites de rencontre francophones (plus de 120 sites testés).

Handiclub

www.handiclub.org

L'association Handiclub, pour aider les handicapés et les valides à se contacter.

I-Dial

www.idial.fr

Découvrez le club de rencontres i-Dial pour partager vos goûts et vos passions.

iFriends.ch

www.ifriends.ch

Retrouvez vos amis ou votre âme sœur sur iFriends : le chat est là pour vous permettre de dialoguer avec eux, mais aussi pour faire de nouvelles connaissances.

Inter-Mariage

www.inter-mariage.com

Agence matrimoniale internationale organisant des rencontres entre Europe de l'Est/ Russie et France.

Je t'aime sans frontières

perso.club-Internet.fr/michbuze/ Amour/amour.htm

Grâce à ce site, apprenez à dire "je t'aime" dans toutes les langues.

La demande en mariage

www.ac-versailles.fr/pedagogi/ Lettres/mariage.htm

La demande en mariage, ou comment demander "sa" main, par Martine Blanc, professeur au lycée Guy-de-Maupassant, à Colombes.

Lafayettemariage.com

www.lafayetteboutique.com/webapp/ wcs/ stores/gldev/mariage/fo/ index.jsp

Découvrez l'espace Mariage des Galeries Lafayette.

L'anneau de l'amour

www.affection.org/webring.asp

Cet espace se propose de réunir tous les sites proposant des ressources sur l'amour et la romance : poèmes, conseils, astrologie, petites annonces.

Le conseil du mois

www.mariageprovence.com/guide-mariage.htm

Le conseil du mois sur MariageProvence .com : du choix de votre photographe à votre contrat de mariage, tout pour vous aider et vous informer.

Le mariage en France

www.alianwebserver.com/societe/ default.htm

Ce webzine aborde des sujets d'ordre général : le mariage en France, Noël et ses traditions, les sites de l'emploi, Halloween, carnaval, la Saint-Valentin, élever son chien.

Le site du mariage

www.le-mariage.com

Tout pour préparer et réussir votre mariage : 45 000 adresses, conseils, expert, forum, chat et boutique en ligne.

Les célibataires de rêve

www.openallnight.fr.st

Espace d'échange et de rencontres par petites annonces.

Les célibataires se rencontrent

www.celibart.com

Celib'Art, le célibat comme art de vivre. Retrouvez toute l'actualité réservée à la communauté des célibataires.

Les contrats de mariage

www.affection.org/mariage

Tout sur les contrats de mariage français et internationaux.

Les copinous Schtroumpfs

ninakiwi.free.fr

Site de rencontres pour se faire de nouveaux amis.

Madame Desachy

www.madamedesachy.com

Madame Desachy, c'est soixante-trois ans d'expérience, de savoir-faire et de réussite.

Cette expérience en conseil relationnel ainsi que la qualité de ses adhérents ont fait la renommée internationale de l'agence.

Mariage discount

www.mariage-discount.com

Vente en ligne d'articles pour la décoration de salles de mariage et d'accessoires pour les mariés.

Mariage en Provence

www.cortege.com

Guide pratique pour réussir son mariage : trouver sa robe de mariée, un traiteur, un photographe, une salle, un fleuriste, etc.

Mariage.fr

www.mariage.fr

Tout pour organiser son mariage : faire-part, robes de mariée, animation, salles, traiteurs, cérémonie, musiques, espace Rencontre, forum.

Mariagestory.com

www.mariagestory.com

Tout pour faciliter l'organisation de votre mariage : réception, invitations, tenues d'un jour, liste de mariage, voyage de noces, guide, etc.

Match.com France

fr.match.com/match/mt.cfm?pg=home

Service de rencontres en ligne : plus de 1,4 million de profils et une recherche très approfondie correspondant à vos critères de sélection vous aideront à rencontrer votre âme sœur.

Meetic

www.meetic.fr

Espace de rencontre pour parler d'amour, vivre une amitié ou discuter de vos passions.

Millemercis.com

www.millemercis.com

La solution pour faire et recevoir des cadeaux qui font vraiment plaisir. Listes d'envies, idées cadeaux : simple, efficace et gratuit.

Netclub

www.netclub.fr

Site de rencontres pour hommes et femmes célibataires ou divorcés de toute région (France et étranger). Retrouvez des centaines de milliers d'annonces de rencontres classées par dates ou selon vos critères de recherche.

Nonoce.com

www.nonoce.com

Vous avez décidé de vous marier ou vous en avez l'intention. Nonoce.com est là pour vous aider à bien préparer votre mariage.

Nous deux

www.chez.com/espacenousdeux

France Rencontres : mariages, amitiés, échanges d'idées, tests, tout savoir sur les prénoms, petites annonces gratuites.

Portail du mariage et du couple

mariage.eklesia.net

Ce site aide les fiancés à se préparer au mariage catholique (CPM, retraites, week-ends de préparation) et à vivre en couple pour la vie.

Prestige line seniors

www.prestige-line.com

Club de rencontres entre seniors.

Printemps à deux

www.printempsadeux.com/home.asp

La Boutique blanche : un jour pour toujours sur Internet et dans les magasins du Printemps.

Pronuptia, collection 2001

www.pronuptia.com

Découvrez le catalogue du leader européen de la robe de mariée (200 boutiques dans le monde). Vente en ligne sécurisée.

Rencontres internationales

www.eurochallenges.com

Site d'Eurochallenges, l'agence n° 1 des unions internationales.

Rencontres juives de Marseille

www.chez.com/assorjm

Chat, dialogue en direct et petites annonces de rencontre gratuites entre personnes juives de Marseille et sa région désireuses de fonder un foyer.

Rencontreur.com

www.rencontreur.com

Petites annonces de rencontres gratuites avec photos et recherches multiples. Grâce à un outil intégré, chaque membre a la possibilité de créer des pages perso, des poèmes, des invitations ou encore son annuaire sans rien connaître au HTML.

Rendez-vous

www.rendez-vous.com

Service gratuit de rencontres sur la France. Des milliers de profils. Trouvez le grand amour, un amant, un club ou simplement un partenaire de jeu. Forum, chat, boîtes privées et publiques, pop-up.

Réseau Contact

www.reseaucontact.com

Agence de rencontres virtuelle en ligne. Inscription gratuite : plus de 160 000 membres actifs, bavardage en ligne, forums de discussion, boîtes postales, fiches et photos.

Robe de mariée sur mesure

www.robedemariee.net

Grâce à l'atelier De style en aiguille, la robe de mariée de vos rêves sur mesure.

Saint-Valentin

www.village-saint-valentin.com

Saint-Valentin, le village des amoureux : l'histoire de Saint-Valentin, la fête, le jardin des amoureux, les cartes postales.

Tout pour l'organisation de votre cérémonie

www.mariage-online.com

Site référence pour l'organisation de votre mariage : 50 pages de conseils et une sélection européenne de prestataires du mariage.

Uni-Centre n° 1

www.unicentre1.com

L'agence matrimoniale Uni-Centre présente ses prestations et offre une sélection d'annonces.

Vie à deux

www.dossierfamilial.com/user/standard.php?idrub=6

Informations sur le couple : mariage, divorce, concubinage et pacs.

Web Bordeaux

www.webbordeaux.com

Annonces de rencontres pour les internautes de Bordeaux et d'Aquitaine, galerie MP3, chat, bons plans, sorties, etc.

Sports

24 heures du Mans

www.lemans.org

Site officiel des 24 heures du Mans et de l'Automobile-Club de l'Ouest (ACO).

A cheval en France

www.randocheval.com

Découvrez des voyages à cheval en Europe, en Afrique, en Asie, en Amérique : albums photo, moteur de recherche, préparation d'une randonnée, liens.

Active Dojo

www.active-dojo.com

Annuaire des arts martiaux et de la forme.

Activité physique et santé

www.lebulletinregional.com/index10.html

Très complet, ce site propose une mine de renseignements sur l'activité physique, la santé et les sports, présente des chroniques et une foire aux questions.

Adidas France

www.adidas.com/fr

Site officiel d'Adidas France.

Agenda GoStade du sport

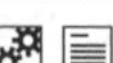

www.gostade.com

Calendriers des sports (football, rugby, tennis, automobile), actualité du sport, réservations de billets, sport TV, séjours sportifs, boutiques de sports, bons plans, jeux, voyages sportifs.

AJ Auxerre

www.aja.fr

Site officiel de l'AJ Auxerre.

Akelys

www.akelys.com

Annuaire et moteur de recherche sur le sport, la musculation, le fitness et la nutrition, galeries photos, entraînements, conseils.

AllRugby.com

homepages.nat.fr/~jroca

Site généraliste sur le rugby.

Annuaire de la lutte

www.annuaire-lutte.fr.fm

Ce site donne accès à de nombreux liens sur la lutte et le catch français et international.

Annuaire français du ball-trap

www.t-c-v.com

Site dédié au ball-trap de loisirs et de compétition : calendriers, résultats et réglementations.

APNEA

www.apnea.fr

Ce site est consacré à la plongée en scaphandre, à la plongée en apnée, à la chasse sous-marine et à tous les sports subaquatiques, à la découverte du monde sous-marin, de sa faune et de sa flore, des mers et des océans.

Aquitaine innovations, Yves Parlier

www.parlier.org

Site officiel d'Aquitaine-Innovation et d'Yves Parlier.

Articles de sport et loisirs Décathlon

www.kipsta.com

Informations sur les magasins, fiches conseil et vente en ligne.

AS Monaco football professionnel

www.asm-foot.mc

Site officiel de l'AS Monaco. Découvrez le calendrier et les résultats de la saison, l'historique du club, la boutique cadeaux et la section supporters.

ASAVE

www.asave.org

Site officiel de l'ASAVE (Association sportive automobile des véhicules d'époque). Toutes les courses ASAVE, mais aussi d'autres infos sur le monde des véhicules historiques de compétition en France et en Europe.

Association francophone d'aïkido

www.aikido.be

Toutes les informations concernant l'aïkido et sa pratique.

Association francophone de gymnastique

www.afgym.be

Le site de la Fédération royale belge de gymnastique.

Asvel.com

www.asvel.com

Tout sur l'ASVEL Lyon-Villeurbanne : actualité, équipes, compétitions, club, boutique, photos, billetterie.

Athlétissimo.com

www.athletissimo.com

Depuis 1996, Athletissimo vous propose des infos sur l'athlétisme : résultats des Jeux olympiques, championnats du monde, informations (calendriers 2002, minimas, statistiques), résultats.

Atoutfitness

www.atoutfitness.com

Catalogue en ligne de matériel fitness.

Au vieux campeur

www.au-vieux-campeur.fr/gp

Articles de sports en vente par correspondance : montagne, randonnée, escalade, camping, ski, snowboard, plongée, nautisme, jogging, roller, tennis, etc. Le site propose également une librairie et une cartothèque.

Au vieux plongeur

www.vieuxplongeur.com

La caverne d'Ali Baba des plongeurs : articles sur la plongée, photos, météo, espace de discussion, événements, vente en ligne.

Auto moto sport

www.automotosport.com

Le sport motorisé au quotidien : F1, kart, circuits routiers, stock-car, rallyes, moto, motoneige.

Autocross français

www.autocross-france.net

Site sur l'autocross français : historique, championnats, pilotes, circuits.

Automobile-Club de Monaco

www.acm.mc

Site de l'Automobile-Club de Monaco.

Auto-Sport.com

www.auto-sport.com

Annuaire du sport automobile et petites annonces auto gratuites.

Aventure Handicap

aventure.handicap.free.fr

L'association Aventure Handicap organise des raids à vocation sportive ouverts aux personnes valides et handicapées. Ensemble dans la différence.

Badminton, club de saulny

badminton.online.fr

Découvrez l'univers du badminton avec le club de Saulny (57, Moselle).

Base Jump

www.base-jump.org

Au programme : photos de base jump et de différents objets : falaise, pont, barrages.

Basket USA

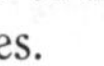

www.basketusa.com

Suivez les infos et les résultats du basket aux USA.

Basketcoach

www.basketcoach.com

Site dédié aux entraîneurs de basket-ball.

Basketstat.com

www.basketstat.com

Toutes les statistiques et informations sur le basket professionnel.

Basketzone

www.basketzone.com

Toute l'actualité du basket mondial, les statistiques des championnats français et américains, la liste de diffusion du basket français ainsi que le premier jeu de l'entraîneur de basket en français.

Bernard Lama

www.club-Internet.fr/lama

Site officiel du joueur de foot Bernard Lama : biographie, chat, reportages, news, liens.

Bienvenue sur stade.fr

www.stade.fr

Site officiel du Stade français CASG de Paris : actualités, résultats, photos, vidéos et interviews des joueurs, forums, chats, concours, e-mail gratuit, etc.

Bodyplanet

www.bodyplanet.com

Fitness, condition physique, activités de remise en forme, anatomie, exercices, techniques d'entraînement, alimentation, dopage, bonnes adresses, etc.

Bol d'Or 2000

www.boldor.com

Site du Bol d'Or sur le circuit de Nevers-Magny-Cours.

BonWeb - Loisirs, sports 

www.bonweb.com/s_17.php

Sélection des meilleurs sites dédiés au sport (foot, basket, tennis, golf, cyclisme, glisse, etc.), par bonweb.com.

Bowlfr, le bowling francophone

www.bowlfr.org 

Le bowling francophone professionnel et amateur : actualités, forum, techniques, écoles, boutique, adresse de bowlings.

Bruno Saby

www.brunosaby.com

Site officiel de Bruno Saby.

Centre de surplus

www.centredesurplus.com

Equipement de camping, de randonnée et de voyage au meilleur prix : tentes, sacs de couchage, sacs à dos, vêtements, chaussures de marche, etc.

Cerf volant.net 

volmag.free.fr/Kite_02.htm

Guide thématique du cerf-volant, pour trouver toutes les informations et techniques sur votre sport passion.

Chaudron vert 

perso.wanadoo.fr/chaudronvert

Entrez vite dans le tout nouveau site des supporters des Verts : infos et photos à profusion, classements, histoire, joueurs, concours.

Cheval.net 

www.cheval.net

Vous recherchez un professionnel du monde équestre, un club hippique, un cheval à vendre, un étalon, des fonds d'écran, des cartes virtuelles ou une manifestation ? Ne perdez plus votre temps ! Cheval.net, le portail équestre du cheval pour tous les cavaliers, vous propose gratuitement tous ces services.

Cholet basket

www.cholet-basket.com

Site officiel de Cholet basket. Statistiques et résultats sportifs en direct.

Christine Arron 

perso.wanadoo.fr/herve.marous/arron.htm

Site non officiel de Christine Arron, recordwoman d'Europe du 100 m : palmarès, photos, vidéos, interviews, forum et calendrier des compétitions. Consultez aussi son actualité quotidienne, ses passions, sa biographie…

Christophe Epalle 

www.christopheepalle.com

Site officiel de Christophe Epalle, champion de France et d'Europe de lancer de marteau.

Cité Sport

www.citesport.com

E-zine sportif : événements, découvertes, dossiers, forums.

Club athlétique Bègles-Bordeaux-Gironde

www.cabbg.fr

Site officiel du Club athlétique Bègles-Bordeaux-Gironde. Découvrez le CABBG et suivez son actualité à travers résultats et interviews.

Club des sports, Genève

www.club-des-sports.ch

Site dédié au sport en Suisse : adresses des fédérations, calendriers, manifestations, sites sportifs, site du jour.

Colomiers rugby

www.colomiers-rugby.fr

Site officiel de Colomiers rugby.

Comité international olympique

www.olympic.org

Site officiel du Comité international olympique : musée, agence mondiale antidopage.

Comité national olympique et sportif

www.comite-olympique.asso.fr

Site du Comité national olympique et sportif : trombinoscope des athlètes, équipe de France olympique, jeux paralympiques, liens complémentaires.

Courir en France

www.courirenfrance.com

Ce site recense les 5 000 épreuves de course à pied se disputant en France et dans les DOM-TOM. Inscriptions en ligne, boutique en ligne, classements, liste de diffusion, forum, photos, promotion des courses, conseils de podologues.

Courir

www.courir.com

Le site Internet de Courir, leader français de la distribution de chaussures de sports techniques et de loisirs.

Course à pied

www.vo2max.com.fr

Plan d'entraînement établi à partir du calcul des caractéristiques du coureur, conseils en diététique et actualité scientifique de la course à pied.

Course d'orientation à skis

skiofrance.free.fr

Présentation de la course d'orientation à skis (SkiO) en France et dans le monde.

CSP Limoges

www.limogescsp.fr

Site officiel du CSP Limoges.

Cyber bowling

www.cyberbowling.com

Visitez le bowling d'Anglet en 3D.

Cyclos-cyclotes

www.cyclos-cyclotes.org

Pour les amoureux du cyclotourisme : séjours, randonnées, circuits, photos insolites, cols mythiques, montées célèbres, tour de France, liens cyclos, etc.

Darbaroud.com

www.aoicimbaly.com

Portail des sports d'aventure et de découverte, Darbaroud est le site officiel du Marathon des sables et de la Desert cup : photos, interviews exclusives, résultats, parcours des courses.

Décathlon

www.decathlon.com

Site de vente en ligne de Décathlon : football, basket-ball, running, snowboard, ski, tennis, voile, nautisme, VTT, pêche, plongée, ski nautique, golf, équitation et randonnée.

Delta-club 82

www.delta-club-82.com

Site d'une école de deltaplane en Midi-Pyrénées, près de Toulouse/Montauban.

Didier Deschamps

didierdeschamps.sports.fr

Site officiel de Didier Deschamps. Les exploits du champion du monde 1998 et champion d'Europe 2000.

Dopage.com

www.dopage.com

Information sur le dopage dans le milieu sportif.

Douce France, sport

www.doucefrance.com/sport

La page du sport en France vous propose de nombreux liens vers les meilleurs sites sportifs.

Eaux vives

www.eauxvives.org

Lieu de rencontre de tous les amateurs francophones de kayak, canoë et d'eau vive en général.

Ellen MacArthur

www.ellenmacarthur.com

Site officiel d'Ellen MacArthur. Découvrez les ambitions, l'inspiration et la motivation de la championne.

En avant Guingamp

eaguingamp.free.fr

Site non officiel "en avant Guingamp", dédié à l'actualité du club.

Equiwa.com

www.aniwa.com/renvoie.asp?type=2&id=-4&com=1&lang=1&animal=7

Le magazine online des sports équestres s'intéresse à l'actualité du monde équestre et permet de suivre des concours en direct.

Escalade à Fontainebleau

www.xavier-langlois.com

Informations pour pratiquer l'escalade à Fontainebleau : sites, photothèque, météo, trafic routier, cartes, liens et forum de discussion.

Eunice Barber

www.eunicebarber.com

Le site officiel d'Eunice Barber, recordwoman du monde d'heptathlon : palmarès, photos, vidéos, interviews, forum et calendrier des compétitions. Consultez aussi son actualité quotidienne, ses passions, sa biographie et venez dialoguer avec elle en direct.

Eureka, sport

www.eureka-sport.com

Le site de la santé et du sport. Des explications claires sur l'entraînement, l'effort, la fatigue et le surentraînement. Forum, en savoir plus, vrai/faux, concours, boutique, thalassothérapie, thermalisme, nutrition et régime alimentaire.

Europeanetsport

www.europeanetsport.com

Site marchand dédié à la vente de matériel de sport, notamment de skis nautiques, géré par des compétiteurs.

Eurosport

www.eurosport.fr

Tout sur le sport : interviews, calendriers, événements, voile, infos sportives, golf, jeux olympiques, snowboard, ski alpin, F1, athlétisme, rugby, couvertures sportives, sports européens, etc.

F.F.Squash

www.ffsquash.com

Site de la Fédération française de squash : tournois, classements, petites annonces, documents, ligues, etc.

F1-Live.com

f1.racing-live.com/fr

Webzine consacré à la F1 : résultats, photos, classements, écuries, pilotes, F1 en direct, articles de fond et archives.

FC Girondins de Bordeaux

www.girondins.com

Site officiel des Girondins de Bordeaux.

FC Metz

www.fcmetz.com

Site officiel du FC Metz.

Fédération équestre du Québec

www.feq.qc.ca

Monter, ça s'apprend ! La Fédération équestre du Québec offre des programmes de formation structurés pour tous les niveaux. Le système de brevets de cavaliers est un concept unique créé par la Fédération équestre du Québec et reconnu à l'échelle nationale.

Fédération française de motocyclisme

www.ffmoto.org

Site officiel de la Fédération française de motocyclisme (FFM).

Fédération française de volley-ball

www.volley.asso.fr

Site officiel de la Fédération française de volley-ball.

Fédération française d'athlétisme

www.athle.org

Site officiel de la Fédération française d'athlétisme : calendrier, événements, championnats de France, résultats, records, course sur route.

Fédération française de badminton

www.ffba.org

Site de la Fédération française de badminton : historique, classement national, résultats des compétitions nationales et des équipes de France, règles.

Fédération française de basket-ball

www.basketfrance.com

Site officiel de la Fédération française de basket-ball : actualités, interviews et résultats.

Fédération française de bowling et de sport de quilles

www.federationbowling.org

Le site officiel de la Fédération française de bowling et de sport de quilles (FFBSQ) vous propose toutes les informations relatives à ces sports : les calendriers, les règlements sportifs, les compétitions, les résultats, etc.

Fédération française de cyclisme

www.ffc.fr

Site officiel de la Fédération française de cyclisme.

Fédération française de golf

www.ffg.org

Le site de la Fédération française de golf : annuaire, documentation, règles de golf, compétitions, fléole.

Fédération française de gymnastique

www.ffgym.com 

Actualités gymniques nationales et internationales, compétitions et résultats en direct, articles et interviews, présentation des différentes disciplines, achat en ligne.

Fédération française de handball

www.handweb.net

Tout le handball en France avec les clubs, les comités et la fédération française.

Fédération française de judo

www.ffjudo.com

Le site officiel de la Fédération française de judo.

Fédération française de karaté et arts martiaux affinitaires

www.ffkama.fr

Le site de la Fédération française du karaté et des arts martiaux affinitaires donne les résultats des grandes compétitions nationales et internationales.

Fédération française de la montagne et de l'escalade

www.ffme.fr

Le site officiel de la Fédération française de la montagne et de l'escalade : alpinisme, escalade, expédition, ski, surf, raquette à neige, canyoning, randonnée.

Fédération française de natation

www.ffnatation.org

Site officiel de la Fédération française de natation.

Fédération française de pelote basque

www.ffpb.net

Site de la Fédération française de pelote basque : histoire, spécialités, instruments, actualité et résultats.

Fédération française de pétanque et de jeu provençal

www.ffpjp.com

Site de la Fédération française de pétanque et de jeu provençal : histoire, règles des jeux de boules.

Fédération française de rugby 

www.ffr.fr

Site officiel de la Fédération française de rugby.

Fédération française de tennis

www.fft.fr

Site officiel de la Fédération française de tennis.

Fédération française de tir libre

www.fftl.com

Page officielle de la Fédération française de tir libre : calendrier sportif, règlements, styles de tir, infos pratiques, tir à l'arc.

Fédération française de triathlon

www.fftri.com

Fédération française de triathlon : calendrier, événements, résultats, annuaires.

Fédération française de voile 

www.ffvoile.org/FfvHtml/ accueil.asp

Site officiel de la Fédération française de voile : actualités et informations fédérales, vie des clubs et de l'équipe de France, événements et compétitions par disciplines, news, médiathèque, boutique, météo marine, forum, liste de diffusion, chat et liens nautiques.

Fédération française d'équitation  

www.ffe.com

Site officiel de la Fédération française d'équitation.

Fédération française des sociétés d'aviron

www.avironfrance.asso.fr

Site officiel de la Fédération française des sociétés d'aviron (FFSA).

Fédération française d'escrime 

www.escrime-ffe.fr

Site consacré à l'escrime : actualités, pratique en France, infos utiles, presse et communication.

Fédération internationale de motocyclisme 

www.fim.ch/fr

Le site de la Fédération internationale de motocyclisme : communiqués de presse, calendrier sportif, infos, etc.

FFESSM 

www.ffessm.fr

Site de la Fédération française d'études et de sports sous-marins (FFESSM).

FFSA Tout le sport auto 

ffsa.turbo.m6.fr/index.php

Site officiel de la Fédération française du sport automobile (FFSA).

FFTDA

www.fftda.fr

Site de la Fédération française de taekwondo :

informations sur les compétitions, champions, diplômes, grades et organisation générale sportive.

FFTT

www.fftt.com

Site officiel de la Fédération française de tennis de table : calendrier, joueurs, classements, formations, règlements, tournois.

FFVL Fédération française de vol libre

www.ffvl.fr

Site officiel de la Fédération française de vol libre (FFVL) : parapente, deltaplane, rigide, cerf-volant.

FiA

www.fia.com

Les coulisses de la F1.

FIE

www.fie.ch

Le site officiel de la Fédération internationale d'escrime : historique, news, calendrier, palmarès, résultats, infos compétitions.

Fira-a.e.r.

www.fira-aer-rugby.com

Site officiel de la Fédération internationale de rugby amateur.

Fitnessboutique.com

www.fitnessboutique.com

Le site du fitness et de la musculation : cardiotraining (vélos d'intérieur, tapis de course, steppers, elliptiques), musculation (bancs, presses), conseils d'entraînement.

Foot Passion

footpassion.free.fr

Le site des passionnés du foot et de l'OM : résultats, analyses, commentaires sur l'actualité du foot national et international.

Football 365 France

www.football365.fr

Ce quotidien du football sur Internet présente toute l'actualité du football français et international : directs, top foot, forums, chats.

Football américain

fr.usfoot.com

L'actualité du flag et du football américain au jour le jour.

Football club Nantes Atlantique

www.fcna.fr

Site officiel du FC Nantes-Atlantique : histoire, infos, photos, interviews, matchs en direct, championnats et coupes.

Football féminin alsacien

smartinot.free.fr

Le site FFA est entièrement consacré au Football féminin alsacien.

France Badminton

www.frbad.levillage.org

Journal de badminton en France : informations sur les compétitions en France et dans le monde, fiches techniques, fiches tactiques, fiches EPS, librairie, vidéothèque, photothèque, tournois, etc.

France Sports

sports.fr/fr

L'information et l'actualité sportives en direct.

French bodybuilding

www.chez.com/photographe

Un ensemble de photos prises lors de compétitions culturistes en France et en Europe.

FTAQ

www.ftaq.qc.ca/index.html

Site de la Fédération de tir à l'arc du Québec.

Fun and sky

www.funandsky.com

Fun and sky vous propose des idées cadeaux originales, des loisirs et des séminaires utilisant l'hélicoptère, l'avion, la montgolfière, le parapente, etc. pour découvrir la France autrement. Tours de Paris en hélicoptère, initiation au pilotage, stages de parapente, baptêmes de l'air.

Golf - Histoire et collection

www.golfika.com

Ce site est dédié au golf et à son histoire en Europe continentale.

Golf à Gogo

perso.wanadoo.fr/golfagogo

Site francophone qui ne parle que de golf : actualité des circuits masculins européens et américains, golf à travers les âges, glossaire des termes techniques, anecdotes, petites annonces, etc.

Golf plus

www.golfplus.fr

Site du premier spécialiste de golf en France.

Go-sport.com

www.go-sport.fr

Retrouvez le catalogue de l'enseigne Go Sport et effectuez vos achats sécurisés en ligne.

Gymnasium

www.gymnasium.tm.fr

Venez découvrir l'enseigne Gymnasium, ses centres et ses équipes, ses espaces Beauté et bien-être, Aquatique et détente, Cardio et remise en forme, Balnéo et soins.

Gymnastique artistique

gymnet.org

Tout sur la gymnastique artistique.

HANDzone

www.handzone.net

Information sur le handball et sur les championnats en France.

Hélicoptère.net

perso.club-internet.fr/ppegase

Site consacré à tous les types d'hélicoptères : modèles réduits, maquettes, simulateurs et taille réelle. Vous y trouverez la réglementation en vigueur, les principes du vol et les emplois.

Heracles

www.sportdoc.unicaen.fr/heracles

Base de données bibliographique sur le sport et l'éducation physique.

Igolfeur.com

www.igolfeur.com

Point de rencontre des passionnés : les pratiquants, les golfs, les revendeurs de matériel et les fournisseurs de produits touristiques. Une veille permanente de l'actualité du golf sur le Web.

Inautique.com

www.inautique.com

Tout sur le bateau, la voile et la plaisance : brèves, trouvailles, matériels, régions, quiz, liens complémentaires.

Info Tennis

www.infotennis.com

Webzine dédié au tennis : résultats, classements, joueurs, records, statistiques, etc.

Info-plongée

www.info-plongee.com

Informations sur la plongée sous-marine : manifestations, médias, clubs, centres, croisières, voyagistes, magasins, fabricants, échanges, stages, formations.

Inforugby

www.inforugby.com

Actualité sur le rugby d'élite 1 et 2 ainsi que sur les coupes d'Europe. Classements internationaux et nationaux.

INSEP

www.insep.fr

Site de l'Institut national du sport et de l'éducation physique (INSEP).

Intecsports

www.intecsports.com

Vente en ligne par ce spécialiste des sports de raquettes.

Intersport

www.intersport.fr

Le groupe Intersport présente ses magasins et les événements qu'il sponsorise.

Jacques Villeneuve

jv.flagworld.com

Site officiel de Jacques Villeneuve.

Jean Alesi

jeanalesi.sportmecanique.com

Site non officiel de Jean Alesi.

Jean Galfione

www.jeangalfione.com

Site officiel de Jean Galfione : palmarès, saison, entraînement, photos et vidéos.

Jeuxolympiques.com

www.jeuxolympiques.com

Tout sur les Jeux olympiques de Sydney. De l'histoire, des jeux, des images, des résultats, le programme, les disciplines et des informations autour des Jeux olympiques.

Karaté Univers

karateweb.ifrance.com

Pour tout savoir et tout trouver sur le karaté, consultez ce site. Un must !

La duffezerie

www.duffezerie.fr.st

Tout sur le boomerang : découverte, construction, pratique, actualité, tournois, annuaire, produits gratuits (plans, vidéos, articles), lexique et lettre de diffusion.

La gestuelle de l'escalade

freeborel.free.fr

Education motrice du grimpeur de haut niveau : outils didactiques pour l'entraîneur en escalade.

La Juventus de Turin

www.juventus.it

Tout ce que vous avez toujours voulu savoir sur la Juventus de Turin est sur ce site : compétitions, histoire du club, stade, photos de joueurs, forum de discussion et chat, moteur de recherche, transferts, etc.

La page québécoise de badminton

www.badzine.qc.ca

Forum, IRC, Bottin, clubs, tournois, classements, liens, règlements, photos, vidéos, documents.

La pelote basque

www.infobasque.com/culture/pelote-f.htm

Au Pays basque, tous les villages possèdent un fronton pour pratiquer le jeu de pelote : aires de jeu, disciplines, fabrication d'une pelote.

La plongée sous-marine

www.thelin.net/laurent/plongee

Découverte de la plongée sous-marine à travers des pages théoriques pour tous les niveaux, du néophyte au plongeur confirmé : technique, sécurité, physiologie, réglementation.

L'activité physique et la santé

www.aps.lafirme.com

Le site de l'activité physique et de la santé vous indique si vous êtes apte à pratiquer le sport qui vous intéresse et vous donne des conseils pour mieux contrôler vos activités physiques.

Laurent Bourgnon

www.laurent-bourgnon.com

Site officiel de Laurent Bourgnon : itinéraire, courses en direct, infos, défis, partenaires, liens, archives.

Le café des sports de Bordeaux

www.cafe-des-sports.com

Le café des sports de Bordeaux est un lieu branché où l'on peut partager sa passion du sport. Décoration inimitable, ambiance concert, jeux vidéos.

Le golf de l'ouest européen

www.golfouest.com

Actualité du golf amateur et professionnel. Site très complet.

Le golfeur

golfeur.qc.ca

Site personnel dédié au golf : historique du golf et de ses principales associations, lexique de tous les termes utilisés, abrégé des règlements et de différents jeux de groupe, humour et liens vers les principaux parcours et sites sur le golf.

Le meilleur de Pete Sampras

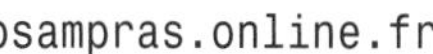

psampras.online.fr

Site français dédié au joueur de tennis Pete Sampras : images personnelles, vidéos, palmarès, grands moments de sa carrière, etc.

Le saboteur.com

www.lesaboteur.com

Tout sur le cheval, le poney et l'équitation : actualité, agenda, forum, galeries photo de chevaux, fonds d'écran, races de chevaux, disciplines équestres, santé, alimentation, élevage, soins, équipement, annuaire et chat.

Le site francophone du badminton

lebadminton.online.fr

Un autre site francophone consacré au badminton : actualité, liens, téléchargement.

Le yoga

www.pratique.fr/sante/forme/em24h03.htm

Les asanas favorisent l'étirement des muscles (à l'inverse de la musculation qui les raccourcit), améliorant ainsi la tonicité de l'appareil musculaire…

Leçon de golf

www.lecondegolf.com

Conseils et exercices pour améliorer vos techniques de jeu et votre stratégie. Nombreux liens vers les meilleurs sites de golf.

L'Elan béarnais Pau-Orthez

www.elan-bearnais.fr

Site officiel de l'Elan béarnais Pau-Orthez : infos, calendrier, équipe, palmarès, club, billetterie, boutique.

Lepape.com

www.lepape.com

Appareils de musculation et matériels de fitness : rameurs, steppers, tapis de course, vélos d'intérieur. Exercices et conseils.

L'équipe.fr

www.lequipe.fr

Suivez l'actualité des sports, les analyses, les résultats sportifs et les calendriers des événements sportifs.

Les 24 heures du Mans

www.lemans.org

Site officiel des 24 heures du Mans.

Les dirigeables

www.dirigeables.fr.st

Pour tout savoir sur les géants du ciel : Hindenburg, CargoLifter, Zeppelin NT.

Les liens du football

membres.lycos.fr/lesliensdufoot

Cet annuaire vous oriente sur tous les sites de football français et étrangers.

Ligue nationale de basket-ball

www.basketpro.com

Le site officiel de la ligue nationale de basket-ball donne accès aux informations, résultats et statistiques des championnats Pro A et Pro B.

L'internaute magazine

actualite.linternaute.com/categorie/3/linternaute

Découvrez les plus beaux clichés du sport, par le magazine L'internaute.

Losc Lille métropole

www.allezlelosc.com

Site officiel des supporters du LOSC Lille Métropole.

Lutte Corse

www.ifrance.com/ftev

Site de l'association Lutte Corse, vouée à la réhabilitation, la promotion et la diffusion de la lutte corse.

Made in Sport

www.madeinsport.com

Le site de MadeInSport, magasins spécialisés dans la distribution d'articles de sport et de tous les produits qui font l'actualité du sport : F1, football, rugby, NBA, tennis.

Major Sports

www.major-sports.fr

Présent dans le tennis et le squash sous les marques Major, Tecnifibre et Roland Garros, Major Sports est spécialiste des sports de raquettes, et le cordeur officiel de tournois internationaux tels que Roland-Garros et Bercy.

Mans Sarthe basket

msb.basketzone.com

Site non officiel du MSB (Mans-Sarthe-Basket) : classement, résultats de proA et de Korac, informations sur le club et les joueurs.

Marathon de Paris

www.parismarathon.com

Site officiel du Marathon de Paris : présentation du 26e Marathon de Paris, parcours, règlement, consultation des inscrits, programme d'entraînement. Mais aussi l'essentiel sur Marathon Expo et sur le palmarès du Marathon de Paris.

Marcel Desailly

marceldesailly.sports.fr

Site officiel de Marcel Desailly.

Mawachi-ryu karaté-do

mawashido.free.fr

Site pédagogique consacré au karaté-do. Y sont développés des thèmes tels que bunkai intégral des kata shotokan, l'art du ventre, les courbes, les gardes dynamiques, la stratégie et la tactique…

Maxifoot

www.maxifoot.fr

Le réseau du football sur Internet vous fera partager sa passion du foot : dépêches, résultats en temps réel, analyses des matchs, dossiers sur les clubs, interviews, chroniques.

Meeting Gaz de France

www.athle.gazdefrance.com

Site du meeting Gaz de France Paris-Saint-Denis : dernières nouvelles, athlètes, programme, résultats, images, infos pratiques.

Michel Desjoyeaux

www.meragitee.com/desjoyeaux

Découvrez le carnet de route de Michel Desjoyeaux.

Ministère de la Jeunesse et des Sports

www.jeunesse-sports.gouv.fr/mjshome.htm

Le site Internet du ministère de la Jeunesse et des Sports vous informe sur le sport, les formations, la jeunesse, les associations et le ministère.

Monte-Carlo country club 

www.mcopen.org

Le site du Monte-Carlo country club : historique, activités, billetterie, infos, programme, joueurs.

Mrbookmaker.com 

www.mrbookmaker.com

Vous êtes un passionné de sport ? Sur Mr Bookmaker, faites des paris sportifs sur le football, les chevaux, le cyclisme, le tennis, le basket-ball, etc.

Natation 

www.natation.com

Site consacré à toutes les formes de natation : quatre nages, water-polo, natation synchronisée, plongeon, nage avec palmes.

Net Canyoning 

www.net-canyoning.com/index.htm

Partagez notre passion pour le canyoning : descriptions de canyons, galerie photos, infos pratiques canyoning, etc.

Netboxe.com 

www.netboxe.com

Magazine de boxe en ligne : infos, rumeurs, classements, petites annonces, forum, espace Club, goodies, correspondants.

Net-boxing 

www.netboxe.com/liens/liens.php3

L'actualité de la boxe : infos, classements, combats, interviews, etc.

Nicolas Anelka  

nicolasanelka.sports.fr

Site officiel de Nicolas Anelka. Les exploits du footballeur du PSG, matchs et buts.

Nike

www.nike.com

Page d'accueil européenne officielle de Nike. Le seul endroit où vous pourrez découvrir Nike en ligne.

Nutrisite 

nutrisite.free.fr

Guide du sport et de l'alimentation, Nutrisite vous apporte des informations (conseils, interviews) sur la diététique du sportif. Il présente également un annuaire des sites Web relatifs à l'amaigrissement et la diététique ainsi qu'à l'alimentation et la préparation du sportif.

Océanes 

www.oceanes.com

Océanes est le leader voyagiste de la plongée sous-marine sur Internet. Imaginez, organisez et réservez votre voyage sur Oceanes.com.

Olivier Jacque

www.olivierjacque.com

Site officiel d'Olivier Jacque.

Olivier Magne 

oliviermagne.sports.fr/fr/ index.asp

Site officiel d'Olivier Magne : biographie, palmarès, photos, infos, fan-club et contact.

Olivier Panis

www.olivier-panis.com

Site officiel d'Olivier Panis.

Olympique de Marseille

www.olympiquedemarseille.com

Site officiel de l'Olympique de Marseille.

Olympique Lyonnais

olweb.fr

Site officiel de l'Olympique Lyonnais.

Parapente France vol libre

www.parapente-fr.com

Tout sur le parapente et le vol libre : stages de formation parapente, paramoteur, delta, écoles en France et en Europe, matériel neuf ou d'occasion, voyages, paragliding school.

Parapente.fr

www.parapente.fr

Site d'Air Bulle (fabricant de sellettes pour le parapente) et d'APCO (importateur pour la France).

Parier.net

www.parier.net

Placez vos paris en ligne sur plus de 15 championnats de football, basket-ball, F1, tennis, et jouez au casino virtuel (black-jack, poker, roulette, etc.).

Paris turf

www.paris-turf.com

Le quotidien du cheval propose toute l'actualité et les résultats des sports équestres. Attention, certaines informations (prévisions et rapports) sont payantes.

Paris-Dakar

www.dakar.com

Site officiel du rallye Paris-Dakar.

Paris-Saint-Germain

www.psg.fr

Pour tout savoir sur le PSG, son parcours en coupe d'Europe, les compositions des équipes, les statistiques, les dernières nouvelles ou les vidéos de matchs à domicile.

Paroles de champions

www.anissina-peizerat.com

Site officiel des champions du monde de patinage artistique : Marina Anissina et Gwendal Peizerat.

Peugeot-Avenue

www.peugeot-avenue.com/index.asp?num_page=13

Découvrez l'actualité Peugeot Sport : rallye et supertourisme.

Planète rugby

www.planeterugby.net

Ce magazine de rugby en ligne vous informe sur les rencontres, compétitions et championnats en cours.

Plongée sous-marine

www.lemondebleu.com

Sites de plongée, cartes de plongeurs, forums, voyages, clubs, matériels, photos, faune et flore, environnement marin, cartes postales.

PMU, Pari Mutuel Urbain

www.pmu.fr

Découvrez l'univers des courses. Apprenez à parier et à utiliser le vocabulaire hippique.

Pro Régate

www.proregate.com

Le premier shipshandler en ligne consacré uniquement à la voile sportive. Les meilleures marques y sont représentées : Harken, Lewmar, Marlow, FSE, Frédériksen, Spinlock, Musto, Andersen, Aigle, Sunto, Plastimo, Raythéon, Furuno, Marinepool, Wichard, Ron.

Provence-Côte d'Azur, Sport et Randonnées

www.provenceweb.com/f/mag/outdoor.htm

Des activités sportives pour tous en Provence et Côte d'Azur : randonnées pédestres, ski, golf, sports d'eau vive, randonnées équestres, pêche, randonnées VTT, montgolfière, escalade, canyoning.

Racing-club de Lens

iis2.domicile.fr/rclens_domicile

Site officiel du RC Lens.

Racing-club Narbonne Méditerranée

www.rcnm.com

Site officiel du Racing-Club Narbonne Méditerranée.

Rallye des trappeurs

www.raidungava.com

Pour la troisième année consécutive et en raison du succès grandissant de son rallye fétiche, Safari Nordik Aventure lance de nouvelles dates du Rallye des trappeurs pour la saison d'hiver 2004/2005 au Canada.

Rally-Live.com

rally.racing-live.com

Suivez les rallyes du championnat du monde en direct, spéciale par spéciale. Les infos sont actualisées plusieurs fois par jour. Pour chaque rallye, retrouvez les photos des correspondants.

RDS

www.rds.ca

Webzine dédié aux sports (hockey, courses, football, base-ball, golf, tennis, boxe).

Règles du golf

www.golfeur.net

Règles de golf, tests de parcours, calcul du handicap (SLOPE), résultats PGA, petites annonces, tests matériel.

Renault Sport

www.renault-sport.fr

Site officiel de Renault Sport.

Richard Sainct

www.richardsainct.com

Site officiel de Richard Sainct.

Roland-Garros

www.rolandgarros.com

Le site officiel du tournoi de Roland-Garros.

Rugby-Club Toulonnais

www.rctoulon.com

Site officiel du Rugby-Club Toulonnais.

Rugbyrama.com 

www.rugbyrama.com

L'actualité du rugby en France et à l'étranger : archives, actualité WAP disponible sur votre téléphone portable, magazine du rugby avec matchs, tournois et compétitions.

Sabri Lamouchi

sabrilamouchi.sports.fr/fr/index.asp

Site officiel de Sabri Lamouchi : les exploits du champion de France 1996 et 2000.

Sail online 

www.sail-online.fr

Toute l'information et l'actualité 24 h sur 24 pour les passionnés de la mer, de la voile et des bateaux : météo marine gratuite, annuaire de sites nautiques, bourse aux équipiers, boutique en ligne, croisières, régates, forum de discussion.

SCF 

www.supporters.org

Venez découvrir le site officiel des supporters de toutes les équipes des sports français (foot, hand, basket, rugby, etc.).

Section Paloise

www.section-paloise.com

Site officiel de la Section Paloise.

Sedan

www.cssedan.com

Site officiel du club sportif Sedan-Ardennes.

Site officiel de la Fédération française de handball 

www.handweb.net

Tout le handball en France avec les clubs, les comités et la Fédération française.

Site officiel de la FFF 

www.fff.fr

Site officiel de la Fédération française de football.

Site officiel de la JDA Dijon

www.jdadijon.com

Site officiel de la JDA Dijon.

Skipass.com  

www.skipass.com

Portail communautaire consacré aux sports alternatifs : ski, snowboard, rider, windsurf, freestyle, mountain bike, skateboard, supercross racing, freeride, etc.

Snooker 

www.snooker-quebec.qc.ca

Site de l'Association des joueurs de snooker du Québec.

Sonny Anderson

sonnyanderson.club-ol.com

Site officiel de Sonny Anderson. Retrouvez la carrière de l'avant-centre brésilien en photos exclusives et interviews audio.

Sporever 

www.sportever.fr

Sporever donne des conseils pratiques, propose des jeux, chats, forums et pages perso avec Patrick Chêne, David Douillet et les plus grands champions.

Sport et bien-être

www.sport-bien-etre.com

Annuaire du sport et du bien-être : beauté, bien-être, horoscope, rencontres, sports, vacances.

Sport24.com

www.sport24.com

Retrouvez en direct toute l'actualité sportive : Jeux olympiques, football, F1, tennis, rugby, basket, athlétisme, cyclisme, boxe, golf, hockey, handball, volley-ball, moto.

Sportail.net

www.sportail.net

Ce portail propose des services autour du sport : annuaire de recherche, cinéma, téléchargement, espace de discussion, newsletters, webzine, sponsoring, sport et nouvelles technologies, actualités, etc.

Sports village

www.sports-village.com

Article sportswear de grandes marques : vêtements, chaussures, équipements et accessoires pour le sport et les loisirs (randonnée, cyclisme, nautisme, sports de glisse, football, athlétisme, tennis, basket, etc.).

Sports.com

www.sports.com/index.php

Tout le sport, l'information sportive et l'actualité en direct… en cinq langues. Un must.

Squash en Suisse

www.squash.ch/seite/index.htm

Le squash en Suisse : tournois, inter-club junior, classements.

Squash France

www.squash-france.com

L'actualité du squash en France : joueurs, clubs, tournois, matériel.

Stade Aurillacois Cantal Auvergne

www.stade-aurillacois.fr

Site officiel du Stade aurillacois Cantal-Auvergne : histoire, vie du club, effectifs, compétitions, interviews des joueurs, supporters et photos des matchs.

Stade de France

www.stadefrance.fr

Le Stade de France : services, événements importants, infos, visite du stade.

Stade rennais Football-club

www.staderennais.fr

Site officiel du Stade rennais football-club : le club, les équipes, les compétitions, l'actualité, la boutique, toutes les informations sur les "rouge et noir" au quotidien.

Stades et spectateurs

rernes.free.fr

Statistiques par pays, par clubs et par années sur les stades et les affluences.

Strasbourg

www.rcstrasbourg.fr

Site officiel du RC de Strasbourg.

SU Agen

www.sua-rugby.com

Site officiel du SU Agen.

Sveltus sport fitness

www.sveltus.fr

Sveltus commercialise du matériel de sport, de fitness et de musculation, pour la mise en forme à domicile ou en club de gymnastique.

Swing

www.swing.fr

Créé en 1992, Swing est spécialisé dans l'organisation d'événements autour du golf.

Tariq Abdul Wahad

abdulwahad.sports.fr

Le site officiel de Tariq Abdul Wahad, le tout premier français à avoir foulé les parquets de la NBA : biographie, journal, actualité, statistiques remises à jour en temps réel, fan club, revue de presse, coups de cœur, coups de gueule.

TAS, CAS

www.tas-cas.org

Le TAS est une structure qui a été créée en 1983 pour offrir aux parties une méthode de résolution des litiges adaptée aux besoins spécifiques du domaine sportif. C'est une institution indépendante de tout organisme sportif.

TDF

www.letour.fr

Le site officiel du Tour de France cycliste : actualité, parcours, interviews en quatre langues.

Tennis de table.com

www.tennis-de-table.com

Portail sur le ping-pong : annuaire, articles, communiqués officiels, mutations, trombinoscope.

Tennis pro

www.tennispro.fr

Site marchand de tennis pro, leader depuis vingt ans sur le marché du tennis, badminton et squash.

TF1 Sports

sports.tf1.fr

Le site sports de TF1 : interviews, calendrier, événements, infos sportives, Jeux olympiques, etc.

The Race, la course du millénaire

www.therace.org

Tout ce que vous avez toujours voulu savoir sur The Race est décrit dans ce site.

Thomas Coville

www.thomas-coville.com

En 1997, Sodebo se lance dans le sponsoring voile. Depuis, un monocoque 60 pieds open, skippé par Thomas Coville porte les couleurs de la société sur les mers du monde.

Tir sportif

www.tirsportif.com

Toutes les informations sur ce sport exigeant et spectaculaire qu'est le tir à l'arme de poing.

Top-tennis

www.top-tennis.com

Le magazine du tennis sur Internet : photothèque, concours, reportage, news, articles, calendrier, etc.

TotalRugby.com

www.totalrugby.com

Site d'informations quotidien sur le rugby professionnel national et international : rubriques dynamiques telles que les classements des diverses compétitions nationales et internationales, des statistiques par club et par joueur, un annuaire, des archives, etc.

Tous les sports en continu

sport.france3.fr

Retrouvez l'actualité de tous les sports avec France 3.

Trophée Lancôme

www.trophee-lancome.com

Le site du trophée Lancôme de Saint-Nom-la-Bretèche.

UCI news

www.uci.ch

Site de l'Union cycliste internationale.

Union sportive dacquoise

www.usdax.net

Tout ce que vous voulez savoir sur le passé, le présent et l'avenir de l'Union sportive dacquoise.

USAP rugby à Perpignan

www.usap.fr

Site officiel de l'USAP (rugby à Perpignan).

Vélo Vache

perso.club-Internet.fr/simpom

Tout sur le cyclisme : infos, services, résultats et bien d'autres choses sur le vélo.

Véloce

www.veloce-skydive.com

La référence sur le parachutisme sportif en France : plus de 1 000 pages d'information.

Veloscope.net

www.veloscope.net

Découvrez toute l'actualité du cyclisme : calendrier des épreuves de VTT, des courses professionnelles sur route et du cyclotourisme, annuaire des détaillants professionnels, sélection de liens (accessoires, presse, fédérations, etc.).

Volley zone

volleyzone.free.fr

Joueur débutant ou confirmé de volley-ball, vous trouverez tout sur ce sport : règles officielles, cours complet avec techniques et exercices, résultats sportifs des matchs, tournois, FAQ, forum.

Volodalen.com

www.volodalen.com

Volodalen.com est un site sur la course à pied regroupant 400 pages de conseils sur la programmation de l'entraînement, la physiologie de l'effort (vo2max, lactates, fréquence cardiaque), le suivi médical (podologie, étirements, dopage), la diététique.

VTT Net

www.vtt.org

Site canadien dédié au VTT : infos, recherches, e-zine PlaNetVTT, calendrier, petites annonces, etc.

Water-polo.com

www.water-polo.com

Le water-polo de A à Z : championnat de France, règlement, liens, clubs, chat et groupe de diffusion.

Webmartial.com

www.webmartial.com

Description et histoire de dizaines d'arts martiaux, moteur de recherche des clubs, actualités, interviews, chat, forums, groupe de discussion.

World foot center

www.footcenter.fr

Le site du spécialiste du football et des grandes marques de sportswear.

Yafoot

www.yafoot.com

Le portail football nouvelle génération propose plus de 1 500 liens de qualité sur le football.

Yahoo! Sport

fr.sports.yahoo.com

Page sports de Yahoo! France : dépêches de l'AFP et de Reuters, moteur de recherche et nombreux liens vers des ressources francophones.

Yahoo! Sport, Tennis

fr.sports.yahoo.com/te/index.html

En collaboration avec l'AFP et l'agence Reuters, l'actualité du tennis vue par Yahoo! France.

Yahoo! Sports, Football

fr.sports.yahoo.com/fo/index.html

Toute l'actualité du foot par Yahoo! France.

Yahoo! Sports, Formule 1

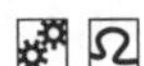

fr.sports.yahoo.com/f1

L'actualité de la F1 vue par Yahoo! France : pilotes, courses, classements, etc.

Yvan Bourgnon

www.yvan-bourgnon.com

Sur le site d'Yvan Bourgnon, découvrez son palmarès, les courses en direct, les caractéristiques du bateau et de nombreuses photos de voile.

Zinedine Zidane

www.zidane.fr

Le site officiel de Zinedine Zidane.

Technologie

ClubTone

www.clubtone.com

Relookez votre portable en téléchargeant des logos et des sonneries sur ClubTone.

DaPhone

www.daphone.com

DaPhone, le portail du mobile : softwares gratuits, jeux Java gratuits, sonneries, logos, SMS, répondeur, messages musicaux, goodies, astuces, canulars, boutiques et bien d'autres choses encore.

Goodzoo

www.goodzoo.com

Sur Goodzoo.com, plus de 50 jeux pour votre mobile, compatibles avec plus de 30 modèles vous attendent : Pop Star, Car racer, Astromates, etc.

GSM bazar

www.gsmbazar.net

Ce site propose des accessoires pour téléphones portables GSM : batteries, kits mains libres, oreillettes, housses, chargeurs, etc.

i-majin

www.i-majin.com

i-majin offre des services complémentaires à ceux fournis d'origine par les téléphones, les opérateurs et fournisseurs de contenus.

LeGuide.com - Téléphones mobiles

www.leguide.com/telephones_mobiles.htm

Comparez les prix des téléphones mobiles avec LeGuide.com.

Les dangers des téléphones mobiles

telephone.mobile.online.fr

Les téléphones mobiles peuvent être dangereux pour la santé. Ce site d'information explique pourquoi et comment.

LesMobiles.com

www.lesmobiles.com

Guide des téléphones mobiles : actualité, fiches techniques des téléphones, packs, forfaits, comparatif de prix, envois de SMS, sonneries et logos à télécharger, forums, accessoires.

Lhommemoderne.com

www.lhommemoderne.com

Retrouvez les objets originaux du monde entier de l'enseigne L'homme moderne.

LithiumTheNet

www.lithium2.net

Site expert en infovente pour téléphonie mobile.

MobsGame.com

www.jeuxmobiles.com

Portail de jeux et d'applications Java pour mobiles Nokia, Siemens, Motorola et Samsung.

PDA-Mobile

www.pda-mobile.com

Les organiseurs PDA Palm, Handspring et Sony ainsi qu'un ensemble de téléphones mobiles sont présentés sur ce site. Vous pourrez également y télécharger des freewares et des sharewares, consulter des comparatifs, des fiches techniques et accéder à des sites complémentaires.

Répondeur mobile

www.repondeurmobile.com

Tout pour donner du peps à votre mobile : dédicaces, surprises vocales, répondeurs du moment, etc.

Robopolis

www.robopolis.com

Cette boutique en ligne propose des robots programmables et des automatismes pour tous les publics.

Tests et guides des téléphones mobiles

www.zdnet.fr/produits/materiels/telephones_mobiles

L'expert en micro-informatique ? ZDNet.fr répertorie et critique les derniers modèles de téléphones mobiles.

The phone house

www5.phonehouse.fr/commerce/servlet/frfr-home

Pour tout savoir sur les téléphones mobiles, visitez ce site.

Voxinzebox

www.voxinzebox.com

Voxinzebox est le créateur du premier service commercial de visites guidées sur le téléphone mobile développé sous la marque déposée Allovisit.

Yellow Telecom

www.yellowtelecom.net/index.html

Yellow Telecom vous permet, *via* votre téléphone fixe, de bénéficier immédiatement et en toute transparence, des prix les plus bas du marché des télécoms en Belgique.

Média, info

Agences de presse

Dépêches d'agence de presse Ω

azardo.free.fr/depeches.htm

Cette page donne un accès direct aux dépêches archivées par les sites Yahoo!, Free, Voila et Tiscali.

FFAP

www.ffap.fr

Site de la Fédération française des agences de presse : présentation et annuaire.

Free - Actualités

actualite.free.fr

Page Actualités du fournisseur d'accès Free.

Google News

news.google.fr

Page Actualités du moteur de recherche Google.

Maghreb, presse en ligne

www.map.co.ma

Site de l'Agence marocaine de presse : présentation, services et publications, actualités, presse, synthèses et analyses.

Presse+

www.presseplus.com

Presse+ assure la veille d'une sélection de grandes agences internationales (AFP, Reuters, Bloomberg, Associated press, Dow Jones news wire, VND, DPA, EFE).

Journaux et magazines en ligne : actualité

Acrimed

www.acrimed.org

Collectif français de réflexion et de discussion autour des médias.

AFP-direct

www.afp-direct.com

Visualisez en direct les dépêches de l'AFP.

Amnistia.net 

www.amnistia.net

Journal illustré et satirique de l'actualité internationale. Du lundi au vendredi, l'information sans concession, par une rédaction évadée sur une île sans Etat. Un grand reportage en supplément.

Anacoluthe

www.anacoluthe.com

Le site arrogant et prétentieux qui ne fait rien comme tout le monde…

Branchez-vous Actu 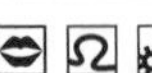

www.branchez-vous.com/actu

Webzine québécois d'actualité.

Chroniques de l'Absurdie 

absurdie.chez.tiscali.fr/ index.html

Chroniques de l'Absurdie veut passer derrière le décor, décrire le monde tel qu'il est, réveiller les esprits qui dorment et rétablir ainsi le droit de penser par soi-même.

Club Jimmy 

www.clubjimmy.com

Ce magazine électronique propose des informations et services en continu, des photos, des annonces, un forum, des actualités culturelles, un courrier des lecteurs, une webcam et bien d'autres choses encore.

Débat sur la peine de mort 

www.ipsos.fr/index.asp

Canal d'actualité internationale IPSOS : économie, politique, société, média, Internet, tendances, analyses, archives.

Dernières Nouvelles d'Alsace

www.dna.fr

Le site du quotidien les Dernières Nouvelles d'Alsace.

Diora.com

content.dioranews.com/site/fr/index.php

Diora.com propose une liste de chroniques d'actualité que vous pouvez écouter sur le Net ou sur votre portable.

Dixit

www.cyberie.qc.ca/dixit

Dixit Laurent Lapante : critiques politiques de l'actualité nationale et internationale.

Europeinfos

www.europeinfos.com

Site info d'Europe 1. Il propose des flashs permanents sur l'actualité française et mondiale, des dossiers d'information, des interviews et une revue de presse. Il donne également accès à des dossiers archivés.

France 2

www.france2.fr

Toutes les infos (France, monde, sport, économie) réactualisées en continu, des dossiers spéciaux, la météo, la bourse, les programmes et émissions de la chaîne, des magazines.

France 3

www.france3.fr

Retrouvez les infos régionales actualisées en continu, des dossiers spéciaux, la météo, la bourse, les programmes et émissions de la chaîne, des magazines, etc.

France 5

www.france5.fr

La Cinquième, chaîne française du savoir, de la formation et de l'emploi : actualités, émissions, forums, vente en ligne de cassettes vidéo, CD-ROM et DVD.

France Télévisions infos

info.france2.fr

France Télévisions propose une grande partie informations (France, monde et sport), réactualisée en continu 7 jours sur 7, de 7 h 30 à minuit, un archivage et un moteur de recherche pour accéder à ces informations, et bien d'autres choses encore. A découvrir.

gotha-fr

www.gotha-fr.com

Sur gotha-fr, découvrez la vie des grands de ce monde : cérémonies prestigieuses, actualités. Stéphane Bern évoque l'actualité de la vie mondaine en France et en Europe. Vous pouvez également commander des livres et des produits de luxe en toute sécurité.

Jeune Afrique/l'intelligent

www.jeuneafrique.com

Version électronique du journal Jeune Afrique. Consultez les dépêches d'actualités quotidiennes, les archives, découvrez les services (lettre de diffusion, forums) et les informations générales sur le groupe.

La cartothèque du Web

www.intercarto.com

Le premier site à vous proposer l'actualité dans le monde, à travers des cartes géographiques, mais aussi l'accès libre à une cartothèque vectorielle.

La Croix

www.la-croix.com/index.jsp

Journal quotidien en ligne : actualité en France et dans le monde, économie, religion, culture, sciences, parents et enfants, spiritualité, dernière heure.

La presse libre 

www.presselibre.org

Ce webzine propose un regard différent sur l'actualité.

La Provence 

www.laprovence-presse.fr

Le quotidien La Provence, basé à Marseille, présente chaque jour une sélection des moments forts de l'actualité régionale et du mode de vie provençal. Agendas culturels et spectacles.

La Tribune, information économique et financière 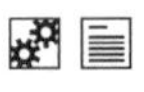

www.latribune.fr

Le site du quotidien économique et financier : édition du jour, bourse en direct, enquêtes, dossiers de l'actualité nationale et régionale, archives.

L'actu Tiscali 

actu.tiscali.fr/enune/home.asp

Volet Actualité de Nomade, en collaboration avec l'AFP. Un moteur de recherche vous aide à sélectionner les informations mais vous pouvez également consulter les rubriques thématiques.

L'Alsace 

www.alsapresse.com

Le site du quotidien L'Alsace : la une, dossiers, télévision, archives, coups de cœur, galerie virtuelle, annonces, boutique.

Largeur.com 

www.largeur.com

Chaque jour, Largeur.com publie des articles originaux écrits par des journalistes professionnels ainsi que des témoignages et des débats d'actualité.

L'autre portail 

rezo.net

Ce site donne accès à des articles de webzines indépendants et des pages personnelles ainsi qu'à une revue de la presse en ligne. La mise à jour se fait toutes les heures.

Le BienPublic

www.bienpublic.com

Le Bien Public, l'info de Bourgogne et Côte-d'Or, vous propose de retrouver chaque jour les informations ainsi que les résultats sportifs, les annonces immobilier, automobile, emploi, les archives, la gastronomie, etc.

Le Dauphiné libéré 

www.ledauphine.com

Le Dauphiné libéré en ligne : guide Rhône-Alpes, petites annonces, sport, loisirs et spectacle.

Le Figaro 

www.lefigaro.fr

Le site du quotidien Le Figaro : rubriques (l'essentiel, monde, France, politique, sports, science et santé, multimédia, culture), dossiers, annonces.

Le MatInternet

www.matin.qc.ca/index2.shtml

Le MatInternet, c'est l'actualité au moment où vous la voulez. Nouvelles de Montréal, du

Québec, du Canada et du monde, sport, loteries, météo, éphémérides. Des foules de chroniques, des petites annonces et un service de cartes postales. Le MatInternet, c'est le premier signet de votre journée.

Le Monde diplomatique

www.monde-diplomatique.fr

Le Monde diplomatique vous propose ses cahiers, sa cartographie, ses dossiers et donne accès à ses archives.

Le Monde interactif à la une

www.lemonde.fr

Le site du quotidien d'information francophone Le Monde : à la une, international, France, société, régions, horizons, forums, entreprises, etc.

Le Nouvel Observateur

www.nouvelobs.com/articles/p2063/hebdo.html

Le Nouvel Observateur en ligne : tous les articles de la semaine publiés sur le Web. Accès aux archives jusqu'à l'année 1996.

Le Point

www.lepoint.fr

Sur le site du journal Le Point, retrouvez toutes les informations sur la culture, l'économie, la société et la politique.

Les Echos

www.lesechos.fr

Retrouvez l'économie financière, économique et boursière internationale et française sur le site du quotidien Les Echos.

Les nuées

www.les-nuees.net

Webzine d'humeur "furieux" sur des sujets d'actualité.

L'Examineur

www.examineur.com

Examineur.com : nous vous devons plus que l'information.

L'Express

www.lexpress.presse.fr

Retrouvez une sélection d'articles et de dossiers d'actualité du premier hebdomadaire français.

Libération

www.liberation.fr

Le site du quotidien français Libération : dépêches, dossiers, cahiers du cinéma.

Libération, newsletter

www.liberation.fr/newsletter

Laissez vos coordonnées et recevez par e-mail les lettres d'information du journal Libération.

L'invrai

membres.lycos.fr/linvrai

Un regard mordant et incisif sur l'actualité.

L'Ornitho

www.ornitho.org

Magazine virtuel politiquement décalé vers la gauche.

M6

www.m6.fr

M6, la chaîne de télévision française préférée des 15-35 ans : magazines, films, séries et musique.

Ma commune légère

pages.infinit.net/commune

Un groupe de joyeux éditorialistes québécois impertinents qui trempent leurs plumes dans l'humour pour épingler l'actualité ou les petits phénomènes du quotidien, à travers des chroniques iconoclastes.

Magazine de la consommation

www.aci-multimedia.net

Webzine d'actualités, de tourisme, de gastronomie et d'écologie.

Midi libre

www.midilibre.com

Toute l'actualité quotidienne régionale en Languedoc-Roussillon. La bourse et l'économie régionale. Le guide touristique du sud de la France, les petites annonces et toutes les offres d'emploi.

National Geographic France

www.nationalgeographic.fr

Magazine consacré aux reportages photos, aux récits des explorateurs et aux découvertes scientifiques et culturelles.

NRCO

www.lanouvellerepublique.fr

La Nouvelle République sur le Web : société, politique, économie, météo, étranger, astrologie, loto, télévision, cinéma, annonces, impôts, archives.

Planète Québec

planete.qc.ca/index.html

Magazine québécois quotidien : boutique, jeux, quiz, astrologie, horoscope, recettes de cuisine.

Politis, l'hebdo citoyen

www.politis.fr

Indépendant, engagé, Politis met le monde en questions, prend position sur l'actualité, engage le débat, confronte les idées, relaie vos actions, apporte des réponses et ouvre des perspectives.

Pressdigest

www.pressdigest.org

L'essentiel des journaux de France, de Grande-Bretagne, des Etats-Unis, de Suède, des Pays-Bas et de la Côte d'Azur, ainsi qu'un choix de liens de l'information en allemand, danois, espagnol, finlandais, italien et norvégien.

Presse Corse TV

pressecorsetv.free.fr

Presse Corse TV est une équipe de journalistes insulaires qui réalise des reportages d'actualité pour la presse nationale TV. Le site vous propose de découvrir les reportages déjà diffusés, le thème polémique du mois, le matériel utilisé pour le tournage et le montage et les reportages magazine en vente.

Pressed

www.pressed.com

Dépêches AFP du jour, archives de l'AFP et de la presse française. Recherches thématiques ou par mots clés.

Proche-Orient info

www.proche-orient.info

Ce site d'information propose chaque jour un journal, une revue de presse française et internationale, de grands dossiers, des documents historiques, des portraits et des cartes du Moyen-Orient.

Revue de presse d'actualité

www.lesannuaires.com/revue-de-presse-journaux-en-ligne.html

Revue de presse du site Les annuaires.com, au travers des sites d'information et des journaux en ligne francophones, des plates-formes d'information et des sites d'actualité.

RSF

www.rsf.fr

Le site de Reporters sans frontières : à la une, la carte, le baromètre, les pétitions.

RTL

www.rtl.fr

Toute l'info en continu, les grands dossiers d'actualité sur le site de RTL. Retrouvez les informations sur les émissions phares à l'antenne : le Hit RTL, Les Grosses Têtes ainsi que la sitcom Lakmi et Boomy.

Terre d'escale

www.terredescale.net

Terre d'Escale propose un autre regard sur l'actualité internationale, notamment sur la Palestine et les Balkans.

TF1

www.tf1.fr

L'information en continu par les journalistes de TF1 et de LCI, les émissions et les programmes de la chaîne, la météo, la livecam sur Paris, des dossiers d'actualités, l'info du sport et bien d'autres rubriques.

TF1, Les news

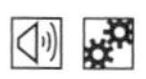

news.tf1.fr/news

Les news sur TF1, 24 h sur 24 et 7 jours sur 7.

The niouze later

www.offtopix.com

OffTopix est un fanzine d'expression libre s'intéressant à l'actualité.

Tocsin

www.tocsin.net

Ce webzine vous offre un regard neuf sur l'actualité, à travers une analyse des pratiques journalistiques. Abonnez-vous et donnez votre avis.

Transfert

www.transfert.net

Journal en ligne : économie, société, technologie, revue du Web, archives.

Uzine 2

www.uzine.net

Webzine d'informations qui ne mâche pas ses mots.

Voila, Actualité

actu.voila.fr

Retrouvez toutes les nouvelles de l'AFP classées par thèmes : monde, France, politique, sciences, sports, etc.

Web matin

www.webmatin.com

Quotidien satirique au format Flash : dessins humoristiques, actualités, presse, information.

Webcity

www.webcity.fr

Le réseau Webcity propose toute l'info locale : les bons plans de votre ville, les horaires de cinéma, des petites annonces et tous les services de proximité.

Webdo

www.webdo.ch

Webzine suisse d'infos et de services : dossiers d'actualité, WebdoPresse, WebdoCine, WebdoTech ainsi que les nouvelles de l'heure.

Yahoo! actualités

fr.news.yahoo.com

Yahoo! France Actualités présente l'actualité mondiale par thèmes (monde, France, actualités locales, économie, multimédia, culture, insolite, sport, sciences, santé) ou par mots clés.

Yakéo actualités

www.yakeo.com/fr/actualites

Yakéo actualités donne accès à une sélection de journaux en ligne (quotidiens et périodiques) en France, au Canada, en Belgique, au Maghreb, en Suisse et en Afrique.

Journaux et magazines en ligne : culturel

99 octane

www.99octane.com

Plate-forme musicale sur Internet : magazine et guide de liens commentés. Du rock au rap, en passant par la musique électronique, mais aussi le jazz, le blues et le reggae.

A voir, à lire

www.avoir-alire.com/spip/index.php3

Chaque mercredi, A voir, à lire propose des critiques, des dossiers, des interviews, etc., sur la littérature, le cinéma, le théâtre, la musique, les DVD et la bande dessinée.

Akenaton-doc(k)s

www.sitec.fr/users/akenatondocks/index.htm

DOC(K)S est la plus ancienne (1976-2001) et la plus célèbre des revues de poésie expérimentale au monde.

Arte télévision Europe

www.arte-tv.com

Arte, chaîne européenne de télévision culturelle franco-allemande : programmes et boutique (livres, vidéos, CD-ROM, DVD).

BD Actu

www.bdactu.com

Chaque semaine, un nouveau dessin de presse humoristique par Stoon et Rezk (économie, social, euro, médias, sport, high-tech, monde, Europe, pays de l'Est, pollution, "malbouffe").

BonWeb - Média, culture 

www.bonweb.com/p_3_194.php

Sélection des meilleurs sites de magazines culturels, par bonweb.com.

Bzh5.com

www.bzh5.com

Site dédié à la Bretagne : infos, histoire, médias, religion, écoles, cuisine, sorties, fest-noz, sports, théâtre, danses, musique.

Ça se discute 

www.casediscute.com

Le magazine hebdomadaire de France 2 Ça se discute traite des tendances et comportements de notre société. Le site est un espace de libre expression sur les différents sujets de l'émission.

Chroniscope  

www.chroniscope.com

Magazine culturel en ligne : news, cinéma et DVD, musique, manga, livres.

Contact FM 

www.contactfm.com

Magazine sur la techno, la cyberculture et la mode.

Cyber factory 

www.lafactory.com

Ce magazine en ligne est dédié aux livres : littérature contemporaine, classique, serial killer, beaux livres, art, BD…

Dialogus

www.dialogus2.org

Dialoguez avec les disparus célèbres de l'histoire et des arts.

Djouls.com 

www.djouls.com

Ce site propose de très nombreux morceaux en RealAudio, 700 chroniques CD, des dizaines de discographies d'artistes et de labels essentiels ainsi que de nombreuses surprises.

e2ni.com 

www.e2ni.com

Repère de l'e-culture et de l'humour : critiques, ciné, BD, etc.

e-kritic.com 

www.e-kritic.com

Premier et unique site de critiques de cinéma où il est formellement interdit d'avoir vu les films que l'on critique !

EtherREAL 

www.etherreal.com

Magazine sur la culture techno : chronique de disque avec écoute en RealAudio, comptes rendus de soirées et concerts, critiques de films, de livres de SF et annonces de concerts, sorties de disques et de film. Une deuxième partie est une encyclopédie de la musique électronique : les genres musicaux, artistes, graphistes, labels.

Hystérie 

www.hysterie.qc.ca

Webzine québécois orienté société et media.

Jalons 

www.jalons.fr

Site du groupe d'intervention culturelle Jalons.

Kinomax 

www.kinomax-fr.com

Au programme : critiques cinéma et DVD, news, box-office.

Kinoscopia 

adekerma.free.fr

Vous trouverez ici des jaquettes de films, des critiques et des affiches par milliers.

La plume noire magazine 

www.plume-noire.com/plume.html

Magazine culturel orienté cinéma et musique.

L'Agora 

agora.qc.ca/magazine.html

Le site du magazine, de l'encyclopédie et de la librairie l'Agora.

L'asile utopique 

www.asile.org

Webzine étudiant, artistique et citoyen.

Le Matricule des anges 

www.lmda.net

Magazine indépendant de littérature : actualité, entretiens vidéo, poésie, roman, théâtre, nouvelles, forum et librairie en ligne.

Le Monde interactif, Livres 

www.lemonde.fr/web/sequence/0,2-3260,1-0,0.html

La rubrique Livres du journal Le Monde : actualité, articles, dossiers, archives.

Le scarabée

www.scarabee.com

Chroniques de société à parution irrégulière.

Le soleil se lève à l'Est 

www.solest.com

Centre culturel virtuel et webzine proposés par l'association sans but lucratif Le soleil se lève à l'Est. Venez découvrir des artistes lorrains et quelques opinions parfois dérangeantes.

Le Zatapathique illustré  

zata.free.fr

Ce webzine culturel indépendant s'intéresse à la musique (extraits en RealAudio), au cinéma, aux médias et aux bandes dessinées.

Les Chroniques du menteur 

www.menteur.com

Billets d'humeur et d'humour sur l'actualité et portail artisanal mis à jour quotidiennement.

Libération.fr - Livres 

www.liberation.fr/page.php?Rubrique=LIVRES

La rubrique Livres du journal Libération : actualité, en bref, vient de paraître, agenda, forum, dossiers.

L'interdit 

www.interdits.net

Webzine lillois culturel et politique.

LivresPlus

www.livresplus.com

Magazine d'information littéraire entièrement consacré aux livres écrits ou traduits en français couvrant les champs d'intérêts les plus divers : informations, articles, entrevues, critiques, etc.

MAB

www.chez.com/mab

MAB est un webzine alternatif et culturel décidé à bousculer les idées reçues. Retrouvez chaque mois des coups de gueule, des critiques de livres, des poèmes, des liens et différentes ressources.

Mondomix

www.mondomix.com/francais/sommaire_fr.php

Un regard actuel et fédérateur sur les musiques du monde. Retrouvez tous les artistes, les labels, les médias, les concerts et les festivals de world music.

Noos

www.noos.com

Une source unique pour tous les contenus numériques : chaînes TV, Web, et une seule prise pour connecter vos téléviseurs et ordinateurs.

Nouvel Observateur - Culture

artsetspectacles.nouvelobs.com

Guide culturel du Nouvel Observateur : agenda des événements culturels dans toute la France (cinéma, danse, expositions, concerts, opéra, théâtre), adresses branchées des bars, des clubs et des restaurants en région parisienne, en Normandie, en Bretagne, sur la côte atlantique, dans le Languedoc-Roussillon et en PACA.

Nuit blanche

www.nuitblanche.com

A l'aide de commentaires de lecture, de nouvelles de l'édition, d'articles, d'entrevues et de dossiers thématiques, Nuit blanche guide votre choix à travers la multitude de livres produits au Québec et à l'étranger.

Planetexpo

www.planetexpo.fr

Lieu de rencontre privilégié entre les auteurs, les maisons d'édition et les lecteurs. Discutez avec des auteurs, découvrez le monde du livre, participez aux forums, chats, débats et suivez l'actualité du livre.

Pour lire, pas lu

www.homme-moderne.org/plpl

Bimensuel sardonique contre les organes du spectacle de l'ordre mondial capitaliste.

Sans-gêne

www.sans-gene.com

Chaque mois, le journal de l'art actuel surfe sur le champ artistique international.

Sekoyamag, voyages et cultures

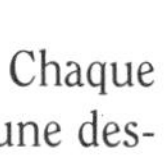

www.sekoyamag.com/nouveausite/SPIP/

Magazine de la culture et du voyage. Chaque semaine, des nouveaux articles sur une destination et des interviews de ceux qui en reviennent.

Sélection du Reader's Digest

www.selectionrd.ca/index.html

Site du magazine Sélection du Reader's Digest.

SitArtmag.com

www.sitartmag.com

Magazine culturel en ligne : littérature, cinéma, musique, théâtre, arts.

Soul men

soulmen.ifrance.com/soulmen

Site consacré à la soul music, au travers de plus de 35 artistes représentatifs du genre : biographies, photos, partitions, extraits sonores, textes, liens et sélections de disques.

T.A.P.I.N.

tapin.free.fr

Magazine dédié à la poésie sonore contemporaine.

Technikart

www.technikart.com

Technikart fournit des infos et des scoops sur la censure, la dissidence, la conspiration et la contestation. Tout savoir pour sortir branché à Paris. Actualités de la musique, du cinéma, de la radio, de la télévision, du cyber et des livres.

TPS

www.tps.fr

Tout sur les chaînes et les programmes de TPS (télévision par satellite) : actualité, cinéma, sport, radios et services interactifs, offres d'abonnement au bouquet numérique.

Voyage.fr

www.voyage.fr

Le site de la chaîne de télévision Voyage. Découvrez tous les programmes de l'antenne. Partez grâce aux offres de voyages sélectionnées et retrouvez-les en vidéo.

Wsound.com

www.wsound.com

Site de référence des musiques électroniques : chroniques, interviews, playlists, agenda des soirées, mix en RealAudio, MP3 gratuits de qualité, etc.

Journaux et magazines en ligne : divers

Centre de ressources en commerce électronique du Net

www.declic.net

Déclic.net informe, conseille, aide les PME-PMI du Nord-Pas-de-Calais à entrer dans la voie du commerce électronique.

Commerce électronique

www.planete-commerce.com

Planète commerce est un journal électronique qui se consacre à la nouvelle économie et à l'e-business : guide de l'e-business, études de cas, nouvelles règles, discussions, interviews, référencement, offres d'emploi, listes de diffusion, etc. Vous y trouverez également un annuaire mondial du commerce électronique et du webmarketing.

Cyber chienlit

www.chienlit.com

Humeurs et textes dépressifs sur tout et n'importe quoi.

Cybergeo

www.cybergeo.presse.fr

Journal européen de géographie.

Désinformations.com

www.desinformations.com

Journal satirique francophone dans lequel toutes les informations sont… fausses.

E-business

www.ebusiness.org

E-business, toute l'actualité du commerce électronique.

EDG logistique

www.edglogistique.com

Toute l'information des professionnels des équipements et des services de la distribution.

Emailoo

emailoo.agencei.com

Abonnez-vous et recevez Emailoo, le premier magazine e-mail mensuel sur mesure (choix parmi 97 thèmes).

Eurasie, portail de l'Asie

www.eurasie.net

Eurasie est un webzine consacré à la culture asiatique en France. Un agenda donne dans le détail les expositions, conférences, spectacles, cours, livres, etc. Des articles et des liens vers d'autres sites dédiés à l'Asie sont également proposés.

Expatriation.com

www.expatriation.fr

Expatriation.com : un moteur, des fiches, des dossiers, un magazine, un forum pour les expatriés.

Femmes aujourd'hui

www.femmesaujourdhui.com

Le magazine Entre Femmes aide les femmes d'aujourd'hui à se sentir bien dans leur corps et dans leur tête.

Femmes Québec

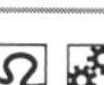

www.femmesqc.com

Le webzine des femmes curieuses : réponses, idées et trouvailles.

Génération formation

www.generation-formation.fr

L'actualité de la formation continue : organismes de formation, législation, relais d'information, etc.

Industries et techniques

www.industries-techniques.com

Le magazine de référence de l'industrie fait le point sur les nouvelles technologies, passe en revue l'actualité technologique, propose des dossiers, une revue de presse et l'agenda des colloques et des salons.

Journal du net, e-commerce

www.journaldunet.com/sh/e-commerce_Sites.html

Tous les jours, le Journal du Net propose l'actualité de l'e-commerce. Les sujets abordés sont classés par thèmes. Il est donc simple d'accéder à l'information recherchée.

La Documentation française

www.ladocumentationfrancaise.fr

Catalogue général des publications de La Documentation française : kiosque des publications, périodiques et collections des administrations, publications du CAE (Conseil d'Analyse Economique), dossiers d'actualité, actualité internationale, centres de documentation.

La Recherche

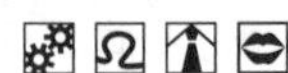

www.larecherche.fr

La Recherche est le premier magazine international d'information édité en français, consacré à la science et à la recherche.

Le site de la pub

www.pqr.org

Médias et services destinés aux professionnels de la publicité, simulation de plans médias régionaux, campagnes et performances, sélection de sites pratiques, actualité quotidienne de la publicité avec CB NEWS.

L'Entreprise.com

www.lentreprise.com

Version numérique du magazine des chefs d'entreprises.

Les ours

www.les-ours.com

Fanzine satirique cultivant la mauvaise foi. Ames sensibles s'abstenir…

L'Organe magazine

www.webzinemaker.net/lorgane

L'Organe est un webzine satirique, iconoclaste et pamphlétaire. L'actualité analysée avec humour.

Magazine de l'expatriation et de l'emploi à l'étranger

www.expat.org

Le magazine d'information en ligne des expatriés.

Responsables d'entreprise

www.decideur.com/index.adml

Décideur.com, le site de tous les responsables de l'entreprise propose de nombreuses ressources : club, revue de presse, annuaire, boîte à outils, annonces, agenda, tableaux de bord, outils de recherche, top 1 000 du management, info du marketing direct, etc.

ReVue

www.revue.com

Magazine de photo documentaire : thème du mois, portfolio, histoires, interprétations photographiques.

Zone experts

www.zone-experts.com

Version électronique du magazine Zone experts dédié aux passionnés de bricolage et de décoration.

Journaux et magazines en ligne : enfants

Bonjour

www.infojunior.com

Webzine des kids de 8 à 12 ans : gratuit et bimensuel.

Guide du journalisme scolaire

www.bandesportive.com/reporters

Reporters en herbe, un site-ressource pour enseignants et élèves de 10 à 16 ans qui désirent s'initier au journalisme écrit et parlé.

Les clés de l'actualité junior

www.lesclesjunior.com

L'actualité expliquée aux 8-12 ans.

Ouest France école

www.ouestfrance-ecole.com

Le journal Ouest France s'adresse aussi aux enfants : ils pourront y lire des articles adaptés à leur âge.

Portail média - enfants, ados et parents

www.portail-media.com/rubriques/juniors.htm

Sélection des meilleurs sites français destinés aux enfants, aux ados et à leurs parents.

Ricochet

www.ricochet-jeunes.org/sommaire.asp

Ce centre international d'études en littérature de jeunesse propose des ressources sur les œuvres, les auteurs et les illustrateurs.

Ta santé.com

www.tasante.com

Site de santé pour les jeunes : contraception, IVG, problèmes de poids, effets du cannabis. Donnez votre avis, discutez en direct. Des spécialistes vous répondent.

Journaux et magazines en ligne : informatique, jeux

Bénéfice.net

benefice-net.branchez-vous.com

Source d'information sur les entreprises, le monde informatique, les affaires et le commerce électronique.

Best 4 gamers PC

www.best4gamers.com

Actualité mondiale des jeux vidéo console et PC, magazine en ligne.

Branchez-vous

www.branchez-vous.com/index.html

Guide francophone dédié aux nouveautés sur Internet, aux meilleurs sites Web et à l'actualité du cyberespace.

Chroniques digitales

membres.lycos.fr/cronic/default2.htm

Chroniques informatiques mensuelles.

ClashInfo

www.clashinfo.com/m-xoopsheadline+index+.html

Le portail Clashinfo regroupe l'essentiel de l'actualité informatique : dossiers, tutoriaux, trucs et astuces, forums d'aide et de discussion, mini-boutique, annuaire de liens des meilleurs sites consacrés à l'informatique.

Domaine des jeux vidéo

membres.lycos.fr/pagejeux

Mine d'informations sur les jeux vidéo : codes, tests, news, solutions, démos, patchs, astuces, liens et adresses complémentaires.

Gamekult

www.gamekult.com

Toute l'actualité des jeux vidéo : tests, previews, news.

Goa

www.goa.com

Toute l'actualité du jeu vidéo : news, top 5 des jeux les plus demandés, jeux en ligne.

Ilokos games

ilokos.free.fr

Webzine dédié aux jeux vidéo sur consoles et émulateurs PC.

Infos du Net - Informatique

www.infosdunet.firstream.net

Toute l'actualité informatique est sur Infos du Net : hardware, logiciels, jeux, astuces, dossiers, tests, forums de discussion, annuaire, téléchargements.

Interneto

www.Interneto.fr

Le guide des programmes Internet vous renseigne sur ce qu'il ne faut pas rater sur la Toile : site, page perso, concours, bonne affaire, coup de cœur, interview, etc.

Jeux Mac

www.jeuxmac.com

Toute l'actualité du jeu sur Macintosh : tests, previews, dossiers, centre de téléchargement, dates de sortie, interviews et news quotidiennes.

Journal du gratuit

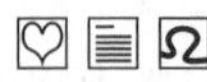

www.journaldugratuit.com

Recevez par e-mail l'actualité des services gratuits d'Internet commentée dans une lettre bimensuelle. A voir absolument !

Kja! Import

go.to/kjaimport

Source d'informations sur les consoles japonaises Dreamcast et PlayStation 2.

La Gazette Interactive Informatique

membres.lycos.fr/toxik 

Au sommaire : historique des jeux vidéo, d'Ubi Soft et d'Ubi Picture.

La lettre de l'Internet

www.lalettre.com

Destinée aux professionnels et aux sociétés désirant s'informer et se former à l'utilisation du réseau, pour réussir leur développement marketing et stratégique. Distribuée uniquement par abonnement et consultable sur le Net.

Le Lézard.com

www.lelezard.com

Le Lézard.com est un site d'actualité orienté informatique, Internet, musique, sciences, technologies, musique et affaires.

L'Internaute

www.linternaute.com

Webzine dédié à l'actualité du Net : dossiers, tests de cyberboutiques, sites du jour, comparatifs, les 20 merveilles du Web, etc.

M6game.fr

m6game.m6.fr/html/index.shtml

Portail M6 dédié aux jeux vidéo : tests, reportages, astuces et téléchargements.

Macdepart

www.macdepart.com

Point de départ incontournable pour ceux qui travaillent sur PowerMac, iMac, iBook. Actualité, moteur de recherche, annonces…

Micro Info

micro.info

Les productions 640Kb Inc. est une entreprise québécoise qui a pour mission de développer des contenus technologiques pour la télévision, la radio et le Web.

Multimédia-fr

membres.lycos.fr/multimediafr

Site dédié aux jeux vidéo : news, tests, previews, solutions, chats.

Netexit

www.netexit.com

Toute l'actualité du monde de l'informatique et du multimédia. A consulter absolument.

Netsurf

www.netsurf.ch

Souvent en avance sur ses concurrents, Netsurf est un grand site d'information sur le Net.

PC-Tests

pc-tests.com

Actualité informatique sur PC-tests : dossiers, tests, forums, utilitaires.

Planet gamers

www.planetgamers.com

Toute l'actualité quotidienne des jeux vidéo PC et consoles : tests, previews, plus de 15 000 astuces, solutions, démos utilisables, vidéos live, patchs, jeux en réseau, clans, forums, concours.

Réseaux & Télécom

www.reseaux-telecoms.net

Site du magazine n° 1 de la presse télécommunications et réseaux d'entreprise.

Rpgtown.com

www.rpgtown.com

Référence francophone en ligne des amateurs de RPG : tests, solutions, musiques, dessins, et bien d'autres choses.

Sugoi

www.the-sugoi.com

Webzine dédié aux jeux vidéo sur PC et consoles : news, top 10, preview, tests, astuces, FAQ.

Svm.vnunet.fr 

www.vnunet.fr/SVM

Site de la revue informatique Science & Vie Micro : infos du jour, revue de presse, agenda, dossiers mensuels, programmes à télécharger, etc.

The game way 

www.thegameway.com

Actualités sur les jeux PC : démos, solutions, drivers, articles, tests.

Univers jeux

www.universjeux.net

Site consacré à l'actualité des jeux vidéo.

Welcome to webstation 

www.chez.com/thewebstation

Le meilleur de l'actualité des jeux vidéo, de la micro, du sport et de l'émulation.

World maniac player  

www.chez.com/wmp

Site dédié aux jeux vidéo : tests, dossiers, actualités, liste de diffusion et espaces de discussion.

Journaux et magazines en ligne : musique

Altamusica 

www.altamusica.com

Actualité internationale de la musique classique : concerts, entretiens, critiques de concerts, chroniques, dossiers, sélection de CD et revues de presse.

Lycos musique 

www.musique.lycos.fr

Magazine et guide du téléchargement MP3.

Mezzo 

www.mezzo.tv

Mezzo s'intéresse à la musique classique, au jazz, à la danse et aux musiques du monde. Toutes les semaines, découvrez les rubriques, les sélections, les programmes de la chaîne de télévision et une sélection de sites complémentaires.

MTV 

www.mtv.fr

Retrouvez les actualités musicales, l'agenda des concerts à Paris et dans les différentes régions de France, les sorties CD, les interviews des artistes et toutes les émissions et programmes de la chaîne musicale MTV.

Rock'n France 

rocknfrance.free.fr

Portail et annuaire du rock français : promotion des artistes rock français, auto-référencement des meilleurs groupes rock français.

Journaux et magazines en ligne : sport

Allrugby.com

homepages.nat.fr/~jroca

Site généraliste sur le rugby.

Alpinisme et expédition lointaine

www.expe.com

Site de la FFME : retrouvez l'actualité, les conseils, des infos sur l'alpinisme et les montagnes du monde.

Aviation & pilote

www.aviation-pilote.com

Toute l'actualité aéronautique : agenda, manifestations, photos et liens complémentaires.

F1-Live.com

f1.racing-live.com/fr

Webzine consacré à la F1 : résultats, photos, classements, écuries, pilotes, F1 en direct, articles de fond et archives.

Fédération française des sports de glace

www.ffsg.org

Le site de la Fédération française des sports de glace vous informe sur l'actualité et les résultats des sports de glace : hockey, luge, curling, patinage artistique, etc.

France 3 Sport

sport.france3.fr

Actualité du sport par France 3.

France golf

www.francegolf.fr

Site de la revue Golf Magazine. Dédié aux passionnés mais aussi aux débutants.

Galoway

www.galoway.com

Pour tout savoir sur l'équitation, pour toujours rester informé sur l'actualité, les compétitions, l'agenda, pour trouver les réponses à toutes les questions que vous vous posez, visitez ce site.

Google News - Sports

news.google.fr/news/fr/fr/sports.html

Toute l'actualité du sport par le moteur de recherche Google.

Inforugby

www.inforugby.com

Actualité sur le rugby d'élite 1 et 2 ainsi que sur les coupes d'Europe. Classements nationaux et internationaux.

Le journal du sport numérique

technosport.canalblog.com

Toute l'actualité du sport et des nouvelles technologies (Internet, mobile, jeu vidéo, informatique) à destination des professionnels du marketing, des nouveaux médias, du sport et des loisirs.

Le mensuel du sport

perso.wanadoo.fr/maxi.sports

Chroniques sur l'actualité du sport par de jeunes pigistes âgés de 16 ans.

Moto net

www.moto-net.com

Webzine indépendant et gratuit d'information sur la moto.

ParaMag

www.para-mag.com

ParaMag est le magazine préféré de la communauté des parachutistes.

Paris turf

www.paris-turf.com

Le quotidien du cheval propose toute l'actualité et les résultats des sports équestres. Attention, certaines informations (prévisions et rapports) sont payantes.

Quartz

www.alpage.com/quartz/firstq.htm

Journal en ligne dédié à la montagne : escalade, alpinisme, ski, randonnée, VTT, canyoning, parapente, spéléo, nature, géologie.

Rally-live.com

rally.racing-live.com/fr/index.html

Les amateurs de rallye trouveront sur ce site l'actualité, les résultats et le calendrier des événements à venir.

Rugbytreize.com

www.rugbytreize.com

Ce site rend hommage au rugby à XIII et offre aux supporters une source d'information sur ce sport : clubs, top 13, résultats, règles, palmarès, etc.

Sail online, le portail de la mer

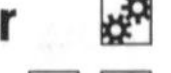

www.sail-online.fr

Ce site donne toute l'actualité et les résultats des sports de navigation voile et moteur.

Sextan

www.sextan.com

Site dédié à la mer : pêche, voile, marine marchande, bibliographie maritime, articles de presse spécialisés, photos, recettes de cuisine et petites annonces gratuites, plaisance, découverte d'artistes.

Sport Première Magazine

www.sportpremiere.com

Toute l'actualité sur l'économie du sport pour les professionnels de l'industrie, de la distribution, de l'événementiel sport/loisirs.

Véloce, tout le parachutisme sportif en France

www.veloce-skydive.com

Résultats nationaux et internationaux du parachutisme sportif en France par discipline : photos, articles et news.

Vol Moteur

www.flying-pages.com/VolMoteur/Welcome.html

Magazine français de toute l'aviation ultralégère motorisée: tricycles, paramoteurs, avions en kit, 3 axes, gyrocoptères.

Volez

www.volez.com

Site du magazine français Volez : groupe de nouvelles, cote des aéronefs, QCM, abonnement, commande de magazines.

Voyages de pêche

www.voyagesdepeche.com

Pour partir tous les deux mois vers les plus belles destinations de pêche, consultez ce site.

Publicité

Films publicitaires pour agences de publicité

www.publivore.com

Ce site propose des films publicitaires pour agences de publicité, des spots publicitaires, des spots TV et un concours de création.

Hi-media

www.hi-media.com

Première régie publicitaire sur Internet en France. La valeur ajoutée du réseau Hi-Media repose sur les compétences de la société, dans l'intermédiation commerciale et technique et la gestion de bases de données sur le profil comportemental des internautes vis-à-vis de la publicité. Ce site permet aux annonceurs potentiels de rejoindre le réseau Hi-Media.

Le journal du Net - publicité

www.journaldunet.com/fils/sommaire_publicite.shtml

Volet Publicité de l'hebdomadaire en ligne, Le journal du Net.

Le musée de la Publicité

www.museedelapub.org

Découvrez le musée de la Publicité, installé rue de Rivoli, à Paris, en 1999.

Les mécanismes de la publicité

psychcom.free.fr

Au programme : rhétorique de la publicité, psychosociologie de la publicité, modèles de communication, différentes formes de la communication publicitaire.

M6 publicité

www.m6pub.com

Le site de M6 Publicité donne accès aux programmes de la chaîne M6 et à différents supports publicitaires (Paris Première, Série Club, Téva, Fun TV, etc.).

Numériland

www.numeriland.com

Numériland est une régie publicitaire indépendante, spécialisée dans le multimédia. Elle propose de créer des mini-sites publicitaires, des bandeaux, des jeux publicitaires et des outils de gestion de campagne.

Pubs TV

www.pubstv.com

Découvrez les publicités du monde diffusées à la télévision et au cinéma.

Radioamateurs

14at502, Olivier

perso.wanadoo.fr/oli

Découvrez la station, les QSL et le club de ce radioamateur et signez son livre d'or.

14at920, Thierry

at920.free.fr

Site du radioamateur 14AT920, radio 11 mètres ALFA TANGO AT.

14rsi02, Gilles

www.creaweb.fr/schuss

Ce radioamateur présente sa station et vous offre une FAQ sur la SSTV (Slow Scan TV).

Cdxc 929, Florent Moudar

perso.wanadoo.fr/f5cwu

Découvrez la station de ce radioamateur et parcourez les comptes rendus de ses expéditions.

CQ magazine

ne.magazine.free.fr

Site officiel de CQ magazine, la revue du radioamateur actif.

Cyber Ortis

www.chez.com/cyberortis

Sur le site de ce radioamateur, découvrez l'alphabet international, les classes d'émissions et le code Q international.

Devenir radioamateur

www.astrosurf.com/lombry/qsl-licence.htm

Ce site indique toutes les étapes pour devenir radioamateur.

F1 BJJ radioamateur

f1bjj.free.fr

De nombreuses informations à destination des radioamateurs : réglementation sur les antennes, plan de fréquences, classes d'émissions, bandes OM, liste des BBS français, etc.

F1BLB

f1blb.chez.tiscali.fr

Ce radioamateur du Cantal vous propose de visiter sa station et d'accéder à des liens complémentaires.

F1FRE et F6BGR

membres.lycos.fr/f6bgr

Ce site décrit deux stations de radioamateurs, présente le Radio-club f6kev, la norme du pas de 12,5 kHz en FM, les duplexeurs, le code morse, les abréviations de trafic en phonie et CW, la télévision d'amateur et les satellites météo.

F1lxl, Jean-Pierre Houssin

perso.club-Internet.fr/houssinj

Ce radioamateur vous invite à découvrir sa station, donne des conseils relatifs au choix du matériel et des liens vers des sites complémentaires.

F1tzz, Philippe de France

perso.wanadoo.fr/f1tzz

Site de F1TZZ, radioamateur dans le département de l'Aube : présentation de la station, liens OM, météo, concours, APRS, etc.

F4anj

f4anj.free.fr

Ce site, dédié au radioamateurisme, vous invite à visualiser/imprimer le texte de la nouvelle réglementation et à visiter la galerie de QSL.

F4apr, Eric Bazzoli

www.f4apr.fr.st

Visitez la station de ce radioamateur et parcourez ses nombreux liens.

F5ejc

perso.wanadoo.fr/f5ejc/page3.html

Visitez la station de ce radioamateur, découvrez la galerie de QSL, et si vous le souhaitez, commandez quelques échantillons.

F5jit

www.chez.com/f5jit

Faites connaissance avec ce radioamateur, visitez sa station, téléchargez l'alphabet morse et consultez sa sélection de liens.

F5NSL

membres.lycos.fr/f5nsl

Consultez les liens et autres informations radio et radioamateur proposés par F5NSL, radioamateur de Gironde.

F5pmd, Jean-Pierre Marty

jpmarty.free.fr

Sur le magazine de Jean-Pierre Marty (F5PMD), vous trouverez des informations sur le radioamateurisme.

Occasion radioamateur et CB

f1afz.free.fr

Le site de l'occasion radioamateur et CB : yaesu, kenwood, icom, alinco, informatique, etc.

Radioamateur.ca

www.radioamateur.ca

Ce site, dédié aux radioamateurs canadiens, contient toutes les informations nécessaires pour que vous obteniez votre certificat de compétence de base, et vous guide afin que vous opériez selon les règles de l'art.

Radioamateur.ch

www.radioamateur.ch

Le site des radioamateurs suisses offre des services Internet pour les radioamateurs licenciés et coordonne le "packet radio" en Suisse romande.

Radioamateur.net

www.radioamateur.net

Portail des radioamateurs francophones.

Radioamateur.org

www.radioamateur.org

Rendez-vous des radioamateurs : petites annonces gratuites, enchères, forum, liens, annuaire e-mail, QSL infos, sondages, calendrier, etc.

Union française des radioamateurs

www.ref-union.org/promotion/index.php

Site officiel de l'Union française des radioamateurs : formation, association, documents du REF, sites Web, poursuites satellites, etc.

Radios

100 ans de radio

100ansderadio.free.fr/

Le site de la radio en France : cent ans de radio, l'histoire de la radio en France, les stations, de la TSF des années 20 aux FM d'aujourd'hui, des centaines de documents d'archives, un guide et un annuaire de la radio.

1001 radios

1001radios.ifrance.com

Ecoutez et vibrez en live avec le must des radios : les musiques du moment et l'info vous sont servies sur un plateau radiophonique.

Accent 4

www.accent4.com

Présentation de radio-Sélestat, radio-Colmar et de FM radio-Strasbourg.

Africa n° 1

www.africa1.com

Radio carrefour des africains francophones : actualités africaines, animations multimédias, programmes de la radio, fréquences.

All 4 radio

www.chez.com/came/RADIOLIVE.htm

En un clic, ce site donne accès à de nombreuses radios live françaises et internationales.

Alouette

www.alouette.fr

Alouette : l'antenne, l'actualité, l'équipe, les événements du réseau régional musical de l'ouest de la France.

Ampli virtuel

www.tv-radio.com

Ampli virtuel, c'est une webradio et une web-TV en direct. Vous pouvez y capter et télécharger vos émissions télévisées et vos stations radio.

Annuaire des radios FM

www.brume.org/radios

Annuaire des radios FM françaises.

Annuaire des radios françaises

www.annuaire.fr.fm

Moteur de recherche des radios françaises par département ou par radio.

ARMAC

www.amarc.org

Ce réseau d'échanges et de solidarité tente de faciliter la coopération entre les radiodiffuseurs communautaires.

Art and be

www.artandbe.com

Structure musicale spécialisée dans l'arrangement, la réalisation, la programmation et l'enregistrement de toute œuvre musicale.

ARTOTAL Streamline

www.artotal.com/streamline/streamy.htm

ARTOTAL Streamline donne accès à de nombreuses radios techno, bass, house, jazz, classique, latino, rap, etc.

Audio troc

membres.lycos.fr/audiotroc/ debut.htm

Emissions radio de France Culture en Real-Audio.

AYP FM

www.aypfm.com

Informations et émissions en continu de la radio arménienne.

Bande Originale

membres.lycos.fr/bandeoriginale

Webradio dédiée aux musiques de films.

Bandeoriginale.com

membres.lycos.fr/bandeoriginale

Webradio de bandes originales de films.

Beur FM

www.beurfm.net

Cette webradio communautaire diffuse des programmes RealAudio en français, arabe et berbère.

Bide et musique

www.bide-et-musique.com

Consultez les programmes de cette webradio, participez au forum, au chat et écoutez vos émissions préférées.

BonWeb - Loisirs, radios

www.bonweb.com/p_4_164.php

Sélection des meilleurs sites de radio, par bonweb.com.

Cannes 13

www.europe2.fr

Le site de la radio Europe 2 : news, radio, musique, cinéma, forum, loisirs, jeux, shopping.

C'est bien fait pour toi

www.cbfpt.com

Au programme de cette webradio : musique, humour, cinéma, médias et radio live 24 heures sur 24.

Chérie FM

www.cheriefm.fr

Ecoutez la radio en direct, ses émissions, programmes, chroniques et chansons. Trouvez les fréquences, consultez votre horoscope et participez à des forums.

Citizen band, Maxime Legas

www.chez.com/mlegas/CB

Pour tous les cibistes en herbe. Des informations claires et détaillées sur la CB et son bon usage.

Cob FM

cobfm.free.fr/event.php3

Le site officiel de COB FM 92.7, radio locale des Côtes-d'Armor.

COM FM

www.comfm.com

Guide de la radio et des sites médias sur Internet.

Comalaradio

www.comalaradio.tv

Site de l'émission TV d'NRJ sur ATV aux Antilles.

Couleur 3

www.couleur3.ch/fr/
index.html?sitesect=100

Découvrez les programmes de la webradio Couleur3, écoutez les émissions qui vous intéressent et consultez les archives.

Countryfr

www.countryfr.com

Annuaire officiel français de la musique country américaine : new country, traditional, bluegrass, West coast.

C'rock radio 89.5 fm

www.crockradio.com

Radio de la région viennoise (France).

Damase, radio pirate

www.pirateradio.fr.fm

WebRadio hard-rock.

Diora.com

www.dioranews.com

Ecoutez RFI sur Internet et découvrez les dossiers d'actualité, les programmes et les fréquences de RFI à travers le monde, toutes les émissions, le club RFI, les forums de discussion, etc.

EFM, Essonne FM

www.radioefm.com

EFM, la radio Essonne : sites des villes du 91, infos sorties, musique, informations locales, cinéma, météo et point route en Essonne, nouvelles musiques.

E-frenchsound

www.e-frenchsound.com

Site dédié à la musique électronique française : dans les bacs, sélections, liste de diffusion.

Emissions en ondes courtes

perso.wanadoo.fr/jm.aubier

Site consacré à la radiodiffusion internationale, essentiellement sur ondes courtes.

E-radioTV.org

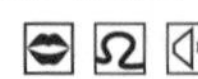

www.e-radiotv.org

Portail de radios et télévisions chrétiennes : radio, MP3, émissions, RealAudio, QuickTime, témoignages, conseils et ressources pour professionnels.

Espace FM

www.espacefm.com

Webradio pour tous les amateurs d'ambiances créoles et exotiques.

EurockWeb

membres.lycos.fr/eurockweb

Webradio 100 % rock.

Europe 2

www.europe2.fr

Le site donne les programmes de la station, permet de joindre les animateurs, d'écouter des morceaux choisis, de jouer en ligne et de participer à des concours.

Europeinfos.com

www.europeinfos.com

Le site d'information d'Europe 1 : débats, forums ainsi que les rubriques économie, bourse, sports, foot, multimédia, international, France, politique et société.

EuroRock Rennes

www.infosjeunesfm.com

EuroRock Rennes propose une liste des meilleurs nouveaux sites et contenus : pages perso, actualité et listes de diffusion. Pour les blasés de la Toile.

Feeling Music

www.feelingmusic.net

Feeling Music organise des concours musicaux et vend du matériel musical à prix réduit.

Fréquence Webradio

www.frequence-webradios.com

Avec l'avènement de l'Internet haut débit, des dizaines de webradios ont été créées par des équipes de passionnés. Fréquence Webradio les aide à se faire connaître auprès d'un large public et apporte un soutien à ces espaces de libre expression musicale et vocale.

Fun radio, groove dance

www.funradio.fr

Le site de Fun Radio : infos, chroniques, émissions, chat, sorties, webTV, radio live.

Institut national de l'audiovisuel

www.ina.fr

Activités de l'Institut, actualité et catalogues : disques, vidéos, CD-ROM, publications, stages de formation, notices des programmes TV et radio, nombreuses séquences audio et vidéo, bourse à l'emploi du multimédia.

La Citizen Band

membres.lycos.fr/fdx

Réglementation et termes techniques en CB. Hébergement de la FFCBL (Fédération française de la Citizen-Band libre).

La radio en or

www.rfm.fr

RFM propose un cocktail fondé sur les racines françaises et internationales des seventies. La programmation de RFM inclut aussi les grandes chansons, des années 80 à nos jours.

L'annuaire de la radio

www.annuairedelaradio.com

Tous les sites consacrés aux radios françaises en deux clics de souris.

Le monde de la radio

membres.lycos.fr/seb1980/radio/radio_frame.htm

Au programme : annuaire des fréquences radio et rubriques générales concernant l'actualité de la bande FM.

Le Monde.fr - A la Une

www.lemonde.fr

Le site du quotidien Le Monde : actualités, dernières dépêches, archives, forums, météo, chaînes, e-mail gratuit.

Les Indépendants

www.lesindependants.com

Partout en France le format "musical et informatif" des Indépendants apporte en région un programme original, différent des opérateurs nationaux. C'est une des raisons du succès auprès des auditeurs.

Live FM

www.comfm.com/live/radio

Annuaire des webradios live en France et dans le Monde (plus de 100 pays et 2 550 stations). Vous pouvez écouter directement les stations depuis ce site en cliquant sur la radio choisie.

Maurice radio libre

www.mauriceradiolibre.com

Résultat de la fusion du site du club Maurice Radio Libre et du site officiel Maurice Radio Libre. Découvrez les émissions, participez au forum, au chat et aux jeux concours.

MédiaRadio.com

www.mediaradio.ca/cgi-bin/radioendirect.cgi

Le site mediaradio.com vous permet d'écouter en direct des stations de radio situées partout dans le monde.

Mobiquid

www.mobiquid.com

Vous entendez un morceau à la radio, vous voulez connaître le titre ainsi que le nom de l'artiste ? Mobiquid vous envoie l'information sur votre téléphone mobile.

Musicactu.com

www.musicactu.com

Référence des professionnels de la musique et du grand public : radio, scène française et internationale.

Nostalgie

www.nostalgie.fr/web/radio/radio.php3

Sur Nostalgie.fr, écoutez la radio Nostalgie en direct, accédez aux cinq derniers jours de la programmation, découvrez tous les programmes, jour par jour, heure par heure, et discutez de Nostalgie avec d'autres passionnés.

NRJ régies

www.nrjregies.fr

Le site de NRJ Régies présente les quatre stations du groupe et propose plusieurs services, accessibles après avoir communiqué votre adresse e-mail.

NRJ

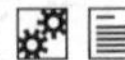

www.nrj.fr

Portail officiel de la radio : émissions en direct, programmes et fréquences, interviews, sites de stars, actualité du disque et extraits MP3. Retrouvez aussi des chroniques cinéma (sorties, bandes-annonces...), des programmes TV (concerts, clips vidéo), et les bons plans à Paris et en province.

Oui Rock

www.ouirock.com

Oui Rock donne accès à des radios en ligne, l'agenda des concerts, des spectacles et expos, des informations sur les derniers livres et BD, sur les sorties en salle, les sorties, les jeux vidéo, etc.

Pop Web

www.pobweb.com

Fréquences des réseaux de radio FM en France.

Pulsar : Poitiers, Châtellerault, Montmorillon

www.radio-pulsar.org

Radio Pulsar émet sur Poitiers et sur tout le département de la Vienne (86). Vous pouvez aussi l'écouter en modulation de fréquences (FM) sur 95.9 MHz.

Radio Apple Pie

www.radioapplepie.org

Enregistrée en public au Havre et diffusée sur Internet, retrouvez Radio Apple Pie : émissions avec des animateurs en chair et en os, de vrais invités qui viennent parler de disques, sculpture, écologie, humour, actualité.

Radio BFM

www.radiobfm.com/index22.php

Le site permet d'écouter la radio économique et financière BFM en direct, de sélectionner les émissions qui vous intéressent et ainsi constituer votre propre radio. Vous pouvez également accéder aux archives sonores, découvrir les programmes et les services de BFM. Simple et efficace.

Radio Caraïbes

www.rci.gp

Sur radio Caraïbes : grille de programmes, chiffres d'audience, radio en live et journal du jour.

Radio Classique

www.radioclassique.fr

Radio Classique s'adresse aussi bien au mélomane confirmé qu'à l'amateur désireux de découvrir la musique. Le pôle musique du site présente l'émission du jour, les programmes et permet d'écouter la radio en direct. Le pôle économie donne accès à la bourse en direct, propose des conseils boursiers, une revue de presse, etc.

Radio Espace

www.radioespace.com

Ecoutez le meilleur de Lyon avec Radio Espace : 50 % tubes, 50 % infos.

Radio intensité

www.intensite.net

La première radio d'Eure-et-Loir à Châteaudun.

Radio Junior

www.radiojunior.com

Radio Junior, la première radio européenne des moins de quinze ans, donne accès à de nombreuses rubriques : écoute en direct, concerts, contes, dossiers, recettes, stars, etc.

Radio Latina

www.latina.fr

Radio officielle de la fiesta : émissions en direct, programmes et fréquences, interviews, agenda des concerts et bonnes adresses latines.

Radio Live, toute l'actualité musicale avec RTL2

www.rtl2.fr

Le site de la radio RTL2 : c'est pas trop tôt, le journal des stars, l'espace Chat, la sitcom, le flash info, l'événement.

Radio Pirate

www.pirateradio.fr.fm

Webradio hard-rock et métal.

Radio Scoop

www.radioscoop.com

Radio Scoop, webradio régionale en Rhône-Alpes : "Plus près, on s'entend mieux."

Radio Show

matrix.reload.9online.fr

Radio Show, la station balnéaire à Paris : disk-funk des années 80.

Radio Sorbonne

www.francelink.com/radio_stations/sorbonne/srfgrille.html

La radio de l'université parisienne propose des cours à écouter en RealAudio.

Radio talk news

www.rmc.mc

Site officiel de la plus musicale des radios généralistes : émissions, fréquences, programmes, e-mails des animateurs, infos sportives.

Radio2net

radio2net.free.fr

Cette webradio peut s'écouter en live ou en MP3.

RadioActif.com

radioactif.com

Ce site donne accès à quatre webradios et à une émission interactive: webcam en studio, MP3, humour, chat, forum, rencontres, rock, techno, hip-hop, etc.

RadioActu, l'esprit FM

www.radioactu.com

RadioActu présente le programme de nombreuses radios FM et donne accès aux annuaires des fréquences et des radios en ligne. Elle permet de suivre, en différé, des flashs d'information et des communiqués officiels, et d'accéder à l'espace Petites annonces.

Radioceros

www.radioceros.com

Suivi simultané de neuf canaux : techno-dub, rock-pop, reggae, jazz-blues, BO de films, musique du monde, rap, made in France et hip-hop.

RadioFG Online

www.radiofg.com

Ce site donne accès à différentes radios en direct sur le Net.

RadioGag

www.radiogag.com

RadioGag, la première radio d'humour sur le Net : blagues, webcams, concours de grimaces, vidéos, news, best of comiques, forum, chat.

Radionet

www.f6aiu.levillage.org/espritnews/index.php3

Des émissions, des programmes musicaux, des infos sur les dernières nouveautés disponibles sur le Net, des canulars, délires et blagues.

Radio-phonic

www.chez.com/radiophonic

Webradio de la région viennoise (France).

RadioPhyl

membres.lycos.fr/syldec

RadioPhyl permet l'écoute immédiate des radios qui diffusent leurs programmes en direct sur Internet.

Radios françaises sur le Net

www.annuairedelaradio.com

Annuaire de recherche des sites français consacrés à la radio.

Radios live

radios.syxy.com

Ecoutez les principales radios françaises diffusées en direct sur le Net.

Radio-star

perso.magic.fr/pradines

Découvrez la grille des programmes hebdomadaires, les émissions et animateurs vedettes de cette webradio.

Radiotv.org

www.radiotv.org

Portail et annuaire des sites radio et TV dans le monde, métiers de la radiotélévision, annuaire de la presse audiovisuelle internationale, salon international de la radio, salon de la télévision locale.

RCF : Radios chrétiennes de France

www.rcf.fr

Découvrez la grille de programmes et trouvez la station la plus proche de chez vous.

RCJ : Radio de la communauté juive

www.rcjfm.com

Cette station locale s'adresse avant tout à la communauté juive de France.

RCP : Radio Campus Paris

www.radiocampusparis.org

Sur Radio Campus Paris, les étudiants "internettent" la radio. Rendez-vous sur le portail étudiant francilien pour consulter les émissions en ligne, l'agenda, les annonces, les bons plans et pour prendre des contacts.

RFI aujourd'hui

www.radiofranceinternationale.fr

Le site de la radio RFI : radio en direct, audio à la carte, journal, magazine, forums, zone de téléchargement, dossiers.

Roc fm, Le tempo du Nord

www.rocfm.com

Sur Roc fm, webradio régionale de Lille, écoutez vos émissions préférées et consultez les chroniques.

RTL

www.rtl.fr

Découvrez les programmes de la radio, l'actualité, les sports, le magazine, les archives, les jeux en ligne, écoutez les émissions en RealAudio et donnez votre opinion sur les espaces de chat.

RTS FM, Languedoc Roussillon

www.rtsfm.com

Site officiel de RTS FM, webradio indépendante du Languedoc-Roussillon. Tous les jours, jouez et gagnez des cadeaux, écoutez les dernières nouveautés, suivez les émissions en direct.

Skyrock

www.skyrock.com

Le site de la radio Skyrock : radio libre, événements, film de la semaine, planète rap, rencontres.

Starsystem online

www.netitnow.com/starsystem

Emission radio par Max de Fun Radio.

Sud Radio

www.sudradio.fr

Découvrez les programmes de Sud Radio, écoutez les émissions en direct, écrivez aux animateurs et suivez toute l'info sport.

Tan que vive FM

www.tanquevivefm.be

Découvrez l'équipe, les programmes et autres activités de la station radio du grand Charleroi (Belgique) Tan Que Vive FM.

Sites généraux, portails

Annuaire Bellefaye

www.bellefaye.com

Annuaire des professionnels de la presse, de l'audiovisuel et du cinéma.

Aujourdhui.com

www.aujourdhui.com

Découvrez ce que vous pouvez faire sur le Web le jour où vous vous connectez. Au programme : devinettes, citations, quiz, horoscope, cartes virtuelles, images drôles, vidéos gag, pin-up ainsi que de nombreux sites permettant de surfer malin.

Blymp hardware

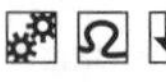

blymp.free.fr/materiel

Tests de composantes PC : cartes mères, CPU, disques durs, CD/DVD, cartes son, benchmarks, boîte à outils.

Guide de la radio et des médias

www.comfm.com

COM FM, le guide de la radio et des médias recense les radios, télévisions et webcams qui proposent des émissions en direct. Un vrai bonheur si vous utilisez l'ADSL.

Guide de la radio et du son en ligne

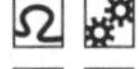

www.leguideradio.com

Guide professionnel de la radio et du son en ligne.

Guide de la télévision

www.chez.com/guides/tv

Annuaire de chaînes TV françaises et étrangères.

Guide des 200 chaînes

www.liberation.com/tele

Guide virtuel des chaînes TV françaises ou étrangères, hertziennes ou numériques.

INA, imagina

www.ina.fr/Imagina

L'INA se recentre actuellement sur sa mission fondamentale de conservation et de valorisation des archives audiovisuelles. Ces travaux sont complétés par des études techniques et socio-économiques sur l'univers audiovisuel dans le contexte numérique. Le site donne accès à de nombreuses archives, à l'actualité de la société et à une boutique virtuelle.

Le kiosque à journaux du Web

membres.lycos.fr/kiosques

Guide électronique des journaux et magazines.

Le Monde en presse

www.geocities.com/koursk

Ce guide dresse la liste des grands quotidiens du monde entier, classés par continents et par pays.

Le portail-média.com

www.portail-media.com

Le meilleur des ressources du Web français, pratique et indispensable au quotidien : presse, médias, services Internet.

Live TV

www.comfm.com/live/tv

Annuaire des télévisions en direct (411 canaux TV).

Médias francophones

membres.lycos.fr/multimedias

Annuaire des médias francophones : TV, radios, streaming, presse, magazines, astrologie.

Médias infos

www.mediasinfos.com

Annuaire des médias français et liens complémentaires.

Mobiles

goodies.tf1.fr/goodies/sonneries/0,,,00.html

Site dédié aux mobiles par TF1.fr : choisir son mobile, news, dossiers, sonneries et logos, messages d'alerte, portail vocal 831, TF1 en poche, annuaire des mobiles, etc.

Portail média

www.portail-media.com

Le meilleur des ressources du Web français presse et médias.

Presse française en ligne

www.histen-riller.fr/lapressefrancaise.htm

Ce kiosque vous permet d'accéder à la plupart des sites des quotidiens ou hebdomadaires français d'information présents sur le Web.

Presse francophone - Le guide

www.giga-presse.com

La presse en ligne des meilleurs journaux et magazines gratuits sur le Net dans les domaines suivants : actualité, sciences, technique, sport, humour, culture, art, littérature et musique.

Radios live

www.radios.syxy.com

Ecoutez les principales radios françaises diffusées en direct sur le Net.

RadioTV

www.radiotv.org

Portail et annuaire des sites radios et TV dans le monde. Métiers et jobs de la radiotélévision. Annuaire de la presse audiovisuelle internationale. Salon international de la radio. Salon de la télévision locale.

Ushuaïa

www.ushuaia.com

Ushuaïa Nature, le site du magazine Ushuaïa, donne accès aux images, musiques et clips des émissions.

Wattcast

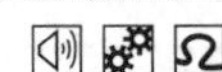

www.wattcast.com

Wattcast sélectionne pour vous les meilleures chaînes TV du monde entier qui émettent en direct ou en différé sur Internet.

Yahoo! France news

fr.news.yahoo.com

Portail Information de Yahoo! France.

Télévision, vidéo, DVD

3x+ Net

www.3foisplusnet.com

Site de l'émission TV 3 fois plus Net de Florian Gazan et Orianne Garcia.

AB Moteurs

www.abmoteurs.fr

Le portail de la chaîne satellite AB Moteurs propose ses services : véhicules d'occasion, conseils pratiques, informations, documentaires sur les automobiles, motos, avions et bateaux, financement, assurance ou reprise, météo, itinéraire, trafic, etc.

ABC Luxe TV

www.abc-luxetv.com

La première chaîne de télévision sur Internet entièrement dédiée au secteur du luxe.

Absolutecover.com

www.absolutecover.com

Ce site propose de très nombreuses jaquettes VHS et DVD à télécharger.

Actu vidéo

www.actuvideo.info

Toute l'actualité de la vidéo et du DVD.

Ados

www.ados.fr

Sur ce site, séries (X-Files, Dawson, Buffy), musique, tchatche et Net, etc.

All McBeal ON_AIR

allymcbeal.series-onair.com

Tout sur Ally McBeal : l'histoire, les personnages, la musique, les news, liste de discussion, le chat, la boutique, les vidéos.

Aram

aram.free.fr

Sur ce site, vous trouverez des jaquettes vidéo et audio et une sélection de graphismes d'heroic fantasy.

Arte télévision Europe

www.arte-tv.com

Arte, chaîne européenne de télévision culturelle franco-allemande : programmes et boutique (livre, vidéo, CD-ROM, DVD).

Bestdvd.com

www.bestdvd.com

Boutique en ligne spécialisée dans le DVD zone2.

BonWeb - Loisirs, télévisions

www.bonweb.com/p_4_141.php

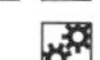

Sélection des meilleurs sites de télévisions, par bonweb.com.

Buffy contre les vampires et Angel

lemondedebuffy.free.fr

Site consacré à la série Buffy contre les vampires. On y trouve : la biographie de SMG, les personnages, les monstres, les saisons, les critiques, de nombreuses images, des histoires de fans, un historique vampires et démons, un chat et un forum.

Caméléon

www.chez.com/cameleon/index1.html

Site consacré à la série Le Caméléon : FAQ, projets, articles de presse, news, épisodes, sons, liens, MP3.

Canal Jimmy

www.canaljimmy.fr

Site de la chaîne Canal Jimmy : la une, événements, goodies, séries, musique, mécanique, cinéma, magazines, programmes.

Canal Plus Horizons

www.canalhorizons.com

Canal Plus Horizons est une chaîne francophone de télévision à péage qui a pour vocation de proposer aux téléspectateurs africains les meilleurs programmes, avec une offre exceptionnelle de films et d'événements sportifs.

Canal Plus, Pages cinéma

www.cplus.fr/cinema

La chaîne cryptée de télévision française propose du cinéma, du sport, du "cyber", des infos, etc.

Canal Satellite

www.canalsatellite.fr

Le site de Canal Satellite indique comment vous abonner, présente les chaînes du bouquet et leur programme, et propose de vous avertir par e-mail lorsqu'un programme qui vous tient à cœur est sur le point d'être diffusé.

Canalplus.fr, de la télévision à Internet

www.canalplus.fr

Canal Plus, le site de la chaîne de télévision cryptée française et ses rubriques : sport, jeux, cinéma, comédie, "cyber", shop +, actus, infos sur Canal Plus, abonnements, émissions, etc.

Casimirland.com

www.casimirland.com

Venez retrouver le goût du Gloubiboulga sur Casimirland.

Charmed, le site des sœurs Halliwell

www.chez.com/charmed

Site consacré à la série Charmed : biographies, résumés des épisodes, photos, liens complémentaires, section multimédia, boutique.

Cine Now

www.cinenow.com/fr

Au programme sur Ciné Now : actualité du home cinéma, annuaire des revendeurs, nouveautés, quiz, tutorial, etc.

Ciné TV

www.cinetv.com

Ciné TV, toute l'actualité du cinéma et de la télévision pour les fous d'images : cinéma, télévision, DVD, home cinéma, etc.

Cineseries.com

www.cineseries.com

Annuaire de recherche sur les sites de séries et de stars, achat/vente de CD et K7 vidéo, dossiers, interviews de célébrités, télédico, horaires TV, forum et chat.

Cinestore

www.cinestore.com/html/first_home.php?id_partenaire=1&code_origine=1003ce

Site des passionnés de cinéma, séries TV et cartoons.

Cyber DVD film

www.cyberdvdfilm.com

Premier site francophone de vente de DVD sur Internet.

Cybercable

www.cybercable.fr

Ce site détaille l'actualité, les chaînes et les offres de l'opérateur NOOS pour les particuliers, les entreprises et les écoles.

Dawson's creek

membres.lycos.fr/rossnm

Tout sur la série Dawson's Creek : biographies, présentation des personnages, news, galeries de photos, guide d'épisodes avec résumés et scripts, musique des génériques, vidéos, liens complémentaires.

Destination DVD

www.destinationdvd.fr.st

Le meilleur du DVD zone 2.

Devil Dead

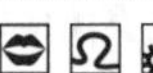

www.devildead.com

Tout le cinéma fantastique sur DVD.

Disney Channel

www.disney.fr/disneychannel

Le site de Disney Channel, la chaîne des enfants, propose au jeune public de retrouver ses héros et ses programmes, ainsi que de connaître à l'avance les dates de diffusion des émissions. Elle offre également quelques astuces pour des jeux.

DVD Alliance

www.dvdalliance.net

Actualité du DVD et du cinéma : news, critiques de DVD, bandes-annonces, festivals, tests de lecteurs, nouveautés.

DVD Home

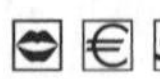
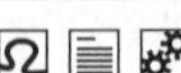

www.dvdhome.com

Boutique en ligne spécialisée en DVD : achat avec paiement sécurisé, petites annonces, forums, infos sur les DVD, sites complémentaires.

DVD live actualité

www.dvd-live.com/index.php?name=DB_Actualite

Toute l'actualité du DVD : guide des sorties, top 5 ventes, top 5 preview, boutique.

DVD vidéo

dvdhificinema.free.fr

Site référence du home cinéma et du DVD : conseils et tests matériel.

DVD Zone 2

www.dvdzone2.com/dvd

Le spécialiste européen du DVD vous propose plus de 3 000 titres au meilleur prix.

Dvdfly.com

www.dvdfly.com

Effectuez vos locations de DVD sans aucun déplacement : DVDFLY, pionnier de la location de DVD par Internet en France vous propose un choix de près de 3 400 titres en quelques clic de souris.

DVDtec

www.dvdtec.net

Annuaire des critiques de DVD du Web Francophone.

EDNE

www.emissions.qc.ca

Le site L'émotion des cinquante ans de télévision donne des informations sur les émissions de télévision. Le classement thématique est pratique et les renseignements fournis très complets.

Equidia

www.equidia.fr

Le site Web d'Equidia, la chaîne du cheval, vous renseigne sur ses programmes, sur l'actualité et les événements à ne pas rater. Elle vous donne également des renseignements sur les chevaux et vous propose de suivre des courses en ligne.

Forum du home cinéma

www.homecinema-fr.com

Ce portail du home cinéma donne accès à plusieurs centaines de sites, une liste de diffusion, un chat et plusieurs forums.

France 2

www.france2.fr

Le site du groupe France 2 propose de nombreuses rubriques. Entre autres, la une de vos quotidiens, les journaux télévisés, l'actualité du cinéma, les vidéo-récits, l'actualité auto et moto, les expositions.

France 3

www.france3.fr

Le site de France 3 présente ses programmes et diffuse les journaux régionaux en RealVideo.

France 5

www.france5.fr

Le site de La Cinquième donne des informations sur la chaîne, présente ses programmes (en ce moment, hier, demain, la grille, les émissions, cette semaine), donne accès à des jeux et à une boutique en ligne.

France Télévision

www.francetelevisions.fr/index_nr.htm

France Télévision propose des liens vers les sites des chaînes du groupe (France 2, France 3, La Cinquième, Euronews, Festival, Histoire, Mezzo et Régions) et donne accès à des rubriques thématiques : info, sport, jeunesse, régions, cinéma, jeux, guide TV, haut débit.

Funtv.fr 

funtv.m6.fr/html/index.shtml

Du groove ! De la dance ! C'est Fun TV ! Le site de la chaîne propose la grille des programmes, permet de parcourir les coulisses en vidéo et vous informe sur tout ce qui bouge en musique, cinéma, jeux vidéo, mode, médias, etc.

Game One  

www.gameone.fr

Chaîne TV des jeux vidéo : tests, tips, previews, Game One en live, démos (PC et consoles) en streaming, chats thématiques quotidiens, news express en vidéo, forums, Webcast et toutes les infos sur la chaîne.

Génération Satellite 

www.satmag.com

Sur Génération Satellite, vous trouverez des ressources, de nombreux liens et un annuaire sur la télévision par satellite.

Génération Séries 

perso.wanadoo.fr/geneseries

Ce site présente le magazine Génération Séries.

Guide TV du journal Libération

www.liberation.com/tele

L'arrivée du numérique fait exploser l'offre télévisuelle. Libération vous oriente dans la jungle des 200 chaînes du câble et des bouquets satellite.

Habillage TV.net 

nicolas.chatelain.free.fr

Stivi vous dévoile l'habillage des chaînes de télévision : génériques, logos, décors, bandes-annonces, etc.

Henry Chapier

www.henry-chapier.com

Site d'Henry Chapier et de son émission Le Divan.

Histoire de la télévision

histv.free.fr

Ce site est dédié à l'histoire de la télévision.

Histoire 

www.histoire.fr

Le site de la chaîne Histoire vous dévoile ses programmes, les événements à ne pas rater et donne accès à plusieurs clubs de passionnés. Elle vous permet de poser des questions à l'animateur Guillaume Durand.

Home vidéothèque 

vsoft.free.fr

Ce site donne accès à un programme qui permet à tous les passionnés de cinéma de gérer leur parc vidéo sans se fatiguer grâce aux bases de données accessibles par moviecovers.com.

Inculpé de meurtre

membres.lycos.fr/columbomania

Le plus grand site francophone dédié au lieutenant Columbo.

Institut national de l'audiovisuel

www.ina.fr

Activités de l'Institut, actualité et catalogues : disques, vidéos, CD-ROM, publications, stages de formation, notices des programmes TV et radio, nombreuses séquences audio et vidéo, bourse à l'emploi du multimédia.

Inter DVD

www.netavenue.net/interdvd

Des informations sur le DVD : lecteurs, films, DVD-ROM, petites annonces, forum et liste de diffusion.

Jean-Luc Delarue

membres.lycos.fr/jeanlucdelarue

Le premier site consacré à Jean-Luc Delarue (biographie, photos, etc.). N'hésitez pas à participer en envoyant photos et news de JLD.

La vérité est parmi nous

perso.wanadoo.fr/delenn.scully/Xfiles_verite.htm

X-Files, la vérité est parmi nous. Développée sur plusieurs pages, la naissance de la conspiration, son histoire, ses membres, son but ultime. Loin des sites qui font des listes de liens ou du recopiage, entrez ici au cœur de la série de SF des années 90.

LCI, la chaîne info

www.lci.fr

Le site de La Chaîne Info (LCI) dévoile ses programmes, vous permet de suivre certaines émissions en RealVideo (en direct ou en différé), donne accès à quelques dossiers d'actualité et se propose de vous tenir informé par e-mail lorsqu'une émission susceptible de vous intéresser est sur le point d'être diffusée.

Le pouvoir de Charmed

pouvoirdecharmed.free.fr/chips

Site entièrement consacré à la série Charmed : photos, vidéos, épisodes, personnages, acteurs et d'autres surprises à découvrir.

Le Télévore

www.televore.org

Ce site est destiné aux téléspectateurs français soucieux de leur réception hertzienne et du service public.

Lecameleon.fr.st

www.lecameleon.fr.st

Site dédié à la série Le Caméléon.

Les Feux de l'amour

katef.free.fr

Le premier site français sur la série, avec des centaines de photos, de la musique, des vidéos, les résumés de tous les épisodes, des forums, un chat, etc.

Les Mystères de l'Ouest

membres.lycos.fr/mystwest

Site dédié à la série Les Mystères de l'Ouest.

LOFTV.com

www.loftv.com

Guide des TV d'Internet : webTV, live, différés et archives des contenus vidéo diffusés sur le Net.

Lumière, Box-office européen

lumiere.obs.coe.int

Publications de référence de l'Observatoire européen de l'audiovisuel.

M6 - Serie Club

site.serieclub.m6.fr

Série Club est une chaîne spécialisée dans les séries en tout genre. Sur le site, vous découvrirez les programmes de la chaîne, des fiches sur vos acteurs préférés, l'actualité des stars et un ensemble de jeux sur vos séries préférées.

M6 publicité

www.m6pub.fr

Le groupe M6 présente toutes ses chaînes ainsi que les programmes de la semaine.

M6

www.m6.fr

Le site de la petite chaîne qui monte présente ses programmes, permet de visiter les studios grâce à une batterie de webcams, donne accès à un espace Jeux et à une boutique virtuelle.

Mezzo

www.mezzo.tv

Le site de Mezzo, la chaîne Musique Opéra Danse, donne la liste des programmes (en PDF), vous informe sur les rediffusions et sur les programmes à venir.

MonsieurCinema.com

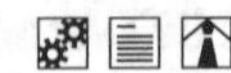

www.monsieurcinema.tiscali.fr

Ce site facilite vos choix cinéma, TV ou webTV, donne accès aux bandes-annonces du moment et à un ensemble de sites apparentés.

Musique-TV.com

www.musique-tv.com

Musique-TV.com s'intéresse à l'actualité de la musique. Vous y trouverez un magazine, des interviews et des biographies. Vous pourrez écouter des extraits de morceaux, visionner des clips et accéder à une zone de jeux.

Mylinea.com

www.mylinea.com/divxdvdlinks

Ce site donne accès à de nombreux liens en rapport avec les DVD, les DivX, l'encodage numérique, etc.

NatDom.com

www.natdom.com/modules/news

NatDom.com présente des méthodes d'encodage et de conversion utilisables en vidéo numérique.

Noos

www.noos.com

Noos, une source unique pour tous les contenus numériques : chaînes TV, Web, et une seule prise pour connecter vos téléviseurs et ordinateurs.

Planète

www.planete.tm.fr

Planète, la chaîne du document, propose un documentaire par mois. Sur le site, vous saurez comment vous abonner et aurez une idée des documentaires à venir.

Planète Numérique

www.planetenumerique.com

Avec Planète numérique, apprenez à créer et à lire vos vidéos sur CD et DVD.

Planete-Friends.com

www.planete-friends.com

Site dédié à la série Friends.

Programmes télé

telepoche.guidetele.com

Guide TV par thèmes, chaînes et tranches horaires. Très pratique. Couvre les TV publiques, TPS et CanalSat.

RadioTVonline

www.branchez-vous.com/nouveaux_sites

Portail sur les médias francophones présents sur le Net.

RTBF

www4.rtbf.be

Le site de la Radio-Télévision belge de la communauté française (RTBF) présente ses programmes et donne accès aux espaces TV et radio du groupe.

RTL9

www.rtl9.com

Le site de la chaîne lorraine RTL9 donne des informations sur sa grille de programmes, ses événements et donne accès à un espace Jeux. Elle propose également un historique de la télévision.

Runisland.tv

www.runisland.tv

WebTV consacrée aux îles de l'océan Indien (Réunion, Maurice). Diffusion de contenus touristiques, sportifs, culturels, nature, découverte et business.

Santa Barbara

santabarbara-online.com

Site dédié à la série Santa Barbara.

Satellifax

www.satellifax.com

Actualité de la télévision par satellite, SatelliFax, synthèse quotidienne de l'actualité, câble, satellite et télévision.

Science et environnement TV

www.science-environnement.com

WebTV dédiée à l'écologie scientifique.

Serenata

www.serenata.fr.st

Serenata vous propose des produits d'insonorisation et d'isolation acoustique pour home cinéma, télévision, hi-fi et informatique.

Séries on_air

www.series-onair.com

Toute l'actualité des séries TV en France et en Belgique, les programmes ainsi que des dossiers spéciaux.

Séries télévisées policières

www.chez.com/recipol

Ce site évoque les séries TV policières d'expression française (ou doublées) qui ont été les plus significatives depuis les débuts de la télévision : Les Cinq dernières minutes, Inspecteur Leclerc, Rouletabille, Vidocq, Arsène Lupin, etc.

Seriesquest

seriesquest.free.fr

La référence des fans de séries : infos, inédits, rencontres avec d'autres fans, etc.

Silence, ça pousse

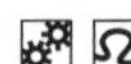

www.france5.fr/jardinage

Avoir la main verte est désormais facile, il suffit de regarder la télévision. La Cinquième présente Silence, ça pousse, un magazine qui vous propose 13 minutes d'immersion totale dans le monde du jardinage, de sa flore et de sa faune.

Stargate SG1

ibelgique.ifrance.com/gate-net

Site consacré à la série Stargate SG1 : guide des épisodes, personnages, mondes, technologies, images, multimédia et jeu par e-mail.

Stargate SG1

www.stargatesg1.fr.st

Site dédié à la série Stargate SG1 : galerie photos, guide des épisodes, interviews, news, téléchargements de vidéos, sons, arrière-plans Windows.

Studio K-Putty

www.k-putty.com

Ce site diffuse des dessins animés gratuits en français.

Télé 7 jours

www.tele7jours.com

Chaque jour, tous vos programmes de télévision, câble et satellite.

Télé Satellite

www.telesatellite.com

TéléSatellite.com vous dit tout sur les nouveaux moyens de télécommunication : liste des satellites, zones de couverture, chaînes françaises et étrangères, gratuites et payantes, en direct sur le Net, bouquets satellite, guide des programmes, Internet par satellite, dossiers techniques, petites annonces, FAQ, etc.

Télé souvenirs

www.telesouvenirs.com

Répertoire des sites qui se consacrent aux séries cultes de la télévision. Fichiers son (MIDI, WAV et MP3), horaires TV-CULTE, jeux, quiz.

TéléCinéWeb

www.telecineweb.com

L'annuaire de la télé et du ciné référence tous les sites amateurs ou professionnels ayant un rapport avec les séries TV et les films, les affiches, DVD, etc.

Téléfil.com

www.telefil.com

Sur ce site, vous trouverez un accès direct aux chaînes de télévision, un document sur l'histoire de la télévision et des conseils pour devenir animateur TV.

Téléobs.com

telecineobs.nouvelobs.com/asp/index.asp?jour=3

Outre les programmes TV, TéléObs propose un éditorial, des actualités, un carnet de bord et d'autres rubriques à découvrir.

Telepoche.fr

www.telepoche.fr

Tous les programmes de télévision par chaînes, l'actualité des séries TV, les stars, les clubs des séries et votre grille TV personnalisable.

Teleprog.com

www.teleprog.com

Sur Téléprog, vous pouvez consulter les programmes par heure, choisir une chaîne, sélectionner un jour de la semaine ou déterminer le genre de votre programme.

Télérama

www.telerama.fr

L'édition en ligne de Télérama, le journal qui vous parle de télévision, cinéma, livres, musique, multimédia et spectacles, donne un accès clair et rapide à l'information qui vous intéresse. De plus, il est possible d'être averti par e-mail dès qu'un de vos sujets favoris est programmé au cinéma ou à la télévision.

Telestar.fr

www.telestar.fr

L'actualité et l'encyclopédie des stars, les coulisses et les programmes TV.

TF1 pub

www.tf1pub.fr

TF1 donne des informations sur la publicité destinées au grand public et aux professionnels.

TF1

www.tf1.fr

Très agréable, le site de la chaîne TF1 donne accès à ses programmes à travers une arborescence thématique. Vous trouverez également des liens vers les programmes des autres chaînes et vers des sites dignes d'intérêt : l'essentiel du Web, webcams (Paris, Tour Eiffel, France, Monde, voyage, nouvelles), cinéma, shopping, etc.

TF1, Musique

www-compat.tf1.fr/unemusique

Sélection musicale de la chaîne TF1 : clips, biographies d'artistes et galeries de photos.

TF6

www.tf6.fr

Sur le site de TF6 : la chaîne, les programmes, à suivre, gros plans.

Toilettes mixtes

www.ifrance.com/ally/index.html

Site dédié à la série Ally Mc Beal.

TPS

www.tps.fr

Tout sur les chaînes et les programmes de TPS (télévision par satellite) : actualité, cinéma, sport, radios et services interactifs, ainsi que sur les offres d'abonnement au bouquet numérique.

TV de France

www.radiotv.org/tvfrance.html

Liste et guide de toutes les télévisions françaises présentes sur le Net. TV nationales, TV câble et satellite, TV locales, TV Internet.

TV mag.com

www.tvmag.com

Tvmag.com, le site de TV Magazine donne le programme TV, propose des articles de fond, des jeux et donne accès à un forum de discussion.

TVNT.NET

www.tvnt.net

Plus de 30 chaînes TV en qualité numérique, accessibles sans parabole ni câble... C'est pour bientôt en France grâce à la TVNT (TV numérique terrestre ou hertzienne).

TV-public.com

www.tv-public.com

Ce site permet d'assister à des émissions de télévision en public.

Urgences

membres.lycos.fr/doug

Site consacré à la série Urgences. Au programme : sons, résumés, lexique, vidéos, photos, biographies.

Volubilis

www.volubilis.net

Volubilis part à la rencontre des night-clubs en France et à l'étranger. La section TV regroupe des interviews de personnalités et propose plusieurs micros-trottoirs.

Voyage.fr

www.voyage.fr

Le site de la chaîne de télévision Voyage. Découvrez tous les programmes de l'antenne. Partez grâce aux offres de voyages sélectionnées et retrouvez-les en vidéo.

Windows Media Center

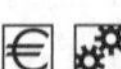

www.msn.fr/windowsxp/mediacenter

Avec Windows Media Center, vous regardez la télévision d'un autre œil. Le guide vous simplifie la vie pour enregistrer l'émission que vous voulez, et pour la regarder quand vous voulez.

Veille technologique

AFNIC - Veille technologique

www.afnic.fr/afnic/r_d

L'AFNIC, en tant que centre d'information, a pour mission de faire progresser Internet et les techniques qui lui sont liées, telles que le DNS ou le protocole IP.

CIDIF

w3.cidif.org

Le Centre international pour le développement de l'inforoute en français assure la veille technologique de l'espace virtuel et la fait connaître, par la production et la diffusion continue de l'information stratégique qui en découle.

DSI - Veille stratégique et technologique

www.dsi-info.ca/veille.html

La veille technologique et stratégique, aussi appelée "renseignement sur la concurrence", est un processus de mise à jour périodique d'informations. Davantage qu'une simple recherche, la veille consiste à recueillir l'information, à la synthétiser et à tirer des conclusions pouvant réorienter l'entreprise.

Strategic road

www.strategic-road.com

La vocation de ce site : connaître et veiller l'environnement informationnel de votre entreprise.

Veille stratégique.com

www.veillestrategique.com

La veille stratégique est un système d'aide à la décision qui observe et analyse l'environnement scientifique, technique, technologique et les impacts économiques présents et futurs pour en déduire les menaces et les opportunités de développement.

Veille stratégique sur Internet

www.decisionnel.net

Ce site est consacré à la veille sur Internet et à la gestion de l'information dans l'entreprise. Comment exploiter Internet pour faire de la veille stratégique ? Comment utiliser les outils de recherche ? Consultez également des dossiers sur l'information décisionnelle ou la gestion des connaissances.

Veille technologique

veille.ntic.org

Répertoire de plus de 2 000 requêtes vers des moteurs de recherche, classées par disciplines.

WebTV

Aisne-TV

www.aisne-tv.com

WebTV du sud de l'Aisne.

AlloCiné Vision

www.allocine.fr/allocinevision

Conçu comme un juke-box du cinéma, AlloCiné Vision permet de regarder gratuitement une série d'émissions sur le cinéma : bandes-annonces, extraits, interviews, making-off, reportages, etc. Le cinéma sur Internet comme vous ne l'avez jamais vu !

AlloCiné

www.allocine.fr

WebTV consacrée au cinéma : émissions archivées, bandes-annonces, extraits de films, interviews, etc.

Aniwa.com

www.aniwa.com

Chaîne Web consacrée aux animaux de compagnie (essentiellement chats et chiens).

Annuaire des médias en direct

www.canalmedia.com

Au menu : télévisions et radios en direct, webcams, Netmeeting, cu-seeme, sons, bandes-annonces de films, jeux, MP3, musique, sites flash.

Argus de la presse

www.argus-presse.fr

L'argus de la presse couvre tous les besoins liés à la surveillance de l'information : traitement de la presse écrite, piges des radios et télévisions, analyse des retombées dans ces médias.

BonWeb - Loisirs, webTV

www.bonweb.com/p_4_576.php

Sélection des meilleures webTV françaises et étrangères, gratuites et payantes, par bonweb.com.

CNES-TV

www.cnes-tv.net

Sur CNES-TV, retrouvez des entrevues, des séquences vidéo, des films et des événements espace en direct.

Creativtv.net

www.creativtv.net

La télévision des créateurs sur Internet présente un spécial FIAC 2000 et le mois de la photographie. Vidéos et photos en ligne.

CUISINE.TV

www.cuisine.tv

CUISINE.TV aborde la cuisine au sens large : produits, métiers, arts de la table, terroir, gastronomie, forme et équilibre, équipement, vins et fromages, traditions culinaires.

Cyber 63

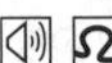

www.cyber63.com/pratique/medias/medias.htm

Accès aux sites des grands journaux et télévisions.

Cyperus

cl01.cyperus.fr

La chaîne high-tech Cyperus effectue la couverture multimédia de salons high-tech et d'événements d'entreprise.

DBC Radio TV

www.digital-broadcast-channel.com

DBC Radio-TV propose des émissions en RealVideo plusieurs fois par semaine, des interviews exclusives, des courts-métrages et des bandes-annonces.

Demain

www.demain.fr

Demain, la télévision de l'emploi, de la formation et des initiatives : annonces (emploi, formation), émissions, télévision, s'installer, régions, banque d'images, agenda et bonnes adresses.

Digipresse

digipresse.com

Agence de contenu multimédia en ligne, Digipresse fournit du contenu pour les médias numériques, Web, télévision, CD-ROM, mais aussi pour la presse écrite depuis 1995.

EFEtv.com

www.efe.fr

Le groupe EFE propose des modules de formation professionnelle en ligne : droit des affaires, droit social, GRH, fiscalité, comptabilité.

Emissions de télévision en français

broadcast-live.com/television/francais.html

Ce site vous permet de regarder la télévision en français. Il vous offre une sélection d'émissions canadiennes, belges et françaises.

Fashion TV

www.ftv.com

Regardez les derniers défilés et les entrevues des créateurs sur votre PC.

France 3

www.france3.fr

Le site de France 3 présente ses programmes et diffuse les journaux régionaux en RealVideo.

France diplomatie TV

www.diplomatie.fr/tv

Cette webTV propose divers reportages sur l'actualité, la recherche médicale, le festival international d'Annecy, les mathématiques, etc.

Guide de la radio et des médias

www.comfm.com

COM FM, le guide de la radio et des médias recense les radios, télévisions et webcams qui proposent des émissions en direct. Un vrai bonheur si vous utilisez l'ADSL.

Le doc

www.ledoc.com

Live en RealVideo, forum, témoignages en direct par téléphone, dossiers : voici la webTV du Doc.

LofTV

www.loftv.fr

Guide des télévisions diffusées sur Internet : webTV, live, différés et archives des contenus vidéo diffusés sur Internet.

Médecine TV

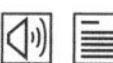

www.medecine-tv.com

Chaîne médicale francophone en RealVideo : chirurgie, ophtalmologie, endoscopie, débats, congrès, chirurgie esthétique, magazine et informations du monde de la médecine.

Mediapulp Web TV

perso.wanadoo.fr/mediapulp

MediaPulp webTV vous propose des mangas, des vidéos, des lives, des concours et des courts-métrages.

Monsieur Cinéma.com

www.monsieurcinema.tiscali.fr

Ce site facilite vos choix cinéma, TV ou webTV, donne accès aux bandes-annonces du moment et à un ensemble de sites apparentés.

Nouvelle Télé

www.nouvelletele.com

Nouvelle Télé propose des banques vidéo de tout type (reportages, émissions, événements sportifs, vidéos persos) et un espace Entreprises.

Nouvo.com

www.nouvo.com

WebTV de divertissement à haut débit : émissions, courts-métrages, sitcoms, films, animations, dessins animés.

OC-TV.net

www.oc-tv.net

OC-TV.net est la plate-forme TV Web du sud de l'Europe. Des troubadours au rugby, de l'actualité aux émissions thématiques en direct ou en différé. Diffusion haut débit (256k) et modem (56k).

Psychonet.tv

www.psychonet.tv

Thèmes abordés sur Psychonet.tv, en version RealVideo : psychologie, bien-être, mieux-être, couple, sexualité.

Réservoir net

www.reservoir-net.com

Ce site présente la société de production audiovisuelle pour Internet Reservoir.net.

Roadcast TV

roadcast.tv.free.fr

L'association Roadcast publie ses réalisations vidéo ainsi que celles de quelques amis. Si vous le souhaitez, vous pourrez y ajouter vos propres réalisations et vos pages Web dans l'agence de presse Multimédia pour freelance.

Télé Bretagne

www.telebretagne.com

WebTV bretonne.

Télétravail Web TV

www.cyberworkers.com/news/webtv.fr.shtml

Ce site propose différents canaux vidéo sur les métiers d'avenir, les brevets et marques, la création d'entreprise, le télétravail, etc.

Teleweb

www.teleweb.org

TELEWEB.ORG est une œuvre artistique publique qui permet la création gratuite de webTV et de webradios en accès libre. Tous les renseignements pratiques sont donnés sur ce site et l'utilisateur peut librement télécharger les programmes dont il a besoin.

The mode TV

www.themode.tv

Information, conseil et expertise au service des professionnels du luxe. Associé à une webTV, abc-luxe-tv diffuse des reportages et des interviews.

TV Invest

www.newsinvest.fr

Sur la chaîne financière de New Invest, retrouvez des informations financières sur les entreprises et sur le monde de la bourse (textes et vidéos).

TV Légalis

tv.legalis.net

WebTV Le droit en images : interviews, témoignages, reportages et directs.

TV Mountain

www.tvmountain.com

Cette webTV est dédiée aux activités de montagne et à leur actualité.

TV visions

tv.visions.free.fr

Retrouvez la carrière de Michaël Jackson en images sur le Net.

TV Web Midi

www.tvwebmidi.net

Cette webTV du midi de la France permet de suivre l'actualité de cette belle région.

TV Web Régions

www.tvwebregions.com

TVWeb Régions vous présente les télévisions locales et régionales. Retrouvez l'information, la météo, le cinéma, l'économie et toute l'actualité dont vous avez besoin. Reportages et services interactifs pour la meilleure info dans votre région.

TV Web Tours

www.tvwebtours.net

WebTV locale sur la région Touraine.

TV5

www.tv5.org

TV5 est la première chaîne mondiale en langue française. Elle diffuse notamment un journal télévisé quotidien en Afrique, Amérique latine et aux Caraïbes, en Europe, en Orient, au Québec et aux Etats-Unis.

Tv-art.net

www.teleweb.org/tva/index.htm

WebTV dédiée à l'actualité de la création artistique : vidéos et revue de presse.

TVPI

www.tvpi.fr

WebTV du Pays basque.

Un film de

www.unfilmde.com

UnFilmde.com diffuse des courts-métrages, de la vidéo et des films de cinéma indépendants.

Un siècle en mémoire

www.memoirelocale.com

Portail de la mémoire locale : racontez l'histoire de votre village ou de votre quartier sur une webTV.

Veille, intelligence économique et agents intelligents

www.veille.com

Site Web ayant pour vocation de regrouper la première communauté en ligne sur l'intelligence économique et stratégique d'Internet. Le but est de fédérer sur un seul site des expériences complémentaires, afin d'optimiser les synergies entre les différents acteurs présents sur le Net.

VidéoJob Communication

www.vjc.fr

Des offres, des demandes, des émissions vidéo sur les métiers, la formation et la création d'entreprise. VideoJob assiste les chercheurs d'emploi et les entreprises pour leur permettre de se mettre en valeur.

Voila webTV

webtv.voila.fr

Voila propose plusieurs programmes sur l'actualité et le cinéma.

ZaiTV

www.zaitv.com

Ce site propose diverses séquences en RealVideo sur l'actualité et donne accès à un moteur de recherche d'émissions webTV.

Savoirs

Archéologie, minéralogie

Archéobase

www.archeobase.com

Ce site donne accès à plus de 100 moteurs de recherche spécialisés en archéologie et à des dossiers de fond.

Archéologie aérienne

www.geocities.com/CapeCanaveral/Hall/3376

L'archéologie aérienne est probablement née en Syrie, vers 1925, avec les travaux d'un militaire français, le révérend père Poidebard. Cet observateur aérien avait remarqué que, dans le désert, au soleil couchant, les longues ombres portées de reliefs infimes de la surface du sol révélaient parfois des structures géométriques…

Archéologie du futur

perso.wanadoo.fr/cguille

Voyage imaginaire à la découverte des ruines d'une civilisation disparue : notre civilisation.

Archéologie française

www.univ-tlse2.fr/utah/archdata

Site mis en place pour aider les archéologues et chercheurs français à trouver des informations archéologiques et des organismes associés en France et dans le monde.

Archéophile 

www.archeophile.com

Archéophile.com référence les sites francophones en lien avec l'archéologie: recherche par catégories, par mots clés, par départements et bien d'autres ressources sur l'archéologie.

Archéostage 

www.archeostage.com

Stages d'archéologie pour les jeunes et les universitaires.

BonWeb - Savoirs, archéologie 

www.bonweb.com/p_8_162.php

Sélection des meilleurs sites d'archéologie, par bonweb.com.

Club de minéralogie de Montréal

www.clubmineralogiemtl.com

Site du club de minéralogie de Montréal.

Culture.fr - Archéologie  

www.culture.fr/Groups/archeologie/home

Ce site recense les manifestations et expositions liées au secteur archéologique, propose des articles de fond sur l'archéologie et donne accès à des sites complémentaires.

Egypte, l'énigme des pyramides 

www.chez.com/egypte

Découverte archéologique sur Guizèh. Théories sur la géométrie des pharaons. Etude sur le sphinx, les hiéroglyphes, les pyramides de Khéops, Khéphren et Mykérinos et la coudée royale de Memphis.

Gemmologie, minéralogie, paléontologie  

www.geminterest.com

Fiches descriptives, articles et photographies sur les pierres précieuses et les minéraux.

Grands sites archéologiques 

www.culture.gouv.fr/culture/arcnat/fr/index.html

Un point de départ pour les archéologues en herbe. Vous trouverez des informations sur l'homme de Tautavel, la grotte Chauvet-Pont-d'Arc, la grotte de Lascaux, la Vienne antique, les mégalithes du Morbihan, les chevaliers-paysans de l'an mil, l'archéologie sous les mers, les monuments d'éternité de Ramsès II, la vie au bord du Danube il y a 6 500 ans et l'abbaye Saint-Germain d'Auxerre.

Groupe de recherches en archéologie préhistorique

archeo.unige.ch/grap

Le Groupe de recherches en archéologie préhistorique établit des diagnostics archéologiques au sens large. L'aire géographique peut englober une région ou se limiter à un site. Le domaine scientifique couvre essentiellement la préhistoire, mais peut inclure d'autres périodes.

Internet culturel - Archéologie 

www.culture.gouv.fr/documentation/archeos/liens.htm

Ce volet du portail de l'Internet culturel contient une sélection de sites Web francophones en rapport avec l'archéologie.

La grotte de Lascaux

www.culture.gouv.fr/culture/arcnat/lascaux/fr

Visite virtuelle de la grotte, évocation des circonstances de la découverte, recherches effectuées.

La page de la minéralogie et de la paléontologie 

geologix.free.fr

Ce site est l'expression de la volonté d'un amateur de communiquer sa passion pour les merveilles géologiques de la Terre. Vous y trouverez des informations sur la minéralogie, la paléontologie et ce qui a trait à la géologie en général.

Laboratoire de minéralogie du Muséum d'histoire naturelle de Paris

www.mnhn.fr/mnhn/mineralogie

L'équipe de recherche du laboratoire de minéralogie s'attache à la fois à décrire la diversité du monde minéral et à étudier le fonctionnement et l'histoire de la planète Terre.

L'archéologie sous les mers

www.culture.gouv.fr/culture/archeosm/fr

Découverte des épaves et de leur cargaison gisant dans la Méditerranée, dans la Manche et l'Atlantique : bateaux antiques, navires du Moyen Age, vaisseaux de ligne, navires de commerce modernes, sites terrestres engloutis.

Le Portail de l'archéologie 

www.antony-aubert.org

Le Portail de l'archéologie rassemble l'information archéologique disponible sur Internet.

Les carnets d'archéologie 

www.france.diplomatie.fr/culture/culture_scientifique/archeologie/index.html

Fouilles archéologiques à l'étranger soutenues par le ministère des Affaires étrangères.

Les fossiles 

www.fossiles.be

Très complet, ce site est entièrement consacré aux fossiles. Il décrit et fournit des planches anatomiques des vertébrés, invertébrés et plantes.

Maison de l'Archéologie et de l'Ethnologie de Paris 

Web.mae.u-paris10.fr

La maison René Ginouvès d'archéologie et d'ethnologie est un organisme de recherche et de formation à la recherche qui réunit plusieurs disciplines des Sciences de l'homme et de la société : archéologie, préhistoire et protohistoire, ethnologie et sociologie comparative, histoire ancienne et médiévale.

Mégalithes du Morbihan

www.culture.gouv.fr/culture/arcnat/megalithes

Les mégalithes du Morbihan n'auront plus de secrets pour vous : contexte néolithique, sens du monumental, art comme reflet du sacré, réalité et imaginaire.

Minéraux et fossiles

www.minerauxetfossiles.com

Le site du mensuel Minéraux et fossiles s'adresse aux collectionneurs : revue, boutique, annonces, liens.

Yahoo! France Archéologie

fr.dir.yahoo.com/Sciences_humaines/Anthropologie_et_Archeologie/Archeologie

Sélection de sites en rapport avec l'archéologie par Yahoo! France.

Dictionnaires, glossaires, lexiques

ABC netmarketing

www.abc-netmarketing.com

Site dédié au marketing sur Internet : encyclopédie (plus de 150 dossiers et articles thématiques), glossaire, revue de presse, annuaire (agences, logiciels, référenceurs, régies), guides et liens.

Acrodict

www.teaser.fr/~spineau/acrodict/indexfrm.htm

Dictionnaire francophone des acronymes informatiques. Il comprend plus de 4 000 définitions consultables en ligne.

Acronymes Internet anglais

fp3.com/glolex/acronymes.htm

Liste d'acronymes Internet ou IRC anglais/français.

Association @lyon : lexique des superstitions

www.alyon.asso.fr/litterature/superstitions

Découvrez des croyances de tout acabit. A savourer tranquillement un vendredi 13…

Association @lyon, Glossaire astrologique

www.alyon.org/generale/astrologie/glossaire

Glossaire des mots les plus fréquemment utilisés en astrologie.

Astronomy thesaurus

www.mso.anu.edu.au/library/thesaurus/french

Thesaurus très complet d'astronomie.

Bibliothèque de l'ENS LYON

www.ens-lyon.fr/Bibli

Cette page donne accès aux documents de la bibliothèque de l'ENS de Lyon.

Bribes

www.bribes.org/intro.shtml

Petit dictionnaire de citations classées par thèmes. Il peut être consulté en ligne ou téléchargé au format HTML ou PDF.

Clicnet 

clicnet.swarthmore.edu/dictionnaires.html

Ce site donne accès à plusieurs dictionnaires multilingues, encyclopédies et lexiques spécialisés.

Colombia

www.colombia.fr

Ce site propose un glossaire des termes informatiques les plus courants, en anglais et en français.

Communes et villages de France

www.quid.fr/communes.html

Quid, banque de données accessible à tous, présente le répertoire des communes et des villages de France.

Dicorama.com 

www.dicorama.com

Annuaire complet des différents dictionnaires, glossaires et lexiques disponibles sur Internet.

Dicos affaires 

globegate.utm.edu/french/globegate_mirror/dicoeco.html

Cette page propose plusieurs dictionnaires spécialisés dans le monde des affaires et donne accès à des sites complémentaires.

Dictionnaire de bactériologie vétérinaire

www.bacterio.cict.fr/bacdico/garde.html

Ce site présente, de manière synthétique, un large échantillonnage de taxons bactériens, en privilégiant l'étude des nouveaux taxons.

Dictionnaire de l'Académie française

www.academie-francaise.fr/dictionnaire

Deux tomes (de A à *négaton*) du Dictionnaire de l'Académie française sont consultables en ligne.

Dictionnaire de l'informatique et d'Internet

www.dicofr.com

Dico.fr passe en revue les termes et définitions spécifiques à l'informatique. Il oriente également vers une bibliographie, un quiz, une FAQ et donne accès à un annuaire des dictionnaires.

Dictionnaire de mots croisés Amo 

www.amo.qc.ca/cgi-bin/pub/FRODico/dico.out

Le dictionnaire Amo contient plus de 450 000 mots. La recherche s'y fait rapidement et efficacement sur la base d'une séquence formée de lettres et de jokers. Excellent pour les mots croisés.

Dictionnaire des citations 

www.dicocitations.com

Dicocitations.com permet de rechercher des citations par thèmes ou par mots clés en quelques clics de souris.

Dictionnaire des couleurs 

pourpre.com/chroma

Ce site propose un dictionnaire alphabétique et chromatique des couleurs.

Dictionnaire des synonymes

elsap1.unicaen.fr/dicosyn.html

Ce dictionnaire contient près de 50 000 entrées et 400 000 synonymes. La base de départ est constituée de sept dictionnaires classiques (Bailly, Benac, Du Chazeaud, Guizot, Lafaye, Larousse et Robert) dont on a extrait les relations synonymiques.

Dictionnaire des termes musicaux anglais/français

www.geocities.com/dicomusic

Dictionnaire de termes musicaux anglais/français.

Dictionnaire du droit privé

perso.club-Internet.fr/sbraudo

Sur le dictionnaire du droit privé, vous trouverez le vocabulaire de l'arbitrage, la conciliation et de la médiation.

Dictionnaire encyclopédique de l'astronomie

www.anaconda-2.net/andromeda.html

Andromeda est un dictionnaire encyclopédique pour étudiants, amateurs d'astronomie et/ou amoureux du ciel. Il donne également accès à des sites complémentaires et propose une bibliographie spécialisée.

Dictionnaire Larousse

www.encyclopedie-larousse.fr

L'encyclopédie Larousse en ligne développée par CompuServe France permet de consulter des cartographies dans l'atlas, d'effectuer des recherches complexes dans l'encyclopédie ou de consulter un simple mot dans le dictionnaire de façon rapide et intuitive.

Dictionnaire mondial des arbres

www.wdt.qc.ca/WDT.HOME.PAGEF

Dictionnaire mondial des arbres par Miroslav M. Grandtner.

Encarta

fr.encarta.msn.com

La célèbre encyclopédie de Microsoft en ligne : une mine de ressources pour un apprentissage interactif.

Encyclopaedia gentium boni

www.areopage.net

Dans cette encyclopédie de littérature, sciences, langues anciennes (latin, grec), histoire et mythologie, vous trouverez des milliers de citations, plus de 500 textes électroniques, des dictionnaires, des lexiques, des moteurs de recherche et bien d'autres choses.

Encyclopædia Universalis

www.universalis.fr

Site institutionnel de l'Encyclopædia Universalis.

Encyclopédie audiovisuelle de l'art contemporain

perso.club-Internet.fr/imagoart

Encyclopédie audiovisuelle de l'art contemporain.

Encyclopédie de la psychologie

www.psychologie.org

Sur ce site : encyclopédie de la psychologie, pathologies, traitements psychologiques, tests, annuaire des psychologues.

Encyclopédie de l'Agora

agora.qc.ca

L'encyclopédie de l'Agora : actualité, recherche globale, recherche spécialisée, renseignements pratiques, raccourcis, œuvre interactive, politique, philosophie, sciences, arts, lettres et culture générale.

Encyclopédie démocratique

www.monpetitcoin.com/dico

L'encyclopédie démocratique est une variante du jeu du dictionnaire. Un mot est à définir, si possible avec humour, puis on vote pour la meilleure définition. Toutes les définitions sont archivées précieusement.

Encyclopédie du journal du Net

encyclopedie.journaldunet.com

Encyclopédie des e-technologies et de l'e-économie.

Encyclopédie du sport

www.sportencyclopedie.com

L'encyclopédie du sport : plus de 130 sports, plus de 350 disciplines, plus de 80 000 noms, tous les résultats, tous les palmarès.

Encyclopédie Hachette multimédia en ligne

www.club-Internet.fr/encyclopedie

Encyclopédie Hachette multimédia en ligne.

Encyclopédie Larousse

www.encyclopedie-larousse.fr

L'encyclopédie théorique et pratique Kleio-Larousse propose sur Internet un dictionnaire encyclopédique, une chronologie, des animations et des ressources pédagogiques interactives.

Encyclopédie Voila

encyclo.voila.fr

Voila donne accès à l'encyclopédie Hachette en ligne et à quelques bonus documentaires.

Encyclopédie Wanadoo

www.encyclo.wanadoo.fr

Encyclopédie selon Wanadoo et Hachette : 50 000 articles, un dictionnaire de 65 000 définitions, des photos, des cartes, des vidéos…

Eurekaweb

eurekaweb.free.fr

Toutes les inventions ont une histoire…

F1 database

site.ifrance.com/F1GT

Encyclopédie en ligne sur la F1.

Glossaire informatique

www.sos-informatique.qc.ca/glossaire.htm

Ce site propose un glossaire informatique très complet, un lexique sur les réseaux et des informations sur les virus.

Glossaire interactif des métiers de Volume Software

www.volusoft.com/Volume/Acc_Glo.htm

Cinq glossaires sont proposés sur ce site. Ils regroupent les termes utilisés dans les domaines de l'imprimerie, du carton, de la PLV (promotion sur les lieux de vente) et de l'informatique. Vous pouvez consulter les glossaires par ordre alphabétique ou par mots clés.

Glossaire Osinet

osinet.fr/code/glo.asp

Ce site recense les acronymes, mots et noms propres du lexique OSInet Net-Economie : Internet, réseaux, informatique et télécommunications.

Grand dictionnaire terminologique

www.granddictionnaire.com

Le grand dictionnaire terminologique est un ouvrage de référence rassemblant un fonds terminologique d'envergure (3 millions de termes français et anglais dans 200 domaines d'activité).

IBM Canada, dictionnaire

www.can.ibm.com/francais/dico

Dictionnaire spécialisé dans le commerce électronique, l'infographie, l'informatique, l'Internet, la micro-informatique, le multimédia, la réseautique, la sécurité informatique, les technologies de l'information et les télécommunications.

Idico, dictionnaire-lexique des termes techniques

www.net-dico.com

Ce dictionnaire-lexique rassemble les termes techniques les plus fréquemment rencontrés sur Internet. Il sera utile aux débutants encore peu familiarisés avec ce nouveau jargon.

Jardin - L'Encyclopédie

nature.jardin.free.fr

Plus de 6 000 plantes décrites, plus de 3 000 photos, des vidéos, des renseignements de toutes les couleurs pour les fleurs du jardin.

L'ABC des réseaux

www.culture.gouv.fr/culture/dglf/ressources/lexiques/abc.htm

Index alphabétique des termes utilisés dans le jargon des réseaux informatiques.

L'abécédaire

www.abecedaire.net

Cet abécédaire illustré explique les mots utilisés et les organismes impliqués dans la vie économique, sociale et politique du monde marchand.

LATL

www.latl.unige.ch

Site du Laboratoire d'analyse et de technologie du langage du département de linguistique de l'université de Genève.

Le dico du Web

www.lcorre.fr.st

Dictionnaire spécialisé dans les termes informatiques.

Le dico

www.momes.net/dictionnaire

Dictionnaire encyclopédique en ligne pour enfants.

Le Dicomoche

www.dicomoche.net

Le jargon qui rend le français vivant est partout. On peut en rire ou ne plus rien dire ! Plusieurs centaines de mots sont examinées. Certains sont accompagnés de dessins.

Le Dicomono du Dr Joinul

www.dicomono.com

Dictionnaire des mots monosyllabiques francophones du Dr Joinul.

Le dictionnaire

www.le-dictionnaire.com

Le dictionnaire rassemble les plus grands dictionnaires francophones du Net : dictionnaire classique d'orthographe, dictionnaire des synonymes, encyclopédie, etc.

Le dictionnaire de Géraldine 

membres.lycos.fr/dicogege

Dictionnaire pour rire : sons, images, vidéos et textes. Surprises garanties.

Le jargon français 

www.linux-france.org/prj/jargonf

Découvrez les termes de jargon utilisés dans la langue française (par thèmes ou ordre alphabétique).

Le quartier français du village planétaire 

www.richmond.edu/~jpaulsen/gvfrench.html

L'encyclopédie de la France sur la Toile.

L'encyclopédie des bières

membres.lycos.fr/gamin

Encyclopédie des bières.

L'encyclopédie médiévale

www.medievalenfrance.com

Encyclopédie médiévale : fiches biographiques, extraits d'œuvres, textes en ligne d'auteurs de l'an mil à la Renaissance, ayant contribué à l'établissement de ce formidable patrimoine collectif que sont la langue française et sa littérature.

Lexique 

www.lexique.org

Lexique est une base de données qui fournit pour 130 000 mots du français : représentations orthographiques et phonémiques, syllabation, catégorie grammaticale, genre et nombre, fréquences, lemmes associés, etc.

Lexique de la justice

www.justice.gouv.fr/motscles/alphabet.htm

Vous trouverez dans ce lexique juridique les définitions des termes utilisés sur le site Internet du ministère de la Justice.

Lexique de mathématiques 

pages.infinit.net/ppat2000/lexique/LEXIQUE.HTM

Lexique des principaux termes mathématiques utilisés dans l'enseignement primaire et secondaire.

Lexique des néologismes Internet 

www.humains-associes.org/Lexique/Lexique.html

Lexique des néologismes Internet.

Lexique des termes littéraires

www.lettres.net/lexique

Lexique des termes littéraires.

Lexique historique et généalogique

www.histoire-genealogie.com/dossiers_pratiques/initiation_genealogie/sigles.htm

Lexique historique et généalogique : termes difficiles, latin, patois, mots oubliés ou obsolètes.

Lexique médical

www.biam2.org//lexique.html

Lexique de terminologie médicale.

Lexique médical Harrison

www.clparc-beauvais.fr/Serveur/ESANTE/lexique/lexique.htm

Ce site propose un lexique médical. Les définitions sont extraites du livre Principes de médecine interne de T.R. Harrison.

Noosfere

www.noosfere.com

Encyclopédie en ligne sur la science-fiction : actualités, événements, littérature, jeunesse, recherches, revues, BD, cinéma, liens, etc.

Page superfétatoire

www.c-zinzin.com

La direction décline toute responsabilité sur votre état mental après la visite de ce site. Cette page est à utiliser avec modération. Elle contient un dictionnaire à usage unique, l'actualité de la semaine, un horoscope, un chat, etc.

Planète Québec

planete.qc.ca/linguistiques

Sur ce site, des encyclopédies, dictionnaires, lexiques, glossaires, vocabulaires, et autres ressources linguistiques en ligne : plus de 700 outils gratuits à votre service.

Planètes extrasolaires

www.obspm.fr/encycl/f-encycl.html

Encyclopédie des planètes extrasolaires.

Programme d'informations juridiques

perso.club-internet.fr/sbraudo

Sur ce site, vous trouverez des liens vers : un dictionnaire du droit privé, un traité du vocabulaire de l'arbitrage, une étude comparative de la conciliation, la médiation et l'arbitrage et une analyse de la pratique de l'arbitrage.

QQCVD, dictionnaire des acronymes, sigles et abréviations

qqcvd.webiciel.com

Dictionnaire des acronymes, sigles et abréviations.

Quid

www.quid.fr

Le Quid en ligne c'est… tout sur tout et un peu plus que tout ! Quelques clics suffisent pour accéder à l'article qui vous intéresse. La navigation est aisée et rapide et les articles de qualité. Ce site donne également accès à un kiosque très fourni : bourse, cinéma, culture, économie, radio, télévision, quotidiens, etc.

Répertoire des sigles et acronymes

www.educnet.education.fr/documentation/guide/sigles.htm

Ce site propose un répertoire des sigles et acronymes en usage dans la francophonie.

Termes médicaux

allserv.rug.ac.be/~rvdstich/eugloss/FR/lijst.html

Ce site propose un glossaire des termes médicaux en sept langues.

Terminobanque

www.cfwb.be/franca/bd/bd.htm

Banque de données terminologiques du service de la langue française du ministère de la Communauté française de Belgique.

Ulysse31

perso.wanadoo.fr/simonin/Ulysse31

Site français consacré au dessin animé légendaire des années 80 Ulysse 31 : musiques, images, vidéos, jouets, épisodes, dictionnaire mythologique et liens.

Universalis-edu.com

www.universalis-edu.com

Le site de l'Encyclopaedia Universalis : atlas, dossiers, articles, forum et archives.

Webencyclo

www.webencyclo.fr

Encyclopédie en ligne francophone entièrement gratuite.

Yahoo! Encyclopédie

fr.encyclopedia.yahoo.com

Volet Encyclopédie de Yahoo! France : arts, culture et société, sciences exactes, sciences humaines, sciences sociales, sciences de la Terre et de l'espace, sciences de la vie, technologie et atlas.

Encyclopédies

Club-Internet - Encyclopédie

www.club-Internet.fr/encyclopedie

Sélections de sites en histoire, sciences exactes, histoire des sciences, mathématiques, physique, chimie, sciences de la vie, biologie, botanique, zoologie, sciences humaines, linguistique et grammaire.

Doctissimo

www.doctissimo.fr/html/sante/encyclopedie/index_encyclo_a.htm

Cette encyclopédie médicale est un véritable puits de science à la portée de tous. Plus de 600 articles pour mieux comprendre les maladies, les symptômes et les traitements en des termes simples.

MSN Encarta

fr.encarta.msn.com

Encyclopédie en ligne MSN Encarta : histoire, géographie, sciences humaines et sociales, musiques, littératures, sports, loisirs et société, technosciences, techniques et technologies, religions, mythologies et croyances, cinéma, beaux-arts...

Psychologie.org

www.psychologie.org/default.htm

Encyclopédie de la psychologie : pathologies, traitements psychologiques, tests, annuaire des psychologues.

Wikipédia

fr.wikipedia.org/wiki/Accueil

Wikipédia est un projet d'encyclopédie gratuite, écrite en collaboration et dont le contenu est librement réutilisable.

Espace, astronomie, aviation

Apokalupsis
`lds.phidji.com/apok`

Etude des conséquences de l'impact d'un astéroïde ou d'une comète avec la Terre.

Association aéronautique et astronautique de France
`www.aaaf.asso.fr`

Le site des ingénieurs de l'aéronautique et de l'espace.

Astronomica
`ww.astronomica.fr.st`

Ce site astronomique présente un diaporama complet de l'univers, du système solaire et de la conquête spatiale.

Astronomie
`perso.club-internet.fr/mzumelzu`

Ce site est dédié aux passionnés d'astronomie et d'astrologie. Les thèmes abordés sont les suivants : animation 3D, personnages, repères, planètes, éclipses, saisons, calendriers, vers la Lune, principes, astrologie.

Astronomie en France
`www.obspm.fr/france.html`

Ce portail donne accès à un grand nombre de sites en rapport avec l'astronomie : centres de recherche, associations, éditeurs, astronomie amateur, planétariums.

Astronomie magazine

`perso.wanadoo.fr/astronomie.magazine`

Le site du mensuel Astronomie magazine : sommaire du numéro en vente, boutique, vie des clubs, abonnement, éphémérides, liens complémentaires.

Astronomie pour les jeunes
`www.lyoba.ch/etoile-des-enfants/tiroirs`

Site pour enfants dédié à l'espace : astéroïdes, astronautique, comètes, cosmologie, étoiles, lumière et couleurs, lune, mesures et temps, météorites, planètes, soleil, terre.

Astrosurf
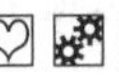

`www.astrosurf.com`

Cette plate-forme héberge plusieurs sites dédiés à l'astronomie. A consulter d'urgence…

BonWeb - Astronomie

`www.bonweb.com/p_8_163.php`

Sélection des meilleurs sites d'astronomie et d'astronautique, par bonweb.com.

Ciel et espace

`www.cieletespace.fr`

Ce magazine de sciences sur l'astronomie, la cosmologie et l'actualité spatiale vous donne les adresses des planétariums, des clubs et observatoires, des cours et des conférences. Le site donne aussi des informations sur les phénomènes du ciel.

CNES : Centre national d'études spatiales
`www.cnes.fr`

Le site du Centre national d'études spatiales présente la société et ses activités, les derniàres innovations en matière de lanceurs et de fusées ainsi que plusieurs dossiers scientifiques dignes d'intérêt.

Cyberspace

www.cedonline.be

Cyberspace vous informe sur l'actualité astronomique : ciel du mois, système solaire, engins spatiaux et bien d'autres choses.

Dassault Aviation

www.dassault-aviation.com/home

Portail de Dassault Aviation, constructeur aéronautique majeur dans les domaines civil et militaire avec les avions Rafale, Mirage, Falcon et les drones (ou UCAV).

Direction de l'aviation civile

www.dgac.fr/index.htm

La DGAC est l'administration française, rattachée au ministère des Transports, qui regroupe l'ensemble des services de l'Etat chargés de réglementer et de superviser la sécurité aérienne, le transport aérien et les activités de l'aviation civile en général. Elle assure le service du contrôle aérien pour tous les usagers du ciel.

Dossiers espace de Claude Lafleur

www.cam.org/~lafleur

Ce site orienté grand public présente l'actualité spatiale de façon simple et précise.

Galacticsurf

www.galacticsurf.com/indexF.htm

Portail pour tous les fanatiques de sciences spatiales, de l'infiniment petit (physique des particules) à l'infiniment grand (cosmologie).

Groupe Astro & CCD

www2.globetrotter.net/faaq/astroccd/index.htm

Au programme : éphémérides, météo, clubs et organismes, petites annonces, bibliothèque, livres, logiciels et équipements, etc.

Institut de mécanique céleste et de calcul des éphémérides

www.bdl.fr/index.html

Le ministère de l'Education nationale, de la Recherche et de la Technologie présente l'Institut de mécanique céleste et de calcul des éphémérides.

INSU

www.insu.cnrs-dir.fr

Site de l'Institut national des sciences de l'univers (INSU).

Introfran

pages.infinit.net/initast/introfran.html

Ce site est dédié à l'astronomie fondée principalement sur l'observation aux jumelles. Nombreuses informations et liens complémentaires.

Konnek-T - Section Espace

perso.club-internet.fr/sbeillia/Espace

Ce site est consacré à l'Espace : Ariane 5, Mars, images impressionnantes de la Terre vue de l'Espace, Univers, système solaire.

La conquête de l'espace

www.chez.com/titiane/cosmos.html

La conquête de l'espace vue à travers une collection de timbres.

La maison de l'Astronomie

www.maison-astronomie.net

De nos jours, avec une activité qui déborde les frontières de l'Europe, la maison de l'Astronomie est reconnue par les professionnels et les amateurs comme le magasin de référence en ce domaine.

La voie verte

www.qc.ec.gc.ca/envcan/index.html

Ce webzine écologiste canadien propose différents dossiers liés à l'atmosphère, l'eau, la faune, les habitats, les lois et réglementations et la météo.

L'astronomie

emilie.bodin.free.fr

Une manière originale de découvrir l'astronomie : bases pour les débutants, observation, histoire de l'astronomie, logiciel d'affichage de la carte du ciel et beaucoup de liens.

Les comètes

www.astro.ulg.ac.be/~demoulin/cometes.htm

Apprenez-en un peu plus sur les comètes ou initiez-vous au sujet s'il ne vous est pas familier.

Les fusées en Europe

www.univ-perp.fr/fuseurop

Lanceurs spatiaux, véhicules suborbitaux, centres de lancement, bibliographie et acronymes.

Les photos de Philippe Moussette

www.geocities.com/photo_geo

Cette page d'astronomie très complète donne entre autres accès à de nombreuses photos du ciel, des planètes et des constellations et à un calendrier astronomique.

Liens sur l'astronomie

perso.club-Internet.fr/printant/astro/liens1.html

Liste très complète de liens sur l'astronomie.

Mer espace

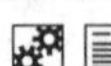

www.merespace.com

Portail francophone de la mer et de l'espace : annuaire de milliers de sites classés, infos, forums, communauté, etc.

Musée de l'Air et de l'Espace, Paris - Le Bourget

www.mae.org

Ce site est consacré au musée de l'Air et de l'Espace de Paris - Le Bourget : agenda, flash info, revue, musées du monde, etc.

Nirgal.net

www.nirgal.net

De la planète rouge à l'origine de la vie.

Observatoire de Paris, Meudon, Nançay

www.obspm.fr

Avec ce site, l'observatoire de Paris vous informe sur ses activités : séminaires, colloques, visites.

Poussières d'étoiles

www.sproductionsmultimedia.com/pe

Magazine virtuel et insolite sur les sciences en astronomie : espace, ovni et technologie. Diffusion d'articles et documents multimédias sur la vulgarisation et la démystification.

Salon du Bourget

www.salon-du-bourget.fr

Le site officiel du Salon du Bourget donne des informations pratiques aux visiteurs, aux exposants et aux journalistes.

Skylink

astrosurf.com/skylink

Le serveur des astronomes amateurs français : news, observer, images, astro-pratique, programmes, jeux, clubs et forum.

Space news international

www.sat-net.com/spnews

Actualité astronomique et spatiale (calendrier des lancements de 2000 à 2004), prévisions astronomiques détaillées pour le mois en cours, bulletin d'informations hebdomadaire sur l'actualité astronomique et spatiale.

Une fenêtre sur l'univers

astrosurf.com/univers

De l'astronomie à la bioastronomie en passant par la planétologie, la cosmologie, l'astrochimie ou encore la radioastronomie, vous trouverez sur ce site tout ce qui concerne notre Univers… et également un dictionnaire, une bibliographie, la liste des observatoires. Possibilité de dialogue en direct.

Yahoo! France Astronomie

fr.dir.yahoo.com/Sciences_et_technologies/Astronomie

Sélection de sites en rapport avec l'astronomie par Yahoo! France.

Extraterrestres, inexpliqué, paranormal

A la recherche d'intelligences extraterrestres

www.extraterrestres.net

Vous trouverez ici des informations sur tout ce qui touche aux ovnis et aux extraterrestres : mystère des "crop circles", encyclopédie Ummite, enlèvements extraterrestres, mutilations de bétail, etc.

AléHoé

www.alehoe.com

Annuaire officiel du paranormal, de l'ésotérisme et de la magie.

Atlantyd.com

www.atlantyd.com/index.php3

Dans les profondeurs de l'âme, le portail des grands mystères vous propose des articles, des photos, des vidéos sur l'Atlantide, les ovnis, Roswell, l'astrologie, la réincarnation, les cristaux et bien d'autres sujets.

Autrefois - Aujourd'hui

www.prodnat.com

Du normal au paranormal, des produits d'aujourd'hui ou d'autrefois pour votre bien-être.

Bienvenue dans le paranormal

membres.lycos.fr/narkox

Si vous vous intéressez aux ovnis, aux phénomènes inexpliqués, etc., alors, ce site est fait pour vous.

Grepi

www.ovni.ch

Un incontournable site ufologique en français.

Ifres

www.ifres.org

La recherche sur la survivance de l'esprit après la mort relative du corps, et surtout les nouveaux moyens d'entrer en relation avec l'espace de l'après-vie, voilà le cheval de bataille de l'Ifres.

Ipani.fr.st

www.ipani.fr.st

Ce site personnel est consacré aux phénomènes aériens inexpliqués.

La Seti League

www.chez.com/telescope/seti/index.html

La Seti League, Inc. est une association à but non lucratif aux valeurs éducatives et scientifiques qui se consacre à la recherche d'intelligences extraterrestres.

Le cercle zététique

www.zetetique.ldh.org

Le Cercle zététique, l'association des sceptiques français. La zététique est l'art du doute. Il peut être bon de réfléchir un peu de temps en temps, vous verrez, c'est moins désagréable qu'on peut le croire.

Le portail des grands mystères

www.atlantyd.com/ article.php3?sid=4

Dans les profondeurs de l'âme, le portail des grands mystères vous propose des articles, des photos, des vidéos sur l'Atlantide, les ovnis, Roswell, l'astrologie, la réincarnation, les cristaux, et bien d'autres sujets.

Les ovnis vus de près

www.chez.com/lesovnis/indexf.htm

Ce site donne accès à de très nombreux documents et photographies en rapport avec les ovnis.

Les soucoupes volantes

www.barbieux.org

Site dédié aux ovnis : réunions, revues de presse, CD-ROM, livres, récits, articles et gadgets, dictionnaire des termes spécialisés, photos, vidéos des liens, prophètes et prophéties.

Ovni

www.chez.com/64/ufo

Site dédié aux ovnis : que faire en cas d'observation insolite, comment interroge-t-on les témoins, sondage en France, histoire et ovnis, l'obstacle du temps, liens.

Ovnis en France et ailleurs

www.ifrance.com/frenchufo

Site français dédié aux ovnis.

Ovnis, l'armée démasquée

www.ovnis.atfreeweb.com

La science a longtemps considéré le sujet des ovnis comme un tabou, car celui-ci a régulièrement été tourné en dérision par les médias…

Paranormal 

www.paranormal-fr.net

Site francophone dédié au paranormal et aux phénomènes étranges : témoignages, photos, vidéos, dossiers, forum, liens.

Paranormal, prémonition, prédiction, voyance

www.paranormal.ch

Paranormal, prémonition, prédiction, voyance, vision : comment étudier ces phénomènes avec scepticisme.

Sceptiques du Québec 

www.sceptiques.qc.ca

Le journal québécois de tous ceux et celles qui ne croient pas au paranormal.

Sciences occultes 

www.sciences-occultes.org

Ce site montre comment développer votre pouvoir paranormal. Tout un programme…

Sixième sens 

www.ifrance.com/sixieme-sens

L'association Sixième sens propose de vous aider à comprendre différents phénomènes paranormaux existants, tout en vous offrant la possibilité d'en étudier l'ensemble. Sixième sens n'a aucun caractère religieux, sectaire ou politique. L'association est animée uniquement par des bénévoles passionnés.

Spiritualis, ésotérisme et spiritualité 

spiritualis.net

Quelques domaines d'intérêt de Spiritualis : spiritualité, ésotérisme, astrologie, magie, sorcellerie, canalisation, réincarnation, travailleur de lumière, voyage astral, méditation, etc.

Voyance directe 

www.directe-voyance.com

Voyance Direct rassemble tous les sites du monde ésotérique du Net (voyantes, mediums, astrologues), mais aussi des services, des concours, des trucs et astuces.

Généalogie

123 Généalogie 

www.123genealogie.com

Grâce à ce portail de généalogie, vous allez pouvoir retrouver vos ancêtres sur Internet.

Cyber généalogie 

www.cybergenealogie.com

Au programme : bourse d'échange de fichiers généalogiques au format GEDCOM, base de données consultable par patronyme et par union, impression d'arbres grand format.

Fédération française de la généalogie 

www.genefede.org

Cet organisme fédère de nombreuses associations françaises de généalogie, accessibles d'un simple clic.

Fédération québécoise des sociétés de généalogie

www.federationgenealogie.qc.ca

La Fédération québécoise des sociétés de généalogie, créée le 15 mars 1984, est un organisme sans but lucratif de regroupement et de représentation de sociétés de généalogie locales et régionales.

Gén. Annu

www.philconet.com/gen.annu

Cet annuaire propose un classement de généalogistes passionnés par régions de France et par continents : bases de données, associations, forums, logiciels, avis de recherche, sites complémentaires.

GénéaGuide

www.geneaguide.com

Portail de la généalogie et de l'héraldique.

Généalogie pour tous

epf.planete.qc.ca

Plus de 3 millions de noms dans 97 bases de données, reliés en lignées ascendantes et descendantes sont accessibles depuis ce site.

Genmédi@s

membres.lycos.fr/genmedias

Plaque tournante francophone des sites généalogiques, héraldiques et historiques.

Guide de généalogie

www.guide-genealogie.com

Ce guide de généalogie complet permet au débutant de démarrer ses recherches et d'approfondir ses connaissances pour bien mener à terme son arbre généalogique.

Généralités et actualités scientifiques

Aaa, systèmes solaires

www.systemes-solaires.com

Systèmes solaires est la seule revue francophone qui traite de l'actualité des énergies renouvelables sur les plans national et international.

Actualité astronomique

www2.iap.fr/sf2a/actu.html

Cette page vous oriente vers plusieurs sites en rapport avec l'actualité astronomique.

Actualité des sciences - Yahoo!

fr.news.yahoo.com/45

Toute l'actualité du monde scientifique en direct avec Yahoo! France.

Actualité scientifique francophone

www.bonweb.com/p_11_292.php

Il ne se passe pas une journée sans découverte étonnante. Pour être aux premières loges de cette fête de l'esprit et de la connaissance, branchez-vous sur les sites d'actualité scientifique.

Agence Science-presse

www.sciencepresse.qc.ca

Agence Science-presse : plus de vingt ans d'actualité scientifique.

Cap sciences

www.cap-sciences.net

Site du centre de culture scientifique, technique et industrielle de Bordeaux Aquitaine.

CNRS info

www.cnrs.fr/Cnrspresse/cnrsinfo.html

Lettre d'information du CNRS destinée aux médias.

CNRS

www.cnrs.fr

Sur ce site : départements scientifiques, CNRS en régions, comité national, programmes et appels d'offres, colloques et séminaires, partenariat, emploi.

Cybersciences

www.cybersciences.com

Des nouvelles scientifiques, des grands dossiers, les réponses à vos questions par l'équipe du magazine Québec Science.

Effervesciences

www.effervesciences.com

Effervesciences est un journal trimestriel, diffusé en France. Sur ce site, vous pouvez vous abonner, consulter les sommaires des numéros parus et les commander. Vous pouvez également soumettre des informations ou des projets d'articles.

Info Science

www.infoscience.fr/index.php3

Info Science est un magazine quotidien en ligne d'information et de vulgarisation scientifique.

Institut de l'information scientifique et technique

form.inist.fr/public/fre/ conslt.htm

Article@INIST vous permet de consulter les catalogues de l'Institut de l'information scientifique et technique, pour retrouver la référence d'un article, une revue, un ouvrage, un rapport ou un congrès.

La Recherche

www.larecherche.fr

La Recherche est le premier magazine international d'information en langue française pour la science et la recherche.

Les Débrouillards

www.lesdebrouillards.qc.ca

Le site Les Débrouillards guide les jeunes de 9 à 12 ans dans l'univers des sciences. Le pourquoi et comment de notre vie quotidienne, à travers expériences, démonstrations et défis amusants.

L'internaute - Actualité science

www.linternaute.com/afp/sci

Dépêches AFP en rapport avec l'actualité du monde scientifique.

Science actualités

www.cite-sciences.fr/actu

Actualité scientifique et technologique (dépêches en continu, débats, dossiers…) et sur la fabrication de l'information scientifique (traitement et décryptage de l'information).

Secrétariat d'Etat à l'Industrie

www.industrie.gouv.fr/FranceTech

Cette vitrine de l'industrie et de la technologie françaises vous fait découvrir les secteurs de la France industrielle : aéronautique et espace, industries agroalimentaires, BTP, chimie, énergie, électronique, etc.

Une fenêtre sur l'Univers

astrosurf.com/univers

De l'astronomie à la bioastronomie en passant par la planétologie, la cosmologie, l'astrochimie ou encore la radioastronomie, vous trouverez sur ce site tout ce qui concerne notre Univers… et également un dictionnaire, une bibliographie, la liste des observatoires. Possibilité de dialogue en direct.

URFIST de Lyon

urfist.univ-lyon1.fr

L'URFIST (Unité régionale de formation et de promotion pour l'information scientifique et technique) propose des stages de formation à l'interrogation de bases de données.

Voila - actualité des sciences

actu.voila.fr/Article/article_sciences_.html

Actualité scientifique selon le moteur de recherche Voila.

Géographie, histoire

1939-1945

www.1939-45.org

Toute l'histoire de la Seconde Guerre mondiale sur les théâtres d'opérations d'Europe, d'Afrique et du Pacifique.

Americas, La revue des Amériques

www.americas-fr.com

Histoire et actualités de l'Amérique latine, civilisations précolombiennes, aztèques, incas et mayas. Journal d'opinions sur l'actualité française et mondiale.

Antiquité tardive et Mérovingiens

perso.wanadoo.fr/jean-francois.mangin

Ce site invite à un voyage de huit siècles, de l'arrivée des Romains en Gaule jusqu'à la fin de la période mérovingienne.

Ardhan

www.aeronavale.org

L'association Ardhan a pour mission de favoriser la connaissance, la recherche et la collecte de documents et témoignages, au profit de travaux sur l'histoire de l'aéronautique navale française. Sur son site, vous trouverez des ouvrages, des sources iconographiques et bibliographiques ainsi que de nombreux objets (avions, ballons, insignes et marques), en rapport avec l'aéronautique navale française.

Atlas géographique mondial

www.atlasgeo.net

Sur ce site, chaque pays est classé par continents puis par ordre alphabétique. En suivant les liens, vous les situerez à l'aide des cartes et découvrirez leurs drapeaux, leurs hymnes, leurs armoiries et leurs fiches descriptives.

Autour du cheval

www.handicheval.ch/Corps/Chevaux/Divers/autour.htm

Mythologie grecque autour du cheval.

Bienvenue sur l'Olympe

perso.wanadoo.fr/dia

La mythologie grecque, ses dieux, ses héros et ses grands personnages : Zeus et Hercule vous attendent sur leur site officiel !

Calligraphie et peinture égyptienne

www.papyri.com 

Copies de textes égyptiens authentiques en hiéroglyphes et hiératique, reproductions de scènes pharaoniques sur papyrus, t-shirts imprimés.

Cartographie numérique

www.jadot.net/carto/index.html

Ce site vous propose de découvrir des cartes géographiques : régions françaises, départements, hydrographie par départements.

Citadelle  

www.citadelle.org

Magazine numérique sur le Moyen Age : boutique en ligne, forum de discussion, articles, moteur de recherche, recettes de cuisine, etc.

Civilisation et mythologie gréco-romaines 

cassandre.new.fr

Présentation de la civilisation et de la mythologie gréco-romaines : géographie du monde antique, cartes de la Grèce et de la Méditerranée, bases de mythologie générale, liens complémentaires.

Cybergeo 

www.cybergeo.presse.fr

Journal européen de géographie.

Datoscope

www.ifrance.com/datoscope

Sur le Datoscope, chaque jour a son histoire et chaque histoire a son jour…

Destins

perso.club-internet.fr/j_mirou

Près de 700 biographies brèves de personnages méconnus du XIe siècle au début du XXe.

Enseigner l'histoire et la géographie

pedagogie.ac-toulouse.fr/histgeo/index.php

Site des professeurs d'histoire-géographie de l'académie de Toulouse.

Evolution des casques

perso.wanadoo.fr/samuel/index.htm

Petit panorama des casques dans l'Antiquité occidentale.

Géographie de l'espace français 

perso.wanadoo.fr/geo.france 

Pour tout savoir sur la géographie de la France, la hiérarchie administrative, les déséquilibres de l'espace et l'aménagement du territoire.

Géographie du monde et de la France

perso.wanadoo.fr/thierry.destenay/site_perso/geo.htm

Géographie de la France (montagnes, départements, villes, fleuves, forêts) et des pays du monde (cartes, informations, drapeaux, hymnes).

Géographie physique et humaine

www.notre-planete.info/geographie

Dossiers et fiches pratiques en géographie physique : géomorphologie, biogéographie, climatologie, hydrologie et géographie humaine.

Géographie.net

www.chez.com/geographienet

Toute la géographie sur la Toile.

Geonet

www.fdn.fr/~fjarraud

GeoNet est un site consacré aux nouvelles technologies en histoire-géographie.

Geoscopie

www.geoscopie.com

Geoscopie vous aide à préciser votre vision du monde : événements, lieux, thèmes et scénarios de la vie internationale, répertoires sur le management international et méthodes de création des sources d'information.

Guerre et paix

site.ifrance.com/tempo

Guerres et paix : 25 siècles d'histoire du monde.

Guide, annuaires, histoire de France

www.france-pittoresque.com

Sur ce site : histoire de France, coutumes, traditions, légendes, métiers, villes, villages, personnages, lieux pittoresques, costumes, faune et flore, généalogie, tourisme, gastronomie, terroir, guides et annuaires des communes, régions, musées, patrimoine, artisans.

Histgéo.free.fr

histgeo.free.fr

Ce site est consacré à la Seconde Guerre mondiale : les faits, les hommes, la France.

Histoire du monde

users.skynet.be/dodeluc

L'histoire du monde, du Ier siècle à nos jours. Nombreuses photos, chronologie, dossiers et liens vers d'autres sites traitant de sujets complémentaires. Il est également possible de suivre un cours d'histoire contemporaine en ligne.

Histoire et géographie

www.hist-geo.com

Histoire et géographie : cours de terminale, glossaire, biographies, cartes, fonds de cartes, service de localisation, schémas, textes, etc.

Histoire militaire et conflits contemporains

www.net4war.com

Site d'actualité géopolitique et stratégique pour les professionnels de la défense et de la sécurité.

Histoire scientifique des civilisations

www.circe.fr/histoire/civilisation/civil_som.html

Découvrez les origines des sciences dans chaque civilisation.

Histoire

www.histoire.presse.fr

Le mensuel L'Histoire publie depuis vingt ans des articles rédigés par les historiens les plus réputés. Ces auteurs renouvellent l'approche des grandes questions et font partager leur passion à de très nombreux lecteurs.

Histoire, géographie et éducation civique

perso.club-Internet.fr/erra

Cyberguides, des fichiers et des liens en histoire, géographie et éducation civique. Pages du bac et du brevet en histoire-géographie.

Histoire-géographie - JF Carémel

histoire.geo.free.fr/

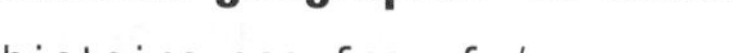

Site portail en histoire, géographie et éducation civique. Liens et cours en ligne pour le bac et le brevet.

Histoire-géographie

histoire.geo.free.fr

Site portail en histoire, géographie et éducation civique. Liens et cours en ligne pour le bac et le brevet.

Histoire-militaire.fr.st

www.histoire-militaire.fr.st

Cartes, photos, images, liens sur l'histoire militaire : batailles, armes, guerres, armées, combats et personnages de toutes les époques.

Historia

www.historia.presse.fr

Les passionnés pourront se délecter de nombreux articles, participer à des débats, donner leur avis et commander livres, CD-ROM, K7 vidéo, etc.

IGN, Institut géographique national

www.ign.fr

Sur ce site, découvrez les missions et les activités de l'Institut géographique national (IGN) ainsi que les boutiques dans lesquelles vous pourrez acheter des cartes et photos satellite.

Infosciences civilisations

www.infoscience.fr/histoire/civilisation/civil_som.html

Webzine dédié à l'histoire scientifique des civilisations.

Initiation à la civilisation égyptienne

www.egypt.edu

Ce site est dédié à l'Egypte pharaonique, copte, musulmane et contemporaine. Vous y découvrirez également comment préparer un voyage en Egypte et… comment s'écrit votre nom en hiéroglyphes.

Institut européen de géo-économie

www.choiseul.info

L'Institut européen de géo-économie présente l'essentiel des informations pratiques et des références académiques indispensables pour comprendre les grandes évolutions du monde.

Isabelle Aubé

www3.sympatico.ca/isabelle.aube

Ce site vous montre comment les mille ans qui séparent la chute de l'Empire romain de la Renaissance ont marqué notre histoire.

Jours d'histoire

www.herodote.net

Site dédié à l'histoire : actualités, calendrier, chronologie, forums et livres.

La Grèce antique

hellada.free.fr

Sur ce site, vous trouverez des informations sur la civilisation de la Grèce antique.

La guerre d'Espagne

membres.lycos.fr/guerrespagne

Ce site s'intéresse à l'engagement artistique loyaliste dans la guerre d'Espagne.

La guerre froide

www.guerrefroide.34sp.com

Site très complet sur la guerre froide : grâce à la coopération des forces alliées, Hitler mort, les forces allemandes furent défaites et l'Europe fut défendue. Mais cette coopération connut sa fin à la suite de la conférence de Yalta en février 1945…

L'apprenti historien

www.chez.com/christiangagnon

Cette page donne accès à de nombreux sites dédiés à l'histoire.

Le grenier de Clio

www.chez.com/clio

Site richement illustré, consacré à l'histoire et à la mythologie des civilisations grecque et romaine.

Le monde arabe

www.imarabe.org/perm/mondearabe/theme

Ce site s'intéresse à l'histoire des civilisations arabes : avant le VIIe siècle, l'émergence de l'Islam, son expansion, l'apport des Arabes à la civilisation, etc.

Le musée de la Résistance nationale

www.musee-resistance.com

Au programme : histoire de la Résistance française évoquée par des historiens, des grands témoins ou à travers des collections uniques et les expositions des musées du réseau musée de la Résistance nationale.

L'encyclopédie médiévale

www.medievalenfrance.com

Encyclopédie médiévale : fiches biographiques, extraits d'œuvres, textes en ligne d'auteurs de l'an mil à la Renaissance ayant contribué à l'établissement de ce formidable patrimoine collectif que sont la langue française et sa littérature.

Les aventures de globe-trotters

www.ia05.ac-aix-marseille.fr/ecoles/globe

Faire de la géographie et voyager en s'amusant.

Les Clionautes

www.clionautes.org

Site dédié à l'enseignement de l'histoire, de la géographie et de l'éducation civique.

Les mystères de l'Atlantide

membres.lycos.fr/atlantide9/index.php

Ce site vous invite à partir à la découverte de l'Atlantide à travers l'Egypte, l'Amérique du Sud, les légendes et les textes de Platon et Cayce.

Les rois de France

jeanjacques.villemag.free.fr

Vous trouverez sur ce site les arbres généalogiques des Mérovingiens, Carolingiens, Robertiens, Capétiens, Valois, Bourbons, Orléans, ainsi que les arbres de nombreuses familles de la noblesse française.

L'histoire du monde

dilbert.free.fr/index.html

Sur ce site, vous trouverez des informations sur la préhistoire, les dinosaures, la formation de l'univers, le Moyen Age et la Renaissance en Europe, l'Asie, l'Amérique et l'Afrique. Mais également sur les langages, l'écriture, la mythologie, les monnaies et les mesures. De nombreux liens vous renvoient vers des sites traitant de sujets complémentaires.

L'histoire en ligne

www.histoire-en-ligne.com

Ce site vous conduira au cœur des quartiers de Paris, par les lignes du métro parisien, à la rencontre de l'histoire et des personnages qui la construisent. Vous trouverez ici de nombreuses biographies et lieux touristiques.

L'histoire par l'image

www.histoire-image.org

L'histoire par l'image 1789-1939 : recherche thématique, chronologique ou détaillée, études, forum.

Meilleurs sites histoire et géographie

pedagogie.ac-toulouse.fr/histgeo/branchem.htm

Liste de sites en rapport avec l'histoire et la géographie.

Momes.Net - Géographie

www.momes.net/education/geographie/geographie.html

Ce site aborde diverses notions et techniques géographiques et donne accès à divers sites complémentaires dédiés à une région de France ou à un pays.

Mythologie grecque

membres.lycos.fr/cadmos

Ce site a pour but de vous indiquer les relations existant entre les dieux olympiens, les dieux non-olympiens, les dieux primitifs, les Titans, les Titanides, etc.

Napoléon

perso.wanadoo.fr/buddyop/napoleon

Tout Bonaparte à portée de souris : biographie, Directoire, Consulat, premier Empire, famille Bonaparte, Grands Aigles…

Napoléon

perso.club-Internet.fr/ameliefr

Un site très complet dédié à Napoléon. Entre autres thèmes abordés : chronologie, généalogie, base de données livre et iconographie, filmographie, sites complémentaires, lieux napoléoniens essentiels, itinéraires guidés, etc.

National Geographic France 

www.nationalgeographic.fr

Depuis son origine, la société National Geographic a soutenu plus de 6 500 projets d'exploration et de recherche qui concourent à la connaissance de la Terre, de la mer et du ciel. Le site donne des informations sur le magazine, donne accès à la boutique virtuelle, à l'espace Chat et au forum.

Notices biographiques sur tous les empereurs romains

www.empereurs-romains.net

Notices biographiques sur tous les empereurs, de César à Romulus Augustule. Une attention particulière est portée au rapport des empereurs avec le christianisme naissant.

Notre planète info

www.notre-planete.info

Portail d'informations et d'actualités en environnement et géographie agrémenté de centaines de photographies sur notre planète.

Panneaux de signalisation routière

perso.wanadoo.fr/signalisation

Histoire du panneau de signalisation routière en France, bêtisier de la route, collection de panneaux anciens, créations artistiques inspirées de signaux routiers, signalisation étrangère, publicités réalisées à partir de panneaux routiers, signalisation routière dans la BD et sur Internet.

Paris à l'époque de Philippe Auguste

www.philippe-auguste.com

Sur ce site, découvrez Paris sous Philippe Auguste, la muraille qu'il a fait construire autour de la capitale, la vie quotidienne, la ville, ses rues et ses monuments, le roi et les événements arrivés entre 1165 et 1223.

Paris autrefois 

www.paris-pittoresque.com

Sur ce site, vous trouverez des photographies, gravures, chroniques anciennes et extraits d'ouvrages qui font revivre le Paris d'autrefois et ses environs ainsi qu'un guide pour découvrir l'histoire de Paris et de la région parisienne.

Pays en un coup d'œil

cyberschoolbus.un.org/infonation/index.asp

Les pays du monde en quelques clics : drapeau, latitude et longitude, superficie, population totale, densité de population, capitale, langue et monnaie.

Petit bazar cartographique 

www.univ-tlse2.fr/geoprdc/ bazarcarto

Sur ce site : liens cartographiques, données géographiques, fonds vectoriels, photos aériennes, fonds alti 3D, atlas en ligne, orthophotoplans, logiciels de cartographie, etc.

Photo 

www.photo.fr/laterre

En écho à "La Terre vue du ciel", ce site présente 200 images prises dans plus de 70 pays par le photographe aérien le plus doué de notre époque : Yann Arthus Bertrand.

Planète terre

planet.terre.free.fr

La terre, vieille de 4,6 milliards d'années, est source de merveilles et de secrets inexpliqués. Ce site sera l'occasion de vous familiariser avec les connaissances essentielles pour appréhender la planète.

Pôle d'histoire de la pensée économique

phare.univ-paris1.fr

Site du Centre d'histoire de la pensée économique.

Préhisto

www.ifrance.com/prehisto

Préhisto vous propose plus de 300 illustrations et plus de 900 termes et expressions consacrés à la préhistoire.

Revue européenne de géographie

193.55.107.45/eurogeo2.htm

La revue européenne de géographie propose de nombreux documents, articles et liens sur la géographie.

Société de Géographie

www.socgeo.org

Cette page présente la Société de géographie ainsi que les informations générales et pratiques qui la concernent.

SOS Histoire Géographie

www.soshg.org

Site complet sur l'histoire et la géographie avec entre autres rubriques : pour les profs, moteurs de recherche, programmes et concours, best of, logiciels, liens, CD-ROM.

Souvenirs du Vietnam

sites.rapidus.net/jhenault

Souvenirs photographiques du Vietnam de J.P. Henault : Saigon, Danang, Hue, Dalat, Hoian, etc.

Sur la piste des dinosaures

www.lescale.net/dinos

La préhistoire et les dinosaures expliqués aux 8-12 ans à travers un jeu en ligne.

Territoires du monde

www.atlas-francophone.refer.org

Ce site offre une vaste base de données sur 233 états et territoires du monde : religions, politique, armée, transports, économie, etc.

Langues

7speaking

www.7speaking.com/index2.cfm?path=bas&thread=0&

Apprenez l'anglais avec 7speaking : formation professionnelle, grammaire anglaise, leçons d'anglais, soutien scolaire niveau collège, lycée, prépa, concours étudiant.

AnglaisFacile.com

www.anglaisfacile.com

AnglaisFacile.com est l'un des meilleurs sites pour apprendre ou entretenir sa maîtrise de la langue anglaise. A consulter d'urgence. Vous ne serez pas déçu.

Apprendre le chinois

pages.infinit.net/mrp/chinois/chinois.html

La mission de ce site est de faciliter l'apprentissage du chinois aux Français : conseils sur les cours de chinois, méthodes d'apprentissage en français, logiciels pour lire et écrire le chinois, dictionnaires chinois-français-chinois, grammaire, sites complémentaires.

Cours de français en ligne

www.educaserve.com

Ce site donne accès à une méthode d'apprentissage du français conforme aux programmes officiels de l'éducation nationale.

Cours d'espagnol en ligne

coursespagnol.tripod.com

Céline Desautels, enseignante, vous propose des cours gratuits d'espagnol en ligne.

Cours Gratuit d'espéranto

personal.southern.edu/~caviness/cge/CGEquoi.html

Cours d'espéranto en ligne, disponibles en langue française. Ce site s'appuie sur le cours gratuit par correspondance de la société québécoise d'espéranto.

DiversCité Langues

www.teluq.uquebec.ca/diverscite

Revue et forums interdisciplinaires sur la dynamique des langues.

Ecritures du monde

www.culture.gouv.fr/edm

Institut national des langues et civilisations orientales. Centre de recherche en ingénierie multilingue.

Education.com

fr.education.com

L'espace Parents du site Education.com vous propose des dossiers pour accompagner votre enfant au quotidien, des forums pour discuter entre parents, des jeux pour toute la famille et une sélection de sites pour les parents.

EnglishTown

www.englishtown.com

Englishtown est le plus grand site Web du monde pour les étudiants en anglais (service payant).

Espéranto

www.esperanto.net/info/index_fr.html

Un site multilingue sur l'espéranto.

INALCO

www.inalco.fr

L'Institut national des langues et civilisations orientales, sous la tutelle du ministère de l'Education nationale, de la Recherche et de la Technologie, a pour vocation d'enseigner les langues de l'Europe centrale et orientale, de l'Asie, de l'Océanie, de l'Afrique et des populations aborigènes de l'Amérique.

Je joue, j'écoute, donc je comprends

perso.wanadoo.fr/michel.jan/AAAindex.htm

Le logiciel proposé sur ce site en téléchargement gratuit a pour vocation d'enseigner le vocabulaire et les expressions courantes des langues étrangères : français, anglais, allemand, espagnol et chinois mandarin.

Leçons d'anglais en ligne

www.e-anglais.com

Cours et exercices de grammaire en ligne. Excellent site… entièrement gratuit.

Les langues de France

www.languesdefrance.com

Venez découvrir les langues de France : sélectionnez une langue et écoutez-la, visualisez son aire géographique à travers des cartes, repérez les acteurs et les lieux d'apprentissage de cette langue.

L'espéranto et les langues construites

membres.lycos.fr/fox

Vous trouverez ici un résumé de la grammaire de la langue internationale, des liens, des polices de caractères et programmes en téléchargement, et une comparaison avec les autres langues construites.

MausClick

perso.wanadoo.fr/mausclick2

Ce site vous propose des activités variées, multimédias et interactives pour apprendre l'allemand et découvrir la culture allemande.

Prof d'anglais.com

www.profdanglais.com

Révisez vos verbes irréguliers anglais de manière ludique grâce à différentes listes, des interrogations et jeux.

ToutApprendre.com et Wanadoo

learnorama.servicesalacarte.wanadoo.fr/index.asp

ASSIMIL, spécialiste de l'autoapprentissage des langues depuis plus de 70 ans, propose, en partenariat avec Wanadoo et ToutApprendre.com, des méthodes simples et agréables à utiliser, alliant l'écrit, le son et l'interactivité à des milliers d'enregistrements à écouter pour mieux éduquer l'oreille.

Vive les langues

www.vive-les-langues.com

Ce site est destiné à tous les amateurs et professionnels des langues. Que vous soyez traducteur, interprète, professeur, formateur, étudiant ou simple curieux, vous y trouverez beaucoup d'informations utiles.

Langues : traduction

Alec - Traduction

www.atec-traduction.com

Traduction en ligne de tous vos documents dans les meilleurs délais et au meilleur coût.

Babelfish

babelfish.altavista.com

Babelfish, le service de traduction d'Altavista, vous propose de traduire un texte entré au clavier ou le texte présent sur une page Web : anglais/espagnol, anglais/français, anglais/ allemand, anglais/italien, anglais/portugais, français/anglais, allemand/anglais, etc.

Clicnet

clicnet.swarthmore.edu/dictionnaires.html

Ce site donne accès à plusieurs dictionnaires multilingues, encyclopédies et lexiques spécialisés.

Dictionnaire créole en ligne

www.creole.org/dictionnaire_creole.htm

Traducteur créole/français et français/créole.

Dictionnaire français/anglais 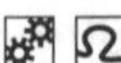

sun-recomgen.univ-rennes1.fr/FR-Eng.html

Dictionnaire français/anglais.

Dictionnaire français-japonais

dico.fj.free.fr/traduction/index.php

Dictionnaire en ligne français/japonais et japonais/français entièrement gratuit.

Foreignword.com, le site linguistique 

www.foreignword.com/fr

Site contenant de nombreuses ressources pour les traducteurs : plus de 130 dictionnaires en ligne et 18 systèmes de traduction automatique accessibles depuis une seule page.

FraSkt

asignoret.free.fr/index.html

FraSkt propose un dictionnaire français/sanscrit en téléchargement, un outil de grammaire interactive et un magazine (linguistique, bibliographies, etc.).

Freelang 

www.freelang.com/index.html

Freelang a pour vocation de faciliter les échanges entre les différentes langues. Il propose un dictionnaire multilingue librement téléchargeable et un service gratuit d'aide à la traduction. Réservé à des demandes courtes et non commerciales, ce système permet à chacun d'obtenir la traduction d'un mot ou de quelques phrases, en contactant personnellement un traducteur.

Google - Outils linguistiques

www.google.com/language_tools?hl=fr

Outil de traduction du moteur de recherche Google.

La toile du Québec - Traduction en ligne

www.toile.qc.ca/traduire

La toile du Québec et Softissimo vous offrent la possibilité de traduire en ligne les documents qui vous intéressent.

Larousse, dictionnaires bilingues

www.larousse.fr/catalogue/dictionnaires_bilingues.asp

Découvrez la gamme complète des dictionnaires bilingues Larousse. Dialoguez avec les éditeurs et franchissez la porte de l'espace Enseignants.

Lingoware

www.lingoware.com/french/index.html

LingoWare3 est un outil de traduction léger, d'utilisation facile, qui se place sur votre bureau. Avec une simple opération de glisser-déposer, LingoWare traduit automatiquement les menus, options et messages système.

Logos 

www.logos.it/dictionary/owa/sp?lg=fr

Dictionnaire multilingue en ligne Logos (plus de 7 580 560 entrées).

Lycos traduction

www.lycos.fr/search/translate.html

Ce service vous permet de traduire n'importe quel mot en 32 langues. Il suffit d'entrer le mot que vous voulez traduire et d'en préciser la nationalité.

Planète Québec 

planete.qc.ca/linguistiques

Sur ce site, des encyclopédies, dictionnaires, lexiques, glossaires, vocabulaires, et autres ressources linguistiques en ligne : plus de 700 outils gratuits à votre service.

Portail Logos 

www.logos.it/lang/transl_fr.html

Portail de traduction multilingue.

PROMT's Online Translator 

www.online-translator.com/default.asp?lang=fr

PROMT vous offre un ensemble de services de traduction en ligne : traduction d'un texte, d'une page Web et d'e-mails en anglais, allemand, français, espagnol, italien et russe. Vous pouvez également utiliser des dictionnaires spécialisés pour traduire des textes d'actualité.

Systran

www.systransoft.com

Systran vous propose de traduire un texte entré au clavier ou le texte présent sur une page Web : anglais/espagnol, anglais/français, anglais/allemand, anglais/italien, anglais/portugais, français/anglais, allemand/anglais, etc.

Télécharger - Logiciels de traduction 

telecharger.01net.com/windows/Bureautique/traducteur

Venez télécharger des freewares et sharewares de traduction sur le site Télécharger.com.

TF1 - Traduction

www.tf1.fr/services/traduction

Service de traduction en ligne de TF1.

Traducteurs en ligne 

www.liensutiles.org/traducteur.htm

Cette page donne accès à différents traducteurs en ligne ou à télécharger.

Traduction dans l'administration 

www.culture.gouv.fr/culture/dglf/traduction/Dicmonolingues.htm

Ce site a été conçu pour permettre aux personnes intéressées par les questions de traduction de s'entraider en ligne, d'échanger leurs idées sur les divers aspects techniques, juridiques et terminologiques et de recenser différents outils d'aide à la traduction disponibles sur le Net.

Traduction.com

www.traduction.com

Agence de traductions techniques et services d'interprétariat.

Travlang's 

dictionaries.travlang.com/french.html

Ce site propose de nombreux dictionnaires bilingues consultables en ligne.

Voila - Traduction

tr.voila.fr

Voila et Softissimo vous proposent de nouveaux outils de traduction : l'assistant traducteur, le traducteur instantané ainsi que des boutons à ajouter pour rendre votre site multilingue.

Wanadoo - Traduction

www.wanadoo.fr/bin/frame2.cgi?u=http%3a//outils.wanadoo.fr

Service de traduction en ligne de Wanadoo.

Mathématiques et sciences physiques

Andra

www.andra.fr

Le site de l'Agence nationale pour les déchets radioactifs se propose de vous en apprendre un peu plus sur le sujet.

Automaths

www.automaths.com

Au programme : exercices et cours de maths, lexiques, calcul mental, construction géométrique à la règle et au compas. Ce site est proposé par un professeur de mathématiques pour les niveaux sixième, cinquième, quatrième et troisième.

BibMath

www.bibmath.net

BibMath propose un dictionnaire de mathématiques, des biographies de mathématiciens, des jeux de réflexion, un formulaire, un forum d'aide aux devoirs, des annales de sujets de concours. Il explique également à quoi servent les maths au quotidien.

Centenaire de la découverte de la radioactivité

www.ccr.jussieu.fr/radioactivite

Site dédié à la radioactivité : il y a cent ans, applications, atome et sociétés, bibliographie, organismes et comités.

Cours de mathématiques

users.skynet.be/cabri

Ce site propose des exercices en ligne, des jeux mathématiques, des ateliers, des images mentales de géométrie, des leçons types du niveau 5e et 4e.

CROC'Sciences

perso.club-internet.fr/lambertp/crocsciences

CROC'Sciences est un webzine dédié à la pédagogie des sciences (mathématiques, sciences physiques, sciences naturelles, technologie).

Enigmatum, centre des énigmes

www.bde.enseeiht.fr/~hangarg

Ce site traite du vaste sujet des énigmes logiques et mathématiques.

Eole, éoliennes, énergie renouvelable

www.eole.org

Ce site s'intéresse aux éoliennes et à l'énergie du vent : fonctionnement, statistiques, références et vélocité.

Journaux de mathématiques de la SMAI et de la SMF

www.emath.fr

Ce serveur, géré par EDP Sciences, héberge les journaux électroniques de mathématiques et permet d'accéder aux services en ligne français de mathématiques : institutions, lieux, sociétés savantes, informations, documentations, thèses, conférences, moteurs de recherche, etc.

La physique, c'est fantastique

phys.free.fr

La physique et la chimie pour le collège. Cours et exercices interactifs.

La zone m@thém@tiques

zonemath.csmv.qc.ca

La zone m@thém@tiques est un endroit où l'information, la théorie, les exercices et les jeux sont des ressources accessibles à toute personne intéressée par les mathématiques.

L'anneau des mathématiques francophones

www.ann.jussieu.fr/anneau

Portail francophone dédié aux mathématiques.

Le kangourou des mathématiques

www.mathkang.org

Le kangourou des mathématiques vous présente ses nouvelles rubriques : le concours du kangourou, maths & malices.net, la cité des maths, les tests du kangourou, kangourou sans frontières, le club olympique, et bien d'autres choses encore.

Le monde du phi

membres.lycos.fr/lephi

Ce site propose une approche ludique du monde des mathématiques. Pour tous ceux qui ont de mauvais souvenirs de leurs cours de maths…

Le nombre Pi

trucsmaths.free.fr/Pi.htm

Tout ce que vous avez toujours voulu savoir sur le nombre Pi sans jamais oser le demander.

Le site de l'agrégatif 

membres.lycos.fr/agregmaths

Ce site aide les futurs professeurs à préparer leur agrégation en mathématiques.

Les débrouillards 

www.lesdebrouillards.com

Les Débrouillards guident les jeunes de 9 à 12 ans dans l'univers des sciences. Le pourquoi et comment de notre vie quotidienne, à travers des expériences, démonstrations et défis amusants.

Les mathématiques.net 

www.les-mathematiques.net

Vous trouverez ici des cours de mathématiques de niveau universitaire. Ce site est un lieu de rencontre pour ceux qui étudient et qui aiment les mathématiques. Le forum permet à chacun de soumettre ses questions.

Les maths au collège 

membres.lycos.fr/francoisloric

Ce site propose des exercices de mathématiques interactifs qui peuvent intéresser les élèves du collège qui veulent s'entraîner, réviser, s'amuser, et les profs de mathématiques utilisant l'outil informatique comme complément dans l'enseignement de leur discipline.

Mathématiques magiques

perso.wanadoo.fr/therese.eveilleau

Découvrez des mathématiques magiques, ludiques et dynamiques pour l'école primaire et le secondaire : jeux, magie, illusions, paradoxes, trucs.

Musée Curie

musee.curie.fr

En 1964, le musée du laboratoire Curie de l'institut du Radium est inauguré, à l'occasion du trentième anniversaire de la découverte de la radioactivité artificielle.

Petite chronologie des mathématiques

chronomath.irem.univ-mrs.fr

Petite chronologie des mathématiques à l'usage des professeurs.

Physique-Chimie

www.educnet.education.fr/phy

EducNet propose les programmes du lycée (près de 700 ressources académiques indexées), un QCM en électricité et en chimie pour les élèves (niveau 5e à 3e) et bien d'autres ressources à découvrir en ligne.

Résumés de cours

www.chez.com/resumecours

Résumés de cours de mathématiques pour classes préparatoires et DEUG sciences.

Sciences physiques

sfp.in2p3.fr

Ce site contient de nombreuses activités interactives en physique, chimie, astronomie et informatique ainsi que des simulations Excel. Il s'adresse essentiellement aux élèves de lycée, aux enseignants et à tous ceux qui s'intéressent aux sciences et à l'astronomie. Toutes les applications proposées sont téléchargeables pour être utilisées hors connexion.

Sciences physiques

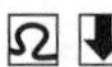

jf-noblet.chez.tiscali.fr

Ce site contient beaucoup d'activités interactives en physique, chimie, astronomie et informatique, ainsi que des simulations Excel. Il s'adresse aux élèves de lycée, aux enseignants et à ceux qui s'intéressent aux sciences et à l'astronomie. Toutes les applications proposées sont téléchargeables et peuvent être utilisées hors connexion.

SFP

sfp.in2p3.fr

Découvrez la Société française de physique dont le but est de contribuer au développement et au rayonnement de la physique en France et d'y associer l'ensemble des physiciens de notre pays.

Société mathématique du Canada

camel.math.ca/CMS

La société mathématique du Canada publie le journal et le bulletin canadien de mathématiques, organise des concours et olympiades de mathématiques.

Voyage au cœur de la matière

marwww.in2p3.fr/voyage

Venez découvrir le monde de la matière : atomes, nucléons, fermions, forces et radioactivité.

Web maths

www.webmaths.com

Webmaths est un site dédié aux mathématiques et aux sciences scolaires. Il propose une aide en ligne pour les devoirs, des cours multimédias, un forum d'entraide et bien plus encore.

XM1 Math

www.xm1math.net

Les sections MathWeb Seconde et MathWeb Première permettent aux élèves de seconde et de première de réviser les techniques mathématiques de base et de s'évaluer en ligne. La section NetCalculs permet aux élèves de résoudre en ligne des systèmes linéaires et des équations du second degré.

Mers et océans

Aquanaute.com

www.aquanaute.com

Cap sur la planète bleue. Ce domaine accueille différents sites Web consacrés au monde de la mer et à la plongée sous-marine.

Centre de la mer et des eaux

www.oceano.org/cme2/index.html

Le Centre de la mer et des eaux à Paris vous informe sur ses activités (animations pour enfants, expositions, films, etc.).

Conservatoire du littoral

www.conservatoire-du-littoral.fr

Le Conservatoire du littoral est un établissement public créé en 1975. Il mène une politique foncière visant à la protection des espaces naturels et des paysages sur les rivages maritimes et lacustres, et peut intervenir dans les cantons côtiers en métropole, dans les départements d'outre-mer, etc.

Fédération Mer et santé

www.thalassofederation.com

La Fédération internationale de thalassothérapie vous informe sur la législation en vigueur et les centres agréés en France.

Hydro-Québec

www.hydroquebec.com

Hydro-Québec est un grand producteur d'énergie et un distributeur important en Amérique du Nord.

L'Institut

www.ifremer.fr

Découvrez l'Ifremer, le seul organisme français à vocation entièrement maritime, placé sous la tutelle conjointe des ministères de la Recherche, de l'Agriculture et de la Pêche, de l'Equipement, des Transports et du Logement.

Mer espace

www.merespace.com

Portail francophone de la mer et de l'espace : annuaire de milliers de sites classés, news, forums, communauté, etc.

Océanographie, propriétés physiques du milieu maritime

Ω

isitv.univ-tln.fr/~lecalve/oceano/plan.htm

Ce site propose un cours en ligne d'introduction à l'océanographie physique : forme et dimensions des océans, caractéristiques physiques de l'eau de mer, etc.

Océans 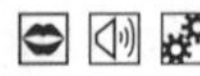

www.oceans.fr

Toute l'information sur la plongée et le voyage de plongée : reportages, techniques, voyages, conseils, matériel, ouvrages, séjours et itinéraires.

Pavillon bleu

www.pavillonbleu.org

Le pavillon bleu est une campagne de l'Office français de la fondation pour l'éducation à l'environnement en Europe. Il distingue et valorise les communes et ports de plaisance français qui répondent à des critères d'excellence pour la gestion globale de leur environnement.

Peggy Bouchet

www.peggybouchet.com

Peggy Bouchet est la première femme à avoir traversé l'Atlantique à la rame. Ce site lui est consacré et vous présente la sportive et son aventure.

Quiz mers et océans

youpiie.free.fr/jeux/quiz/qmer.htm

Questionnaire en ligne sur les mers et les océans.

Yahoo! Encyclopédie - Mers et océans

fr.encyclopedia.yahoo.com/tdm/tdm_1_646.html

Les mers et les océans par Yahoo! France encyclopédie.

Nature, animaux, protection des animaux

A toutes pattes 

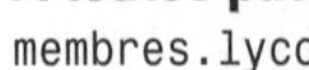

membres.lycos.fr/damiensteven

Araignées (mygales et autres espèces) : reproduction, élevage, boutique en ligne.

Afirac

www.afirac.org

L'Afirac propose des informations essentielles sur la relation entre l'homme et l'animal de compagnie pour faciliter son intégration dans la famille, la vie quotidienne et la ville.

Agir pour les animaux 

www.geocities.com/frmichel2000

Ce site s'adresse à des gens connaissant déjà les problèmes de souffrance animale. Il est conçu pour un public décidé à mener des actions concrètes.

Alliance pour la suppression des corridas

www.anticorrida.org

L'Alliance pour la suppression des corridas agit contre la torture et la mort données en spectacle…

Animal Passion 

www.animal-passion.be

Franchir ce portail, c'est découvrir un éventail d'articles, de services, d'annonces, de liens et d'événements dédiés à nos amies les bêtes. Curieux, passionné ou professionnel, Animal Passion vous est destiné.

Animorama

www.animorama.com/protection.htm

Cette page donne accès à une liste de sites en rapport avec la protection des animaux.

Association Artus 

membres.lycos.fr/artus

Site dédié à la protection des ours sauvages et des Pyrénées.

Association cagnoise pour les animaux

www.chez.com/acpa

En contact permanent avec les différents refuges, pompiers, polices municipales et les plus grands organismes animaliers, l'ACPA lutte contre la maltraitance animale et les trafics de plus en plus nombreux.

Association des coléoptères de la région parisienne 

perso.wanadoo.fr/dewailly

Le site de l'Association des coléoptères de la région parisienne (ACOREP) vous informe sur ses activités, ses publications et ses modalités d'adhésion.

Association pour la promotion de la protection des invertébrés

membres.lycos.fr/appi/menu.shtml

Le site de l'Association pour la promotion de la protection des invertébrés (APPPI) présente ses activités, ses publications et les événements liés aux invertébrés et à l'environnement.

Avimania.com 

www.avimania.com

Animé par des chercheurs formés au muséum et par des gens de terrain, ce site raconte l'aventure des animaux.

Baleines en direct

www.baleinesendirect.net/index.html

Baleines en direct est un site de référence et d'actualité dédié à l'éducation pour la conservation des baleines du Saint-Laurent et de leur habitat naturel.

Benthos

www.invfmr.org

Ce site s'intéresse aux insectes, et plus particulièrement aux éphémères, plécoptères et trichoptères.

Bourricot.com

www.bourricot.com

Ce site regroupe tous les amis des ânes : professionnels, fabricants, écrivains, etc.

Campagne pour les animaux

membres.lycos.fr/ghislainzuccolo

Ce site présente plusieurs dossiers relatifs à la défense des animaux et passe en revue les associations françaises de défense des animaux.

Centre de sauvegarde pour perroquets 

www.oricom.ca/crowned/ perroquet.html

Le centre de sauvegarde pour perroquets de Val-Alain a pour objectif d'accueillir ces petits êtres et de leur donner un environnement stable où ils seront aimés et vivront avec leurs semblables, avec beaucoup de liberté et en respect mutuel avec l'humain.

Centre régional de la sauvegarde de la faune sauvage

www.oricom.ca/crowned/perroquet.html

Site du Centre régional de sauvegarde de la faune sauvage (CRSFS) qui s'occupe des oiseaux blessés ou en détresse.

ChampYves

perso.wanadoo.fr/champyves

Le champignon dans tous ses états : présentation des différentes espèces de champignons, environnement, utilisations en cuisine.

Cheval.fr

www.cheval.fr

Tout sur le monde du cheval : annuaire des clubs et des sites, infos équitation, logiciels, centrale d'achat pour les professionnels.

Chevalmag

www.chevalmag.com

Site des magazines Cheval Magazine et Cheval Star, leaders de la presse équestre francophone : galeries de photos, articles exclusifs, petites annonces, sommaires des anciens numéros, boutique, etc.

Chez les delphinidés

perso.wanadoo.fr/thh

Ce site complet sur la famille des delphinidés (du dauphin à l'orque) propose de nombreuses informations pour mieux comprendre ces mammifères.

Chiens de berger

www.chiens-berger.com

Sur ce site, un éleveur de chiens de berger diffuse des informations et des conseils (santé, dressage, alimentation, caractère, standard) sur les chiens de berger.

Club Nature

www.club-nature.net

Annuaire et guide des activités nature (sorties, hébergements, tourisme, voyages, sports), et promotion des sites nature.

Coccinet

biologie.fr.free.fr

Au programme : étymologie des mots de biologie animale, glossaires de biologie moléculaire, végétale, de génétique et d'écologie, cours de physiologie et d'entomologie, liens biologiques, photos d'animaux et de microscopie électronique.

Comité d'action pour les animaux

www.coactions.net

Sur ce site, vous trouverez des campagnes de sensibilisation contre l'exploitation des animaux de ferme/à fourrure, contre l'expérimentation animale et la vivisection.

Conservation des animaux sauvages

secas.free.fr

La société d'encouragement pour la conservation des animaux sauvages s'est donnée pour but de sensibiliser petits et grands à la mission de préservation des espèces sauvages en voie de disparition.

Défense et protection des animaux

www.onevoice-ear.org 

OneVoice est un organisme militant contre l'expérimentation et la maltraitance animale.

Dictionnaire mondial des arbres

www.wdt.qc.ca

Dictionnaire mondial des arbres par Miroslav M. Grandtner.

Ecole et Nature

www.ecole-et-nature.org

Ecole et Nature est un réseau français rassemblant un grand nombre d'acteurs de l'éducation à l'environnement : des éducateurs (enseignants, animateurs, instituteurs...), des porteurs de projets et des responsables de structures d'éducation.

Educ-Envir.org

www.educ-envir.org

Partager l'information, mettre en commun les ressources, établir des contacts permanents pour que l'éducation à l'environnement soit plus efficace, tel est l'objectif de l'espace Web Educ-Envir.

Fondation Brigitte Bardot

www.fondationbrigittebardot.fr

Site officiel de la Fondation Brigitte Bardot pour la défense des animaux.

France Nature Environnement

www.fne.asso.fr

Site de la Fédération française des associations de protection de la nature et de l'environnement.

FRAPNA Loire

www.frapna.org/site/loire.htm

Découvrez la FRAPNA Loire : activités, animations, réhabilitation de la gravière de l'écopôle du Forez.

Froufrou d'ailes et gazouillis

pages.infinit.net/franjo

Un nouvel oiseau dans la cour ! Vite, où sont les jumelles ? Empressez-vous de jeter un coup d'œil dans le guide Peterson pour essayer de l'identifier.

Globicéphales, protection des dauphins

www.chez.com/globicephale

Arrêtons le massacre des dauphins ! Renseignez-vous ici sur la campagne internationale de protection des dauphins.

Informations sur la condition animale

www.reseaulibre.net/rage/ 

Site d'information sur les mauvais traitements que subissent les animaux : vidéos, photos choc, liste des produits testés sur les animaux, vivisection, élevages intensifs, etc.

La ferme tropicale

www.lafermetropicale.com

Vente en ligne de reptiles.

La Hulotte

www.lahulotte.fr

La Hulotte est une revue qui raconte en détail la vie des animaux, des fleurs, et des arbres de nos régions. Sur le site, vous trouverez la présentation du journal et des archives consultables en ligne.

La nature en beauté

www.naturepixel.com

Les beautés de la nature vues au travers de photographies (numériques et argentiques) de la faune, de la flore, de paysages, du ciel, etc.

Ladybird, coccinelle

perso.wanadoo.fr/dj

La coccinelle peut-elle remplacer les insecticides ? Vous le saurez en vous connectant sur ce site.

Le dugong

amauryma.ifrance.com/amauryma

Un site pour les amoureux du dugong, seul mammifère marin herbivore. Travail à destination universitaire, ce site contient toutes les informations existant en français sur le dugong.

Le monde des rats

le.monde.des.rats.free.fr

Sur ce site dédié aux rats, vous trouverez divers renseignements, des forums de discussion, des photos, des anecdotes et bien d'autres choses encore.

Le monde francophone du chien

www.chiens.com

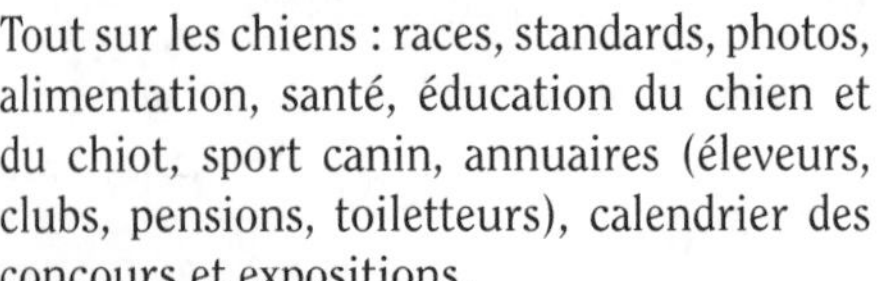

Tout sur les chiens : races, standards, photos, alimentation, santé, éducation du chien et du chiot, sport canin, annuaires (éleveurs, clubs, pensions, toiletteurs), calendrier des concours et expositions.

Le pigeon voyageur

home.nordnet.fr/~djtaquet

Site dédié aux pigeons voyageurs et de fantaisie.

L'école du chat

chats-errants.com

Site créé pour améliorer la condition des chats errants, encourager leur adoption et soutenir l'action de l'association L'Ecole du chat.

Les animaux sauvages

www.quelsite.com/animaux

Ce site vous permet d'accéder facilement à des images (caméra, vidéo) consacrées aux animaux sauvages.

Les arbres, jardins et forêts

les.arbres.free.fr

Tout savoir sur les arbres d'Europe : reconnaissance, conseils, jeux.

Les cahiers antispécistes

www.cahiers-antispecistes.org

Version Web des Cahiers antispécistes, revue de réflexion et d'action pour l'égalité animale.

Les dauphins

sos-dauphins.com

Ce site québécois mène une lutte acharnée contre la captivité des cétacés.

Les oiseaux de Vincennes

perso.club-Internet.fr/dguillau

Ce site est consacré aux oiseaux du Bois de Vincennes. Il vous indique où, quand et comment les observer.

Les reptiles de compagnie

iquebec.ifrance.com/reptiledecie

Si vous aimez les serpents, le site Les reptiles de compagnie est fait pour vous.

Ligue de protection des oiseaux

www.lallement.org/lpo.htm

La Ligue pour la protection des oiseaux est une association reconnue d'utilité publique. Elle a pour objet la protection des oiseaux non domestiques et des milieux dont ils dépendent lors de leur reproduction, de leur hivernage ou de leurs migrations.

Ligue française des droits de l'animal

www.league-animal-rights.org

Ce site s'intéresse aux droits de l'animal : activités, livres, références, etc.

L'inforoute de la forêt canadienne

www.foret.ca

L'inforoute de la forêt canadienne : produits, services, gouvernement, institutions scolaires et de recherche, associations et regroupements, faits et chiffres, aménagement forestier et environnement, nouvelles et publications, législation et politiques, forums.

Liste ornithologie

ornithologie.free.fr/index.htm

Ce site donne accès aux informations qui ont été placées sur la liste de discussion Ornithologie depuis 1997.

LVS

www.chez.com/lvs1

Offrons-nous quelques instants pour contempler la région qui nous entoure et y porter un autre regard.

Micropolis, la cité des insectes

www.micropolis-cite-des-insectes.tm.fr

Découvrez virtuellement la cité des insectes et organisez votre visite à Micropolis.

Musée canadien de la nature

www.nature.ca

Le musée canadien de la nature représente une source d'information fiable sur le monde naturel. Développez votre intérêt pour la nature en découvrant ses expositions, programmes, activités, recherches et collections.

Mylinea

www.mylinea.com/lpoca

Annuaire des associations de protection de la nature en général et des oiseaux en particulier.

Nature et randonnée

www.rando.net/fr

Toutes les informations sur la randonnée : infos régionales, parcours, conseils, découverte des chemins de randonnée et des parcs naturels.

Office départemental de l'action animalière

www.odaa.asso.fr

Site de l'office départemental de l'action animalière.

Officiel des sorties naturalistes

osn.free.fr

L'Officiel des sorties naturalistes est le premier site à proposer un référencement méthodique de toutes les associations ayant la nature pour sujet.

ONF

www.onf.fr

L'Etat a confié à l'ONF quatre grandes missions d'intérêt général : la protection du territoire, la production, l'accueil du public et l'activité de "partenaire naturel" au service de tous les responsables de milieux naturels.

OPIE, insectes

www.inra.fr/Internet/Hebergement/OPIE-Insectes

Pages d'entomologie et d'écologie proposées par l'Office pour l'information écoentomologique (OPIE) sur les insectes et leurs milieux.

Ornithochat

www.geocities.com/ornithochat

Ce site propose un canal de discussion ouvert en permanence pour ceux qui ont envie de parler d'oiseaux, de nature et de nature humaine.

Planete.org

www.planete.org

Découverte de la faune sauvage : fiches sur les espèces françaises menacées, dossier spécial "loup" et galerie de photographies animalières haute résolution.

Première région colombophile française

asso.nordnet.fr/messager

Site des colombophiles du Nord et du Pas-de-Calais : organisation, concours et championnats.

Protection mondiale des animaux de ferme

www.pmaf.org

Site dédié à la protection mondiale des animaux de ferme.

Protection suisse des animaux

www.protection-animaux.com

Protection suisse des animaux (PSA) : une lutte en faveur des animaux.

Refuge de l'Arche

www.refuge-arche.org

Le refuge de l'Arche est un lieu de vie, d'espérance et de convivialité. Loin de l'aspect mercantile des zoos, il permet aux animaux de trouver un accueil paisible. Il sait également redonner de la dignité humaine aux exclus de notre société.

Saumon d'élevage

membres.lycos.fr/elevagesaumon

Ce site indique les problèmes liés à l'élevage des saumons : cages, menace écologique, nourriture, bains chimiques.

Sites des ânes

asin.free.fr

Annuaire des professionnels, particuliers, et associations en rapport avec l'âne.

Société nationale pour la défense des animaux

www.declaration-important.org/fr_1150.html

Parcourez la Déclaration universelle sur l'unité de la vie : cycle de la nature, avenir des humains et des animaux, et agissez pour faire cesser la maltraitance des animaux.

Société protectrice des animaux

www.spa.asso.fr

La Société protectrice des animaux (SPA) agit chaque jour pour protéger la vie animale et son environnement. Ses engagements : lutter contre la souffrance, refuser de traiter l'animal comme un objet de consommation, demander aux pouvoirs publics de légiférer sur la protection des animaux.

Société protectrice des animaux de Bordeaux

spa.bordeaux.free.fr

Le site du refuge SPA de Bordeaux : adoptions, informations, tout sur les animaux hébergés. Découvrez les photos et les reportages sur les animaux à adopter.

SOS Grand bleu

www.sosgrandbleu.asso.fr

L'association SOS Grand bleu publie ici ses actions et pétitions contre la chasse baleinière et le massacre des cétacés.

Taxonomie

educ.csmv.qc.ca/mgrparent/ vieanimale

Ce site propose des fiches d'identifications d'animaux sauvages et étudie la taxonomie des animaux.

Univers nature

www.univers-nature.com

Toute la nature sur le Web : faune, flore, environnement, protection, actualité, annuaire, forum, exposition, dossiers et interviews.

WWF

www.wwf.fr

WWF est la première organisation mondiale de protection de la nature. Ses principales actions menées pour la sauvegarde de l'environnement sont ciblées sur les forêts, les océans, les eaux douces, les espèces menacées et les changements climatiques.

Recherche

Cepii actualités

www.cepii.fr

Le Cepii est le principal centre français d'étude et de recherche en économie internationale. Placé auprès du commissariat au Plan, cet organisme public s'attache à éclairer les questions stratégiques pour l'avenir de l'économie mondiale.

CNCPI

www.cncpi.fr

Le site de la Compagnie nationale des conseils en propriété industrielle.

Crédoc

www.credoc.asso.fr

Site du Centre de recherche pour l'étude et l'observation des conditions de vie (Crédoc).

CyberSciences - Sciences de la vie

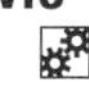

www.cybersciences.com/vie/index.asp

Section Sciences de la vie (biologie, paléontologie, microbiologie, etc.) des cybersciences : toutes les nouvelles scientifiques du domaine, les réponses à vos questions, des grands dossiers. Par l'équipe du magazine Québec Science.

Cyberzoïde

cyberzoide.developpez.com

Sur ce site : recherches scientifiques (surfusion, Fizeau), rubriques de vulgarisation, guide informatique pour débutant, initiation à la programmation avec Turbo Pascal 7.0 et au langage HTML.

FNRS

www.fnrs.be

Le Fonds national de la recherche scientifique a pour mission de développer la recherche scientifique non orientée dans le cadre d'initiatives présentées par les chercheurs.

Fondation pour la recherche médicale

www.frm.org

La FRM a pour mission de promouvoir la recherche sur les sciences de la vie et de la santé se rapportant à la médecine.

Formation Recherche

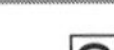

www.formation-recherche.info

Informations et sélection de liens concernant les études doctorales et la situation des jeunes docteurs et chercheurs en France.

Informations annuaire

www.urec.cnrs.fr/annuaire

Annuaire des sites Web correspondant à l'enseignement supérieur et à la recherche en France.

INRIA

www.inria.fr

Site de l'INRIA, l'Institut national de recherche en informatique et en automatique, un organisme au cœur de la société de l'information.

Inserm

www.inserm.fr

Site de l'Inserm : actualité, mieux connaître l'Inserm, recherche, partenariat, diffusion et partage des connaissances, travailler à l'Inserm.

Institut national de la recherche agronomique

www.inra.fr

Le site de l'Inra : unités et activités de recherche, actualités, information scientifique et technique, relations industrielles et transfert, relations internationales.

La Recherche

www.larecherche.fr

Site de la revue La Recherche : sommaire du numéro en vente, agenda, offres d'emploi.

Le site des biotechnologies

pedagogie.ac-aix-marseille.fr/disciplines/bio_techno/default.htm

Le site des professionnels des biotechnologies commente l'actualité et propose des articles de fond à destination des enseignants et chercheurs.

Les métiers de nos ancêtres 

www.vieuxmetiers.org

Ce site donne des définitions de métiers devenus rares de nos jours. A l'attention des généalogistes, chercheurs et curieux.

Ministère de la Recherche 

www.recherche.gouv.fr/recherche

Le site du ministère de la Recherche vous donne des informations sur le ministre, le ministère, la recherche, la technologie et l'espace. Il donne accès à des communiqués, rapports et commissions.

Quatuor 

pro.wanadoo.fr/quatuor/accueil.htm

Ce site montre comment la démarche artistique peut être utile pour faire avancer la pensée scientifique. C'est l'art ici qui explique la science et non l'inverse.

Sciences de la vie et de la terre 

perso.wanadoo.fr/jourdan.eric

Ce site s'adresse aux élèves des collèges et lycées, aux enseignants et aux personnes intéressées par les SVT : soutien scolaire en SVT, téléchargement d'exercices de la 6e à la terminale, bilan des chapitres (collèges et lycées), documents pédagogiques en ligne.

Yahoo! Encyclopédie - Sciences de la vie 

fr.encyclopedia.yahoo.com/tdm/tdm_f_284.html

Section Sciences de la vie de Yahoo! France.

Religions

Annuaire ésotérique francophone

www.annuaireesoterique.org

Annuaire de sites sur la spiritualité, les nouvelles religions, le développement personnel, la transformation du monde, l'ésotérisme et le mysticisme.

Bienvenue en terre d'Islam 

islamfrance.free.fr

Site consacré à l'Islam : les 5 piliers, le Coran, la tradition, la culture, l'actualité, etc.

Bouddhisme tibétain 

www.geocities.com/Athens/Acropolis/1920/tibet.html

Ce site d'information sur le bouddhisme tibétain donne un grand nombre d'informations sur le bouddhisme, le dalaï-lama, la méditation, les bardos, etc. et propose quelques liens vers des sites traitant du même sujet.

Catholiens 

www.catholiens.org/index.asp

Moteur de référencement des sites catholiques francophones.

Chrétiens.org 

members.aol.com/agences/netfr

Annuaire des sites chrétiens francophones.

Comité catholique contre la faim et pour le développement

`www.ccfd.asso.fr`

Le CCFD est la plus importante organisation française non gouvernementale de développement. C'est une association reconnue d'utilité publique placée sous le patronage des évêques de France.

Communauté juive de France

`www.col.fr`

Site institutionnel de la communauté juive de France.

Confucius publishing français

`www.confucius.org/mainf.htm`

Découvrez la vie de Confucius et quelques-unes de ses paroles.

Eglise catholique en France

`www.cef.fr`

Pour tout savoir sur l'église catholique en France : diocèses, conférences des évêques, documentation, prier, célébrer, les événements à venir.

Fédération protestante de France

`perso.wanadoo.fr/fpf`

Site de la Fédération protestante de France.

FeujWorld.com

`www2.feujworld.com`

Portail des Juifs du monde entier.

Fleurs d'Islam

`kitab.free.fr`

Site francophone consacré à la connaissance de la religion, la culture et la civilisation islamiques.

Franc-maçonnerie française

`www.fm-fr.org`

Le site de la franc-maçonnerie française présente un panorama (Grande Loge, Grand Orient, ordre initiatique, obédiences), la tradition maçonnique, les textes fondateurs de la franc-maçonnerie, les planches maçonniques et de nombreux liens vers des sites apparentés.

Guide des religions du monde

`www.techbull.com/techbull/guide/religion/religion.html`

Guide très complet sur les religions du monde.

Harissa.com

`www.harissa.com`

Site portail de la communauté juive.

Histoire des religions

`perso.wanadoo.fr/marxiens/philo/pretapen/religion.htm`

De la préhistoire au XXe siècle, une brève histoire des religions, inspirée par Hegel mais tenant compte des derniers acquis sur la préhistoire.

Historel

`www.historel.net`

Ce petit guide vous aidera à comprendre l'évolution des principaux courants spirituels à travers les âges, les rois et les époques.

Info-sectes

www.info-sectes.org

Information sur les sectes et les mouvements de pensée (notamment les Témoins de Jéhovah, les Mormons et le New Age). Aide à l'identification d'une secte en France.

Judaïca 

www.judaica.net

Judaica.net est le premier annuaire de la communauté juive francophone.

Kyosaku, culture et Bouddhisme

membres.lycos.fr/kyosaku

Panorama du bouddhisme japonais des périodes Nara, Heian et Kamakura pour mieux aborder l'école Soto Zen fondée par Dogen Zenji. Visite virtuelle du monastère Eiheiji, découverte des arts martiaux au travers du kendo, glossaire, bibliographie, nombreuses photographies.

La vie des saints 

www.saints-fr.com

Découvrez ou retrouvez la vie de tous les saints de l'église catholique.

Le lys et la croix 

lysetcroix.free.fr

Journal scout, catholique et français.

Ligue nationale des musulmans de France

www.lnmf.net

La Ligue nationale des musulmans de France est une association par et pour les musulmans de France.

Musée des religions de Nicolet

www.museedesreligions.qc.ca

Musée d'histoire, d'ethnographie et d'art religieux, le musée des Religions présente des expositions temporaires axées sur les grandes traditions religieuses mettant en évidence le caractère communautaire et populaire de l'expérience religieuse.

Musées & Millénaires

www.mumi.org/religion/fr

Manifestations des grandes religions dans une société multiculturelle.

Partenia français

www.partenia.org

Le site de l'association Diocèse Sans Frontières.

Plate-forme interreligieuse de Genève 

www.interreligieux.ch

Plate-forme interreligieuse de Genève, dialogue interreligieux, judaïsme, hindouisme, bouddhisme, christianisme, islam, foi baha'ie.

Portail bouddhique francophone 

www.buddhaline.net/annuaire.php3?id_article=26

Ressources sur le bouddhisme dans le monde : actualités, pratique, textes, liens, bibliothèque, enseignement.

Portail du mariage et du couple

mariage.eklesia.net

Ce site aide les fiancés à se préparer au mariage catholique (CPM, retraites, week-ends de préparation) et à vivre en couple pour la vie.

Ressources bouddhiques

www.pitaka.ch/intro.htm

Liens, documents, bibliographies et informations concernant le bouddhisme.

Sagesses du monde

www.onelittleangel.com/sagesse/home

Découvrez la philosophie, la poésie et les religions à travers des milliers de citations, poèmes, pensées, proverbes, dictons et maximes classés par thèmes.

Saint-Siège

www.vatican.va/phome_fr.htm

Le site du Vatican donne des informations sur les musées, la cité et la bibliothèque du Vatican. Il aborde également l'actualité chrétienne, les célébrations, les chemins de l'esprit et retrace, bien entendu, les nombreuses actions du Saint-Père. Le tout en six langues !

Spiritualis

www.spiritualis.net

Sur Spiritualis, discutez sous forme audio ou texte (chat, forum, liste d'échanges) d'ésotérisme et de spiritualité.

The Taizé community

www.taize.fr

Découvrez la communauté œcuménique internationale, fondée en 1940 à Taizé, en France, par frère Roger : débuts, développement et vocation.

Tioul.com

www.tioul.com

Portail juif francophone.

Top Chrétien

www.topchretien.com

Le Top Chrétien francophone est un portail chrétien pour la francophonie et un annuaire des sites chrétiens.

Voxdei

www.bethel-fr.com/annuaire

Annuaire et moteur de recherche des sites chrétiens.

Sciences de la vie, de la terre, environnement

ADEME

www.ademe.fr

L'Agence de l'environnement et de la maîtrise de l'énergie est un établissement public national à caractère industriel et commercial sous la tutelle des ministres chargés de la recherche, de l'écologie et de l'énergie.

Agences de l'eau

www.eaufrance.com

Pour tout savoir sur l'eau : l'eau en France, le cycle de l'eau, le club de l'eau, etc.

Air et atmosphère

www.univers-nature.com/dossiers/air.html

Site sur l'air et l'atmosphère : composition, cycle azote et oxygène, influence sur le climat, pluie acide, effet de serre, illustration de la pollution.

Airparif

www.airparif.asso.fr

Le site de la surveillance de la qualité de l'air en Ile-de-France.

Amis de la terre

www.amisdelaterre.org

L'association les Amis de la terre publie des documents sur l'environnement : changements climatiques, entreprises vertes, déchets, OGM, etc.

Annuaire des volcans dans le monde

perso.club-Internet.fr/decobed

Les volcans sont classés par continents et par océans.

Aquamania.net

www.aquamania.net

Le site de l'eau minérale. Très complet.

Arianespace

www.arianespace.com

Le site Arianespace vous informe sur la base de lancement de Kourou.

Arte, Archimède

www.arte-tv.com/fr/
104012.html?node=-65

Chaque semaine, le magazine Archimède apporte des réponses à ces deux questions : "Qu'est-ce que la science aujourd'hui ?" et "En quoi et comment cette science nous concerne-t-elle tous ?" Le site donne accès aux archives du magazine.

Association française de création de puits de carbone

afpc.free.fr

Les nouveaux pionniers de l'environnement ouvrent les portes du troisième millénaire en créant les Complexes puits de carbone pour lutter contre l'effet de serre.

Centre Géoscientifique de Québec

www.cgq-qgc.ca

Ce site d'introduction aux sciences de la Terre s'adresse à tous : géologie, terre, volcans, roches, minéraux, datation, glaciers, sol et eau, mines.

Chronologie, du big bang à la mort de notre soleil

pythacli.chez.tiscali.fr

Ce site s'intéresse à l'histoire de la terre, du big bang à nos jours (chronologie, cosmologie, géologie, paléontologie, préhistoire, civilisations).

Cieau

www.cieau.com

Naviguez dans le monde de l'eau : le cycle de l'eau, les ressources en eau, l'histoire de l'eau, eau forme et santé…

Climat

www.cnrs.fr/cw/dossiers/dosclim/
index.htm

Ce site est un dossier du CNRS consacré au climat : questions/réponses, systèmes et facteurs climatiques, recherche, images, manifestations et bibliographie.

CNRS info

www.auteuil.cnrs-dir.fr/Cnrspresse/cnrsinfo.html

Le site CNRS Info propose plusieurs articles destinés aux scientifiques : biologie, astronomie, mathématiques, génétique, etc.

Cousteau

www.cousteau.org

L'équipe Cousteau continue la mission du commandant aujourd'hui disparu : protéger la planète bleue pour améliorer la vie des générations futures. Parcourez ses dossiers et visitez sa boutique en ligne.

Déchets.ch

www.dechets.ch

Ce site suisse s'intéresse au recyclage des ordures ménagères. Vous y trouverez des dossiers informatifs et des textes de loi.

Drire

www.drire.gouv.fr

Site des Directions régionales de l'industrie de la recherche et de l'environnement.

Ecolo

dominiquesweb.fr.st/ecolo

Ce site présente des alternatives aux technologies polluantes, sous forme de synthèses, de conseils et de liens vers des sites spécialisés.

EducNet - SVT

www.educnet.education.fr/svt

Ce service a pour objectif de présenter les travaux engagés dans le cadre national avec l'Inspection générale des sciences de la vie et de la Terre, visant à intégrer les usages des technologies nouvelles de l'information et de la communication dans l'enseignement.

Energie plus

www.energie-plus.com

Actualité de l'énergie et de l'environnement pour entreprises et collectivités, dossiers techniques et retours d'expériences : maîtrise de l'énergie, lutte contre l'effet de serre, cogénération, biogaz, bioénergie.

Fédération française de spéléologie

www.ffspeleo.fr

La Fédération française de spéléologie vous propose l'actualité du petit monde de la spéléo et vous indique où et comment observer notre bonne vieille terre de l'intérieur.

Fondation Nicolas Hulot

www.planete-nature.org

La Fondation Nicolas Hulot a pour but de développer l'éducation à l'environnement.

Genopole

www.genopole.org

Genopole est un campus de recherche dédié aux sciences du vivant (génétique, génomique et biotechnologies).

Géoscope

volcano.ipgp.jussieu.fr

Ce site donne des informations sur tous les volcans du monde : type, statistiques d'éruptions, photos, etc.

Geotop

perso.wanadoo.fr/geotop

Geotop est un magazine électronique dédié aux sciences de la Terre et plus généralement à l'environnement. Chaque numéro présente des articles de chercheurs européens, des interviews de personnalités publiques, une enquête, une visite d'un site naturel français, des photos, des réponses simples à des questions sur l'environnement et la géomorphologie.

Histoires de volcans

perso.club-Internet.fr/decobed

Tous les jours, par l'intermédiaire de quinze à trente soupiraux, du magma parvient à la surface de la Terre. Ce site vous propose une visite guidée des entrailles de notre planète.

IFEN

www.ifen.fr

L'Institut français de l'environnement est le service statistique du ministère de l'Ecologie et du Développement durable, et le point focal national de l'Agence européenne pour l'environnement.

In extenso, recherche avancée

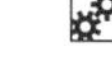

www.in-extenso.org/index.html

Aleph, contrairement aux moteurs généralistes, n'indexe que des sites spécialisés. Il les trie et vous propose des résultats de recherches pertinents dans le domaine des sciences humaines. Réalisé par les équipes bénévoles de fabula.org, revues.org et marges linguistiques, il est mis à jour dix fois plus souvent que n'importe quel moteur généraliste.

Info science, le quotidien en ligne

www.infoscience.fr/index.php3

Info Science est un magazine quotidien en ligne d'information et de vulgarisation scientifique : science, news, technologie, quotidien, biologie, chimie, physique, mathématiques, articles, brèves, dossiers, presse.

Journal scientifique permanent

sciences.nouvelobs.com

Journal d'information scientifique diffusé en continu : sciences de la vie, sciences de la Terre, sciences pures, sciences humaines, médecine et santé, espace, environnement et technologie. Vous y trouverez également de grands dossiers, un forum, des débats et des services pratiques.

Lanthanidès

perso.wanadoo.fr/lanthanides

Lanthanidès est un site dans l'air du temps sur les sciences et les nouvelles technologies.

Le kiosque des sciences humaines

www.sciencepresse.qc.ca/kiosquehum.html

Ce bimensuel présente les événements à venir en sciences humaines et donne accès à de nombreux autres sites dédiés aux sciences humaines.

L'Ecologie sur la Toile

www.amisdelaterre.org/ecotoile/index.html

L'Ecologie sur la Toile propose un ensemble de liens avec des sites concernant l'écologie ou l'environnement.

Les catastrophes météorologiques et climatiques

membres.lycos.fr/voutay/meteo

Ce site est consacré aux catastrophes météorologiques et climatiques : le phénomène d'effet de serre, les cyclones, la foudre et les orages, la neige et ses conséquences, la sécheresse et les inondations, etc.

Les changements climatiques

climatechange.gc.ca/francais/default.asp

Sur ce site, prenez connaissance de ce que font les ministères fédéraux, les gouvernements provinciaux, les autres agences et la collectivité internationale du Canada à propos du changement climatique.

Les effets des marées

membres.lycos.fr/vinaro/maree/mareefin.html

Parmi les phénomènes de la nature, la marée est l'un des plus majestueux par son ampleur et sa puissance ; l'un des plus surprenants par sa régularité et la discrétion de ses causes. Ce site montre les effets de la marée en utilisant un modèle mathématique.

Lycos - Sciences humaines

www.lycos.fr/dir/Sciences_humaines

Annuaire des sciences humaines par Lycos, votre guide personnel sur Internet.

Meilleurs répertoires de l'environnement

www.ulb.ac.be/ceese/meta/ cdsfr.html

Ce site est un portail très complet vers les sites francophones et anglophones consacrés à l'environnement.

Ministère de l'Aménagement du territoire et de l'Environnement

www1.environnement.gouv.fr/sommaire.php3

Le ministère de l'Aménagement du territoire et de l'Environnement publie des informations pratiques et juridiques sur ce site.

Mission interministérielle de l'effet de serre

www.effet-de-serre.gouv.fr

Site officiel de la mission interministérielle de l'effet de serre (MIES), rattachée au Premier ministre, et à la disposition du ministère de l'Aménagement du territoire et de l'Environnement.

Monsanto France dans le bio

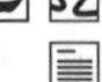

www.monsanto.fr

Monsanto encourage le public à s'informer sur les développements de la biotechnologie végétale en France et dans le monde et sur son potentiel à contribuer positivement à notre environnement.

Notre Planète info

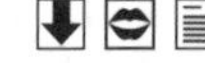

www.notre-planete.info

De la pollution atmosphérique aux tempêtes dévastatrices, actualités et dossiers sont ici consacrés à l'environnement et à la géographie physique. Vous trouverez également sur ce site des astuces et 20 utilitaires Windows indispensables.

Ouragans.com

www.ouragans.com

Ouragans.com vous informe sur les cyclones, typhons, tempêtes et ouragans à travers le monde.

Planète Terre

www.ggl.ulaval.ca/personnel/bourque/intro.pt/planete_terre.accueil.html

Le département de géologie et de génie géologique de l'université Laval (Québec) présente Planète Terre.

Pro environnement

www.pro-environnement.com

Pro environnement est un site d'information et de services sur le thème de l'environnement fondé sur le partenariat. Il propose un contenu éditorial et des bases de données pratiques.

Réchauffement climatique

www.manicore.com/documentation/serre

Vous trouverez ici les réponses à quelques questions élémentaires sur le réchauffement climatique.

Réseau info

www.greenpeace.fr/campagnes/ogm/reseau-info.htm

Le réseau Info-conso se bat pour "un siècle sans OGM".

Science Frontières

www.sciencefrontieres.com

Avec Science Frontières, venez suivre, comprendre, anticiper et rêver le monde.

Sciences en ligne

www.sciences-en-ligne.com

Ce site propose l'accès à la connaissance scientifique et technique au travers d'un contenu attractif et diversifié : lexique, brèves, reportages, revues de presse, résumés de conférences, infos, exposés sur la recherche, etc.

Sciences humaines

www.scienceshumaines.com/homepage.do

Revue de référence sur les sciences humaines : vulgarisation scientifique, bilan des connaissances, théories, édition d'ouvrages de synthèse, outil de formation, actualité et courants de la recherche.

Scientifiques français célèbres

ambafrance-ca.org/HYPERLAB/PEOPLE

Ce site a pour objectif de vous présenter quelques illustres scientifiques français d'hier et d'aujourd'hui.

Section Inria de spéléologie

www-sop.inria.fr/agos-sophia/sis/sis.fr.html

SIS est la section de spéléologie de l'Inria à Sophia-Antipolis. Ce site vous propose quelques articles de fond et donne accès à une base de données sur les plus grandes grottes du monde.

Serimedis, serveur d'images scientifiques

www.serimedis.tm.fr

Serimedis est un outil de recherche spécialisé dans les images scientifiques : immunologie, biologie, pathologie, agriculture, ethnologie, génétique, géographie, etc.

Service canadien de la faune

www.cws-scf.ec.gc.ca/default.cfm

Service canadien de la faune (SCF), partie d'Environnement Canada, gère les questions relatives à la faune qui relèvent de la responsabilité du gouvernement fédéral.

SVT

www.chez.com/sciencesdelavie

Ce site propose des exercices interactifs de SVT (sciences de la vie et de la terre) niveau collège.

Un bol d'air frais

www.geocities.com/RainForest/Vines/3473

Ce site donne des informations sur l'effet de serre et l'ozone.

Voyage au pays de l'or noir

www.totalfinaelf.com/ho/fr/index.htm

Les hommes du pétrole vous invitent à un voyage au pays de l'or noir, au cœur de leurs métiers et de leurs techniques.

Webmineral

www.chez.com/louisfortin

Site du Club de minéralogie de Québec : excursions du club, propriétés des minéraux, calendrier.

Yahoo! Sciences humaines

fr.dir.yahoo.com/sciences_humaines

Les sciences humaines par Yahoo! France.

Sciences humaines et sociales

Aléirion - Sciences médicales et santé

www.ulaval.ca/vrr/bd/projet/domaine/3947.html

Cette page donne accès à des sites dédiés aux sciences médicales.

Annuaire des sciences humaines

lienshumains.phpwebhosting.com

Annuaire et moteur de recherche spécialisé dans les sciences humaines : plus de 15 000 liens vous attendent (sociologie, politique, philosophie, histoire, psychologie...).

Bibliopolis.fr

www.bibliopolis.fr

La référence électronique en sciences humaines.

Calenda 

calenda.revues.org

Calendrier des sciences sociales francophones.

Dogma 

dogma.free.fr/fr-index.php

Textes et articles en ligne dans les domaines suivants : psycho-analyse, philosophie, épistémologie, littérature, sociologie, etc.

DRASS : DDASS Rhône-Alpes

rhone-alpes.sante.gouv.fr

Ce site présente les missions de la DRASS (Direction régionale des affaires sanitaires et sociales) et de la DDASS (Direction départementale des affaires sanitaires et sociales).

ENS - Lettres et sciences humaines

www.ens-lsh.fr

Site de l'école normale supérieure Lettres et Sciences humaines de Lyon.

ENS - Sciences sociales 

www.sciences-sociales.ens.fr

Site du département de Sciences sociales de l'Ecole normale supérieure.

La Bibliothèque

www.sciencepresse.qc.ca/repertoires.html

Sélection de sites francophones dans différents domaines : philosophie et psychologie, religion, sciences sociales, langues et linguistique, etc.

La psychanalyse

pages.globetrotter.net/desgros

La psychanalyse : vision d'ensemble des grandes écoles et des principaux auteurs.

Le conseil économique et social

www.conseil-economique-et-social.fr

Le site du Conseil économique et social (assemblée prévue par la Constitution française, composée de représentants des organisations professionnelles, qui donne des avis au gouvernement sur la politique économique et sociale).

Les classiques des sciences sociales

www.uqac.ca/zone30/Classiques_des_sciences_sociales

La collection compte maintenant 950 titres originaux du domaine public à son actif à ce jour. Tous les titres disponibles dans la collection sont du domaine public et téléchargeables gratuitement en format Word, PDF et RTF.

L'évolution

anthro.unige.ch/evolution

L'évolution de la race humaine, les textes de Darwin et quelques références complémentaires constituent l'essentiel de ce site.

Maitron.org

biosoc.univ-paris1.fr

Découvrez l'histoire sociale : articles, séminaires, expositions, travaux universitaires, etc.

Organisation météorologique mondiale

www.wmo.ch/index-fr.html

L'Organisation météorologique mondiale est une institution spécialisée des Nations unies. Elle vous renseigne sur le temps, le climat, l'eau et l'atmosphère.

Pages Bourdieu

www.homme-moderne.org/societe/socio/bourdieu

Ressources et textes de et sur le sociologue.

Recensement de la population française, mars 1999

www.recensement.insee.fr

Sur ce site, l'INSEE présente les résultats du recensement de mars 1999.

Répertoire Ethnologie

www.culture.gouv.fr/documentation/repethno/pres.htm

Le Répertoire de l'ethnologie de la France est conçu pour offrir une vue géographique et synthétique des recherches effectuées dans cette discipline.

Revues.org

www.revues.org

Revues.org héberge des revues de sciences sociales de haut niveau et propose des services d'information scientifique.

Rond-point des sciences humaines

www.rond-point.qc.ca

Le rond-point des sciences humaines a pour objectif de promouvoir les démarches méthodologiques qui facilitent une évaluation de nos jugements et, corollairement, de montrer l'apport des sciences humaines au développement individuel et au progrès humain des sociétés.

Sciences sociales 

www.arfe-cursus.com/sciences-sociales.htm

Plus de 30 000 ressources en sciences sociales vous attendent sur ce site.

Sciences sociales et Santé 

www.john-libbey-eurotext.fr/fr/revues/sante_pub/sss/sommaire.md

Sciences sociales et Santé propose chaque trimestre une réflexion globale sur les enjeux majeurs de la santé : régulation des dépenses de santé, prise en charge des maladies, analyse des systèmes de santé, sida, handicap…

SHS

www.cnrs.fr/SHS

Le site du département Sciences de l'homme et de la société du CNRS.

Site de la pensée unique

www.chez.com/mangouste

Il ne faut pas avoir peur des gens méchants, ce sont de pauvres diables comme les autres. Les imbéciles seuls sont vraiment redoutables.

Yahoo! Sciences sociales 

fr.encyclopedia.yahoo.com/tdm/tdm_f_1734.html

Sciences sociales par Yahoo! France.

Sciences médicales

A la découverte du canyoning

www.creaweb.fr/canyoning

Le canyoning, surnommé la spéléo à ciel ouvert, fait des adeptes de plus en plus nombreux. Découvrez sur ce site le matériel, les techniques, les topos et quelques conseils maison.

Académie nationale de médecine

www.academie-medecine.fr

Au sommaire : vie de l'académie, membres, publications, bibliothèque, prix et bourses, histoire et missions.

Atmedica  

www.atmedica.com

Atmedica, le rendez-vous des professionnels de la médecine et de la santé : information, échange et formation sur le monde médical.

Bibliodent 

bibliodent.univ-lille2.fr/bibdent

Banque de données bibliographiques francophone en odonto-stomatologie de l'université de Lille 2.

Canyon spéléo

www.canyon-speleo.com/index.html

Venez pratiquer le canyoning et la spéléo avec un guide indépendant qui cumule plus de dix années d'expérience sur le terrain.

Ergothérapie

www.anfe.asso.fr/mailing/mailingilist.html

Liste de diffusion francophone créée par l'association nationale française des ergothérapeutes.

Festival de spéléologie en Ile-de-France

membres.lycos.fr/fsidf

Site du Festival de spéléologie, organisé par le comité départemental de spéléologie du Val-de-Marne.

Handicap international

www.handicap-international.org

Handicap international a pour objectif de faciliter la réadaptation physique et professionnelle des personnes en situation de handicap, que ce soit sur le plan physique, mental, sensoriel, économique ou social et mène un combat contre les mines antipersonnel.

Histoire de la médecine

members.aol.com/ldaucourt/Histmed.htm

L'histoire de la médecine à travers les âges : médecine grecque, Moyen Age, Renaissance, Révolution, Empire, XVIIIe siècle.

Histoire de la spéléologie

www.speleologie.free.fr/speleologie.htm

Histoire de la spéléologie et du club de la Montagne Noire (Tarn), matériel utilisé en spéléologie, galerie photos, galerie topos, technique de la spéléologie alpine.

Histoire de la spéléologie en France

members.aol.com/arcanes/chevalier.htm

Dans cet article de Pierre Chevalier, suivez les records de profondeur réalisés par les successeurs d'Edouard Alfred Martel.

Histoire de la spéléologie par Edouard Alfred Martel

members.aol.com/bkliebhan/spelhist/mar-fra.htm

L'avocat français Edouard Alfred Martel est considéré comme le "père" de la spéléologie moderne. Découvrez sa vie et les premiers pas de ce sport.

InVivo.edu

www.invivo.net/invivo/edu

Présentation d'Invivo, réseau associatif de services électroniques destinés aux acteurs de la médecine, de la biologie, de l'écologie et des autres sciences du vivant.

Medbank

www.medpict.com

Cité virtuelle de la santé : banques d'images médicales, achat et vente de livres.

Médecine 

www.arfe-cursus.com/medecine.htm

Plus de 1 000 ressources en sciences médicales vous attendent sur ce site.

Médecine pénitentiaire

www.medecine-penitentiaire.com

Ce site est dédié à la santé en milieu carcéral. Il est ouvert à tous les intervenants du domaine carcéral.

Médecins du monde

www.medecinsdumonde.org

L'association humanitaire Médecins du monde s'appuie sur l'engagement bénévole de professionnels de la santé. Historique, grandes causes, domaines d'action et projets, urgences et actualités.

Mediamed 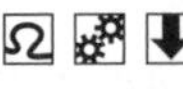

www.mediamed.org

MediaMed cherche à promouvoir la connaissance, la recherche et la communication en médecine et santé.

Médicalis 

www.medicalis-fr.com/portail

Très vaste portail de la médecine et de la santé.

MSF : Médecins sans frontières 

www.paris.msf.org

MSF est une association humanitaire internationale d'aide médicale. Retrouvez toute l'actualité et les témoignages sur ses actions dans plus de 70 pays.

Musée Français de la Spéléologie

perso.club-Internet.fr/pallu

Site du Musée Français de la Spéléologie (grotte de la Devèze, Hérault).

Passion spéléo 

perso.wanadoo.fr/thierry.maillard

Sur le site de Thierry Maillard, spéléologue du Lot, vous trouverez des conseils et des plans de sites spéléo à visiter.

Pédiatrie 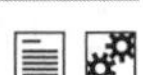

www.pediaweb.com

Informations professionnelles pratiques et articles originaux sur la pédiatrie.

Portrait d'un trogloxène

www-asim.lip6.fr/~fred/speleo/speleo.html

Frédéric Pétrot, spéléologue, présente quelques-unes de ses explorations.

Spéléo magazine

www.speleomag.com/index1.php

Site du périodique Spéléo Magazine, le magazine de la spéléologie d'exploration de grottes et de cavernes.

Spéléologie 

evain.pascal.free.fr/speleologie.html

Règles de conduite que tout spéléologue se doit d'observer.

Spéléo-plongée

perso.wanadoo.fr/philippe.moya

Ce site vous propose un aperçu sur la spéléologie en plongée : risques liés à ce type très particulier de plongée, plongée en fond de trou, plongée de résurgence, plongée sous glace et plongée profonde.

Spéléovision

www.speleovision.com

Site du Festival international du film de spéléologie et de canyoning.

Spelunca mundi

www.speluncamundi.com/dev

Portail francophone de la spéléologie et de ses activités annexes : information, agenda, base de données thématique, photothèque, forum, annuaire Web et de nombreux autres services pour les spéléos.

Unicef

www.unicef.org/french

Le Fonds des Nations unies pour l'enfance (Unicef) travaille pour la protection des droits de l'enfant.

Union des opticiens

www.udo.org

Ce site présente l'UDO, les organismes qui s'y rattachent, et donne des informations sur l'œil et la vision.

Vie politique et sociale

Armée, police, gendarmerie

Allo Police

www.chez.com/allopolice

Découvrez le métier de policier, et plus particulièrement la spécialité "police de la route".

AnnuGend

Ω

www.annugend.com

Annuaire des sites Gendarmerie.

Armée de l'air

€ Ω

membres.lycos.fr/airmil

L'armée de l'air vue sous (presque) toutes ses coutures : unités navigantes, avions, insignes, bases aéronavales, photos, meetings, etc.

Armée de terre

www.defense.gouv.fr/terre

Site de l'armée de terre : recrutement, équipement, hommes et femmes, organisation, environnement.

Army recognition

www.ifrance.com/armyreco

Informations, descriptions et nombreuses photos de matériel militaire moderne de tous les pays du monde.

Concours de la fonction publique

www.fonctio.com

Sur ce site, vous trouverez des informations et une aide à la préparation des concours de la fonction publique : guide et calendrier en ligne, dates des épreuves, préparation du recrutement.

Direction générale de la sécurité extérieure

www.dgse.org

Site non officiel de la DGSE : agences, veille, analyses, sources, services, liens.

Escadrons de chasse de l'armée de l'air

perso.club-internet.fr/moinier

Au programme : généralités sur l'armée de l'air, grands noms du monde aéronautique, unités, escadrilles et héraldique, avions, photos, meetings, espace Collectionneurs.

France militaria

www.france-militaria.net

Site dédié au matériel militaire mondial.

Gendarmerie nationale

www.defense.gouv.fr/gendarmerie

Site officiel de la gendarmerie nationale. Présentation de la gendarmerie, description des métiers et carrières, conseils et recrutement.

Gendarmerie Nationale - Judiciaire

www.gendarmerie.defense.gouv.fr/judiciaire

Sur le site de la gendarmerie nationale, consultez les appels à témoignage, les enquêtes relatives aux personnes disparues/recherchées et aux objets volés, ainsi que des conseils de prévention.

Gendarmerie royale du Canada

www.rcmp-grc.gc.ca/index_f.htm

En collaboration avec les collectivités, la GRC assure la sécurité de tous les Canadiens. Elle applique les lois fédérales, sert de police contractuelle dans la plupart des provinces, dans plusieurs municipalités et dans les collectivités des premières nations.

Gendarmerie

la-gendarmerie.ifrance.com

Enrichi chaque jour par de nouvelles illustrations, ce site a pour but de vous faire découvrir la gendarmerie en images au travers de son organisation, son histoire, ses missions, ses livres, affiches et collections diverses.

Histoire de la gendarmerie

www.polfed.be/old_site/gd/historique/histo.htm

Historique de la gendarmerie belge : occupation française, les Pays-Bas, naissance de la gendarmerie nationale belge.

Histoire militaire et conflits contemporains

www.net4war.com

Site d'actualité géopolitique et stratégique pour les professionnels de la défense et de la sécurité.

Institut des hautes études de défense nationale

www.ihedn.fr

Site de l'Institut des hautes études de défense nationale : présentation, actualités, activités, enseignement et études de défense.

L'armée de l'air

www.defense.gouv.fr/air

Ce site du ministère de la Défense est dédié à l'armée de l'air : présentation, actualité, métiers, historique et traditions.

Les hélicoptères de la gendarmerie

ludoskz.free.fr

Découvrez les hélicoptères de la gendarmerie : historique, avènement et essor de l'aéronautique dans la gendarmerie, formations aériennes, missions, moyens, insignes et brevets des formations aériennes, galerie photos.

Marine nationale

www.defense.gouv.fr/marine

Site officiel de la Marine nationale.

Musique de la gendarmerie mobile

perso.wanadoo.fr/mdlgm

Historique et discographie de la musique de la gendarmerie mobile.

OTAN

www.nato.int/home-fr.htm

La page officielle de l'Organisation du traité de l'Atlantique Nord propose de nombreux communiqués de presse et rapports de guerre.

Police online

www.police.online.fr

Le site Police online donne des informations sur la sécurité et les polices du monde.

Préfecture de l'Isère

www.isere.pref.gouv.fr

Site de la préfecture de l'Isère.

Service de police de la ville de Montréal

www.spcum.qc.ca

Sur le site du service de police de la ville de Montréal : musée, direction, gendarmerie, police de quartier, enquêtes, support administratif, etc.

Sûreté du Québec

www.suretequebec.gouv.qc.ca/index.html

Les policiers de la sûreté du Québec ont pour mission la prévention et la lutte contre la criminalité ainsi que la protection et la surveillance du territoire. Ils assurent l'ordre public dans plusieurs municipalités et la sécurité du réseau autoroutier.

Vercors

perso.wanadoo.fr/jacques.billion/vercors

Historique de l'escadron ET 01.062 VERCORS. Fiches techniques des avions utilisés de 1912 à 2000.

Etudes et statistiques

Adminet

elections.fr.st

Ce site vous informe sur l'actualité des élections en France.

Centre d'étude de la vie politique

www.ulb.ac.be/rech/inventaire/unites/ULB590.html

Le Cevipol vise avant tout à produire de la recherche fondamentale, à travers la réalisation de thèses de doctorat, la rédaction d'articles et d'ouvrages scientifiques et l'organisation de colloques et séminaires.

Cevipof

www.cevipof.msh-paris.fr

Le Centre d'étude de la vie politique française est un laboratoire de recherche créé en 1960 par la Fondation nationale des sciences politiques. Il est associé au Centre national de la recherche scientifique depuis 1968.

Débouchés en sciences politiques

www.sass.uottawa.ca/professionnel/debouches/sciencessociales/sc_politique.php

Ce site vous renseigne sur les débouchés des études en sciences politiques : adjoint de direction, agent de développement régional ou international, commentateur ou chroniqueur politique, conseiller politique, député, diplomate, journaliste, professionnel en communication, etc.

Documents en histoire

doc-iep.univ-lyon2.fr/Ressources/Liens/histoire.html

Sélection de sites de Sciences-po retraçant l'histoire de l'école du XVIIIe siècle à nos jours.

Election politique

www.election-politique.com

Election-Politique.com est dédié au monde politique en France et à l'international. Archive de notre passé politique, il vous offre la possibilité de consulter les résultats de très nombreuses élections en France, en Europe et à l'international.

IDC France

www.idc.com/france

Le site d'IDC France propose des études de marché sur le Web, l'informatique, les télécommunications, l'intranet, les logiciels, les périphériques, etc.

Infonation

cyberschoolbus.un.org/infonation3/menu/advanced.asp

InfoNation est une base de données qui permet d'afficher et de comparer les statistiques les plus récentes sur les états membres de l'Organisation des Nations Unies.

INSEE

www.insee.fr

L'INSEE publie ses études et les données de ses enquêtes statistiques et économiques sur la France, au niveau national et régional. Il propose également un accès à son catalogue.

Institut national d'études démographiques 

www.ined.fr

L'INED est chargé d'étudier les problèmes démographiques sous tous leurs aspects. Ce site vous donne accès aux travaux de recherche de l'INED, à des données chiffrées sur la population, à la présentation de l'ensemble des publications de l'institut et à la base de données documentaire.

La pédopornographie

users.swing.be/criminologie

Etude de criminologie consacrée à la pédopornographie sur le réseau Internet.

L'Infomètre 

www.infometre.cefrio.qc.ca

Ce site mesure l'utilisation des technologies de l'information au Québec.

Maire info

www.maire-info.com

Quotidien d'informations destiné aux élus locaux.

Mediamétrie 

www.mediametrie.fr

Médiamétrie est un spécialiste de la mesure d'audience des médias : télévision, radio, cinéma, Internet et multimédia.

Observatoire français des conjonctures économiques

www.ofce.sciences-po.fr

Etudes et prévisions macro-économiques.

L'OFCE, organisme de référence, vous propose ses recherches, analyses économiques indépendantes et revues en ligne.

OCDE observateur 

www.observateurocde.org

Cette publication offre une vue des défis politiques et sociaux actuels. Les articles récents portent sur la croissance américaine, le XXIe siècle, les réformes japonaises, l'emploi en Allemagne, l'hygiène alimentaire et les aides au développement.

Organisation mondiale du commerce 

www.wto.org

Retrouvez les dossiers de l'Organisation mondiale du commerce.

Portaildesaffaires.ca 

portaildesaffaires.ca

Le Portaildesaffaires.ca offre aux entreprises canadiennes un point d'accès unique aux principaux services et renseignements gouvernementaux.

Profession politique 

www.professionpolitique.com

Découvrez le monde de la politique et des pouvoirs, grâce à la base de profession politique online : 35 000 personnalités et organismes, dont 5 000 biographies.

Statistics Canada

www.statcan.ca

Données sur l'économie, la société et le recensement au Canada.

Statistiques

www.liensutiles.org/statistiques.htm

Cette page recense les sites relatifs aux statistiques pour tous les pays du monde.

The european commission

europa.eu.int/comm/dgs/health_consumer/index_en.htm

Site de la Commission européenne dédié à la consommation : infos, dossiers, rapports et législations sur la santé, l'alimentation, etc.

To luna

www.toluna.com

Sur To luna, testez gratuitement des produits de marques, donnez votre opinion sur une multitude de produits et consultez l'avis des internautes.

Witbe

www.witbe.net

Witbe mesure et surveille les performances, le trafic et le bon fonctionnement de votre site. En cas de problème, vous êtes alerté par e-mail.

Forums, mouvements, débats

Centre de formation populaire

www.lecfp.qc.ca

Le CFP a pour but de fournir aux citoyens impliqués dans les organisations populaires, communautaires et syndicales, des instruments et des programmes de formation.

Collectif de l'éthique sur l'étiquette

www.ethique-sur-etiquette.org

Contre l'exploitation du travail des enfants, l'esclavage, la répression syndicale et pour un label social, mettez de l'éthique sur l'étiquette !

Globenet

www.globenet.org

L'association GlobeNet met à disposition outils et compétences pour permettre, aux associations qui militent dans les domaines de la citoyenneté active et de la solidarité internationale, une appropriation adaptée des nouvelles technologies de la communication.

Greenpeace France

www.greenpeace.org/france_fr

Le site officiel de Greenpeace France vous informe sur ses campagnes, les énergies renouvelables et les sociétés qui mettent la planète en danger.

Institut d'études politiques Wikipédia

fr.wikipedia.org/wiki/Institut_d'%C3%A9tudes_politiques

L'encyclopédie Wikipédia donne des informations sur l'IEP (Institut d'études politiques), plus connu sous le nom de Sciences-po.

La pétition

www.lapetition.com

Ce site effectue la gestion du lancement et de l'organisation de pétitions.

Les usagers font des vagues

www.seaus.org

Ce site se fixe pour ligne directrice de démontrer, démonter et dénoncer les pratiques obscures dans la gestion de l'eau et de l'assainissement.

Mouvement contre le racisme et pour l'amitié entre les peuples

www.mrap.asso.fr

Dans la lutte contre les discriminations, la xénophobie et le racisme, pour la défense des sans-papiers ou le droit de vote des étrangers, le Mrap est au cœur de toutes les luttes pour une société juste et égalitaire.

Petites frustrations et amertumes quotidiennes

grosse.fatigue.free.fr

Chroniques des ras-le-bol de tous les jours : la mode, le temps, les médias, etc.

Place publique

www.place-publique.fr

Le site des initiatives citoyennes : agenda, magazine, hébergement de sites d'associations.

Réseau Voltaire

www.reseauvoltaire.net

Cette bibliothèque électronique citoyenne pour la liberté d'expression donne accès à une base de données de 6 500 articles en libre accès.

Vive la politique.com

disc.server.com/Indices/ 132590.html

Venez dialoguer sur le forum politique, le premier site francophone de politique moderne.

Zonzon

www.chez.com/zonzon

Fenêtre sur la prison en France : associations, lectures, réflexions et liens.

Francophonie, Europe, culture française

ABC de la langue française

www.languefrancaise.net/welcome/index.php?accueil=1

Informations sur la langue française : pratiques linguistiques, promotion linguistique, réflexion linguistique et liens complémentaires.

Académie française

www.academie-francaise.fr

Site de l'Académie française, institution créée en 1635, chargée de définir la langue française par l'élaboration de son dictionnaire qui fixe l'usage de la langue.

ACELF

www.acelf.ca/revue

La revue scientifique virtuelle Education et francophonie s'intéresse à l'éducation en langue maternelle française au Canada. Elle est diffusée intégralement et exclusivement sur Internet à l'intention des universitaires, des chercheurs et des étudiants.

Ado wave

adowave.online.fr

Site de communauté francophone pour les jeunes : correspondants, cinéma, jeux vidéo, musique, mode, services, bons plans, e-mail gratuit, discussions en direct, chat, forum, concours, etc.

Agence de la francophonie

agence.francophonie.org

Découvrez l'Agence intergouvernementale de la francophonie : programmes, états membres, journal et dernières nouvelles sur la coopération en francophonie.

Agence pour l'enseignement du français à l'étranger

www.aefe.diplomatie.fr/aefe/texte.nsf/PageAccueil?Readform

Informations sur l'agence AEFE, guide des établissements, vivre à l'étranger, travailler dans un établissement scolaire, les acteurs de l'enseignement français.

Agence universitaire de la francophonie

www.auf.org

Présentation de l'Agence universitaire de la francophonie.

Association Québec-France

www.quebecfrance.qc.ca

Les associations France-Québec (1968) et Québec-France (1971) favorisent le développement de la relation d'amitié et de coopération privilégiée entre la France et le Québec à l'intérieur de la société civile.

Bonjour de France

www.bonjourdefrance.com

Magazine interactif pour pratiquer le français et dialoguer sur Internet.

Conseil de l'Europe

www.coe.int/DefaultFR.asp

Le Conseil de l'Europe est la plus ancienne organisation politique du continent (1949). Il regroupe 45 pays, dont 21 Etats de l'Europe centrale et orientale. Il a reçu la candidature d'un autre pays (Monaco) et a accordé le statut d'observateur à 5 autres Etats (Saint-Siège, Etats-Unis, Canada, Japon et Mexique).

Consilium

ue.eu.int

Site du Conseil de l'Union européenne : relations publiques, traité de Nice, politique, conseil européen.

Délégation générale à la langue française

www.culture.gouv.fr/culture/dglf

Site de la Délégation générale à la langue française.

Echanges Canada

www.echanges.gc.ca

Initiative du gouvernement du Canada qui permet aux jeunes Canadiens et Canadiennes de créer des liens et de découvrir la diversité des communautés, des langues et des cultures du Canada.

Europa, l'union européenne en ligne

www.europa.eu.int/index_fr.htm

Europa donne accès aux informations diffusées par l'Union européenne et ses institutions : Parlement européen, Conseil de l'Union, Commission, Cour de justice, Cour des comptes, etc.

Expatriation.com

www.expatriation.fr

Expatriation.com : un moteur, des fiches, des dossiers, un magazine et un forum pour les expatriés.

France, diplomatie

www.france.diplomatie.fr

Retrouvez toute l'actualité diplomatique, la politique étrangère, la francophonie, etc.

Francofil

www.francofil.net

Tout sur la francophonie académique, scientifique et culturelle.

La francophonie

www.diplomatie.gouv.fr/francophonie

Structures et objectifs de la francophonie multilatérale.

Langue au chat

www.langueauchat.com

De nombreuses réponses aux questions que l'on se pose tous les jours sur l'emploi de mots ou d'expressions françaises.

Langue française

www.langue-fr.net

Le français en débats : foire aux questions (FAQ), conseils d'utilisation et charte du forum fr.lettres.langue.francaise, dossiers sur la langue française et la francophonie.

Langue française

www.liensutiles.org/ languefranc.htm

Page référence des sites qui vous aideront dans votre connaissance de la langue française.

Le français des affaires et des professions au Québec

francais-affaires.com

Site de références et de ressources pédagogiques sur le français des affaires et des professions au Québec et en Amérique du Nord (dossiers, exercices, vocabulaire, grammaire, moteur de recherche, etc.).

Libanvision, francophonie libanaise

www.libanvision.com

Plus qu'un portail, ce site est un vrai guide de navigation, destiné à mieux consolider l'attachement historique du Liban à la francophonie.

L'infobourg

www.infobourg.qc.ca

Actualité de l'éducation et recensement des sites éducatifs de la francophonie.

Magazine de l'expatriation et de l'emploi à l'étranger

www.expat.org

Le magazine d'information en ligne des expatriés.

MFE

www.expatries.org

Les Français et l'étranger, telle est la préoccupation constante de la MFE (Maison des Français de l'étranger), service du ministère des Affaires étrangères rattaché à la direction des Français à l'étranger et des étrangers en France (DFAE).

Montessori en France

www.montessorienfrance.com

Ce site s'adresse aux francophones du monde entier. Il référence de nombreuses informations sur tout ce qui touche le monde de la pédagogie Montessori : écoles, formations, annonces, Montessori à la maison, etc.

Notre Europe

www.notre-europe.asso.fr

Notre Europe a pour objet l'étude, la recherche et la formation sur l'Europe, son passé, ses civilisations et ses perspectives d'avenir.

Organisations européennes

www.diplomatie.fr/europe/cartes

Découvrez les différentes organisations européennes : Union de l'Europe occidentale, Association européenne de libre-échange, Conseil de l'Europe, pays de la zone euro, pays de l'espace Schengen, espace économique européen.

Pinocchio.org

www.pinocchio.org

Base de données des établissements et lieux intéressant les familles avec un enfant handicapé dans l'Union européenne et dans le monde.

Sources d'Europe

www.info-europe.fr

Sources d'Europe est le site des relais d'informations sur l'Europe en France. Il a pour objectif de répondre aux questions du grand public et des professionnels.

Humanitaire

Aide et action

www.aide-et-action.org

Parrainez un enfant avec Aide et Action, première association française de parrainage pour la scolarisation des enfants des pays en développement en Afrique, Inde et Haïti.

Aidez.org

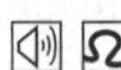

www.aidez.org

Le site de la solidarité en ligne. Sur ce site, donnez en confiance aux organisations membres du Comité de la Charte et partenaires d'Aidez.org.

Amnesty international

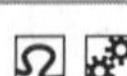

www.amnesty.asso.fr

Amnesty International cherche essentiellement à obtenir la libération de tous les prisonniers d'opinion, un procès équitable dans un délai raisonnable pour les prisonniers politiques, l'abolition de la peine de mort ainsi que la fin des exécutions extrajudiciaires et des "disparitions".

Amnesty international, Groupe 111

perso.club-Internet.fr/everney

Amnesty International, Groupe 111 : actions, agenda, publications, éducation aux droits humains, liens complémentaires.

Amnistie internationale

www.amnistie.qc.ca

Site d'Amnistie internationale, section canadienne francophone.

Armée du salut

www.armeedusalut.fr/index_prehome.html

Le site de l'Armée du salut en France.

ATD quart monde

www.atd-quartmonde.org

Le site officiel du mouvement ATD quart monde : actualités, engagement campagnes, publications et communiqués de presse.

ATD Quart-Monde

www.atd-quartmonde.org/accueil-fr.html

ATD Quart-Monde est un mouvement international de lutte contre la misère et l'exclusion sociale. Ouvert à toutes les convictions religieuses ou politiques, il a été créé en 1957.

Avre.org

www.avre.org

L'association Avre accueille quotidiennement dans son centre de soins de Paris les patients-victimes de répression et de torture. Le site de l'association est un lieu d'échange pour les internautes, ainsi qu'un lieu de témoignage pour les professionnels et les victimes de répression.

Citoyenneté agitée

marika.demangeon.free.fr

Droits de l'homme et handicap : mines antipersonnel, gens du voyage, actualités, annuaires, égalité, vie autonome et accessibilité.

Concordia

www.concordia-association.org

Concordia est une association loi 1901, née au lendemain de la Seconde Guerre mondiale, grâce à la volonté de jeunes anglais, allemands et français, de faire renaître les valeurs de tolérance et de paix, à travers un chantier international de jeunes volontaires.

Coup de pouce humanitaire

www.cdepouce.com

L'association Coup de pouce humanitaire rassemble des volontaires désirant soutenir ponctuellement des actions humanitaires de long terme.

Croix-Rouge française 

www.croix-rouge.fr

Tout savoir sur le mouvement Croix-Rouge, les activités et actualités de la Croix-Rouge en France et dans le monde. Aider la Croix-Rouge en temps, en nature, en argent.

Droit international humanitaire 

www.icrc.org/fre/dih

Le site du droit international humanitaire de Genève introduit et s'intéresse à l'actualité du DIH.

Ecoles du monde

www.ecolesdumonde.org

L'association Ecoles du monde crée et aide des écoles à Madagascar.

Emmaüs France

www.emmaus.asso.fr/association/Emmaus-France.html

Site du cinquantenaire du mouvement Emmaüs, fondé en 1949 par l'abbé Pierre.

Europa - Aide humanitaire

europa.eu.int/pol/hum/index_fr.htm

Cette page fournit des informations sur les activités de l'Union européenne, en particulier dans le domaine de l'aide humanitaire.

Fédération française des banques alimentaires

www.banquealimentaire.org

Site de la Fédération française des banques alimentaires.

Fédération internationale des droits de l'homme

www.fidh.org

La Fédération internationale des droits de l'homme représente 105 organisations de défense des droits de l'homme à travers le monde.

France diplomatie - Urgence humanitaire

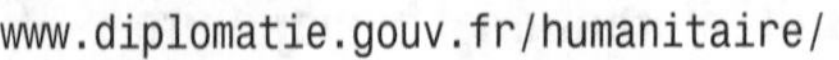

www.diplomatie.gouv.fr/humanitaire/

Ce site se veut un outil de travail, un moyen d'information, une occasion de dialogue pour tous les partenaires engagés dans l'action humanitaire d'urgence, et un témoignage de la solidarité de la France et des Français avec les populations.

Fraternet.org

www.fraternet.org

Fraternet.org crée, héberge et met à jour les sites Internet d'associations qui œuvrent dans les domaines de la solidarité internationale, la citoyenneté, la santé, la culture et l'éducation.

Groupe Delta Logis

www.deltalogis.com

Partenaire du logement social, le groupe Delta Logis dispose d'un parc de 30 000 logements HLM (appartements, villas, maisons) situés en Provence-Alpes-Côte-d'Azur, Rhône-Alpes, Languedoc-Roussillon et Corse. Le groupe dispose également de logements 1 %.

Habitat et humanisme

www.habitat-humanisme.org

Habitat et humanisme est une association dont l'objectif est l'insertion par le logement des personnes défavorisées.

La peine de mort dans le monde

www.revoltes.org

La peine de mort en chiffres et en faits : condamnés, hommes ou femmes, mineurs, innocents, couloir de la mort, etc.

Labonneaction.com

www.labonneaction.com

En faisant vos achats sur ce site, un pourcentage du montant total sera redistribué à des associations d'aide à l'enfance.

Maison des droits de l'homme, Limoges

mdh.limoges.free.fr

Collectif d'associations et centre de documentation pour la défense des droits de l'homme.

Médecins du monde

www.medecinsdumonde.org

Association humanitaire de solidarité internationale s'appuyant sur l'engagement bénévole de professionnels de la santé : historique, grandes causes, domaines d'action et projets, urgences et actualité.

Mission humanitaire

www.mission-humanitaire.com

Ce site permet de découvrir le monde de l'action humanitaire : infos du jour, soutenir une mission, partir, se former, s'exprimer. Un espace pro permet aux professionnels de se rencontrer.

Office d'aide humanitaire

europa.eu.int/comm/echo/index_fr.htm

Le site de l'Office d'aide humanitaire de la Commission européenne (ECHO) communique et rend compte de la gestion des fonds humanitaires.

Portail humanitaire

www.collectif-asah.org

Portail humanitaire ASAH, un site pour faciliter l'action humanitaire : annuaire des ONG, recherche par pays, entrer dans l'action, recherche de partenaires, bourse d'échange de matériel.

Restaurants du cœur

www.restosducoeur.org

L'association les Restaurants du cœur/les Relais du cœur, fondée par Coluche, présente son site officiel. Elle a pour but d'aider les personnes démunies par l'accès à des repas gratuits, en participant à leur insertion sociale et en luttant contre la pauvreté sous toutes ses formes.

Secours populaire français

www.secourspopulaire.asso.fr

Le Secours populaire français soutient aux niveaux matériel, sanitaire, médical et juridique les personnes et les familles victimes de l'injustice sociale, des calamités naturelles, de la misère, de la faim, du sous-développement et des conflits armés.

Solid'Art

www.solidart.net

L'art à la rencontre de la solidarité : participez à la plus grande création collective du monde. Art, solidarité, gravure, emploi, insertion et fraternité sont les mots clés de ce projet. A découvrir...

Triangle génération humanitaire

www.trianglegh.org

Triangle génération humanitaire est une organisation de solidarité internationale qui apporte des réponses concrètes aux situations inacceptables des populations en souffrance.

Web humanitaire

membres.lycos.fr/webhumanitaire

Site d'information consacré à l'action humanitaire : comment partir, trouver des financements, monter un projet, se renseigner sur le tiers-monde ou les ONG.

Ministères, gouvernements, lois, institutions

99 réponses sur l'UE

www.crdp-montpellier.fr/ressources/99/99ueaccueil.html

A l'heure où la construction européenne franchit de nouvelles étapes décisives, le CRDP du Languedoc-Roussillon propose sur son serveur Web l'intégralité de l'ouvrage sur l'Union européenne, écrit par Cécile Lambert de l'IRRCE.

Administrations

www.fonction-publique.gouv.fr

Le ministère de la Fonction publique anime la politique du gouvernement en matière de modernisation des administrations, gestion des ressources humaines et réforme de l'Etat.

Assemblée nationale française

www.assemblee-nationale.fr

Projets de loi de finances, budget de l'Etat, textes de loi, législation française au palais Bourbon, débats parlementaires, composition des groupes politiques et biographie des députés du Parlement français.

Autorités fédérales

www.admin.ch

Site des autorités fédérales de la Confédération suisse.

Conseil constitutionnel

www.conseil-constitutionnel.fr

Le Conseil constitutionnel est un pouvoir public constitutionnel chargé du contrôle de la conformité des lois à la Constitution et du contentieux des élections et votations nationales.

DIV (Délégation interministérielle à la ville)

www.ville.gouv.fr

Le site du ministère de la Ville présente ses enjeux, démarches, actions, acteurs et moyens.

Droit constitutionnel français et francophone

www.droitconstit.org

Sélection de sites Internet utiles au droit constitutionnel français, francophone et comparé.

Elections Canada en ligne

www.elections.ca/index.html

Elections Canada est l'organisme non partisan chargé de la conduite des élections et des référendums fédéraux.

France-diplomatie

www.france.diplomatie.fr/ index.html

Site du ministère des Affaires étrangères français.

G8 information centre

www.g8.utoronto.ca

Les pays les plus industrialisés abordent les problèmes économiques lors des sommets du G8. Retrouvez sur ce site les comptes rendus depuis 1975.

Inforegio

europa.eu.int/comm/regional_policy/index_en.htm

Ce site, créé à l'initiative de la Commission européenne (DG Politique régionale), fournit des informations spécifiques sur les activités du Fonds européen de développement régional (FEDER), du Fonds de cohésion et de l'Instrument structurel de préadhésion (ISPA).

Internet.gouv.fr

www.internet.gouv.fr

Le site du programme d'action gouvernemental pour la société de l'information.

Journal officiel de la République française

www.adminet.com/jo

Sur le site du Journal officiel de la République française, vous pouvez consulter lois, décrets, arrêtés et décisions, ainsi que les numéros complets du Journal officiel.

La mer

www.mer.equipement.gouv.fr

Le ministère de l'Equipement, des Transports et du Logement présente les métiers de la mer, les réglementations, les instances internationales, l'aménagement du littoral, etc.

Ministère de la Culture et de la Communication

www.culture.gouv.fr

Site du ministère de la Culture et de la Communication : Europe, actualités, ministère, régions, événements culturels, expositions virtuelles, base de données documentation, etc.

Ministère de la Défense nationale canadienne

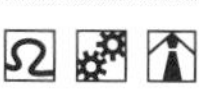

www.forces.gc.ca/site/home_f.asp

Site officiel du ministère de la Défense nationale et des forces canadiennes. Il s'agit de la meilleure source d'information courante et historique sur les questions militaires canadiennes.

Ministère de la Défense

www.defense.gouv.fr

Site du ministère de la Défense : présentation du ministère, organisation des diverses armées françaises, actualités ministérielles et militaires, culture et patrimoine, jeux interactifs.

Ministère de la Jeunesse et des Sports

www.jeunesse-sports.gouv.fr/mjshome.htm

Le site Internet du ministère de la Jeunesse et des Sports vous informe sur le sport, les formations, la jeunesse, les associations et le ministère.

Ministère de la Justice

www.justice.gouv.fr

Sur le site Web du ministère de la Justice français, retrouvez l'actualité du ministère et les discours du garde des Sceaux, informez-vous sur la justice en France et dans votre région, consultez le lexique des termes juridiques, les grands textes de la République et des droits de l'homme.

Ministère de l'Agriculture et de la Pêche

www.agriculture.gouv.fr

Site du ministère de l'Agriculture et de la Pêche.

Ministère de l'Economie, des Finances et de l'Industrie

www.finances.gouv.fr

Le site du ministère de l'Economie, des Finances et de l'Industrie : infos pratiques, vie des entreprises, l'Europe et le monde, le ministère, vie publique, chiffres et études.

Ministère de l'Education nationale

www.education.gouv.fr

Le site du ministère de l'Education nationale vous informe sur le ministre, le système éducatif, les enseignements, la formation continue, etc.

Ministère de l'Education nationale - Concours et formations

www.education.gouv.fr/mid.htm

Le ministère de l'Education nationale, de la Recherche et de la Technologie donne des renseignements pratiques sur les concours de l'enseignement, les formations, l'IUFM, le système éducatif et les académies.

Ministère de l'Emploi et de la Solidarité

www.social.gouv.fr

Le site du ministère de l'Emploi et de la Solidarité donne des informations dans les domaines suivants : santé, social, emploi, ville, économie solidaire, famille et enfance.

Ministère de l'Emploi et de la Solidarité

www.emploi-solidarite.gouv.fr

Site du ministère des Affaires sociales, du Travail et de la Solidarité et du ministère de la Santé, de la Famille et des Personnes handicapées.

Ministère de l'Environnement du Québec

www.menv.gouv.qc.ca

Le site officiel du ministère de l'Environnement du Québec vous informe sur l'air, la biodiversité, les changements climatiques, les déchets, l'eau, etc.

Ministère de l'Equipement

www.equipement.gouv.fr

Le ministère de l'Equipement a la charge de secteurs économiques tels que le logement, l'urbanisme, l'équipement, les transports, l'aviation et le tourisme.

Ministère de l'Equipement, des Transports et du Logement

www.mer.gouv.fr

Site du ministère de l'Equipement, des Transports et du Logement : les hommes, le commerce, le littoral, l'administration, en direct de la côte, les loisirs.

Ministère de l'Intérieur

www.interieur.gouv.fr

Site du ministère de l'Intérieur : démarches administratives, métiers et concours, euro, avis de recherche, élections, publications, statistiques.

Ministère des Affaires étrangères

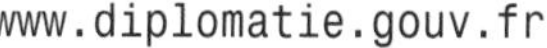

www.diplomatie.gouv.fr

Le site du ministère des Affaires étrangères français.

Ministère des Affaires étrangères et du Commerce international

www.dfait-maeci.gc.ca

Site du ministère des Affaires étrangères et du Commerce international du Canada.

Ministère des Ressources naturelles

www.mrn.gouv.qc.ca

Site du ministère des Ressources naturelles du Québec.

Nations Unies - Site d'information

www.onu.fr

Site d'information officiel des Nations Unies.

Nations Unies

www.un.org/french

Site officiel des Nations Unies à New York.

Parlement européen

www.europarl.eu.int

Le service Web multilingue du Parlement européen.

Premier ministre

www.premier-ministre.gouv.fr

L'actualité et l'action du Premier ministre et du Gouvernement. Présentation des chantiers gouvernementaux par dossiers thématiques. La visite virtuelle de l'hôtel Matignon.

Présidence de la République

www.elysee.fr

Site officiel de la présidence de la République française : actualité du président, discours, agenda, portrait. Visites virtuelles du Palais de l'Elysée. Institutions françaises, symboles de la République, tous les présidents de la République.

Secrétariat d'Etat à la Santé

www.sante.gouv.fr

Site du ministère de la Santé et de la Protection sociale : point presse, le ministère, renseignements pratiques, emplois et concours, documentation, recherches, études et statistiques.

Secrétariat d'Etat à l'Industrie

www.industrie.gouv.fr/FranceTech

Le secrétariat d'Etat à l'Industrie présente la vitrine de l'industrie et de la technologie françaises.

Secrétariat d'Etat au Tourisme

www.tourisme.gouv.fr/fr/home.jsp

Site officiel du ministère délégué au Tourisme : ministre délégué, Inspection générale du tourisme, Conseil national du tourisme, administration centrale, organismes associés, politiques du tourisme, budget du tourisme, historique.

Secrétariat d'Etat aux PME

www.pme-commerce-artisanat.gouv.fr

Site du secrétariat d'Etat aux PME : vie de l'entreprise, chef d'entreprise, formation, environnement réglementaire et législatif, simplifications administratives, équipement commercial, études et statistiques.

Sénat

www.senat.fr

Le site du Sénat français : historique, actualités, travaux parlementaires et sénateurs.

Telecom.gouv.fr

www.telecom.gouv.fr

Le ministère de l'Economie, des Finances et de l'Industrie donne des informations sur les télécommunications : textes de références sur les NTIC (nouvelles technologies d'information et de communication), dossiers thématiques, rapports concernant Internet.

Unesco

portal.unesco.org/fr/ev.php-URL_ID=13570&URL_DO=DO_TOPIC&URL_SECTION=201.html

Ce site décrit les programmes et activités de l'Unesco : éducation, sciences, culture, communication, etc.

Pouvoirs publics, administrations

A511

a511.com

Annuaire des communes et des collectivités locales françaises.

Adminet

www.adminet.fr

AdmiNet est un centre électronique de documentation offrant des informations générales sur les institutions, les services publics français, l'administration publique, les collectivités locales et territoriales.

Administrations françaises

www.alphaquark.com/Annuaire/Administrations_francaises.htm

Annuaire des administrations françaises.

Administrations

www.fonction-publique.gouv.fr

Le ministère de la Fonction publique anime la politique du gouvernement en matière de modernisation des administrations, gestion des ressources humaines et réforme de l'Etat.

Admiroutes

www.admiroutes.asso.fr

Sans langue de bois, des articles sur la modernisation des administrations par Internet.

AMF

www.amf.asso.fr

Site de l'association des maires de France : actualités, documents et textes, sites référencés.

Annuaire des mairies de France

www.annuairemairie.com

Annuaire des mairies de France, pour tout savoir sur le monde administratif, économique et politique.

Assemblée nationale française

www.assemblee-nat.fr/connaissance/pouvoirs-publics/pouvoirs_publics.asp

Sur le site de l'Assemblée nationale : projets de loi de finances, budget de l'Etat, textes de loi, législation française au palais Bourbon, débats parlementaires, composition des groupes politiques et biographie des députés du Parlement français.

Centre national de la fonction publique territoriale

www.cnfpt.fr

Site du CNFPT. Regroupant plus de 1,6 million d'agents, la fonction publique territoriale est la deuxième fonction publique française, après la fonction publique d'état.

Collectivités locales.com

www.collectiviteslocales.com

Informations et services pour les élus locaux et les fonctionnaires territoriaux : dossiers d'actualité, annuaire des collectivités locales, annuaire des fournisseurs des collectivités locales et annuaire des associations.

Concours de la Ville de Paris

srv.paris.fr/icinet

Ce site donne tous les renseignements nécessaires et permet de s'inscrire aux concours organisés par la Ville de Paris.

DDE Calvados

www.calvados.equipement.gouv.fr

L'Equipement dans le Calvados intervient dans tous les secteurs économiques : logement, urbanisme, habitat, construction, équipement, routes, sécurité, déplacements, transports terrestres, maritimes, aériens, ports, littoral, circulation, trafic, environnement, sécurité, tourisme, etc.

Droit administratif

www.affaires-publiques.com/docu/droitadm.htm

Informations et jurisprudence relative aux actes administratifs, leur édiction, leur entrée et sortie en vigueur.

E-fonctionnaires.com

www.e-fonctionnaires.com

E-fonctionnaires.com est le site portail de la fonction publique. Il permet aux fonctionnaires de consulter chaque jour l'actualité de la fonction publique, de lire des dossiers et d'accéder à des services destinés aux fonctionnaires.

IFRAP

www.ifrap.org

Enquêtes sur les fonctionnaires, les administrations, les abus de la fonction publique et ses arnaques sur l'emploi et le chômage.

IIAP

www.iiap.fr

Le site de l'Institut international d'administration publique.

Le point rencontre des acteurs locaux

www.carrefourlocal.org

Répertoire des collectivités locales présentes sur le Web.

Ministères et administrations du grand-duché de Luxembourg

www.etat.lu

Site des ministères et administrations du grand-duché de Luxembourg.

Pouvoirs publics

www.unadfi.org/actualite/themes/ppublics.htm

Résumé de l'actualité des pouvoirs publics

sous la forme de communiqués de presse et de questions/réponses.

Préfecture de la région Ile-de-France

www.idf.pref.gouv.fr

Site de la préfecture de la région Ile-de-France.

Secteur public suisse

www.gov.ch

Répertoire des sites Internet officiels du secteur public suisse.

Service public, formulaires

www.service-public.fr/formulaires/index.html

Ce site propose des formulaires Cerfa pour particuliers, en libre téléchargement (format PDF, Acrobat Reader).

Service-public.fr

www.service-public.fr

Portail de l'administration française : informations administratives, démarches, droit, formalité, fiches pratiques, formulaires administratifs, textes officiels, rapports publics, annuaires, services, etc.

Sites de partis

Front national

www.frontnational.com

Site du Front national, de Jean-Marie le Pen : le Front national, actualités, agendas, militantisme.

Le Parti socialiste

www.parti-socialiste.fr

Site du Parti socialiste : fédérations, actualité nationale et internationale, dossiers, annuaire, agenda.

Les Verts

www.les-verts.org

Site des Verts : communiqués, hebdomadaire, campagnes et actions, la fédération des élus, les sites Verts, dossiers et documents, téléchargement.

Lutte ouvrière

www.lutte-ouvriere.org

Site national du parti Lutte ouvrière.

Mouvement national républicain

216.71.173.124/M-N-R/
www.m-n-r.com/Index.htm

Site officiel du Mouvement national républicain de Bruno Mégret.

Parti Blanc

www.partiblanc.fr

Site officiel du Parti blanc, représentant du vote blanc en France.

Parti communiste français

www.pcf.fr

Le site du Parti communiste français : déclarations, actions, forum, adhésion en ligne.

Parti humaniste

tempo2.phpnet.org/jmomntane

Le site du Parti humaniste : manifeste, discours.

Parti libéral du Québec

www.plq.org

Site du Parti libéral du Québec : structures, orientations, grands moments, opinions.

Parti Radical

www.partiradical.net

Sur ce site, retrouvez l'actualité du Parti Radical, les communiqués de presse et les prises de position de ses représentants.

Partis politiques en France

francepolitique.free.fr/FPartis.htm

Fiches signalétiques de France Politique sur les principaux partis politiques français.

Regards

www.regards.fr

Le site du mensuel Regards du Parti communiste français : archives, articles inédits, liste de diffusion, soirées/débats, expositions.

UDF

www.udf.org

Le site national de la Nouvelle UDF : infos, forums, documents politiques, élections, archives.

UMP

www.u-m-p.org

Le site de l'Union pour la majorité présidentielle : vie du mouvement, débats, adhésion en ligne, réactions.

Vie pratique

Achats en ligne

1 2 3 fleurs

www.123fleurs.com

Société de vente en ligne de fleurs, représentée par un réseau d'artisans fleuristes sélectionnés pour leurs qualités professionnelles. Achetez sur ce site vos fleurs, plantes, bouquets et compositions florales. Frais de livraison imbattables.

1000fleurs.com

www.1000fleurs.com

Un vaste choix de fleurs et de bouquets livrés en moins de 24 heures vous attend sur ce site.

1855

www.1855.com

Le plus grand choix de vins de toutes les régions sur Internet (plus de 10 000 références de vins et de champagnes).

3 Suisses, le chouchou

www.3suisses.fr

Retrouvez "le chouchou" en ligne, tournez les pages du catalogue et passez votre commande sécurisée.

Abstry

www.abstry.com

Abstry.com est votre guide d'achat sur Internet. Il sélectionne les meilleures boutiques françaises d'après des critères stricts : paiement sécurisé, qualité des produits, service après-vente, etc.

Accessoire shop

www.accessoireshop.com

Ce site propose des produits français et européens de qualité livrés chez vous. Promotions fréquentes.

Achat-net.fr

www.achat-net.fr

Achat-net.fr est un site de vente de matériel neuf ou d'occasion en destockage.

Achats.lu

www.achats.lu

Commandez en ligne dans le plus grand shopping mail électronique du Luxembourg.

Acheter en France

www.acheterenfrance.net

Dans cet annuaire, vous trouverez toutes les adresses pour effectuer vos achats en ligne dans l'hexagone.

Acheterduvin.com

www.acheterduvin.com

Sept personnes passionnées par le vin ont un jour décidé de développer une philosophie nouvelle : un site Internet sur lequel il est possible de se documenter et d'acheter du vin.

Achetezfacile.com

www.achetezfacile.com

Pour comparer les prix, utilisez le premier comparateur intelligent : AchetezFacile.com. Bénéficiez de nombreux guides d'achat et des meilleurs prix dans de nombreuses boutiques en ligne. Tous les produits sont accompagnés d'un descriptif et d'une photo.

Actualits

www.actualits.Com

Actualits est un spécialise de la vente de literie de relaxation : matelas médicalisés, oreillers médicaux, etc.

Adomus

www.adomus.com

Les boutiques les plus réputées de votre ville. Livraison à domicile en moins de deux heures. Cadeaux en express, listes de mariage, organisation de réception.

Advalvas, Shopping

www.advalvas.be/default.asp

Site belge de vente en ligne : autos, livres, musique, cadeaux, informatique, maison, vêtements, etc.

Alavotre.com

www.alavotre.com

Boutique des vins médaillés de France.

Aligastore.com

www.aligastore.com

Recherchez sur Internet vos livres, CD et DVD et achetez dans le magasin le plus proche de chez vous (plus de 650 points de ventes en France, plus de 850 000 références).

Alsatia

www.forum-alsatia.com

Le groupe ALSATIA maîtrise les différents métiers livre, musique, vidéo, multimédia, papeterie depuis de nombreuses années, sous les enseignes Forum Espace Culture, RUC, ALSATIA et Maison de la presse. Une offre proposée par des équipes de spécialistes à la recherche permanente du conseil et du service.

Altema

www.altema.com

Le journal Altema s'intéresse aux tendances de consommation : lieux de vie, styles de vie, images et stratégies, univers de consommation, santé/beauté/bien-être, distribution.

Amazon.fr

www.amazon.fr

Tous les livres, CD, DVD et vidéos de A à Z. Livraison express en France et dans le monde.

Anatole.fr

www.anatole.fr

Vente en ligne de téléphones mobiles, PDA, microcasques, téléphones et accessoires.

Antiquités Bordeaux

www.antiquites-bordeaux.com

Les professionnels des arts et antiquités de Bordeaux vous proposent un grand choix d'objets anciens, mobilier ou bijoux certifiés par un expert restaurateur.

Apache.fr

www.apache.fr

Vente en ligne de jeux et jouets pour enfants.

APC

www.apc.fr

Boutique en ligne de l'enseigne APC (vêtements pour femmes et hommes).

Apple Computer France

www.apple.fr

Boutique en ligne Apple : produits, nouveautés, programmes, FAQ.

Aquarelle

www.aquarelle.com

Site de commande en ligne de fleurs et bouquets.

Arcane loisirs, Modélisme

www.arcaneloisirs.com

Vente en ligne : modèles réduits d'avions, bateaux, voitures, hélicos radiocommandés ou statiques, miniatures, trains et figurines.

Armenager

www.2001abc.com

Site et catalogue interactif des grandes marques d'électroménager : 56 marques, 15 000 appareils électroménagers en ligne et en showroom. Vente à prix club, garantie nationale, vente de pièces détachées et accessoires.

Artazart, la librairie de création

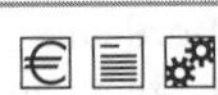

www.artazart.com

Sur la librairie d'art Artazart : vente et achat sécurisés en ligne de livres d'art, de graphisme, de photojournalisme, de décoration, de design, etc. Tous les livres sont chroniqués et peuvent être consultés en ligne.

Auchan

www.auchan.fr

Sur le site d'Auchan, profitez de la vie dans toutes ses dimensions avec les coins des gourmands, du bien-être, des loisirs et de la maison. Découvrez les nombreuses affaires de l'enseigne et accédez aux sites complémentaires (mes voyages, mon supermarché, ma librairie, mon club Rik&Rok).

Auchandirect

www.auchan-direct.com

Facilitez-vous la vie en faisant vos courses en ligne : le supermarché d'Auchandirect assure la livraison à domicile dans les 24 h : alimentation, plats surgelés, boissons, produits laitiers, vin, épicerie, produits d'hygiène et d'entretien.

Avenue des bébés

www.avenuedesbebes.com

Retrouvez la boutique en ligne de vêtements pour femmes enceintes Avenue des bébés. Vous y découvrirez la mode des futures mamans et les tendances du prêt-à-porter pour votre grossesse.

Bebloom

www.bebloom.com

Bebloom, fleuriste sur Internet, vous permet d'offrir en quelques clics bouquets, fleurs, plantes, décorations et cadeaux.

Bestcontact.com

www.bestcontact.com

Au programme : guide des meilleures adresses en France, Allemagne, Luxembourg et Belgique, annonces gratuites, offres d'emploi et jeux.

Bestdvd.com

www.bestdvd.com

Boutique en ligne spécialisée dans le DVD zone 2.

Bijoux Plaisir

www.bijouxplaisir.com

Boutique en ligne entièrement consacrée aux bijoux fantaisie : boucles d'oreilles, colliers, parures, bracelets, broches.

Biovert.com

www.biovert.com

Alimentation biologique diététique et naturelle, articles divers sur votre santé, l'environnement, le bien-être, forum de discussion, agenda, annuaire et moteur de recherche, agence de presse.

Blackorange

www.blackorange.com

Dans sa boutique virtuelle, Blackorange propose des utilitaires, jeux et logiciels professionnels pour PC, Macintosh et consoles.

Boutique du Père Noël

www.boutiqueduperenoel.com

La première boutique virtuelle du Père Noël propose un grand choix de cadeaux : jeux, jouets, mode et accessoires, hi-fi, CD, DVD, ordinateurs, etc.

Boutique TF1 vidéo

www.tf1video.fr

La boutique TF1 Vidéo vous propose la vente de DVD et de cassettes vidéo VHS (plus de 800 titres).

Boutique Van Gogh, Nîmes

site.ifrance.com/vangogh

Site belge de vente en ligne : autos, livres, musique, cadeaux, informatique, maison, vêtements, etc.

But, le juste prix

www.but.fr

Le site de l'enseigne But.

Cadeaux de prestige

www.etapes-cadeaux.com

Quel que soit votre budget, vous allez découvrir une sélection d'articles choisis parmi les plus grandes marques ou chez des maîtres artisans français de renommée internationale.

Cadeaux-de-France.com

www.cadeaux-de-france.com

Distinguez-vous en offrant un cadeau personnalisé, une pièce originale et unique ou des cadeaux d'entreprise, en livraison express.

Camif

www.camif.fr

Plus de 20 000 articles Camif à commander en ligne : mode, sport, mobilier, décoration, maison, hi-fi, électroménager, informatique, bricolage, jardinage, etc.

Canal CPA

www.canalcpa.com

Canal CPA vend en ligne des cartes postales anciennes.

CapFleurs

www.capfleurs.com

Vente en ligne de fleurs, bouquets ronds et fleurs séchées.

Carine fleurs

www.carinefleurs.fr

Carine fleurs, fleuriste à Boulogne-sur-Mer, vous présente ses compositions florales et ses services de vente en ligne de fleurs.

Carrefour Nice

www.force-sud.com

Carrefour Nice vous livre à domicile. Sélectionnez vos articles dans un catalogue de près de 3 000 références. Livraison sur Nice exclusivement.

Carrefour.fr

www.carrefour.fr

Carrefour.fr, le site des magasins Carrefour, vous signale les promotions du jour, vous permet d'effectuer vos commandes en ligne et de consulter le magazine Consommer malin.

Cartes de visite de luxe

www.orioli.com

Ce site propose des cartes de visite commerciales au format américain 86 ? 54 mm, personnalisées en fonction de vos photos et logos.

Casher on-line

www.casheronline.com

Casher on-line, le premier centre commercial virtuel casher, permet de commander de nombreux articles en ligne et d'accéder aux sites des commerçants casher répertoriés.

Casino

www.casino.fr

Retrouvez les sites Web marchands du Groupe Casino (avec la possibilité de rechercher le point de vente le plus proche de chez vous, d'acheter en ligne et de se faire livrer à domicile), les jeux concours, les promotions et les offres d'emploi.

Cave de récoltants

www.cave-de-recoltants.fr

Vente en ligne de vins fins et grands crus.

Cdiscount.com

www.cdiscount.com

Vente en ligne de disques compacts, cassettes vidéo et DVD.

Cdmail.fr

www.cdmail.fr

Plus de 100 000 références CD, DVD, MD, K7, vinyle, CD-ROM et jeux vidéo. Des promotions, toutes les récompenses Classique, et une rubrique Labels indépendants. Achat en ligne avec paiement sécurisé.

Celio

www.celio.com

Le site de l'enseigne Celio : parcourez la boutique virtuelle, découvrez les services et les garanties de la marque et achetez les articles qui vous font craquer.

Centre de surplus

www.centredesurplus.com

Centre de surplus propose des équipements de camping, plein air, randonnée et voyage à meilleur prix : tentes, sacs de couchage, sacs à dos, vêtements, chaussures de marche, etc.

Champion

www.champion.fr

Portail marchand de l'enseigne de supermarchés Champion.

Châssis France

www.cci-oise.fr/chassis

Découvrez le catalogue de cette entreprise française spécialisée dans la vente de chevalets, brosses et pinceaux, toiles et cartons toilés, papier aquarelle.

Châteaunet, grands vins de Bordeaux

www.chateaunet.com

Site commercial de grands vins de Bordeaux :

margaux, saint-julien, pauillac, saint-estephe, saint-emilion, pomerol, pessac-leognan, etc.

ChateauOnline.fr

www.fr.chateauonline.com/pages

Vente en ligne de vins et de champagnes : bordeaux, bourgogne, beaujolais, vins italiens ou australiens, millésimes, etc.

Choix.com

www.choix.com

Choix.com, le réseau de supermarchés, hypermarchés et magasins spécialisés européens sur le Web propose la livraison à domicile de 12 700 produits et services en ligne.

Chronoresto

www.chronoresto.fr

Avec Chronoresto, commandez vos repas en ligne : livraison à domicile ou au bureau, plateaux-repas (pizzas, tex-mex, chinois, indien, paella, couscous).

ComparaNet

www.comparanet.net

Comparanet vous permet d'accéder rapidement aux meilleurs comparatifs du Net. Les site listés comparent les prix, mais aussi les caractéristiques et performances, qu'il s'agisse de services (banques, FAI, Internet, crédit) ou de produits (téléphones, accessoires PC, hi-fi, etc.).

Corsica shopping.com

www.corsica-shopping.com

Vente en ligne de produits du terroir corse : confiture, confiserie, alcool, miel AOC, huile d'olive, etc.

Cyber-cd.fr

www.cybercd.fr

Cyberdisquaire européen : 1 200 000 titres de CD, disques, MP3, DVD, CD 2 titres. Propose également des affiches, des éditions de compositions musicales, des informations sur la musique, des interviews exclusives et des chats.

Cyrillus

www.cyrillus.fr

Catalogue et boutique en ligne de l'enseigne Cyrillus (vêtements pour femmes, hommes, enfants et bébés).

Darty

www.darty.com

Le site de l'enseigne Darty, spécialiste en vidéo, TV, hi-fi et électroménager.

Décathlon

www.decathlon.com

Retrouvez tous vos équipements sportifs et de loisirs sur le site de vente en ligne de Décathlon : football, basket-ball, running, snowboard, ski, tennis, voile, nautisme, VTT, pêche, plongée, ski nautique, golf, équitation et randonnée.

Décoréva

www.decoreva.be

Décoréva, le décor dont vous rêvez. Pour la décoration de votre maison, nous sommes la solution : peintures, papiers peints, tissus, carpettes, etc.

Disques vinyle

www.recordscollectors.com

Ce site est spécialisé dans les disques vinyle de collection.

DVD shopping center 

www.dvdshoppingcenter.com

Boutique en ligne de DVD.

E. Leclerc, le manège à bijoux 

www.manegeabijoux.com

Choisissez et commandez en ligne les bijoux du premier bijoutier de France : bagues, colliers, bracelets, boucles d'oreilles, pendentifs.

eBuyClub 

www.ebuyclub.com

eBuyClub est un portail offrant une sélection de boutiques en ligne.

Electroménager, hi-fi et vidéo 

www.ffd.fr

Toute la vidéo, tout l'audio et l'électroménager sont chez FFD : télévision, magnétoscope, Caméscope, hi-fi, machine à laver, cuisinière, lave-vaisselle, four, micro-ondes, congélateur, réfrigérateur.

Envoi de fleurs dans le monde

www.fleuriste-online.com

Commande en ligne et envoi de fleurs dans le monde entier.

Espace téléphonie & Internet

www.dourdan.com/eti

Boutique en ligne téléphonie et Internet : actualités et informations utiles sur les téléphones SFR, Bouygues et Itinéris.

Europeanetsport 

www.europeanetsport.com

Site marchand dédié à la vente de matériel de sport et notamment de ski nautique, géré par des compétiteurs.

Eveil & Jeux  

www.eveiletjeux.com

Jouets, jeux éducatifs et d'éveil pour enfants.

Famoustore.com  

www.famoustore.com

Toute la culture multimédia sur Famoustore : idées cadeaux, DVD, BD, cassettes vidéo. Livraison rapide sous 48 h.

Farfadelle l'hirondelle

mapage.noos.fr/
farfadelle_lhirondelle

Ce site a été créé pour les acheteurs malins. Il présente une sélection de boutiques, d'objets et de vêtements sur Paris, choisis pour leur originalité ou leur prix.

Fine wine world 

www.fine-wine-world.com

Vente en ligne des vins du monde.

FirstReam Press 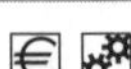

www.firstream-media.com

La vie est plus riche quand la presse est moins chère : ce site vous propose divers abonnements à des revues à tarif réduit.

Fleursonline 

www.fleursonline.com

Site de commande en ligne de fleurs et bouquets.

Flo Prestige

www.floprestige.fr

Flo Prestige, leader sur le marché de la restauration à domicile : commande de plateaux-repas, livraison à domicile sur Paris et région parisienne.

Floral Still

www.floralstill.com

FloralStill vous propose une sélection de bouquets à expédier dans toute la France.

Fnac 

www.fnac.com

Fnac.com propose plus d'un million de produits culturels : livres, disques, jeux vidéo, CD-ROM, vidéos, DVD, billets de spectacle et matériels techniques.

Fnac, Sorties & spectacles 

www.fnac.com/spectacles

Achetez vos places de concert sur le serveur de la Fnac.

Foire de Paris 

www.foiredeparis.fr

Achetez vos billets en ligne, consultez l'annuaire des exposants et le plan du salon et obtenez les informations pratiques pour vous rendre à la Foire de Paris.

France loisirs 

www.franceloisirs.com/fl/index.htm

Découvrez les livres, CD et DVD en vente chez France Loisirs et faites vos courses en ligne si vous êtes membre.

Galerie marchande Find 

www.find.atlanpole.fr

Galerie marchande qui rassemble les industries agroalimentaires de la région Pays de la Loire. Ce site a été développé dans le cadre du programme FIND.

Galeries Lafayette 

www.galerieslafayette.fr

Retrouvez les Galeries Lafayette en ligne : actualité mode, boutique cadeaux, listes de mariage, prêt-à-porter, conseils beauté, services des magasins, etc.

Géant 

www.geant.fr

Chaque jour, votre Géant.fr, c'est géant et c'est pour vous. Sur ce site vous attendent de nombreux conseils, recettes et promotions, ainsi que l'accès direct au magasin Géant de votre ville.

Go Sport 

www.go-sport.fr

Retrouvez le catalogue de l'enseigne Go Sport et effectuez vos achats sécurisés en ligne.

Gold 

www.gold.fr

Tous vos bijoux en or 18 carats 750 millièmes avec 55 % de réduction.

Grand trophée e-commerce

www.grandtrophee.com

Site du Grand trophée de l'e-commerce : présentation du concours, règlement et résultats.

GrosBill Micro

www.grosbill.com

Vente de matériel informatique en ligne : pièces détachées, périphériques, ordinateurs, portables, audio, vidéo, photo, consommables, logiciels, jeux.

Hasbro

www.hasbro.fr

Le monde des jeux et jouets Hasbro.

Heeza, l'univers du cartoon

www.heeza.fr

Heeza vous propose d'acheter par correspondance de nombreux produits originaux et rares sur le dessin animé : vidéos, flip-books, livres, etc.

Houra.fr

www.houra.fr

Le cybermarché houra.fr propose un très grand nombre de produits : épicerie, boissons, vin, bébé, hygiène et beauté, entretien, maison, électroménager, hi-fi et vidéo, etc.

Hypermarchés Cora

www.cora.fr

Sur le site officiel de Cora, retrouvez l'actualité des hypermarchés, les offres d'emploi, la rubrique Enfants, l'opération humanitaire Ecoles du désert et la boutique idée cadeau.

InkClub

www.inkclub.com

Economisez jusqu'à 75 % sur les cartouches pour jet d'encre Epson et Canon, et jusqu'à 45 % sur les cartouches pour jet d'encre HP et Lexmark.

Institut géographique national

www.ign.fr

Production et vente de cartes, photographies aériennes, bases de données géographiques, France et export. Prestations de formation, conseil, géodésie, topographie et cartographie.

Intecsports

www.intecsports.com

Site de vente en ligne de ce spécialiste des sports de raquettes.

Interflora

www.interflora.fr

En France, près de 5 000 fleuristes Interflora desservent 36 000 communes et 25 000 lieux-dits. Avec plus de 50 bouquets, plantes, compositions florales extraits de l'album, Interflora vous offre la possibilité de marquer les grands moments de la vie.

Jouéclub express

www.joueclub.fr

Jouéclub express vous propose de feuilleter son album en ligne et vous permet de passer votre commande sécurisée.

Jouetel

www.jouetel.com

Jouetel vous permet de rechercher (par titre, âge et prix), d'obtenir des informations et de commander des jouets en ligne.

Jouet-online.com

www.jouet-online.com/homepage.asp

Magasin virtuel de jeux et jouets s'adressant à toute la famille : divertissements, jeux éducatifs, déguisements, poupées, peluches, jeux vidéo, etc.

Joupi 

www.joupi.com

Tout ce qui concerne les jeux et jouets pour les enfants de tous âges. Catalogue en ligne, liste des magasins en France, conseils aux parents, atelier de cartes postales.

Kiabi, la mode à petits prix 

www.kiabi.com

Le nouvel univers Kiabi vous ouvre ses portes : découvrez la mode dont vous rêvez avec les toutes dernières tendances de la saison. Chaque semaine, quatre nouveaux produits stars, des services plus et des idées cadeaux.

Kozee déco 

www.kozee.com

Boutique de décoration sur le Net. Plus de 10 000 articles créés par les meilleurs designers français et européens.

La caverne 2000 

www.chez.com/lacaverne2000

Dans la caverne 2000, curiosités, insolite, nouveautés et originalité sont au rendez-vous. De votre fauteuil, découvrez des offres venues des plus grandes capitales du monde.

La Cinquième 

boutique.francetv.com

Sur le site de La Cinquième boutique, commandez en toute sécurité les vidéos, DVD, CD-ROM et livres issus des meilleurs programmes de La Cinquième.

La gastronomie française 

www.francegourmande.com

Dans un esprit de tradition et d'innovation, France Gourmande réinvente les goûts et saveurs d'autrefois et vous offre une sélection de plats cuisinés dignes de la grande gastronomie française. Commande en ligne et livraison à domicile.

La planète-vin 

abrege.com/lpv

Découvrez les bons vins du monde : vignes et vignerons, cépages, appellations, millésimes, achat, conservation, service du vin, accord des vins et des mets, dégustation.

La Redoute 

www.laredoute.fr/homepage.html

La boutique en ligne : catalogue, prêt-à-porter, mode femme, enfant et homme, ameublement, décoration et loisirs.

Labonneaction.com 

www.labonneaction.com

En faisant vos achats sur ce site, un pourcentage du montant total sera redistribué à des associations d'aide à l'enfance.

Laguiole 

www.laguiole-france.com

La boutique en ligne des couteaux Laguiole effectue la vente directe et propose les services en ligne du fabricant.

Lalibrairie.com 

www.lalibrairie.com/php/emploi/Accueil.php

Lalibrairie.com offre un vaste choix de livres, disques, CD, CD-ROM, vidéos, jouets et produits culturels.

L'amour du vin

www.amourduvin.com

Les meilleurs vins sélectionnés par Patrick Dussert-Gerber.

Lands' end France

www.fr.landsend.com

Boutique en ligne de l'enseigne Land's end (vêtements femmes et hommes).

Le Club des créateurs de beauté

www.ccb-paris.com

Découvrez les produits de beauté de 6 créateurs de talent : Agnès B., Jean-Marc Maniatis, professeur Cotte, Tan Giudicelli, Jean-Pierre Deméry et Michel Klein. Profitez de leurs conseils, commandez vos produits en ligne et bénéficiez d'offres promotionnelles irrésistibles.

Le club Dial

www.clubdial.fr

Consultez le catalogue du spécialiste de la VPC de CD audio, Club Dial.

Le groupe Canson

www.canson.fr

Le site du fabricant de papier à dessin Canson donne un aperçu des produits disponibles (gammes beaux-arts, scolaire, loisirs et technique).

Le jardin des fleurs

www.lejardindesfleurs.com

Livraison de bouquet de fleurs et cadeaux pour toute occasion : fêtes, mariage, etc. Particuliers et entreprises peuvent acheter et envoyer des fleurs partout en France, trouver des idées cadeaux et recevoir les conseils d'un fleuriste en ligne.

Le Kiosque à musique

au.kiosque.a.musique.free.fr

Le site de la librairie musicale Le Kiosque à musique (Saint-Nazaire) vous propose d'effectuer vos achats en ligne (morceaux, posters, tee-shirts).

Le mariage - Vente en ligne

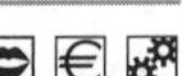

www.le-mariage.com/boutique/conditions.html

Vente en ligne d'articles pour votre mariage.

Le meilleur des fromages français

www.fromages.com

Ce site permet aux amateurs de fromages traditionnels français (où qu'ils se trouvent dans le monde) de commander en ligne des plateaux de fromages de saison. La livraison à domicile en express et un emballage spécifique garantissent la parfaite conservation des fromages.

Le meilleur du chef

www.meilleurduchef.com

Le meilleur du chef : boutique (plus de 500 produits), club des membres, cours de cuisine, rubrique Diététique, plus de 1 000 recettes, CD-ROM du chef.

Le palais des thés

www.palaisdesthes.com/fre/index.cgi

Le Palais des thés vous invite à choisir votre thé autrement. Découvrez les saveurs les mieux adaptées à votre goût : Darjeeling, thé vert, Earl grey, jasmin…

Leroy Merlin

www.leroymerlin.fr

Conseils, produits et vente en ligne par les magasins Leroy Merlin. A disposition gratuitement : guides produits, fiches de pose, schémas de montage. En vente : des milliers d'articles de bricolage et des livres spécialisés.

Les livres de Joseph Ouaknine

www.chez.com/joseph

Ce site propose des livres personnalisables, reliés cuir et faits main à la manière de vieux grimoires, à offrir.

Les musées de France

www.museesdefrance.com

Vente en ligne de cadeaux d'art : livres d'art, reproductions, affiches, bijoux, etc.

Les vins français

www.vins-fr.com

Ce site propose un grand choix de vins de France (alsace, bordeaux, chablis, bourgogne…) : 2 000 références commentées.

L'Esprit du Vin

www.enology.net

Le site l'Esprit du Vin permet de découvrir, d'acheter, de déguster, reconnaître, servir, conserver, s'informer, bouger, se former et d'échanger autour du vin.

Librairie en ligne des livres spécialisés

www.libriszone.fr

Vente en ligne de livres et de services sur le livre et la lecture.

Librairie Lavoisier

www.lavoisier.fr

Librairie en ligne spécialisée dans la vente de livres scientifiques et techniques : mécanique, droit, gestion, informatique, mathématiques, chimie, économie, physique, urbanisme, sciences de la vie et de la terre, etc.

Librairie médicale et scientifique

www.lms-Web.com

Site des librairies médicales et scientifiques de Nantes et de Rennes : trente ans de savoir-faire au service du livre scientifique.

Librairie Mollat

www.mollat.com

Première librairie indépendante de France, la librairie Mollat propose un vaste choix parmi ses 150 000 titres en stock, des conférences, rencontres et débats, une galerie d'exposition et une galerie d'art contemporain.

Librairie Sauramps

www.sauramps.com

Découvrez et visitez une véritable librairie multispécialisée en ligne (130 000 livres en stock) : nouveautés, ouvrages de fond, rencontres d'auteurs et signatures, coups de cœur et critiques des libraires, vente et livraison en France et dans le monde.

Lip.fr

www.lip.fr

Le site de l'horloger : histoire, la montre de vos rêves, nouveautés, classiques, rétros, automatiques, etc.

Littérales

www.litterales.com/index.php

Ce site a pour but de mettre en contact et d'informer les étudiants de Lettres Modernes, Lettres Classiques, et Sciences du Langage, qu'ils soient en DEUG, en licence, en maîtrise… Il peut aussi être intéressant pour les lycéens voulant préparer sérieusement leur bac de français.

Livres anciens

www.livres-anciens.com.fr

Sur ce site de vente en ligne de livres contemporains et anciens, vous pourrez consulter plusieurs photographies par ouvrage.

L'Occitane France

www.loccitane.com/index.asp

Sur ce site, faites votre shopping dans la boutique en ligne L'Occitane (bougies, savons, maquillage, soins de beauté, etc.).

Louvre des antiquaires

www.louvre-antiquaires.com/pages/galeries

Le site officiel du Louvre des antiquaires : antiquités, objets d'art, collections. 250 antiquaires : la plus grande vitrine d'antiquités au cœur de Paris.

M6 boutique

portail.m6boutique.com/M6C/FR

Le site M6 boutique propose plus de 2 000 produits de beauté, sport, cuisine, électroménager, bijoux, hi-fi.

Magasins G20

www.g20-livraison.com

Faites vos courses dans les magasins G20 sans quitter votre fauteuil.

Marcopoly

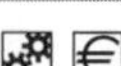

www.marcopoly.com/hub.php?

Vaste choix d'appareils électroménagers, matériel informatique, TV, vidéo, hi-fi et multimédia.

Maroquinerie Le Caïman

www.le-caiman.com

Le spécialiste de la maroquinerie et des bagages de Cherbourg propose des articles en cuir et des produits de la marque Samsonite.

Meubles.com

www.meuble.com

Parcourez les allées virtuelles de Meubles.com et choisissez en toute tranquillité vos meubles (séjour, salle à manger, chambre, bureau, enfants, jardin).

Mobile direct

www.mobiledirect.fr

Cette boutique de téléphonie mobile vend les meilleurs GSM et accessoires : Nokia, Ericsson, Motorola et tout abonnement Bouygues télécom.

Mousquetaires

www.groupedesmousquetaires.com

Présentation des supermarchés, hypermarchés et des enseignes (Intermarché, Bricomarché, Ecomarché) de ce groupe de grande distribution international qui défend les prix discount et le commerce indépendant.

MSN shopping

shopping.msn.fr

Avec MSN Shopping, faites vos achats d'un simple clic.

Nature & découvertes

www.natureetdecouvertes.com

Produits et activités de l'enseigne Nature & découvertes.

Nierle

www.nierle.de/fr

Certainement les meilleurs prix du marché pour l'achat de vos CD-R, DVD-R et consommables.

Nomatica

www.nomatica.com

Vente en ligne d'appareils photo et de Caméscopes numériques.

Objectif-devis

www.objectif-devis.com

Ce site permet d'obtenir facilement des devis de tous types. 250 rubriques sont déjà disponibles.

Office Dépot

www.officedepot.fr

Office Dépot, leader mondial de l'équipement de bureau pour l'entreprise, vous permet de réaliser vos achats de fournitures de bureau en ligne.

Offrez des fleurs en France

www.plaisirdoffrir.com

Plaisir d'offrir vous guide directement chez l'artisan fleuriste de la ville où vous voulez faire livrer des fleurs. Les livraisons ont lieu 7 jours sur 7.

Ooshop.com

www.ooshop.com

Faites toutes vos courses à prix hypermarché : alimentation, frais, sec, surgelés, bébé, hygiène et beauté, promotions, nouveautés. Choisissez l'enlèvement au point service ou la livraison à domicile.

Oz international

www.oz-international.com

Matériel de beaux-arts et loisirs créatifs pour artistes amateurs et professionnels : acrylique extra-fine Golden, pastels Sakura, maquillage Snazaroo, etc.

Pages jaunes

www.pagesjaunes.fr

Annuaire téléphonique, plans, photos, adresses des professionnels et accès aux pages blanches.

Paniers.com

www.paniers.com/fr/index.php

Vente en ligne de produits du terroir : épices, rillettes au foie gras, confitures, apéritifs, plats préparés. Livraison partout en Europe.

Pearson Education France

www.pearsoneducation.fr

Maison d'édition, Pearson Education France publie des livres pratiques pour les particuliers et les professionnels et des ouvrages universitaires, en management et en informatique.

Père Magloire

www.pere-magloire.com

Site officiel du père Magloire : vente en ligne de calvados, visite des chais et du musée, news.

Père Noël

www.pere-noel.fr

Galerie marchande des cadeaux et jouets : c'est Noël toute l'année.

Perenoel.com

www.perenoel.com

Le Père Noël vous souhaite la bienvenue sur son site Internet perenoel.com. Un univers de jeux, de cadeaux et de surprises où petits et grands sont invités à partager la magie de Noël : histoires pour enfants, voyance, atelier de musique, coloriage, achats en ligne, etc.

Preservatif.com

www.preservatif.com

Vente en ligne de préservatifs.

Printemps.com

www.printemps.com

Le site des magasins Printemps : actualités, services, shopping en ligne.

Promod, la mode femme en ligne

www.promod.com

La boutique en ligne Promod propose aux jeunes femmes sa collection mode actualisée chaque semaine : jupes, pantalons, pulls, tailleurs. Découvrez aussi les services cadeaux, les tendances de la mode et les services plus Web sur ce site dédié aux femmes.

Quelle

www.quelle.fr

Le site de l'enseigne Quelle vous permet de feuilleter le catalogue, de passer votre commande sécurisée et d'effectuer son suivi.

Reporter photo

www.reporterphoto.com

Vente de matériel photo de grandes marques et d'accessoires : flashs, objectifs autofocus, numériques, projecteurs diapos, reflex. Reprise de votre ancien matériel.

Réseau des cavistes

www.vinomedia.fr

Commandez votre vin auprès d'un réseau de cavistes. Livraison dans la journée et paiement à la livraison.

Roses Pierre Guillot

www.rosesguillot.com

Parcourez le catalogue Pierre Guillot, visualisez les variétés de roses anciennes proposées et passez votre commande.

Rouge & blanc

www.rouge-blanc.com/fr

Découvrez les vins du monde. Vente directe en ligne de toute appellation.

RueDuCommerce

www.rueducommerce.fr

Sur RueDuCommerce.com, découvrez 20 000 références high-tech (informatique, imagerie, jeux vidéo, TV…). 70 % des produits achetés sont expédiés en 48 heures.

Scofi Informatique

www.scofi.com

Vente en ligne de produits d'informatique, d'ordinateurs et de périphériques.

Sedao

www.sedao.com

Sédao est une société de vente à distance. Elle totalise plus de vingt ans de recherche de produits originaux et pratiques dénichés aux quatre coins du monde : maison, déco, santé, forme, bureau, automobile, jardin, chaussures, bijoux et horlogerie.

Shop island

www.shop-island.com

La boutique Shop island vous propose diverses collections d'articles du Pacifique : livres, CD, bijoux exotiques, K7 vidéo, dents de requin, cafés, confitures, Kava, produits naturels, etc.

Shopping français

www.shopping-francais.com

Trouvez des milliers de produits, comparez les prix et économisez sur vos achats en consultant ce site.

Shopping Internet

www.shoppingInternet.com

Plus de 2 000 produits en ligne : gastronomie, hi-fi, maison et confort, jouets, bureautique, etc.

Ski et loisirs

www.ski-loisirs.com

Sur ce site, louez à l'avance vos équipements de ski (skis, chaussures, snowboard, snowblade) dans un des magasins Sport 2000 des plus grandes stations de ski des Alpes françaises.

Sonystyle.fr

www.sonystyle.fr

Boutique de vente en ligne de l'enseigne Sony (audio, ordinateurs portables, photo numérique, écrans, etc.).

Technic golf

www.technic-golf.com

Ce site est la boutique virtuelle de Technic golf, le numéro un du matériel de golf du Grand Ouest (Callaway, Cleveland, Foissy, Mizuno, Ping, etc.).

Telemarket.fr

www.telemarket.fr

Ce supermarché propose plusieurs milliers de produits, livrés à domicile le jour même, à Paris et en région parisienne.

Teleshopping

www.teleshopping.fr

Téléshopping vend des produits et équipements d'entretien pour la maison : bricolage, jardinage, accessoires auto, appareils électroménagers. Retrouvez également les conseils de Laurent Cabrol sur les produits diététiques, la remise en forme, la musculation fitness et les trucs beauté de Catherine Falgayrac.

Temps'L

www.tempsl.com

Retrouvez plus de 300 produits pour la famille et la maison en vente en ligne dans les domaines de la cuisine, du bricolage, du confort, de la beauté. Paiement sécurisé. Livraison dans le monde entier.

The swiss army knife shop

www.heidi-shop.com

Vente en ligne de montres suisses et de couteaux suisses classiques, spéciaux, pour sportifs ou destinés à la cuisine.

Ticketclic

www.ticketclic.fr

Service d'information et de réservation pour les spectacles, les événements culturels et sportifs en France. Possibilité de recherche multicritère. Réservation en ligne avec paiement sécurisé.

Ticketnet

www.ticketnet.fr

Réservation de billets de spectacles pour plus de 2 000 manifestations en France avec Ticketnet : sports, concerts, opéras, théâtres, cabarets.

Tir groupé

www.tir-groupe.fr

Tir Groupé met à la disposition de toutes les entreprises et comités d'entreprise ses vingt ans d'expérience dans la motivation des forces de vente, l'organisation de campagnes promotionnelles et la gestion des budgets cadeaux.

TopAchat

www.topachat.com/accueil/index.php

Site de vente en ligne, sérieux, rapide et pas cher : micro, photo, vidéo, image, son, électroménager, téléphonie, tirage photo.

Tropicaflore

www.tropicaflore.com

Vente en ligne de plantes exotiques et tropicales : choix unique en France de plus de 450 espèces, conseils de culture et culture à façon.

Variantes

www.variantes.com

La boutique virtuelle du joueur d'échecs permet de commander de nombreux articles depuis votre fauteuil : livres, échiquiers, logiciels, etc.

Vente de vin en ligne

www.rouge-blanc.com/fr

Ce site pratique la vente directe de toute appellation.

Vente en ligne d'articles économiques et/ou écologiques

www.ideesmaison.com/eco/vel/intro.htm

Idéesmaison.com a sélectionné pour vous sur ce site des articles peu distribués dans le commerce, à caractère économique et/ou écologique.

Village du Père Noël

www.noel.qc.ca/index.shtml

Le site du Village du Père Noël à Val-Morin, Québec.

VInternet

www.vInternet.fr

Sur ce site, découvrez le monde du vin et profitez d'une large gamme de vins choisie par le comité de sélection de Wine and Co (plus de 1 500 références).

Vitaminic - France MP3 

www.vitaminic.fr/main

Ce site propose de nombreux morceaux MP3 à télécharger ainsi qu'un magasin consacré à la musique.

Vos-commerces.fr 

www.vos-commerces.fr

Votre marché à domicile : les produits frais de qualité des commerces de son quartier, avec livraison à domicile le soir même.

Votre supermarché à domicile 

www.caddyhome.be

Votre supermarché à domicile.

Web Traiteur 

www.chaud-devant-paris.com/webtraiteur.html

Web Traiteur est un service de restauration livrant à domicile en Ile-de-France. Consultez la gamme de produits offerte et passez vos commandes en ligne.

Wilalex Magbel, fabricant de peinture

www.wilalex-magbel.com

Découvrez le catalogue du fabricant de peintures Wilalex-Magbel, qui propose une gamme de produits entièrement miscibles.

WStore 

www.wstore.fr

WStore offre aux entreprises une large gamme de ressources technologiques pour les aider dans leur croissance. Catalogue online de 15 000 références en informatique et en télécommunication livrables en quarante-huit heures, plate-forme de services de proximité et équipes avant et après vente à la disposition des clients.

Yahoo! Shopping 

fr.shopping.yahoo.com

Yahoo! Shopping : des milliers de produits à portée de clic, classés par catégories (jeux, maison, produits de beauté, etc.) ou par mot clé.

Yaskifo 

www.yaskifo.com/fr

Service sécurisé d'achat/vente de logiciels par carte bancaire. Les utilisateurs peuvent acheter leurs logiciels dans la monnaie de leur pays.

Yves Rocher  

www.yves-rocher.fr

Vente en ligne de produits cosmétiques naturels Yves Rocher. Soins antiâge, soins du visage, maquillage et conseils maquillage, parfums de femme, offres promotionnelles sur plus de 400 produits de beauté.

Acheter moins cher, faire des économies

15-25ans.com 

www.15-25ans.com

Vous trouverez ici des offres d'achat, des coupons et des cadeaux. Liens avec d'autres sites : concerts, spectacles, cinémas, magasins, tourisme, banques, immobiliers, assurances, magazines, etc.

AAT, site réducteur de prix

www.aatdirect.com

Pourquoi payer plus cher ? Retrouvez sur ce site toutes les grandes marques de l'informatique au meilleur prix : promotions, tarifs, VPC, points de vente.

Achats futés

www.achatsfutes.net

Site des achats futés, spécialisé dans toutes les offres de remboursement.

Achats gratuits

www.achatgratuit.com

Ce site référence tous les produits que vous pourrez vous faire rembourser en faisant vos courses.

Achats remboursés

odr.free.fr/sommaire.php

Sur "le Web des produits remboursés", retrouvez les meilleures offres du moment : des centaines de produits intégralement remboursés, leurs descriptifs, leurs photos, où écrire, etc.

Acheter-moins-cher.com, guide d'achat comparatif

www.acheter-moins-cher.com

Achetez moins cher sur le Net grâce à ce comparateur de prix.

Argent et cadeaux à gagner

www.internet-remunere.com/ index.php

Acheter moins cher ou être rémunéré pour acheter sur Internet est possible avec la communauté d'acheteurs eBuyClub. Profitez des réductions offertes pour dénicher les meilleurs bons plans achats du Web.

Aubaineplus.com

www.aubaineplus.com

Ce site vous offre des coupons de réduction pour tous vos achats : alimentation, ameublement, animaux, restaurants, etc.

Boursoprix

www.boursoprix.com

Comparateur de prix dans les domaines suivants : photo et vidéo, TV et cinéma, son et MP3, informatique, téléphonie, voyages.

Braderie

www.la-braderie.com

Site spécialisé dans la vente en lots.

Budgetelecom

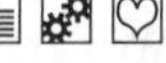

www.budgetelecom.com

Comparaison des tarifs téléphoniques et des communications fixes mobiles et Internet, moteur de recherche des tarifs télécoms pour le téléphone fixe et mobile.

Buycentral

www.buycentral.fr

Premier comparateur de prix sur Internet : promotions, comparaison des prix, produits et services, annuaire des magasins en ligne.

Catalogues.fr

www.catalogues.fr

Ce site vous propose de recevoir toutes sortes de catalogues sans aucun frais d'envoi : animaux, informatique, maison, mode, santé et beauté, etc.

Clust

www.clust.com

Bons prix en hi-fi, vidéo, home cinéma, informatique, sport, loisirs, déco et voyages.

Concurrence

www.concurrence.fr

Produits Sony à prix cassés : hi-fi, vidéo, audio, MiniDisc, DVD, photo, Caméscope, magnétoscope, ordinateur.

C-online

www.c-online.fr

Retrouvez chaque semaine une sélection des meilleures affaires du Web. Sites alimentaires (courses et vins) et non alimentaires (informatique, mode, beauté, voyages, sports, etc.).

Covoiturage et auto-stop

www.compartir.org/vsfra.htm

Ce site organise simplement et rapidement votre covoiturage et vous permet de réaliser un voyage en voiture à moindre coût.

Declasser.com

declasser.com

Declasser.com propose des produits à prix discount : fins de série, déstockage, matériel d'exposition, invendus, sortie de catalogue.

Défiscalisation, impôt sur le revenu et patrimoine

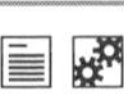

www.edvfrance.com

Site de conseil en gestion de patrimoine et optimisation fiscale EDV France.

Destocknet b2b

www.destock-net.com

Cette plate-forme met en relation acheteurs et vendeurs de lots à déstocker : biens d'occasion, surplus, invendus, stocks morts. Nombreuses opportunités d'affaires pour industriels et professionnels.

Discount first

discount-first.com

Ce site est dédié au discount, soldes, rabais et fins de série. Faites des économies en le consultant régulièrement. Petites annonces gratuites pour vendre et acheter d'occasion.

Domotique et économies

la.domotique.online.fr/economiser.htm

Sans vous en rendre compte, le chauffage est réglé au mieux de votre confort (mise en mode "éco" automatique lorsque vous partez ou quand vous dormez) et vous êtes certain de ne plus oublier d'éteindre les lumières.

Faites des économies d'impression

www.memoclic.com/data/materiel/materiel_1533.php

Les cartouches d'encre sont un élément très onéreux sur une imprimante. Alors, pourquoi gâcher de l'encre inutilement ? Quelques réglages vous feront faire des économies substantielles…

Holder

odr.free.fr

Sur ce site, toutes les informations pour obtenir le remboursement à 100 % de vos produits de grande consommation, et une lettre hebdo gratuite diffusée chaque vendredi par e-mail pour ne rien manquer.

i-comparateur

www.i-comparateur.com

Comparateur de prix high-tech : informatique, image, son, téléphonie.

IdéesMaison.com

www.ideesmaison.com/eco/ach/intro.htm

Le guide des économies : fiscalité, énergies, acheter moins cher.

Infomoinscher.net

www.infomoinscher.net

Le site Infomoinscher répertorie les caractéristiques et le prix de vente des matériels informatiques dans la plupart des boutiques en ligne.

Kapoo.com

www.kapoo.com

Kapoo vous offre un dédommagement financier sur tous les achats effectués dans les boutiques partenaires.

Kelkoo

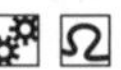

fr.kelkoo.com

Comparaison de prix, guide d'achat en ligne, annuaires des sites marchands et promotions en ligne.

Le disquaire en ligne OCD

www.ocd.net

Quand achat en ligne et nouveauté musicale riment avec occasion.

Le guide des économies

www.ideesmaison.com/eco/acc/ intro.htm

Fiscalité, factures, shopping : voici trois gros postes de dépenses des familles françaises que ce site essaye, d'une manière indépendante, de vous faire diminuer.

Le guide.com pour acheter moins cher

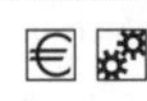

www.leguide.com

Guide d'achat et comparateur de prix, ce site réunit tous les services pour acheter moins cher : comparaison de prix, meilleures promotions du Net, conseils achat et annuaire de sites marchands.

Le passeport gourmand pour gourmets

www.passeport-gourmand.com

Guide régional du passeport gourmand : 50 % de réduction dans des restaurants et de fortes remises sur les loisirs et la culture.

Les Radins.com

www.lesradins.com

Les Radins.com est le site de tous les radins. Venez partager vos idées (bons plans, promotions, les gratuits) et participez à l'élection du meilleur radin.

Loi Besson

www.loi-besson.net

Ce site vous explique comment réduire vos impôts tout en capitalisant. Vous pourrez examiner des exemples concrets mais aussi réaliser votre propre étude fiscale. Les diverses offres de placements immobiliers vous seront présentées.

Maximiles

www.maximiles.com

Avec Maximiles, gagnez à tous les clics. Surfez, cliquez, achetez sur les sites partenaires et gagnez des points cadeaux.

Microdiscount

www.planetediscount.com

Portail de la technologie à prix discount.

Microsphère

www.microsphere.fr

Vente en ligne de CD-ROM d'occasion ou dégriffés.

Mistergooddeal

www.mistergooddeal.com

Mistergooddeal propose des produits déstockés à prix discount (fins de série, matériel d'exposition, invendus, surstock, sortie de catalogue) : congélateurs, réfrigérateurs, magnétoscopes, Caméscopes, minichaînes, matériel hi-fi, robots, mixer, aspirateur, etc.

NetAstuces

www.netastuces.org/tel/phone

Vous trouverez ici des astuces et services utiles et gratuits pour mieux exploiter Internet : outils de recherche, optimisation de site Web, e-mails gratuits, téléphone gratuit.

Photoccasion.com

www.photoccasion.com

Ce site propose du matériel photo d'occasion garanti par des professionnels.

Pixibox

www.pixibox.com

Guide d'achat en ligne proposant des bons de réduction, pour acheter moins cher et faire de bonnes affaires sur des sites marchands ou dans des magasins.

Playdiscount

www.ifrance.com/playdiscount

Achat groupé de PlayStation 2.

Priceminister

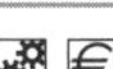

www.priceminister.com

Site spécialisé dans l'achat et la vente d'occasions : jeux de consoles, CD, livres, BD, vidéos, DVD, disques, etc.

PriceRunner.com

www.pricerunner.fr

Comparateur de prix et de services dans les domaines suivants : audiovisuel, consoles de jeux, composants informatiques, électroménager, home cinéma, ordinateurs, périphériques informatiques, photo, réseau, stockage, téléphonie, voyages.

Prix promo

www.prixpromo.com

Toutes les promotions des prospectus des supermarchés, hypermarchés et des grandes surfaces de bricolage en accès direct. Plus de 300 000 promotions actualisées chaque semaine.

Shopping.fr

www.shopping.fr

Découvrez les réductions et bonnes affaires sur Paris et la France entière réservées aux possesseurs de la carte Shopping.fr.

Système d'échange local

asso.francenet.fr/sel

Le Système d'échange local, c'est un réseau de membres qui s'échangent des biens, des services ou des connaissances sans utiliser d'argent.

Tati on-line

www.tati.fr

Le site de l'enseigne Tati : rubriques pratiques, bonnes affaires, Tati mariage, idées cadeaux, etc.

Top du DVD

www.topdudvd.com

Avec topdudvd.com, échangez tous vos anciens DVD, achetez des DVD neufs ou déjà utilisés à prix réduit.

TopAchat

www.topachat.com

TopAchat Micro vous propose toutes les semaines une sélection de produits informatiques qui font l'actualité à des prix très compétitifs : PC, modems, imprimantes, scanners, graveurs, jeux, logiciels, consommables, accessoires.

TopAchat.com - Boutique DVD

www.topachat.com/imageson/index.php

Section DVD du serveur TopAchat.

TopAchat.com - Boutique Jeux

www.topachat.com/jeux/

Section jeux du serveur TopAchat.

Vitrine magique

www.vitrinemagique.com

Au programme : objets pratiques, bonnes trouvailles à petit prix, gadgets, produits exclusifs et bonnes affaires. Consultation des catalogues, vente en ligne et livraison en trois jours.

Wine and Co

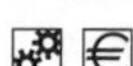  

www.wineandco.fr

Achetez les meilleurs vins sans intermédiaire, donc au meilleur prix, informez-vous sur l'actualité du vignoble, partagez votre passion du vin avec des amateurs du monde entier.

Ados, jeunes

Ado wave

adowave.online.fr

Site de communauté francophone pour les jeunes : correspondants, cinéma, jeux vidéo, musique, mode, services, bons plans, e-mail gratuit, discussions en direct, chat, forum, concours, etc.

Adolescence

www.boulimie.com/fr/ dossier_ado.htm

Ce site propose des informations pratiques sur la période de l'adolescence.

Adomonde.Net

www.adomonde.qc.ca

Hebdomadaire éducatif francophone écrit par et pour les adolescents.

Adosurf

adosurf.free.fr

Portail pour la jeunesse : divertissements, jeux, musique, MP3, aide à l'emploi, etc.

Alcool Info

www.prevention.ch/alcoolinfopourados.htm

Pour en savoir plus sur l'alcool et ses risques, pour obtenir de l'aide, consultez le site Alcool Info.

Antoine et Amélie

www.antoineamelie.com

Le club des 13-18 ans par Antoine et Amélie : sélection de sites pour les jeunes, devoirs à la maison, sport, vacances, jeux, animation, musique, club gratuit, TV, questions et réponses, surprises, etc.

Aquarium

drink.to/aquarium

Site généraliste pour adolescents : enquêtes, sondages, musique, génériques, portraits, liens, etc.

Association éveil

www.eveil.asso.fr

Ce site informe les jeunes sur leur rôle de citoyen (modules de découverte et actions de sensibilisation).

Association Logis des jeunes à Pau

www.ldjpau.org

Présentation de cette association qui agit dans le domaine du logement et de l'accompagnement social des 16-25 ans : centre de ressources multimédias, salles de réunions, restaurant, etc.

Avec nous les jeunes

www.nlj.free.fr

Avec nous les jeunes, le magazine des jeunes branchés : chat, forum, recherche de correspondants, humour et divertissements.

Aventures Ados

www.aventuresados.com

Des vacances pour les collégiens et les lycéens tout au long de l'année. Sports mécaniques ou sports nature, l'essentiel est de se retrouver entre copains, pour vivre des séjours conviviaux et faire des projets ensemble.

Clicdroit.com

www.clicdroit.com

Site pédagogique pour les 7-14 ans : cours informatique et Internet, BD en ligne, e-cartes, carte électronique, page perso et chat.

Desjardins - Ados

www.desjardins.com/fr/particuliers/clienteles/ados

Portail pour adolescents : avenir, concours et divertissements, santé, coups de cœur, finances, références pratiques.

Droits des jeunes

www.droitsdesjeunes.gouv.fr

Sur ce site, plus de 1 500 fiches téléchargeables, claires et concrètes, répondent aux questions pratiques que les jeunes se posent sur leurs droits. Un système de repérage simple (onglets de couleur) rendra votre recherche facile.

Filles cool

fillescool.canoe.com

Site dédié aux adolescentes : mode/beauté, histoires de cœur, sexualité, star...

France-Jeunes.net

www.france-jeunes.net

Rendez-vous des jeunes internautes : actus, culture, sports, multimédia, amour, humour, bons plans, vie du jeune, les trucs des jeunes, etc.

Funkymag.com

funkymag.com

Funkymag.com est un magazine qui s'intéresse aux sujets qui passionnent les ados d'aujourd'hui.

Interados

interados.free.fr

Site dédié aux adolescents.

Kid ado

kidado.free.fr

Le site des enfants, des ados et de leurs parents.

Le lys et la croix

lysetcroix.free.fr

Journal scout et catholique.

Netj

www.netj.fr

Site portail événementiel et webzine pour les 16-25 ans. L'actualité du Net est mise à jour quotidiennement : études, jobs, sorties, musique, santé, voyages, sports et jeux.

Paris pour les jeunes

www.paris-les-jeunes.com

Paris pour les jeunes : hébergement, loisirs, informatique, culture, arts, musique, stages et sports.

Pilado

www.pilado.com

Pilado est un site dédié à la contraception et à la prévention. Il délivre une information pédagogique et avertie.

Pouette pouette camembert

www.chez.com/fanfoue

Des recettes pour réussir une colonie de vacances. Site à destination des parents, des enfants et des animateurs.

Revadosante

www.revadosante.net

Revadosante est la revue de médecine et de santé de l'adolescent.

Zone ados

ados.free.fr

Portail pour adolescents : codes et astuces pour portables, photos de stars, concours, orientation scolaire, culture, gastronomie, collections, etc.

Alcool

A ton tour

www.atontour.com

Atontour.com est un site dédié à l'univers de la boisson, des cocktails et de leurs ingrédients, des alcools et de ceux qui les font, des spiritueux et de ceux qui les boivent, des barmans et des shakers.

Alcool Info

www.prevention.ch/alcoolinfopourados.htm

Information dédiée à un jeune public sur les effets et les dangers de l'alcool.

Alcool, testez vos limites

www.simu-alcool.com/mps

Entrez votre profil (âge, sexe, taille, poids), ce que vous avez ou ce que vous souhaitez consommer. Vous obtiendrez une courbe qui reflète votre taux d'alcoolémie et déciderez en connaissance de cause si vous pouvez ou non reprendre la route.

Alcooliques anonymes France

perso.club-Internet.fr/aafr/index.html

Site officiel des Alcooliques anonymes de France.

Alcoweb

www.alcoweb.com

AlcoWeb est un site dédié à l'alcool et à l'alcoolisme.

ANPA

www.anpa.asso.fr

Site de l'Association nationale de prévention de l'alcoolisme : renseignements, adresses utiles, conseils et documentation.

Cocktails Wizard

www.cocktailswizard.com

Cocktails Wizard est un moteur de recherche répertoriant 800 recettes de cocktails, avec ou sans alcool.

Doctissimo - Alcool

www.doctissimo.fr/html/dossiers/alcool/alcool.htm

L'alcool entraîne 45 000 décès en France par an. Mais la "tradition nationale" tend à minimiser ce fléau qu'est l'alcoolisme. Mettez fin aux idées reçues.

Frenchbar

www.frenchbar.com

Pour tout savoir sur les cocktails : plus de 300 recettes de cocktails, et plus de 1 800 pages sur le monde du bar : monter un bar chez soi, les techniques du barman.

Il y a une vie après l'alcool

zalc.apinc.org

Site d'entraide entre malades souffrant d'addictions telles que drogue, alcool, jeux.

L'étape - Alcool

www.etape.qc.ca/drogues/alcool.htm

L'alcool est rarement considéré comme une drogue. Pourtant...

Onze Club

11club-cocktails.nalrem.com

Découvrez le monde des cocktails, des recettes aux ingrédients, et partagez votre passion à travers la communauté Onze Club.

Sécurité routière - Alcool

w3.automobileclub.org/vroumy/index_detail.php?scat=26

Liste de sites concernant l'alcool proposée par la Sécurité routière.

SOS alcool femmes

perso.wanadoo.fr/alcoofem

Association de femmes à l'écoute de femmes malades de l'alcool.

Animaux de compagnie

30 millions d'amis

www.30millionsdamis.fr

Tout le monde connaît la fondation 30 millions d'amis. Son site : missions et dossiers de la fondation, articles juridiques sur les droits de l'animal, informations pratiques, liste de diffusion, annonces de dons, sélection de livres et bien d'autres choses.

A chacun sa niche

www.acsn.org

L'association A chacun sa niche propose des offres d'adoption de rongeurs et donne des conseils pour l'élevage de rats, hamsters et gerbilles. Elle édite un fanzine sur les rongeurs et les NAC (nouveaux animaux de compagnie).

A l'école de l'animal de compagnie

www.audreco.com

Bienvenue sur le site de l'école des métiers de l'animal de compagnie : animalerie, aquariophilie, toilettage et autres métiers du chien et du chat.

Accescanin

www.accescanin.com

Guide présentant plus de 400 éleveurs de chiens dans 145 races différentes, des pensions, éducateurs, fabricants d'aliments, de matériels électroniques d'éducation, annonces gratuites, forum canin, liens complémentaires.

Album de photos d'animaux domestiques

www.photos-animaux.com

Vous trouverez ici de nombreuses photos d'animaux : chats, chiens, chevaux, oiseaux et rongeurs. Sont également proposés des fonds d'écran et des cartes virtuelles e-cards.

Animalerie, animaux de compagnie

www.animorama.com

Sur ce site, vous trouverez de nombreux liens et informations sur les animaux de compagnie : chiens, chats, chevaux, oiseaux, poissons, rongeurs, reptiles, etc.

Animalissimo, un autre regard sur les animaux

www.animalissimo.com

Animalissimo, le portail d'information sur les animaux, propose de nombreux conseils santé pour les animaux de compagnie ainsi que quelques articles d'actualité.

Animal-services.com

www.animal-services.com

L'espace grand public d'animal-services.com. Au menu : éleveurs canins, livre du mois, site de la semaine, trouver un nom, webcams, numéros utiles, etc.

Animaux de compagnie

www.les-animaux.net

Ce site présente une liste d'éleveurs professionnels et des informations utiles sur les animaux de compagnie.

Animostar

www.animostar.com

Animostar.com est un site consacré aux animaux de compagnie. Il vous aidera à mieux connaître votre animal, ses envies, attentes et problèmes. Vous y trouverez des informations détaillées, conseils et adresses utiles, ainsi qu'un forum pour partager votre passion avec d'autres internautes.

Aniwa.com

www.aniwa.com

Site dédié aux animaux de compagnie : magazine, forums, encyclopédie, espace professionnel.

Annuaire des éleveurs félins en France

www.felin.info

Annuaire d'éleveurs géographique : hébergement gratuit pour les éleveurs, portail, forums, infos, hit-parade animalier, cartes virtuelles, etc.

Aqua Plaisir

www.aquaplaisir.com/mag/ accueil.htm

Le site du magazine Aqua Plaisir présente le sommaire du numéro en cours et du prochain numéro, donne accès à une boutique en ligne, à un espace Chat et propose plusieurs liens apparentés.

Aqua5

membres.lycos.fr/aqua5

Aqua5 est un annuaire de sites sur la nature et les animaux (chiens, chats, poissons, rongeurs). Vous y trouverez également une encyclopédie sur l'aquariophile, un service de petites annonces animalières et de nombreux services gratuits.

Association de défense des animaux

perso.wanadoo.fr/confspa

La Confédération nationale des SPA de France regroupe 250 associations de protection des animaux réparties sur tout le territoire français et dans les DOM-TOM.

CaniFrance

canifrance.free.fr

Tous les liens concernant le monde du chien : adresses utiles, éleveurs, pensions, refuges, aliments, matériels, accessoires, sécurité, formation, annonces.

Canin.net, l'annuaire des éleveurs

www.canin.info

Canin.net, le premier annuaire de recherche des éleveurs géographique et par race : toiletteurs, pensions, dresseurs, vétérinaires et clubs de races.

Casting de votre animal de compagnie

www.animostar.com/casting

En inscrivant votre compagnon préféré dans la rubrique Casting d'Animostar.com, vous le faites entrer dans la première agence française d'animaux stars sur Internet.

Ccela

www.ccela.com

Boutique pour vos animaux familiers : aliments, accessoires, hygiène, etc.

Chat sacré de Birmanie

perso.wanadoo.fr/chatterielemaslafontaine

Un éleveur passionné vous présente le chat sacré de Birmanie, vous fait découvrir son élevage et vous propose ses chatons disponibles.

Chats du Web

webfelin.com

Site pour les amateurs et les éleveurs de chats de toute race : informations, clubs, annonces gratuites, agendas des expos, conseils, forum, création et hébergement de pages pour les éleveurs.

Chien et chat

perso.wanadoo.fr/sanctuaire.felin/Liste-des-fichiers.html

Ce site donne accès à une série d'articles présentant les bienfaits des chats pour les personnes malades, convalescentes, âgées, allergiques, timides, ou traumatisées.

Conseils vétérinaires pour animaux de compagnie

www.wanimo.com

Conseils vétérinaires gratuits pour animaux de compagnie. Informations sur la santé, l'alimentation, les soins, la reproduction, la vaccination des chiens, chats, oiseaux, poissons, chevaux, reptiles, furets et rongeurs. Vente de produits en ligne et livraison à domicile.

Cyber-chien

www.cyber-chien.com

Cyber-chien aborde les problèmes liés à la vie du chien en milieu urbain. Il pose la question de l'éducation du chien… et du maître et propose des solutions écologiques pour le ramassage hygiénique des déjections canines.

Dogue allemand

www.pendragondogue.com

Site dédié au dogue allemand pendragon d'Iskandar.

EntreChats

pages.infinit.net/feliweb

Le site Entrechats est dédié au chat dans la littérature (étymologie, dictons, roman, contes de fées, poésies), la culture (histoires, légendes, exploits, humour, société, art) et le visuel.

Fédération féline française

members.aol.com/clubchat/ catclub.htm

Le Chat Club de France vous informe sur les chats de race, les concours et l'éducation des chats.

Forum sur les animaux de compagnie

www.network54.com/forum/32649

Bienvenue à tous ceux qui partagent ou qui ont envie de partager leur vie avec un ou plusieurs animaux domestiques. Tous les sujets se rapportant à ceux-ci peuvent être discutés dans l'harmonie et le respect.

Frenchtoutou

www.frenchtoutou.com

Frenchtoutou, le site francophone du chien, donne de très nombreuses informations aux amis des chiens : actualité, infos pratiques, races, santé, etc.

Furty, le moteur animalier

www.furty.com

Furty est un portail très complet dédié aux animaux. Les sites sont répertoriés par catégories : chiens, chevaux, poissons, arts animaliers, publications, etc.

HappyDog

membres.lycos.fr/happydog

HappyDog est un site de "dog & cat sitting" : il met gratuitement en relation des particuliers souhaitant garder ou faire garder un animal domestique.

La cynophilie en France

www.cedia.fr

La cynophilie en France : expositions canines, clubs, petites annonces, etc.

Ladoption.com

www.ladoption.com

Petites annonces pour adopter votre futur animal de compagnie.

L'animalerie Magazoo

www.magazoo.com

Vente de serpents, iguanes, tortues, amphibiens et autres invertébrés à Montréal. De nombreuses photographies de reptiles et des fiches descriptives vous sont proposées.

Le forum aquariophile

www.forumaqua.com

De nombreux sujets sont abordés sur ce portail aquariophile francophone : forum, aquariums, poissons, maladies, plantes, eau douce, eau de mer, photos, cichlidés, filtration, astuces, etc.

Le monde du cheval

www.1cheval.com

Tout sur le cheval : formation aux métiers du cheval, équitation, sports équestres, races de chevaux, courses, etc.

Le pigeon voyageur

home.nordnet.fr/~djtaquet

Site dédié aux pigeons voyageurs et aux pigeons de fantaisie.

Le site du meilleur ami de l'homme

chien.com

Tout sur les chiens : races, standards, photos. Alimentation, santé, éducation du chien et du chiot, sport canin. Annuaires : éleveurs, clubs, pensions, toiletteurs. Calendrier : concours et expositions.

Les amiloups

www.amiloups.com/index.html

Ce site est dédié aux animaux de compagnie : chroniques animalières, FAQ, petites annonces, forum.

Les animaux de compagnie

membres.lycos.fr/leszanimaux

Ce site aborde tous les animaux de compagnie, du chien au serpent et de la perruche au hamster.

Les Discus

www.lesdiscus.com

Découvrez le poisson mythique de l'Amazonie. Le Symphysodon Discus est mis à l'honneur sur ce site qui lui est spécialement dédié.

Les reptiles de compagnie

iquebec.ifrance.com/reptiledecie

Pour les amateurs de serpents.

Les sports canins 

crealinks.net/sports-canins

Cette association a pour objet de soutenir, d'aider et de promouvoir toute action destinée à favoriser l'utilisation pratique ou sportive du berger allemand.

Miaoowaoo 

www.miaoowaoo.com

Sur ce site, vous trouverez plus de 500 produits pour chats et chiens aux prix les moins chers du marché. Mais aussi, des quiz primés, des petites annonces gratuites, un concours photo et l'actualité canine et féline.

Mon toutou  

www.montoutou.com

Sur ce site : description des races de chiens et de chats, liens avec toutes les associations pour la défense et la protection des animaux, la fondation B. Bardot, la SPA, la SQDA (Société québécoise pour la défense des animaux), la LPO et certains refuges.

Monanimal.com, le site de la santé animale 

www.monanimal.com/index.asp

Monanimal.com propose une série d'articles sur le monde animal, avec une préférence pour les animaux domestiques. Il donne également accès à un espace Petites annonces et à un forum dans lequel vous pouvez dialoguer avec des vétérinaires.

Perroquet.net, la passion des perroquets 

www.perroquet.net

Ce site est consacré aux perroquets : classification, soins, nutrition, élevage, maintenance, législation, etc.

Perroquets gris d'Afrique 

membres.lycos.fr/cmary

Sur ce site, vous apprendrez comment apprivoiser, alimenter, soigner et parler à votre perroquet gris d'Afrique.

Pierre Demay

www.netsource.fr/particuliers/martinc

Une page dédiée aux chats : symbolique, anatomie et historique.

Refuge SPA de la Picoterie (02)  

pruneau.free.fr

Adoption de chiens et chats au refuge SPA Picoterie ADAO (Association de défense des animaux de l'Omois).

Rongeurs et lapins nains 

www.rongeurs.net/index1.php3

Ce site s'intéresse à tous les animaux de compagnie : chiens, chats, poissons, oiseaux, rongeurs, etc.

Rottweiler 

www.lerottweiler.net

Informations pratiques et conseils pour les futurs ou actuels propriétaires de Rottweiler : choix du chiot, alimentation, éducation, comportement, principes fondamentaux pour comprendre son chien et l'intégrer dans sa nouvelle famille.

Services animaliers et aquariophilie

membres.lycos.fr/aqua5

Vous trouverez sur ce site un annuaire de sites dédiés à la nature et aux animaux (chiens, chats, poissons, rongeurs), une encyclopédie sur l'aquariophile et un service de petites annonces animalières.

Slashpitou compagnie

www.minfo.net/slashpitou

Ce site donne de nombreux conseils et des adresses utiles sur les animaux de compagnie. Il présente également chaque race.

Société protectrice des animaux

www.spa.asso.fr

La Société protectrice des animaux (SPA) agit chaque jour pour protéger la vie animale et son environnement. Ses engagements : lutter contre la souffrance et refuser de traiter l'animal comme un objet de consommation.

Société protectrice des animaux de Bordeaux

spa.bordeaux.free.fr

Le site du refuge SPA de Bordeaux : adoptions, informations, tout sur les animaux hébergés. Venez voir les photos et les reportages sur les animaux à adopter.

Vet-city

www.vet-city.com

Site vétérinaire de l'animal de compagnie : annuaire, dossiers, reportages, guides, etc.

Vet-experts

www.logphi.com/vetexpert

Les vétérinaires de Vet-experts vous offrent leur sélection de sites animaliers (avec appréciation, note et label), des actualités, des conseils vétérinaires pratiques pour votre animal et un forum animal et santé.

VIP for animals

www.vip-for-animals.ch/enter.htm

VIP for animals est un serveur pour tous ceux qui s'intéressent de près ou de loin aux animaux : petites annonces, conseils vétérinaires et histoires de chats et de chiens.

Votre animal de compagnie

www.asiaflash.com/nom/animal.shtml

Sélection d'articles de fond : la personnalité de votre chien, choisir le nom de votre chien, vous et votre chien, tarot canin hebdomadaire, il y a 50 ans, le premier chien d'aveugle, chiens, chats et allergie chez l'enfant, la personnalité de votre chat, choisir le nom de votre chat, le tarot félin hebdomadaire.

Web Canin

webcanin.com

Portail des éleveurs canins francophones. Plus de 360 races décrites, plus de 250 éleveurs, plus de 700 chiots à réserver.

Web félin

www.webfelin.com

Site pour les amateurs et les éleveurs de chats de toute race : informations, clubs, annonces gratuites, agendas des expos, conseils, forum, création et hébergement de pages pour les éleveurs.

Weborama - Les meilleurs sites sur les animaux de compagnie

www.weborama.fr/top/loisirs/animaux_de_compagnie

Weborama, l'annuaire de classement des meilleurs sites francophones, donne accès aux meilleurs sites dédiés aux animaux de compagnie.

Annuaires

@.m.i.e

www.ifrance.com/amie

Monanimal.com propose une série d'articles sur le monde animal, avec une préférence pour les animaux domestiques. Il donne également accès à un espace Petites annonces et à un forum dans lequel vous pouvez dialoguer avec des vétérinaires.

06 immo

www.06immo.com

Annuaire des 1 350 agences immobilières des Alpes-Maritimes. Ventes, locations et recherches pour particuliers et professionnels.

1000 champagnes.com

www.1000champagnes.com

Annuaire du champagne.

2 050 sites automobiles 

www.gtliens.com

Grâce à GTliens, l'annuaire des sites automobiles francophones, vous trouverez une pièce pour votre Peugeot 504 ou la cote argus de votre BMW : 2 050 liens vers des sites automobiles francophones, sélectionnés et classés en 40 rubriques.

A boire et à manger 

www.aboiretmanger.com

Annuaire des métiers de bouche : traiteurs, restaurants, produits du terroir, vins, etc. Mais aussi services clients et services professionnels : offres d'emplois et actualités.

A la page 

www.asaisir.com/a-la-page/index.shtml

Ce site est un annuaire de pages perso, mais il offre également tout (ou presque) pour créer, référencer et agrémenter vos pages personnelles.

Accrosurf 

www.chez.com/accrosurf

Les meilleurs sites francophones classés par catégories.

Adomus 

www.adomus.com

Découvrez sur ce site les boutiques les plus réputées de votre ville. Livraison à domicile en moins de deux heures. Cadeaux en express, listes de mariage et organisation de réceptions. Pour les entreprises et les particuliers.

Allwiner 

membres.lycos.fr/allwiner

Annuaire thématique du Web : argent, jeux, bourse, enchères, concours, achats, etc.

Alpavista 

www.alpavista.com/accueil.cfm

Annuaire de la région Rhône-Alpes.

AltaVista France 

fr.altavista.com

L'incontournable annuaire et moteur de recherche mondial.

Annu.com

www.annu.com

Annu.com est l'annuaire des particuliers et des professionnels résidant en France (ce service n'est pas celui de France Télécom). Les recherches peuvent se faire en entrant un nom et une adresse ou par activité. Plusieurs thèmes facilitent également les recherches : sorties, loisirs, voiture, boutique, administratif, écoles, famille, etc.

Annu.gal associations françaises

www.agaf.org

Annuaire général des associations françaises : inscription en ligne de votre association, recherche par ville, par thèmes ou sous-thèmes.

Annuaire au féminin 

www.annuaire-au-feminin.tm.fr

La version électronique de l'annuaire au féminin.

Annuaire de La Poste, entreprises et particuliers

www.annuaire.laposte.fr

L'annuaire de La Poste propose exclusivement sur Internet un annuaire de 1,7 million d'entreprises et un annuaire des particuliers abonnés au téléphone. Il donne également accès à des itinéraires et plans pour bien préparer vos déplacements.

Annuaire de la téléphonie mobile

www.monportable.com

Cette page est un annuaire des téléphones portables. La recherche s'effectue par nom, par e-mail ou par numéro de portable. Il référence également un grand nombre de sites Wap classés par thèmes.

Annuaire de logiciels de All HTML  

www.allhtml.com/telechargement/index.php

Ce site propose plus de 200 logiciels à télécharger pour webmestres.

Annuaire de philosophie et de sciences humaines 

www.cogitosearch.com

Annuaire de sites de philosophie et de sciences humaines (sociologie, psychologie, psychanalyse) créé par la revue Res Publica.

Annuaire de plus de 1 000 liens 

www.fabricesautereau.com/sautereau/liens.htm

Annuaire de sites gratuits : musique, MP3, images, gifs, moteurs de recherche, polices, ressources pour webmestres, etc.

Annuaire des 10 000 sites Web

lem.korp.free.fr

Le site du livre L'annuaire des 10 000 sites Web, de Michel Martin, donne accès aux sites sélectionnés dans le livre et permet de proposer votre propre site.

Annuaire des bandes dessinées

www.adbd.net 

Annuaire des sites consacrés à la bande dessinée.

Annuaire des codes postaux 

www.codepostaux.com

Recherche gratuite du code postal en France, Allemagne, Autriche, Australie, Belgique, Espagne, Finlande, Grèce, Hongrie, Irlande, Islande, Italie, Pologne, Slovaquie, Suisse, Suède et République tchèque, ainsi qu'aux Pays-Bas, Etats-Unis, Luxembourg, Portugal et Royaume-Uni.

Annuaire des professionnels de la maison et du jardin 

www.france-decor.com

Annuaire des professionnels de la maison, du décor et du jardin.

Annuaire des radios FM 

www.brume.org/radios

Annuaire des radios FM françaises.

Annuaire des sites perso 

www.find.fr.st

Au programme : annuaire, moteur de recherche et top 50 des meilleurs sites perso du Web, promotion gratuite de votre site Web, des milliers d'albums MP3, des blagues et des jeux en ligne gratuits.

Annuaire des tests hardware 

www.tests-fr.com

Annuaire et moteurs de recherche de tests matériels : CPU, audio, webcams, appareils photo numériques, imprimantes, etc.

Annuaire des vins de France 

perso.wanadoo.fr/cg.graphic 

Annuaire et référencement gratuit des vins de France. Petites annonces gratuites du monde viticole et divers services.

Annuaire du commerce en ligne 

www.commerces-Web.com

Annuaire des sites de commerce électronique sur Internet.

Annuaire du commerce sur la Toile

www.lavague.com 

Annuaire du commerce sur Internet (plus de 10 000 liens). Pour trouver les distributeurs, les marques et tous les produits plus rapidement.

Annuaire du Web de l'océan Indien

www.la-vague.net 

La-vague.net répertorie les sites faisant référence aux îles de l'océan Indien (plus de 2 000 sites référencés). Actualités sur les nouvelles technologies dans la région.

Annuaire email.net 

www.annuaire-email.net

Guide des annuaires e-mail du Net.

Annuaire et surf Web 

www.gastonmag.net

Rendez-vous sur ce site pour découvrir les nouveaux sites, les sites d'actualités et le meilleur du Web. Inscription possible pour recevoir chaque semaine les nouveaux sites dans votre e-mail.

Annuaire francophone des scripts CGI

www.scripts-fr.com

Cet annuaire francophone de scripts CGI permet de trouver facilement les scripts CGI que vous cherchez. Ils sont répartis en plusieurs catégories et présentés en français, brièvement ou en détail.

Annuaire Internet des sites professionnels

www.indexa.fr

Indexa est un annuaire Internet des entreprises, collectivités et associations. Il donne accès également aux autres sites utiles pour développer une activité professionnelle.

Annuaire inversé gratuit

www.ctqui.com

Annuaire téléphonique qui permet de retrouver la personne que l'on cherche à partir de son numéro de téléphone.

Annuaire Keesay des annuaires

www.keesay.com/_.htm

KeeSay, l'annuaire des annuaires, permet d'effectuer des recherches dans les pages jaunes ou dans les pages blanches en France ou aux Etats-Unis.

Annuaire liste de diffusion

www.francopholistes.com

Francopholistes est un annuaire de toutes les listes de diffusion francophones. Très pratique.

Annuaire Martinique

www.annuaire-martinique.com

Annuaire et moteur de recherche de la Martinique.

Annuaire santé

www.rosenwald.com

L'outil de travail indispensable des professionnels de santé pour la sélection d'un établissement de soins, d'un laboratoire ou d'un fournisseur.

Annuaires de bon génie

www.bon-genie.com

En plus d'un annuaire de plus de 10 000 sites, tous contrôlés en temps réel, d'un top 50 des visites et d'un top 50 des votes, vous pouvez vous-même créer gratuitement votre annuaire pour le placer dans votre site.

Annuaires, cartes, plans et itinéraires

www.1bis.com

Retrouvez gratuitement l'annuaire des professionnels et des particuliers, ainsi que les cartes, plans et itinéraires en France et en Europe.

Annuaires-net

www.annuaires-net.ch

Annuaire suisse des sites gratuits du Net.

Annumail.com

www.annumail.com

Cet annuaire francophone des adresses e-mail permet de retrouver l'adresse e-mail d'une personne à partir de son nom.

Auto collection

www.auto-collection.org

Annuaire thématique de sites Web consacrés aux véhicules de collection.

Autorité de régulation des télécommunications

www.art-telecom.fr

Le site de l'ART (Autorité de régulation des télécommunications) dresse la liste des opérateurs français et donne de nombreux renseignements sur les mobiles, les contrats, les litiges, etc.

Bonweb

www.bonweb.com

Découvrez les dix meilleurs sites dans plus de 300 sections. Tous les jours, surfez sur les nouveaux sites remarquables et recevez la lettre de diffusion de bonweb.com.

Bottin annuaire informatique

informatique.bottin.fr

Le Bottin de l'informatique est un annuaire des entreprises françaises. Les recherches peuvent être effectuées par raison sociale, activité, ville, département ou région ou de façon thématique.

Bouquins.net

www.bouquin.net/bouquin

Annuaire de recherche dans l'univers du livre.

Canada sans frais

www.canadasansfrais.ca

Annuaire téléphonique du Canada.

Canalachat

www.canalachat.com

Canalachat propose un annuaire des meilleurs sites marchands, incluant les ventes aux enchères, les achats groupés, les robots chasseurs de prix, les petites annonces, et des forums pour les cyberconsommateurs. Une version papier de Canalachat.com est publiée par Osman Eyrolles Multimédia, sous le titre Acheter malin sur le Web.

Charente Net

www.charente.net

Annuaire des sites de Charente et Charente-Maritime. Services gratuits de petites annonces, forum et cartes postales. Actualité quotidienne.

Chez DIDO.com

www.chezdido.com

Annuaire pratique : jeux-concours, humour, multimédia, loisirs, vacances, santé, parents/enfants, hommes/femmes, MP3, etc.

Cigref

www.cigref.fr

Le club informatique des grandes entreprises françaises a pour but la promotion des systèmes d'information, comme facteur de création de valeurs pour l'entreprise. Le site donne des renseignements sur les thèmes d'étude, les grandes entreprises membres, l'activité du club, la revue de presse et les activités de lobbying.

Cliou.com

www.cliou.com

Annuaire thématique de sites marchands et professionnels.

Club Internet, sélection

www.club-Internet.fr/selection

Sélection de sites francophones par le fournisseur d'accès Club-Internet.

Commerce

commerce.bottin.fr

Annuaire du commerce et moteur de recherche des entreprises du commerce en France : achat, commissionnaire, courtier, coopérative, artisan, commerçant, magasin, VPC, exportation, importation, négociant.

Communes de France

www.villagesweb.com

Annuaire des villes et villages de France présents sur Internet.

Communes françaises sur le Net

www.france-pittoresque.com/indexvilles.htm

Annuaire des villes et villages de France : des centaines d'adresses pour découvrir les sites Web des communes françaises.

Corse, annuaire des sites

www.e-corse.com

Annuaire des sites corses.

Corsicamail

www.corsicamail.com

Corsicamail, l'annuaire e-mail des insulaires.

Cospro

www.cospro.com

Annubio est un annuaire de tous les intervenants de la culture biologique. Il donne également des informations sur les marchés, les foires, les salons, les organismes et les associations.

Ctqui

www.ctqui.com

Annuaire inversé gratuit pour la France. Recherche par le numéro de téléphone parmi plus de 20 millions de numéros.

Départ éclair

www.departeclair.com

Annuaire et moteur de recherche.

Diversnet

diversnet.free.fr

Annuaire et moteur de recherche francophone.

Documents de programmation

www.docsdunet.com

Répertoire des meilleurs cours et tutoriels du Net traitant des langages de programmation, des bases de données, des réseaux, des systèmes d'exploitation, en passant par la cryptologie, et tout ce qui touche aux nouvelles technologies.

Dugratos

homepage.sunrise.ch/mysunrise/zigogratuit

Ce répertoire référence les ressources gratuites du Web et vous dit comment gagner de l'argent avec Internet.

Edenplanet

www.edenplanet.com

Edenplanet vous propose une sélection de sites Internet jardin et maison, des dossiers pratiques et une boutique en ligne.

Enfance-jeunesse

www.liensutiles.org/enfance.htm

Cette page référence de nombreux sites pour enfants.

Enfin, annuaire de la recherche

www.enfin.com

Ce site répertorie les moteurs de recherche, annuaires, répertoires et métamoteurs francophones. Recherche thématique : commerce et économie, institutions, informatique et média, régional, loisirs et sports, santé et spiritualité, etc.

Enregistrer un disque

www.austudio.org

Annuaire d'aide à la création musicale : studios, subventions, professionnels, lieux de spectacle.

FNPS.fr

www.fnps.fr

La FNPS (Fédération nationale de la presse d'information spécialisée) recense plus de 1 500 titres (culture, informatique, sciences, etc.) et donne accès à une lettre d'information mensuelle.

Fortune 1000

www.groupefortune1000.com

Le plus grand répertoire de sites commerciaux du Québec.

Fouineur.net

www.fouineur.net

Fouineur.net est un annuaire des meilleurs sites exclusivement francophones.

French economic report

www.actufax.com

Ce site donne accès à plus de 2 000 entreprises françaises exportatrices, référencées par secteur d'activité ou par région. Il publie également une revue de presse hebdomadaire.

French-TV

www.chez.com/frenchtv

Annuaire de sites consacrés aux séries TV ou aux dessins animés.

Garçon

www.arts-culinaires.com/garcon

Annuaire des Webs gourmands : gastronomie, vins français, restaurants, produits du terroir.

Génération satellite

www.hotbirdclub.fr.fm

Encyclopédie de la télévision par satellite. Ce site est indépendant des bouquets numériques français.

Genitrix

www.genitrix.net

Portail de la nouvelle génération : technologies, société, information, intelligence et sports extrêmes.

Gograph.com.fr

www.gograph.com

Le tout premier répertoire de recherche graphique permettant de trouver rapidement et gratuitement par simples mots clés plusieurs milliers de gifs animés, icônes, photos, Clip Art, interfaces et papiers peints.

Gov.ch

www.gov.ch

Répertoire des sites Internet officiels du secteur public suisse.

Gratuit sur Internet

www.liensutiles.org/gratuit.htm

Cette page référence de nombreux sites qui proposent des ressources gratuites.

GratuitLand - Annuaire vie pratique

www.gratuitland.com/?module=annuaire_liens&id_cat=6

GratuitLand regroupe les meilleurs services gratuits francophones sur Internet. Cette page donne accès aux sites orientés vie pratique.

Guide annuaire de l'économie sociale

www.gaes.org

Le site de référence des associations et fondations. Un guide pour ceux qui s'intéressent au monde associatif. Un outil indispensable pour les acteurs de l'économie sociale.

Guide d'achat, comparatif des prix en ligne

www.acheter-moins-cher.com

Annuaire des produits en ligne et guide d'achat comparatif, résolument du côté du consommateur, spécialiste du relevé des prix online.

Guide de la radio

guidedelaradio.free.fr

Liste exhaustive des stations de radio françaises (coordonnées et fréquences), classées par régions et départements.

Guide des fichiers marketing

www.gfm.fr

Liste des sites de vente ou de location d'adresses : pour tous les professionnels du marketing direct et pour ceux qui désirent faire une opération de prospection.

GX Links

www.gxlinks.com

Vous avez créé un site digne d'intérêt. Pourquoi ne pas en faire profiter tous les internautes et augmenter ainsi votre trafic ? Inscription gratuite.

Hebdotop.com

www.hebdotop.com

Classement hebdomadaire des meilleurs sites francophones.

Hit-parade des sites francophones

www.hit-parade.com

Le hit-parade est le classement quotidien par audience des sites francophones. A la fois guide et annuaire, c'est un service unique et incontournable, avec plus de 77 000 sites référencés.

Hola

www.hola.fr.fm

Hola répertorie les meilleurs sites Web par catégories.

Hotbot

www.hotbot.com/default.asp

Annuaire et moteur de recherche mondial.

Infoliens.net

www.infoliens.net

Annuaire francophone de sites informatiques : un outil indispensable à tous les utilisateurs amateurs ou professionnels d'informatique.

Jardin, l'Encyclopédie

nature.jardin.free.fr

Cet annuaire regroupe 300 horticulteurs et pépiniéristes de Poitou-Charentes.

Juriguide

www.juriguide.com/pages

Annuaire des sites juridiques.

Kitel, Le portail fleuri

kitel.free.fr

Premier portail fleuri du Web, annuaire inversé et moteur de recherche.

La bibliothèque

www.sciencepresse.qc.ca/repertoires.html

Sélection de sites francophones dans différents domaines : philosophie et psychologie, religion, sciences sociales, langues et linguistique, etc.

La boussole

www.boussole-fr.com

La Boussole, annuaire thématique francophone, recense plus de 41 000 sites.

La toile des toiles

www.la-toile.com

Répertoire de sites classés par catégories et de moteurs de recherche.

La Toile du Québec

www.toile.qc.ca/index.html

Annuaire et moteur de recherche québécois.

Lamo Web site

www.teaser.fr/u/blamonnier

Annuaire Internet, pour surfer efficacement et accéder en quelques clics au site qui vous intéresse.

L'annuaire du Web

www.annuaire-du.net

L'annuaire du .Net vous guide sur le Net en vous présentant les meilleurs sites dans toutes les catégories.

Laselection.net

www.laselection.net

Sélection de sites et services gratuits par thème : programmation Internet, gagner de l'argent, fournisseurs d'accès, news quotidiennes en informatique, Linux et piratage, annuaire inversé, etc.

Le GuidePresse

g.rossignol.free.fr

Annuaire francophone de la presse en ligne.

Le meilleur du Web gratuit

www.myfreesurf.com

Répertoire des utilitaires et services gratuits pour Internet.

Le Quid

www.quid.fr/communes.html

Quid, la banque de données accessible à tous, présente le répertoire des communes et villages de France.

Le site du jour

www.site-du-jour.com

Site-du-jour.com vous présente le meilleur site de la journée et donne accès aux sites des jours précédents, en lien direct ou par l'intermédiaire d'un moteur de recherche.

Le Web financier

planete.bourse.free.fr

Ce site a été créé pour répertorier une sélection de sites en rapport avec la bourse et les finances.

Le wroom wroom du toutou

www.montoutou.net

Moteur de recherche et annuaire du Web, moteur de recherche de MP3, cartes virtuelles animées, petites annonces, classement de sites, actualités, programmes TV, météo, papier peint Windows.

Les pages d'or on-line

www.pagesdor.be

Annuaire téléphonique belge.

Les pages pro

www2.pagespro.com

Annuaires de France Télécom, Les Pages pro.

Les promotions du Net

www.lespromotionsdunet.com

Publication des prix des produits vendus en ligne sur le Net français.

Les rues commerçantes

www.pagesjaunes.fr/rc.cgi?

Les Pages jaunes : annuaire téléphonique, plans, photos, adresses des professionnels et particuliers. Un must.

Les sites les plus populaires

www.entreprise-creuse.com/topsites

Classement des sites les plus populaires de la Creuse.

Les Webs

www.leswebs.com

Annuaire et moteur de recherche du Web francophone.

Lexav Net-Talk

lexav.nettalk.free.fr

Sur ce site, en quelques clics, le meilleur d'Internet : news, trucs et astuces, logiciels à télécharger, liens, etc. Une lettre de diffusion vous tient au courant chaque semaine.

Lizez

www.lizez.fr.st

Annuaire et moteur de recherche concernant les journaux français, francophones et européens.

Lycos

www.lycos.fr

Votre guide personnel sur Internet : annuaire et moteur de recherche francophone et mondial.

Marweb

www.marweb.com

Moteur de recherche et annuaire marocain.

Mbolo.com

www.mbolo.com

Annuaire thématique et moteur de recherche africain.

McoWorld.net

realmco.free.fr

Annuaire des meilleurs sites classés par rubriques. Ne surfez plus au hasard.

Média-2001 communication

media-2001.com

Ce site est un répertoire d'annuaires et de moteurs de recherches. Il donne également accès aux articles qui font l'actualité mondiale.

Micromalin

www.micromalin.com

Micromalin, le site de la micro pratique donne accès à une multitude de sites informatiques triés sur le volet : GSM, hardware, outils pratiques, jeux vidéo, humour, MP3, freeware et shareware, finance et bourse, etc.

Micromegas

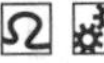

www.micromegas.com

Annuaire du livre, de la culture, de l'informatique, de la science et des loisirs.

MulhouseBienvenue

www.mulhousebienvenue.com

Plus de 70 rubriques et 700 adresses sélectionnées et testées pour vous faire aimer et apprécier Internet au quotidien.

Nadhour tunisie

www.nadhour.com

Cet annuaire recense tous les sites tunisiens : culture, sport, économie, tourisme, etc.

Nautisme

www.nautisme.com

L'annuaire Nautisme constitue la plus importante base d'informations nautiques sur le Web.

Navigationplus.com

www.navigationplus.com

Navigation Plus vous offre l'accès à des milliers de sites Internet dans un environnement original et convivial.

Net-Gratuit

net-gratuit.fr.st

Annuaire de sites Web classés par catégories.

Netsanté

www.netsante.com

Annuaire des hôpitaux et cliniques, textes juridiques et données économiques.

Neuromancien

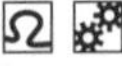

www.ifrance.com/neuromancien

Annuaire francophone : informatique, Internet, télécommunications, webzine, TV, radio, presse, cinéma, musique, BD, sport, cyberpunk, humour, science-fiction, achat et services en ligne, voyage, annuaires et emploi.

Nomade Tiscali

www.nomade.tiscali.fr

Annuaire et moteur de recherche francophone, ce site fournit également des services complémentaires : petites annonces, météo, horoscope, itinéraires, etc.

Numéros utiles

www.cnrs.fr/fnak/enumerof.html

Cette page regroupe les différents numéros de téléphone qu'il est bon d'avoir sous la main : numéros d'urgence, annuaires, horaires des trains, Union française des consommateurs, etc. N'attendez plus, imprimez-la.

Ouraweb

membres.lycos.fr/ouraweb

Annuaire thématique de sites Web.

Pages blanches : annuaire, plans, photos

www.pagesjaunes.fr/pb.cgi?

Cette page donne accès aux pages blanches avec, en prime, un plan d'accès.

Pages jaunes : annuaire, plans, photos

www.pagesjaunes.fr/pj.cgi?

Cette page donne accès aux pages jaunes françaises avec, en prime, un plan d'accès.

Pages jaunes belges

www.yellowpages.be

Ce site donne accès aux pages jaunes belges et propose un lien menant aux pages blanches belges.

Partenaires

toutlegratuit2000.free.fr

Annuaire des services gratuits du Net.

Perso-search

www.perso-search.com

Perso-search est un annuaire des pages perso francophones. La recherche est effectuée par mot clé.

Photo de classe

www.photo-de-classe.com

Grâce à ce site, retrouvez une photo de classe ou un ancien copain perdu de vue. Entrez et faites revivre le passé, votre histoire.

Planète Web

www.planeteweb.fr

Cet espace recense les meilleurs sites d'informations pratiques pour le grand public et d'information sur l'éducation et les loisirs pour le public adolescent.

Planeteachat.com

www.planeteachat.com

Annuaire et guide d'achat des meilleures boutiques de vente en ligne : alimentation, informatique, jeux, vidéo, DVD, voyages, auto et moto, sport, etc.

Planete-education.fr.st

www.planete-education.fr.st

Annuaire des applications pédagogiques d'Internet (plus de 1 000 sites référencés).

Plangratuit.com

www.plangratuit.com

Vous trouverez ici une sélection des meilleurs sites gratuits et utiles du Net dans les domaines les plus variés : charme, jeux, MP3, téléphonie, sports, astuces PC, humour.

Proxima, tout le Maroc en ligne

www.proxi.ma/search.shtml

Tous les sites du Maroc à portée de souris : plus de 40 000 pages indexées.

Quali-gratuit

www.quali-gratuit.com

Annuaire du 100 % gratuit 100 % qualité : MP3, création de sites, vie quotidienne, loisirs, charme, etc.

Qualisteam

www.qualisteam.com

Index mondial de sites financiers.

Qwam.com

www.qwam.com

Avec Qwam.com, recherchez les documents qui vous permettront de suivre et d'améliorer le développement de votre entreprise.

Rapidoweb

www.rapidoweb.free.fr

Une sélection des meilleurs sites Web.

Registre de la ville de Québec

aquebec.clic.net

Ce site offre un répertoire alphabétique des pages personnelles des usagers de Québec et certaines de leurs adresses e-mail. Il propose également un classement des adresses de sites corporatifs, institutionnels et autres.

Scoot France

www.scoot.fr

Annuaire des professionnels. Sélection par profession et ville.

Services à domicile

chez-vous.com/cbrdg/plurielles/home.asp

Annuaire des services à domicile et d'achat en ligne sur toute la France.

Sharelook shopping

shopping.sharelook.fr

Sharelook est un annuaire dédié au shopping sur le Net. Il est consultable par rubrique ou par mot clé.

Sibiom

www.sibiom.com

Ce site présente aux médecins et pharmaciens biologistes une liste de 250 sites d'intérêt professionnel.

Sites des communes de France

www.citaenet.com

Répertoire des sites Internet des communes de France, création de site Web, portail économie (entreprises), tourisme (agenda, hébergements) et vie locale (associations, informations pratiques).

Sites en France

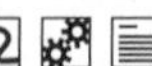

www.sites-fr.com/index.php

Cette page répertorie les meilleurs sites français par catégories.

Sites informatiques

www.liensutiles.org/infotq.htm

Cette page référence de nombreux sites en rapport avec l'informatique.

Sites sélection

pages.globetrotter.net/raymondl/index.htm

Une sélection des meilleurs sites francophones et anglophones du Net s'adressant à toute la famille.

Sites utiles en Charente

www.charentesite.com

Charente sites utiles vous propose un classement des meilleurs sites charentais, le top 16, les petites annonces, un forum de discussion et son annuaire des pages Web de la Charente.

Skydort.com

www.skydort.com

Portail généraliste francophone : sélection de sites, ressources et services gratuits.

Surfpratique

surfpratique.free.fr

Principaux sites francophones classés en 19 rubriques : achats, actualités, culture et sciences, femmes et enfants, finances, logiciels, média, médecine, médecines douces, météo, MP3, outils pour webmestres, photographie, plongée sous-marine, voile, recherche, start-up, surf rémunéré, téléphonie et vie pratique.

Surgicall

membres.lycos.fr/surgicall

Surgicall est le premier annuaire francophone des sites Internet consacrés à la santé. Conçu pour vous aider dans vos recherches, Surgicall met à votre disposition un dossier médical sécurisé en ligne.

Takatrouver

www.takatrouver.net

Annuaire de recherche éducatif pour les enfants de 7 à 12 ans, utilisant la classification des bibliothèques scolaires et municipales.

Technikus Belgique

www.belgikus.be.tf

Annuaire et moteur de recherche belge.

TéléFrance

www.telefrance.com

Annuaire et moteur de recherche.

The word press com

www.theworldpress.com

Annuaire de la presse en ligne : 192 pays, 1 112 journaux.

Tiscali Nomade

www.nomade.tiscali.fr

Tiscali Nomade répertorie les sites du Web francophone et mondial, propose des chaînes thématiques et une sélection hebdomadaire des meilleurs sites.

Tiscali recherche

www.nomade.tiscali.fr/nomadeter.asp

Moteur de recherche et annuaire francophone.

Tiscali shopping

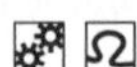

www.shopping.tiscali.fr

Tiscali Shopping est un annuaire de sites marchands. Il commente et donne une note à chaque site, indique le type de paiement utilisé, l'implantation et le délai de livraison.

Top Lien

toplien.free.fr

Portail francophone : informatique, multimédia, sports, loisirs, services, presse/médias.

Tout trouver facilement

www.chez.com/tootrouverfacilement

Classement des meilleurs sites en 21 catégories.

Toutcela.com

www.toutcela.com

Sur ce site, vous trouverez un annuaire et un moteur de recherche, un service d'e-mail gratuit, des petites annonces, un chat, des cartes virtuelles, et la possibilité d'héberger vos pages perso.

Vitavous

www.vitavous.com

Annuaire de sites gratuits : jeux en ligne, chat, coupons, concours, réductions, forums, newsletter, reportages, interviews, bons plans, comment gagner de l'argent sur Internet, etc.

Voila guide : achats, commerce

www.monbebe.com/media/Voila.html

Sélection de sites de vente en ligne par Voila.fr.

Web adresses

membres.lycos.fr/webadresses

Les meilleures adresses du Web, classées par catégories.

Webmarchand

www.webmarchand.com

Annuaire marchand.

Weborama

www.weborama.fr

Weborama est un annuaire de classement des meilleurs sites francophones. Il propose également des outils gratuits pour webmestres : mesure d'audience, sondage, etc.

Webwatch

www.webwatch.be

Annuaire thématique et moteur de recherche belge.

Yahoo! France

fr.yahoo.com

L'annuaire et moteur de recherche incontournable Yahoo! France.

Ze woc

www.zewoc.com

Guide de ce que l'on trouve de mieux et de pire sur Internet.

Zero Blabla

zeroblabla.free.fr

Répertoire de sites utiles et gratuits. Pas de bla-bla… des résultats.

Zonecommerce

www.zonecommerce.com

Annuaire de sites Web marchands francophones.

Aquariums

Alta Discus

www.mylinea.com/olive

Premier moteur de recherche et annuaire du roi de l'aquarium d'eau douce exotique - le Discus.

Animorama, poissons

www.animorama.com/poissons.htm

Tout ce qui est utile à l'aquariophile débutant ou confirmé : associations, clubs, conventions et salons, guide pratique, magazines, petites annonces et vidéos.

Aqua Dav

perso.wanadoo.fr/davidetsabine.bonningre

Site d'aquariophilie pour débutants et initiés : plus de 300 fiches poisson, plantes, maladies, photos, fonds d'écran.

Aqua infos

aquainfos.free.fr

Sur Aquainfos, vous trouverez des fiches complètes sur les poissons et les plantes, diverses rubriques (entretien, reproduction, nourriture, trucs et astuces), un forum, des gifs animés de poissons.

Aquafirst

www.aquafirst.com

Pour tous les aquariophiles : historique de l'aquariophilie, règles pour les débutants, bourse d'échange, présentations d'aquariums, clubs d'aquariophilie en France.

Aquanaute

membres.lycos.fr/cbfb

Ce site donne des conseils utiles à l'apprenti aquariophile : achat, installation, alimentation, poissons et maladies. Liens vers des sites complémentaires.

Aquarioland

www.aquarioland.com

Sur ce site, vous pourrez télécharger une démonstration du logiciel Aquarioland, pour gérer vos aquariums et la vie de vos poissons.

Aquariomania

www.aquariomania.com

Toutes les ressources pour l'aquariophilie et l'aquarium : fiches plantes, photos de poissons, conseils techniques, jeux, liste des clubs et associations aquariophiles, revue de presse aquariophile, boutique aquario, conseils, lexique.

Aquarium de La Rochelle

www.aquarium-larochelle.com

Découvrez l'aquarium de La Rochelle, un des plus beaux aquariums d'Europe : 10 000 spécimens de poissons de l'Atlantique, de la Méditerranée et des tropiques.

Aquarium de Nancy 

membres.lycos.fr/aquafrce/ Nancy.html

Présentation des aquariums publics et associatifs de France et des pays frontaliers.

Aquarium de Saint-Malo

www.aquarium-st-malo.com

Le grand aquarium de Saint-Malo vous invite à vivre une aventure extraordinaire : plongez dans les mystères de la mer, un parcours fantastique à la découverte du monde marin.

Aquarium récifal 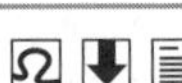

www.aquaphoto.ch

Photographies de poissons et d'invertébrés marins.

Aquariums de France

membres.lycos.fr/aquafrce

Présentation des aquariums publics et associatifs de France et des pays frontaliers, liens vers les aquariums du monde.

Base de données pour aquariophiles 

perso.wanadoo.fr/denis.vaufrey

La plus grande base de données aquariophile se trouve probablement ici. Environ 1 200 poissons recensés, des dizaines de plantes et maladies et un logiciel à télécharger pour gérer cette base.

Cyber Aqua

www.cyberaqua.org//afa/index.php

Site de Cyber Aqua, association d'aquariophilie sur Internet.

Eau milieu 

pages.infinit.net/scalare

Galerie du photographe Patrick Durocher. Les images sont disponibles en numérique 2 400 dpi, 32 bits, ou en photo Cibachrome au format désiré.

Forums de l'aquariophilie française

www.aquarium.tk 

Ce site donne accès à tous les groupes de discussion aquariophiles en langue française. Un must pour les débutants aussi bien que pour les confirmés.

Le monde de l'aquariophilie 

membres.lycos.fr/stoerbul

Site d'aquariophilie d'eau douce tropicale pour débutants.

Le site aquariophile de Vincent 

www.chez.com/aquariophile

Site de référencement des pages Web francophones traitants d'aquariophilie.

Mars, aquariophilie marine et récifale 

mars.reefkeepers.net

Site dédié à l'aquariophilie marine et récifale : conseils techniques, eau, éclairage, études biologiques, chimie, etc.

Minirecif 

minirecif.free.fr

Ce site s'intéresse aux coraux, aux poissons et à la construction d'un aquarium récifal.

Portail pour aquariophiles

www.aquabase.org

Aquabase.org est une base de données d'aquariophilie.

Récifs et aquariums récifaux

www.recifs.net

Récifs propose des photos et articles sur l'aquariophilie d'eau de mer.

Réseau d'annonces aquariophiles

www.annonces-aquariophiles.fr.st

Ce site permet d'enregistrer et de consulter gratuitement des annonces concernant l'aquariophilie.

Services animaliers et aquariophilie

membres.lycos.fr/aqua5 

Vous trouverez sur ce site un annuaire de sites dédiés à la nature et aux animaux (chiens, chats, poissons, rongeurs), une encyclopédie sur l'aquariophilie et un service de petites annonces animalières.

Auto

2 050 sites automobiles

www.gtliens.com

Grâce à GTliens, l'annuaire des sites automobiles francophones, vous trouverez une pièce pour votre Peugeot 504 ou la cote argus de votre BMW : 2 050 liens vers des sites automobiles francophones, sélectionnés et classés en 40 rubriques.

321 auto

www.321auto.com

Automobile club, guide mécanique et automobile, cote des garagistes, autodiagnostic de panne, assurance, crédit, conseils achat, cote occasion et prix du neuf.

Abeille auto

www.abeilleauto.com

La première collectivité de la voiture sur le Net : bons plans, petites annonces, débats, bonnes affaires. Un comparatif automobile entièrement constitué par des particuliers.

Ada, location de voitures et d'utilitaires

www.ada.fr

Sur ce site, louez une voiture pour vos loisirs, votre travail, vos voyages ou vos vacances. Vous pouvez également louer un utilitaire, un camion, ou un véhicule léger pour votre déménagement.

Affaires et tourisme

perso.wanadoo.fr/affaires.tourisme

Location de voitures avec chauffeur à Lyon. La société offre ses services de mise à disposition de limousines, berlines et minibus avec chauffeur, dans le domaine des affaires et du tourisme.

AMV assurance

www.amv.fr

Pour assurer une moto, une auto, un 4×4, un jet ou votre santé. Consultez les tarifs, demandez un devis et assurez-vous immédiatement, quelle que soit la cylindrée de votre véhicule.

Anciennes.net

www.anciennes.net

Petites annonces gratuites de véhicules anciens et de voitures de collection.

Annonce auto

www.annonceauto.com

Petites annonces gratuites sur Annonce auto.

Argusauto.com

www.argusauto.com

Ce site donne la cote officielle des véhicules d'occasion, propose un service de petites annonces et plusieurs dossiers pratiques.

Asave

www.asave.org

Site officiel de l'Asave (Association sportive automobile des véhicules d'époque). Toutes les courses Asave et bien d'autres infos sur le monde des véhicules historiques de compétition en France et en Europe.

Association des sociétés françaises d'autoroutes

www.autoroutes.fr

Site de l'association des sociétés françaises d'autoroutes.

Audi France

www.audi-france.com

Les voitures de la marque, les services financement, concessionnaires et véhicules d'occasion.

Audi Switzerland

www.audi.ch

En vous connectant sur le site d'Audi, vous aurez un aperçu technique et en images de tous les véhicules de la marque.

Audiomobile online

perso.wanadoo.fr/ audiomobile.online

Tout (ou presque) sur la hi-fi et la sono embarquées : autoradio, amplificateur, haut-parleur, filtre, subwoofer, plage arrière, cassette, processeur, forum, logiciel, et bien d'autres choses à votre disposition.

Audi-passion

www.audipassion.com

Le premier site amateur francophone dédié à la marque Audi : passé, présent, futur, liens et forum.

Austin Mini Cooper

www.minicorp.net

La bible de la Mini présente tous les modèles. Venez apporter vos remarques et votre expérience pour entretenir la passion des Mini.

Auto at net

www.autoatnet.com

Petites annonces autos et motos : occasion, neuf ou de location. Services et conseils.

Auto direct import

www.auto-direct-import.fr

Le site ADI vous propose d'acheter votre voiture neuve moins cher, en sachant profiter des opportunités du marché européen sans avoir à chercher vous-même votre véhicule.

Auto import

www.autoprix.fr

Autoprix est spécialisé dans l'importation automobile. Il permet de réaliser jusqu'à 25 % d'économie sur les véhicules neufs (tourisme, 4×4 et utilitaire).

Auto Planet

www.autoplanet.fr

Portail automobile, neuf et occasion.

Auto plus

www.autoplus.presse.fr

Cote de l'occasion, club Auto Plus, voitures à la loupe, équipements des modèles d'occasion, adresses utiles, petites annonces, comparatifs.

Auto services Web

www.asweb.fr

Internet au service de l'automobile : forum des particuliers, annuaire des professionnels, conseils et fiches techniques.

Auto-Belgique

www.vroom.be/fr/index.html

Auto-moto neuves et d'occasion en Belgique. Les dernières nouveautés, tous les prix des voitures et motos neuves avec descriptions et photos.

Autocote

www.autocote.com

Dégrifcar vend aux particuliers, *via* les concessionnaires français, des voitures neuves dégriffées. Promotions permanentes avec des remises allant de 7 à 30 %.

Autodeclics.com

www.autodeclics.com

Le site 100 % auto vous propose son magazine : essais, interviews, entretiens, marques, tuning, TV à la demande, sport auto, jeux, etc.

Auto-école

www.ecf-agences.com

L'Ecole de conduite française est la première organisation européenne d'éducation à la sécurité routière. Sur son site, vous pourrez trouver l'agence la plus proche de votre domicile et obtenir des informations sur les différents permis.

Auto-moto v2

www.auto-moto.com

Action Auto Moto, le magazine de toutes les automobiles : actualité, bancs d'essais, tests, conseils, sélections des meilleures voitures et motos du moment.

Auto-on-net.com

www.auto-on-net.com

Acheter ou vendre une voiture en Belgique : 5 000 petites annonces auto et moto gratuites avec photo, service avertisseur, cote de l'occasion, prix des voitures neuves, etc.

Autoreflex

www.autoreflex.com

Autoreflex vous propose des voitures neuves et des occasions toutes marques.

Autoscout24 France

www.autoscout24.fr

AutoScout24 vous propose d'acheter ou de vendre des voitures d'occasion dans toute l'Europe : plus de 300 000 véhicules disponibles.

Autovalley

www.autovalley.fr

Pour acheter une voiture neuve ou vendre un véhicule d'occasion, profitez des conseils par téléphone, actualités et services (cote, assurance, crédit et entretien auto) du portail automobile Autovalley.

Autoweb

www.autoweb-france.com

Ce site regroupe les voitures les plus belles voitures. Pour chacune, photo, descriptif, fiche technique, prix, liens pertinents et possibilité de petite annonce ou d'assurance. Un formulaire permet également de voter pour un modèle à ajouter au site.

Avis

www.avis.fr

Avis location de voitures vous propose un système de réservation en ligne simple et facile d'accès, des locations à tarifs promotionnels et tous les services et produits Avis.

BMW France

www.bmw.fr

Sur le site BMW France : concessionnaires, essais, documentation, cote de votre véhicule, occasions, événements F1, groupe BMW.

Bugg's Garage

membres.lycos.fr/bugg

Sur ce site, des tonnes de blagues sur l'automobile et près de 140 liens répertoriés par catégories pour trouver le site que vous cherchez.

Canal auto

www.canalauto.com

Nouveautés Fiat ou Renault, concepts Peugeot ou Mercedes, essais d'un Toyota 4×4 ou d'une moto Yamaha, Canal Auto lève le voile sur l'actualité automobile. Retrouvez également la cote auto, consacrée au marché de l'occasion.

Caradisiac.com

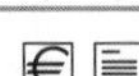

www.caradisiac.com

Caradisiac.com propose des milliers de voitures et de véhicules d'occasion de toutes marques, vendus par des concessionnaires et des professionnels : informations, achat, revente, financement et assurance.

Carexplorer.net

www.carexplorer.net

Sur le site de Car Explorer : véhicules d'occasions, constructeurs, presse automobile, courses, rallyes, petites annonces, etc.

Chez AMTT

www.amtt.fr

Vente de voitures neuves à prix réduits. Financement, assurance, crédits et club auto.

Citroën type H

www.chez.com/lesamisdutypeh/typeh.html

Les Amis du Type H est une association loi 1901 créée en décembre 2000 et regroupant des passionnés du célèbre Type H Citroën.

Citroën

www.citroen.fr

Le site de la marque aux chevrons : véhicules, après-vente, points de vente, actualités, environnement, sport et détente, financement.

Clean Auto 

www.clean-auto.com

Webzine francophone dédié à l'actualité des véhicules non polluants. Entre autres sujets traités : véhicules électriques, hybrides et à propulsion par pile à combustible, batteries et systèmes de propulsion.

Covoiturage avec Ecotrajet 

www.ecotrajet.com/accueil.php3

Covoiturage et auto-stop : recherche de passagers ou de véhicules pour tout trajet (grandes distances ou trajets domicile-travail).

Daimler Chrysler, France

www.chrysler.fr

Le site de Chrysler donne des informations sur les modèles Chrysler et Jeep, permet de demander un catalogue, de connaître le concessionnaire le plus proche de votre domicile et d'avoir le détail des financements possibles.

Dekra France 

www.dekra-veritas.fr

Dekra-Veritas automobile est le leader du contrôle technique en France (plus de 1 400 centres de contrôle en France).

Ecole de conduite CER

www.cermontdor.com

Site des auto-écoles et moto-écoles CER Mont d'or (Rhône).

Europcar France 

www.europcar.com

Location de voitures de tourisme et d'utilitaires, tarifs, promotions, réservation en ligne, programmes fidélité et liste des agences.

FFSA, Tout le sport auto 

ffsa.turbo.m6.fr/index.php

Site officiel de la Fédération française du sport automobile.

Fiat

www.e-fiat.com/home/New.asp

Site de Fiat France : gamme de voitures, actualités, histoire du groupe, informations sur votre véhicule, accessoires, club Fiat.

Fiat 500

www.chez.com/fabrique/fiat500/index.html

Pour tous ceux que la Fiat 500L ne laisse pas indifférents.

Ford online 

www.ford.fr

Sur le site de Ford, découvrez la gamme des véhicules, trouvez le concessionnaire le plus proche de votre domicile, financez votre voiture, prenez connaissance des services Ford et… installez un économiseur d'écran représentant la marque.

Guide Auto 

auto.francite.com/france

Guide auto Francité - Portail et moteur de recherche francophone : essais routiers, fiches techniques, comparatifs, sport auto, communautés, liens complémentaires.

Guide routier 

www.mappy.fr/direct/mappy/accueil

Mappy.com, votre guide routier : calcul d'itinéraires pour des voyages en Europe et en France, plans de Paris et des grandes villes, plan d'accès.

Hertz, location de voitures 

www.hertz.fr

Réservez un véhicule dans le monde entier. Nombreuses offres spéciales, produits et services spécifiques pour les déplacements professionnels et personnels.

I4roues.com 

www.i4roues.com/fr

Premier site d'intermédiation automobile sur le Net : appels d'offres de particuliers à professionnels, achat et vente en direct, vente aux enchères.

ICTIA

membres.lycos.fr/ictia

Site de l'Ecole de l'industrie et de l'automobile de la ville de Liège.

Jaguar cars

www.jaguar.com/fr

Sur le site de la marque Jaguar, découvrez la gamme des voitures, trouvez le concessionnaire le plus proche de votre domicile, consultez les news sur la marque ou la base de données des véhicules d'occasion et informez-vous sur les implications de Jaguar dans le domaine de la course.

KelAnnonce

www.kelannonce.com

Petites annonces achat et vente de véhicules d'occasion.

Kioskauto  

www.kioskauto.com

Service de petites annonces automobiles dans le sud-ouest de la France. Accès direct aux sites des clients.

Kisscars-automobiles 

www.autostoc.fr

Mandataire automobile européen : jusqu'à 25 % d'économie sur votre véhicule neuf (tourisme, 4×4 et utilitaire). Petites annonces et enchères gratuites.

La Centrale 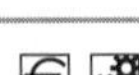

www.lacentrale.com

Retrouvez les petites annonces (immobilières et véhicules) de la Centrale, l'actualité automobile au quotidien et de nombreux services (garantie, auto et moto, cote, etc.).

La page de la Deuche 

bosch.christian.free.fr/site2cv

Enfin une page très concrète sur la 2 CV.

La Prévention routière 

www.preventionroutiere.asso.fr

Le site de la Prévention routière, association qui lutte contre l'insécurité routière par l'éducation, la formation (stages permis à points), l'information et la sensibilisation du public.

Lancia

www.e-lancia.com/home/New.asp

Site de la marque Lancia.

L'application Printel

www.eps-printel.fr

Ce site permet de télécharger une application pour échanger des informations professionnelles entre les auto-écoles et le service répartition de la préfecture dont elles dépendent.

L'automobile au quotidien 

www.autofamille.com

Ce site aide pour effectuer l'achat d'un véhicule neuf au meilleur prix (comparaison et promotion). Quelques-unes des rubriques proposées : dossiers du mois, conseils, informations, fiches pratiques et essais de véhicules.

L'Automobile club 

www.automobileclub.org

Le site de référence de l'automobiliste : toutes les infos, les conseils pour votre voiture, votre permis et vos voyages grâce à la Fédération des automobile-clubs.

Le Gnafou

astop.gnafou.net

Automobilistes et passagers, le gnafou vous propose de déposer une annonce de trajet occasionnel ou régulier et de consulter la liste des trajets.

Le guide de l'auto 

www.autonet.ca/LeGuide/Stories.cfm

Portail généraliste : chroniques, actualité, occasions, essais comparatifs.

Le Lambrettaman 

membres.lycos.fr/lambretta

Vous recherchez des documents techniques, des éclatés de moteur, boîte, tambour, direction, volant magnétique ou bobine ? Vous êtes à la bonne adresse.

Le moniteur automobile 

www.moniteur-automobile.presse.fr

Le site du journal Le Moniteur automobile : actualité, prix des voitures neuves, cote de l'occasion, guide d'achat de l'assurance auto, petites annonces et archives.

Le permis 

www.lepermis.com

Tout sur l'auto-école, le permis de conduire et la sécurité routière.

Le quotidien auto 

automobile.nouvelobs.com

L'actualité automobile au quotidien : essais, comparatif, guide d'achat, cote, conseils pratiques (mécanique auto, droit), occasion, voitures anciennes, annuaire de sites.

Le site des Floride et Caravelle

gontran.doyennette.free.fr

Site dédié aux automobiles Floride et Caravelle.

Les auto-écoles

www.pratique.fr/vieprat/trans/auto/daf2801.htm

La page de France pratique sur les auto-écoles vous dit comment faire le choix d'un établissement et quelles sont les différentes méthodes de préparation au permis. Elle donne également des conseils qu'il est bon d'avoir à l'esprit avant de se lancer dans l'aventure.

L'outrefranc 

www.outrefranc.com

Infos sur tous les modèles vendus en France et sur ceux qui le seront demain. Rubriques Pleins phares pour présenter les nouveaux modèles et Coup d'œil pour les avant-premières. Mais aussi : la carte grise et l'assurance, comment immatriculer une auto, forum, etc.

Matmut

www.matmut.fr

Assurez votre voiture, votre deux roues, votre habitation, votre famille, votre bateau ou votre entreprise. Découvrez les contrats et services et demandez un devis.

Mazda

www.mazda.fr

Le site de Mazda donne des informations sur sa gamme de véhicules, le réseau et les services. Il permet également de consulter des annonces de véhicules d'occasion en vente.

Mercedes-Benz France

www.mercedes-benz.fr

Le site de Mercedes donne des informations sur sa gamme de véhicules (voitures particulières, utilitaires légers et camions), le financement, le réseau et les services. Il permet également de consulter des annonces de véhicules d'occasion en vente.

MG Rover

www2.mg-rover.com/static/index.html

Parcourez l'histoire de trois marques légendaires : Rover, MG et Austin Mini.

Midas France

www.midas.fr

Le site de Midas France donne accès aux rubriques suivantes : quoi de neuf, services, informations pratiques, le réseau, la franchise.

Motorlegend.com

www.motorlegend.com

Site dédié à la passion automobile : boutique, calendrier, clubs, dossiers, forums, galeries et annonces.

Nissan France

www.nissan-france.fr

Le nouveau site animé du constructeur de la Primera, de la Micra, du Terrano II et du légendaire Patrol GR.

Norauto

www.norauto.fr

Retrouvez les produits, les services et les promotions de l'enseigne automobile Norauto.

Novaweb

www.novaweb.fr

Site incontournable des passionnés de la voiture de collection, de sport et de prestige : annonces, information sur les clubs et magazine.

Onlycar

www.onlycar.com

Sur le réseau Onlycar, trouvez la voiture neuve ou d'occasion dont vous rêvez : promos et déstockages, vitrine du mois, conseils, entretien, etc.

Opel

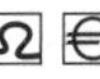

www.opel.fr

Sur ce site : gamme de véhicules Opel, occasions, club 4×4, itinéraires, entreprise, liens complémentaires.

Ouest France automobile

www.ouestfrance-auto.com

Ouestfrance-auto.com propose des milliers de voitures et de véhicules d'occasion : petites annonces, professionnels auto-moto, essais, financement, assurance, achat, vente, cote de l'occasion, prix du neuf.

Peugeot 203

www.203world.net

Histoire complète de la marque Peugeot : photos, événements, documentation technique, liens complémentaires.

Peugeot 301

peugeot301.free.fr

Pour tout savoir sur la Peugeot 301.

Peugeot

www.peugeot.fr

Site de la marque Peugeot : gamme, concessionnaires et services autour de l'achat d'une automobile et de l'assistance en France.

Procar.com

www.procar.com

Procar.com propose aux particuliers des voitures d'occasion de toutes marques, sélectionnées par des concessionnaires en France. Vous trouverez également de nombreuses informations sur le secteur automobile (fiches techniques, photos, revue de presse, etc.).

Renault.fr

www.renault.fr

Découvrez le site de Renault-France : actualités, réseau, véhicules neufs et occasions, services, financements, espace Infos.

Rent a Car

www.rentacar.fr

Réservez un véhicule partout en France en quelques clics, avec la société Rent a Car.

Saab

www.saab.fr

En vous connectant sur le site de Saab, vous découvrirez les voitures de la marque, les services et la firme qui les propose. Vous trouverez également des offres de véhicules d'occasion, pourrez étudier en détail les différents modèles Saab et même construire votre voiture en ligne.

Salon international de l'automobile de Genève

www.salon-auto.ch/fr

Site du Salon international de l'auto et des accessoires de Genève, l'exposition internationale des nouveautés.

Seat France

www.Web.gr-vw.fr/seat/home.html

Le constructeur automobile Seat présente les modèles de sa gamme : breaks, berlines, monospace, véhicules utilitaires, voitures familiales et sportives. Seat vous propose aussi des informations sur le Rallye WRC et sur son nouveau concept car Formula.

Super GTI magazine

www.gtimag.com

Site officiel de Super GTI Magazine, bimestriel leader de la presse tuning en France, regroupant des infos, des news, les listes des clubs, les meetings, etc.

SuperPermis.com

www.hyperpermis.com

Superpermis est le site de référence pour s'entraîner, réviser et réussir son permis de conduire ! Vous pouvez dès aujourd'hui vous former aux permis auto et moto dans des conditions idéales et avec un maximum d'efficacité.

The Jacky touch

www.thejackytouch.com

Le monde des voitures kitsch de Jacky.

Toyota

www.toyota.fr

Toyota présente les modèles de sa gamme et les services de la marque.

Tuning

freetuning.free.fr

Découvrez l'univers du tuning, exposez votre chef-d'œuvre automobile, visitez les sites conseillés, communiquez vos impressions et vos petites annonces.

Tuning-auto.com

www.tuning-auto.com

Tout le tuning automobile, les préparateurs, les meetings, les accessoires, les photos sur de nombreuses marques comme Audi, BMW, Opel, Peugeot, Fiat, Subaru et Volkswagen.

Tuningcenter

www.tuningcenter.com

Webzine francophone dédié au tuning : échanges, annonces, manifestations, adresse et boutiques.

Turbo.fr

turbo.m6.fr/html/magazine/index.shtml

L'actualité automobile présentée dans l'émission de télévision Turbo (sur M6) est en ligne : nouveautés auto et moto, essais automobile et moto, sports mécaniques, tuning et petites annonces auto.

Volkswagen

www.volkswagen.fr/index.htm

Le site de Volkswagen France présente les véhicules de la marque, les produits et les services, les concessionnaires, les accessoires et le financement de votre prochaine voiture.

Volvo

www.volvocars.fr

Le site du constructeur Volvo présente les véhicules de la marque et les concessionnaires. Il permet également de parcourir une revue de presse.

Wawawoum magazine

www.wawawoum.com

Magazine consacré à l'actualité automobile : brèves, nouvelles voitures et salons.

Web car center

www.webcarcenter.com

Guide de l'automobile en France : fiches techniques, photos, sites complémentaires, annonces concernant tous les modèles.

Web guide auto

www.webguideauto.com

Guide d'achat automobile : conseils, fiches techniques, photos, prix, avis des utilisateurs, liste des sites d'annonces, vente de son véhicule, annuaire automobile, écran de veille et fond d'écran.

Beauté

Amabilia.com

www.amabilia.com

Amabilia.com est un portail spécialisé dans le domaine de la beauté et de l'esthétique. Son contenu couvre les préoccupations de la femme francophone d'aujourd'hui et de demain : soins du corps et du visage, techniques et nouveautés du maquillage, naturothérapie, esthétique, etc.

Beauté

home.nordnet.fr/~ldefurne/ page3.html

Présentation du centre de balnéothérapie de Mantes-la-Jolie : remise en forme, amincissement et esthétique.

Beauté africaine

beaute.afrik.com

Planète beauté des peaux colorées : actualité, miss Afrique, mister Afrique, conseils beauté, bonnes adresses.

Beautenews

www.beautenews.com

Ce site propose divers produits de beauté pour femme.

Bien-être.ch

www.bien-etre.ch

Annuaire du mieux-vivre, dédié à la santé et l'harmonie : promotion des thérapeutes, thérapies naturelles, médecines alternatives, développement personnel, psychologie, conférences et formations.

Biotherm

www.biotherm.fr

Biotherm élabore un programme de soins personnalisé, selon votre type de peau et votre rythme de vie. Des conseils beauté et santé pour femmes et hommes.

Camille Saint-Clos

www.dourdan.com/camillestclos

Site du salon de coiffure Camille Saint-Clos, visagiste, coloriste, haute coiffure (Dourdan).

Carrefour beauté

fr.kelkoo.com/b/a/m_2943101_sante_beaute_carrefour_beaute.html

Carrefour Beauté est un espace de vente en ligne de produits de grandes marques de parapharmacie et de cosmétiques, distribués en grande surface : soins du visage, du corps, des cheveux, maquillage et diététique.

Centre capillaire Marandjian (38)

www.marandjian.com

Sur le site du centre capillaire Jean Marandjian, trouvez les réponses aux questions que vous vous posez sur les problèmes capillaires : cuir chevelu gras, états pelliculaires, démangeaisons tenaces, chute de cheveu, etc.

Clarins

fr.clarins.com

Les meilleurs produits et conseils de Clarins, n° 1 des soins de beauté en Europe.

Daniel Jouvance

www.danieljouvance.com

Découvrez la ligne de soins cosmétiques, produits diététiques et thalassothérapie signée Daniel Jouvance.

Dermalight (38)

www.dermalight.fr

Les instituts de beauté Dermalight présentent leur méthode d'épilation rapide et durable par photo-thermolyse.

Elle.fr

www.elle.fr

La version en ligne du magazine Elle : mode, beauté, santé et forme, vie privée, société, déco, cuisine, culture, astro, shopping.

Embellys.com

www.embellys.com

Embellys.com est le site officiel de l'association Sérénité et beauté. Venez découvrir nos conseils beauté, idées bien-être, astuces de pro, recettes naturelles, coups de cœur, offres d'échantillons.

Espace beauté 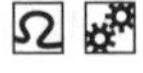

www.planetfemmes.com/Beaute/index.asp

Sur Espace beauté, le portail de la beauté : la vie en pleine forme, les cosmétiques, le bien-être, les soins, la diététique, les cheveux, le maquillage, la peau.

Espace forme et beauté

www.patricia-laurens.com

Au sein de son établissement, Patricia Laurens vous propose une thalasso-esthétique en plein cœur de Boulogne.

Espace Monceau

mapage.noos.fr/infomaqui

Un ensemble de professionnelles, esthéticiennes spécialisées en maquillage permanent, au savoir-faire reconnu depuis plus de dix ans.

Estheweb  

www.estheweb.com

Le site de l'esthétique, de la forme et de la beauté : actualités, forums, questions aux spécialistes de l'esthétique et petites annonces.

Fémina hebdo

www.femina.fr

Le site du magazine Fémina propose un espace Beauté, un espace Cuisine et donne une idée du contenu des prochains numéros papier.

Fiches conseils beauté

webperso.easynet.fr/~tocquet

Le site des femmes qui se préoccupent de leur beauté : soins du visage, du corps, des yeux, produits solaires.

French beauty

www.frenchbeauty.com

Service de petites annonces réservé aux professionnels : soins des cheveux, matériel de coiffure, esthétique, onglerie, équipements et meubles.

Givenchy mode 

www.givenchy.com

Le site de l'enseigne Givenchy : collections, boutiques, news, liens.

Guerlain

www.guerlain.fr

Univers interactif de Guerlain France : actualité produits et parfum, conseils personnalisés sur l'art du parfum, gestuelle du soin et astuces maquillage.

Herbalife

membres.lycos.fr/mincissez

Découvrez les produits Herbalife pour la ligne (amincissement, contrôle de poids), la forme et la beauté, à base de plantes naturelles.

Hygiaform (92)

www.hygiaform-antony.com

Découvrez le site HygiaForm d'Antony : amincissement, traitement de la cellulite, soins corporels, traitement des rides et maquillage permanent.

Hyperbelle.com

www.hyperbelle.com

Magazine de beauté : news, tests, dossiers, trucs et astuces, livres, etc.

Institut Kiné-Concept

www.kineconcept.com

Si votre dos vous fait souffrir, consultez ce site. Vous y trouverez des exercices de relaxation musculaire pour vous soulager.

Jolie madame

www.chez.com/joliemadame

Situé à Bordeaux, l'institut de beauté Jolie Madame vous propose, dans un cadre raffiné, des soins spécifiques visage et corps.

Laboratoire Jacques g. Paltz s.a.

www.jacquespaltz.fr

Le laboratoire Jacques Paltz propose des produits cosmétiques et des produits naturels : huiles essentielles, soins du visage et du corps, aromathérapie.

Lancôme

www2.lancome.com/_int/_fr/index.aspx

Découvrez la gamme maquillage, les produits de beauté et les parfums Lancôme.

Les instituts de beauté Clarins

fr.clarins.com/?rub=ib2

Découvrez, partout dans le monde, les instituts de beauté Clarins.

Lookt Interactive

www.look-at.com

Portail féminin dédié à la beauté, à la mode et aux dernières tendances. Au programme : mode vestimentaire, coiffure, accessoires, créateurs, défilés, bons plans, trucs et astuces, soins du corps et du visage, etc.

L'Oréal Paris

www.lorealparis.fr

Découvrez la gamme de produits de beauté L'Oréal.

Malory Art

perso.wanadoo.fr/malory-art

Maquillage d'exception ou maquillage explosif, Malory métamorphose les corps et les visages.

Matis Paris

www.matis-paris.fr

Catalogue des produits de beauté Matis.

Médiligne

www.bionat.fr/mediligne/index.html

Depuis une dizaine d'années, Médiligne importe et distribue des produits paramédicaux dans les salons, foires, pharmacies, centres de soins… pour que vous vous sentiez bien de la tête aux pieds.

MSN Femmes - Beauté

femmes.msn.fr/beaute

Vous trouverez ici des fiches beauté pour les femmes : maquillage, coiffure, régime, chirurgie esthétique, cosmétique et nouveaux produits de beauté, soins du corps, du visage et de la peau, relooking.

Nickel

www.nickel.fr

Gamme de soins et instituts pour hommes.

Nivea for men

www.niveaformen.tm.fr

Nivea présente sa gamme de produits pour hommes.

Nuxe

www.nuxe.com

Nuxe, laboratoire de cosmétologie naturelle, aromathérapie et phytothérapie depuis 1957.

Objectif Beauté

www.objectifbeaute.com

Sur ce site, vous trouverez des conseils, infos, trucs et astuces de beauté pour femmes et hommes.

Pantene PRO-V

www.pantene.com/fr_FR

Découvrez la gamme de soins de beauté pour les cheveux Pantene Pro V.

Parfums Azzaro

www.azzaroparis.com

Découvrez tous les parfums Azzaro, les points de vente, et gagnez des échantillons.

Parfums Cacharel

www.cacharel.com

Les parfums Cacharel vous invitent à découvrir leur univers.

Paris beauté

www.parisbeaute.fr

En collaboration avec des professionnels de la beauté, de la santé, de la forme et du bien-être, la rédaction vous présente tous les mois des dossiers d'actualités.

Sante-beaute-femmes.com

www.sante-beaute-femmes.com

Dans cet annuaire, chaque femme trouvera de nombreuses informations pour sa vie au quotidien : santé, beauté, gestion de carrière, vacances, shopping sur Internet, maison, cuisine, finances, etc.

Sauver son futur

www.epurebeaute.com

Découvrez la ligne de soins de beauté Epure.

Shiseido

www.shiseido.co.jp/f

Découvrez la gamme de produits de beauté Shiseido.

Soins cosmétiques pour la peau, le corps et l'esprit

www.gemey-maybelline.com

Site d'information sur la gamme de produits de beauté Gemey.

Thalgo cosmétiques

www.thalgo.com

Des profondeurs des océans, Thalgo a puisé les secrets les plus précieux de la beauté.

Triumph France

www.triumph-international.fr

Le monde fascinant de la lingerie. Découvrez nos collections actuelles et plongez dans l'univers de la séduction.

Vogue.com

www.vogueparis.com

Le site du magazine Vogue : mode, beauté et santé, culture, horoscope, les choix de Vogue.

Yahoo! France - Bien-être

fr.lifestyle.yahoo.com/beaute

Beauté et bien-être selon Yahoo! France.

Yves Rocher

 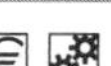 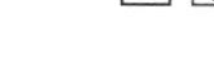

www.yves-rocher.fr

Vente en ligne de produits cosmétiques naturels Yves Rocher. Soins antiâge, soins du visage, maquillage et conseils maquillage, parfums de femme, offres promotionnelles sur plus de 400 produits de beauté.

Bijoux

Bijoux

www.achetenligne.com/bijoux.htm

Avec Achète en ligne, venez acheter vos bijoux (bagues, colliers, bracelets) en quelques clics de souris.

Bijoux 3000

www.bijoux3000.com

Le site Bijoux 3000.com permet de sélectionner au sein de sa collection le bijou de vos rêves. Grâce à un simple clic, vous trouvez ensuite la boutique la plus proche de chez vous où vous pourrez acquérir le bijou choisi.

Bijoux Plaisir

www.bijouxplaisir.com

Boutique en ligne entièrement consacrée aux bijoux fantaisie : boucles d'oreilles, colliers, parures, bracelets, broches.

Cavalière Bijoux

www.angelfire.com/biz/cavaliere

Site officiel de la bijouterie Cavalière, situé à Monaco.

Dany bijoux

www.danybijoux.fr

Dany Bijoux vend en ligne des bijoux traditionnels, africains et orientaux en or 18 carats.

Didier Guillemain, joaillier

www.didierguillemain.com

Didier Guillemain, bijoutier-joaillier créateur, présente son palmarès ainsi que ses collections de bijoux de haute joaillerie, en or et titane, bijoux originaux sur le thème du Yi King et créations sur mesure.

Jean Paul Gaultier.com

www.jeanpaulgaultier.com/vf/Default.htm

Tout sur Jean-Paul Gaultier par Jean-Paul Gaultier : biographie, collections de prêt-à-porter féminin et masculin, collections de haute couture, parfums, accessoires, bijoux et boutique.

La maison de l'alliance

www.maisondelalliance.com

La Maison de l'alliance commercialise de nombreux bijoux : bagues, alliances, bijoux pour mariage, diamants, or, argent, platine, pierres précieuses.

La page de l'image personnelle

www.chez.com/lebijoutier/ index_fr.htm

La société Dolegeal présente son palmarès (notamment aux Diamond international awards), son équipe et ses collections de bijoux de haute joaillerie, objets originaux et créations sur mesure.

LeGuide.com - Bijoux

www.leguide.com/bijoux.htm

Achetez moins cher vos bijoux avec le comparateur de prix LeGuide.com.

Maty

www.maty.com

Créée en 1955, Maty est une société spécialisée dans la fabrication et la vente de bijoux à distance. Première entreprise française dans ce type de service, elle a renforcé sa présence dans les principales villes de France par l'ouverture de magasins.

NetPerles.com

www.netperles.com

Vente en gros et au détail : perles de Tahiti, perles Akoya, perles d'eau douce, perles des mers du Sud.

Olivier joaillier

www.aucarillon.be

Olivier Vanderstichèle, joaillier-créateur diplômé, vous présente ses dernières créations, pièces uniques et transformations de vieux bijoux, ainsi que la gamme de montres et bijoux disponibles à l'horlogerie-bijouterie Au Carillon, à Péruwelz (Belgique).

Rodier

www.rodier.tm.fr

Descriptif des marques Rodier femme et Rodier homme, licences de Rodier et du groupe V.E.V., adresses des boutiques exclusives dans le monde, extraits des collections, lignes d'accessoires Rodier (parfums, montres, bijoux, maillots de bain, chaussures, etc.).

Un ange passe

www.unangepasse.free.fr

Si vous cherchez des bijoux fantaisie, des accessoires de mode (foulards, sacs, chapeaux) ou des idées de cadeaux (carterie, objets décoratifs, porcelaine anglaise, petit mobilier), venez faire un tour sur ce site.

Brocantes

Antica.net

www.eCD-Web.com/antica

Tout sur les brocantes et antiquités : calendrier des salons, brocantes et vide-greniers, annonces, annuaire des collectionneurs et musées, lexique et dossiers du mois.

Brocante et collection

www.brocante-et-collection.com

Avec Brocante et collection, vous vous trouvez au cœur des puces de Saint-Ouen. Plusieurs boutiques spécialisées vous offrent un large choix d'objets de collection et de décoration, pour tous les budgets.

Brocantes de Provence

www.provenceweb.fr/f/mag/brocante.htm

Souvent hétéroclites, les chines et brocantes sont des lieux où il fait bon flâner sans idées précises mais avec l'espoir d'un joli coup de cœur. Seule règle de rigueur, y aller tôt, bien avant que ne passent les marchands professionnels.

La Centrale

www.annonces-center.com/encheres_index.shtml

Le site d'enchères de La Centrale : achat et vente de produits d'occasion, matériel informatique, hi-fi, vidéo, brocante, appareils photo, livres anciens, etc.

La Voix du Nord

www.lavoixdunord.fr/vdn/annonces/home.shtml

Emploi, immobilier, automobile, brocante : retrouvez toutes les annonces du quotidien régional La Voix du Nord.

La-brocante

www.la-brocante.com

La-brocante.com est un site portail qui réunit toutes les informations sur les brocantes, marchés aux puces ou foires et donne accès à de très nombreux sites complémentaires et à un espace de petites annonces.

LeGuide.com - Antiquités, brocantes

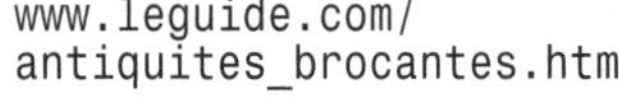

www.leguide.com/antiquites_brocantes.htm

Comparez les prix des antiquités et brocantes avec LeGuide.com.

Les annuaires - Brocantes

www.lesannuaires.com/annuaire-brocante.html

Rubrique Brocante de l'annuaire proposant une liste d'annuaires et d'agendas de la brocante, antiquaires et vide-greniers.

Nos brocantes parisiennes

www.spam.fr/brocantes.htm

La Spam est principalement connue en tant qu'organisateur de brocantes de week-end sur Paris. Actuellement, elle oriente ses activités vers les déballages marchands internationaux dont le premier est Rungis.

Officiel des foires et marchés

www.officiel-presse.com

1 500 foires, marchés et brocantes vous attendent sur ce site. La navigation se fait par départements.

Pages Brocantes

www.pagesbrocantes.com

Pages Brocantes est l'annuaire géographique des brocanteurs, antiquaires et foires aux greniers de France.

Petites annonces de la Vendée

sylvaino.free.fr/
LesPetitesAnnonces.htm

Petites annonces gratuites de la Vendée : immobilier, loisirs (nautisme, chasse, pêche, musique, informatique, bricolage, camping, caravaning), antiquités, brocante, animaux, offres d'emploi, demandes d'emploi, vente de véhicule.

Vieille France

www.vieillefrance.com

Que ce soit juste par plaisir, pour compléter une collection, retrouver un objet précis de votre enfance, faire un cadeau insolite ou acheter un objet que le temps valorise, venez chiner sur VieilleFrance.com.

Chats, forums

Aide à l'IRC

www.ircaide.org

Le site d'aide à l'IRC : des commandes de base aux commandes avancées, sur tous les réseaux existants.

Aim, service de messagerie instantanée gratuit

www.aol.fr/communiquer

Aim vous permet de discuter en direct et à plusieurs sur le Net, de savoir si vos amis sont en ligne et de faire de nouvelles rencontres dans les salons de discussion.

Alliance francophone

members.tripod.com/
alliancefrancophone

L'Alliance francophone est un groupement de personnes qui veut se faire connaître *via* ICQ et leur site Web. Vous y trouverez des gens intéressants avec qui discuter et des sites sur lesquels surfer pendant votre temps libre.

ARFE chat

www.arfe-cursus.com/chat.htm

Salons de discussion de l'Education nationale en accès libre.

Artotal

www.artotal.com/forum/forum.htm

Ce site donne accès à de nombreux forums thématiques : arts plastiques, architecture, cinéma, danse, design, graphisme, littérature, photo, mode, arts multimédias, musique, théâtre, arts pluriels, artistes.

Aussitôt

www.aussitot.net

Tout sur l'univers des pagers (messageries instantanées) telles que ICQ, AOL Instant Messenger, MSN messenger, etc. : actualités, choisir son pager, trucs et astuces, utilitaires.

Café chat

membres.lycos.fr/huppe/cafe.html

Ce site donne accès à plusieurs canaux chat spécialisés. Entrez votre nom et cliquez sur le bouton correspondant au chat souhaité pour rejoindre le canal de discussion.

Canalchat

www.canalchat.com

Canalchat propose plusieurs chats axés sur les événements qui font l'actualité.

Chat Affection

www.affection.org/chat

Parlez directement avec des personnes francophones. Avant de rencontrer réellement un contact, apprenez à le connaître en engageant une conversation en direct.

Chat Lycos

www.caramail.lycos.fr

Le nouveau portail du chat de MultiMania donne accès à de nombreux chats thématiques.

Etudiants du monde - Chat

www.studentsoftheworld.info/menu_chat_fr.php3

Etudiants du monde, rencontrez vos correspondants et dialoguez en direct.

Flirt.fr

www.flirt.fr

Un espace dédié au flirt : chat, petites annonces, e-mail, cadeaux, docteur Flirt, forum, cartes postales et témoignages.

Fonctions avancées d'ICQ

icq.free.fr

Découvrez les plus d'ICQ et accédez à une sélection de sites complémentaires.

Forum de Télécharger.com

forum.telecharger.01net.com/forum.php3?interface=1

Venez échanger des points de vue "informatique" sur ce forum : logiciels et astuces, télécoms et Internet, systèmes d'exploitation, multimédia, matériel et overclocking, jeux, création de sites.

Forum MP3.com

www.forum-mp3.com

Le meilleur endroit pour trouver des MP3 (Napster, Winmx, Morpheus, Audiogalaxy, Winamp, etc.).

Forums MultiMania

forums.multimania.lycos.fr

MultiMania propose un grand nombre de forums de discussion accessibles sur ce site.

French matou

www.frenchmatou.com

Le site du chat francophone : petites annonces, portraits de chats, accès au site partenaire frenchtoutou.com.

ICQ en français... et gratuit !

www.angelfire.com/biz/probio/icq.html

Téléchargez gratuitement et apprenez les bases d'ICQ en français.

IRC

www.hiersay.net

Guide francophone sur le chat IRC, le dialogue en direct sur Internet.

KaZiBao

www.kazibao.net/francais

Le site gratuit des filles et garçons qui veulent animer le chat ou le forum de discussion de leur choix : sport, cinéma, musique, lecture.

Le chat de Free

chat.free.fr

Dialogue en direct (thématique, géographique ou par âge) sur Free.fr.

Le messager Voila

messager.voila.fr

Communiquez facilement avec le Messager Voila. Vos amis se connectent ? Vous êtes prévenu immédiatement. Echangez des messages instantanés ou dialoguez comme au téléphone.

Les annuaires - Chat

www.lesannuaires.com/annuaire-chat-discussion.html

Rubrique de l'annuaire proposant une liste d'annuaires de chats, dialogues en direct et autres services IRC de messagerie instantanée sur le Web.

MSN messenger service

messenger.msn.fr

Site du service de messagerie instantanée de Microsoft.

Ornithochat

www.geocities.com/ornithochat

Ce site propose un canal de discussion ouvert en permanence pour tous ceux qui ont envie de parler d'oiseaux, de nature mais aussi de la nature humaine.

Place publique

placepublique.sympatico.ca

Enregistrez-vous et accédez à l'un des nombreux forums de discussion thématiques proposés.

Planète chat

www.planetechat.fr

Chats permanents, invités, persos, espace Rencontres : vous êtes sur Planète chat.

Puissance Nintendo

www.puissance-nintendo.com

Sur Puissance Nintendo : toute l'info Nintendo, des tests, des previews, des dossiers sur des jeux ou des sujets précis, un forum, des astuces et des fonds d'écran pour votre PC.

Rencontrez

rencontrez.branchez-vous.com

Découvrez les espaces de discussion en direct et rencontrez des gens sympathiques. Aucune installation de logiciel requise. Vous devez simplement posséder un navigateur compatible Java.

Sites pour enfants.com - Chat

www.sitespourenfants.com/chat

Sites pour enfants.com vous propose une salle de discussion en direct. Venez partager votre savoir, vos questionnements et laissez vos commentaires sur le site.

Smileys

membres.lycos.fr/vpiocel/ smiley.html

Découvrez les smileys de base pour ponctuer vos courriers.

Smouack

www.smouack.com

Réseau francophone gratuit et sans publicité de dialogue en direct.

Tchatche.com

www.tchatche.com

Un site de chat très prisé pour ados et adultes. Si vous le souhaitez, vous pourrez également créer une adresse e-mail et/ou un site Web à l'aide de l'assistant.

Tiscali Communautés

messager.communautes.tiscali.fr

Téléchargez le Messager Liberty Surf. Vous pourrez adresser des messages instantanés, chatter et rechercher des amis correspondant à votre profil.

Usenet-fr

usenet-fr.news.eu.org

Ce site vous explique le fonctionnement des forums ou "groupes de discussion" d'Usenet.fr.

Voila chat

chat.voila.fr

Espace Chat géographique, thématique ou par tranche d'âges de Voila.fr.

Voila Clubs

clubs.voila.fr

Créez votre "club" Voila. Vous pourrez partager des idées, échanger des documents ou organiser des événements.

Yahoo! Groupes

fr.groups.yahoo.com

Yahoo! Groupes héberge gratuitement des listes de diffusion, des groupes de discussion, de partage de fichiers et des outils de marketing direct par e-mail.

Yahoo! Messenger

fr.messenger.yahoo.com

Yahoo! Messenger vous permet d'échanger instantanément des messages avec vos amis ou vos collègues.

Yahoo! Tchatche

fr.chat.yahoo.com

Enregistrez-vous puis discutez en direct dans l'un des nombreux salons spécialisés proposés : sports, politique et société, rencontres, etc.

Chaussures

Annuaire des chaussures

chaussures.europages.fr

Annuaire européen de la chaussure : sport, loisir, orthopédie, bottes en cuir, machines pour l'industrie de la chaussure.

Au féminin.com - Chaussures

www.aufeminin.com/__chaussures__261.html

Toutes les réponses aux questions que vous vous posez sur les chaussures : âge pour porter des chaussures, chaussures blessantes, marche et chaussures, port des chaussures chez l'enfant, désodoriser des chaussures, etc.

Chaussures Crescendo 

www.chaussuresonline.com

Les meilleures marques de chaussures homme, femme et enfant en quelques clics de souris.

Chaussures pour enfants

www.till.fr

Découvrez les chaussures pour enfants Till : collections, pointures, magasins près de chez vous.

Fine shoes for men 

www.bexley.com

Vente en ligne de chaussures Bexley.

Goméo - Chaussures 

fr.gomeo.com/shopping.html?keyword=chaussures

Sélection de sites marchands proposant des chaussures à prix réduit.

Lacoste 

www.lacoste.fr

Lacoste vous propose de découvrir les dernières collections : chaussures, parfums, vêtements, montres, maroquinerie, lunettes, textile de maison et sous-vêtements.

Lafuma 

www.lafuma.fr

Lafuma vous présente sa gamme d'articles de sport et de loisirs : vêtements techniques, chaussures de randonnée et de montagne, sacs de couchage, sacs à dos, tentes, mobilier de plein air, etc. Conseils d'entretien, jeux, actualités et forums pour tous les passionnés d'outdoor.

LeGuide.com - Chaussures

www.leguide.com/chaussures.htm

Comparez les prix des chaussures avec LeGuide.com.

Rodier 

www.rodier.tm.fr

Descriptif des marques Rodier femme et Rodier homme, licences de Rodier et du groupe VEV, adresses des boutiques exclusives dans le monde, extraits des collections, lignes d'accessoires Rodier (parfums, montres, bijoux, maillots de bain, chaussures, etc.).

Somewhere, une envie de naturel 

www.somewhere.fr

Vente en ligne de vêtements de sport et de détente, de chaussures et d'accessoires pour homme, femme et enfant.

TBS

www.tbs.fr/fr/s01_home/s01p01_home.php

TBS présente ses collections de chaussures et vêtements pour hommes et femmes : nautisme, sport, détente, nature ou voyage.

Comparateur de prix

Achaternet

www.achaternet.com

Comparez et achetez à prix discount sur le comparateur de prix Achaternet.

Assurland.com

www.assurland.com

Assurland.com est un service en ligne gratuit qui permet de comparer instantanément et d'acheter facilement les meilleures assurances du marché (automobile, habitation, moto, santé, etc.). Si vous trouvez mieux ailleurs, on vous rembourse la différence.

Budgetelecom

 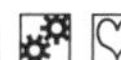

www.budgetelecom.com

Comparaison des tarifs téléphoniques et des communications fixes, mobiles et Internet, moteur de recherche des tarifs pour le téléphone fixe et mobile.

BuyCentral

www.buycentral.fr

BuyCentral est un comparateur de prix sur Internet : promotions, comparaison des prix, produits et services et annuaire des magasins en ligne.

Clubic.com

www.clubic.com/s

Comparez les prix du matériel informatique sur Clubic.com.

Comparatel.fr

www.comparatel.fr

Comparatel vous guide dans votre consommation en télécommunications. Faites de vraies économies en comparant gratuitement toutes les offres des opérateurs de téléphonie fixe, mobile et des fournisseurs d'accès à Internet.

Hi-Fi Prix

www.hifiprix.com

Comparaison de prix en hi-fi et home cinéma (amplificateurs, enceintes, CD, DVD, SACD, caissons, DAC, tuners, etc.).

I-Comparateur

www.i-comparateur.com

Comparateur de prix spécialisé dans les produits informatiques et high-tech.

Kelkoo, votre moteur de shopping

fr.kelkoo.com/

Sur Kelkoo.fr : comparaison de prix, guide d'achat en ligne, annuaire des sites marchands et promotions en ligne.

Kwaoo, portail pour les entreprises

www.kwaoo.com

Avant d'acheter, comparez les prix et les offres.

L'automobile au quotidien

www.autofamille.com

Ce site vous permet d'acheter un véhicule neuf au meilleur prix (comparaison et promotion). Quelques-unes de ses rubriques :

dossiers du mois, conseils, informations, fiches pratiques et essais de véhicules.

Le guide

www.leguide.fr

Guide d'achat et comparateur de prix, ce site réunit tous les services pour acheter moins cher : comparaison de prix, meilleures promotions du Net, conseils d'achat et annuaire de sites marchands.

Le-plein-malin

www.le-plein-malin.fr

Ce site vous permet de rechercher et de comparer gratuitement les prix des carburants en France. Vous y trouverez également les particularités de chaque station-service, des liens indispensables vers le monde automobile et des infos relatives aux carburants.

Les annuaires - Comparateurs de prix

www.lesannuaires.com/annuaire-comparateur.html

Rubrique Comparateur de prix de l'annuaire proposant une liste d'annuaires sur les comparateurs de prix.

Meilleurs prix.ca

www.meilleursprix.ca

Comparateur de prix en informatique et en électronique au Québec. Trouvez le meilleur prix en quelques secondes.

Monsieur Prix

www.monsieurprix.com

Comparateur de prix spécialisé dans les domaines suivants : image et son, informatique et jeux vidéo.

Négocia

www.negocia.net

Portail européen des économies pour les particuliers, ce site cherche les fournisseurs, compare les offres et négocie pour vous les prix des biens de consommation courante.

Prix du matos

www.prixdumatos.com

Combien va vous coûter votre installation home cinéma ? Consultez Prixdumatos.com pour connaître le meilleur prix du moment.

Prix Materiel.com

www.prixmateriel.com

Obtenez les meilleurs prix pour votre matériel informatique (composants et périphériques) en utilisant le comparateur de prix de ce site.

Tiscali Shopping

www.shopping.tiscali.fr

Faites vos courses en ligne avec Tiscali Shopping : plus de 1,5 millions d'articles dans plus de 100 boutiques.

TrocMusic.com

trocmusic.com/buy

Comparez les prix et trouvez les meilleures offres d'achat dans les magasins en ligne spécialisés audio (accessoires, audio électronique, portable, consommables, logiciels).

Voila shopping

shopping.voila.fr

Voila propose sa liste de magasins en ligne par catégories : automobile, cadeaux, informatique, jeux, livres, etc. Vous pouvez également utiliser le moteur de recherche pour trouver un produit au meilleur prix.

Voyager moins cher

www.voyager-moins-cher.com

Réussissez vos vacances au moindre coût en comparant les offres de voyage (billets d'avion, hôtels, séjours, croisières...) proposées par les grandes agences de voyages et les tour opérateurs.

Wistiti.fr

www.wistiti.fr/Marchand/comparatif.asp

Grâce au partenariat avec les sept principaux marchands d'appareils photo numériques, Wistiti.fr vous offre la possibilité de lancer une recherche multicritère afin de trouver votre bonheur parmi les 288 modèles proposés.

ZDNet, Netbuyer

www.zdnet.fr/shopping

Faites le meilleur choix avec NetBuyer : achat de PC, matériel, logiciels, téléchargement, tests et comparatifs. Retrouvez également toute l'actualité PC et la lettre ZD Net.

Cuisine, recettes

1 Chef 4 u

www.1chef4u.com

Ce site propose de nombreuses recettes ainsi que tous les services annexes des prestations VIP : organisation de soirée, location de villa, transport, logistique, etc.

10 par jour

www.10parjour.net

Ce site propose des menus et recettes pour manger équilibré et éviter la prise de poids.

1001 cocktails

www.1001cocktails.com/flair.php3

Site consacré exclusivement aux cocktails : recettes, techniques de réalisation, décoration et conseils pour réussir vos créations. Pour professionnels et amateurs.

A table sur delectatum.com

www.delectatum.com

Vous trouverez sur delectatum.com des recettes, des cocktails, des techniques culinaires, des conseils de diététique et bien d'autres choses.

ABC de la cuisine française

www.recettesdecuisine.net

Sur ce site, découvrez des dizaines de milliers de recettes de cuisine, plusieurs dictionnaires culinaires ainsi qu'un annuaire gastronomique.

ABC des trucs

pages.infinit.net/laventur

L'ABC des trucs se veut le site "pratico-pratique" de vos activités quotidiennes : recettes, épices, cuisine pour les enfants, tableaux et liens.

ABcuisine

www.abcuisine.fr.st

Des milliers de recettes de cuisine du monde entier vous attendent sur ce site.

Ail on-line

home.nordnet.fr/~slenfant/ail

Sur Ail on-line, vous trouverez tout sur ce que vous avez toujours voulu savoir sur l'ail (historique, vertus, culture, recettes) et un répertoire contenant de nombreux liens sur son emploi en cuisine.

Alimentation et plaisirs de la table

membres.lycos.fr/alimentation/

Vous trouverez sur ce site un guide alimentaire sur la nutrition et l'équilibre alimentaire, des recettes sympas, des menus type, etc.

Allôresto

www.alloresto.fr

Premier portail de restauration en ligne. Accédez aux services de restauration à domicile et à la réservation de tables dans plus de 600 restaurants.

Amis-gourmand

carol.lemanour.chez.tiscali.fr/page_1x.html

Menu complet pour vous aider à recevoir des invités simplement mais agréablement.

Amora

www.amora.com

Des produits pour relever et colorer vos repas. Mille et une recettes et astuces de tous les jours, par amour du goût.

Artculinaire.ch

www.artculinaire.ch

Cuisine raffinée, recettes rapides et faciles, l'art culinaire français et international au service des gastronomes.

Barilla

fr.primopiatto.barilla.com/home.jsp

Ce site commercial propose de nombreuses recettes de pâtes et vous fait découvrir l'histoire des pâtes.

Bienvenue dans ma cuisine

pages.infinit.net/recettes

Recettes québécoises et internationales.

Biorganic

www.biorganic-mag.com

Que faut-il manger aujourd'hui pour apporter quotidiennement à l'organisme les nutriments dont il a besoin, tout en évitant les risques de transmission de maladies comme l'ESB et les menaces de santé induites par les OGM ?

Candia

www.candia.fr

Site du n° 1 du lait en France et en Europe.

Centre recettes

www.centre-recettes.com

Centre recettes.com donne accès à une collection de plus de 100 000 recettes en français, en allemand et en anglais. Il vous permet aussi de calculer les quantités d'ingrédients à utiliser pour un nombre de personnes donné.

Chef Simon

chefsimon.com

Cours et conseils de cuisine en ligne : techniques en images explicites, recettes, histoire, gastronomie moléculaire, cinéma, littérature et liens choisis.

Chronoresto 

www.chronoresto.fr

Avec Chronoresto, commandez vos repas en ligne : livraison à domicile ou au bureau, plateaux-repas (pizzas, tex-mex, chinois, indien, paella, couscous).

Cocktail inferno 

membres.lycos.fr/cocktailinferno/cocktailinferno/Homex.html

Ce site propose des idées de cocktails : règles de base, équipement, décoration et recettes.

Cocktail space

www.cocktail-space.com

Nombreuses recettes de cocktails.

Couscous Ferrero

www.couscous-ferrero.com

Ferrero couscous propose de nombreuses recettes, des informations nutritionnelles sur les épices, les légumes, les poissons et une sélection de restaurants.

Cuisine chinoise et cuisine d'Extrême-Orient

www.asiaflash.com/cuisine/ index.shtml

Pourquoi ne pas chercher à mettre dans son assiette ou sur la table familiale, la gastronomie chinoise, coréenne, indonésienne, japonaise, malaisienne, philippine, thaï ou vietnamienne ? Si l'idée vous effleure, visitez ce site qui vous dira comment passer à la pratique.

Cuisine en Wallonie, les frites belges

www.wallonie.com/cuisine/pcr1.htm

Ce site vous explique l'art et la manière de réussir des frites… belges.

Cuisine et recettes 

www.cuisine-recettes.com

Au programme : recettes de cuisine faciles et familiales, moteur de recherche de recettes et d'ustensiles de cuisine, de livres et de produits gastronomiques.

Cuisine haïtienne 

www.haiticulture.ch/Cuisine_haitienne.html

Site dédié à la cuisine haïtienne : plats, boissons et desserts.

Cuisine pour tous

www.cuisinepourtous.fr.st

Cuisine pour tous est d'abord un site destiné à celles et ceux qui désirent apprendre différentes méthodes culinaires ou améliorer leur talent pour la réalisation de recettes.

Cuisine simple de la mer 

membres.lycos.fr/krogen/accueil.html

Cuisine simple des poissons, coquillages et crustacés.

Cuisine TV 

www.cuisine.tv

Cuisine.tv aborde la cuisine au sens large du terme : produits, métiers, arts de la table, terroir, gastronomie, forme et équilibre, équipement, vins et fromages, traditions culinaires.

Cuisine 

www.10000recettes.com

Vous trouverez ici plus de 10 000 recettes de cuisine.

Cuisinons.com 

www.cuisinons.com

Portail de l'art culinaire : boutique gourmande, menu de la semaine, à la Une, forum et liste de diffusion.

Cuisinorama.com 

www.cuisinorama.com

Sur ce portail de la cuisine et des cocktails, vous trouverez des recettes de cuisine, des cocktails, des sauces, des astuces, des dossiers ainsi que de nombreuses rubriques spécialisées : minceur, végétarisme, cuisine étudiante, etc.

Cuitoo 

www.cuitoo.com

Cuitoo vous propose 20 000 recettes de cuisine ainsi que ses trucs et astuces.

Culinarion

www.culinarion.com

Les magasins Culinarion en France offrent à leur clientèle un très grand choix d'ustensiles de cuisine, du moule à gâteau à l'éplucheur de légumes.

Délices de France 

www.delices-defrance.com

Recettes de grands chefs de la cuisine française. Explications pas à pas, illustrées par des photos.

Des recettes simples 

www.recettes.qc.ca

Nourriture, appétit et cuisine : ces trois termes vont de pair. Ce site est dédié à ceux qui aiment manger avec appétit, mais qui cherchent des recettes de cuisine simples.

Fiches cuisine 

www.club-Internet.fr/cuisine

Minceur, exotiques, grillades... toutes les saveurs de l'été sont à découvrir parmi les 3 000 fiches cuisine du magazine Elle.

Flo Prestige 

www.floprestige.fr

Flo Prestige, leader sur le marché de la restauration à domicile : commande de plateaux-repas, livraison à domicile sur Paris et région parisienne.

Fruitenbec

fruitenbec.com

Fruitenbec, le plus important centre de référence sur les petits fruits en langue française, propose plus d'une centaine de recettes aux petits fruits pour gourmets et gourmands.

Fruits de la mer 

www.fruitsdelamer.com

La cuisine simple de la mer : poissons, crustacés et coquillages. Recettes gastronomiques, traditionnelles, gibier, sauces, recette de la semaine, galerie photo, etc.

Gastronomie du monde

gastronomiemonde.com

Outre les 2 000 recettes de cuisine, les conseils culinaires, le forum et la lettre de diffusion, deux menus différents vous sont proposés tous les jours.

Index de recettes

antioche.lip6.fr/portier/recettesFullIndex.html

De nombreuses recettes, boissons, cocktails et desserts vous attendent sur ce site. Le rendez-vous de tous les gourmands.

International vegetarian union

www.ivu.org

Le site de l'Union internationale des végétariens.

iSaveurs

www.isaveurs.com

Votre assistant cuisine au quotidien propose sa carte : livres de recettes, idées menu, cours de cuisine, secrets de chefs, astuces, conseils, gastronomie de France et du monde.

La Baleine

www.salins.fr/php/home_fr.php?origin=labaleine

Site du sel marin La Baleine.

La boîte à recettes

www.boitearecettes.com

Ce site gastronomique propose plus de 15 000 recettes...

La bonne cuisine de A à Z

www.cuisineaz.com

Plus de 1 000 recettes, un moteur de recherche, un forum de discussion, une liste de diffusion de recettes, accords mets et vins, mesures et conversions, termes techniques.

La Cambuse

www.cambuse.net

Vous trouverez ici des recettes maritimes pour tous les goûts et à toutes les sauces.

La cuisine turque

www.cuisineturque.com

Par sa position géographique (influences de diverses civilisations et peuples d'Anatolie), la Turquie a une cuisine riche, variée et haute en couleurs. Découvrez les recettes traditionnelles de la cuisine turque : potages, entrées, plats principaux et desserts.

La gastronomie française

cuisinez.free.fr

10 000 recettes de cuisine en libre dégustation, consultables en ligne ou téléchargeables.

La grande cuisine

www.lagrandecuisine.com

La cuisine française à l'honneur : recettes classées, dossiers gourmands et diététiques, cuisine régionale, trucs et astuces.

La pâte à crêpes

www.meilleurduchef.com/cgi/mdc/l/fr/recettes/pate/pate_crepes_fil.html

Recettes et vidéos pour réussir vos crêpes.

La pâtisserie facile

www.lapatisseriefacile.com

Découvrez l'univers de la pâtisserie et créez, grâce aux recettes, conseils, photos, des desserts originaux en un tournemain.

L'art de la cuisine et la cuisine de l'art

www.artculinaire.com

Vous trouverez sur ce site une collection de menus inspirés de sujets traités avec art et une vision de l'art à travers la cuisine.

L'atelier de cuisine gourmande

www.coursdecuisine.net

Découvrez et préparez vous-même les délices de la gastronomie française et internationale. A Toulouse, Renaud Defour vous initiera aux plaisirs d'une cuisine raffinée, simple et originale.

Le meilleur du chef

www.meilleurduchef.com

Au sommaire : recettes, recettes filmées, cours de cuisine, trucs et astuces, termes culinaires, FAQ, etc.

Les astuces en cuisine

perso.wanadoo.fr/lesastucesencuisines

Au programme : recettes et astuces pour enfants et adultes.

Les CFQ, A table

www.cfq.qc.ca/plaisirs/a_table

Vous recevez ? Que vous soyez à la recherche d'un mets ou d'un menu complet, fiez-vous au savoir-faire des gardiennes du patrimoine culinaire québécois depuis des générations, sur le site officiel des Cercles de fermières du Québec.

Les plantes aromatiques

muriel.bernard.free.fr/herbe1.html

Souvent originales, toujours excellentes quand il s'agit de recettes alimentaires, les recettes données sur ce site vous permettront d'utiliser vos plantes, herbes bonnes ou mauvaises, à bon escient, et ainsi d'étonner vos amis.

Les recettes de cuisine

membres.lycos.fr/cuisine

Sur ce site, des astuces, des infos, des recettes à essayer et à déguster. Des milliers de recettes vous attendent.

Les recettes de miamion

www.miamion.com

Mettez votre toque de cuisinier et découvrez d'originales recettes en images.

Lesucre.com

www.lesucre.com

Proposé par le Cedus, antenne de communication de la filière sucre en France, ce site fourni des informations sur le sucre, sa consommation et ses utilisations.

Livre de recettes virtuel

www.livrevirtuel.com

Le livre de recettes virtuel propose plus de 1 400 recettes.

Ma cuisine végétarienne gourmande

www.cuisine-vegetarienne.com

Site dédié la cuisine végétarienne. Vous y trouverez de nombreuses recettes, des conseils et quelques bonnes adresses.

Maille

www.maille.com

Moutarde, vinaigre, huile et condiments : 250 ans de savoir-faire au service des fins gourmets. Boutiques, recettes par centaines et machine à vinaigrette interactive.

Maille, Recettes

www.maille.com/recettes

Des centaines de recettes entre excellence et raffinement.

Marc Veyrat, le grand chef cuisinier

www.marcveyrat.fr

Découvrez l'univers, la cuisine et les recettes de Marc Veyrat.

Marmiton.org

www.marmiton.org

Recueil francophone de recettes de cuisine. Avec plus de 13 000 recettes, vos papilles ne connaîtront jamais l'ennui. Alors goûtez à marmiton.org, et n'hésitez pas à y ajouter vos spécialités.

Menu des festivités

membres.lycos.fr/zigus

Venez découvrir des recettes anciennes et traditionnelles remises au goût du jour.

Mercichef.com

www.mercichef.com

Ce site vous propose des recettes, des reportages, des techniques de cuisine filmées, un annuaire de stages de cuisines, une bibliothèque et un peu d'histoire… gastronomique.

Miam-miam

www.miam-miam.com

Site de conseils et de recettes en tout genre.

Nutrisite

nutrisite.free.fr

Guide du sport et de l'alimentation, Nutrisite vous apporte des informations (conseils, interviews) sur la diététique du sportif. Il présente également un annuaire des sites Web relatifs à l'amaigrissement et la diététique ainsi qu'à l'alimentation et la préparation du sportif.

Panzani

www.panzani.com

Ce site commercial propose une sélection de recettes, des trucs et astuces. Il vous invite également à faire le tour de France des saveurs.

Rapidrecettes.com

www.rapidrecettes.com

Ce site vous propose une sélection de recettes simples rapides. En vous inscrivant à la liste de diffusion, vous pouvez recevoir une "recette rapide" tous les jours.

Réception France

www.receptionfrance.com

Les grands chefs de cuisine français. Recettes en vidéo, tourisme, gastronomie, AOC.

Recettes

www.chen.qc.ca/recettes.htm

Le restaurant L'Escale (Saint-Georges, Québec) propose de nombreuses recettes de cuisine chinoise.

Recettes de crêpes

www.momes.net/dictionnaire/c/crepes.html

Eloïse, 14 ans, propose quelques recettes de pâtes à crêpes.

Recettes de cuisine chinoise

www.chen.qc.ca/recettes.htm

Recettes de cuisine chinoise offertes gratuitement sur le site du restaurant L'Escale (Saint-Georges, Québec) : soupes, entrées, riz et nouilles, poissons, viande de bœuf, volailles, viande de porc, spécialités, sauces, savoir-vivre.

Recettes de cuisine.com

www.recettes-de-cuisine.com

Premier moteur de recherche 100 % recettes de cuisine : toutes les recettes du Web gourmand à portée de clic.

Recettes et gastronomie du Maghreb

www.khaoula.com/recettes.htm

Sur Gastronomie du Maghreb, vous trouverez des recettes algériennes, marocaines et tunisiennes.

RecettesWeb

www.recettesweb.com

Large sélection de recettes, actualité gastronomique, idées, conseils, astuces, secrets de grands chefs, etc.

Saveurs du monde, desserts

saveurs.sympatico.ca/recetsweet.htm

Le plus grand site gastronomique au monde de langue française : cuisine, gastronomie, recettes, produits, techniques, traditions culinaires, grandes toques. Un site de référence pour tous les gourmands.

Saveurs du monde, recettes par pays

www.saveurs.sympatico.ca/pays.htm

Des milliers de recettes pour satisfaire gourmets et gourmands vous attendent sur le plus grand site gastronomique au monde de langue française : cuisine, gastronomie, recettes, produits, techniques, traditions culinaires, grandes toques.

Tarte Tatin

www.tarte-tatin.com

Le site Web officiel de la tarte des sœurs Tatin.

Techniques et recettes de base de Francis Reibel

www.basesdelacuisine.com

La cuisine repose sur l'assemblage de techniques fondamentales. Ce site vous apprend à créer vos propres recettes en partant des techniques de base. Tous les ingrédients y sont réunis pour créer vos propres plats…

Tout sur la cuisine.com

www.toutsurlacuisine.com

Et si, pour une fois, vous cliquiez gourmand : recettes de cuisine régionale/du monde, dossiers, aides en ligne.

Ustensiles culinaires et arts de la table

www.arts-culinaires.com

Le guide Web gourmand par Arts-culinaires.com : newsletter, paroles de gourmands,

livre de cave, nouveaux sites, au fil du temps…

Végétarisme.org

www.vegetarisme.org

Tout sur le végétarisme : informations, recettes, livres, restaurants, organisations et plus.

Visite de la ferme en Ecosse

homepages.which.net/~dunino/virtualfarm/p2fr.htm

Site consacré à la ferme Dunino (Ecosse) : les gens, les activités, dans la maison, recettes.

Vive la soupe.com

www.vivelasoupe.com

Le Syndicat national des fabricants de bouillons et potages vous invite à découvrir toutes les richesses de ce plat : histoire et culture, idées gourmandes, recettes, etc.

Vos-commerces.fr

www.vos-commerces.fr

Votre marché à domicile : les produits frais de qualité des commerces de votre quartier, avec livraison à domicile le soir même.

Votre santé, nos recettes

www.mesrecettes.org

Votre Santé, Nos Recettes offre des centaines de recettes à base de produits laitiers, de beurre et de fromage canadien, des suggestions pour préparer des mets nutritifs, des goûters et des réceptions.

Wallonieweb

www.wallonie.com/cuisine

Toute la cuisine traditionnelle et quotidienne en Wallonie.

Web traiteur

www.chaud-devant-paris.com/webtraiteur.html

Web Traiteur est un service de restauration livrant à domicile en Ile-de-France. Consultez la gamme de produits offerte et passez vos commandes en ligne.

Démarches et droits

Activité interim

www.chez.com/guides/interim

Droits de l'intérimaire (contrat de travail, protection sociale, fin de mission) et annonces des agences d'intérim.

Agence des douanes et du revenu du Canada

www.ccra-adrc.gc.ca/menu-f.html

L'Agence des douanes et du revenu du Canada est l'institution du gouvernement fédéral responsable de l'administration fiscale, du recouvrement des recettes, des services frontaliers des douanes et de l'administration des politiques commerciales.

Agence européenne d'information sur la consommation

www.euro-conso.org

Le Centre européen des consommateurs conseille, assiste et donne des informations sur la consommation dans les pays membres.

Aide pour de nouveaux emplois jeunes

www.anej.org

Site d'informations générales, techniques et juridiques, entièrement consacré au dispositif Emplois Jeunes.

Allocations familiales

www.caf.fr

Le site des caisses d'allocations familiales : prestations familiales et aides au logement, formulaires à télécharger, adresses, rôle et services des CAF.

Anil

www.anil.org

Le réseau de l'Anil et des Adil offre aux particuliers un conseil complet et gratuit sur tous les problèmes de logement, qu'ils soient juridiques, financiers ou fiscaux. Il est conventionné par le ministère chargé du Logement.

Annuaire juridique de droit français et communautaire

www.anjus.com

Anjus.com est un annuaire juridique des sites traitant du droit français et communautaire.

Annubel - Nouvelles technologies

www.annubel.com/index.php?cat=573

Base de données électronique du droit des nouvelles technologies de l'information et des communications : consultants juridiques, avocats et juristes, conseil aux entreprises.

Association du magistère de droit d'Aix-en-Provence

membres.lycos.fr/magistere1

Les étudiants du magistère publient la doctrine d'Aix en droit des affaires, fiscalité, IT, etc.

Association Léo Lagrange pour la défense des consommateurs

www.leolagrange-conso.org

Site de l'association Léo Lagrange pour la défense des consommateurs.

Avocat-online

www.murielle-cahen.com

Murielle Cahen, avocate parisienne, répond aux questions juridiques que vous vous posez.

Avocatoo

www.avocatoo.com

Des juristes vous écoutent pour vous conseiller, vous assister, vous défendre en matière de droit des affaires, droit de la famille, droit du travail, recouvrement et fiscalité personnelle.

Avocats sans frontières France

membres.lycos.fr/asffrance

Site de l'association Avocats sans frontières.

Barreau de Paris

www.avocatparis.org

Les avocats à la cour de Paris vous informent : annuaire, à chaud, le droit ça simplifie la vie, l'avocat ça simplifie le droit, permanences, devenir avocat.

Branchez-vous

www.branchez-vous.com/dossier/actualite/04-155101.html

Droits d'auteur à l'heure d'Internet.

Bureau des passeports

www.ppt.gc.ca/menu_f.asp

Site du Bureau des passeports canadiens.

Carrefour des consommateurs

strategis.ic.gc.ca/cgi-bin/allsites/motd/motDspl.pl?lang=f&link=/frndoc/main.html

Source d'information qui fait autorité en matière de consommation au Canada.

CDRIPD

www.cdripd.cg59.fr

Le Centre départemental de ressources, d'information et de prévention sur les drogues a été créé pour prévenir la toxicomanie par l'information et la sensibilisation.

CELOG, centre d'expertises

www.celog.fr

Ce site est consacré au thème Informatique et libertés. L'animation est assurée par Expertises et droit de l'informatique et des télécommunications.

Chambre de consommation d'Alsace

www.le-consommateur-alsace.net

Site de la Chambre de consommation d'Alsace. Vous y trouverez des études, des articles, les adresses des associations de consommateurs alsaciennes, une présentation des activités de la CCA et bien d'autres choses.

CLCV

www.clcv.org

Site de la CLCV (Consommation, logement et cadre de vie), association nationale de défense des consommateurs.

CNIDFF

www.infofemmes.com

Les missions du réseau national des Centres d'information sur les droits des femmes : valoriser la place de la femme dans la société, favoriser son autonomie dans les domaines juridique, professionnel, économique, social et familial.

CNIL

www.cnil.fr

La Commission nationale de l'informatique et des libertés (CNIL) est l'autorité de contrôle française, en matière de protection des données personnelles. Elle protège votre vie privée.

Code français annoté de la propriété intellectuelle

www.celog.fr/cpi

Les éditions des Parques présentent le Code français annoté de la propriété intellectuelle.

Collectif de l'éthique sur l'étiquette

www.ethique-sur-etiquette.org

Contre l'exploitation du travail des enfants, l'esclavage, la répression syndicale et pour un label social. Mettez de l'éthique sur l'étiquette !

Conseil national des greffiers des tribunaux de commerce

www.greffier-de-tribunal-de-commerce.fr

Site du Conseil national des greffiers des tribunaux de commerce : missions, liste des greffes, fiches pratiques, FAQ, liens Internet.

Cour d'appel de Paris et tribunaux du ressort

www.ca-paris.justice.fr

Le site officiel de la cour d'appel de Paris et des tribunaux de son ressort.

Cour européenne des droits de l'homme

www.echr.coe.int

La Cour européenne des droits de l'homme vous informe : jurisprudence, affaires pendantes, arrêts et décisions, textes de base et communiqués de presse.

Cour internationale de justice

212.153.43.18

La Cour internationale de justice, qui a son siège à La Haye, est l'organe judiciaire principal de l'Organisation des nations unies.

Credoc

www.credoc.be/f/index.htm

Pour aider les professionnels du droit dans leur recherche d'informations, le Credoc a développé différents services tels que : recherches en matière de sociétés, édition et/ou diffusion de microfiches/microfilms du Moniteur belge et du Journal officiel des Communautés européennes.

CSC

www.securiteconso.org

Site de la Commission de la sécurité des consommateurs.

Cyberdroit.org

www.cyberdroit.org

Sur www.cyberdroit.org, vous pouvez effectuer des recherches dans le Journal officiel, les codes et le droit communautaire.

Défense et assistance des consommateurs de France

www.aequid.com/adac

Association de défense et d'assistance des consommateurs de France.

Démarches

www.pratique.fr/vieprat/dem

Ce site donne des renseignements sur les assurances, l'état civil, la vie familiale, le service national et la succession.

Démarches administratives

www.finances.gouv.fr/entreprises/demarch.htm

Démarches administratives au service des créateurs d'entreprises.

Démarches et formalités après un décès

www.dossierfamilial.com/html/art_849.html

Ce site liste toutes les démarches et formalités administratives à effectuer après un décès.

Droit de l'achat en ligne

www.droital.net

Ce site présente les aspects et la législation applicable en matière d'achat en ligne. Il se veut simple et pédagogique, face à l'ouverture du commerce électronique en France et dans le monde.

Droit des nouvelles technologies de l'information

cyber.lawnetcenter.com/index.html

Annuaire de recherche spécialisé dans les sites traitant du droit des nouvelles technologies de l'information et des communications.

Droit et Internet

www.canevet.com

Site consacré au droit d'Internet : jurisprudence, doctrine et actualité législative.

DroitConstit.org

www.droitconstit.org

Portail du droit constitutionnel français et francophone.

Droits de l'homme

www.droitshumains.org

Au programme : droits de l'homme, de la femme et de l'enfant, traités internationaux, tribunaux. Education aux droits de l'homme : racisme et antisémitisme, génocides, peine de mort.

Droits des jeunes

www.droitsdesjeunes.gouv.fr

Sur ce site, plus de 1 500 fiches téléchargeables, claires et concrètes, répondent aux questions pratiques que les jeunes se posent sur leurs droits. Un système de repérage simple (onglets de couleur) rendra vos recherches plus faciles.

Emploi-travail

www.pratique.fr/vieprat/emploi

Tout ce que vous devez savoir au sujet de l'emploi et du travail : embauche, contrats, formation, création d'entreprise, congés, salaire, retraite, chômage, etc.

En droit

www.en-droit.com

Portail d'informations et services juridiques pour les professionnels du droit.

Enfance et partage

www.enfance-et-partage.com

Site officiel d'Enfance et partage, association de prévention de la maltraitance, des violences physiques et sexuelles et de défense des droits de l'enfant en danger, en France et dans le monde.

Eur-lex

europa.eu.int/eur-lex/fr/index.html

Portail d'accès au droit de l'Union européenne.

Famille - Démarches et droits

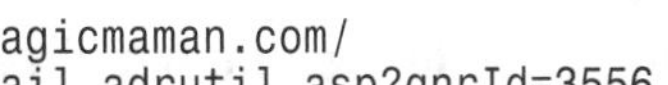

www.magicmaman.com/p_detail_adrutil.asp?gnrId=3556

Sélection d'adresses utiles pour la famille : enfants, mariage, maternité, nom de famille et prénom, prestations familiales et RMI, divorce, séparation, PACS, union libre, nationalité française, décès, succession et donation, tutelle et curatelle, recherche dans l'intérêt des familles, pension alimentaire.

FAQ juridique

www.cyber-avocat.com

Un avocat parisien vous informe sur vos droits au quotidien (famille, travail, logement, etc.). Il est également possible de poser des questions en ligne, de gérer les dossiers à distance, d'obtenir des consultations par e-mail, fax et téléphone.

Fiscal on-line

www.fiscalonline.com

Ce site d'actualités et d'informations juridiques et fiscales propose une veille législative, jurisprudentielle et administrative, des analyses et points de vue, un calendrier fiscal, des fiches techniques, des rubriques et dossiers thématiques dédiés à l'e-fiscalité, etc.

Formation.emailjob.com

formation.emailjob.com/pages/dd_fo.html

Droits et démarches des candidats à la formation (salariés et non-salariés), des demandeurs d'emploi (de moins et de plus de 26 ans), des entreprises.

Francenotaire.com 

www.francenotaire.com

Site portail du notariat.

Handroit, ou le droit du handicap

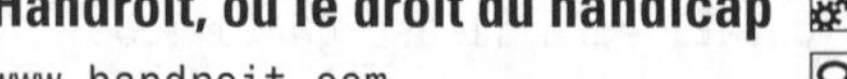

www.handroit.com

Guide pour l'attribution et la prescription des allocations pour les handicapés en France à tout âge : comment obtenir l'allocation aux adultes handicapés, la prestation dépendance, l'invalidité, la tierce personne, la retraite pour inaptitude, etc.

I point 

www.polydis.fr

Depuis sa création, la société Internet Point dispose de références dans tous les secteurs économiques, entre autres dans le domaine judiciaire et notarial. En vous connectant sur le site, vous découvrirez comment intégrer votre projet en cohérence avec les orientations de la profession et vous accéderez à quelques sites complémentaires.

Immobilier - Droits et démarches 

www.dossierfamilial.com/html/sitemap_4.html

Droits et démarches des locataires et des propriétaires.

Info droit  

www.infodroits.org

Au programme : droit français, informations juridiques en ligne, actualité juridique, conseils concernant la loi. Connaissez vos droits avant de rencontrer un avocat ou de passer devant le juge.

Institut national de la propriété industrielle

www.inpi.fr

L'Institut national de la propriété industrielle : connaître et comprendre l'INPI, protéger ses innovations, tarifs, enveloppes Soleau, base de données des brevets et marques.

Intérêts privés 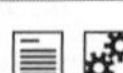

interetsprives.grouperf.com

Groupe Revue fiduciaire : service d'informations juridiques, fiscales, sociales et comptables, éditions, revues, CD-ROM, logiciels, etc.

Journal officiel de la République française

www.adminet.com/jo

Sur le site du Journal officiel de la République française, vous pouvez consulter les lois, décrets, arrêtés et décision ainsi que les numéros complets du Journal officiel.

Journaux officiels

www.journal-officiel.gouv.fr

Les journaux officiels : le plus court chemin entre la loi et vous.

Juridirect

www.juridirect.com

Guide pratique des tribunaux de France, portail du droit et annuaire de sites juridiques, à l'usage des professionnels du droit et des usagers de la justice.

Juriforum

www.juriforum.fr

Votre référence juridique : actualités, archives, bibliothèque, annuaires, agenda, fournisseurs, indices et taux, sites apparentés.

Juriguide

www.juriguide.com/pages

Annuaire des sites juridiques.

Juripole

juripole.u-nancy.fr

Le Juripole de Lorraine est un serveur destiné à la diffusion de l'information juridique scientifique et de l'information de la recherche en droit. Il comprend plusieurs bases de données de droit français.

Juriscom

www.juriscom.net

Revue du droit des technologies de l'information.

Jurisexpert

www.jurisexpert.com/site/index.cfm

Ce site donne de multiples informations sur les législations d'Internet, classées par types d'acteurs : internautes, commerçants, informaticiens et créateurs de sites.

JurisNet

www.jurisnet.org

Jurisnet est le premier serveur français entièrement dédié aux juristes. Il a pour but de leur faciliter l'accès au réseau Internet.

La porte du droit

www.laportedudroit.com

La porte du droit est le premier portail juridique francophone. Il vous propose plus de 1 700 liens évalués et commentés par une équipe d'avocats.

Le Conseil d'Etat

www.conseil-etat.fr

Le Conseil d'Etat est à la fois juge administratif suprême et conseiller du gouvernement. Il est l'échelon souverain de la juridiction administrative qui juge les litiges entre les particuliers et l'administration.

Le droit français

www.droit.org

Le portail du droit français vous dit tout ce que vous devez savoir sur les textes de loi, les décrets, les codes, la jurisprudence, etc.

Le Particulier 

www.leparticulier.fr

Le site du journal Le Particulier vous informe de vos droits : justice, impôts, banque, consommation, automobile, famille, logement, vie professionnelle, etc.

Le Protecteur du citoyen 

www.ombuds.gouv.qc.ca

Le Protecteur du citoyen a pour rôle de corriger les erreurs et injustices des ministères et organismes du gouvernement du Québec.

Le réseau de protection du consommateur 

www.consommateur.qc.ca/index.html

Réseau de protection du consommateur au Québec.

Le réseau juridique du Québec 

www.avocat.qc.ca

Centre d'information du droit et des contrats pour le public et les affaires au Québec.

Legalis.net

www.legalis.net

Legalis est un site consacré aux aspects juridiques d'Internet, de l'informatique et des télécommunications.

LégiFrance Famille 

www.legifrance.gouv.fr/waspad/uncode?code=cfam

LégiFrance propose l'intégralité du code de la famille et de l'aide sociale.

LegiFrance 

www.legifrance.gouv.fr

LégiFrance, l'essentiel du droit français, est un portail du droit français et européen (législation, jurisprudence, parlement).

Legisnet

www.legisnet.com

S'intéressant aux systèmes juridiques des pays francophones et particulièrement au droit maghrébin et français, le site Legisnet offre un accès simple et rapide aux articles des thèmes proposés par le biais de puissantes bases de données indexées.

Les démarches avant de se marier  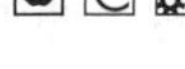

www.le-mariage.com/util.htm

Le mariage.com donne des conseils et des adresses avant de se marier.

Les prud'hommes

www.cgt.fr/07prudho/prud1.htm

Grâce à ce site, vous saurez tout sur le conseil des prud'hommes.

Lexique de la justice

www.justice.gouv.fr/motscles/alphabet.htm

Vous trouverez dans ce lexique juridique les définitions des termes utilisés sur le site Internet du ministère de la Justice.

L'internaute - 100 formulaires à télécharger 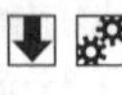

www.linternaute.com/webutile/administration/administrationformulaire.shtml

Vous avez horreur de faire la queue à la mairie, à la préfecture ou à la sécu ? Cela tombe bien :

L'internaute a sélectionné pour vous, sur le portail administratif service-public.fr, plus de 100 formulaires administratifs à télécharger.

L'Internet juridique

www.internet-juridique.net

Informations juridiques et sélection de sites sur le commerce et l'économie.

Log'in

www.login-inf.fr

Ce site propose des programmes destinés au syndic de copropriété, à la location saisonnière, à la gestion immobilière et aux transactions immobilières.

Matériaux juridiques et politiques

mjp.univ-perp.fr

La digithèque de matériaux juridiques et politiques propose, depuis 1998, des documents en langue française : France, Europe, constitutions, traités, élections, défense, textes, universités.

Médiateur de la République

www.mediateur-de-la-republique.fr

Institution indépendante créée en 1973, le Médiateur de la République a pour mission d'aider les personnes physiques et morales en cas de mauvais fonctionnement d'une administration, d'une collectivité locale ou d'un service public.

Ministère de la Justice français

www.justice.gouv.fr

Sur le site Web du ministère de la Justice français, retrouvez l'actualité du ministère et les discours du garde des Sceaux, informez-vous sur la justice en France et dans votre région, consultez le lexique des termes juridiques, les grands textes de la République et des droits de l'homme.

Ministère de l'Emploi et de la Solidarité

www.social.gouv.fr

Le site du ministère de l'Emploi et de la Solidarité donne des informations dans les domaines suivants : santé, social, emploi, ville, économie solidaire, famille et enfance.

Ministère de l'emploi

www.travail.gouv.fr/index.asp

Le site du ministère de l'Emploi et de la Solidarité : informations pratiques sur le droit du travail, l'accès à l'emploi et la formation professionnelle, actualités, publications, études et statistiques.

Notaires de France

www.notaires.fr

L'acte authentique, présentation de la profession, votre notaire vous conseille, le notariat dans le monde, formation du notaire et de ses collaborateurs, rencontres avec le public.

Office de la propriété intellectuelle

opic.gc.ca

L'Office de la propriété intellectuelle du Canada est responsable, en grande partie, de l'administration et du traitement des demandes de propriété intellectuelle au Canada.

Office de la protection du consommateur

www.opc.gouv.qc.ca

Site de l'Office de la protection du consommateur au Québec.

Option consommateurs

www.option-consommateurs.org/index.html

Options consommateurs est une association québécoise qui vous aide, vous informe et défend vos intérêts.

Organisation internationale du travail

www.ilo.org/public/french/ index.htm

L'Organisation internationale du travail a pour vocation de promouvoir la justice sociale et notamment de faire respecter les droits de l'homme dans le monde du travail.

Organisation mondiale de la propriété intellectuelle

www.wipo.int/index.html.fr

Site de l'Organisation mondiale de la propriété intellectuelle (OMPI), point d'entrée pour obtenir des informations sur la propriété industrielle et le droit d'auteur.

Panoranet

www.panoranet.com

L'association Panoranet propose des informations sur le respect de la vie privée sur le Net.

Paris.fr - Droits et démarches

www.paris.fr/fr/vos_demarches

Guide des droits et démarches, au niveau national et local.

Portail du droit belge

www.droitbelge.be

Portail des ressources juridiques en ligne (Belgique) : actualités juridiques quotidiennes (revue de sites) et répertoire des sites juridiques.

Protégez-vous

www.protegez-vous.qc.ca

Le magazine québécois Protégez-vous propose différents textes sur les droits des consommateurs et des liens vers des sites complémentaires (avocats, associations de consommateurs, etc.).

Rappels et défauts des véhicules

www.tc.gc.ca/RoadSafety/recalls/recintro_f.htm

Site d'information aux conducteurs de la sécurité routière du Canada.

Repercom

www.repercom.org

Répertoire des sites consacrés au droit des Communautés européennes.

Résidence paritaire

www.fmcp.org

Ce site défend les droits de l'enfant à profiter de ses deux parents, en cas de séparation ou de divorce.

Revue Droit de l'informatique et des télécommunications

www.dit.presse.fr

Découvrez les dernières données chiffrées sur le droit de l'informatique et des télécommunications.

RIDI.ORG

www.ridi.org

Revue d'analyse juridique de l'actualité internationale : articles, chroniques, entretiens, débats, conférences, sélections et recherche de sites.

SCAM

www.scam.fr

Le site de la Société civile des auteurs du multimédia donne accès à quatre rubriques : l'auteur, la SCAM, les événements et le multimédia.

Sécurité du consommateur, L'Usine nouvelle

www.usinenouvelle.com/usn/site/pages/dossiers/gene

L'Usine nouvelle propose plusieurs dossiers consacrés à la sécurité du consommateur (alimentation, risques industriels, etc.).

Service Public, formulaires pour particuliers

www.service-public.fr/formulaires/index.html

Ce site vous permet de télécharger la totalité des formulaires administratifs disponibles. La recherche se fait par thème ou par numéro Cerfa.

Sites spécialisés en droit international

www.toile.org

Conception et développement de sites Web spécialisés en droit international.

SOS-Net consommateur, défense du consommateur

www.sos-net.eu.org/conso/pageaccu.htm

Site de référence en matière de défense de consommateurs.

SOS-Net

perso.wanadoo.fr/sos-net/index.htm

Sur SOSNet : droit du consommateur, du travail, de la famille, du surendettement, de la santé, des successions, du contribuable, des étrangers en France, du copropriétaire, du logement, de l'immobilier, des technologies, de la fiscalité, de l'euro, etc.

Tiboo, vie pratique

www.tiboo.com/contenu/vipratic/vipratic00.htm

Infos pratiques et conseils concernant vos droits, les modes de garde d'enfants, les grands moments de la vie quotidienne, etc. Achat et vente de matériel d'occasion pour bébé, trucs et astuces pour résoudre vos petits problèmes techniques.

Une plainte ? Un litige ? Une protestation ?

www.raleur.com

Râleur sert de relais entre les consommateurs et les services clients. Grâce à lui, l'internaute peut dénoncer les dysfonctionnements auxquels il est confronté.

Unedic et Assedic

www.assedic.fr

Site de l'Unedic et des Assedic. Ses objectifs : apporter des informations pratiques aux demandeurs d'emploi et aux employeurs, présenter les institutions du régime d'assurance chômage, donner des informations statistiques et réglementaires.

Union fédérale des consommateurs

www.ufc-net.com

L'union fédérale des consommateurs Que Choisir de Nancy vous informe sur le droit des consommateurs et vous aide à résoudre vos litiges de consommation. Vous trouverez sur le site une démo du CD-ROM Consomédia.

Union fédérale des consommateurs, Que choisir

www.quechoisir.org

L'Union fédérale des consommateurs Que Choisir propose des dossiers pour informer le consommateur, pointe les produits rappelés par les fabricants et donne les coordonnées de nombreuses associations de consommateurs locales pour vous aider à régler vos litiges.

URSSAF

www.urssaf.fr

Site de l'URSSAF : recouvrement, réglementations et accès aux sites locaux.

Village de la justice

www.village-justice.com

Le village de la justice est un carrefour juridique : annuaire de sites, de fournisseurs, forums, articles, emploi, actualité.

Vos droits et démarches

www.justice.gouv.fr/vosdroit/droit1.htm

Droits, devoirs et démarches du citoyen français.

Drogues

AGED

www.geodrugs.net

Association d'études géopolitiques des drogues : lettre mensuelle d'information, cartes, photos, information sur les drogues dans le monde, reportages dans le monde entier, abonnement.

AMPT

www.ampt.org/accueil.htm

Site de l'Association méditerranéenne de prévention des toxicomanies, basée à Marseille.

Association pour la recherche et l'information sur les toxicomanies

www.arit.org 

Site de l'Association pour la recherche et l'information sur les toxicomanies.

Association pour l'écoute et l'accueil des toxicomanes

www.apleat.com

Site de l'Apleat, Association pour l'écoute et l'accueil des toxicomanes, basée à Orléans.

Au féminin e-cartes

www.aufeminin.com/cartes/ cartes.asp

De nombreuses cartes électroniques vous attendent sur AuFéminin.com : anniversaire, amour, enfants, amitié, fête des Pères, naissance, invitation, animaux, etc.

Comité national d'information sur la drogue

www.cnid.org

Information sur les drogues (cannabis, ecstasy, amphétamines, héroïne, cocaïne, crack, etc.) et lutte contre la toxicomanie.

Doctissimo - Drogues et dépendances

www.doctissimo.fr/html/sante/partenariat/mildt/intro_4.htm

Ce site informe sur les drogues pour mieux prévenir leur usage.

Drogues et société

perso.wanadoo.fr/drogues.et.societe

Drogues et société est une association loi 1901 qui organise l'aide pour les personnes concernées par l'usage des drogues et la prévention des toxicomanies.

La dangerosité des drogues

www.drogue-danger-debat.org

Ce site relance le débat sur la dangerosité des drogues dites douces, en donnant la parole à des experts, scientifiques et médecins.

Les drogues

cyberpharmacie.free.fr/drogues.htm

Dossiers sur les drogues les plus courantes, leurs risques et leur dépendance : tabac, cannabis, GHB, héroïne, cocaïne.

Les élèves de troisième de la Fondation Poidatz

perso.wanadoo.fr/zanzan

Connaissance et prévention des risques liés aux drogues, au tabac et à l'alcool.

Les ouvrages du docteur Eric Loonis

drogue.free.fr

Découvrez les ouvrages du docteur Eric Loonis, psychopathologue : structure des fantasmes érotiques, mise en scène de nos egosexualités, délinquance sexuelle, théorie générale de l'addiction, introduction à l'hédonologie, etc.

MILDT

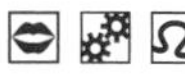

www.drogues.gouv.fr

La MILDT propose des informations juridiques et médicales sur les drogues : lois, soins, prévention, effets, risques, infos sur le tabac et l'alcool, la dépendance au cannabis, à l'héroïne, à la cocaïne ou à l'ecstasy. Ce site donne également accès à un forum.

Politiques publiques en matière de drogues

www.entretemps.asso.fr/drogues

Evaluation des politiques publiques en matière de drogues.

Prospective jeunesse

www.prospective-jeunesse.be

Site de prévention contre la drogue chez les jeunes : informations, bibliothèque, accompagnement individuel ou familial, formations.

Usages de drogues, risques routiers et transgression

www.cesdip.msh-paris.fr/qp_99_3.htm

Perception des risques routiers par les usagers de drogues illicites.

e-cartes

Banque mondiale des bizous

www.ebizous.com

Banque mondiale des bisous. Envoyez une e-card à l'élu(e) de votre cœur à chaque occasion ou "non-occasion" qui se présentera. A consommer sans retenue.

Cartes animées pour enfants

www.cartespourenfants.com

Ce site propose des cartes animées pour les anniversaires, les amis, Noël, la fête des Mères, la fête des Pères, Pâques, Halloween et bien plus. Toutes les cartes sont gratuites.

Cartes postales électroniques

services.aol.fr/cartes

Envoyez des messages à vos amis : anniversaire, naissance, humour. Toutes les occasions sont bonnes pour leur adresser des cartes postales électroniques.

Cartes virtuelles de l'Internaute

cartes.linternaute.com

Sélection de cartes virtuelles par l'Internaute : anniversaire, bonne fête, amour, le bac, week-end, humeur, remerciements, vacances, naissance, anniversaire de mariage, etc.

Cybercartes.com

www.cybercartes.fr

Leader francophone des cartes postales virtuelles.

Dromadaire.com

carte.dromadaire.com/fr/index.html

Site francophone de cartes postales virtuelles gratuites. Création en ligne de pages Web, e-mail gratuit et nombreux autres services gratuits.

E-carte

www.ecarteweb.com

E-carte vous permet de posséder votre service gratuit de carte postale virtuelle sur votre site Web avec vos propres images/photos, timbres et couleurs. Il vous permet aussi d'en envoyer à vos amis.

E-cartes pour enfants

www.sitespourenfants.com/ecartes

SitesPourEnfants.com propose aux enfants d'envoyer gratuitement des cartes virtuelles à leurs amis.

Excite France - E-cartes

www.excite.fr/ecartes

Envoyez vos e-cartes par l'intermédiaire d'Excite France : anniversaire, diplôme, fleurs, journée de la femme, amitié, bonne année, manga, paix, Saint-Valentin, etc.

Girafe timbrée

www.girafetimbree.com

Confiez vos mots doux au facteur au long cou. La Girafe timbrée vous propose une série de cartes postales originales. Choisissez, remplissez, timbrez et cliquez. C'est envoyé.

Les e-cartes

www.websitecenter.org/carte.shtml

Ce service vous permet de proposer à vos visiteurs l'envoi d'e-cartes avec des images que vous aurez choisies (photos de votre site, votre logo, etc.).

Radio-Canada.ca, Zone Jeunesse

radio-canada.ca/jeunesse/index.html

Sur ce site pour les enfants : cartes virtuelles, forums, jeux, etc.

Voila cartes

www.voila.fr

Ce site propose des cartes postales virtuelles pour toutes les occasions. Ces cartes humoristiques, animées et musicales, serviront pour vos invitations, faire-part, anniversaires et fêtes.

e-mails gratuits, acheminement e-mail

Arobase.org

www.arobase.org

Tout sur le courrier électronique : les logiciels, le mail gratuit, les cartes postales, les bons plans, le cryptage, etc.

BeeTell

fr.beetell.com

Service gratuit, facile et amusant, permettant de recommander à ses amis n'importe quelle page ou site Web.

E-mailing et mail marketing ciblé

www.emailingfrance.com

E-m@iling France vous propose : l'envoi de vos messages sur une base de 70 millions d'adresses e-mail qualifiées et l'insertion de vos messages sur plus de 100 listes de diffusion francophones représentant 1 300 000 abonnés.

FacileWeb

www.facileweb.com/sections.php?op=viewarticle&artid=1

Cette page permet de créer une adresse e-mail gratuite du type votre_nom@facilepost.com.

Faire suivre

www.emailingfrance.com

FaireSuivre.com est spécialisé dans la redirection d'adresses e-mail et le transfert d'e-mails avec alias. Conservez la même adresse à vie, même si vous changez de fournisseur d'accès.

Faxer par Internet

www.faxexpert.com

Service français d'émission de fax *via* e-mail.

Francité - e-mail gratuit

webmail.francite.com

Service francophone d'e-mail gratuit.

Hotmail

login.passport.net/uilogin.srf?id=2

Cette messagerie Web gratuite et sécurisée vous propose de créer votre adresse e-mail.

JMA software

www.jmasoftware.com

Ce site vous propose de télécharger un shareware qui vous permet d'utiliser votre compte webmail (Caramail, HotMail, Yahoo!, etc.) comme n'importe quel compte POP3 dans votre logiciel de courrier électronique.

La Poste, Cyberposte

www.cyberposte.com

Cyberposte vous emmène sur Internet : consultez votre boîte aux lettres, découvrez tous ses avantages, connectez-vous n'importe où en France grâce aux 1 000 bureaux Cyberposte et faites le tour du monde en 80 sites avec la sélection Cyberposte des sites utiles.

Le mailclub 

www.mailclub.fr

Mailclub est un spécialiste du dépôt de noms de domaines, toutes extensions. Il propose également des adresses e-mail gratuites, des reroutages e-mail et URL ainsi que l'hébergement et le référencement de vos sites Web.

Lycos - e-mail gratuit

mail.lycos.fr

Service d'e-mail gratuit de la forme @lycos.fr ou @multimania.fr.

MailClub

www.mailclub.net/pop

Le MailClub vous permet d'accéder à votre boîte e-mail où que vous soyez, à partir d'un simple navigateur Web. Aucune inscription préalable, pas de détails personnels à fournir, simplement votre courrier où et quand vous le voulez.

Mailev@ et Edipost 

www.telepost.fr

Maileva propose des services pour l'entreprise : envoi de lettres et de télécopies d'un simple clic, externalisation et gestion complète des échanges administratifs et commerciaux (EDI, EFI, Web).

Mailoon

mailoon.zzn.com/email/french/login/login.asp?SubDomain=mailoon

Mailoon vous propose de créer une adresse e-mail gratuite.

Meet4Free

emeeting.free.fr

Un service de correspondance à ne pas rater qui couvre déjà 101 pays et 30 langues.

Melimail

www.melimail.com

Melimail vous offre une adresse e-mail gratuite d'une capacité totale de 5 Mo, la possibilité de consulter jusqu'à trois de vos comptes POP/IMAP, ainsi qu'un filtrage antispam efficace.

Page antispam  

SpamAntiFr.cjb.net

Ce site est dédié à la lutte contre le spamming : infos, liens, conseils, listes noires des domaines dangereux, utilisateurs malsains et revendeurs d'adresses.

Rentabilisez vos listes de diffusion

www.adonmail.com/fr

Ad On Mail propose un système permettant d'insérer de la publicité dans vos courriers électroniques.

Services par e-mail 

www.legratuit.com/Services_par_mail/Adresses_email

Sélection de sites en rapport avec l'obtention d'adresses e-mail gratuites.

Webmails.com

www.webmails.com

WebMails.com vous offre une adresse e-mail gratuite, sécurisée SSL, 15 Mo d'espace permanent, ainsi qu'une hotline gratuite et réactive.

Yahoo! courrier

login.europe.yahoo.com/config/mail?.intl=fr

Yahoo France vous propose de créer votre adresse e-mail gratuitement pour stocker jusqu'à 6 Mo de messages.

Enchères

1001 Enchères

www.1001encheres.com

Service d'enchères gratuit toutes catégories : antiquités, sport, informatique, maison, TV, etc.

Ababax.com

www.ababax.com

Petites annonces gratuites et enchères : auto, moto, immobilier, vacances, immobilier, emploi, bateau, antiquités, sport, informatique, ordinateur, fax, collections, musique, télévision, téléphone, hi-fi et vidéo.

Adec

annuairedescotes.com

Leader mondial des banques de données sur les résultats de ventes aux enchères d'œuvres d'art, Artprice.com répertorie aujourd'hui plus de 4 000 000 de résultats.

AOM

encheres.aom.fr

Ce site met des places d'avion aux enchères tous les lundis.

Art auction Robert

www.art-auction-robert.com

Ventes aux enchères du commissaire-priseur Robert à Drouot : art et objets. Expertises gratuites à domicile.

Artprice.com

artprice.com

Cet annuaire répertorie les résultats de ventes aux enchères d'œuvres d'art.

Aucland

www.aucland.fr

Venez participer aux ventes aux enchères chez Aucland : art et antiquités, auto et moto, BD, collections, informatique, etc.

Auction.fr

www.auction.fr

Achetez aux enchères des véhicules, des objets d'art, du matériel professionnel. Ce site donne également accès aux offices des commissaires-priseurs.

EbayFrance.com

www.ebayfrance.com

Ventes aux enchères en ligne : collections, livres, musique, informatique, bijoux, timbres, électronique, photo, jouets.

Emclub

www.emclub.com

Au programme : petites annonces, enchères et liens vers des boutiques en ligne.

Encan francophone

www.superencan.com

Site d'enchères en ligne en provenance du Québec.

Enchères de biens immobiliers 

www.special-encheres.com/ default.htm

Vente aux enchères au tribunal de grande instance de la région PACA (Provence-Alpes-Côte-d'Azur) : Var, Alpes-Maritimes, Bouches-du-Rhône.

Enchères de vin

encheres.chateauonline.com

Les Enchères de ChateauOnline proposent deux services pour acheter ou vendre du vin aux enchères.

Enchères, le guide

www.encheresguide.com

Guide simple, pratique et rapide des sites d'enchères sur Internet.

Encheres.com 

www.encheres.com

Encheres.com est un site d'enchères physiques et en ligne : meubles et objets d'art, véhicules, ventes judiciaires, etc.

Eurobid

www.eurobid.com

Vente aux enchères gratuites de particulier à particulier, dans toute l'Europe.

Hôtel des ventes du Palais

www.artweb.fr/fr/etudes/briest/home_new.html

Calendrier des ventes aux enchères publiques organisées par l'étude Poulain & Le Fur de Paris.

I4roues.com 

www.i4roues.com/fr

Premier site d'intermédiation automobile sur le Net : appels d'offres de particuliers à professionnels, achat et vente en direct, vente aux enchères.

Iencheres.com 

www.iencheres.com

Ventes aux enchères par des commissaires-priseurs.

Immo-enchères 

www.directgestion.fr/immo-encheres

Immo-Enchères vous permet de gagner du temps dans vos recherches de biens immobiliers en mettant à votre disposition son système d'enchères inversées. Grâce à lui, vous achetez au meilleur moment des enchères, en fonction de votre budget.

Immolégal 

www.immolegal.com

Ventes aux enchères immobilières en France. Annonces en ligne et résultats des ventes des tribunaux et des notaires.

Info enchères

www.info-encheres.com

Ventes aux enchères immobilières en France. Descriptif des annonces, guide de l'acheteur et résultats.

Licitor 

www.licitor.com/index.asp

Ventes aux enchères immobilières des avocats et des notaires en France : annonce des mises aux enchères d'appartements, maisons, immeubles, fonds de commerce, comment enchérir, résultat des adjudications par types de biens et localisation.

O!Deal

www.odeal.com

O!Deal est le premier site gratuit de vente aux enchères et annonces sécurisées entre particuliers.

Onatoo

www.onatoo.com

Onatoo est un site de vente aux enchères sur Internet. Très complet et facile d'accès. A visiter.

Ordikaz

www.ordikaz.com

Site d'annonces et d'enchères de matériel informatique et de jeux vidéo d'occasion.

Sud enchères

asyst.free.fr/sudencheres/asud

Ventes aux enchères d'immobilier du sud de la France.

Ventes aux enchères immobilières

www.avocat-am.com

Ce cabinet d'avocats offre ses services dans la vente aux enchères.

Voyager moins cher

www.voyagermoinscher.com/encheres/encheres.asp

Trouvez votre voyage au meilleur coût en comparant les prix des billets d'avion, hôtels, séjours et croisières proposés par les grandes agences de voyages et les tours opérateurs.

WebEnchères

www.webcaraibes.com

Webenchères vous permet de faire de bonnes affaires en achetant et en vendant tous types d'objets aux enchères.

Famille

1 2 3 Baby

www.123baby.com

Guide pour les futures et jeunes mamans : avant bébé, bébé arrive, bébé grandit, plans vacances avec bébé, boutique.

A baby on Web

www.babyfrance.com

Tout ce que vous avez toujours voulu savoir sur l'univers du bébé et de la jeune et future maman : articles pour la grossesse, la maternité, la santé, les soins, l'accouchement, mais aussi les bonnes adresses des crèches, maternités, gynécologues, etc.

Agence Nourrice.com

www.agence-nourrice.com

La plus grande base de CV dédiée à la garde d'enfants : assistantes maternelles agréées, nourrices à domicile, baby-sitters, filles au pair, gardes partagées, emplois à domicile.

AGI

www.chez.com/agi/intro.htm

Ce site recense des milliers de pages relatives à la généalogie à travers le monde.

Allocations familiales

www.caf.fr

Le site des caisses d'allocations familiales : prestations familiales et aides au logement, formulaires à télécharger, adresses, rôle et services des CAF.

Assistantes maternelles 

www.assistante-maternelle.org

Etude et défense de la profession d'assistante et d'assistant maternels toutes catégories confondues : diffusion de textes, fiches techniques, assurances, contrats de travail, médiation.

Assistantes maternelles, Référence

www.assmat.com 

Assmat.com, c'est la référence pour l'emploi des assistantes maternelles agréées au service des particuliers : documentation, informations actualisées, logiciels et panorama des sites, documents et adresses utiles.

Association française de généalogie

www.afg-2000.org

Le site de l'Association française de généalogie : manuel de l'internaute, manuel du généalogiste, ressources utiles, outils de communication, association et informations légales.

Aufeminin.com, Goûter  

www.aufeminin.com/enfants/gouter/egouter0.asp

Tout sur le goûter d'anniversaire : planning, activités, buffet, etc.

Babyglobe

babyglobe.famille-rosset.net

Guide Internet sur la grossesse, la naissance, bébé, l'enfant et la famille.

Bébé Info 

www.bebeinfo.org

Ce site informe et met en relation les parents et les professionnels de la petite enfance.

Bebe Net 

www.bebe.be/Bebe/dossiers/BebeNet/bebenet.htm

Pour simplifier la vie quotidienne des parents et futures mamans, Bébénet vous propose de visiter plusieurs sites en rapport avec les tout-petits.

Bibliogenweb

jomave.chez.tiscali.fr/bgw

Ce site propose aux généalogistes une bibliographie d'ouvrages ayant pour thème l'histoire régionale ou l'histoire locale.

BonWeb - Vie pratique, famille 

www.bonweb.com/p_7_183.php

Sélection des meilleurs sites et portails pour parents, par bonweb.com.

Café de l'école des parents

www.cafe-des-parents.com

Au café de l'école des parents, on vous sert surtout des idées et des renseignements. Quelques-uns des thèmes abordés : arrivée d'un enfant, santé, école, jeunes, activités et situation familiale.

Carnet psy

www.carnetpsy.com

Carnet psy est un site spécialisé dans la psychiatre et la psychanalyse : agenda, expositions, bibliographie et liens complémentaires.

Chaîne Famille

www.neuf.fr/famille

Annuaire de sites en rapport avec la famille : associations, divorce, droit civil, mariage, ados, enfants, parents, presse, seniors.

Chez Gaétane et Claude

pages.infinit.net/clauded

Conseils de vie et de bonne humeur pour tous, de 7 à 77 ans et plus.

Chloé

www.stsf.ch

Le petit monde de Chloé : journal d'une grossesse et d'une naissance, poèmes et histoires autour des neuf mois de grossesse.

Comptines, chansons et poésies

www.momes.net/comptines/index.html

Sur ce site, vous trouverez des chansons enfantines et des comptines traditionnelles francophones.

Dis papa !

www.dispapa.com

Site d'assistance aux parents qui n'arrivent pas à répondre à toutes les questions de leur progéniture.

Disneyland Paris

www.disneyland-guide.com/default_ie.htm

Vous voulez profiter pleinement de votre visite à Disneyland Paris ? Les conseils personnels donnés sur ce site et les photographies inédites vous aideront à préparer votre journée.

Divorce-Famille

www.divorce-famille.net

Venez trouver des réponses aux questions que vous vous posez au sujet du divorce ou de la séparation.

Dossier familial

www.dossierfamilial.com

Le site de la vie quotidienne : maison, emploi, argent et santé.

Education des enfants sourds

membres.lycos.fr/anpes

Site de l'Association nationale des parents d'enfants sourds : informations sur l'éducation bilingue des enfants sourds, actions auprès des pouvoirs publics, ressources pour les familles.

Education parents enfants

www.zelius.com

Site d'information pour les parents et les enfants.

E-prenoms

www.e-prenoms.com

Guide de 5 000 prénoms : origine et étymologie des prénoms, saints, saintes, bienheureux, bienheureuses, vénérables.

Famille

www.pratique.fr/vieprat/fam

Portail Famille : mariage, maternité, vie familiale.

Familles.com

www.familles.com

Sur le site de la grossesse et des jeunes parents, vous trouverez de nombreuses ressources sur la grossesse, les bébés, les enfants et l'éducation, un guide des prénoms et des maternités, des conseils d'experts et bien d'autres choses encore.

Familoo

www.familoo.com

Avec familoo.com, créez gratuitement le site Internet de votre famille pour partager des photos, discuter sur le chat, donner des nouvelles, consulter le calendrier et l'annuaire familial.

Fédération "Naître et Vivre"

www.naitre-et-vivre.asso.fr

Etude de tous les problèmes liés à la mort subite de nourrisson.

Francegenweb.org

www.francegenweb.org

Ce site propose un service bénévole d'assistance généalogique.

Galichon.com

www.galichon.com

Généalogie, histoire locale avec la découverte de Belmont, Cours-la-Ville et Sevelinges ainsi que de nombreuses généalogies célèbres.

Genami

asso.genami.free.fr

Site de l'association de généalogie juive internationale.

Gene2000

www.gene2000.com

Gene2000 a pour but de faciliter vos recherches concernant la généalogie. Vous y trouverez des adresses utiles et un annuaire de sites classés par thèmes.

Généalogie et histoire en France

www.gefrance.com/fr/index.htm

Ce généalogiste professionnel vous propose de retrouvez vos ancêtres en France.

Genealogie.com

www.genealogie.com

Genealogie.com est un portail de la généalogie francophone. Il concerne les généalogistes du Québec, de France, de Louisiane ou d'Acadie d'origine française.

Genealogy France

www.genealogy.tm.fr

Sur Genealogy France, recherchez les origines de votre nom de famille, consultez la carte de France de vos patronymes et accédez à de nombreux services généalogiques gratuits.

Geneanet

www.geneanet.org

Passionnés d'histoire et de généalogie, retrouvez votre patronyme et l'histoire de votre famille dans les bases de données des utilisateurs de cet espace généalogique.

Genlink.org 

www.genlink.org

Genlink est un moteur de recherche pour la généalogie. Il indexe en une fois tous les patronymes publiés sur votre site avec les programmes Ged2www, Gedpage, Ged2HTML, Gedbrowser, Ged4Web ou Ancestra.

Grossesse et accouchement 

www.lamaternite.com

Grossesse et accouchement, bien-être du bébé et santé des parents.

Guide parents Lycos 

www.lycos.fr/dir/Feminin/Famille

Etre parent n'est pas une sinécure. A chaque âge correspond son lot de préoccupations : adolescence, scolarité, croissance, etc. Suivez le guide pour résoudre vos soucis actuels.

Guide Parents 

www.toile.qc.ca/guides/societe/parents

Les meilleurs sites pour préparer l'arrivée de son bébé, s'informer sur la grossesse, soigner et éduquer son enfant.

Jeunes plus 

www.jeunesplus.org

Parents et enseignants, participez à la réussite des jeunes. Vous trouverez ici des dossiers, des liens, des livres et un annuaire du soutien scolaire.

Jumeaux, triplés, enfants multiples

asso.nordnet.fr/jtem 

Nous souhaitons tous participer harmonieusement à l'éducation et l'épanouissement de nos enfants et de nous-mêmes. C'est dans cette optique que cette association souhaite travailler, en offrant aux familles le soutien nécessaire.

Junior-Web

www.juniorweb.com

Centre spécialisé pour les enfants et la famille : soins, santé, éducation, pédiatrie, alimentation, pédagogie, programmes éducatifs, ressources, références, développement préscolaire.

Kid ado  

kidado.free.fr

Le site des enfants, des ados et de leurs parents.

KidiWeb 

www.kidiweb.com

KidiWeb sélectionne pour vos enfants des activités pour les vacances d'été. Durée : un jour, une semaine ou deux mois.

La généalogie sur Internet 

membres.lycos.fr/numa/assgensurnet.html

Le site de la généalogie sur Internet : congrès, manifestations, associations, instance nationale, bibliothèque et archives.

La Pomme d'or

www3.sympatico.ca/martine.mario/Pomme-or

La Pomme d'or récompense les sites pour enfants qui se distinguent par la qualité de leur contenu. A consulter sans attendre.

Le Bouclier

www.bouclier.org/index.shtml

L'association Le Bouclier défend les droits de l'enfant et le respect de la personne humaine.

Le dictionnaire des prénoms

membres.lycos.fr/arche/prenoms

Cette page est conçue pour vous aider à choisir le prénom de votre enfant.

LégiFrance

www.legifrance.gouv.fr/waspad/uncode?code=cfam

LégiFrance propose l'intégralité du code de la famille et de l'aide sociale.

Les astuces en cuisine

perso.wanadoo.fr/lesastucesencuisines

Recettes et astuces en cuisine pour enfants et adultes.

Les histoires de Baba

perso.wanadoo.fr/lesastucesencuisines

Ces histoires sont à la disposition de tous. Si l'une d'entre elles peut apporter un peu de bonheur à un enfant, Baba, là où elle est, sera très heureuse…

LesColos.com

www.lescolos.com

Portail des centres de vacances, colonies et camps destinés aux enfants, adolescents et parents : formation BAFA et BAFD organisées pour animateurs et directeurs, centres de vacances en location, services aux associations organisant des centres de vacances et formations.

Librairie généalogique de la voûte

www.lavoute.org

Site de la librairie généalogique de la voûte.

MagicMaman

www.magicmaman.com

MagicMaman suit vos enfants de la grossesse à l'adolescence : informations pratiques, dossiers, conseils de spécialistes, forums de discussion (attente d'un bébé, maternité, problèmes du nourrisson, maladies enfantines, éducation).

MeilleursPrenoms.com

www.meilleursprenoms.com

Ce site présente une liste de prénoms classiques et originaux. Vous y découvrirez également l'étymologie et les statistiques d'utilisation de chaque prénom, un historique pour tout savoir sur l'évolution des prénoms dans l'histoire et un dossier législation pour compléter votre connaissance des lois françaises qui se rapportent au choix des prénoms.

Ministère de la Famille et de l'Enfance

www.famille.gouv.fr

Site du ministère de la Famille et de l'Enfance : le ministère, point presse, renseignements pratiques, documentation, recherches, études et statistiques.

Ministère de l'Education nationale

www.education.gouv.fr/prat/calendrier/calendrier.php

Calendrier scolaire du ministère de l'Education nationale.

Mirage

www.MagieFrance.com

Le site français de la prestidigitation et des arts annexes.

Mission vie et famille

www.missionvieetfamille.com

MVF est une association chrétienne vouée au conseil conjugal et familial.

Monbebe.com

www.monbebe.com/home

Si vous attendez un heureux événement, ce site peut vous aider à répondre aux questions que vous vous posez. Quelques-unes des rubriques abordées : dossiers pratiques, témoignages, produits, petites annonces, revue de presse, etc.

Mon-mariage.com

www.mon-mariage.com

Très complet, cet annuaire dit tout ce qu'il faut savoir pour réussir son mariage.

MSN Femmes - Famille

femmes.msn.fr/famille

Cette rubrique est dédiée à la famille, aux mamans et aux parents en général : maternité, relations familiales, relations parents/enfants, psychologie, informations sur la généalogie, noms et prénoms, etc.

Petitmonde

www.petitmonde.com

Le site Internet de la famille et de l'enfance : articles d'actualité, chroniques variées, mots d'enfants, concours, sondages, sujets d'intérêt pour les parents (plus de 20 000 pages).

Petitsminous.com

www.petitsminous.com

Sur petitsminous.com : berceuses, chansons, comptines, histoires, dessins animés en K7 vidéo élaborés avec les crèches et les écoles maternelles de France.

Portail du mariage et du couple

mariage.eklesia.net

Portail francophone du mariage et du couple. Préparation au mariage chrétien.

Prenoms.com

www.prenoms.com

Guide des prénoms francophones : des milliers de prénoms, des statistiques, des renseignements et des forums sur les prénoms de bébés. Pour les futurs parents et toute la famille.

Psychologie et psychologues à votre service

www.psychomedia.qc.ca

Portail de la psychologie : informations en psychologie, dossiers, actualités, communauté, nouvelles, chat et petites annonces.

Psychologie sur Internet

www.psychonet.fr

Psychonet fournit des réponses à vos questions sur le stress au travail, la sexualité conjugale, l'éducation des enfants, les phobies sociales, les tests et consultations.

Psychologie

www.psychologies.com

Psychologies.com, pour mieux vivre votre vie (couple, sexualité, enfants, travail, santé, thérapie, etc.) : tests de personnalité, conseils d'experts, adresses, forums, et archives de Psychologies magazine.

Psychonet.tv

www.psychonet.tv

Thèmes abordés sur Psychonet.tv, en version RealVideo : psychologie, bien-être, mieux-être, couple et sexualité.

Résidence paritaire

www.fmcp.org

Ce site défend les droits de l'enfant à profiter de ses deux parents en cas de séparation ou de divorce.

SGCF

www.sgcf.com/presenta.htm

Le site de la Société généalogique canadienne-française.

SOS grossesse

www.sosgrossesse.org

Réponses à vos questions sur la grossesse, l'avortement et les droits des femmes.

SuperLuciole

superluciole.free.fr

Sur SuperLuciole, vous trouverez des conseils de lecture pour enfants et adolescents : résumés de livres, fiches de lecture, poésies, interview d'auteurs jeunesse, actualité de la littérature pour les jeunes.

Tête à modeler

www.teteamodeler.com

Sur ce site : des fiches gratuites d'activités manuelles et pédagogiques pour les enfants de 3 à 12 ans, des outils pour suivre et accompagner l'éducation et le développement de son enfant ainsi que des évaluations de logiciels pour enfants.

Tiboo

www.tiboo.com

Sur ce site, vous trouverez des conseils santé, alimentation, éveil de bébé, des idées de jeux et sorties, des informations pratiques, des petites annonces, des espaces de discussion et des forums.

Tiboo, activités

www.tiboo.com/contenu/activites/activites.htm

Tout savoir sur le développement du nourrisson : dossiers sur la psychologie de l'enfant, éveil, idées de jeux, chansons, histoires, comptines et contes.

Tiboo, alimentation

www.tiboo.com/contenu/manger/manger00.htm

Tout savoir sur l'alimentation du nourrisson : dossiers sur l'allaitement maternel et artificiel, diversification, aliments et idées recettes.

Tomlitoo

www.tomlitoo.com

Tomlitoo, le site pour les parents d'enfants de 0 à 6 ans. Il propose des livres, des jeux et des coloriages à imprimer pour les enfants, des sorties, des recettes et des astuces pour les tout-petits.

UCGHN

www.ucghn.org

Site de l'Union des cercles généalogiques et héraldiques de Normandie.

Yann spectacles

yannspectacles.free.fr

En Bretagne et partout en France : spectacles pour enfants, comédies paysannes, spectacles médiévaux et spectacles de rues.

Famille : cadeaux et jouets

1 2 3 famille

www.123famille.fr

Sur le site de 1 2 3 famille, feuilletez le catalogue VPC : divertissements, jeux, jouets, CD-ROM, livres et vidéos soigneusement sélectionnés pour tous les membres de la famille.

Abcool

www.abcool.com

Magasin virtuel de jeux et jouets s'adressant à toute la famille, Abcool propose toutes les grandes marques et tous les divertissements : jeux éducatifs, déguisements, poupées, peluches, jeux vidéo. Trouvez facilement votre jouet grâce à la recherche ciblée de l'assistant de recherche.

Acheter-moins-cher.com, guide d'achat comparatif

www.acheter-moins-cher.com.d4p.net/asp/rubrique1.asp?r=315

Achetez moins cher vos articles de puériculture grâce au comparateur de prix Acheter-moins-cher.com.

AlloMattel

www.allomattel.com

Service après-vente des jouets Mattel : service client, conseils, magasins, idées de cadeaux pour enfants.

Au p'tit magasin bleu

www.magbleu.com

Site de jouets traditionnels, spécialiste du train. Point conseil technologie digitale et jouets en bois.

Avec bébé

www.avecbebe.com

Avec bébé, boutique spécialisée dans les cadeaux de naissance et les articles de puériculture, propose produits et accessoires pour bébé, de la naissance aux premiers pas.

Babyvanilla

www.babyvanilla.com

Vente en ligne de paniers et corbeilles remplis de jouets, peluches, articles de toilette pour bébés et mamans, livrés gratuitement en quarante-huit heures sur toute la France, dans de somptueux paquets cadeaux.

Bourrelier

www.bourrelier.fr

Donnez un avantage à vos enfants, et offrez-leur des jouets pédagogiques et des jeux éducatifs reconnus par les professionnels de l'éducation.

Candide baby boutique

www.ababyzoo.com/s01/s01p01_prehome.php

Boutique en ligne pour bébés, enfants et mamans.

Catojem

www.catojem.com

Catojem, centrale de vente de jouets par correspondance, expédie ses jouets en peluche dans toute la France.

Centrale, multiples, jumeaux

www.cdm.fr

Centrale d'achats spécialisée en puériculture, hygiène bébé, alimentation, réservée aux familles à naissances multiples (jumeaux, triplés, quadruplés) ainsi qu'aux crèches, haltes-garderies, comités d'entreprises, maternités et associations.

Dépôt-vente, les bébés de Sabine

www.lesbebesdesabine.com

Tout l'univers de l'enfant à petit prix : les plus grandes marques de prêt-à-porter pour enfants et femmes enceintes, le matériel de puériculture, etc.

Emma Mouton

www.emmamouton.com

Vente en ligne de faire-part de naissance personnalisés sur papier côtelé.

Etablissements de Neuter

www.deneuter.fr

Site de vente par correspondance de jouets et cadeaux destinés aux professionnels et aux comités d'entreprise.

Eveil & jeux

www.eveiletjeux.com

Sur le site d'Eveil & jeux, découvrez des jouets, des jeux éducatifs et des jeux d'éveil pour enfants et passez votre commande en ligne.

Fischertechnik

www.fischertechnik.tm.fr

Découvrez les kits de construction Fischer Technik qui ouvrent les enfants au monde de la technique, de la mécanique et de la robotique.

Geppetoys

www.geppetoys.com

Jeux et jouets traditionnels : bois, toupies, marelles, etc.

Graine d'éveil

grainedeveil.eveiletjeux.com/home.asp?

Eveil & jeux propose des jouets, des jeux éducatifs et des jeux d'éveil pour enfants ainsi que des articles de puériculture et de pédagogie. Catalogue accessible en ligne et paiements sécurisés.

Jouet-online.com

www.jouet-online.com/homepage.asp

Magasin virtuel de jeux et jouets s'adressant à toute la famille : divertissements, jeux éducatifs, déguisements, poupées, peluches, jeux vidéo, etc.

Joupi

www.joupi.com

Jeux et jouets pour les enfants de tous âges. Catalogue en ligne, liste des magasins en France, conseils aux parents et atelier de cartes postales.

King-jouet

www.king-jouet.com

Présentation des magasins King-jouet. Découvrez la boutique multimédia et commandez en ligne des jeux éducatifs et électroniques.

La grande récré

www.la-grande-recre.com

Sur le site : adresses des magasins, catalogue, espace Enfants pour écrire au Père Noël et jouer en ligne.

L'Atelier 3 (Isère)

www.compagnie-jouet-bois.com

L'histoire d'un petit cheval à roulettes qui caracole depuis de nombreuses années à travers le monde, à la recherche des plus beaux jouets de bois, pour émerveiller les enfants qui lui rendent visite…

Latitude enfant

www.latitudetoys.com

Vente en ligne de jouets et de jeux en tissus colorés pour très jeunes enfants.

Le chat rouge.com

www.lechatrouge.com/idees_cadeaux/21.html

LeChatRouge.com donne accès à une sélection de sites marchands sur lesquels vous pourrez acheter des cadeaux et les faire livrer directement chez leurs destinataires.

Le coin des enfants

www.coinenfant.com

Boutique française de vente de jouets et de jeux en bois pour enfants.

Lego

legoman.free.fr

L'univers de Lego en ligne et en français : un des sites de référence des fanatiques ou collectionneurs de jouets Lego.

Les puzzles

www.pmw.fr

Cette boutique propose la commande en ligne de puzzles en bois découpés à la main.

Lollipops enfant

perso.wanadoo.fr/lollipops/accueil.html

Vente en ligne d'articles de puériculture.

Ludomino

www.ludomino.fr

Ludomino, c'est la boutique loisirs des jeunes de 0 à 103 ans : jouets d'éveil, jeux éducatifs, loisirs créatifs, jeux de plein air, jeux de société et déguisements.

Maman débrouille

mamandeb.chez.tiscali.fr

Dépôt-vente de vêtements et matériel de puériculture à Saint-Paul-les-Dax.

Mimiland

www.mimiland.com

Mimiland, le monde du jeu et du jouet retrouvé : maquettes, puzzles, casse-tête, échecs. Tout pour le plaisir et les loisirs.

Montres personnalisées

www.lesmontresperso.com

Grâce à un savoir-faire totalement original, la société DACO s'est spécialisée dans les montres personnalisées. Elle en a déjà fabriqué plus de 100 000 pièces entièrement personnalisées à l'unité.

Père Noël

www.perenoel.fr

La boutique en ligne Père Noël propose une vaste gamme de produits et de services, à des prix compétitifs. Livraison gratuite.

Picwic

www.picwic.com

Les magasins Picwic vous proposent des milliers de jeux, de jouets et d'activités manuelles.

Poucetcolle

monsite.wanadoo.fr/poucetcolle

Boutique en ligne spécialisée dans la création manuelle pour tous les âges.

Sodilac

www.sodilac.com

Sodilac, lait en poudre pour bébé et diversification dans l'alimentation infantile : maladies du jeune enfant, alimentation infantile, produits adaptés aux différentes maladies de bébé, etc.

Sodirev

www.sodirev.fr

Sodirev vous présente Hama et Lotobo, deux supports de création ludique et originale pour les enfants. Votre enfant s'ouvrira à la pratique du travail manuel avec les perles thermosoudables Hama et créera des images originales avec les trois formes du jeu éducatif magnétique Lotobo.

Sucre d'orge

www.sucredorge.com

Boutique en ligne spécialisée dans le cadeau de naissance : tous les articles de puériculture pour les bébés et les mamans.

Tefal.fr

www.tefal.fr

Sur Tefal.fr, découvrez de nombreuses idées cadeaux, adaptées à votre style et à votre budget !

Toys R Us

www.toysrus.fr

Le site français de Toys R Us vous propose de consulter en ligne plus de 700 références, d'identifier le magasin le plus proche de chez vous, de trouvez des idées de surf pour vous ou vos enfants grâce à la sélection du Best-Web, de jouer en ligne et de participer à des concours et tirages au sort.

Famille : guide

Famille - Finances

www.lesechos.fr/patrimoine/guide/liste_famille.html

Guide financier de la famille : gestion des dettes, assurez vos proches, fiscalité de la famille, droit de la famille en Europe.

Guide des parents - Protection solaire

www.hc-sc.gc.ca/hecs-sesc/pcrpcc/protection.htm

Le bureau de la protection contre les rayonnements des produits cliniques et de consommation vous informe sur les dangers du soleil.

Guide des parents

www.toile.com/guides/societe/parents

Sélection de sites pour préparer l'arrivée de son bébé, s'informer sur la grossesse, soigner et éduquer son enfant.

MonPoupon.com

www.monpoupon.com

Services de conception de pages Web et de carteries virtuelles personnalisées pour votre bébé.

Yahoo! France - Famille

fr.dir.yahoo.com/Societe/Famille

Sélection de sites en rapport avec la famille par Yahoo! France.

Famille : services à domicile

ABC enfance

www.abc-enfance.com

ABC enfance au service des parents : garde d'enfants (nourrice agréée, assistante maternelle, baby-sitter, crèche, nounou), guide des prénoms de bébé, petites annonces, grossesse et naissance.

AgeVillage - Services à domicile

www.agevillage.com/Article/index.jsp?ARTICLE_ID=1709&RUBRIQUE_ID=113

Ce site donne des informations sur les services à domicile : soins à domicile, télé assistance, coiffeur, portage de repas, etc.

Aufeminin.com, modes de garde

www.aufeminin.com/enfants/modegarde/modegarde1.asp

Baby-sitter, employée de maison, assistante maternelle, jeune fille au pair, centre de loisirs, étude ou garderie, découvrez les différents modes de garde pour vos enfants.

B2S

b2sservice.free.fr

Vous avez besoin d'une manucure, d'une maquilleuse, d'un coach, d'un cuisinier, d'animateurs pour le goûter de vos enfants ? B2S est là pour répondre à vos attentes.

Cybercrèches d'Issy-les-Moulineaux

www.issy.com/rub.cfm?esp=2&rub=18

Visites et projets des cybercrèches d'Issy-les-Moulineaux (Hauts-de-Seine).

Shiva

www.shiva.fr

Shiva propose ses services de ménage et repassage à domicile, à Paris, en Ile-de-France, à Toulouse et à Nîmes.

Un temps pour vous

www.untempspourvous.fr

Un temps pour vous propose des services à domicile sur Paris et l'Ile-de-France : ménage, repassage, garde d'enfants, accompagnement pédagogique, préparation des repas, soutien quotidien aux personnes âgées et services de proximité.

Féminin, services

1 2 3 broderies, 456 points de croix

broderie.kwaoo.com

Site dédié à la broderie. Grand choix de points de croix comptés, points de croix imprimés, canevas, fils, tissus, accessoires et supports de broderie. Forum de discussion, galerie des particuliers et conseils.

A Baby on Web

www.babyfrance.com

Tout ce que vous avez toujours voulu savoir sur l'univers du bébé et de la jeune et future maman. Vous trouverez ici une multitude d'articles sur la grossesse, la maternité, la santé, les soins et l'accouchement mais aussi les bonnes adresses des crèches, maternités, gynécologues, etc.

Absolu féminin

absolufeminin.nouvelobs.com

Le magazine Absolu féminin ne s'intéresse qu'aux femmes : mode, beauté, maigrir, santé, carrière, actualité féminine, fleurs, lingerie, accessoires, tendances, etc.

Alain Ayache

www.reponseatout.com

Site portail des éditions Ayache : réponses à tout, réponses santé, questions de femmes, la bourse pour tous, etc.

Aufeminin.com

www.aufeminin.com

Le magazine pratique au féminin en huit rubriques : beauté, carrière, couple, cuisine, enfants, fitness santé, maternité et shopping.

Avenue des bébés

www.avenuedesbebes.com

Retrouvez la boutique en ligne de vêtements pour femmes enceintes Avenue des bébés. Vous y découvrirez la mode des futures mamans et les tendances du prêt-à-porter pour votre grossesse.

BonWeb - Vie pratique, portails féminins

www.bonweb.com/p_7_146.php

Sélection des meilleurs portails féminins, par bonweb.com.

Caradele

www.caradele.com

Caradèle est née pour mettre ses caprices de femme à la portée de toutes. Chacune des parures présentées est une création unique.

Chiennes de garde.org

chiennesdegarde.org

Adresser une injure sexiste à une femme publique, c'est insulter toutes les femmes. Cette association s'engage pour manifester son soutien aux femmes publiques attaquées en tant que femmes.

CNIDFF

www.cidff.com

Site du réseau national des Centres d'information sur les droits des femmes.

Coup de pouce

www.coupdepouce.com

MokaSofa est un webzine féminin québécois : santé, mode, cuisine, décoration de la maison, jardin, famille, etc.

Creatoova

www.creatoova.com

Magazine féminin de bricolage pour tout faire soi-même : collage, couture, pochoir, etc.

Dinde magazine

www.ifrance.com/dindemagazine

Magazine rédigé pour les "dindes" par des "dindes" : parodie de journal féminin.

Droits des femmes dans le monde

www.fraternet.com/femmes

Analyse de la condition de la femme dans le monde entier et promotion de ses droits fondamentaux.

Droits des femmes et de l'égalité

www.social.gouv.fr/femmes

Vous trouverez ici des dossiers sur l'intégration, la lutte contre les exclusions, la famille, les droits des femmes et des handicapés, la protection sociale, les personnes âgées, la couverture maladie universelle.

Elle.fr, Shopping

www.elle.fr/shopping_recherche2.php?id_cat=14

Vente en ligne d'une sélection d'articles du magazine féminin Elle.

FemiWeb

www.femiweb.com

FemiWeb est un site consacré à l'information médicale grand public dans les domaines suivants : gynécologie, obstétrique, pédiatrie et psychologie de l'enfant.

Femmes aujourd'hui

www.femmesaujourdhui.com

Ce magazine offre de nombreuses informations pour enrichir le corps et l'esprit des femmes d'aujourd'hui.

Femmes Québec

www.femmesqc.com

Le webzine des femmes curieuses et fières de l'être : solutions, réponses, idées et trouvailles pour femmes.

Grossesse après 40 ans

www.babysharon.com

Le site de la grossesse après 40 ans.

Gyneweb

www.gyneweb.fr

Ce site s'intéresse à la santé au féminin : gynécologie, contraception, fertilité, grossesse, sexualité, ménopause, nutrition et pédiatrie.

Internénettes

www.internenettes.fr

Un site fait par des femmes, pour les femmes et les hommes qui aiment rire, boire et manger, qui veut donner de la femme une image plus proche de la réalité quotidienne.

Ivic Design

www.ivicdesign.com/presentation.asp

Un portail spécialement concocté pour vous mesdames : déco, brico, couture, art, poésie, danse, beauté, trucs et astuces, alimentation, shopping, santé, lecture, sexualité, magazines, parents/enfants, féminité/ masculinité.

La Compagnie des femmes 

www.comdesfemmes.com

Ce site s'adresse aux femmes qui font la société d'aujourd'hui : assurance, finance, épargne, santé, maternité, parité, travail, politique, formation et débats de société.

La femme dans la bande dessinée

membres.lycos.fr/kenabo

La femme dans la bande dessinée.

La rubrique gynécologie obstétrique de Fémiweb

www.femiweb.com/gynecologie/frameset_gyneco.htm

Un peu plus qu'un article de vulgarisation et un peu moins qu'une communication scientifique, voilà l'approche que propose ce site.

L'annuaire au féminin 

www.annuaire-au-feminin.tm.fr

Cette page donne accès à de nombreuses associations pour les femmes.

Le mensuel Net des pouffes

www.lespouffes.fr.st

Site officiel du magazine Pouffe-Land.

Lilootes et compagnie 

www.lilootes.com

Site dédié au point de croix et à la bonne humeur : création de modèles gratuits, moteur de recherche de grilles gratuites.

MSN femmes 

femmes.msn.fr

Découvrez des conseils carrière, beauté, maternité, santé, sexualité, etc. sur MSN Femmes.

Net Femmes  

www.netfemmes.com

Net Femmes est un portail destiné aux femmes. Plusieurs rubriques sont disponibles : santé, sexualité, poésies, déclarations d'amour, rencontres, horoscopes, voyages, etc.

NetMadame.com 

netmadame.free.fr

Un site pour vous, mesdames : tricot, point de croix, crochet, broderie, patchwork, couture, dentelle-filet, travaux manuels, cuisine et culture.

Newsfam  

www.newsfam.com

Portail grand public de la qualité de vie : santé, forme, nutrition, sexualité, enfant, adolescent, puberté, stress, pollution, voyages et sport.

Passion broderie  

perso.wanadoo.fr/passion.broderie

La passion du point de croix.

Pénélopes 

www.penelopes.org

Journal d'information pour les femmes : humeur, actus, initiatives collectives de femmes, cyberfemmes et documents.

Petite histoire des vêtements à travers les siècles

membres.lycos.fr/poularde/rechercher.html

Un peu d'histoire sur les vêtements, de la jupe réalisée à partir d'une peau de mouton à nos jours. Si vous voulez connaître l'utilité des vêtements d'hier et d'aujourd'hui, consultez ce site.

Pilado

www.pilado.com

Pilado est un site consacré à la contraception et à la prévention. Il délivre une information pédagogique et avertie.

PlanetFemmes.com

www.planetfemmes.com

Portail féminin : la vie au féminin, conseils et actualités sur la mode, la santé, le bien-être, les enfants, l'emploi et la grossesse, horoscope, vie de couple, etc.

Quelles connes !

www.quellesconnes.com

Webzine féminin parodique.

SOS Femmes

www.sosfemmes.com

Informations destinées aux femmes en difficulté : violences conjugales, viol, abus sexuel, harcèlement sexuel, prostitution, homosexualité, contraception, IVG, santé, etc.

Vie publique - Femmes

www.vie-publique.fr/thema/th_femmes.htm

Articles de fond et dossiers dédiés aux femmes : violence, droits, égalité, emploi, parité, politique, IVG...

Welcome

www.welcome.online.fr

Boutique grenobloise spécialisée dans le patchwork et le point de croix.

Guides

@bbill.net

www.abbill.net

Moteur de recherche, annuaire et guide d'achat de shopping sécurisé pour toute la famille : informatique, DVD, jeux, bijoux, livres, maison, mode, gastronomie.

60 millions de consommateurs

www.conso.net

Le site de l'Institut national de la consommation et de 60 millions de consommateurs.

ABC-shopping

www.abc-shopping.com

Portail de commerce électronique de la chambre de commerce et d'industrie de Versailles.

Achat-land

www.presticlub.fr/Shopping/index.php

Guide d'achat : alimentation, équipement de la maison, multimédia, loisirs et culture, cadeaux, services, gros achats et achats pour les entreprises.

Acheter.net

acheter.2xmoinscher.com

Pour acheter en ligne sans se tromper, faites un tour sur ce site : top des ventes et des e-marchands, annuaire des 100 meilleurs sites marchands, bons plans.

Acheteurs info 

www.acheteursinfo.com

Site d'informations pratiques pour faciliter les démarches professionnelles des acheteurs : actualités, salons professionnels, organismes professionnels, sites utiles pour les services achats des PME-PMI, grandes entreprises et collectivités.

Avis de consommateurs 

www.aukou.com

Sur ce site, vous trouverez des commentaires et appréciations d'expériences d'achat sur le Web, utiles à tous et sans aucun caractère commercial.

Consforum

www.consoforum.com

Espace d'échanges concernant le commerce électronique, en relation avec le site Promoselect (guide pour bien acheter en ligne).

Consomania 

domaine.pictime.fr/default.htm

Guide d'achat du consommateur : actualités, promotions, bonnes adresses, tests, etc.

Copropriete.fr

www.copropriete.fr

Le site des copropriétaires : informations utiles, consultations juridiques, textes et décisions, assurance, financement, appel d'offres, syndics de copropriété, etc.

CTRC

www.ctrc-idf.asso.fr

Centre technique régional de la consommation : 17 associations de consommateurs pour informer, conseiller et rassembler les consommateurs.

DGCCRF 

www.finances.gouv.fr/DGCCRF

Site de la Direction générale de la concurrence, de la consommation et de la répression des fraudes.

Droit de l'achat en ligne

www.droital.net

Ce site présente les aspects de l'achat en ligne et la législation applicable en la matière. Il se veut simple et pédagogique, face à l'ouverture du commerce électronique en France et dans le monde.

DVD pas cher

www.dvdpascher.net

Guide d'achat de DVD zone 2.

Guide d'achat high-tech 

guide.caloga.com

Guide d'achat interactif des produits high-tech : sélectionnez et comparez plus de 25 000 produits micro-informatiques et multimédias (la base de données est mise à jour en permanence).

Guide du shopping sur Internet

www.achetenligne.com

Guide français du shopping sur Internet : CD, livres, ordinateurs, vêtements, etc.

Immostreet 

www.immostreet.com

Le portail immobilier Immostreet vous assiste dans l'ensemble de vos démarches immobilières. Vous y trouvez toutes les petites annonces de studios, appartements et maisons, à vendre et à louer, pour y habiter ou passer vos vacances.

Le commerce électronique et vous

www.finances.gouv.fr/cybercommerce

Ce site conseille les cyberconsommateurs débutants.

Le guide

www.leguide.fr

Guide d'achat et comparateur de prix, ce site réunit tous les services pour acheter moins cher : comparaison de prix, meilleures promotions du Net, conseils d'achat et annuaire de sites marchands.

L'univers du PocketPC

www.universpocketpc.com

Pour vous faire découvrir l'univers du PocketPC ou vous aider dans vos achats, cette page vous présente une sélection d'articles et de sites dédiés aux assistants personnels.

Magasinez

magasinez.branchez-vous.com

Ce guide d'achat vous fait découvrir les meilleurs sites et magasins virtuels pour effectuer vos achats sur Internet.

Mangez.com

www.mangez.com

L'alimentation et la gastronomie en ligne. Le guide de la gastronomie : fil d'actualités, recettes et conseils, saveurs du monde, etc.

Net surf, e-commerce

www.netsurf.ch/ecommerce.html

Adresses utiles et liens directs pour suivre le développement du commerce électronique.

Pixibox

www.pixibox.com

Guide d'achat en ligne proposant des bons de réduction pour acheter moins cher et faire de bonnes affaires, sur des sites marchands ou dans des magasins.

Planetediscount hi-fi

www.planetediscount.com/hifi/index.htm

Portail de la technologie à prix discount.

Planetediscount micro

www.planetediscount.com/micro/index.htm

Le portail de la technologie à prix discount : ordinateurs, imprimantes, moniteurs, accessoires, consommables, modems, etc.

Plebicity

www.plebicity.com

Faites de Plebicity votre guide d'achat de référence. Donnez et consultez des avis sur tous les types de produits. Vos témoignages offrent une publicité authentique permettant de choisir les meilleurs produits et services.

Points de vente

www.pointsdevente.com

Le site Web de la grande distribution et du commerce propose des informations, un agenda et des événements liés à la distribution et au commerce en France.

Saintonge alimentaire

www.saintongealim.com

Site informatif et cybermarchand avec plus de 1 600 produits RHD : biscuiterie, chocolat de Noël et de Pâques, produits alimentaires pour collectivités, comités et particuliers mais aussi informations et achat en ligne.

Shopping avenue

www.teleshopping.fr/sommaire.php?index=32&ID_Pays=fr&p=021

Tous les jours, ce site présente plus de 80 produits en vente.

Sosi

perso.wanadoo.fr/sosi

La société Sosi analyse vos besoins et vous conseille dans vos achats en ligne.

Voitures de sport - guide d'achat

www.automobile-sportive.com/guide.php

Guide d'achat automobile exclusivement consacré aux voitures de sport : essais, photos, fiches techniques, avis des utilisateurs.

Web marchand

www.webmarchand.com

Annuaire marchand des boutiques en ligne françaises qui livrent à domicile.

Zap achat

zapachat.online.fr

Guide d'achat du consommateur : produits (culture, informatique, jeux vidéo, hi-tech, véhicules, immobilier), services (télécommunications, voyages, tourisme, courses) et annuaire thématique.

Handicapés

Allocations aux adultes handicapés

www.handroit.com/aah.htm

L'allocation aux adultes handicapés (AAH) garantit un minimum de ressources aux personnes handicapées reconnues comme telles par la COTOREP et dont les droits à l'invalidité ne sont pas ouverts.

Aveugles et handicapés visuels de France

www.faf.asso.fr

La Fédération des aveugles et handicapés visuels de France a été reconnue d'utilité publique le 27 août 1921. Ce site est accessible à tous, voyant, aveugle, ou malvoyant, car il respecte les recommandations d'accessibilité WAI.

BrailleNet

www.braillenet.org

Internet au service de l'intégration scolaire et professionnelle des aveugles et malvoyants.

Equilibre Bénin

www.ifrance.com/equilibrebenin

Site de l'association Equilibre Bénin, programme handi-insertion : l'association, le parrainage, les collectes.

Handiassur

www.handi-assur.com

Handiassur propose des contrats spécifiques pour risques aggravés, des contrats d'assurance décès-invalidité adaptés à toutes les formes de crédit. Tarifs spéciaux pour non-fumeurs. Souscription possible jusqu'à 86 ans.

Handicapés

vosdroits.service-public.fr/particuliers/ARBO/NXHAN100.html

Droits et démarches des personnes handicapées.

HandiScol

www.education.gouv.fr/handiscol/accueil.htm

L'appellation Handiscol' permet d'identifier l'ensemble des mesures ou dispositifs mis en place depuis 1999 pour favoriser la scolarisation des enfants et adolescents handicapés en milieu scolaire ordinaire.

Intégration des enfants handicapés

groups.msn.com/231478/_homepage.msnw?pgmarket=fr-ca

Cette communauté se veut un endroit où l'on peut dire ce que l'on ressent face à la société : nos craintes, nos peurs, nos peines et nos joies en tant que parents d'enfant handicapé.

La Présence Verte

www.presenceverte.fr

Le site de la télé-assistance pour le maintien à domicile en toute sécurité des personnes âgées, isolées, dépendantes ou atteintes d'un handicap.

Le magazine de la famille et du handicap

www.handicap-international.org/declic

Le magazine de la famille et du handicap s'adresse, chaque mois, aux parents d'enfants handicapés, quel que soit leur handicap, ainsi qu'à leur entourage professionnel. Edité par Handicap International, Déclic est diffusé uniquement sur abonnement.

Paravan

www.paravan.de/f/index.php

Ce site commercialise des véhicules pour les personnes à mobilité réduite.

Parents-handicap

parentsh.free.fr

Parents-handicap est une liste de diffusion d'entraide de parents d'enfants handicapés. Se retrouver du jour au lendemain maman ou papa d'un enfant hors norme est une épreuve très dure à surmonter. Devoir par la suite organiser sa vie en tenant compte des contraintes imposées est souvent difficile, aussi bien moralement que matériellement.

UNAPEI

www.unapei.org

Ce portail diffuse des informations sur tous les handicaps mentaux.

Yanous.com

www.yanous.com

Webzine dédié aux personnes handicapées : polémiques, handisport, tourisme, revue de presse.

Horoscopes, astrologie

Asiaflash, horoscope quotidien

www.asiaflash.com/parjour00.html

Ce site vous propose votre horoscope quotidien. Si vous ne connaissez pas votre signe, il suffit d'entrer votre date de naissance. Des liens renvoient vers des sites sur lesquels vous pourrez obtenir vos horoscopes chinois et orientaux (annuel, mensuel et hebdomadaire).

Asiaflash.com

members.aol.com/astroasie

Découvrez sur ce site l'astrologie traditionnelle chinoise, l'horoscope du jour, la signification de milliers de noms et prénoms, l'astro-amour et le feng shui.

Astroguide

www.astroguide.net

Sur ce site, vous pourrez obtenir votre thème astral gratuitement. Vous y trouverez également de nombreux liens et une liste de diffusion.

Astrologie - Horoscopes

www.horoscope.fr

Astrologie, voyance, arts divinatoires, consultez un professionnel en direct : horoscopes du jour, du mois et de l'année. Service gratuit.

Astrologie chinoise et traditionnelle

members.aol.com/astrochina

Astrologie chinoise et feng shui par le maître Nguyen Ngoc-Rao : prévisions mensuelles, hebdomadaires et quotidiennes.

Astrologie et astronomes

www.obspm.fr/savoirs/contrib/astrologie.fr.shtml

Tout ce que vous devez savoir pour ne pas vous faire berner par les astrologues se trouve sur ce site qui s'appuie sur la réflexion de deux astronomes.

Astrosurf

www.astrosurf.com

Le site des astronomes amateurs français : agenda, images/vidéos, dossiers, forums, logiciels, clubs, associations, éphémérides, etc.

Centre astrologique de Michèle Perras

www.astro.qc.ca

Site sur l'astrologie : horoscope quotidien, hebdomadaire, mensuel et annuel, formulaire pour le calcul en ligne de votre ascendant astrologique.

Cura : Centre universitaire de recherche en astrologie

cura.free.fr

Le Cura est un centre de recherche et un journal en ligne. Sujets traités : épistémologie et philosophie de l'astrologie, histoire de l'astrologie, psychologie et astrologie, la vérité sur les horoscopes, étude des opérateurs et structures astrologiques, etc.

Elizabeth Teissier

www.eteissier.com

Site d'astrologie d'Elizabeth Teissier.

Esoternet

www.esoternet.com

L'annuaire officiel de l'ésotérisme : astrologie, voyance, paranormal, occultisme, développement de soi, spiritualité.

FemmeWeb

femmeweb.branchez-vous.com/ horoscope

Sites d'astrologie de FemmeWeb.

Free horoscope

www.free.astrocenter.fr/free

Volet Horoscope du fournisseur d'accès à Internet gratuit Free : horoscope personnalisé, rapports astrologie, tirages de tarot, astrologie chinoise, numérologie…

Horoscope et voyance

www.horoscope-et-voyance.com

Annuaire et moteur de recherche spécialisé dans l'horoscope, la voyance, l'astrologie et le tarot.

La sorcière Hécate et l'occulte

www.esotera.net

La célèbre sorcière parisienne, Hécate, peut vous aider à changer le cours du destin. Interventions occultes dans le domaine des affaires, des problèmes affectifs, etc. Rituels sur statuettes de cire.

Les prénoms

prenoms.linternaute.com/prenoms/prenomlinter.php

Découvrez le sens de votre prénom, son interprétation et sa fréquence d'utilisation au XXe siècle.

L'horoscope Tiscali

horoscope.tiscali.fr

Découvrez ce que les astres disent de vous en consultant votre horoscope quotidien, hebdomadaire et mensuel.

L'internaute - Horoscope

horoscope.linternaute.com

Consultez votre horoscope quotidien, hebdomadaire et mensuel. Apprenez les caractéristiques de votre signe astrologique, les compatibilités entre signes, et l'interprétation de votre prénom.

Madame.com - Voyance

www.madame.com/voyance

Sélection de sites d'horoscope et de voyance par Madame.com.

Marabouts

membres.lycos.fr/magloire/ marabout

Le site du maraboutologue : index de tous les marabouts officiellement reconnus et bourse de l'officiel pour évaluer la valeur véritable des marabouts.

Mario Groleau

www.uqtr.ca/~groleau

Ce site propose de télécharger gratuitement un logiciel pour astronomes amateurs : l'Atlas du ciel.

Mon thème astral, l'histoire de votre enfant

www.persbooks.com/fr/index.html

Mon thème astral propose les plus beaux livres astrologiques personnalisés pour tous les âges.

MSN Femmes - Astrologie

femmes.msn.fr/astrologie/default.asp

Astérial est un programme de voyance, d'astrologie, de tarot et de numérologie. Ce service gratuit offre des prévisions personnalisées : thème astral, horoscope chinois, tarot, numérologie.

Newsfam, Astro

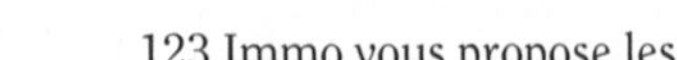

www.newsfam.com/pages/astro/astro_quotidien.cfm

Page astrologie du portail Newsfam.com.

Samsara, la réincarnation

www.samsara-fr.com

Ce site est dédié à la réincarnation, au channeling, à l'astrologie et à la numérologie.

Votre horoscope personnel

www.lhoroscope.com

Sur lhoroscope.com, consultez votre horoscope personnel gratuit tous les jours.

Yahoo! Astrologie

fr.horoscope.yahoo.com

Volet Horoscope de Yahoo! France. Consultez votre horoscope hebdomadaire en un clic. La mise à jour est effectuée chaque vendredi.

Yahoo! Astrologie

fr.lifestyle.yahoo.com/astro

Site d'astrologie par Yahoo! France.

Immobilier

1 2 3 immo

fr.123immo.com

Le portail de l'immobilier en France : louez un appartement, une maison ou un studio, vendez ou achetez un logement.

123 Immo - Annuaire

fr.123immo.com/annuaire

123 Immo vous propose les meilleures offres de vente et de location en France, actualisées par les professionnels de l'immobilier.

3D immobilier

www.3d-immo.com

Visitez en 3D : petites annonces immobilières, locations, vente et achat de maisons, appartements avec photos et visites 3D. Dépôt gratuit d'annonces contenant jusqu'à sept photos.

ABimmo

www.abimmo.com/annuaire

ABimmo est une division d'123immo, le portail de l'immobilier en France, qui vous permet de louer un appartement, une maison ou un studio, de vendre ou d'acheter un logement.

Abonim.com

www.abonim.com

Annonces immobilières dans toutes les villes de France (achat, vente, location). Abonim fournit également des conseils et des informations utiles (techniques, économiques, juridiques).

Agence center

www.agencecenter.com

Site des professionnels de l'immobilier au service des particuliers en France et en Europe.

Allo immo

www.alloimmo.net

Vous êtes un particulier ? Alloimmo.net publie vos offres. Le site comptabilise plus de 8 000 visiteurs par jour.

Anil

www.anil.org

Le réseau de l'Anil et des Adil offre aux particuliers un conseil complet et gratuit sur tous les problèmes de logement, qu'ils soient juridiques, financiers ou fiscaux. Il est conventionné par le ministère chargé du logement.

Annonces gratuites

promoteur.net

Annonces immobilières d'agences et de particuliers.

Annonces immobilières et ventes aux enchères

www.immo-affiches.com

Petites annonces immobilières des Affiches de Grenoble et du Dauphiné.

Appartement.org

www.appartement.org

Ce site contient des petites annonces concernant les appartements de la région parisienne. Service gratuit, que vous recherchiez un appartement, un locataire ou un colocataire.

Association logis des jeunes à Pau

www.ldjpau.org

Présentation de cette association qui agit dans le domaine du logement et de l'accompagnement social des 16-25 ans : centre de ressources multimédias, salles de réunions, restaurant, etc.

Atoca.com

www.atoca.com/annuaires.html

Annuaire des sites dédiés à la construction : annonces, architectes, assurance, design, fabricants, industriels, etc.

Belles demeures

www.bellesdemeures.com

Il y a en France de belles maisons à vendre qui n'attendent plus que leur acquéreur. Avec le site Belles demeures, vous entrez en contact avec des agences immobilières pour acheter ou vendre une maison. La version électronique de Belles demeures paraît en même temps que le magazine papier.

Blue Homes

bluehomes.com/blue-fr

Venez acheter ou vendre une villa, un château, une ferme, un restaurant, une maison de caractère sur Blue Homes.

Bouygues immobilier

www.bouygues-immobilier.com

Leader de la promotion immobilière en Europe, Bouygues immobilier propose des logements, de l'immobilier d'entreprise, des commerces et des hôtels.

Century 21

www.century21.fr

L'agence immobilière Century 21 vous propose des petites annonces pour trouver un logement à louer ou acheter une maison ou un appartement, sur Paris et toute la France.

CSF prêt immobilier

www.csf.fr/webcallback.jsp

Si vous êtes fonctionnaire, découvrez les prêts immobiliers particulièrement avantageux du CSF.

CSTB

www.cstb.fr

Le site du Centre scientifique et technique du bâtiment.

DirectGestion.com

www.directgestion.fr

Le site du propriétaire immobilier : immobilier, annonces gratuites, conseils, experts, financement, assurances, gestion, magazine, défiscalisation, etc.

Douce France immobilier

www.doucefrance.com/immobilier

Portail français de l'immobilier : agences, informations, locations spécialisées, petites annonces, annuaires et guides.

E-cologis

www.e-cologis.com

Site des roommates et autres colocataires : que vous soyez étudiant, jeune, ou tout simplement futé, trouvez un appartement à partager et des colocataires.

Enchères de propriétés

prowww.tripod.com

Sur ce site, vous pouvez inscrire gratuitement votre propriété pour une vente aux enchères ou trouver une propriété à la vente.

Enchères en France

www.ventes-judiciaires.com

Ventes judiciaires immobilières, enchères.

Entre particuliers

www.annonces-immo.tm.fr

Des milliers d'annonces immobilières entre particuliers, en France et à l'étranger. Recherche multicritère, cartographie, financement, e-mail alerte, visite virtuelle, conseils pratiques, etc.

Expressimmo

www.expressimmo.com

Petites annonces immobilières : consultation et dépôt entièrement gratuits.

FNAIM

www.fnaim.com

Le site des agences FNAIM vous aide à trouver ou à vendre des biens immobiliers.

Gerland immobilier

www.gerlim.com

Site de l'agence immobilière Gerlim, installée au cœur du nouveau Gerland (Lyon).

Groupe confiance immobilier

www.confiance-immobilier.fr

Société de promotion et de transaction immobilière spécialisée en résidence principale, investissement locatif et résidence de loisirs.

Groupe Delta Logis

www.deltalogis.com

Partenaire du logement social, le groupe Delta Logis dispose d'un parc de 30 000 logements HLM (appartements, villas, maisons) situés en Provence-Alpes-Côte-d'Azur, Rhône-Alpes, Languedoc-Roussillon et Corse. Le groupe dispose également de logements 1 %.

Immobilier à vendre/à louer

www.avendrealouer.fr/immobilier-location.htm

A louer et à vendre : consultez gratuitement des milliers d'offres immobilières, sur toute la France. Mise à jour quotidienne et enregistrement de la recherche.

Immobilier dans le Var 

perso.wanadoo.fr/ agillimmo.conseils

Agillimmo Conseils est une agence immobilière pratiquant uniquement les transactions de biens immobiliers (propriétés, maisons, villas, pavillons, appartements et terrains), à l'exclusion de toute activité locative.

Immobilier et habitat 

www.immobilier-et-habitat.com

Portail immobilier des particuliers et des entreprises.

Immobilier sur Internet

www.locations-cantal.com

Annonces immobilières de ventes et locations de maisons, appartements et terrains d'agences partenaires.

Immobilier Web en France 

www.lesiteimmobilier.com/ default.asp

Recherche multicritère dans une vaste sélection d'annonces immobilières de professionnels et de particuliers.

Immonet-Europe

www.immonet-europe.com

Votre immobilier mixte professionnels-particuliers. Optimisez vos recherches : locations annuelles, saisonnières, étudiantes, achat ou vente.

Immoo  

www.immoo.com

Chercher, visiter, acheter un appartement neuf, une maison individuelle en projet, en construction ou déjà disponible.

ImmoStreet 

www.immostreet.com

Immostreet.com vous assiste dans l'ensemble de vos démarches immobilières : petites annonces (studios, appartements et maisons, à vendre et à louer) et guides pratiques.

Immo-Web.net 

www.immo-Web.net

Des centaines d'offres de ventes et de locations d'agences et de particuliers : villas, pavillons, appartements, propriétés, terrains, commerces, petites annonces gratuites avec photos. Annuaire des agences immobilières.

Indicateur Bertrand

www.indicateurbertrand.com

L'Indicateur Bertrand, aux côtés des professionnels de l'immobilier sur tous les secteurs du marché : immobilier neuf et ancien, immobilier de prestige, bureaux et locations saisonnières.

Internet immobilier 

www.Internet-immobilier.ch

Ce site propose un choix de biens immobiliers en Suisse et à l'étranger (habitations, appartements, terrains, surfaces) à vendre et à louer. Recherche, achat, vente et location d'exclusivités, de résidences secondaires, d'objets d'investissement. Services, tels que conseils et recherches d'investissements, expertises.

K&B

www.ketb.com

Site des maisons KaufMan & Broad.

Kitrouve

www.kitrouve.com

Kitrouve donne un accès gratuit aux annonces immobilier, automobile et bonnes affaires des journaux de la S3G.

La Centrale

www.lacentrale.fr

La Centrale : ses petites annonces immobilières (vente, viager et location de maisons, appartements, fonds de commerce, locaux professionnels), mais aussi ses annonces de véhicules (voitures, utilitaires, motos, caravanes, camping-cars).

Le Figaro Immobilier

www.lefigaro.fr/immobilier

Annonces immobilières du journal le Figaro.

Le monde interactif - chaîne immobilier

www.explorimmo.com/cobranding/LEMONDE/index.shtml

Vous êtes à la recherche d'un bien immobilier ? Remplissez le formulaire de recherche de ce site et retrouvez chaque jour des annonces immobilières actualisées pour louer, acheter, et partir en vacances.

Le partenaire européen

www.partenaire-europeen.fr

Libre consultation de milliers d'annonces de ventes en immobilier et commerce en France, réactualisées chaque semaine.

Lycos, chaîne immobilier

www.immobilier.lycos.fr

Chaîne immobilier de Lycos. Vente et location d'appartements et de maisons.

Maison-online.com

www.maison-online.com

Entrez gratuitement votre annonce de vente, de recherche ou de location d'appartement, de maison ou de château en France.

Marché immobilier

www.immodepro.com/~marcheimmobilier

Immobilier neuf et ancien, vente et location dans les communes résidentielles de la banlieue sud de Paris, autour du Parc de Sceaux.

Mici immobilier

www.mici.fr

Consultez le catalogue en ligne pour avoir accès à une offre immobilière dans le monde entier. De nombreux pays sont représentés.

Mylinea Habitat

www.mylinea.com/homeland

Annuaire de sites consacrés à l'habitat : assurance, financement, construction, location, jardin, véranda, etc.

Netloc

www.netloc.com

Netloc, spécialiste des locations meublées de la Côte basque, prend en charge la gestion complète de vos appartements, villas et résidences.

Oralia immobilier Lyon-Paris

www.oralia.fr

Ce groupe national de gestion immobilière propose des centaines de petites annonces d'appartements, de maisons et de biens immobilier à vendre et à louer.

Orpi

www.orpi.com

Site des agences immobilières Orpi : mise en vente, mise en location, recherche d'agences, actualités, réseau Orpi.

Postimmo.com

www.postimmo.com

Déposez gratuitement vos annonces immobilières sur PostImmo qui les duplique instantanément et les expédie vers une sélection de sites spécialisés.

Propriétés de France

www.proprietesdefrance.com

Le plus grand choix d'immobilier haut de gamme : vente, location, en France et à l'étranger. Des propriétés de caractère, des demeures de charme et des maisons de luxe.

Se loger, portail de l'habitat

www.seloger.com

Tout l'immobilier avec Se loger, portail de l'habitat.

Sitimmo

www.sitimmo.fr

Si vous cherchez un appartement, une maison ou un château à l'achat ou en location, Sitimmo est là pour vous aider : annonces, calculs de prêts et solutions de financement.

SNPI

www.snpi.fr

Retrouvez la liste des professionnels de l'immobilier membres du SNPI pour gérer, acheter, vendre ou louer vos biens. Consultez les annonces des professionnels et le dictionnaire des termes de l'immobilier.

Terrasses et jardins

www.terrasses-jardins.com

Agence des biens avec terrasses, cours privatives ou jardins à Paris et communes proches.

Webstore

www.cote.azur.fr/annonces/index.htm

Serveur d'annonces immobilières gratuites.

Maison, déco

321 Maison

www.321maison.com

Sélection de sites pour la maison, le jardin, la piscine et le bricolage.

Acheter, rénover

www.acheter-renover.com

De l'achat à la rénovation de votre logement. Tout savoir pour prospecter, agrandir, aménager, embellir, décorer et améliorer votre confort.

Annuaire des professionnels de la maison et du jardin

www.france-decor.com

Annuaire des professionnels de la maison, du décor et du jardin.

Archi-design

www.studiumcasa.com

Bureau d'étude spécialisé dans l'aménagement d'espace, le design, la création, l'artisanat marocain, la décoration d'intérieur et l'architecture.

Armenager

www.armenager.com

Ce site permet de consulter le catalogue des grandes marques d'électroménager (56 marques, 15 000 appareils électroménagers), de rechercher des pièces détachées et de passer votre commande.

Art & Décoration

www.art-decoration.fr

Le site du magazine Arts & Décoration vous propose le sommaire du numéro en cours, des sélections d'articles, des dossiers et un forum de discussion.

Aspibag

www.aspibag.com

Aspibag propose sa boutique en ligne de sacs d'aspirateur et d'accessoires électroménagers : toutes les marques et modèles pour aspirer tous vos sols (moquettes, carrelages ou parquet) à la maison ou au bureau.

Becquet

www.becquet.fr

Le catalogue d'un spécialiste du linge de maison et de la décoration pour la chambre, le séjour, la salle de bains et la cuisine. Vente en ligne et paiement sécurisé.

BHV

www.bhv.com

Aménagement, décoration et équipement, le BHV vous présente, dans l'Univers de la maison, les tendances du design, des idées de décoration ainsi que des conseils en bricolage pour se sentir bien chez soi.

Bleu majorelle

www.adlic.com/bleumajorelle

Atelier de décoration et boutique pour la maison : confection de rideaux, pose de tentures murales, artisanat marocain, ambiance et parfums, linge de table.

Bougiesland

www.bougiesland.com

Bougiesland vous propose un grand choix de bougies, chandelles et cierges pour décorer votre intérieur et créer vos ambiances de fêtes.

Bouts de bois créations

www.boutsdeboiscreations.com

Idées cadeaux originales pour la décoration : tournage, sculpture, modelage sur bois, cadeaux et objets décoratifs en bois, cadeaux d'affaires.

Centre européen de prévention des risques

www.cepr.tm.fr

Site dédié à la prévention des risques domestiques et des risques en entreprise : présentation d'actions expérimentales, colloques et séminaires.

Cuisine

www.2001cuisines.com

2001cuisines.com propose son catalogue de meubles de cuisine, cuisines équipées, salles de bain, etc.

Decofinder

www.decofinder.com

Ce portail de la décoration et de l'ameublement vous propose de découvrir 13 000 adresses d'entreprises, près de 200 000 photos de produits et des centaines d'articles de décoration.

Déco-on-line

www.deco-on-line.com

Vente en ligne de rideaux, dessus de lit, carrés décoration, embrasses, coussins à vos mesures et tissus si vous souhaitez réaliser ces derniers vous-même.

Decoplanet

www.maison-objet.com

Decoplanet présente des milliers de produits pour les professionnels : décoration, meuble, luminaire, arts de la table, cadeaux.

Decoralia

fr.decoralia.com/home.cfm

Decoralia, la boutique de décoration pour la maison et le jardin (arts de la table, mobilier d'intérieur, linge de maison, objets de décoration, accessoires, etc.), propose également un magazine en ligne, des conseils pratiques et permet le dépôt de listes de mariage.

Décoration maison

www.chezlola.net/menu/
bienvenue_dans_ma_maison_virtuel.htm

Ce site explique comment créer des petits bouquets décoratifs pour la maison.

Edenplanet

www.edenplanet.com

Edenplanet vous propose une sélection de sites Internet jardin et maison, des dossiers pratiques et une boutique en ligne.

France literie lta

www.franceliterie-lta.com

France Literie effectue la vente directe de literie de qualité, ameublement, linge de maison et accessoires.

Graphiquement vôtre

www.graph-votre.com

Guide des plans à fournir pour la réalisation, la construction et la modification de maisons.

Home confort

www.homeconfort.com

Ce site donne accès aux liens et aux outils dont vous aurez besoin pour équiper votre maison : jardin, chambre, salon, salle de bains, cheminée, chauffage, climatisation, revêtements, rangements, etc.

I-creaplus.com

www.i-creaplus.com

Site consacré aux loisirs créatifs qui explique pas à pas les démarches à suivre pour obtenir des objets déco, des plats cuisinés, etc.

Idéesmaison

www.ideesmaison.com

Le guide pratique de la maison : construction, bricolage, econoguide, vente en ligne, forums, plans de maison.

Ikea

www.ikea.fr

Ikea, le roi de l'aménagement à petit prix, vous permet de consulter son catalogue et d'effectuer des commandes en ligne.

Jeditoo, bricolage, décoration, jardinage, couture

bricodeco.jeditoo.com

Accédez aux meilleurs sites informatifs dans les domaines du bricolage, de la décoration, du jardinage, des loisirs décoratifs et des métiers d'art.

Les annuaires - Habitat

www.lesannuaires.com/annuaire-habitat.html

Sélection de portails et d'annuaires en rapport avec la maison et l'habitat par Les annuaires.com.

Made in design

www.madeindesign.com

Le site du design (Alessi, Kartell, Philippe Starck) et de la décoration intérieure (arts de la table, luminaire, mobilier) : des cadeaux et des objets originaux à découvrir ou à offrir.

Maison et travaux

www.maison-travaux.fr

Le site du magazine Maison et Travaux.

Maison, décoration

www.321maison.com/decoration/decoration/decoration_index.htm

Portail de la maison et de la décoration : vente en ligne, fabricants, importateurs, enseignes, distributeurs, artisanat, décorateurs, feng shui.

Maison, santé pour tous

www.geneve.ch/maisonsante

Vous trouverez ici les renseignements nécessaires pour établir le diagnostic santé de votre maison et connaître les mesures à prendre pour éviter des problèmes de santé.

Marbella Tadelakt

www.marbellatadelakt.com

Entreprise de pose de Tadelakt en Europe. Etudes et créations d'éléments de décoration en véritable Tadelakt de Marrakech.

Marcopoly

www.marcopoly.com

Pour équiper votre maison, Marcopoly propose un vaste choix d'appareils électroménagers ainsi que du matériel informatique, TV, vidéo, hi-fi et multimédia.

Matelsom

www.matelsom.com

Vente en ligne de matelas, sommiers, accessoires de literie, canapés et fauteuils.

Meubles.com

www.meubles.com

Partenaire de Carrefour, meubles.com est un site de vente en ligne de meubles.

Modedemploi.fr

www.modedemploi.fr

Optimisez l'utilisation de vos appareils grâce aux guides pas à pas et aux produits virtuels diffusés sur ce site : téléphonie, vidéos, assistants personnels.

Mon habitat

www.monhabitat.net

Sur ce portail français de la maison, de l'habitat, du bâtiment et de l'immobilier, découvrez les sites pour le bâtiment, les travaux, les artisans, la construction, le bricolage et l'immobilier.

Netloc

www.netloc.com

Netloc, spécialiste des locations meublées de la Côte basque, prend en charge la gestion complète de vos appartements, villas et résidences.

Peintures Sico

www.sico.com

Découvrez les peintures Sico pour la décoration intérieure ou extérieure : un choix de couleurs pour tout changement de décor ou d'atmosphère.

Portail de la maison

www.portailmaison.com

Portail de la maison : immobilier, mobilier et bricolage.

Portail francophone de l'habitation

www.habitation.com

Le site Habitation.com est le plus grand portail francophone de l'habitation sur Internet. Il offre aux consommateurs et aux détaillants le plus vaste répertoire d'information sur les produits et services reliés au domaine de la construction, de la rénovation et de la décoration au Québec.

Saint-Maclou

www.saint-maclou.com

Moquettes, sols plastiques, papiers peints, parquets Saint-Maclou : votre moquette au centimètre et au centime près !

SND Cofnor

www.snd.fr

Vente de matériel de traitement d'eau domestique et professionnel (adoucisseurs, osmoseurs, fontaines, filtres, stérilisateurs, consommables).

The Stencil Store

www.pochoir-et-decoration.com

The Stencil Store Paris vous propose une vaste gamme de pochoirs pour décorer votre maison.

Toiles de Mayenne

www.toiles-de-mayenne.com

Votre décoration sur mesure : tissus au mètre, rideaux, voilages, stores, tentures murales, dessus de lit, fauteuils, canapés déhoussables.

Toulemondebochart.fr

www.toulemondebochart.fr

Le site du distributeur de tapis et d'objets contemporains donne accès aux collections existantes et vous permet de créer votre propre tapis.

Une maison au bord de l'eau

perso.wanadoo.fr/maison.eau

Boutique de décoration à Soulac-sur-Mer. Venez y respirer l'air de l'océan.

Univers on-line

www.univers-hebdo.com

L'information de la distribution de l'équipement du foyer (bricolage-jardin, ameublement-décoration, blanc-brun-multimédia). Actualité, interviews, petites annonces et forum de discussion.

Universel-Domavenir

www.domavenir.com

Universel-Domavenir, spécialiste de la domotique pour particuliers et immotique professionnelle, propose des gammes de produits pour commander à distance les luminaires et les appareils électriques : motorisations, automatismes et chauffage.

Vivremamaison.com

www.vivremamaison.com

Toutes les informations pratiques, administratives et juridiques, les astuces et actualités pour ne pas vous tromper, la liste des professionnels région par région.

Youpi la maison

www.youpi-la-maison.com

Sélection de sites consacrés à la maison.

Zone Experts

www.zone-experts.com

Version électronique du magazine Zone Experts dédié aux passionnés de bricolage et de décoration.

Météo

A la une de la météorologie

www.meteo.fr

Météo France vous dit tout sur la météorologie : prévisions, climatologie, temps et climat en France.

Bew ! La nature insolite

www.natureinsolite.com

Galerie d'images de phénomènes météo au Canada : tornades, foudre, orages, ouragans, chasse aux tornades interactive, webcams, vidéos MPEG, etc.

Canal météo

www.canalmeteo.tm.fr

Canal météo vous permet de visualiser quasi en temps réel les dernières cartes météorologiques satellites. Les images sont issues des satellites météorologiques NOAA, Météosat7, GMS, GOES est et GOES ouest.

Centre météorologique canadien

www.cmc.ec.gc.ca/indexf.html

Site du Centre météorologique canadien (CMC).

DaveWeb Météo

meteo.maxximum.org

Ce site donne accès à de multiples informations concernant la météorologie en France et dans le monde : liens classés par thèmes, données météorologiques, multitude de renseignements sur les phénomènes météorologiques.

Free - Météo

chaines.free.fr/meteo

Volet Météo du fournisseur d'accès Free.

Images de satellites météorologiques

www.allmetsat.com

Ce site propose des images de satellites météorologiques (Europe, Amérique, océan Indien, Asie, océan Pacifique) et donne accès à des sites complémentaires.

La chaîne météo

www.lachainemeteo.com

Lachainemeteo.com diffuse des prévisions météo pour la France et le monde et donne accès à des infos météo spécialisées (neige, motards, marine).

La météo au quotidien

www.meteo.org

Ce site vient en complément d'une émission de météo canadienne. Il donne des prévisions météo sur Montréal et le Canada et propose un service d'astronomie.

Le monde de la météorologie

www.meteonet.org

Que vous soyez amateur de météorologie, fan, novice ou tout simplement curieux, ce site vous présente simplement les concepts de base de la météorologie.

Les indices de pollution en France

www.infoscience.fr/pratique/pollution.html

Ce site permet de connaître les indices de pollution par ville et par date dans toute la France.

LittoClime

www.littoclime.com

LittoClime propose sa gamme d'instruments de mesure météorologiques et environnementales : stations météorologiques, anémomètres, hygromètres, baromètres, thermomètres, pluviomètres, luxmètres, psychromètres, compteurs Geiger.

Mes nouvelles

mesnouvelles.branchez-vous.com/meteo

Ce site fournit la météo du Québec, du Canada et des Etats-Unis.

Météo Consult

www.meteoconsult.fr

Météo Consult propose des prévisions météo pour la France et le monde, des prévisions marines et des prévisions pour la montagne.

Météo des plages

meteo.tf1.fr/meteo/etehiver/plage

Trois clics suffisent pour connaître la météo de votre plage : sélectionnez la zone côtière, la côte et la plage.

Météo environnement Canada

lavoieverte.qc.ec.gc.ca/meteo

Site météo et environnement du Canada.

Météo France

www.meteo.fr/meteonet/temps/france/prev/frprev.htm

Le site de Météo France donne les prévisions météo pour la France, l'Europe et le monde et propose plusieurs relevés satellite de toute beauté.

Météo France Antilles-Guyane

www.meteo.gp

Site de Météo France Antilles-Guyane.

Météo.be

www.meteo.be

Site de l'Institut royal météorologique de Belgique.

MétéoMédia

www.meteomedia.com

Au programme sur ce site : des cartes météo, des bulletins saisonniers, des prévisions pour le Canada et les Etats-Unis.

Oragenet

www.oragenet.org

Surveillance météo en temps réel : prévisions, alertes, situation, foudre, observations, stations, dossiers, livres et forums.

Quellemétéo

www.quellemeteo.com

Site carrefour sélectionnant les ressources dédiées à la météo.

SLF Davos

www.slf.ch/welcome-fr.html

Site de l'Institut fédéral pour l'étude de la neige et des avalanches Davos.

Voila Météo

meteo.voila.fr

La météo selon le moteur de recherche Voila.

Yahoo! Météo

fr.news.yahoo.com/meteo

Volet Météo de Yahoo! France. Choisissez votre ville ou région pour obtenir les informations.

Moteurs de recherche

1, 2, 3... recettes

www.123recettes.com

Cette page est destinée à vous éviter les recherches trop longues sur le Web. Tapez votre demande (recettes, termes culinaires et techniques, conseils, menus, etc.) et validez. Vous obtiendrez un ensemble de réponses adaptées.

100% Net

www.libertytv.com/100net

100%Net est une émission de télévision diffusée sur la chaîne LibertyTV.com, et dont le but est de faire découvrir le meilleur d'Internet. Le site donne accès à une sélection de sites francophones de qualité.

3acil

www.3acil.com

Ce site donne les adresses physiques (et URL le cas échéant) des artisans, commerçants, associations, industries et loisirs : tapissiers, agents immobiliers, restaurateurs, artistes, fleuristes, etc.

Abondance

www.abondance.com/annuaire/index.html

Abondance est spécialisé dans la recherche d'informations, le référencement et la promotion de sites Web.

AdValvas

www.advalvas.be/home/default.asp?cc=HomeFr&lang=fr

Le Web quotidien des Belges : trouvez tout ce que vous cherchez sur le Web grâce à AdValvas.

Akooe, la recherche sans souci

www.akooe.com

Avec Akooe, vous trouverez toujours ce que vous cherchez en utilisant simultanément les meilleurs moteurs de recherche, Web ou MP3.

AltaVista France

fr.altavista.com

L'incontournable annuaire-moteur de recherche mondial.

Annuaires et moteurs francophones

perso.wanadoo.fr/f.bourdet/french_seach.html

Annuaire des annuaires de sites, listes de moteurs et outils de recherche pour le référencement gratuit.

Aquiseeker

www.aquiseeker.com

Moteur de recherche spécialisé dans les sites de l'Aquitaine.

Ariane6

www.ariane6.com

Ce méta-moteur de recherche de la francophonie scanne les moteurs français et internationaux les plus importants et vous livre ses réponses sans doublons et sans utiliser de cache : plus de 1 100 moteurs et annuaires de recherche à votre disposition.

ArtiLoo

www.artiphp.com/annuaire/index.php

Plus besoin de chercher des sites dédiés à la création de pages Web pendant des heures : ArtiLoo a référencé pour vous les meilleurs d'entre eux.

BuyCentral

www.buycentral.fr

Premier comparateur de prix sur Internet : promotions, comparaisons de prix, produits et services, annuaire des magasins en ligne.

Codes postaux du monde francophone

www.codespostaux.com

Le moyen le plus rapide pour trouver un code postal ou une ville en France et dans les pays francophones. Toutes les communes de France, Belgique, Suisse et Luxembourg.

Codes postaux français

www.unice.fr/html/French/codePostal.html

Ce site vous permet de retrouver à partir du nom d'une ville : son code postal, son département, sa région, la préfecture à laquelle elle est rattachée et son indicatif téléphonique.

Copernic.com

www.copernic.com/fr

Ce logiciel gratuit trouve ce que vous cherchez sur le Net en consultant simultanément les meilleurs moteurs de recherche.

Départ éclair

www.departeclair.com

Annuaire et moteur de recherche.

Disparu, perdu de vue

www.bouzoubil.com

Il existe forcément une personne, quelque part, qui aimerait nous retrouver. Entrez dans l'univers de Bouzoubil pour voir si quelqu'un vous recherche.

Diversnet

diversnet.free.fr

Annuaire et moteur de recherche francophone.

Enfin Trouver

www.enfintrouver.com

Moteur de recherche francophone et mondial simple et rapide.

Glooton

glooton.com

Méta-chercheur s'appuyant sur le plug-in Sherlock.

Google

www.google.fr

Moteur de recherche pour la France, la francophonie et le monde. Ce moteur garde une trace momentanée des sites disparus.

Gratuit

www.toutgratuit.com

Ce site répertorie tout ce qui est gratuit sur le Net : logiciels pour windows et Linux, musique MP3, petites annonces, cartes postales, jeux, concours, webcams, thèmes, fonds et économiseurs d'écran, envoi de SMS, etc.

Hotbot France

www.hotbot.com

Annuaire-moteur de recherche mondial.

Kartoo.com

www.kartoo.com

Ce méta-moteur de recherche cartographique dessine la carte du Web français et mondial. A découvrir.

La Toile du Québec

www.toile.qc.ca/index.html

Annuaire et moteur de recherche québécois.

Le wroom wroom du toutou

www.montoutou.net

Moteur de recherche et annuaire du Web, moteur de recherche de MP3, cartes virtuelles animées, petites annonces, classement de sites, actualités, programme TV, météo, papier peint Windows.

Les moteurs de recherche 

www.lesmoteursderecherche.com

Guide de référence des moteurs de recherche.

L'Express, recherche 

www.lexpress.fr/info

Moteur de recherche dans les articles de L'Express, premier hebdomadaire français.

Lizez 

www.lizez.fr.st

Annuaire et moteur de recherche concernant les journaux français, francophones et européens.

Lycos 

www.lycos.fr

Votre guide personnel sur Internet : annuaire et moteur de recherche francophone et mondial.

Lyon Web 

www.lyonweb.net

Sur ce site : moteur de recherche pour Lyon et sa région, index de sites Internet, événements, manifestations, expositions.

Marweb 

www.marweb.com

Moteur recherche et annuaire marocain.

Mbolo.com 

www.mbolo.com

Annuaire thématique et moteur de recherche africain.

Média-2001 communication 

media-2001.com

Répertoire d'annuaires et de moteurs de recherche. Il donne également accès aux articles qui font l'actualité mondiale.

Meta moteur Debriefing 

debriefing.ixquick.com/fra

Debriefing est un méta moteur de recherche qui utilise Altavista, Infoseek, Excite, Yahoo! et Hotbot pour afficher une liste pertinente de résultats.

MetaFrance.com 

www.metafrance.com

Méta-moteur de recherche des sites Web en français (jusqu'à 13 moteurs consultés simultanément).

Minitel.com 

www.minitel.com

Les pages Minitel sur Internet.

Moteur de recherche pour la Suisse

www.search.ch 

Annuaire et moteur de recherche suisse.

Recherche multiple 

www.archisoft.ch/divers/multi-recherche.html

Avec une seule saisie, cette page donne la possibilité d'effectuer une recherche en français sur différents moteurs ou annuaires Internet.

Recherche.fr 

www.recherche.fr

Méta-moteur de recherche français ultra-rapide. Recherches simultanées sur les principaux moteurs et annuaires français et internationaux.

Référenceur et portail de sites gratuits 

www.creationsite.net

Ce moteur de recherche et portail vous oriente vers des sites personnels et des sites gratuits.

Sapristi 

docinsa.insa-lyon.fr/docinsa/sapristi/digest.html

L'Insa de Lyon propose une méthode de recherche d'informations conçue par des professionnels de la documentation.

Search antiques 

www.search-antiques.com/fr/ index.html

Ce site référence par pays : antiquaires, experts, commissaires, galeries d'art, librairies et restaurateurs de meubles. Il donne également accès à un magazine de l'art et à un guide des styles.

Sélection du Club-Internet

www.club-Internet.fr/selection

Annuaire et moteur de recherche francophone du fournisseur d'accès Club-Internet.

Technikus Belgique 

www.belgikus.be.tf

Annuaire et moteur de recherche belge.

TéléFrance 

www.telefrance.com

Annuaire et moteur de recherche.

Tiscali 

www.nomade.tiscali.fr/nomadeter.asp

Annuaire et moteur de recherche francophone, ce site fournit des services complémentaires : petites annonces, météo, horoscope, itinéraires, etc.

Toutcela.com

www.toutcela.com

Sur ce site, vous trouverez un annuaire et un moteur de recherche, un service d'e-mail gratuit, des petites annonces, un chat, des cartes virtuelles, et la possibilité d'héberger vos pages perso.

Trouvez 

www.trouvez.com

Moteur de recherche francophone.

Voila

www.voila.fr

Voila, le moteur de recherche de La Poste, fonctionne par thème ou mot clé. Dans ce dernier cas, la recherche peut se faire dans le Web francophone ou mondial et peut être restreinte aux sons, images ou vidéos. Voila donne également accès aux autres moteurs-annuaires de La Poste, permet de connaître la météo et d'obtenir des informations financières.

Webhelp.fr 

www.webhelp.fr

Moteur de recherche à assistance humaine : utilisez les liens prédéfinis ou posez votre question à un opérateur.

WhoWhere

french.whowhere.lycos.com

Cette page vous permet de rechercher l'adresse électronique d'une personne en entrant son nom et, éventuellement, des informations la concernant.

Yahoo! France

fr.yahoo.com

L'annuaire et moteur de recherche incontournable Yahoo! France.

Zone gratuite

www.zonegratuite.com

Zone Gratuite vous aide à trouver tout ce qui est gratuit sur Internet : SMS, MP3, dictionnaire en ligne, traduction, cliparts, gifs, petites annonces, webcams, bons de réduction, remboursement de produits, charme, etc.

Moto

100 % motos d'occasion

motocasion.tm.fr

Tous les mois en kiosque, Motocasion est le n° 1 dans l'offre de motos d'occasion en France. Sur le site, retrouvez annonces et photos.

Ac moto

www.acmoto.fr

Ac moto, le spécialiste de la vente en ligne d'accessoires moto et d'équipement motard, propose plus de 3 000 articles.

AMV assurance

www.amv.fr

Pour assurer une moto, une auto, un 4×4, un jet ou votre santé. Consultez les tarifs, demandez un devis et assurez-vous immédiatement, quelle que soit la cylindrée de votre véhicule.

Annonces moto

www.annonces-motos.com

Site gratuit d'annonces moto : occasions, promotions, dialogue, pièces, moto club, concessionnaires, annuaire, grands prix, permis moto, moto-école, assurance, crédit, grandes marques.

Annuaire du motard

www.guide-du-motard.com

Le site national de la moto : tous les concessionnaires, toutes les marques, tous les accessoiristes, les occasions, toutes les adresses, les annonces, actualités, préparation moteur, infos, etc.

Cimo Paris

www.cimo.fr

Site du magasin Cimo spécialisé dans l'achat et la vente de motos d'occasion. Trouvez votre bonheur grâce à son moteur de recherche.

Cyber-motard

www.cybermotard.com

E-zine d'actualité moto : courses en France et en Europe, guide complet pour l'île de Man et reportages inédits sur le Master Rallye et le Shamrock.

E-annonces

www.e-annonces.fr/moto

Petites annonces de motos d'occasion (routières, sportives, trial, trail, side-car, scooter). Dépôt d'annonces gratuit pour les particuliers.

Ecoles de conduite CER

www.cermontdor.com

Site des auto-écoles et moto-écoles CER Mont d'or (Rhône).

E-moto, itinéraires

www.emoto.com/club

Ce site propose quelques balades en moto : pays de Bray et du Vexin, l'Orge, la Renarde et la Chalouette, l'Eure et la Voise, etc.

FVP moto 

www.fvpmoto.ch

Ce site propose des sorties en circuit ouvertes à tous, du débutant au chevronné : cours d'initiation, endurance, piste libre. En toute sécurité.

Harley-Davidson

www.harley-davidson.com/fr/home.asp?bmlocale=fr_fr

Le site officiel Harley-Davidson en France. Présentation de la gamme complète avec descriptif technique. Liste des concessionnaires du réseau, événements du HOG, photos, infos, nouveautés.

Histoire de la moto

perso.monaco377.com/DupontD

Site consacré à l'histoire de la moto dans le monde.

Honda motor Europe

www.honda.fr

Présentation des produits et services de la société Honda Motor Europe.

Internet moto 

www.Internetmoto.com

Internet moto est le site du motard et de sa moto : vente de pièces de moto neuves et d'occasion, petites annonces de motos d'occasions et accidentées pour particuliers et professionnels.

Kawasaki motors France 

www.kawasaki.fr

Sur ce site, découvrez toutes les motos de la marque, les financements, l'actualité sportive, les reportages et téléchargez des fonds d'écran pour votre ordinateur.

Le guide de la moto facile  

www.motoservices.com

Pour le débutant ou le pilote confirmé, pour le fanatique de gros cubes comme pour l'amateur, de 125 ou de 49 cm^3, un site de motards pour les motards.

Le Web des motards 

www.pololand.com

Consultez les petites annonces d'achat et vente de motos en utilisant un moteur de recherche par marque et par région.

Matmut 

www.matmut.fr

Assurez votre voiture, votre deux roues, votre habitation, votre famille, votre bateau, votre entreprise. Découvrez les contrats et services. Demandez un devis.

Mécanic

www.mecanic.fr

Sur ce site : annonces moto gratuites, galerie photo, dessin et peinture, la moto au féminin, rassemblements motards, compétitions, moto clubs, pros de la moto, liens, services gratuits.

Monde Moto

www.mondemoto.com

Sur Monde Moto, le webzine du motard, vous trouverez des forums, des fiches techniques, des liens vers des sites dédiés à la moto et/ou au side-car, des randonnées et bien d'autres choses encore.

Moto-Histo

www.moto-histo.com

Découvrez l'histoire de la moto sur ce site très complet.

Moto Journal

www.motojournal.com

Moto Journal, Moto Crampons, Toute la Moto et leurs hors-série créent le site dédié à tous les motards. Retrouvez les actualités et les essais moto, mais aussi vos petites annonces, la cote de l'occasion et le prix du neuf et de nombreux conseils pratiques. Vous pouvez échanger des informations sur votre moto-forum, vous abonner aux titres, ou faire un tour d'horizon d'autres sites consacrés à la moto.

Moto mag

www.motomag.com

Le premier portail des cybermotards : essais moto, actualité, conso, annonces, agenda, argus, météo, liens.

Moto net

www.moto-net.com

Webzine indépendant et gratuit d'information moto : informations, dossiers, reportages, essais, itinéraires, revue de presse.

Moto Pulsion

217.22.58.182/motopulsion/home.asp

Chaque mois, le magazine Moto Pulsion propose l'actualité, des essais motos et scooters, des annonces, la cote du neuf et de l'occasion et les voyages du club.

Moto revue

www.motorevue.com

L'actualité des deux roues : essais, grands prix, calendrier, concessionnaires moto. Le site permet également de s'abonner à la revue papier en ligne et propose quelques liens complémentaires intéressants.

Moto Secure

www.motosecure.be

Site dédié à la sécurité des motards : permis de conduire (France, Suisse, Belgique, Canada) ; comment s'assurer, s'équiper, se protéger, voyager (Europe et étranger) ; liens, forum, chat, et votre expérience.

Moto Station

www.moto-station.com

Essais motos, scooters, news, photos, forums, chat, petites annonces et services. Plus qu'un magazine : l'esprit moto en ligne.

Moto tuning

www.mototuning.com

Outre la présentation d'accessoires pour modifier votre moto, Moto Tuning.com propose également un agenda des meilleures adresses et des rendez-vous tuning, une galerie de motos, un club et un forum.

Moto verte

www.motoverte.com/Sommaire.htm

Site dédié à la moto tout-terrain : magazine, anciens numéros, petites annonces, livres, voyages, événements, liens complémentaires.

Motocasion

www.motocasion.fr

Site du spécialiste de la moto d'occasion Motocasion.

Motogazz.com 

www.motogazz.com

Annonces avec photo de motos d'occasion et portail de sites de magasins moto.

Motoouebe 

www.motoouebe.com

La page des motards du Web : votre moto, la vitesse, le tout-terrain, la moto et la BD.

Moto-Price

www.moto-price.com

Au programme : achat de votre moto au meilleur prix et conseils au motard.

Motos anciennes

membres.lycos.fr/jeanaubert

Album photo de motos anciennes (1869 à 1949) de différentes marques. Redécouvrez également les vélocipèdes et excelciors d'antan.

Motos et motards sur le Web 

www.motoetmotards.com

Le magazine qui ne se prend pas au sérieux : essais, motos et motardes, essayeurs, anciens numéros, forum, vidéos, news.

Motoshop 

www.motoshop.fr

Boutique en ligne d'accessoires pour motos.

Négoce Moto 

www.negoce-moto.com

Négoce Moto achète et vend des motos d'occasion, roulantes ou accidentées, des déstockages, des lots de pièces détachées et des accessoires de moto.

Suzuki moto France 

www.suzuki-moto.com

Catalogue des motos, histoire, actualité compétition, concessionnaires, petite annonces occasion, revue de presse, forum et Suzuki Endurance Racing Team (SERT).

Web-Moto.net

www.Web-moto.net

Site de Soft-Lan SARL, importateur et revendeur de kits et accessoires motos.

Yamaha Motor France  

www.yamaha-motor.fr

Ce site donne des informations sur la gamme de produits Yamaha, propose des accessoires, des fonds d'écran et des liens vers des sites complémentaires.

Nourriture bio

Agriculture biologique

membres.lycos.fr/resister/abio.html

Fondements de la méthode agrobiologique (agriculture et jardinage bio), qui préserve la nature de la pollution et respecte la biodiversité.

Alimentation bio

www.franceline.com/bio.htm

Alimentation bio dans votre ville et votre région.

Bio attitude

www.bio-attitude.com/publications_cuisine.html

Sélections sur la cuisine et la santé bio : agriculture, labels, produits, commerce équitable.

Bio planète

www.bioplanete.com

Cette huilerie bio présente les huiles issues de ses transformations.

Biocoop

www.biocoop.fr

Présentation de Biocoop, réseau de distribution de produits biologiques et d'écoproduits, premier réseau de magasins et supermarchés de produits biologiques.

Biomiel

www.biomiel.com

Site pour découvrir et acheter du miel issu de l'agriculture biologique française.

Biorganic

www.biorganic-mag.com

Que faut-il manger aujourd'hui pour apporter quotidiennement à l'organisme les nutriments dont il a besoin en évitant les risques de transmission de maladies comme l'ESB et les menaces de santé induites par les OGM ?

Bioségur

www.biosegur.com

Vente en ligne de viande bio de veau, de bœuf et de poulet élevés sur les exploitations Bioségur. Livraison à domicile.

Ferme de Toulousette (Lozère)

perso.wanadoo.fr/agneaudepleinair

Ce site présente la ferme de Toulousette : élevage biologique d'agneaux en plein air et accueil de randonneurs.

Halle au bio

www.la-halle-au-bio.fr

Produits authentiques en provenance directe de producteurs français : huiles, miel, vins, fromages, viandes et paniers végétariens.

Jacoby (Haut-Rhin)

www.jacoby.fr

Site de Jacoby, spécialiste du jus de fruits et de légumes biologiques.

La Vie claire

www.lavieclaire.com

Il existe plus de 100 magasins La Vie claire en France. Il y en a certainement un près de chez vous. Découvrez l'histoire de la marque, les produits et les différents magasins.

Le Bio.fr

www.lebio.fr/index.html

AB Boutique Bio vous propose toute une gamme de produits bio, sucrés ou salés, mais aussi des compléments alimentaires, des cosmétiques et des vins régionaux.

Le Fournil de l'eau vive

www.eau-vive.com

Site de la boulangerie biologique Le Fournil de l'eau vive, située dans la banlieue de Grenoble.

Les liens de la nourriture bio

terresacree.org/bio.htm

L'homme a-t-il tous les droits ? Asservir peuples et espèces ? Bricoler les gènes du vivant ? La Terre est un seul organisme. Laissons-le respirer ! Tout un programme…

Lou Prunel

grand-sud.com/louprunel

Lou Prunel : agriculture biologique de pruneaux d'Agen.

Maison Vitale

www.maisonvitale.com

Maison Vitale commercialise des produits diététiques et biologiques pour une alimentation saine.

Omnis

www.omnis.8m.com

Les magasins bio Omnis sont spécialisés dans la vente par correspondance de produits biologiques et naturels.

Portail francophone végétarien et végétalien

members.aol.com/vegetari1/ liens.htm

Ce portail regroupe plus de 50 sites et de nombreuses pages en français sur le végétarisme, le végétalisme et la défense des animaux.

Produits biologiques Jean Hervé

www.herve-sarl.fr/accueil.asp

Ce site présente les vertus des noisettes qui favorisent un taux bas de cholestérol.

Rapunzel

www.rapunzel.fr

Distribution des produits biologiques Rapunzel.

Réponse nature

www.reponse-nature.com

Boutique biologique et diététique : café du Mexique, chocolat, pâtes, yaourts et plats cuisinés. Recettes et infos-conseils nutrition.

Vivez Nature

www.vivez-nature.com

Site du Salon de l'agriculture biologique, de l'environnement et des produits au naturel.

Petites annonces

@nnonces gratuites

annonces.gulliver.com

Site de petites annonces gratuites pour les particuliers.

1 2 3 immo

fr.123immo.com

Ce portail de l'immobilier vous permet de louer un appartement, une maison ou un studio, de vendre ou d'acheter un logement en France.

100 % motos d'occasion

www.motocasion.fr

Tous les mois en kiosque, Motocasion est le n° 1 dans l'offre de motos d'occasion en France. Sur le site, retrouvez annonces et photos.

A comme Annonces

www.acommeannonces.com

Service de petites annonces auto/moto multidiffusées contenant des photos pour vendre plus rapidement.

A comme annonces

www.eucalyptech.com

Service gratuit de petites annonces francophones : animaux, automobiles, bonnes affaires, emplois, immobilier, rencontres, etc.

A2C, cap d'Agde

www.a2c-bateaux.com

Cette société est spécialisée dans la vente de bateaux d'occasion en Méditerranée, de Marseille à Barcelone.

Aaccredit.com

www.aaccredit.com

Ce site propose des petites annonces immobilières pour les particuliers : achat immobilier, investissement immobilier, vendre ou louer un appartement.

AB collections

mdufaure.free.fr

Vente et exposition de BD anciennes de collection : albums, bandes dessinées petits formats, blek, akim, rodéo, kiwi, bandes dessinées périodiques, comics, récits complets.

Ababax.com

www.ababax.com

Petites annonces gratuites et enchères : auto, moto, immobilier, vacances, immobilier, emploi, bateau, antiquités, sport, informatique, ordinateur, fax, collections, musique, télévision, téléphone, hi-fi et vidéo.

Acheter-Vendre.com

www.acheter-vendre.com

Petites annonces sans intermédiaire, pour tout vendre, acheter et trouver.

Anciennes.net

www.anciennes.net

Petites annonces gratuites de véhicules anciens et de véhicules de collection.

Annonce Auto

www.annonceauto.com

Petites annonces gratuites sur Annonce Auto.

Annoncenet

www.annoncenet.fr

Publiez gratuitement vos petites annonces dans plus de 180 rubriques.

Annonces

www.ps2v.com/pa

Site de petites annonces : immobilier, automobile, moto, loisirs.

Annonces 57

www.annonces57.com

Retrouvez toutes les petites annonces de la Moselle, ainsi qu'une sélection de bonnes affaires.

Annonces classées

www.cominter.com/annonce

Service d'annonces classées pour particuliers et professionnels : immobilier, auto, moto, bateau, rencontre, animaux, mobilier, antiquités, services, emploi, affaire, micro, bureau, vacances, sports, collection, œuvres d'art, hobbies, musique, TV, hi-fi, vidéo, photo, etc.

Annonces immobilières Explorimmo

www.explorimmo.com 

Louez ou achetez en immobilier ancien, neuf ou en immobilier de tourisme, grâce à des annonces de professionnels et de particuliers actualisées quotidiennement.

Annonces immobilières PAP

www.pap.fr

Annonces immobilières pour la vente, l'achat, la location d'un logement, d'un appartement, d'une maison, d'un commerce, d'un terrain, de particulier à particulier.

Annonces immobilières, de particulier à particulier 

www.entreparticuliers.com

Des milliers d'annonces immobilières entre particuliers en France et à l'étranger. Photos, recherches multicritères, cartographie, financement, e-mail alerte, visite virtuelle, conseils pratiques, etc.

Annonces marines

www.annonces-marine.com

Le spécialiste de toutes les petites annonces bateau de qualité : les plus beaux bateaux, les meilleures offres des professionnels et des particuliers.

Annonces moto 

www.annonces-motos.com

Site gratuit d'annonces moto : occasions, promotions, dialogue, pièces, moto club, concessionnaires, annuaire, grands prix, permis moto, moto-école, assurance, crédit, grandes marques.

Annonces-Directes.com

www.annonces-directes.com

Petites annonces classées par thèmes et offres du jour : emploi, immobilier, informatique, jeux vidéo et automobile.

Annoncesmusic  

www.annoncesmusic.com

Site gratuit de petites annonces consacrées à la musique classées par thèmes : instruments, informatique musicale, disques, contacts, hi-fi. Annuaire de sites musicaux.

Annonces-plaisance.com 

www.annonces-plaisance.com

Site d'annonces gratuites pour la vente, l'achat, la location de bateaux de plaisance et d'accessoires.

Antiquaires de France 

www.antiquites.com

Serveur complet sur les antiquités, les collections et la décoration pour les professionnels et les amateurs d'art.

Antiquités

www.old-french-materials.com

Old French Materials : la plus grande galerie d'antiquités sur le Web (cheminées, carrelages, statues, fontaines, meubles d'époque).

AOL contacts, rencontres

www.aolcontacts.com

AOL Contacts, vos petites annonces sur le Web : rencontres, sport, loisirs, etc.

AquitAnnonces

www.aquitannonces.com

Site de petites annonces gratuites basé en Aquitaine.

Au rendez-vous des collectionneurs

perso.wanadoo.fr/apac

Cette association de promotion et d'assistance aux collectionneurs propose ses annonces gratuites classées par catégories.

Beach Immo Gestion

www.beachimmo.com

Consultez et passez des annonces immobilières sur la région Côte-d'Azur.

Boats and yachts

www.yacht-brokerage.com

Plus de 4 000 annonces de bateaux, pour particuliers et professionnels, illustrées par de nombreuses photos.

Boats diffusion

www.boats-diffusion.com

Vente de bateaux d'occasion : plus de 1 000 annonces et photos de bateaux d'occasion proposés à la vente en Méditerranée et en Atlantique : voiliers, multicoques, bateaux à moteur, etc.

Bonjour.fr

www.bonjour.fr

Le site Bonjour.fr vous propose de retrouver en ligne toutes les annonces du journal gratuit.

Bricabroc

www.bricabroc.net

Au programme : où chiner ce mois-ci, petites annonces, sites complémentaires.

Caradisiac.com

www.caradisiac.com

Caradisiac.com propose des milliers de voitures et de véhicules d'occasion de toutes marques vendus par des concessionnaires et des professionnels : informations, achat, revente, financement, assurance.

Century 21

www.century21.fr

L'agence immobilière Century 21 vous propose des petites annonces pour trouver un logement à louer ou acheter une maison ou un appartement, sur Paris et toute la France.

Chasseur d'images

www.photim.com

Magazine photo, vidéo et image numérique : infos, petites annonces, argus, cote, occasion, photojournalisme, tests et bancs d'essais d'appareils photo, Caméscopes et objectifs, galerie photo.

Cocorico

www.cocorico.com

Entreprises ou particuliers, passez votre annonce sur Cocorico, ou faites vos recherches par rubrique ou activité.

Contactoo 

www.contactoo.net/index.php

Petites annonces francophones gratuites pour vendre, acheter et échanger à travers plus de 200 catégories : loisirs, immobilier, automobile, téléphonie, informatique, électroménager, etc.

Copropriete.fr

www.copropriete.fr

Le site des copropriétaires : informations utiles, consultations juridiques, textes et décisions, assurance, financement, appel d'offres, syndics de copropriété, etc.

Cyber-genie 

www.cybergenie.fr.fm

Adresses de sites qui diffusent des cours pour le lycée : mathématiques, physique, chimie, économie, philosophie, français, allemand, anglais, etc.

Des profs à portée de Web 

www.kelprof.com/cp.php

Site spécialisé dans l'annonce gratuite de cours particuliers et la correction de copies en ligne.

Dna.annonces.net 

dna.annonces.net

Service gratuit d'annonces non commerciales, relues avant parution.

E-annonces

www.e-annonces.fr

Sur ce site, plusieurs milliers de véhicules d'occasion et d'annonces immobilières entre particuliers.

Ebay 

www.ebay.fr

Ebay vous permet de faire de bonnes affaires en achetant et en vendant tout type d'objet en ligne.

Espace culturel franco-malgache 

www.tonga-soa.com

Petites annonces gratuites de Madagascar. Pour dialoguer, échanger et découvrir la Grande Ile, ou simplement préparer votre voyage.

Etude Tajan

www.tajan.com

Calendrier des prochaines ventes de l'étude Tajan, guides de la vente et de l'achat.

Europ yachting

www.europ-yachting.com

Site de référence pour vendre ou acheter un bateau d'occasion.

Expertise et ventes publiques d'estampes

www.art-experts.com

Calendrier des ventes d'estampes anciennes et modernes.

Eyb boats

www.eyb-boats.com

Toutes les occasions de bateaux et voiliers des professionnels Beneteau, Jeanneau, Lagoon, Wauquiez, etc. Petites annonces centralisées depuis toute l'Europe et remises à jour en temps réel.

FFFOD, cours en ligne

www.fffod.org/fr

Annuaire de sites proposant des cours en ligne gratuits.

Fmoto

www.fmoto.com

Le site gratuit des annonces moto : occasions, promotions, dialogue, pièces, moto club, concessionnaires, annuaire, grands prix, permis moto, moto-école, assurance, crédit.

FNAIM

www.fnaim.fr

Le site des agences FNAIM vous aide à trouver le logement que vous souhaitez louer ou acheter.

Freesurf - Petites annonces

pa.freesurf.fr

Portail petites annonces de FreeSurf.

Fustel (Paris), soins cosmétiques

www.fustel.com

Service de petites annonces réservé aux professionnels : soins des cheveux, matériel de coiffure, esthétique, onglerie, équipements, meubles.

Hôtel des ventes des notaires de Strasbourg

perso.wanadoo.fr/ strasbourg.encheres

Calendrier des ventes et liste des notaires du Bas-Rhin.

I4roues.com

www.i4roues.com/fr

Premier site d'intermédiation automobile sur le Net : appels d'offres de particuliers à professionnels, achat et vente en direct, vente aux enchères.

Immostreet

www.immostreet.com

Le portail immobilier Immostreet vous assiste dans l'ensemble de vos démarches immobilières. Vous y trouvez toutes les petites annonces de studios, appartements et maisons, à vendre et à louer, pour y habiter ou passer vos vacances.

Internautic services

www.tout-savoir.com

Accédez à des offres de location et d'échange nautique entre particuliers.

Internet moto

www.Internetmoto.com

Internet moto est le site du motard et de sa moto : vente de pièces moto neuves et d'occasion, petites annonces de motos d'occasion et accidentées pour particuliers et professionnels.

Jannonce

www.jannonce.com/index.php?

Jannonce publie gratuitement votre annonce sur Internet, le Minitel et dans le journal.

Je collectionne

www.boutique-jecollectionne.com/default.htm

Ce site s'adresse aux collectionneurs qui veulent acheter, céder ou échanger l'objet de leur passion.

Je l'annonce

perso.wanadoo.fr/laurent.alcaraz

Site de petites annonces thématiques : informatique, loisirs, jardinage, bricolage, voyage, argent, musique, santé, automobile, etc.

Kitrouve

www.kitrouve.com

Kitrouve donne un accès gratuit aux annonces immobilier, automobile et bonnes affaires des journaux de la S3G.

La Boutique

www.espace2001.com/boutique

Passez des annonces gratuitement dans de nombreux domaines. Si nécessaire, vous pouvez illustrer votre texte par des photographies et des plans.

La Puce à l'oreille

www.la-puce.com

Sur la-puce.com, plus de 150 meubles en pin et en teck à découvrir. Profitez également du service de réservation en ligne.

La Voix du Nord

www.lavoixdunord.fr/vdn/annonces/home.shtml

Emploi, immobilier, automobile, brocante : retrouvez toutes les annonces du quotidien régional La Voix du Nord.

Le caillou

www.lecaillou.nc

Toutes les petites annonces de Nouvelle-Calédonie sur le Web grâce aux Nouvelles-Calédoniennes.

Le monde des bonnes affaires HTON

www.hton.tm.fr

Serveur de petites annonces gratuites.

Le Moniteur automobile

www.moniteur-automobile.presse.fr

Le site du journal Le Moniteur automobile : actualité, prix des voitures neuves, cote de l'occasion, guide d'achat de l'assurance auto, petites annonces et archives.

Les annonces d'Algérie

www.annonces-dz.com

Premier serveur de petites annonces en Algérie.

Les annonces du bateau

www.annoncesbateau.com

Ce site intéressera tous ceux qui veulent vendre ou acheter un bateau.

Les petites annonces gratuites de Libre-annonce

www.libre-annonce.com

Libre-annonce.com propose de passer vos annonces gratuitement pour vendre, louer, échanger, acheter votre bien dans tous les domaines : immobilier, emploi, informatique, rencontres/amis, etc.

Les-@nnonces.ch

www.les-annonces.ch

Site francophone de petites annonces et autres services gratuits : e-mail, cartes postales, carnet d'adresses personnel.

Lokaz

www.lokaz.com/jannonce/default.htm

Site de petites annonces gratuites (rencontres, auto-moto, immobilier, emploi).

Mécanic

www.mecanic.fr

Sur ce site : annonces moto gratuites, galerie photo, dessin et peinture, la moto au féminin, rassemblements motards, compétitions, moto clubs, pros de la moto, liens, services gratuits.

Mes petites annonces

www.mes-petites-annonces.org

Service gratuit de petites annonces couvrant tous les pays francophones et permettant de consulter et de publier les petites annonces de votre région ou du reste du monde, dans un très grand nombre de rubriques. Service simple, rapide, convivial et sans inscription préalable.

Missive

www.missive.info

Petites annonces gratuites : emploi, immobilier, informatique, transport, loisirs, animaux, etc.

Mistergooddeal

www.mistergooddeal.com

Mistergooddeal effectue un déstockage à prix discount de télévision, électroménager, vidéo-son, informatique, loisirs, shopping, magnétoscopes, produits pour la maison, PC, Palm Pilot, portables.

Mon bateau

www.monbateau.com

Voguez sur près de 5 000 annonces de bateaux d'occasion dans le premier fichier européen de bateaux d'occasion. Personnalisez votre recherche en fonction de vos propres critères de type, taille et prix.

Net annonces

www.net-annonces.com

Service de petites annonces gratuites : auto, moto, immobilier, bonnes affaires. Venez consulter ou déposer des petites annonces : tout est gratuit.

Netannonces.net

www.netannonces.net

Site d'annonces classées. Si vous le souhaitez, les annonces peuvent vous parvenir automatiquement dans votre boîte e-mail.

Netmalin

www.netmalin.fr

Petites annonces gratuites, pour faire de bonnes affaires entre particuliers.

Nexdom 

www.nexdom.com

Portail de l'immobilier : annonces, alerte mail, biens de prestige, visites virtuelles, logement étudiant, agences.

Novaweb

www.novaweb.fr

Site incontournable des passionnés de la voiture de collection, de sport et de prestige : annonces, information sur les clubs et magazine.

OD2C, annonces de bateaux 

www.od2c.com

Acheter, vendre, louer, tous les produits nautiques : bateaux, accastillage, entretien. Liens, adresses de location et petites annonces gratuites.

Ooshop.com 

www.ooshop.fr

Faites vos courses à prix hypermarché : alimentation, frais, sec, surgelés, bébé, hygiène et beauté, promotions, nouveautés. Vous choisissez l'enlèvement au point service ou bien la livraison à domicile. Commande en ligne sécurisée, par carte bancaire.

OuestFrance-affaires 

www.ouestfrance-affaires.com

Site des Bonnes Affaires du journal Ouest-France. Consultez les petites annonces ainsi qu'une sélection d'annonces avec photos, issues des meilleures affaires proposées par les professionnels.

PAM PAC

www.pam.presse.fr

Site de petites annonces régulièrement mises à jour : immobilier, automobile, emploi, services, machines agricoles, animaux, etc.

Petites annonces classées du Québec 

www.lespac.com

Le plus important site de petites annonces sur Internet du Québec.

Petites annonces d'AltaVista 

annonces.altavista.fr

Service de petites annonces entièrement gratuit. Gagnez du temps : publiez gratuitement une annonce et AltaVista s'occupe de la diffuser sur les sites les plus consultés du Net regroupés sur le réseau Mixad. Pour vos recherches, AltaVista annonces rassemble l'essentiel des annonces du Net en un seul endroit.

Petites annonces de la Vendée

sylvaino.free.fr/LesPetitesAnnonces.htm

Petites annonces gratuites de la Vendée : immobilier, loisirs (nautisme, chasse, pêche, musique, informatique, bricolage, camping, caravaning), antiquités, brocante, animaux, offres d'emploi, demandes d'emploi, vente de véhicule.

Petites annonces internationales 

www.6jp.com

Espace international de petites annonces (en français et en anglais) avec photos. Classement par catégories.

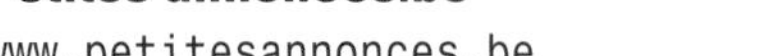

Petites annonces.be

www.petitesannonces.be

Petites annonces pour la Belgique : immobilier, auto, emploi, téléphonie, sport, musique, etc.

Petites annonces.fr

www.petites-annonces.fr

Plus de 250 000 annonces actualisées quotidiennement : consultez ou passez une annonce auto/moto/bateau, immobilière, location saisonnière, rencontre, emploi, informatique, loisirs, animaux, etc.

PLB nautisme

www.plb-nautisme.com

Achat et vente de bateaux d'occasion. Plus de 100 bateaux de plaisance d'occasion, une agence située sur le port de Pornichet-La Baule (Sud-Bretagne). Conseil en assurance, financement, expertise et transfert de propriété.

Point annonces de Nouvelle-Calédonie

www.pa.nc

Petites annonces de Nouvelle-Calédonie : location, auto, moto, bateau, immobilier (location, vente, achat), emploi, etc.

PubliFrance

www.publifrance.com

Petites annonces gratuites de France et de Navarre.

Se loger neuf

www.selogerneuf.com

Le site du journal Se loger neuf : tout ce dont vous avez besoin pour acheter un logement ou un appartement neuf.

Seine plus

www.seineplus.com

Seine Plus est le spécialiste des ventes, des locations et de l'entretien de bateaux logements et de péniches en région parisienne. Cette société propose la location à Paris de péniches de 12 personnes, pour navigation et habitat.

Tendance voile

www.tendance-voile.com

Location, vente et maintenance de catamarans de croisières sur le littoral varois.

Thia-ha troc

thiaha.free.fr

Thia-ha est un site de mise en relation tourné vers l'échange de biens, de services et de savoirs, entre particuliers. Chacun peut mettre en avant ses connaissances et ses compétences, sans que la notion d'argent n'entre en jeu.

Troc et échange musique, jeux, vidéos

www.trokers.net/index2.asp

Trokers.net est un espace de troc qui met en relation les personnes qui veulent échanger ou troquer leurs biens et leurs services.

Troc et échange

www.trokers.net

Plus de 450 000 annonces de troc en ligne vous attendent sur ce site.

Trocmusic
www.trocmusic.com

Annonces pour musiciens, instruments, forum, annuaire audio pro, artistes, studios et musique MP3.

Urbuz
urbuz.mixad.com

Petites annonces gratuites en France, Angleterre et Allemagne.

Used boat
www.used-boat.com

Une des solutions les plus performantes pour rechercher, vendre ou acheter un bateau sur Internet.

Vnunet.fr

www.vnunet.fr/pa/index.htm

Les petites annonces de Vnunet sont ouvertes à tous, mais réservées aux transactions dans le domaine de l'informatique. Vente, achat ou échange de matériels et de logiciels, demandes de contacts, etc.

Web malin
www.webmalin.com

Lorsque vous passez votre annonce sur ce site, celle-ci apparaît automatiquement sur plus de 600 sites (Tiscali, La Poste, AutoJournal, Free...), augmentant ainsi vos chances de trouver une personne intéressée. En un clic, vous touchez plus de 1 300 000 acheteurs par mois.

Webcity
www.webcity.com

Le réseau Webcity propose toute l'info locale, les bons plans de votre ville, les horaires de cinéma, des petites annonces et tous les services de proximité.

Yachting sélection

www.yachting-selection.com

Yachting sélection est un intermédiaire entre les acheteurs et vendeurs particuliers. Il visite et inspecte les bateaux avant de les mettre en vente.

Portails, guides

01direct

www.01directory.com

Ce site propose un portail d'informations gratuites (annuaire, annuaire inversé, annuaires du monde, comparaison de tarifs téléphoniques, actualités) et un catalogue de produits pour l'action au téléphone (télémarketing, fax-mailing, mailing) destinés aux entreprises.

100facons.be

www.100facons.be

Ce site propose des recettes et techniques pour vous faciliter la vie dans tous les domaines : gastronomie, beauté, mode, santé, maison, week-end, Internet.

15-25ans.com

www.15-25ans.com

Vous trouverez ici des offres d'achat, des coupons et des cadeaux. Liens avec d'autres sites : concerts, spectacles, cinémas, magasins, tourisme, banques, immobiliers, assurances, magazines, etc.

Accueil Suisse romande pratique

www.regad.com

Portail suisse romand. Au bureau ou à la maison, vous y trouverez des liens simples et pratiques pour vos besoins quotidiens.

Alsace.net

www.alsace.net

Toute l'Alsace à portée de souris : sites alsaciens, médias alsaciens, annuaires alsaciens, achats sur le Web en Alsace, petites annonces en Alsace, etc.

Annuaires de sites gratuits

www.mylinea.com/tarotnum/vie_pratique_-_services

Annuaires de sites gratuits orientés vie pratique.

AOL France

www.aol.fr

Le site portail d'AOL France, avec ses nombreux contenus et services exclusifs, gratuits et pour tous les internautes.

API, le guide Internet des PME

api.guide.free.fr 

Le portail Api.guide vous propose une sélection de sites classés par thèmes, des aides, des conseils, et aussi plusieurs tribunes où l'internaute peut diffuser des informations.

Astronef magazine

afm.infinit.net

InfiniT est un portail qui facilite l'accès aux contenus d'Internet pour les Québécois.

Branchez-vous 

europe.branchez-vous.com/Europe

Guide francophone consacré aux nouveautés sur Internet : les meilleurs sites Web et l'actualité du cyberespace.

Cantal.com 

www.cantal.com

Portail cantalien : tout sur le Cantal et l'Auvergne, annuaire thématique.

Coolsite.net 

coolsite.free.fr

Les gratuits du Net : services gratuits, hébergements gratuits, e-mails gratuits, compteurs gratuits, etc.

Douce France 

www.doucefrance.com

Guide sélectif et pratique de la France : restaurants, vignobles, boutiques, sports, hôtels, tourisme, loisirs, mode, emploi, etc.

Ebuyclub 

www.ebuyclub.com

Ebuyclub.com est un portail proposant une sélection de boutiques en ligne.

Espace1.com 

www.espace1.com

Portail pour les services pratiques du Web : informatique, infos Internet, portables, loisirs, futur et sciences, météo.

Famille, les enfants 

www.dossierfamilial.com/user/standard.php?idrub=7

Guide des meilleurs sites pour enfants.

Gratuit-fr, vie pratique

www.gratuit-fr.com/Vie_pratique/Portail

Le portail Gratuit-fr.com présente sa sélection de sites orientés vie pratique.

Guide francophone et logiciels gratuits

www.guidefrancophone.fr.st

Guide de liens francophones et de logiciels gratuits à télécharger.

Illiclic

www.illiclic.com

Portail de services pour mieux gérer son quotidien : vie pratique, accès Internet, jeux-concours, cinéma, info trafic, conseil juridique, cours de la bourse, annonces logement.

Interneto

www.Interneto.fr/mag38/actu4.htm

Le guide des programmes Internet sélectionne chaque semaine les meilleurs événements diffusés en direct sur le réseau et les meilleurs nouveaux sites : mises à jour, contenus, pages perso, webcams, chats et listes de diffusion.

Itroovetoo.com

www.itroovetoo.com

Portail incontournable du Web, pratique et gratuit.

Juracom

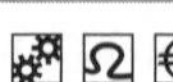

www.juracom.com

Portail dédié aux Jurassiens : moteur de recherche spécialisé pour le département du Jura, hit-parade des sites les plus demandés, forum, petites annonces, agenda d'événements, carterie virtuelle, actualité locale, espace Shopping, guide-Net et une multitude d'autres pages découvrir.

Kompass, le portail des entreprises

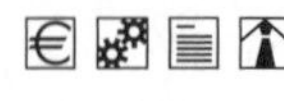

www.kompass.fr

Kompass, le portail des entreprises, permet de rechercher l'actualité des entreprises par secteur et fonction, d'accéder aux meilleurs fournisseurs et de consulter des dossiers (contrat de travail, plan d'épargne entreprise, etc.).

Le meilleur du Web en 2 clics

perso.club-Internet.fr/alfland

Site simple et pratique qui vous permettra de trouver votre destination en deux clics (auto, bourse, charme, cinéma, culture, emploi, enchère, entreprise, esotérisme, FAI, famille, etc.).

Le meilleur du Web

www.meilleurduweb.net

Tout ce qu'il y a de mieux sur Internet : de superbes fonds d'écran et skins, des freewares et sharewares incontournables à télécharger, des adresses utiles dans une centaine de catégories et de nombreuses offres à ne pas manquer.

Le portail Bologna

membres.lycos.fr/portailbologna

Portail des meilleurs sites persos et commerciaux du Web et des meilleurs moteurs de recherche.

Le portail des portails éducatifs

www.scolaweb.com

Le portail des portails éducatifs référence les meilleurs sites pédagogiques du Web.

L'écho du Web

www.chourave.ch/echoduweb/num03.html

Espace convivial qui tente de se faire l'écho du Web. Vous pouvez aimer, rire ou détester.

Les accros du Web

les-accros.du-Web.net

Les accros du Web sélectionne, analyse, classe et publie les meilleurs sites du Web français et francophone.

Les moteurs de recherche

www.lesmoteursderecherche.com

Guide de référence des moteurs de recherche.

Liens utiles - Vie pratique

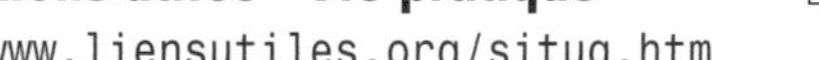

www.liensutiles.org/situg.htm

Sélection de sites qui vous faciliteront la vie par Liens utiles.com.

L'Internaute

www.linternaute.com

Guide de l'internaute : famille, aide-mémoire, agenda, carte de vœux, téléchargement, logithèque, fonds d'écran, MP3, achats, etc.

LofTV

www.loftv.fr

Guide des TV diffusées sur Internet : webTV, live, différés et archives des contenus vidéo diffusés sur Internet.

Mon menu interactif du Web

rieu.patrick.free.fr

Portail interactif généraliste qui donne accès à plusieurs centaines de liens classés par thèmes.

MSN France

www.msn.fr

Le site portail MSN France est un bon point de départ pour faire vos premiers pas sur la Toile.

Portail 2, le portail des portails

www.portail2.com

Portail 2 est un portail des portails. Très complet, il facilite par sa convivialité et sa simplicité vos recherches et s'adresse aussi bien aux débutants qu'aux professionnels. A consulter d'urgence !

PrestiClub Shopping

www.presticlub.fr/Shopping/index.php

Banque de sites de commerce électronique, avec recherche par produit à acheter et promotions de la distribution.

QCM et Quiz en ligne

quizz.e-qcm.net

Venez tester gratuitement vos connaissances avec les questionnaires QCM en ligne de ce site. Ces QCM, classés par rubriques, sont idéaux pour tester votre culture générale.

Quebec-francais.com

www.quebec-francais.com

Portail et webzine québécois pour toute la francophonie. Service de courrier gratuit, création de page Web, chat, rencontres, forum, répertoire, liste de logiciels, jeux, musique, sites cools, etc.

Site portail du millénaire

www.future-fr.com

Portail pour MP3, images gifs, jeux, musique, séries TV, logiciels et bien d'autres choses.

Skynet

www.skynet.be

Site portail belge qui propose d'effectuer des recherches avec AltaVista Belgique, d'accéder à une sélection des meilleurs sites, d'obtenir des infos financières et de consulter un agenda des spectacles.

Societe.com

www.societe.com

Societe.com est un service d'information sur les entreprises entièrement gratuit. Il indique les chiffres clés du bilan ainsi que l'identité de toutes les entreprises immatriculées au Registre national du commerce et des sociétés (RNCS).

Techbull.com

www.techbull.com

Portail québécois des meilleurs liens du Net francophone.

TF1 Exclusif

www-compat.tf1.fr/tv//emissions/exclusif

De Paris à Hollywood en passant par le Net, découvrez chaque semaine les meilleurs moments de l'année de l'émission de TF1.

Santé

1Sante.com

www.1sante.com

Portail francophone de la santé.

2001 dental espace

www.dentalespace.com

Site dentaire indépendant créé par une association de chirurgiens-dentistes, dédié aux professionnels et à leurs patients.

33docavenue.com

www.33docavenue.com

Expertise et information médicales pour le grand public. Mille médecins vous informent : actualité santé, informations par pathologies (diabète, allergie, cancer), avis médical (ménopause, contraception, tabagisme).

ABC Allergies

www.abcallergie.com

Site d'information sur toutes les allergies : alimentaire (arachide, lait, œuf, gluten, poisson etc.), acariens, animaux domestiques, moisissures, pollens, venin d'hyménoptères, médicaments, latex, asthme.

ABCD régime

www.abcdregime.com

La vocation d'ABCD régime est de fournir des informations et des conseils sur votre alimentation. De plus, les mises à jour régulières de ce site vous permettent d'être au courant de l'actualité de la nutrition.

Act Up - Paris

www.actupparis.org

Campagne de prévention d'Act Up Paris.

Activité physique et santé

www.lebulletinregional.com/index10.html

Très complet, ce site propose une mine de renseignements sur l'activité physique, la santé et les sports, présente des chroniques et une foire aux questions.

Actualits

www.actualits.Com

Actualits est un spécialise de la vente de literie de relaxation : matelas médicalisés, oreillers médicaux.

Afssaps

afssaps.sante.fr

Site de l'Agence française de sécurité sanitaire des produits de santé.

Aides

www.aides.org

L'association Aides lutte contre le sida sur tous les fronts de l'épidémie : aide et soutien aux personnes atteintes, accès aux traitements, prévention.

Alimentation et plaisirs de la table

membres.lycos.fr/alimentation/

Vous trouverez sur ce site un guide alimentaire sur la nutrition et l'équilibre alimentaire, des recettes sympas, des menus type, etc.

Alimentation et santé

home.nordnet.fr/~pestival/ alisan.htm

Alimentation et santé s'intéresse à la diététique et aux besoins alimentaires du corps. Vous y trouverez toutes les informations nécessaires pour ne plus manger n'importe quoi n'importe comment.

Allergienet

www.allergienet.com

Site consacré aux allergies et à l'asthme.

Allergonet

www.allergonet.com

Site d'informations sur les maladies allergiques créé par un groupe d'universitaires français : allergie, pollen, calendrier scientifique, environnement, épidémiologie, formation médicale continue, etc.

Alternative santé

www.alternativesante.com

Référence des consommateurs de médecines douces qui prennent leur santé en main : répertoire d'entreprises et de thérapeutes multidisciplinaires.

Althéus

www.altheus.fr

Althéus présente sa gamme de compléments alimentaires naturels et nutriments synergiques.

Ameli, l'assurance maladie

www.ameli.fr

Site de la Caisse nationale d'assurance maladie.

Annuaire AAS

www.annuaire-assoc-sante.com

Annuaire des associations de santé.

Annuaire du bien-être

www.marjolaine.com

Marjolaine, l'annuaire du bien-être, référence les sites sur la beauté, la santé, les médecines douces, l'alimentation, l'environnement et le tourisme vert.

Antidotebio

www.antidotebio.com

Découvrez le catalogue de l'enseigne Antidote Bio : produits de santé, cosmétiques, produits alimentaires et parfums d'intérieur.

AREPA

www.arepa.org

L'AREPA (Association des résidences pour personnes âgées) propose des solutions d'hébergement ou d'aide à domicile pour les retraités.

Armoire à pharmacie

www.aufeminin.com/enfants/armoirepharmacie/armoirepharmacie1.asp

Ce site donne des conseils pour bien gérer votre armoire à pharmacie et vous propose d'imprimer la check-list de ce qu'il vous manque.

Armor protéines

www.armor-proteines.com

Armor protéines se consacre à la vente de produits diététiques pour tous ainsi qu'aux compléments alimentaires destinés aux sportifs.

Art et ophtalmologie

www.snof.org/art/art.html

Site du Syndicat national des ophtalmologistes de France.

Assistance publique

www.aphp.fr

Site de l'Assistance publique-Hôpitaux de Paris.

Asso de lutte contre les maladies à prions

orphanet.infobiogen.fr/associations/ALMP/ALMP.html

Site de l'ALMP, Association de lutte contre les maladies à prions.

Association des parents d'enfants victimes

www.mcj-apev.com

Site de l'APEV, Association des parents d'enfants victimes.

Aufeminin.com

www.aufeminin.com

Magazine pratique au féminin en huit rubriques : beauté, carrière, couple, cuisine, enfants, fitness santé, maternité et shopping. Tous les conseils, toutes les astuces pour les femmes. Des outils interactifs et des conseils d'expert : posez vos questions en ligne.

Aux biscuits d'Antoine

www.biscuits-antoine.com

Site de l'artisan biscuiter bio Antoine (89, Yonne) : biscuits hypoallergéniques et biologiques sans gluten.

Bariatrix Europe

www.bariatrix-europe.com

Fabrication et distribution de produits diététiques protéinés en France et à l'étranger.

Biscuits roc'hélou (29)

www.biorochelou.com

Vente en ligne de biscuits et pâtisseries bretonnes issus de l'agriculture biologique. Un savoir-faire de cinquante ans en biscuiterie.

Bodyplanet

www.bodyplanet.com

Fitness, condition physique, activités de remise en forme, anatomie, exercices, techniques d'entraînement, alimentation, dopage, bonnes adresses, etc.

Boncholesterol.com

www.boncholesterol.com

Ce site donne des renseignements sur la maîtrise du taux de cholestérol.

BonWeb - Vie pratique, ressources santé

www.bonweb.com/p_7_103.php

Sélection des meilleurs sites et portails santé, par bonweb.com.

BonWeb - Vie pratique, bien-être

www.bonweb.com/p_7_313.php

Sélection des meilleurs sites de bien-être (perte de poids, homéopathie, santé au naturel, etc.), par bonweb.com.

BonWeb - Vie pratique, médecine

www.bonweb.com/p_7_104.php

Sélection des meilleurs sites orientés médecine et santé, par bonweb.com.

Boulimie.fr

www.boulimie.fr

Ce site propose des thérapies concernant la boulimie. Chaque mois, un sujet différent sur la boulimie, des témoignages vidéo de personnes qui s'en sont sorties, des forums pour les boulimiques et leur entourage. Chaque semaine, la présentation d'un nouveau livre.

Caducée.net

www.caducee.net

Un portail très complet dans le domaine médical : annuaires, dossiers santé, dépêches, revues de presse, droit et santé, chroniques, agenda des congrès, AFP santé.

Caisse primaire d'assurance maladie de Lyon

www.cpcamlyon.fr

Site de la caisse primaire d'assurance maladie de Lyon.

Célaforme

www.celaforme.com

Vous avez besoin de perdre du poids ? Evaluez l'indice de votre masse corporelle. Choisissez un programme adapté. Garantie satisfait ou remboursé. Conseils et suivi gratuits.

CHU de Rouen

www.chu-rouen.fr

Sélection, description et indexation des ressources francophones de qualité dans le domaine de la santé. Accès thématique, par mot clé et par types de ressources.

Cliniques-france.com

www.cliniques-france.com

Cliniques-france.com répertorie tous les établissements de santé de France (cliniques et hôpitaux), par régions, villes, noms et spécialités médicales ou chirurgicales.

Comité français d'éducation pour la santé

www.cfes.sante.fr

Le Comité français d'éducation pour la santé et son réseau : ses actions de prévention (tabac, drogues, alcool, sida, cancer, hygiène de vie), ses programmes de communication, ses publications, ses actions de terrain et sa base documentaire.

Conseils pour manger bien...

www.aceli.com/lebail

Vous souhaitez faire un régime efficace et maigrir en toute sécurité, retrouver ou maintenir votre forme. Ce site vous apporte un complément d'information utile pour manger mieux. Retrouvez les calories par aliments, des idées de menus, calculez votre poids, etc.

Corse médecine

perso.wanadoo.fr/corse.medecine

Site médical corse : actualités, programmes et résumés des FMC locales, aide à l'informatisation et à l'utilisation des réseaux en médecine.

Courrier médical

www.courriermedical.com

Recevez toute l'actualité médicale chaque semaine dans votre boîte e-mail en vous abonnant sur ce site.

Creutzfeldt-Jakob et vache folle, maladies et droit

www.sos-net.eu.org/medical/esb.htm

Maladie de la vache folle : vos droits et recours, rédigés par Me Durrieu-Diebolt, avocat.

Croix-Rouge française

www.croix-rouge.fr

Tout savoir sur le mouvement Croix-Rouge, ses activités et son actualité en France et dans le monde. Aider la Croix-Rouge en temps, nature, argent.

Danone Conseils.com

www.danone.fr/wps/portal/redirect/danoneconseils

Effectuez votre bilan nutritionnel et retrouvez recettes et conseils nutritionnels sur le site Danone Conseils.

Diet Boutique

www.dietboutique.com

Découvrez plus de 300 références de produits pour la nutrition sportive et la diététique grand public (vitamines, compléments alimentaires, protéines, acides aminés) ainsi que des dossiers et des conseils de spécialistes.

Dietcom

membres.lycos.fr/dietcom

Ce site de diététique propose des régimes, des informations diététiques, des menus diététiques de saison, des sites de diététique et de recherche en nutrition.

Diététic international

www.dietetic-international.com

Distribution de produits diététiques protéinés, pour le traitement de la surcharge pondérale, sous contrôle médical.

Diététique et nutrition

www.diet.free.fr

Sur ce site, la diététique est expliquée simplement pour vous aider à maigrir sans vous priver.

Distrimed

www.distrimed.com

Vente en ligne de matériel médical et paramédical, à des prix de gros accessibles à tous. Petites annonces médicales, gestes de secourisme, répertoire des maisons de retraite.

Doctissimo

www.doctissimo.fr

Portail médical grand public sur la santé, la forme, la nutrition, la sexualité, l'enfance, la puberté, les médicaments, le stress, la pollution, les voyages et le sport.

EFS, l'établissement français du sang

www.dondusang.net/index.php

Acteur essentiel du secteur de la santé en France, l'Etablissement Français du Sang est un établissement public créé le 1er janvier 2000 placé sous la tutelle du ministère de la Santé.

EgoWell

www.egowell.com

Prendre soin de soi, penser à son équilibre, son épanouissement, sa santé, c'est fondamental. Sur EgoWell : nutrition, forme, santé, beauté, sexualité, développement personnel, etc.

Encyclopédie médecine et santé

www.vulgaris-medical.net

Ce site démocratise la connaissance médicale. Ce n'est pas la "chose médicale" qui est incompréhensible, mais la façon de l'exprimer. Vous avez le droit de comprendre. Votre santé, c'est d'abord vous que ça concerne.

ENSP

www.ensp.fr

L'ENSP forme les cadres des domaines de la santé, du social et de la santé environnementale.

Entretien physique et corporel à domicile

www.entretiencorporel.com

Des enseignants en EPS proposent des séances d'entretien physique à domicile : massage, relaxation, remise en forme.

E-sante.fr

www.e-sante.fr

Assurance santé en ligne.

Esculape.com

www.esculape.com

Ce site médical aborde toutes les questions en rapport avec la santé et propose un moteur de recherche spécialisé dans les articles médicaux.

Eureka sport

www.eureka-sport.com

Le site de la santé et du sport : explication de l'entraînement, de l'effort, de la fatigue et du surentraînement. Forum, en savoir plus, vrai-faux, concours, boutique, thalassothérapie, thermalisme, nutritio et régime alimentaire.

Evian

www.evian.fr

Sur le site Evian : l'eau pure, cultivez votre jeunesse, la vie Evian, Evian et les tout-petits, la passion du sport, destination jeunesse.

Family Santé

www.familysante.com

Ce webzine d'actualité présente des dossiers sur la médecine et la santé.

Fécondités sur le Net

www.mylinea.com/fecondites

Annuaire des sites concernant la fécondité du couple humain. De la rencontre à la famille nombreuse, en passant par la sexualité, la maternité, la stérilité, jusqu'à la généalogie, la démographie mondiale et la fécondité spirituelle.

Fédération mer et santé

www.thalassofederation.com

La Fédération internationale de la thalassothérapie vous informe sur la législation en vigueur et les centres agréés dans toute la France.

Feng shui academie

www.fengshuiacademie.com

Découvrez le Feng Shui traditionnel. Vous pourrez ainsi choisir l'emplacement des objets, en harmonie avec tous les secteurs de votre existence.

Fil Santé Jeunes

www.filsantejeunes.com

Informations sur la santé des jeunes : amour et sexualité, contraception, drogues, grossesse, MST, mal-être.

First, prévention sida et toxicomanie

www.first.asso.fr

Prévention, formation, réduction des risques autour du sida et de la toxicomanie.

FitnessZone.be

fr.fitnesszone.be

Un des plus grands annuaires fitness du Net (plus de 120 catégories).

Fondation Health on the Net

www.hon.ch

La Fondation Health on the Net (la santé sur Internet) est un organisme sans but lucratif créé en 1995 et basé à Genève en Suisse. Health on the Net se consacre au développement et au support de la communauté médicale internationale sur le Web et Internet.

Forme et santé

www.pratique.fr/sante

Si vous cherchez à en savoir plus sur votre santé, si vous voulez des bons conseils pour garder la forme ou avoir une bonne alimentation, vous êtes sur le bon site.

Forme Plus

www.formeplus.fr

Depuis plusieurs années, Forme Plus élabore et diffuse des en-cas alimentaires hyperprotidiques et hypocaloriques.

French paradox

www.frenchedonist.com

Les vertus du vin et de l'huile d'olive au service de la beauté.

Gassendi diététique (75)

biogassendi.ifrance.com

Service de conseil et d'information en matière de nutrition (vingt-cinq ans d'expérience, de conseils personnalisés et de résultats). Articles sur la sécurité alimentaire et les médecines douces.

Génomique, OGM

www.inra.fr/genomique

L'Institut national de la recherche agronomique (Inra) vous informe sur la génomique et les OGM.

Gerlinéa

www.gerlinea.tm.fr

Gerlinéa, votre expert minceur, vous aide à lutter contre les excès de poids dans le respect d'une alimentation saine, variée et équilibrée indispensable à votre santé.

Ghré, coiffure et beauté à Marseille

www.jacquesghre.com

Site de l'institut Fustel, centre conseil clinique : soins cosmétiques par des professionnelles qualifiées à votre écoute.

Globalsante.com

www.globalsante.com

Global santé, le site fédérateur des professionnels de la santé, propose à ses visiteurs de passer des commandes de médicaments en ligne et de suivre des modules de formation conçus par des organismes de formation et des laboratoires. Sont également accessibles les partenaires santé répertoriés.

Gros

www.gros.org

Ce site propose un panorama critique des méthodes favorisant la minceur, qu'il s'agisse de régimes, de coupe-faims ou de gastroplastie. Sont passées en revue les principales théories de l'obésité fondées sur la nutrition, la biologie et la génétique, la psychologie d'orientation psychanalytique ou comportementale et cognitive.

Grossesse et accouchement

www.lamaternite.com

Grossesse et accouchement, bien-être du bébé et santé des parents.

Guide de pédiatrie

www.cs-i.com/pediatrie/GPublic/sommaiGP.htm

Au sommaire : le corps en question, conseils pratiques, anatomie éducative, carnets d'adresses, conseils éducatifs, orientation, formation et enseignement, etc.

Gyneweb

www.gyneweb.fr

Ce site s'intéresse à la santé au féminin : gynécologie, contraception, fertilité, grossesse, sexualité, ménopause, nutrition, pédiatrie.

Heinz France

www.heinz.fr

Retrouvez tous les résultats de l'étude menée par l'institut Pasteur de Lille sur les bienfaits du tomato ketchup Heinz.

Hépatites-info.com

www.hepatites-info.com

Ce site fournit aux personnes atteintes d'une hépatite, à leur famille et à toute personne en quête de renseignements, une information claire et validée par un comité d'experts ainsi qu'une bonne orientation.

Idealine 

www.idealine.fr

Grâce au régime hyperprotéiné Idealine, découvrez comment perdre rapidement du poids, efficacement et de façon conviviale.

Inf'OGM

www.infogm.org

Site francophone d'informations sur les OGM et les biotechnologies.

Infos de l'institut Pasteur

www.infogm.org

Le site d'information de l'institut Pasteur propose une documentation sur les maladies infectieuses, une photothèque, des communiqués, des dossiers et donne accès au portail de l'institut.

Institut Pasteur de Lille

www.pasteur-lille.fr

Institut Pasteur de Lille : présentation de l'activité de santé publique, conseils sur votre santé, présentation des formations enseignées à l'institut et de l'activité expertise et innovation technologique.

Kilo-diet 

www.kilo-diet.com

Votre régime diététique personnalisé pour maigrir ou mincir et conserver votre poids idéal. Pour l'équilibre de votre alimentation, à chaque menu sa recette de cuisine minceur.

La caisse des Français de l'étranger

www.cfe.fr

La caisse de sécurité sociale spécialisée pour les Français à l'étranger. Des solutions avantageuses pour les entreprises, les salariés et les étudiants.

La diététique en question 

perso.club-internet.fr/fderad

Ce site, réalisé par une diététicienne, est un lieu d'information et d'échanges sur la diététique, les régimes, les aliments et la santé.

La Ligue contre le cancer 

www.ligue-cancer.asso.fr

Le site de la Ligue nationale contre le cancer.

La Maison aux aromates

perso.wanadoo.fr/aromatique

Spécialiste des plantes aromatiques, La Maison aux aromates vous dit tout sur les épices, aromates et infusions. Vente par correspondance.

La psychanalyse

pages.globetrotter.net/desgros

Ce site donne au visiteur une vision globale de la situation des différents courants de pensée qui forment le champ de la psychanalyse.

La rubrique gynécologie obstétrique de Fémiweb

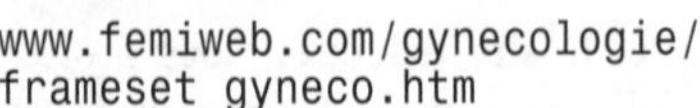

www.femiweb.com/gynecologie/frameset_gyneco.htm

Un peu plus qu'un article de vulgarisation et un peu moins qu'une communication scientifique, voilà le format que propose ce site.

La santé en Belgique 

www.lasante.net

Tout sur la santé en Belgique et ailleurs : actualité, annuaire, forum, dossiers, principales pathologies, etc.

Laboratoires SVM

www.bodyperf.com

Les laboratoires SVM commercialisent des compléments alimentaires hypocaloriques, de la gelée royale, du ginseng et des produits pour sportifs. Conseils minceur et idées menu.

L'activité physique et la santé

www.aps.lafirme.com

Le site de l'activité physique et de la santé vous indique si vous êtes apte à pratiquer le sport qui vous intéresse et vous donne des conseils pour mieux contrôler vos activités physiques.

Le journal santé.com 

bienetre.nouvelobs.com/site/accueil.asp

Le portail de la santé, pour tout savoir et répondre à votre curiosité sur les thèmes suivants : beauté, minceur, nutrition, sexualité, vitamines, vitalité et longévité.

Le sommeil, les rêves et l'éveil

sommeil.univ-lyon1.fr

Ce site recense une grande quantité d'informations sur le sommeil diffusées au travers de nombreux documents.

Lexique médical

www.clparc-beauvais.fr/Serveur/ESANTE/lexique/lexique.htm

Ce site propose un lexique médical. Les définitions sont extraites du livre Principes de médecine interne de T.R. Harrison.

LibertySurf, Nutrition 

lediet.libertysurf.fr

Maigrir de 3,5 ou de 10 kilos, c'est simple. Il suffit de modifier certaines de vos habitudes alimentaires, sans bouleversement ni privations inutiles. Vous maigrirez en bonne santé.

Magimel

www.magimel.com

Magimel est un produit diététique, énergétique, plein de vitamines et d'oligo-éléments, pour retrouver ou entretenir votre vitalité. Elaboré en Ariège à partir de miel, de gelée royale et d'autres produits naturels, c'est un antistress et un antifatigue puissant.

Maladie de la vache folle 

vetolavie.chez.tiscali.fr/bse.htm

Actualités sur la maladie de la vache folle.

Massage créatif 

massage-creatif.com/massagecreatif.htm

Site dédié aux massages californien et suédois.

Médecine et santé 

www.medecine-et-sante.com/default.html

Conseils sur la médecine et la santé, les médicaments, la nutrition, la sexualité, les premiers soins, consultations en ligne, dictionnaire médical.

MediAdresse 

www.mediadresse.fr.st

MediAdresse est un annuaire spécialisé en médecine.

Ministère de la Santé

www.sante.gov.ma

Site du ministère de la Santé : présentation, la santé en chiffres, ressources documentaires.

NotreTemps.com - Santé 

www.notretemps.com/gui/san/index.jsp

Volet Santé de NotreTemps.com, le site des seniors.

Nutri Science  

www.nutrisciences.com

Entretenez votre silhouette et votre bonne mine ! Ce site vous donne toutes les astuces pour perdre vos kilos superflus.

Nutriconseil

www.nutriconseil.com

La neutralisation alimentaire : une méthode nouvelle et simple pour maigrir efficacement et durablement.

Nutrition

nutrition.club-Internet.fr

Ce site propose une méthode simple pour maigrir durablement.

OGM 

www.finances.gouv.fr/ogm

Site du ministère de l'Economie, des Finances et de l'Industrie sur les OGM : définition, actualité, textes de référence, agenda, chantiers réglementaires, commercialisation, étiquetage, recherche et autorisation.

ORL conseils

www.orl-conseils.com

Site médical consacré aux problèmes ORL (nez, gorge, oreilles). Il a été réalisé pour répondre à vos interrogations médicales dans les domaines de l'otologie, la rhinologie et la laryngologie.

Orphanet 

orphanet.infobiogen.fr

Le site d'Orpha.net donne accès à une base de données sur les maladies rares et les médicaments orphelins.

Paraformeplus 

www.paraformeplus.com

Découvrez le catalogue de produits diététiques et parapharmaceutiques Paraformeplus, contactez un pharmacien et passez votre commande en ligne.

Peau d'ange (25)

www.peaudange.com

Découvrez le centre de parapharmacie Paraland de Cavaillon : soins esthétiques, cabine UV, nombreuses marques de parapharmacie et d'instituts.

Petit livre de la contraception 

www.femiweb.com/gynecologie/contraception/ frameset_contraception.htm

Le petit livre de la contraception, par le docteur Albert Ohayon.

Petitweb

www.petitweb.com

PetitWeb est un site consacré à l'information médicale grand public dans les domaines de la pédiatrie et de la psychologie de l'enfant.

Plus Pharmacie

www.mag-pluspharmacie.com

Le magazine de santé de la famille : informations sur les médicaments, les vaccins, la diététique, les examens de dépistage, adresses utiles et conseils aux voyageurs.

Poids, minceur, obésité, surpoids

www.notredocteur.com

Ce site est spécialisé dans le surpoids et l'obésité : avis médical, analyse médicale et forum.

Portail des agences sanitaires

www.sante.fr

Piloté par la direction générale de la santé, ce portail fédère les agences sanitaires sous tutelle du ministère de la Santé, de la Famille et des Personnes handicapées.

Portailsanté.fr

www.portailsante.fr

Premier site gratuit destiné aux professionnels de la santé, accessible par thème ou prestataire.

Procédures d'urgence et secourisme à l'UQTR

www.uqtr.uquebec.ca/sppu/urgence_secourisme.html

L'Université du Québec à Trois-Rivières présente les procédures d'urgence et de secourisme.

Proximologie

www.proximologie.com

Portail de l'entourage des personnes malades.

Psydoc-France

psydoc-fr.broca.inserm.fr

Psydoc France propose de nombreux dossiers et études psychiatriques librement consultables.

PSYnergie

www.psynergie.com

Cet annuaire répertorie des sites de psychologie, de sexologie, de psychologie et de psychanalyse au Canada, en Belgique, en France et en Suisse.

Régime alimentaire

www.regime.com

Sur ce site, découvrez les conseils de base indispensables pour votre perte de poids.

Réseau canadien de la santé

www.reseau-canadien-sante.ca/index.html

Le Réseau canadien de la santé diffuse des informations dignes de confiance sur les moyens à mettre en œuvre pour une vie saine et sur la promotion de la santé.

Revadosanté

www.revadosante.net

Revadosanté, c'est la revue de médecine et de santé de l'adolescent.

Roc.com

www.roc.com

Découvrez la gamme de produits de protection solaire ROC.

Ronde et Jolie

www.rondeetjolie.com

Vous vivez en rondeurs ? Vous aimez rondement ? Ronde et Jolie met à votre disposition des petites annonces, des forums, des renseignements, un chat... afin de favoriser les rencontres et de vous accepter en rondeurs.

Santé et protection sociale

www.sante.gouv.fr

Accédez aux dossiers santé du ministère de la Santé et de la Protection sociale.

Santé magazine

www.sante-mag.com

Site du journal Santé magazine : ABC de la santé, au fil de la vie, beauté, famille, environnement, cuisine.

Santé magazine

www.santemagazine.fr

Version électronique du journal Santé Magazine : rubriques Santé, Infos, Actualités, espace Minceur, journal audio, cuisine et santé, etc.

Santé publique

www.pasteur.fr/sante

L'institut Pasteur est une fondation privée dont la mission est de contribuer à la prévention et au traitement des maladies par la recherche, l'enseignement et des actions de santé publique.

Santé Web

www.santeweb.com

La santé au quotidien : vie pratique, médecine, chirurgie, grossesse.

Serqua

serqua.chez.tiscali.fr

L'agence commerciale Serqua vend, aux circuits des GMS et de la restauration, des produits bio, frais, légumes de quatrième gamme et appertisés.

Service vie

www.servicevie.com

Webzine consacré à l'alimentation, la santé et la forme.

Sojasun

www.soja.com

Site de Sojasun, créateur de saveurs végétales.

Sol en si

www.solensi.asso.fr

Site de l'association Solidarité enfants sida.

SOS grossesse

www.sosgrossesse.org

Réponses à toutes vos questions sur la grossesse, l'avortement et le droit des femmes.

Soulagement des douleurs

www.nirvana.free.fr

Ce site vous permettra de soulager les douleurs par des méthodes naturelles comme la phytothérapie, la médecine chinoise, la pharmacopée chinoise, les chakras, l'aura, le magnétisme, la prière et les saints qui soignent.

Sport et bien-être

www.sport-bien-etre.com

Annuaire du sport et du bien-être : beauté, bien-être, horoscope, rencontres, sports, vacances.

Sympatico.ca - Santé

sante.sympatico.ca

Portail santé de Sympatico.ca : canaux santé, alimentation, logiciels santé gratuits, etc.

Table des calories

www.tabledescalories.com

Consultez les caractéristiques (calories, lipides, glucides, etc.) de plus de 10 000 aliments. Essayez les menus et recettes diététiques. Calculez votre poids idéal, vos dépenses énergétiques, vos besoins quotidiens, etc.

Terre vivante

www.terrevivante.org

Découvrez comment vous pouvez, dans votre vie quotidienne, de façon simple et pratique, adopter des techniques et des comportements respectueux de votre santé et de l'environnement.

Tiboo

www.tiboo.com

Sur ce site, vous trouverez des conseils santé, alimentation, éveil de bébé, des idées de jeux et sorties, des informations pratiques, des petites annonces, des espaces de discussion et des forums.

Tiboo, santé de bébé

www.tiboo.com/contenu/sante/sante00.htm

Tout savoir sur la santé des 0-3 ans : maladies, petits maux, vaccins, puériculture, prévention, sécurité, urgence, etc.

Top santé

www.topsante.fr

Le site du magazine Topsanté propose six rubriques : santé, nutrition, psychologie, beauté, forme, sexualité. Vous y trouverez des conseils, une encyclopédie médicale, des tests, un régime minceur, un suivi de grossesse et bien d'autres choses encore.

Travhealth

193.252.220.36/travhealth/src/g_homepage.asp?langue=fr

Suivi médical personnalisé avec carnet de santé et dossier médical sécurisé et multilingue, conseils pour les vaccinations et la médecine de voyage.

UPIGO

www.upigo.org

L'Union professionnelle internationale des gynécologues et obstétriciens est le premier organisme européen créé dans le but d'unir les gynécologues-obstétriciens du monde, en vue d'une étude concertée sur les conditions de formation, d'agrément et de l'exercice de la spécialité.

Vache folle en ligne

www.inra.fr/Internet/Produits/dpenv/vchfol00.htm

Tout sur la maladie de la vache folle : documents, point, dossier, moteur de recherche, liens complémentaires.

Vache-folle.com, actualité et dossiers

www.vache-folle.com 

Informations pour le grand public sur l'actualité de la maladie de la vache folle : revue de presse, historique et descriptif de la maladie, glossaire, liens et témoignages.

Vertèbre.com 

www.vertebre.com

Site dédié à la chiropratique. Une quinzaine de chiropraticiens francophones tiennent à jour régulièrement leurs rubriques respectives pour vous donner l'information la plus juste et la plus actuelle sur leur profession et sur votre santé.

Vive la forme 

www.vivelaforme.com

Le site de la revue Vive la forme : le dernier numéro, news, archives, forum, stages et petites annonces.

Vogue.com 

www.vogueparis.com

Le site du magazine Vogue : mode, beauté-santé, culture, horoscope, les choix de Vogue.

Votre santé

www.doctissimo.fr/html/sante/glossaire/sa_gloss_a.htm

Portail médical grand public sur la santé, la forme, la nutrition, la sexualité, la psychologie, l'enfance, la puberté, la grossesse, les médicaments, le stress, la pollution, les voyages et le sport.

Yahoo! Actualités santé 

fr.news.yahoo.com/54

Volet Santé du portail Yahoo! France.

Seniors

55net

www.55net.com

Journal en ligne pour les seniors : mode de vie, santé, finances, ressources, groupes de discussion.

AGIRC

www.agirc.fr

Site de la retraite des cadres (AGIRC) : les caisses à votre service, chiffres clés, action sociale, comprendre sa retraite, actualité.

Atout Seniors

perso.club-internet.fr/aseniors

Vous vivez un moment privilégié : une période où le temps vous appartient librement. Atout Seniors vous invite à en profiter pleinement en vous offrant un ensemble de services qui vous permettront de gagner du temps, d'occuper vos moments libres, de vous faciliter la vie…

Ava, Cancava, la retraite des artisans

www.cancava.fr

Site des assurances vieillesse des artisans : activités, chiffres clés, caisses AVA, formulaires en ligne, actualité.

CNAV

www.cnav.fr

Ce site donne des informations sur les régimes de l'assurance vieillesse.

Cyber-papy

www.cyberpapy.com

Cyber-papy, site de soutien scolaire entre les générations.

Espace retraite

www.espaceretraite.tm.fr

Espace retraite est un site édité par différents organismes concernant la retraite par répartition, les différents droits et régimes français et internationaux et les calculs de retraite.

Eureka-Seniors

www.eureka-seniors.com

Le site de la santé et du sport pour les seniors vous dit comment garder la forme à 50 ans et plus. Découvrez des articles sur la nutrition, la fatigue, les régimes, la DHEA, la thalassothérapie, le thermalisme. Utilisez les rubriques emploi, voyages, boutique, en savoir plus, vrai/faux.

Fédération nationale des aînés ruraux

www.aines-ruraux.com

Site du premier mouvement associatif des plus de 50 ans en France.

Institut national pour la retraite active

www.inrac.net

L'Institut national pour la retraite active (INRAC) assure la formation, l'animation et le conseil pour les retraités, les personnels professionnels ou bénévoles et les institutions concernés par la retraite. Les trois grands pôles d'action sont : préparation à la retraite, retraite et formation, formation des professionnels-bénévoles au service grand-âge.

La retraite

www.codesi.net/laretraite

Site dédié aux personnes à la retraite. Facilité de navigation sur le Web pour les novices de 50 ans et plus.

La santé des seniors

www.doctissimo.fr/html/sante/seniors/index_senior.htm

Volet Seniors du portail médical grand public sur la santé, la forme, la nutrition, la sexualité, la psychologie, l'enfance, la puberté, la grossesse, les médicaments, le stress, la pollution, les voyages et le sport.

Le carrefour des 50 ans et plus

www.fadoqmtl.org

Carrefour des 50 ans et plus : info-express, chroniques, guide des théâtres d'été, flash-hebdo, TV, tribune, etc.

Le marché des seniors

www.lemarchedesseniors.com

Portail du marché des seniors et baby-boomers : marketing des seniors, informations, dossiers, articles, actualités, études, formations, conférences, liens complémentaires.

Mairie de Paris - Seniors

www.paris.fr/FR/Solidarites/seniors

Prendre en compte les besoins des seniors est une préoccupation ancienne à Paris. Au fil du temps, différentes formes de prestations, de services ou d'équipements ont vu le jour pour répondre aux besoins et aux attentes des Parisiens âgés.

Notre temps.com 

www.notretemps.com/index.jsp

Le site des seniors francophones propose diverses rubriques ciblées, des forums de discussion et des informations pratiques.

Poivre et sel 

www.poivresel.qc.ca

Ce site propose des ateliers pour les 50 ans et plus, dirigés par des animateurs qualifiés, respectueux des rythmes d'apprentissage.

SeniorPlanet.fr 

www.seniorplanet.fr

Portail senior : magazine, retraite, voyages, forums, généalogie, e-cartes, jeux, articles. Tout pour les nouveaux seniors.

Voyages-seniors.com 

www.voyages-seniors.com

La branche seniors d'Options Vacances a été mise en place en 1994 afin d'offrir des voyages de groupes à très haut niveau de convivialité, très confortables et au meilleur prix pour le 3e âge.

Services : trafic, réparation de lunettes, aide à domicile, etc.

ABC puériculture 

www.abcpuericulture.asso.fr

Halte-garderie, crèche à domicile et aide-maman sont les services qu'ABC puériculture met à votre disposition.

ACE

www.servicesace.com/services.php

Ace vous propose diverses prestations, ponctuelles ou régulières : ménage, bricolage, jardinage et entretien de votre domicile.

Adessa

www.federation-adessa.org

Site de la Fédération nationale d'aide à domicile.

ADMR

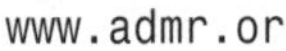

www.admr.org

Site de l'association du service à domicile pour les personnes âgées, les malades, les handicapés, les familles, les retraités, les célibataires : tâches ménagères, petits travaux, portage de repas, garde d'enfants, soins infirmiers.

Agevillage.com 

www.agevillage.com

Les solutions de l'autonomie et de l'indépendance : Agevillage vous aide à trouver un hébergement, une maison de retraite ou une assistante à domicile.

Allô assistance babychou

www.babychou.com

Faites garder vos "babychous" à domicile.

Allo taxis

www.allo-taxi.com

Entre la baie du Mont Saint-Michel et les plages du débarquement en Normandie, Allo-taxis assure vos déplacements privés ou professionnels et vos livraisons de colis.

Animado, garde d'animaux à domicile

www.animado.com

Vacances, week-ends, déplacements professionnels, hospitalisations, ne soyez plus désemparé si vous devez vous absenter sans pouvoir emmener votre petit compagnon. Animado vous propose de veiller sur lui.

Aufeminin.com

www.aufeminin.com/enfants/modegarde/modegarde1.asp

Baby-sitter, employée de maison, assistante maternelle, jeune fille au pair, centre de loisir, étude ou garderie, découvrez les différents modes de garde pour vos enfants.

Circulation routière

www.bison-fute.equipement.gouv.fr

Bison Futé donne des prévisions sur le trafic routier en France et des indications sur la circulation routière (bouchons, départs en vacances et retours).

Consomania

www.consomania.com

Guide d'achat du consommateur : actualités, promotions, bonnes adresses, tests, etc.

Elan text to speech

www.elan.fr

Synthèse de la parole pour développer des services de lecture d'e-mail par téléphone, messagerie unifiée, accès vocal à vos informations, aide à la navigation, etc.

Envirolog.fr

envirolog.fr

Envirolog vous aide à connaître, maîtriser et économiser, dans le domaine de l'environnement. Le site de la société propose le progiciel Enviropack, la création de sites Web et un conseil en ligne.

Espace élec

www.espace-elec.com

Ce site donne des informations sur l'électricité et son utilisation, en fonction de la personne ou société qui l'interroge (architecte, bureau d'études bâtiment, groupe EDF, fabricant de matériel électrique, enseignant, particulier, etc.).

Fedex

www.fedex.com/fr

Description du groupe et des prestations de la société d'expéditions internationales Fedex. Suivi d'envois en ligne.

I-Minitel

www.minitel.com

Accès aux services Minitel sur le Web.

Info café, le Web café de Marseille

www.info-cafe.com

Info Café est un cybercafé situé sur le Vieux-Port à Marseille. Pour surfer, communiquer, travailler ou jouer, réservations en ligne ou par téléphone.

Infos travaux

www.mtq.gouv.qc.ca/fr/information/travaux/routiers/index.asp

Les pages Infos travaux contiennent des renseignements sur la nature des travaux en cours, les entraves occasionnées et les horaires des fermetures de voies sur le réseau routier québécois.

Infotrafic

www.infotrafic.com

Point trafic en continu sur la région parisienne, calcul d'itinéraires, atlas européen, annuaire de la route.

Jours fériés dans le monde

www.jours-feries.com

Les jours fériés à travers le monde. Vous pouvez sélectionner un continent, un pays et/ou une religion, pour connaître la fête nationale et les jours fériés au cours d'un mois ou d'une année.

L'écrivain public virtuel

admi.net/epv

Si vous avez du mal à écrire vos lettres administratives, l'écrivain public virtuel est là pour vous aider.

Monaco télématique MC-Tel 

www.mctel.fr

En téléchargeant le plug-in VTxPlus, accédez au Minitel avec votre navigateur : nombreux services gratuits.

Pense malin

www.pense-malin.com

A la fois agenda électronique, pense-bête, aide-mémoire, calendrier et bloc-note gratuit, le pense-malin est un service de rappel bien pratique qui vous prévient par e-mail, pour que vous n'oubliiez pas une fête, un anniversaire ou un événement important.

Procosma 

www.procosma.net

Portail des commerçants, artisans, associations et professions libérales de votre ville : annonces, produits, catalogue en ligne.

QuelleRoute.com 

www.quelleroute.com

Ce site donne accès aux informations routières sur toute la France : itinéraires, trafic, routes et autoroutes.

Sécurité routière 

www.tc.gc.ca/securiteroutiere/rsindx_f.htm

Site dédié à la sécurité routière et à la réglementation automobile au Canada.

Servi chez vous 

www.chez-vous.com

Le guide des services à domicile.

Services à domicile 

www.webmarchand.com/services_a_domicile.htm

Sélection de services à domicile par WebMarchand.com.

SOS optique

www.sosoptique.com

SOS optique propose un service de dépannage par des opticiens diplômés et se tient à votre service pour réparer vos lunettes en un temps record.

Suivi de colis UPS 

www.ups.com/canada/tracking/fretracking.html

Ce site donne accès au système de suivi de la société UPS.

Sytadin

www.sytadin.equipement.gouv.fr

Le Service interdépartemental d'exploitation routière permet de mesurer l'état du trafic en Ile-de-France, de calculer des itinéraires, de connaître les autoroutes fermées à la circulation et les travaux routiers.

Téléfact 

https://secure.telefact.fr/index.htm

Avec Téléfact, consultez et payez vos factures en ligne (eau, gaz, électricité, téléphone, impôts, etc.).

Transports en commun lyonnais

www.tcl.fr

Site des transports en commun lyonnais : horaires, itinéraires, plans, lignes, bien voyager, sorties.

Visionaute - Surfez sur les bouchons

www.visionaute.com/visionaute.html

Visionaute vous informe en temps réel sur le trafic à Paris.

Sortir

Admission network 

www.admission.com

Le réseau Admission permet d'effectuer des réservations en ligne sur une sélection d'événements culturels au Canada et aux Etats-Unis.

Agenda "concert and co" des concerts en France 

www.concertandco.com

Concertsandco recense tous les concerts en France, Belgique et Suisse. Vous pouvez faire des recherches par ville, région, festival, artiste, style et envies. Si vous le souhaitez, il est possible de recevoir toutes les semaines l'actualité concert de votre région (très utile pour les annulations de concerts).

Bal du Moulin Rouge 

www.moulinrouge.fr

Tout savoir sur le Moulin Rouge : les revues, votre soirée, les coulisses.

Baoom  

www.baoom.com

Magazine en ligne de la fête : édito, à la une, interview, portrait, dossiers, etc.

Billetterie de la FNAC 

www.francebillet.com

La FNAC vous permet de réserver des places de théâtre, concerts…

Boodu.com 

www.boodu.com

Agenda et guide des sorties toulousaines : cinéma, musique, théâtre avec programmes, lieux et horaires.

Chez Niel Gérald  

www.gegeweb.net

Sur ce site : des infos sur les spectacles à Drancy, sur le studio du Conservatoire municipal et son espace culturel, une aide pour FTP Explorer, des liens et du JavaScript.

Cityvox

www.cityvox.com

Cityvox est un guide interactif des sorties. Retrouvez-y toutes les bonnes adresses de restaurants, bars, boutiques, boîtes de nuit, hôtels et spectacles.

Club-Internet, sortir

www.club-Internet.fr/sortir/?type=2&nav=1&lieu=

Découvrez le club Sortir de Club-Internet, pour trouver tous les spectacles en France.

Concertclassic.com

www.concertclassic.com

Ce site référence tous les concerts de musique classique en Europe francophone.

Dance machine club

www.dance-machine-club.com

Portail des discothèques de l'Ouest de la France.

Euronight

www.euronight.com

Où sortir ce soir : discothèques, bars, bowlings, etc.

FNAC, sorties & spectacles

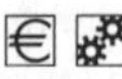

www.fnac.com

Fnac.com propose plus d'un million de produits culturels. Vous pouvez commander et acheter en ligne vos livres, disques, jeux vidéos, CD-ROM, vidéos, DVD, billets de spectacle et matériel technique.

Foires et salons de France

www.foiresalon.com

Foires, salons et congrès de France : calendrier, parcs d'exposition, groupement professionnel Foires et Salons de France, membres associés et prestataires de service.

Futuroscope

www.futuroscope.com

Découvrez les activités proposées par le Futuroscope de Poitiers.

Guide sortir

www.guide-sortir.com

Ce site présente les départements et les régions déjà couverts par les guides papier Sortir. Vous y trouverez un maximum de renseignements touristiques ou gastronomiques pour vos courts ou longs séjours dans nos magnifiques régions.

Infoconcert

www.infoconcert.com

Site d'information et de service et base de données sur les concerts, les artistes et les festivals en France.

Infomanif

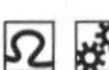

www.infomanif.com

Infomanif recense tous les événements, manifestations et loisirs organisés en France.

JeVoo

www.jevoo.com

Retrouvez toutes les informations pour sortir en Aveyron : musique, théâtre, cinéma, danse, littérature, fêtes, expos, conférences ou sport.

La billetterie de France Billet

www.francebillet.com/home.jsp

La billetterie France Billet permet de connaître les spectacles à l'affiche, par régions, et de commander vos billets en ligne.

L'agenda

www.lagenda.com

Salons, séminaires, conférences, forums : contactez les organisateurs et demandez vos badges d'accès, invitations ou des renseignements pour exposer.

Lanetro France

france.lanetro.com

Information locale sur Lille, Lyon, Montpellier, Paris, Rennes et Strasbourg.

Le guide de Parisparis.com

www.parisparis.com/fr

Les rubriques et les nouveautés du guide de Rendez-vous à Paris.

Les Folies-Bergère

www.foliesbergere.com

Le site du célèbre cabaret : artistes à l'affiche, infos pratiques.

L'Internaute - Sortir

www.linternaute.com/sortir/sortirsommaire.shtml

Volet Sortir du portail l'Internaute : actualités cinéma et littérature, festivals, randonnées sur le Web, parcs de loisirs, annuaire de sites pour vos sorties, etc.

Liptonoutdoor.com

www.liptonoutdoor.com/index_.html

Vous trouverez ici des infos, des jeux, des conseils et de nombreuses idées de loisirs en plein air : balades en vélo, roller, randonnées.

Macumba

www.macumba.fr

Découvrez le plus grand centre de loisirs de nuit du monde.

MaVille.com

www.maville.com

Sur MaVille.com, vous trouverez toute l'actualité locale de votre ville : services, petites annonces, cinéma, informations pratiques, sport, etc.

MixinLyon

www.mixinlyon.fr.st

Site des night-clubbers lyonnais : agenda, mode, shops, événements.

Mixity

www.mixityclub.com

Le moyen le plus rapide pour trouver où sortir : aller à une soirée, faire la fête et de nouvelles rencontres.

Noctis, les nuits belges

www.noctis.com

Toute la vie nocturne en Belgique : agenda, clubs, bars, musique, radios, news, etc.

Operabase

operabase.com/fr

Sur ce site, consultez les programmes 2001 de plus de 140 festivals classés par pays.

Paradis latin

www.paradis-latin.com

Visite guidée virtuelle de la salle, extraits vidéos de la revue, réservation en ligne des spectacles.

Paris pour les jeunes

www.paris-les-jeunes.com

Paris pour les jeunes : hébergement, loisirs, informatique, culture, arts, musique, stages, sports.

Pariscope

www.pariscope.fr

Le site du journal Pariscope, pour savoir quoi faire aujourd'hui à Paris : cinéma, théâtre, musique, expos et art, Paris la nuit, gastronomie, enfants, shopping, sports, plein air.

Pariserve

www.pariserve.tm.fr

Ce site propose une sélection d'hôtels, de restaurants, de magasins et de sorties dans la capitale.

ParisFree

www.parisfree.com

Sur Parisfree, découvrez toute l'actualité parisienne, les sorties, les bons plans, les bars et les restaurants.

Parissi.com

www.parissi.com

Des centaines de bonnes raisons de ne pas rester chez soi quand on habite Paris : sorties, bars, restaurants, soirées, night-clubs, boîtes, expositions, balades, etc.

Planet'tekno

www.planet-tekno.com/index.html

Planet'tekno vous dit tout sur les événements et manifestations à venir liés à la musique techno. Les aficionados ne doivent rater ce site sous aucun prétexte.

Salons on-line

www.salons-online.com

Le premier portail des salons et événements professionnels pour les décideurs des entreprises.

SNELAC

www.snelac.com

Le SNELAC regroupe un grand nombre d'espaces de loisirs, d'attractions et culturels en France que ce site vous invite à découvrir.

Sortir à Paris

www.sortiraparis.com

Sortir à Paris, le guide de vos sorties à Paris : expositions, concerts, musées, théâtres.

Sortir.org

www.sortir.org

Sur le réseau interactif pour la fête en Europe, vous trouverez des informations sur tous les festivals, fêtes, carnavals à Paris, en France et en Europe.

Technikart

www.technikart.com

Technikart, magazine culture critique, fournit des infos bizarres et des scoops sur la censure, la dissidence, la conspiration et la contestation. Tout savoir pour sortir branché à Paris. Actualités de la musique, du cinéma, de la radio, de la télévision, du cyber et des livres.

Télérama spectacles

spectacles.telerama.fr/sortir.htm

Guide de vos sorties à Paris et en Ile-de-France : concerts, théâtres, danse, expositions, enfants.

Ticketclic 

www.ticketclic.fr

Service d'information et de réservation pour les spectacles, les événements culturels et sportifs en France. Possibilité de recherche multicritère. Réservation en ligne avec paiement sécurisé.

Ticketnet 

www.ticketnet.fr/shop/fr/ accueil.asp

Réservation de billets de spectacles pour plus de 2 000 manifestations en France : sports, concerts, opéras, théâtre, cabarets.

ViaFrance 

www.viafrance.com

Le moteur des événements en France : fêtes, foires, festivals, expositions, salons, brocantes, concerts.

VivaLaVille.com 

www.vivalaville.com

Cette page donne accès à des sites d'information sur de nombreuses villes en France.

Voila, guide loisirs, sorties

guide-voila.search.ke.voila.fr/11000/13168

Guide loisirs et sorties de Voila.fr.

Webcity Paris 

paris.webcity.fr

Cityguide gratuit d'informations locales : sorties, cinéma, invitations, sports, multimédia, emploi, shopping, petites annonces, services pratiques, immobilier, culture, bons plans, associations, infos locales et régionales.

Webcity.fr

www.webcity.fr

Actualité à Marseille, Aix-en-Provence, Nice, Saint-Tropez, Mulhouse, Lyon, Strasbourg, Rennes, Lille, Bordeaux, Rouen, Montpellier, Grenoble, Nancy, Metz, Nantes, Toulouse, Toulon : bons plans, shopping, cinéma, musique, hôtel, restaurant, etc.

Weskonva

www.weskonva.com

Weskonva est conçu sous la forme d'un annuaire-guide de professionnels souscripteurs dans les secteurs de la restauration, l'hôtellerie, les activités de nuit, les arts, les spectacles, les sports et loisirs. Ce moteur vous permet de procéder à une recherche par régions, villes, activités, prix, etc.

Zingueurs.com 

www.zingueurs.com

Zingueurs.com recense les événements dans les bistrots, cafés et bars parisiens : expositions, dédicaces, débats, conférences, etc.

Tabac

Anti-tabac 

www.tabac-info.net

Centre de ressources anti-tabac.

Arrêter de fumer

www.stop-tabac.ch

Ce site donne des conseils individualisés pour arrêter de fumer.

Doctissimo - Tabac

www.doctissimo.fr/html/dossiers/tabac_stop.htm

Un décès sur neuf est imputable au tabac en France. Pourtant, arrêter de fumer n'est pas une mince affaire. Tests, banc d'essai des méthodes de sevrage, prévention du tabagisme : tout pour ne plus être dépendant.

Info tabac

www.info-tabac.ca

Service de référence au sujet du tabagisme : bulletin sur les dossiers du tabac, la prévention, l'arrêt du tabac, l'industrie.

La vérité si j'fume

www.sijefume.com

De 12 à 18 ans, le pourcentage de fumeurs passe de 3 à 50 %. Chaque mois, 20 000 adolescents fument leur première cigarette. Chaque année en France, 60 000 personnes meurent de maladies liées au tabac.

L'Amateur de cigare

www.amateurdecigare.com

Le magazine des amateurs de cigares donne toutes les informations nécessaires pour bien choisir un cigare, vous initier à la dégustation d'un cigare et effectuer vos achats en toute connaissance de cause.

Stop tabac

www.stoptabac.com

Fumer est un acte banal, qui ne demande aucun effort. Mais s'arrêter de fumer, au contraire, est une affaire personnelle, c'est un choix de vie, et sans effort, ce n'est pas à la portée de n'importe qui. Stop-tabac.com est là pour vous aider.

Tabac.net

www-tabac-net.ap-hop-paris.fr

Ce serveur est un point de rencontre pour tous ceux qui veulent vivre et aider les autres à vivre libérés du tabac.

Yahoo actualités - Tabac

fr.fc.yahoo.com/c/cigarette.html

Dépêches d'informations à propos du tabac par Yahoo.fr.

Tatouage, piercing

3D Magic circus

www.3d-magic-circus.com

Présentation d'un salon de coiffure, de tatouage, de piercing et de bijoux : photos, vidéos, dernières tendances de la mode à Paris.

Association des pierceurs de France

aperf.chez.tiscali.fr/

Association de pierceurs professionnels français : norme hospitalière, stérilisation par autoclave, hygiène et sécurité, réglementation, législation, autorité.

Bijoux piercing.com

www.bijoux-piercing.com

Premier site français de vente en ligne de body piercing.

Dessins tribaux

membres.lycos.fr/mikebar

Ce site propose des exemples de tatouages en couleur ou en noir et blanc.

Dimitri tatouage

www.tatouage.fr

Site du salon de tatouage/piercing Dimitri Tatouages, à Saint-Germain-en-Laye : vente en ligne de T-shirts, CD et bijoux de piercing.

Le chat percé

www.lechatperce.com

Présentation de la bijouterie spécialiste du body piercing Le Chat Percé (Paris).

Paradise tattoo

www.tatouage.com

Tatouages polynésiens de Tahiti ou de Bora-Bora, réalisés à Saint-Tropez par Susana, Bernard et leurs artistes invités.

Piercing

www.tattoo-passion.com/galeries.html

Cette galerie vous fait découvrir de très nombreux modèles de tatouages.

Piercing tendance

www.piercing-tendance.com

Boutique en ligne de bijoux piercing à prix doux, sélectionnés par Ophélie, Irina et Théo, arpenteurs de clubs en vogue, de défilés de mode et de soirées branchées.

Planet tattoo

www.ptattoo.com

Site du tatoueur breton Pascal Maceri.

Tarawa

tarawa.com

Vente en ligne de piercing et de bijoux.

Tatoueurs.net

www.tatoueurs.net

Annuaire du tatouage et des tatoueurs français.

Tattoo studio (Aude)

mecanic.fr/tattoo-studio

Présentation de Tattoo studio, spécialiste du tatouage et du piercing de Carcassonne.

Tout savoir sur le piercing

yvelise.free.fr

Tout sur le tatouage : galeries de photos et de flashs classés par thèmes (tribal, celtic, pin-up, aigles, cœurs, etc.), conseils et infos diverses.

Vêtements, mode

1et1font3

www.1et1font3.fr

Site de l'enseigne 1et1font3, les vêtements des futures mamans.

Actu mode

perso.club-Internet.fr/yangabin/yann.html

Portail des professionnels du luxe : actualités, enquêtes, interviews, études, offres d'emploi, services, guide des marques et prestataires.

Aigle

www.aigle.com

Boutique en ligne des vêtements Aigle : nautisme, équitation, voyage, randonnée, chasse et pêche, outdoor.

Aigue marine

www.aiguemarine-fr.com

Un magazine mode 100 % wear qui replace le vêtement dans son univers naturel, urbain, musical et sportif : un mode de vie à part entière. Retrouvez les tendances fortes, les salons internationaux, des looks de rue, les basics de demain, etc.

Alain Manoukian

www.alain-manoukian.fr

Sur le site, découvrez l'intégralité des collections homme, femme et accessoires et passez vos commandes en ligne (livraison express dans la boutique Alain Manoukian la plus proche de chez vous).

Anne Fontaine

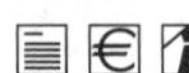

www.annefontaine.com

Découvrez la collection de prêt-à-porter Anne Fontaine.

APC

www.apc.fr

Boutique en ligne de l'enseigne APC (vêtements pour femmes et hommes).

Arthur

www.arthur.tm.fr

Arthur, société spécialisée dans le textile, crée des sous-vêtements et des vêtements d'intérieur aux imprimés originaux pour l'homme, la femme et l'enfant.

Atout lingerie

www.atout-lingerie.com

Lingerie fine de France en vente directe.

Aubade

www.aubade.com

Boutique en ligne de la marque Aubade (lingerie féminine).

Barbara

www.barbara.fr

Site de la société française de lingerie féminine Barbara : soutien-gorge, slip, coordonnés, offre à la femme, séduction, raffinement, confort.

Barbara Beauxseins

www.barbara-beauxseins.com

Site de conseil en lingerie : choix de soutien-gorge en fonction des types de seins et du profil psychologique, envoi d'e-card lingerie, jeu sur les seins, idées cadeaux lingerie, test psychologique, historique de la lingerie.

Bertille

www.bertillelingerie.com

Sélection d'articles de lingerie haute qualité. Vente en ligne et paiement sécurisé.

Boutique Alexandra

www.chez.com/boutiquealexandra

Vente en ligne de lingerie fine.

Celio

www.celio.com

Le site de l'enseigne Celio : parcourez la boutique virtuelle, découvrez les services et les garanties de la marque et achetez les articles qui vous font craquer.

Chanel

www.chanel.com

Le site de la marque Chanel vous dit tout sur ses articles de mode, parfums, maquillages et soins.

Chantelle

www.chantelle.com

Découvrez la collection de lingerie féminine Chantelle.

Chez Alain Gauthier

www.alain-gauthier.com

Site d'Alain Gauthier, fabricant de chemises haut de gamme depuis 1947.

Christian Dior

www.dior.com

Christian Dior : mode et accessoires femme, Dior homme, parfums, maquillage, soins.

Christian Lacroix

www.christian-lacroix.fr

L'itinéraire du couturier, ses collections de haute couture et de prêt-à-porter depuis 1987, ses créations pour le théâtre, et l'actualité de sa maison au fil des événements.

Cinq-six-mouches

www.cinq-six-mouches.com

Création de vêtements pour enfants et femmes.

Cyrillus 

www.cyrillus.fr

Catalogue et boutique en ligne de l'enseigne Cyrillus (vêtements pour femmes, hommes, enfants et bébés).

Damart 

www.damart.com

Sur le site de Damart : sous-vêtements et vêtements de sport, cocooning, week-end, confort, Thermolactyl, Warmsoft, demande de catalogue et commande en ligne par paiement sécurisé, promotions et chèques cadeaux.

Décathlon 

www.decathlon.fr

Articles de sport et de loisirs Décathlon : football, basket-ball, running, snowboard, ski, tennis, voile, nautisme, VTT, pêche, plongée, ski nautique, golf, équitation, randonnée.

Delphine Pariente 

delphinepariente.fr/v2/1024.html

Site de Delphine Pariente, créatrice de mode française.

Diamprest

www.diamprest.com

Découvrez la société Diamprest, spécialisée dans les diamants et les pierres de couleurs (rubis, saphir et émeraude).

Du pareil au même   

www.dpam.fr

Ce site est spécialisé dans la vente de vêtements pour enfants (de 0 à 14 ans).

Eclats de mode 

www.eclats-de-mode.com

La mode féminine en temps réel, c'est sur la boutique Eclats de mode des 3 Suisses.

Eres

www.eres.fr

Le site de l'enseigne Eres (maillots de bains et lingerie féminine).

Etam

www.etam.com

La boutique en ligne Etam propose aux jeunes femmes sa collection prêt-à-porter et lingerie actualisée chaque semaine : T-shirts, chemisiers, pulls, jupes, robes, pantalons, vestes, manteaux, accessoires, sous-vêtements, chemises de nuit, pyjamas, peignoirs, déshabillés, homewear, collection spéciale mariage, collection maternité, maillots de bain, chaussons et trousses de toilette.

Fashionline Belgique

www.fashionline.org

Les éditions Fashion proposent un e-zine (tendances, reportages, interviews), donnent accès à la base de données des fabricants, importateurs et agents belges du secteur du vêtement, précisent les dates des salons professionnels européens, etc.

Feminissimo

www.net-on-line.net/feminissimo

Feminissimo…

Ford super model

www.club-Internet.fr/special/fordsupermodel

Vivez en direct le concours Ford super model : tentez votre chance comme candidate ou élisez votre mannequin préféré.

Francesco Smalto Paris

www.smalto.com

Découvrez la collection couture, prêt-à-porter, accessoires et parfum Francesco Smalto.

Future top model

www.ftm.be

Future Top Model of Belgium est un concours ayant pour but de découvrir de nouveaux mannequins.

Gartner

www.gartner-paris.com/gartner/index.php

Gartner, le prêt-à-porter masculin sur mesure et haut de gamme.

Go-Sport

www.go-sport.com

Site de vente en ligne de l'enseigne Go-Sport.

Image-déposée.com

www.image-deposee.com

Sur ce site, accessoires de mode et de mariée : colliers, boucles d'oreilles, parures, artisanat d'art.

Ivic Design

www.ivicdesign.com/accueil.asp

La mode sous toutes ses formes et pour tous les goûts. Les tendances actuelles de la mode en passant par le style et les couleurs, pour les jeunes, pour elle et lui.

Julie A lingerie

www.juliealingerie.com

Vente en ligne de lingerie fine.

Kangourou

slip-kangourou.tripod.com

Kangourou, le site Internet du slip kangourou ou slip à poche : taille, tissu, poche, marques, actualité, historique, tendances, sondages.

Kenzo

www.kenzo.com

Site dédié à la confection de la marque Kenzo : Net culture, urban chaos, tribal art, fashion trend, life style.

Kiabi, la mode à petits prix

www.kiabi.com

Le nouvel univers Kiabi vous ouvre ses portes : découvrez la mode dont vous rêvez avec les toutes dernières tendances de la saison. Chaque semaine, quatre nouveaux produits stars, des services plus et des idées cadeaux.

Kookaï

www.kookai.fr

Découvrez le site officiel de Kookai : collections, mode féminine, actualité, etc.

La Ferme du Mohair

www.ferme-mohair.com

La Ferme du Mohair vend en ligne des vêtements en laine de chèvres et chevreaux mohair à prix très doux.

La page de Chris

c.c.free.fr

Ce site est principalement consacré aux bottes, cuissardes et talons.

La perla

www.laperla.com

La Perla Fashion Group : lingerie, séduction, boutiques, shopping, événements.

La p'tite grenouille

www.laptitegrenouille.com

La p'tite grenouille donne accès à son catalogue bébé en ligne et permet d'effectuer des achats sécurisés.

La Redoute

www.laredoute.fr

Boutique en ligne La Redoute : catalogue, prêt-à-porter, mode femme, mode enfant, mode homme, ameublement, décoration et loisirs.

Lacoste

www.lacoste.fr

Lacoste vous propose de découvrir ses dernières collections : chaussures, parfums, vêtements, montres, maroquinerie, lunettes, textile de maison, sous-vêtements.

L'actualité des dernières tendances

www.c-tendance.com

Mode tendance pour les femmes et les hommes. Photos, galerie vestimentaire et coiffure.

Lafuma

www.lafuma.fr

Lafuma vous présente sa gamme d'articles de sport et de loisirs : vêtements techniques, chaussures de randonnée et de montagne, sacs de couchage, sacs à dos, tentes, mobilier de plein air, etc. Conseils d'entretien, jeux, actualités, forums pour tous les passionnés d'outdoor.

Lands' end France 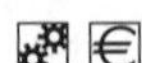

www.fr.landsend.com

Boutique en ligne de l'enseigne Land's end (vêtements pour femmes et hommes).

Le Club des créateurs de beauté 

www.ccb-paris.com

Découvrez les produits de beauté de six créateurs de talent : Agnès B., Jean-Marc Maniatis, professeur Cotte, Tan Giudicelli, Jean-Pierre Deméry et Michel Klein. Profitez de leurs conseils, commandez vos produits en ligne et bénéficiez d'offres promotionnelles irrésistibles.

Léa lingerie 

www.vpc-direct.com

Vente en ligne de lingerie sexy Léa.

Lefelix 

www.lefelix.com

Essayez-vous à la maroquinerie en créant un sac à partir d'éléments prédéfinis (brides, corps, soufflets, etc.).

Lilia Henon 

www.lilia-henon.net

Que vous soyez étudiant, professionnel ou simplement passionné par la mode, vous trouverez sur ce site un lexique reprenant tous les termes utilisés dans le secteur et des centaines de liens vers des sites de mode (créateurs, écoles, boutiques en ligne, magazines, etc.).

Lingerie fine 

www.charlott-direct.com

Lingerie fine de France en vente directe.

Lingerie rigolote à offrir 

www.ab-shopping.com

Vente en ligne de lingerie et vêtements de confort.

L'Occitane France 

fr1.loccitane.com

Sur ce site, faites votre shopping dans la boutique en ligne L'Occitane (savons, maquillage, soins de beauté, etc.).

Louis Vuitton 

www.vuitton.com

L'univers Louis Vuitton : accessoires de voyage, bagages et maroquinerie, voitures de collection, défilés de mode, guides touristiques, Louis Vuitton Cup, coupe de l'America, carnets de voyage, etc.

Ravage

www.ravage.fr

Site de la société de lingerie féminine haut de gamme Ravage (soutien-gorge, slip, coordonnés).

Reebok

www2.reebok.com

Reebok commercialise une gamme de produits performants qui allie technologie, confort et style. Présentation des produits et points de vente.

Résille

www.resille.fr

Résille vous propose sa nouvelle collection de vêtements sexy fabriqués en France : lingerie, robes, pantalons, combinaisons, sous-vêtements, jupes, ensembles.

Rêves en soie

www.douai-lingerie.com

Boutique en ligne de lingerie fine : collections de grandes marques, dentelle et satin, bas et collants.

Rodier

www.rodier.tm.fr

Descriptif des marques Rodier femme et Rodier homme, licences de Rodier et du groupe VEV, adresses des boutiques exclusives dans le monde, extraits des collections, lignes d'accessoires Rodier (parfums, montres, bijoux, maillots de bain, chaussures, etc.).

Rush collection

www.rushcollection.com

Rendez-vous des marques pour femmes, hommes et enfants.

Site officiel de la mode

www.morgan.fr

Visitez l'esprit et l'actualité de la marque de prêt-à-porter Morgan, et découvrez "The art of love".

Soleil rouge

membres.lycos.fr/soleilrouge

Boutique de mode de Danielle Risse (Neuchâtel).

Somewhere, une envie de naturel

www.somewhere.fr

Vente en ligne de vêtements de sport et de détente, de chaussures et d'accessoires pour homme, femme et enfant.

Studio aventures

www.studioaventure.com

Vente en ligne de vêtements sur le thème des bandes dessinés et des cartoons.

Tati on-line

www.tati.fr

Le site de l'enseigne Tati : rubriques pratiques, bonnes affaires, Tati mariage, idées cadeaux, etc.

TBS

www.tbs.fr/fr/s01_home/s01p01_home.php

TBS présente ses collections de chaussures et vêtements pour hommes et femmes : nautisme, sport, détente, nature ou voyage.

The mode TV

www.themode.tv

Information, conseil et expertise au service des professionnels du luxe. Associé à une webTV, Abc-luxe-tv diffuse des reportages et des interviews.

Valmary

www.valmary.com

Valmary est un fabricant français de chemises sur mesure. Créez, visualisez et commandez votre chemise en ligne. Recevez-la sous cinq jours.

Vente de cadeaux tendresse à la française

www.celibamour.com/?id=ivisite

Vente en ligne de cadeaux tendresse et de lingerie parfumée.

Vert Baudet

www.vertbaudet.com

Le site de l'enseigne Vert Baudet : catalogue et achat en ligne.

Vêtements mode en cuir

www.cuirtol.com

Cuir Tol Leather, designer et créateur de vêtements en cuir : mode pour hommes et femmes et accessoires sur mesure pour moto.

Vêtements mode

www.quelle.fr/default_femmes.asp

Vente par correspondance de vêtements. Découvrez le catalogue en ligne de lingerie et de prêt-à-porter pour hommes, femmes et enfants.

Vêtements Saint-James

www.saint-james.fr

Des vêtements authentiques et de qualité : pulls marins, prêt-à-porter hommes, femmes, enfants et bébés.

Wadmag

www.wadmag.com

Un magazine mode 100 % wear qui replace le vêtement dans son univers naturel, urbain, musical et sportif : celui d'un mode de vie à part entière.

WE

www.wefashion.com

WE vend de la mode au détail pour hommes et femmes de 25 à 30 ans. Découvrez la marque et la collection.

World foot center

www.footcenter.com

Vente en ligne de grandes marques de sportswear et d'accessoires pour joueurs de foot.

www.ddp.fr

www.ddpfrance.com

Sur ce site, téléchargements, news, bons plans musique, jeux vidéo, BD, découverte de l'univers DDP, adresse des shops DDP, contacts utiles et rubrique job, pour tous les fanas de la marque.

Yves Saint-Laurent

www.ysl-hautecouture.com

Yves Saint-Laurent : collections, expositions, maison de confection, événements.

Zapa

www.zapa.fr

Découvrez la collection de prêt-à-porter pour femme Zapa.

Voyages et tourisme

Ambassades

Ambassade d'Australie 

www.austgov.fr/index.html

Informations concernant l'Australie et les services de l'ambassade d'Australie à Paris.

Ambassade de Croatie en France

www.amb-croatie.fr

Le site de l'ambassade de Croatie en France propose de nombreuses informations sur le pays : généralités, actualités, économie, tourisme, vie culturelle, histoire, littérature, médias, pratique, services consulaires en ligne, portail Internet avec des centaines de liens classés par catégories (institutions, éducation, arts, musées, sports, entreprises), etc.

Ambassade de France en Autriche

www.ambafrance-at.org

Ambassade de France en Autriche : chancellerie diplomatique, services culturels, scientifiques et services de coopération, bureau de coopération pour la formation, poste de l'attaché de défense, centre franco-autrichien, service de presse et d'information, visite de l'ambassade.

Ambassade de France à Oslo

www.ambafrance-no.org

Ambassade de France à Oslo : économie, culture et éducation, sciences et technologies.

Ambassade de France à Washington

www.france-science.org

La Mission scientifique et technologique de l'ambassade de France à Washington analyse et rend compte des évolutions du système américain de R&D et de ses implications économiques, réglementaires et sociétales.

Ambassade de France au Canada 

www.ambafrance-ca.org

Ambassade de France au Canada : presse et information, commerce et économie, science, éducation et culture, tourisme, coin des enfants, etc.

Ambassade de France au Maroc

www.ambafrance-ma.org

Ambassade de France au Maroc : service de coopération et d'action culturelle à Rabat, structures officielles françaises au Maroc, instituts français au Maroc, écoles et lycées français au Maroc, coopération franco-marocaine.

Ambassade de France au Vietnam

www.ambafrance-vn.org

Ambassade de France au Vietnam : rubrique pratique, études vietnamiennes, coopération décentralisée, action humanitaire, consulat général, etc.

Ambassade de France auprès des Emirats Arabes Unis 

www.ambafrance.org.ae

L'ambassade de France auprès des Emirats arabes unis : la chancellerie diplomatique, les consulats, le service de coopération et d'action culturelle, les postes d'expansion économique, le réseau culturel.

Ambassade de France en Australie

www.ambafrance-au.org/index.en.htm

Ambassade de France en Australie : service consulaire, visas, presse et information, service culturel, service linguistique, service scientifique, défense.

Ambassade de France en Belgique

www.ambafrance-be.org

Ambassade de France en Belgique : culture, sciences, éducation, économie, technologie, accès jeunes.

Ambassade de France en Chine

www.ambafrance-cn.org

Ambassade de France en Chine : culture, sciences, coopération, économie, médiathèque, accès jeunes, bourse.

Ambassade de France en République dominicaine

www.ambafrance-do.org/index.html

Site de l'ambassade de France en République dominicaine.

Ambassade de France en Suède

www.ambafrance-se.org

Ambassade de France en Suède : culture, économie, études, tourisme, presse, sciences, consulat, galerie de photos.

Ambassade de France en Suisse

www.ambafrance-ch.org

Ambassade de France en Suisse : presse, information, relations extérieures, service de coopération et d'action culturelle, poste d'expansion économique, bureau de l'attaché de défense, section consulaire.

Ambassade de France aux Etats-Unis

www.info-france-usa.org/fr

Ambassade de France aux Etats-Unis : culture, voyage et éducation, espace Jeunesse, missions françaises aux Etats-Unis, commerce et technologie.

Ambassade de Grande-Bretagne

www.amb-grandebretagne.fr

L'ambassade de Grande-Bretagne en France est responsable de services qui vont du conseil aux voyageurs britanniques à la délivrance de visas, de la promotion d'opportunités commerciales et d'investissement aux relations diplomatiques.

Ambassade de la République populaire de Chine

www.amb-chine.fr/fra/index.html

Site de l'ambassade de la République populaire de Chine en France : ambassade, demande de visas, étudier en Chine, voyages, adresses utiles.

Ambassade de Pologne

www.ambassade.pologne.net

Site de l'ambassade de Pologne en France : ambassade, actualités, Pologne en bref, Pologne pratique, art de vivre, événements.

Ambassade des Etats-Unis

www.amb-usa.fr/pagefr.htm

Site de l'ambassade des Etats-Unis en France : actualités, dossiers, informations sur les USA, réglementations, etc.

Ambassade d'Israël en France

www.amb-israel.fr

Ambassade d'Israël en France : actualités, économie et affaires, technologie et science, documentation, processus de paix, culture, tourisme, réalités d'Israël.

Ambassade du Japon en France

www.fr.emb-japan.go.jp

Site de l'ambassade du Japon en France : ministère japonais des Affaires étrangères, économie, politique étrangère, etc.

Ambassade du Portugal à Paris

www.embaixada-portugal-fr.org

Venez découvrir le Portugal et sa politique extérieure sur le site de l'ambassade du Portugal à Paris.

Ambassades et consulats

www.dfait-maeci.gc.ca/world/embassies/menu-fr.asp

Cette page donne accès aux sites des missions canadiennes dans le monde entier.

Bulgaria.com

www.bulgaria.com/embassy/france/index.html

Site de l'ambassade de la République de Bulgarie en France.

CID de l'ambassade d'Allemagne à Paris

www.amb-allemagne.fr

Site d'information et de documentation de l'ambassade d'Allemagne à Paris.

Annuaires, moteurs de recherche

1001 France

www.1001france.com.fr

Annuaire de tourisme des régions de France. Offices et comités de tourisme, villages, villes, départements, régions, guides d'hébergements/de voyages et sites apparentés au tourisme en France.

Abcdaire du tourisme et des voyages

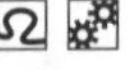

www.voyage-first.com

Tout sur le voyage et les vacances : agences de voyages, campings, gîtes, hôtels, guides touristiques, locations de voitures, etc.

Afrique Index

www.afriqueindex.com

Annuaire des sites africains, par pays et par catégories.

Allez.com

www.allez.com

Annuaire et moteur de recherche spécialisé dans le tourisme.

Amivac

www.amivac.com

Annuaire des locations de vacances entre particuliers en France, par départements et par types de locations.

Annuaire ABM des sites sur les pays

www.abm.fr/pratique/voyagweb.html

Ce site recense différentes adresses utiles à l'organisation d'un voyage : tourisme, culture, histoire, société, etc.

Annuaire des offices de tourisme

www.tourisme.fr/recherche/index.htm

Avec les offices de tourisme et les syndicats d'initiative, faites des découvertes.

Annuaire des sites de voyages

www.levoyageur.net

Annuaire des sites de voyage : les formalités, la santé, le climat, les réservations d'avions et d'hôtels.

Annuaire du cheval

www.acheval.net/recherche.htm

Répertoire mondial de la randonnée équestre et du voyage à cheval.

Annuaire du tourisme français

www.annuaire-du-tourisme.net

Vous cherchez un hôtel, un hébergement, un restaurant, une information touristique ? Choisissez votre région et laissez-vous guider. Sur le site, vous trouverez également des recettes régionales, la météo par villes, les offices de tourisme et des webcams françaises.

Annuaire keesay des annuaires

www.keesay.com/dt.htm

Ce site propose des liens vers des annuaires de tous les pays (annuaire, téléphone, fax, télex, télécom).

Annuaire voyage

annuaire.tourdumonde.be

Sélection des meilleurs sites de voyage : annuaires, agences, hébergement, carnets de voyage, cultures et traditions locales, photos, portails, préparation au voyage, etc.

Archipel Guadeloupe Info

www.basiles.info

Moteur de recherche des compagnies de Guadeloupe, Saint-Martin, Saint-Barth, Les Saintes, Marie-Galante et La Désirade.

Bien voyager

www.bienvoyager.com

Préparez votre voyage avec BienVoyager.com. Au programme : annuaire des meilleurs sites Web touristiques et forum des voyageurs.

BonWeb - Voyages, guides de voyage

www.bonkm.com/guides-francophones-idees-guides.php

Sélection des meilleurs guides de voyage, par bonweb.com.

Camping France

www.francecom.com/aft/index.html

Tous les campings de France, location de mobil-homes et de chalets.

Communes.com

www.communes.com

Annuaire touristique des villes, communes et hôtels de France. Recherche graphique multicritère par régions, départements et codes postaux.

Fédération nationale des offices de tourisme

www.tourisme.fr/recherche/index.htm

Les offices de tourisme et les syndicats d'initiative vous proposent d'accéder aux informations générales ou ciblées concernant la localité de votre choix.

Gîtes Nature Pyrénées

www.chez.com/azun

Passez des vacances vertes dans un gîte nature des Hautes-Pyrénées. Ce site vous propose une sélection d'hébergements de montagne situés dans un environnement naturel de qualité.

Itinérances

www.itinerances.info

Annuaire des voyages et des activités de plein air organisé selon plus de 400 catégories.

Les annuaires - Voyages

www.lesannuaires.com/annuaire-voyage.html

Sélection de sites en rapport avec les voyages, par LesAnnuaires.com.

Moteur de recherche 100 % tourisme

www.pourpartir.com

Moteur de recherche 100 % tourisme : locations, hôtels, villages, clubs, campings, photos, guides touristiques, etc.

Le guide du tourisme

www.annuaire-du-tourisme.com

Le guide du tourisme en France contient les informations touristiques des 3 700 offices de tourisme de France, des cartes de départements, des listes d'hôtels, etc.

Nouvelle Calédonie

www.kaledonie.com

Annuaires des sites sur la Nouvelle Calédonie : art, culture, enseignement, formation, portails, annuaires, commerces, entreprises, institutions, politique, pratique, sciences, environnement, sports, loisirs, tourisme.

Select Voyage

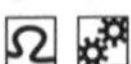

www.selectvoyage.com

Annuaire du voyage et des locations saisonnières de vacances en France, Espagne, Italie, Portugal, etc.

Tourism.be

www.tourism.be

Tout pour le tourisme en Belgique : hôtels et gîtes, campings, routes, trains, aéroports, parcs d'attraction, promenades.

Tourisme Corse

www.tourismecorse.com

Avec TourismeCorse, vous pouvez trouver un hôtel, une location ou un camping en Corse, accéder à un guide touristique et connaître les événements à ne pas manquer.

Tourisurf

www.tourisurf.com

Annuaire mondial de recherche du tourisme : promotions, ventes de dernière minute, etc.

Voyages

www.abc-tourisme-voyages.com

La communauté des voyages et du tourisme : annuaire, carnets de voyage, informations pratiques, liste de diffusion, lettre d'information.

Voyages, voyage

www.voyagesvoyage.com

Pour votre destination, votre hébergement, mais aussi pour les bonnes affaires, Voyages, voyage vous apporte les meilleures solutions. Avec cet annuaire, une rubrique actualité propose une sélection de nouvelles (articles ou brèves) en rapport avec les voyages.

Waterweb fluvial

www.fluvial.artourisme.com/bienvenue.asp

Le moteur de recherche du tourisme fluvial en France. Organisez votre croisière fluviale, découvrez les escales, recherchez les loueurs de bateaux, etc.

Cartes

1bis, l'annuaire, c'est mieux avec un plan

www.1bis.com/1bis

Cartes et plans de Paris et de toutes les grandes villes françaises. Annuaire d'entreprises.

Adonet

www.office-de-tourisme.com

Site officiel des offices nationaux de tourisme, regroupant les informations touristiques fournies par 50 pays ainsi que de nombreuses cartes et photos.

Ariane, la librairie du voyage €

www.librairie-voyage.com/une.cfm

Le site de la librairie du voyage : cartes routières, guides de voyage, plans de villes pour la France et l'étranger, cartes en relief, cartes murales, globes, guides de randonnées, etc.

BonWeb - Voyages, cartes 

www.bonkm.com/cartes-preparatifs-services.php

Sélection des meilleurs sites proposant des cartes pour vos voyages, par bonweb.com.

Cartes de Phuket

www.cartes.phuket.com

Guide du voyage en Thaïlande : liens vers 150 hôtels, informations sur les plages de Patong, Kata, Karon ou Kamala, cartes de l'île, galerie photos, excursions.

Cartes et cliparts

johan.lemarchand.free.fr

Au menu : cartes et cliparts sur la cartographie pour illustrer des pages Web, liens sur la cartographie, informations sur les satellites d'observation de la Terre et les systèmes d'information géographique.

Cartes et itinéraires du monde

www.billets-avion-vols.com/informations_pratiques/cartes.htm

Ce site donne accès à des itinéraires et des cartes de plusieurs pays.

Cartes, atlas et plans de villes 

www.liensutiles.org/cartes.htm

Cette page donne accès à de nombreux sites qui proposent des cartes, des atlas et/ou des plans de villes.

Cartothèque, cartes diagrammes

www.sciences-po.fr/cartographie

Cette page permet l'accès au fonds de cartes et diagrammes disponibles à l'atelier de cartographie de Sciences Po. Ce fonds n'est pas exhaustif et répond aux besoins des étudiants et maîtres de conférences pour les enseignements ou exposés.

Claritas, cartes et plans de ville interactifs sur Internet

www.e-address.tm.fr/default.htm

Claritas propose des cartes et des plans de ville interactifs sur Internet. Si vous le souhaitez, les outils proposés peuvent être intégrés sur votre propre site Web.

Flash Transport

www.flash-transport.com

Le site Flash Transport est dédié aux transports routiers. Il permet de rechercher des transporteurs, de calculer des itinéraires, d'accéder à une palette d'outils pour transporteurs et à un espace Petites annonces.

Guide des plans de villes

www.planville.com

Plans interactifs de villes. Vous recherchez une adresse ou une rue ? Planville l'affiche.

Guide routier

www.mappy.fr

Votre guide routier : calcul d'itinéraires pour des voyages en Europe et en France, plans de Paris et des grandes villes, plan d'accès.

Infotrafic, le portail de la route

www.infotrafic.com

Infotrafic est un site dédié à la circulation en France et en Europe : calcul d'itinéraires, atlas européen, annuaire de la route et conseils d'actualité.

Institut géographique national

www.ign.fr

Production et vente de cartes, photographies aériennes, bases de données géographiques, France et export. Prestations de formation, conseil, géodésie, topographie et cartographie.

Ismap.com 

www.ismap.fr

Moteur de recherche cartographique. Plans de villes (plus de 15 000), recherche d'adresses, cartes, calcul d'itinéraires.

Itinéraires en Ile-de-France

www.citefutee.com

Citéfutée vous propose d'optimiser vos trajets en Ile-de-France. Il suffit d'indiquer votre point de départ et votre point d'arrivée pour connaître l'itinéraire conseillé en fonction du trafic.

Itinéraires 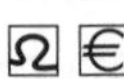

www.itineraires.com

Librairie spécialisée dans la connaissance des pays étrangers et les voyages. Base de données de 14 000 livres et cartes.

La cartothèque du Web 

www.intercarto.com

Intercarto, le premier site à vous proposer l'actualité dans le monde à travers des cartes géographiques, mais aussi l'accès libre à une cartothèque vectorielle.

Maporama.com 

www.maporama.com

Cartes et plans d'accès les plus complets, itinéraires porte à porte les plus rusés pour tous les pays européens. Localisation d'entreprises autour d'une adresse. Cartes et itinéraires sur Palm Pilot, Windows CE et téléphone WAP.

Nancy guide 

www.nancy-guide.net

Plans interactifs de Nancy, Jarville, Tomblaine, Saint-Max… Tourisme, contes lorrains et histoire depuis le XIe siècle, petites annonces, photos, le tramway de Nancy et de nombreuses autres choses.

Plan France-Europe

www.cartes-plans.com

Consultez un plan de ville détaillé ou une carte routière et affichez votre itinéraire afin d'optimiser votre trajet et votre route partout en France et en Europe.

RATP

www.ratp.fr

La RATP propose une recherche d'itinéraires, des plans de réseaux et de quartiers, des informations sur le trafic, mises à jour 7 jours sur 7 de 6 h à 21 h, sur les tarifs, les horaires, l'accessibilité et des idées de sorties à petits prix en Ile-de-France.

Subway navigator

www.subwaynavigator.com

Subway navigator donne accès à tous les métros du monde.

TRAK map

www.trakmaps.com

Ce site donne accès à des cartes bathymétriques et marines pour les adeptes de chasse, pêche, ornithologie et observation de la faune.

Ulysse, guides de voyages

www.guidesulysse.com

Les guides Ulysse s'adressent aux voyageurs autonomes, à l'écoute des autres cultures et assoiffés de connaissances. Chaque titre renferme de bonnes adresses dans toutes les catégories de prix, un riche bagage culturel et une cartographie rigoureuse et soignée.

ViaMichelin

www.viamichelin.com

Ce site donne accès aux cartes Michelin de plusieurs pays dans le monde.

Hébergement

1001 hôtels

www.1001-hotels.com

Portail hôtelier des régions de France et d'Europe.

A1 villas du monde

www.villasdumonde.fr

Parmi plus de 800 offres en ligne, choisissez une résidence de vacances en France, en Espagne, à Ibiza, à Malte, en Italie, au Maroc ou en Floride. L'agence de voyages Villas du monde propose des voyages sur mesure et permet de réserver vos billets d'avion en ligne.

AAAP, locations saisonnières

www.geocities.com/aaap_frenchrent

Locations, chambres d'hôtes et ventes de propriétés de standing avec piscine en Aquitaine et Périgord ou en bord de mer.

ABC camping-car

abc.campingcar.free.fr

Abécédaire du monde du camping-car.

ABC Paris hôtels

www.abc-paris.com

Ce site permet de réserver vos hôtels à Paris au meilleur prix.

Accorhotels.com

www.accorhotels.com/accorhotels/index.html

Site de réservation dans les hôtels de la chaîne Accor : disponibilités, recherche, promotions, tarifs et réservations.

Adonet

www.office-de-tourisme.com

Site officiel des offices nationaux de tourisme, regroupant les informations touristiques fournies par 50 pays ainsi que de nombreuses cartes et photos.

Annuaire de l'hébergement rural en France et dans les DOM-TOM

www.hrfrance.com

Gîtes ruraux ou gîtes de groupe, chambres d'hôtes, appartements, maisons, toute la location de vacances en France et dans les DOM-TOM.

Annuaire des campings de France

www.geotour.com/home-fr.html

Annuaire des campings, pour bien choisir votre séjour (plus de 9 500 campings référencés).

Annuaire du camping en France

www.campingdefrance.com

Ce site propose un annuaire de recherche de campings. Sélection par régions, départements, villes et prestations offertes.

Annuaire du tourisme français

www.annuaire-du-tourisme.net

Vous cherchez un hôtel, un hébergement, un restaurant, une information touristique ? Choisissez votre région et laissez-vous guider.

Annuaire Internet pour les vacances

www.pour-les-vacances.com

Le portail des villages vacances, gîtes, chambres d'hôtes, locations et hébergements de vacances en France.

Anyway.com

www.anyway.fr

Réservez vols, hôtels, voitures et week-ends, partout dans le monde.

Armor-vacances

www.armor-vacances.com

Le guide Armor-vacances recense les locations de vacances, gîtes et chambres d'hôte en Bretagne : Finistère, Morbihan, Ille-et-Vilaine, Côtes-d'Armor et Loire-Atlantique.

Auberges de jeunesse

www.auberges-de-jeunesse.com

Le site de la Ligue française pour les auberges de jeunesse vous permet de connaître l'emplacement des auberges et de faire vos réservations en ligne.

BnBnet

www.bnbnet.com/Francais/HomePage.html

BnBnet est un annuaire international de chambres d'hôtes pour les pays francophones et l'Italie.

Camping France, Francecom

www.francecom.com/aft/index.html

Tous les campings de France, location de mobil-homes et de chalets.

Camping France, recherche de campings

www.campingfrance.com

Guide officiel du camping-caravaning : 11 000 campings français, équipements, locations, tarifs, accès routiers, informations touristiques régionales.

Camping France, Wdirect

www.wdirect.fr

Annuaire des campings français.

Camping

www.mistercamp.fr

Agence de voyages spécialisée dans la vente de séjours locatifs en campings : sélectionnez, réservez et louez un mobil-home, un chalet ou un bungalow en France et en Espagne pour vos week-ends et vos vacances.

Châteaux et hôtels de France

www.chateauxhotels.com

Ce site donne accès à 552 châteaux et hôtels en France : séminaire, hébergement de luxe, mariage, etc.

Check-in-France

www.check-in-france.com

Réservez un hôtel pour vos vacances à Paris, sur la Côte d'Azur, en Normandie et partout en France grâce à Check-in-France.

Club Med

www.clubmed.com

Présentation des villages du Club Med.

Corsica Net

www.corsica-net.com

Retrouvez le plus grand choix d'offres d'hébergement sur Corsica.net : locations, hôtels, campings et gîtes.

Cybevasion, hôtels

cybevasion.fr/hotels/index.html

La page hôtels de ce guide de tourisme vous fait découvrir des hôtels du monde entier.

E- hotellerie.com

www.e-hotellerie.com

Les particuliers trouveront sur ce site un annuaire hôtelier français contenant des milliers d'adresses d'hôtels (et la possibilité de réserver en ligne pour plus de 1 900 hôtels en France). Les professionnels en hôtellerie et les particuliers pourront consulter la section emploi hôtellerie/restauration, afin de déterminer les conditions de leur futur contrat de travail dans le secteur hôtelier.

E-campings

www.e-campings.com

Communauté pour les vacances de plein air en camping : petites annonces, forums, appels d'offres, recherche de locations vacances, mobil-home, camping-car, informations sur le naturisme.

Echange de maison en France

www.echangemaison.com

Service international d'échange et de location de maison.

Echange de maison

pages.infinit.net/cerje

Avez-vous déjà songé à partir en vacances sans rien avoir à payer, mis à part le prix de votre billet de train ou d'avion ? Si oui, ces pages sont peut-être pour vous. Vous y trouverez toutes les raisons d'essayer un nouveau mode de vacances, celui de l'échange de maisons.

Enjoy France

www.enjoyfrance.com

Recherche d'hôtels, de maisons d'hôtes et de gîtes de qualité dans toutes les régions de France. Les bonnes adresses Enjoy France, avec plus de 2 000 lieux français typiques.

Etap hôtel

www.etaphotel.com

Le site de la chaîne hôtelière Etap (ACCOR) vous permet d'effectuer vos réservations en ligne.

Eurogîtes.com

www.eurogites.com

Répartis à travers toute l'Europe, les hébergements labellisés "Eurogîtes" vous offrent une grande variété de séjours. Découvrez l'Europe en prenant part à la vie quotidienne de ses habitants.

European hôtel directory

www.CD-hotel.com

Ce site donne accès aux coordonnées de plus de 70 000 hôtels en Europe.

Formule 1 hôtels

www.hotelformule1.com

Le site des hôtels Formule 1 vous propose de connaître la localisation des différents hôtels et d'effectuer vos réservations en ligne.

France hôtels, guide et cartes

www.francehotelreservation.com

Réservation en ligne de chambres d'hôtel avec des informations touristiques sur les villes de votre lieu d'hébergement (Paris, Nice, Strasbourg, Lyon, Marseille, Toulouse et Monte-Carlo).

France location vacances

www.flv.fr

Annonces de location saisonnière de vacances, logements et bateaux en France, Espagne, Italie et aux Antilles.

France-gîtes

www.france-gites.com

Découvrez les gîtes de France et effectuez vos réservations en ligne.

Gîte du Bassin

www.fjord-best.com/bijalpht

Entre les montagnes boisées du bouclier laurentien et la fosse marine qui accueille de grandes baleines, un havre de paix et de tranquillité vous attend. Bienvenue à Bergeronnes, pays des baleines.

Gîtes de France

www.gites-de-france.fr

Sur le site des Gîtes de France, vous pouvez accéder au descriptif des formules d'hébergement, réserver directement un gîte ou choisir une chambre d'hôtes.

Guide des vacances et de l'hébergement en France

www.guidevacances.com

Le guide de vos prochaines vacances. Des centaines d'adresses et un classement thématique pour trouver immédiatement le lieu de vos futures vacances : camping, gîte, hôtel, centre de vacances, montagne, etc.

Guide Web des vacances en France

www.holidayshomes.com

Location de villas et d'appartements de vacances entre particuliers : France, Espagne, Portugal, Autriche, Europe, Guadeloupe et Martinique.

Hébergements, gîtes, bed and breakfast

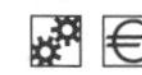

www.countrybreak.com

Annuaire des hébergements de vacances (gîtes, chambres d'hôtes, campings, hôtels, etc.) du monde entier.

Homelink

www.homelink.org

Service d'échange de maisons ou d'appartements couvrant cinquante pays.

Hostelling international Paris

www.fuaj.fr

Le site officiel des auberges de jeunesse en Ile-de-France.

Hôtel express international

www.hotel-express-int.com

Ce site propose un programme de promotion hôtelière : 50 % de réduction dans 3 500 hôtels pendant un an.

Hôtel réservation service

www.hrs.de

Réservation en ligne de chambres d'hôtels dans le monde entier (plus de 30 000 hôtels référencés).

Hôtel réservations

www.fr.placestostay.com

Choisissez parmi plus de 17 000 bed & breakfast, complexes hôteliers de sports d'hiver, auberges et hôtels dans le monde entier, et effectuez vos réservations en ligne.

Hotelguide

www.hotelguide.com/home.cfm?lang=f

Annuaire et guide international des hôtels. Trouvez l'hôtel le plus proche de ce que vous recherchez et effectuez vos réservations en ligne.

Hôtels à Paris

www.hotel-a-paris.com

Guide regroupant 2 000 hôtels parisiens avec une possibilité de recherche multicritère.

Hôtels de France

www.hotel-france.com/francais/default.htm

Le site Hôtels de France permet de trouver un hôtel à votre goût, en fixant un ou plusieurs paramètres.

Hôtels en France

www.hotels.fr

Réservez un hôtel de deux à quatre étoiles en France et dans les DOM-TOM : Paris, Nice, Cannes, la Martinique ou Saint-Martin.

Hôtels restaurants France

www.hotel-restaurant-fr.com

Vous cherchez un hôtel ou un restaurant en France ? Vous êtes sur le bon site : sélections, nouveautés, etc.

Interhotel

fr.inter-hotel.biz

Réservation en ligne de chambres d'hôtels sur toute la France.

Itis, guide des hébergements

www.itis-fr.com

Guide Internet des hébergements touristiques en France.

JolieFrance

www.joliefrance.com

Guide de l'hébergement touristique en France.

L'Antre amis

www.antre-amis.com

L'Antre amis est un service international de locations et d'échanges de maisons et d'appartements. Idéal pour les vacanciers ou les businessmen qui souhaitent un excellent rapport qualité prix. Toutes les locations ont été minutieusement visitées.

Laterooms.com

www.fr.laterooms.com

Ce site propose des chambres d'hôtel à prix réduit en France et partout dans le monde : le moyen le moins cher pour trouver un lit pour un week-end détente ou pour un voyage d'affaire.

Le guide vacances

www.annonces-vacances.com

Sur ce site, vous trouverez des annonces de locations saisonnières proposées par des particuliers, pour des vacances en France ou à l'étranger : mer, montagne, campagne.

Les informations pays

www.guidevacances.com

Des centaines d'adresses et un classement thématique pour trouver immédiatement le lieu de vos futures vacances : camping, gîte, hôtel, centre de vacances, etc.

L'hôtel et la brasserie du Donjon à Carcassonne

www.hotel-donjon.fr

Site de l'hôtel-brasserie du Donjon, à Carcassonne.

Locanet

www.locanet.com

Guide des campings, hôtels, gîtes, village vacances, meublés et autres locations saisonnières en France.

Location de vacances

www.abritel.fr

Abritel propose 8 000 annonces de villégiature : mer, montagne, campagne et grandes villes.

Location vacances LocEurope

www.loceurope.com

Spécialiste européen de la location de vacances : appartements, maisons, chalets, bungalows, mobil-homes, gîtes, bateaux, péniches, campings et hôtels.

Locations vacances

www.locations-france.com

Locations de vacances en France et dans le monde (4 000 annonces dans 60 pays, contact direct avec les propriétaires).

Locaweb.org

locaweb.org.free.fr

Annuaire des vacances en locations, gîtes et chambres d'hôtes en France (plusieurs centaines de liens référencés).

Loisirs en France 

www.liensutiles.org/loisfrance.htm

Cette page recense de nombreux liens dédiés aux loisirs en France.

Luberon-locations.com 

www.mapomme.net/luberon/luberonlocations.htm

Luberon-locations.com vous permet de trouver rapidement votre location de vacances en Provence, dans le Luberon.

Maeva 

www.maeva.fr

Maeva propose un large choix de résidences, d'hôtels et de clubs à la mer, à la montagne ou à la campagne, en France et à l'étranger.

Medisea

www.medisea.com

Annonces de locations (appartements, villas, studios, riads, etc.) de vacances saisonnières en France, Italie, Espagne, Grèce, Maroc, Turquie, Tunisie ou Egypte.

Mistercamp 

www.mercure.com

L'agence de voyages Mistercamp vous propose de louer toute l'année, et en temps réel, un mobil-home, un chalet ou un bungalow dans le camping européen de votre choix.

Mont Blanc tourisme, Chamonix 

montblanc-tourisme.com

Découvrez deux hôtels du centre de Chamonix, situés à proximité des navettes pour l'aiguille du Midi.

NetF4Ski.com 

www.net4Ski.com

Plus de 10 000 locations d'hébergement dans 65 stations de ski en France, de particulier à particulier. Réservation de studios, chalets, appartements, hôtels et résidences à la montagne.

Novotel  

www.novotel.com

Le site des hôtels Novotel : historique, visite en images, offres et réservation en ligne.

Oodormir  

www.oodormir.com

Moteur de recherche spécialisé dans l'hébergement de tourisme et d'affaires en France. Plus de 70 critères parmi plus de 30 000 références.

Otedis hôtel réservation 

www.otedis.com/index.php?LANGUE=fr

Visitez plus de 15 000 hôtels en France et faites vos réservations en ligne.

Pariserve

www.pariserve.tm.fr

Ce site propose une sélection d'hôtels, de restaurants, de magasins et de sorties dans la capitale.

Parislodging

www.ifrance.com/parislodging

Ce site vous permet de rechercher et de louer une chambre à Paris, Berlin, Florence, Moscou, Vienne, etc.

Paris-resa

www.paris-resa.com

Paris-resa vous propose de visiter et de réserver votre hôtel parmi plus de 1 500 hôtels à Paris et en Ile-de-France. Recherche par carte ou recherche multicritère.

Périgord services

www.perigordservices.com

Locations de vacances dans le Périgord.

Relais & châteaux

www.relaischateaux.fr

Collection des plus beaux hôtels et restaurants du monde.

Répertoire de sites - Hébergement

www.repertoire-sites.com/index.php/World/Français/Loisirs/Voyage/Hébergement

Répertoire de sites Web francophones spécialisés dans l'hébergement touristique.

Réseau des gîtes classifiés du Québec & Nouveau-Brunswick

www.gites-classifies.qc.ca

Hébergement en milieu familial et réseau de chambres d'hôtes au Canada.

Réseau touristique Inter-Rés@

www.inter-resa.com/fr

Le site du réseau de distribution touristique Inter-Res@ propose des forfaits voyages, des billets d'avion, des circuits, des séjours week-end, etc.

Restotel

www.restotel.fr

Restotel est un annuaire guide de réservation en ligne de restaurants et hôtels. Choisissez vos menus et vos chambres selon l'ambiance, la spécialité, votre budget et vos envies.

Séjour dégriffé

www.voyage-fr.com/sejour.htm

En partenariat avec Promovacances.com, le moteur de ce site permet de rechercher les offres de séjours en promotion.

Société des établissements de plein air du Québec

www.sepaq.com/Fr

Site officiel de la Société des établissements de plein air du Québec.

Toorista

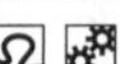

www.toorista.com/voyage-738.html

Sélection de chaînes hôtelières en Europe, Amérique du Nord et Asie.

Tourisme en France

www.enjoyfrance.com

Le premier service des séjours authentiques en France. Recherche d'hôtels, de maisons d'hôtes et de gîtes de qualité dans toutes les régions françaises.

Tourisme jeunesse

www.tourismej.qc.ca

Tourisme jeunesse est un organisme sans but lucratif qui regroupe les détenteurs québécois de la carte internationale des auberges de jeunesse. Il vise à rendre accessible le tourisme aux jeunes, en développant divers outils et services.

Tous les hôtels de Paris

www.france-hotels.net

Informations complètes sur plus de 1 200 hôtels à Paris : localisation, chambres, prix, critères, réservation et informations.

Vacances en Normandie

membres.lycos.fr/maurette

Entre Caen et Bayeux, profitez du calme et de la tranquillité de ce manoir avec ses gîtes, ses chambres d'hôtes et son camping.

VillaPolis

www.villapolis.com/travel/HomeRentals.aspx?org=rah

L'un des sites les plus populaires, pour trouver et réserver un logement de vacances dans le monde entier.

Monuments, sites

Abbaye de Fontenay, Bourgogne

www.abbayedefontenay.com

L'abbaye de Fontenay : historique, visite virtuelle, jardins, exposition et ouvrages.

Cathédrale de Strasbourg

www.oeuvre-notre-dame.org

La cathédrale gothique de Strasbourg depuis sa construction : huit cents ans d'histoire des métiers, des techniques, des matériaux, des hommes et d'histoire du patrimoine.

Châteaux-France.com

www.chateaux-france.com

Visite virtuelle des châteaux français ouverts au public.

Diocèse de Chartres

perso.wanadoo.fr/.diocese.chartres/cathedrale

La cathédrale de Chartres : visites, vitraux, statuaire, crypte, labyrinthe, architecture, chronologie et façade.

Guide et annuaires de France

www.france-pittoresque.com

La France pittoresque à travers ses villes, villages et régions : produits du terroir, webcams, traditions, légendes, vieux métiers, faune, flore et anecdotes.

La cathédrale Notre-Dame d'Amiens

www.u-picardie.fr/%7epatrick/Cathedrale/visite.html

Inscrite depuis 1981 au Patrimoine mondial de l'Unesco, la cathédrale d'Amiens est, avec son volume intérieur de 200 000 m3, le plus vaste édifice médiéval de France. Ce site vous propose de visiter l'extérieur et l'intérieur de la cathédrale et de découvrir les grandes dates et événements la concernant. Il offre également une bibliographie, un glossaire, un ensemble de citations et un diaporama.

La grotte de Lascaux

www.culture.gouv.fr/culture/arcnat/lascaux/fr

La grotte de Lascaux : découverte virtuelle de la grotte, initiation et informations pratiques.

Le château de Versailles

www.chateauversailles.fr

Le site officiel du château de Versailles.

Les pages de Paris

www.paris.org/Maps/MM/MMF.html

La carte des monuments et musées de Paris vous dit tout sur les lieux de visite incontournables à Paris : musée du Louvre, musée de l'Orangerie, galerie nationale du Jeu de Paume, musée d'Orsay, Notre-Dame, le Palais Royal, la tour Eiffel, l'Arc de triomphe, etc.

Sites touristiques d'Algérie

www.algeriantourism.com/sites_touristiques.htm

Porte ouverte sur le tourisme et l'artisanat en Algérie : institutions algériennes, services, adresses des hôtels et des agences de voyages, photos et vidéos des régions (Alger, Constantine, Oran et le Sahara).

Tour Eiffel

www.tour-eiffel.fr

Le site officiel de la tour Eiffel. Tarifs, horaires, restaurants et location de salle.

Visite de Chambord

www.monum.fr/m_chambord/visite/index.dml?lang=fr

Visite de Chambord : présentation du château, architecture extérieure, cour intérieure, visite, appartements du XVIIe siècle, toits et cheminées.

Portails et sites généraux

AbcTourisme

www.abctourisme.com

Ressources mondiales du tourisme : aéroports, annuaires téléphoniques, climats, chaînes hôtelières, offices du tourisme, santé, etc.

Africultures

www.africultures.com

Actualité au quotidien des cultures africaines dans le monde : cinéma, musique, littérature, arts plastiques, théâtre, danse. Chaque mois, un dossier thématique.

Anneau des voyages du tourisme et de la découverte

perso.club-Internet.fr/kranfmag/voyages.html

Publications d'informations et d'illustrations originales sur tous les pays : récits de voyages, géographie, guides.

Ariane, la librairie du voyage

www.librairie-voyage.com/une.cfm

Le site de la librairie du voyage : cartes routières, guides de voyage, plans de villes pour la France et l'étranger, cartes en relief, cartes murales, globes, guides de randonnées, etc.

Atout France international

www.atout-fr-international.com/fr/afifr.htm

Ce site met en relation des familles souhaitant accueillir un jeune étranger au pair en France et des candidats étrangers souhaitant être placés au pair en France.

Atout micro

www.atoutmicro.ca/attraits.htm

Atout micro est une base de données des attraits touristiques du Québec à voir ou à visiter.

Attraits touristiques

www.franco-tourisme.com

Portail des ressources touristiques francophones.

Au pair

www.aupairs.co.uk/aup20fr.html

Le Service Au pair Job Match est à la disposition des employeurs et des personnes qui cherchent un emploi au pair.

Aventure du bout du monde

www.abm.fr

Le site L'aventure du bout du monde est dédié à tous les voyageurs. Il propose des fiches pratiques par pays, des carnets d'adresses en tous genres, des récits et photos de voyages, des tarifs d'avion, et bien d'autres choses. A visiter d'urgence.

Azureva, guide de tourisme Vietnam

www.azureva.com/vietnam

Au programme : actualité, photos et informations pour préparer votre voyage au Vietnam (transport, hébergement, location, musée, gastronomie, magazine sur les villes, promotions et bonnes adresses).

Belvedair.com

www.belvedair.com

Partez à la découverte de nouveaux horizons en Europe grâce aux cartes interactives et aux informations pratiques de Belvedair.

Conseils aux voyageurs

www.diplomatie.fr/voyageurs/etrangers/avis/conseils/default2.asp

Conseils aux voyageurs par zones géographiques et pays. Destinations à éviter. Flash de dernière minute. A consulter avant de partir.

Des voyages le week-end

www.voyages-weekend.com

Voyages-weekend.com vous aide dans la recherche de voyages en famille ou en célibataire. Des villes et villages du monde entier (Angleterre, Allemagne, Egypte, Espagne, Italie, Maroc, Réunion...) sont à découvrir. Cette découverte peut être humaine, gastronomique, intellectuelle ou ludique.

Destination archipel Guadeloupe

www.guadeloupe-fr.com

Au programme : plus de 2 300 acteurs et professionnels du tourisme sur les six îles de la Guadeloupe, plus 3 400 photos des Antilles, un moteur de recherche de trajets aériens et maritimes sur les Antilles, un catalogue de 400 sites dédiés au patrimoine touristique de la Guadeloupe.

Douce France

www.doucefrance.com

Guide sélectif et pratique de la France : restaurants, vignobles, boutiques, sports, hôtels, tourisme, loisirs, mode, emploi, etc.

Euro tourisme

www.euro-tourisme.com

L'officiel du tourisme et du commerce européen.

Exoti.com

www.exoti.com

Le magazine du voyage : guides et reportages du monde entier. Découvrez les destinations qui vous attirent, apprenez à connaître le monde et ses différentes populations.

Fédération nationale des offices de tourisme

www.tourisme.fr

Sur ce site, itinéraires, événements, coups de cœurs, séjours insolites, week-ends, préparation au voyage.

Global Advertising France

www.gaf.tm.fr

Sur ce site, vous trouverez plus de 28 000 établissements en France ayant une activité à caractère touristique.

Guide des vacances et de l'hébergement en France

www.guidevacances.com

Le Guide de vos prochaines vacances. Des centaines d'adresses et un classement thématique pour trouver immédiatement le lieu de vos futures vacances : camping, gîte, hôtel, centre de vacances, montagne, etc.

Karavel

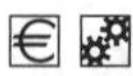

www.karavel.com

Karavel donne accès à des guides de voyage sur mesure et vous propose la vente et la réservation de votre séjour (billets d'avion, hôtels, voitures).

Lausanne loisirs

www.lousonna.ch

Portail culture, loisirs et tourisme de Lausanne.

Le petit futé

www.lepetitfute.com

City-guides d'information et d'adresses pour la consommation et les loisirs en ville. Guides de voyage et de tourisme en France et à l'étranger.

L'Echo touristique

www.lechotouristique.com

Le site de la revue L'Echo touristique s'intéresse à l'actualité du tourisme, aux nouveaux produits, aux promotions, donne accès aux articles archivés et offre des conseils pratiques aux voyageurs ou futurs voyageurs.

Lonely planet, 50 destinations

www.lonelyplanet.fr/destinations/index.htm

Guide de voyage proposant 50 destinations dans le monde.

Lonely Planet, guide du voyageur indépendant

www.lonelyplanet.fr

Editeur de guides de voyage, Lonely Planet propose les rubriques suivantes : catalogue, actualisations, forums pour échanger des informations, courrier des lecteurs, santé en voyage.

Monde du voyage

www.monde-voyage.com

Monde du voyage est un guide touristique qui centralise la quasi-totalité des sites Web dédiés au voyage.

Offices de tourisme

www.tourism-office.org

Adresse des offices de tourisme du monde entier.

Ootoogo

www.ootoogo.com

Ce site vous permettra de préparer vos week-ends et vacances. Festivals, monuments historiques, musées, sports, loisirs, tout y est.

Plein air Québec

www.pleinair-quebec.com/index.html

Plein air Québec est un site de références touristiques axé sur le plein air. 500 campings, 550 pourvoiries, 85 parcs et réserves, 80 zecs ainsi que 125 cabanes à sucre et érablières y sont répertoriés. Vous trouverez aussi ici 250 photos du Québec, 700 liens sur le plein air et bien plus.

Portail de la région Lémanique

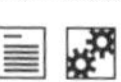

www.lemanique.com

Ce portail est destiné à promouvoir l'activité Internet du bassin Lémanique. Vous y trouverez des informations relatives à la région Lémanique, sa météo du jour, son histoire, sa géographie, etc.

Portail Express

www.portail-express.com/htm/voyages/voyages.asp

Portail-Express vous présente les meilleures offres des voyagistes présents sur le Web : Opodo, Lastminute, Ebookers, Germanwings, Karavel, SeaFrance, Vivacances, Yoopitravel, Anyway, Euro Relais, Marmara, Nouvelles Frontières, Partir Discount, Ski Horizon, etc.

République Dominicaine

www.coindeparadis.com

Ce site vous propose de louer une maison à Las Galeras, dans la péninsule de Samana en République Dominicaine.

Routard.com

www.routard.com

Le site Web du routard.

Site officiel du gouvernement du Canada

canada.gc.ca

Le site du Canada donne accès aux renseignements généraux, aux initiatives, aux programmes et aux services offerts par le gouvernement du Canada.

Ton guide 

www.tonguide.com

Annuaire et portail généraliste qui permet (entre autres) de comparer des voyages à destination de la Tunisie, du Maroc, de la Turquie, de l'Egypte, de l'île Maurice, de la Grèce, du Sénégal, de l'Espagne et de la Guadeloupe.

Tourmag 

www.tourmag.com

TourMag, le premier portail des professionnels du tourisme présente un édito, des télégrammes (actualité du tourisme en bref), un agenda (manifestations professionnelles) et diverses chroniques. Il donne également accès à un forum de discussion.

Tout voir.com 

www.tout-voir.com

Portail des voyagistes : vente aux enchères de voyages, séjours soldés, promotions de dernière minute.

Trotty 

www.trotty.com

Informations indépendantes sur les voyages et les vacances avec liens dans chaque pays d'Europe incluant logement, transport, itinéraire, cartes, météo et culture.

Tunisie.com

www.tunisie.com

Tunisie.com est une source d'information sur la Tunisie d'aujourd'hui : histoire, culture, environnement, vie politique, économie, tourisme, nouvelles de Tunisie, Radio-Tunis, sports, quotidiens tunisiens en ligne, presse, essahafa, temps, assabah.

Ulysse, guides de voyages 

www.guidesulysse.com

Les guides Ulysse s'adressent aux voyageurs autonomes, à l'écoute des autres cultures et assoiffés de connaissances. Chaque titre renferme de bonnes adresses dans toutes les catégories de prix, un riche bagage culturel et une cartographie rigoureuse et soignée.

Uniterre.com 

www.uniterre.com

Annuaire des carnets de voyage du monde : récits, photos, illustrations et conseils pratiques pour toutes les destinations. Plus de 4 000 carnets de voyageurs en ligne.

Voyage.fr 

www.voyage.fr

Le site de la chaîne de télévision Voyage : découvrez les programmes de l'antenne, partez grâce aux offres de voyages présélectionnées, préparez vos prochains voyages, retrouvez l'actualité du tourisme et le forum des voyageurs.

Voyages dégriffés 

www.navi-voyage.com/voyages_degriffes.html

Portail dédié au voyage : recherche facile et rapide, articles du magazine Consommation, sélections de sites Web dans le domaine du voyage.

Voyages

www.abc-tourisme-voyages.com

La communauté des voyages et du tourisme : annuaire, carnets de voyage, informations pratiques, liste de diffusion, lettre d'information.

Voyagez

voyagez.branchez-vous.com

Le guide Web de vos voyages : planifiez et préparez vos vacances et voyages de tourisme ou d'affaires.

Yahoo! météo

fr.news.yahoo.com/meteo

La rubrique Yahoo France consacrée au tourisme : dépêches d'actualité, visite virtuelle de villes dans le monde, météo dans le monde entier.

Ressources et documentation

ABC travel guide

www.abctravelguide.com

Sur ce site, toute l'information dont vous avez besoin pour voyager sans surprises.

BonWeb - Voyages, conseils

www.bonkm.com/conseils-de-voyage-preparatifs-services.php

Sélection des meilleurs sites faisant partager leur expérience du voyage (conseils, renseignements pratiques, fiches voyage, etc.), par bonweb.com.

Connaissance du monde

www.connaissancedumonde.com

La plus grande organisation de conférences filmées du monde propose à ses spectateurs de partager des aventures captivantes avec ceux qui les ont vécues.

Conseils aux voyageurs

www.dfae.diplomatie.fr

Le ministère des Affaires étrangères publie des fiches d'information sur la plupart des pays : risques politiques, catastrophes naturelles, insécurité, etc. A consulter avant de partir.

Le pays des braves

www.djiboutiweb.net

Guide de voyage à Djibouti, en Afrique : conseils de voyage, transports, logement, sécurité, us et coutumes, photos, fonds d'écran.

Ouest américain

www.america-dreamz.com

Visitez l'ouest américain à l'aide de cartes interactives, illustrées par plus de 1 500 photos. Découvrez les parcs nationaux, les paysages immenses et les villes des USA.

Run974.com

www.run974.com

Guide de l'île de la Réunion : découverte, passions, sensations, distractions, où manger, où dormir.

Uniterre.com

www.uniterre.com/r_nosliens

Annuaire des carnets de voyage du monde : récits, photos, illustrations et conseils pratiques pour toutes les destinations. Plus de 5 000 carnets de voyageurs en ligne.

Vi@Gallia

www.viagallia.com

Viagallia, le guide du tourisme en France, présente une sélection de professionnels du tourisme : hôtels, chambres d'hôtes, gîtes, restaurants, parcs de loisirs, lieux touristiques, châteaux, musées, etc.

Santé

Bébé part en voyage

www.123boutchou.com/Sante_voyage.html

Sous le soleil ou les flocons, à la mer ou à la campagne, ce site donne quelques bons conseils pour passer un agréable séjour avec bébé : alimentation, santé, développement psychologique, bonnes adresses, etc.

BonWeb - Voyages, santé

www.bonkm.com/sante-preparatifs-services.php

Sélection des meilleurs sites liés au côté médical des voyages (protections sanitaires, infos sur les venins, épidémies, etc.), par bonweb.com.

Conseils aux voyageurs

www.dfae.diplomatie.fr

Tous les conseils indispensables pour préparer un voyage en toute sécurité, grâce aux fiches détaillées réalisées pour chaque destination par le ministère des Affaires étrangères.

Conseils aux voyageurs

www.france.diplomatie.gouv.fr/voyageurs/etrangers/avis/conseils/default2.asp

Site pour les voyageurs : destinations déconseillées, dernière minute, à savoir, bonnes idées, cartes.

Cyber press publishing

www.loisir.net

Cyber press publishing : la presse magazine de loisirs à l'ère du numérique.

Easy voyage

www.easyvoyage.com

Un site pour s'informer (météo, taux de change, conseils de voyage), comparer les différentes offres et réserver vos prochaines vacances en ligne.

Fédération Mer et Santé

www.thalassofederation.com

Description et explication de la thalassothérapie par le seul organisme institutionnel représentatif en France.

Guide santé des voyageurs

www.doctissimo.fr/html/sante/voyageurs

Quelles sont les précautions indispensables pour votre santé et celle de vos compagnons de route ? Grâce au dossier Doctissimo, partez l'esprit tranquille !

L'assiette bleue

www.geocities.com/haingotiana.geo

Sur ce site, vous trouverez des informations pour préparer vos vacances ou vos voyages et des tuyaux pour vos sorties.

Le voyage en avion 

www.abm.fr/avion/gvasommaire.html

Infos et conseils pour s'envoler au mieux. Concurrence, déréglementation, multiplicité tarifaire, attentes des voyageurs, il est souvent difficile de faire son choix parmi la multitude d'offres commercialisée par les agences et les compagnies aériennes.

Les voyageurs et leurs médecins 

www.astrium.com

Tout pour les voyageurs : informations, conseils médicaux, boutique en ligne sécurisée (moustiquaire, répulsif, purification de l'eau, parapharmacie).

Médecins de montagne 

www.mdem.org

L'association Médecins de montagne regroupe les médecins de stations de sports d'hiver français.

Montagne.com 

www.montagne.com

Passionnés ou professionnels de la montagne, toute l'info dont vous avez besoin est sur montagne.com.

Passager.com

www.passager.com

Guide pour voyageurs fournissant des informations pratiques et des conseils sur les formalités de départ, les pays et destinations de séjour et les transports.

Pierre et vacances 

locations.pierre-vacances.fr

Pierre et Vacances vous invite à découvrir une région et à pratiquer votre sport ou activité favoris. Louez un appartement ou réservez une chambre pour passer les vacances ou week-ends de vos rêves en famille ou entre amis.

Safetravel

www.safetravel.ch

Recommandations du groupe suisse de travail pour les conseils médicaux aux voyageurs.

SMI 

www.smi-voyage-sante.com/458.html

Site santé du voyageur tropical. Voyagez bien équipé et bien informé : boutique, fiches d'information sur les pays, vaccinations, etc.

Thalassa international 

www.thalassa.com

Le site de Thalassa international, n° 1 de la thalassothérapie avec 10 instituts et 15 hôtels, sur les plus belles côtes de France.

Thermes.org 

www.thermes.org

Les piscines en eau thermale, accessibles à tous sans obligation de soins, avec saunas, hammams et bains bouillonnants, en France et en Europe.

Travelexpat  

www.travelexpat.com

Présentation générale du site Travelexpat.com. Informations sur le choix d'un contrat, accès aux rubriques, aux services pratiques et aux devis en ligne.

Travelsanté

www.travelsante.com

Sur Travel santé, informez-vous sur les vaccins à réaliser avant de partir en voyage et trouvez les adresses des centres de vaccination.

Vichythermes

www.vichy-thermes.tm.fr

Le thermalisme des pathologies rhumatismales et digestives : prévention, détente et remise en forme.

Tour opérateurs, agences, promotions, enchères

"Vacancez" moins cher

www.vpcvoyages.com

Ce site, simple et intuitif, propose des milliers d'offres de vacances économiques dans le monde entier.

AB croisière

www.abcroisiere.com

Centrale d'achat de croisières à prix discount avec Costa Croisières en Méditerranée, Grèce, aux Caraïbes.

ABC voyage

www.abcvoyage.com/index.html

Ce portail du voyage et du tourisme vous propose toutes les promotions sur les Antilles françaises et d'autres destinations.

Absolu voyages

www.absolu-voyages.com

Absolu voyages propose des expériences qui sortent de l'ordinaire : randonnées et séjours équestres dans le monde entier, safaris insolites à dos d'éléphant, recherche d'ours polaires dans le Grand Nord, voile sur le lac Nasser ou à Madagascar, etc.

Accorhotels.com

www.accorhotels.com/accorhotels/fr/voyages/index.shtml

Réservation en ligne de week-ends, séjours, thalassothérapie, circuits, etc. dans le monde entier. Avant de partir, trouvez des infos sur les destinations et des récits de voyages.

AFP

www.afp.com/francais/home

L'Agence France presse (AFP) propose un accès rapide à toute l'information. Si vous le souhaitez, les sujets qui vous intéressent peuvent vous être envoyés par e-mail. Vous pouvez également constituer un dossier téléchargeable, en assemblant plusieurs articles.

Agence Escapades

www.escapades.fr

Escapades propose des voyages dans le monde entier et des activités thématiques : jet-ski, quad, moto, 4×4, motoneige.

Airway

www.airway.net

Moteur de recherche des billets d'avions à prix discount sur vols réguliers. Promotions de charters et dernière minute.

Amadeus global travel distribution

www.amadeus.net/home/new/index-fr.htm

Sur Amadeus.net, réservez vos billets d'avion, vos nuits d'hôtel et votre voiture, recherchez et comparez le prix des billets d'avion et accédez aux agences de voyages par pays.

Anyway.com

www.anyway.com

Réservez en ligne vos billets d'avion, hôtels, voitures, week-ends et séjours au meilleur prix, partout dans le monde.

AOM

encheres.aom.fr

Ce site met des places d'avion aux enchères chaque lundi.

Argus des vols

www.abm.fr/avion/gvaargus.html

Tarifs moyens en charters ou réguliés négociés au départ de Paris.

Auxair

www.auxairs.net

Base de donnée de milliers de vols charters et réguliers en promotion et de dernière minute.

Aventuria

www.aventuria.com

Aventuria organise des safaris en Afrique et en Amérique. Sur ce site, vous pouvez consulter leur catalogue en ligne.

Boursedesvoyages.com

www.bourse-des-voyages.com

Sélection de séjours et circuits touristiques à prix discount, croisières aux Caraïbes et hôtels-clubs à la mer et à la montagne. Pour vos week-ends improvisés ou vos escapades organisées. Réservations de dernière minute de locations de vacances, vols touristiques charter, bons plans, voyages soldés.

Caminav

www.caminav.com

Location de bateaux sans permis, au départ de Carnon-Montpellier (canal du Midi, Camargue). Itinéraire, visite virtuelle des bateaux et calcul des prix.

Cap Voyages

www.capvoyages.com

Cap voyages est une compagnie touristique canadienne qui propose des voyages organisés dans le monde entier. Le site détaille quelques-uns des circuits du catalogue.

Carlson wagonlit travel

www.travelonweb.com

Ce site propose des offres en temps réel pour vos voyages : choisissez vos destinations dans le monde entier rapidement, parmi un million de tarifs aériens négociés au départ de l'Europe.

Check-in-France

www.check-in-france.com

Bienvenue en France vous propose de réserver votre séjour de vacances sans quitter votre fauteuil, de découvrir la France à travers plusieurs dossiers et d'accéder à différents outils pour mieux vivre vos vacances (itinéraires, info autoroutes, météo, convertisseur de monnaies, etc.).

Chèques-vacances

www.ancv.com

L'Agence nationale pour les chèques-vacances (ANCV) émet et rembourse un titre de paiement unique sur le marché, destiné à régler toutes les prestations de tourisme et de loisirs dont le bénéficiaire ne paie qu'une partie.

Club faune

www.club-faune.com

Le spécialiste des safaris-photos et des voyages nature en Afrique et en Australie vous propose un grand choix de destinations africaines : Afrique du Sud, Bénin, Botswana, Cameroun, Centrafrique, Côte-d'Ivoire, Ile Maurice, Mali, Mozambique, Namibie, etc.

Club Med

www.clubmed.fr

Faites le plein de sport et d'activités avec Club Med. Informations en ligne sur les villages du club, réservations en ligne et bons plans.

C-mesvacances.fr

www.c-mesvacances.fr

Rêvez grand à petit prix : week-ends, séjours en France et à l'étranger, prix canons, locations de voiture, billets d'avion, prix dégriffés.

Comptoir des voyages

www.comptoir.fr

Comptoir des voyages propose des voyages privilégiant l'authenticité et accessibles à tous, jeunes et moins jeunes : déserts, Afrique, Etats-Unis, Canada, Islande, Maroc.

Continents insolites

www.insolites.be

Sur ce site : continents insolites, voyages sur mesure, voyages à la carte, voyages de noces, voyages pour petits groupes et infos pratiques.

Cool flying

www.coolflying.com

Cool flying permet de réserver vos billets d'avion (vols charters ou réguliers) et vos locations de voiture au meilleur prix.

Cool sailing

www.coolsailing.com

Sur ce site, plus de 600 bateaux à louer partout dans le monde, pour tous les budgets.

Croisières de Paris

www.bateaux-a-roue.fr

La Compagnie des bateaux à roue vous propose les bateaux les plus luxueux de la Seine.

Cruisesphere

www.cruisesphere.com

Achetez en ligne votre prochaine croisière au meilleur prix. Dernière minute et promotions. L'offre la plus complète en croisières seules ou en forfaits avec vol.

Degriftour France - LastMinute.com

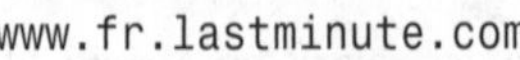

www.fr.lastminute.com

Dégriftour propose de très nombreuses offres de voyages dégriffés dans le monde entier.

Destination poudreuse

www.destination-poudreuse.com

Réservez vos séjours de ski, héliski et snowcat au Canada, en Alaska et aux Etats-Unis, en Himalaya, au Chili et en Nouvelle-Zélande.

Directours

www.directours.com

Directours, agence de voyages et tour opérateur organise : voyage à la carte, promo voyages, vol en promotion, promo vols secs, réservation hôtels, etc.

E mondial

www.e-mondial.com

L'agence de voyages en ligne du Groupe Marmara vous permet d'effectuer vos réservations en ligne. Destinations : Maroc, Tunisie, Egypte, Kenya, Thaïlande, Malaisie, Ile Maurice, Turquie.

E. Leclerc voyages

www.e-leclerc.com/voyages

Réservez et achetez en ligne vos prochaines vacances à la mer, à la montagne et partout dans le monde, avec l'enseigne Leclerc.

Easy voyage

www.easyvoyage.com

Un site pour s'informer (météo, taux de change, conseils de voyage), comparer les différentes offres et réserver vos prochaines vacances en ligne.

Europ' aventure

www.europaventure.be

Europ'Aventure est un tour opérateur spécialiste des randonnées, des voyages d'aventures, sportifs et culturels.

Explorator

www.explo.com

Site de l'agence de voyages Explorator : expéditions, dates de départ, liens utiles.

Fauna safari club

www.fauna-safari-club.com

Safari de chasse en Afrique et voyages de chasse dans le monde.

Fish eagle safaris

users.iafrica.com/f/fi/fisheagl/fr

Basé dans la ville du Cap, Afrique du Sud, Fish eagle safaris vous offre un large éventail de safaris et circuits dans les provinces du Cap et dans toute l'Afrique du Sud.

FRAM

www.fram.fr

Site de l'agence de voyages FRAM : destinations, nouveautés, promotions de dernière minute.

Francevoile.com

www.francevoile.com

Croisière en France, location de voilier, ports français, écoles de voile, voiliers d'occasion, météo marine, sécurité en mer.

Go voyages

www.govoyages.fr

Sur le site de Go voyages, vols secs, billets d'avion, vols réguliers, vols charters, réservations en ligne, promotions vacances et voyages dégriffés.

Grand Nord, grand large

www.gngl.com

L'agence de voyages Grand Nord, grand large vous propose ses voyages dans le Grand Nord.

Heliades

www.heliades.fr

Commandez en ligne vos vacances en Grèce. Plusieurs formules possibles : club, hôtel, séjour, croisière, vol sec, promo, location, thalassothérapie, séjour à la carte.

Hommes et montagnes

www.hommes-et-montagnes.com

Hommes et montagnes, voyages et expéditions sahariens par Jean-Louis Bernezat.

Idéal voyages

www.idealvoyages.fr

Idéal voyages est un voyagiste spécialisé dans le voyage de groupes, en Europe, aux USA et au Canada.

Iles du monde

www.ilesdumonde.com

Iles du monde vous propose des voyages rares dans les îles : Tsarabanjina, Rihiveli, Zanzibar, Lombok, etc.

Jet Tours

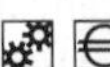

www.jettours.fr

Actualité, agences, réservations, formules et promotions de l'agence Jet Tours.

Jetset

www.jetset-voyages.fr

Le site de l'agence de voyages JetSet.

Kenya travel

www.kenya-travel.org

Hélène et Alexis Peltier vous emmèneront dans des aventures hors des sentiers battus : voyages et safaris au Kenya en avion ULM et en 4×4.

Kuoni voyages

www.kuoni.fr

Catalogue et réservation de voyages *via* l'enseigne Kuoni.

La Boutique des croisières

www.boutique-croisieres.com

Catalogue, réservation de croisières en ligne, visites virtuelles, actualités.

Lastminute.com

www.fr.lastminute.com

Sur ce site, des offres spéciales au meilleur prix pour tous les vols, les hôtels, les voyages, les spectacles et les cadeaux... de dernière minute.

Le portail voyage & tourisme

www.abcvoyage.com

Le portail des voyages dégriffés : promotions, charters, discount, informations pratiques. Toutes destinations : Antilles, Etats-Unis, Asie, Afrique, Europe, Amérique du Sud.

Le Web du routard

www.routard.com

Le Web du Routard propose une sélection de 29 destinations en Amérique, en Europe, en Afrique et en Asie, pour les aventuriers, les système D, les papamaman ou les branchés urbains.

Lonely planet

www.lonelyplanet.fr

Editeur de guides de voyage, Lonely Planet propose catalogue, actualisations, forums pour échanger des informations, courrier des lecteurs, santé en voyage. L'essentiel pour le voyageur indépendant.

Look voyages

www.lookvoyages.fr/index.asp

Profitez de vos vacances au meilleur prix avec Look voyages et découvrez une multitude de façons de voyager.

Makila voyages

www.makila.fr

Makila vous propose des voyages et des safaris : Afrique du Sud, Botswana, Namibie, Zimbabwe, Kenya, Seychelles, Tanzanie, Zambie, Malawi, Madagascar et Zanzibar.

Moteur de recherche 100 % tourisme

www.pourpartir.com

Moteur de recherche 100 % tourisme : locations, hôtels, villages, clubs, campings, photos, guides touristiques, etc.

Namikala safaris

www.namikala-safaris.com/namibie

Site de Namikala safaris, tour opérateur français en Namibie, spécialisé dans l'organisation de circuits, location de voiture + hôtels, raids aventures 4×4, safaris en avion-taxi, en Namibie et au Botswana.

Net Voyages

www.netvoyages.net

Le tour opérateur Net Voyages vous propose ses séjours, ses destinations voyage et ses promotions de dernière minute.

Nouvelles frontières

www.nouvelles-frontieres.fr

Sur ce site, vous pouvez consulter les promotions et réserver votre vol.

Nouvelles frontières, enchères

encheres.nouvelles-frontieres.fr

Rejoignez le site de Nouvelles Frontières, premier tour opérateur français. Partez à la découverte du monde, suivez le guide, réservez vos voyages en ligne et participez aux enchères.

Objectif nature

www.objectif-nature.tm.fr

Objectif nature, spécialiste depuis douze ans du voyage animalier et de nature à travers le monde vous propose des safaris-photos en Tanzanie, au Kenya, en Inde, Namibie et Afrique du Sud.

Offres de dernière minute

www.liensutiles.org/offrevac.htm

Liste de sites qui pratiquent les offres de dernière minute pour vos vacances.

Onparou.com

www.onparou.com

Première base de données sur le voyage qui compare l'offre de 30 voyagistes, sur 450 hôtels, dans 28 pays, soit plus de 30 000 prix représentant l'équivalent de 50 brochures de voyages. Un concept unique sur le marché des sites de tourisme en ligne.

Orients

www.orients.com

D'Istanbul à la Chine, en passant par l'Iran et l'Asie centrale, la Syrie et la Jordanie, l'Inde et le Cambodge, Orients vous propose des voyages culturels sur les itinéraires suivis jadis par les caravanes qui transportaient trésors et soieries de Chine en Occident.

OTU voyages

www.otu.fr

L'Organisation pour le tourisme universitaire est une agence de voyages pour jeunes et étudiants. Elle propose des prix étudiés pour les petits budgets.

Pacha tours

www.pachatours.tm.fr

L'agence Pacha tours vous propose plusieurs offres de séjour en Turquie.

Partir en cargo

www.abm.fr/pratique/cargo.html

Que ce soit pour une traversée ou pour un long voyage, voire un tour du monde, le cargo séduit depuis quelques années de plus en plus de voyageurs…

Partir un jour

www.partir1jour.com

Bons plans, promos, adresses de voyage pour partir un jour en voyage.

Promovacances

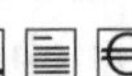

www.promovac.com

Sélection de voyages moins chers (séjours, week-ends, circuits, croisières, hôtels, voitures) et réservation de billets d'avion sur les vols réguliers et charters.

Rando Run

www.randorun.com

Organisation de randonnées et de courses dans l'océan Indien : Madagascar, Réunion, Mayotte.

Renouveau

www.renouveau-vacances.fr

Renouveau Vacances donne accès à 22 villages vacances dans les plus belles régions de France.

RésinFrance

www.resinfrance.com

Réservez vos vacances en toute tranquillité avec RésinFrance (locations, hôtels, villages vacances, vacances à thèmes).

Royal tours

www.royaltours.fr

L'agence Royal tours vous propose une sélection de séjours à destination du Maroc.

Ryanair.com

www.ryanair.com

Ryanair.com dessert les principaux aéroports du Royaume-Uni, d'Irlande et d'Europe, à des prix imbattables. Cette compagnie garantit les tarifs les plus bas du Web.

Sea France

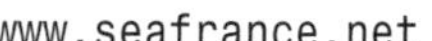

www.seafrance.net

Compagnie maritime entre la Grande-Bretagne et la France, exploitant une flotte de quatre ferries (Manet, Cézanne, Renoir, Nord-Pas-de-Calais), SeaFrance effectue plusieurs rotations par jour entre Douvres et Calais toute l'année.

Selectour 

www.selectour.com/NewIndex.html

L'agence de voyages en ligne Selectours vous propose une sélection de destinations dans le monde entier.

SNAV

www.snav.org

Le site du Syndicat national des agents de voyages : distributeurs indépendants ou réseaux, producteurs et agents du tourisme d'accueil.

Soleil des îles 

www.soleil-des-iles.com

Avec Soleil des îles, tour opérateur discount, profitez de promotions et de prix dégriffés pour des voyages vers toutes les îles de vos rêves.

SOS circuits 

www.soscircuits.com

Vente en ligne de circuits touristiques promotionnels, départ garanti.

Sport away voyages 

www.sportaway.com

L'agence Sport away vous propose différentes destinations sportives (golf, voile, plongée, Windsurf).

Tativacances 

www.tativacances.com

L'agence de voyages Tativacances organise vos vacances, vos séjours, vos circuits, vos week-ends et vos locations de voiture en France.

Terdav 

www.terdav.com

Terres d'aventure vous propose, par la randonnée, de découvrir et d'explorer la nature et les civilisations. Expéditions touristiques et vacances en famille.

Thomas Cook voyages 

www.thomascook.fr

Une sélection des meilleures offres de voyages, de vols et de promotions pour vos vacances. Et pour vous guider, un moteur d'idées et des cyberconseillers à votre service.

Tourinter 

www.tourinter.fr

Pour un voyage à la carte dans les îles, consultez les catalogues de Tourinter, tour opérateur spécialiste des îles sur mesure.

Tourismania.com  

www.tourismania.com

Recherchez un voyage, une prestation, un produit parmi les dizaines de milliers de produits proposés par plusieurs milliers de professionnels inscrits dans Tourismania.

Tourisme fluvial en péniche-hôtel

www.hotelbargeassociation.com

Visitez la France au fil de l'eau, à travers des régions viticoles, au rythme lent des canaux et des rivières.

Travelprice France 

voyages.travelprice.com

L'agence de voyages Travelprice propose l'achat et la réservation de billets d'avion (vols secs, charters), séjours dégriffés et promotions, hôtels, voitures, train.

UCPA 

www.ucpa.com

L'UCPA est une association spécialisée dans les vacances et les loisirs sportifs pour les jeunes (individuels et groupes) de 7 à 40 ans, en France et à l'étranger.

Ultramarina 

www.ultramarina.com

Les plus beaux voyages de plongée en Nouvelle-Calédonie, Nouvelle-Zélande, aux Maldives et dans les îles du Pacifique Sud.

Vacances à louer 

www.vacancesalouer.net

Vacances à louer, site de location de vacances, est une centrale de diffusion et de réservation des meilleurs programmes de voyages et de locations de vacances proposés par les tours opérateurs : séjours, clubs, circuits de découverte, week-ends, croisières…

Vacances air transat 

www.airtransatholidays.com/Default.asp?LangID=FR

Site de l'agence Vacances air transat.

VacancesOnline.com 

www.vacancesonline.com

Vous recherchez des vacances (circuits, séjours, locations saisonnières, hôtels, séjours groupés) ? Déposez votre demande sur VacancesOnline. Plusieurs propositions vous seront rapidement communiquées.

Voldiscount.com  

www.voldiscount.com

Le monde des voyages à prix discount (vols secs, séjours, croisières, chez l'habitant).

Voyager moins cher 

www.voyagermoinscher.com

Réussissez vos vacances au moindre coût en comparant les offres de voyage (billets d'avions, hôtels, séjours, croisières, etc.) proposées par les grandes agences de voyages et les tour opérateurs.

Voyages en Egypte

www.voyagesenegypte.com

VoyagesEnEgypte.com est une agence en ligne spécialiste de l'Egypte : séjours, circuits, week-ends, vacances, billets d'avion, croisières, promotions, etc.

Voyages et aventure 

www.nomade-aventure.com

Plus de 150 itinéraires au choix, pour voyager au plus près de la nature dans les îles, montagnes et déserts.

Voyages, voyage 

www.voyagesvoyage.com

Voyages, voyage est le guide de vos voyages : destinations, hébergements, bonnes affaires.

Voyages SNCF.com  

www.voyages-sncf.com

Agence de voyages sur la France, l'Europe et le monde : organisez vos voyages, consultez les informations (trafic, réductions, destinations, e-mag), réservez vos billets de train ou d'avion, votre voiture de location, votre chambre d'hôtel, vos séjours ski, mer et soleil.

Voyageurs du monde

www.vdm.com

Voyageurs du monde vous accueille à la cité des voyageurs, où des vendeurs spécialisés par destinations vous livreront des conseils judicieux pour organiser au mieux votre prochain périple.

VPM France

www.bestsail.de/fr/index.html

Sur ce site, vous pourrez louer un voilier, avec ou sans équipage.

Transports

Air Canada

www.aircanada.ca/f-home.html

Site de la compagnie aérienne Air Canada.

Air France

bv.airfrance.fr/cgi-bin/FR/frameset.jsp

Le site officiel d'Air France vous permet de réserver vos billets, de connaître les horaires des vols et de participer à des ventes aux enchères en ligne.

Ajaccio taxi

www.ajaccio-taxi.com

Ajaccio taxi propose des transports personnalisés sur toute la Corse, au départ ou à destination d'Ajaccio.

Alflorane II, croisière corse

www.chez.com/alflorane

Ce site vous propose d'effectuer une croisière charter d'une semaine à bord d'un voilier en Corse.

BilletAvion.biz

www.billetavion.biz

Avec BilletAvion.biz, vous pouvez organiser vos vacances et votre voyage en avion au meilleur prix. Vous définissez votre lieu de séjour (à l'étranger, à la plage, au ski...) et réservez votre avion et hôtel à un prix négocié. Votre billet peut être réservé par une agence de voyages ou directement en ligne.

Bourse des vols

www.bourse-des-vols.com

La Bourse des vols est un service d'argus dédié au transport aérien. Il identifie deux millions de tarifs de vols charters et réguliers, au départ des 40 aéroports français, vers 500 destinations à l'étranger.

British Airways

www.britishairways.com/travel/home/public/fr_fr

Le site de British airways : achats en ligne, carte des destinations, horaires des vols, séjours à la carte, tour du monde, etc.

Brittany ferries

www.brittany-ferries.fr

Avec Brittany ferries, vous embarquez directement de Bretagne ou de Normandie vers les plus belles régions de Grande-Bretagne ou d'Irlande.

CFF on-line 

www.cff.ch

Chemins de fer fédéraux suisses : horaires, informations et commandes de billets.

Compagnie méridionale de navigation

www.cmn.fr

Tourisme et voyage en Corse et Sardaigne. Lignes régulières pour Bastia, Ajaccio, Propriano, Calvi, Ile-Rousse et Porto Torres.

Cool sailing 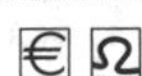

www.coolsailing.com

Plus de 600 bateaux à louer : voiliers, péniches ou bateaux à moteur, partout dans le monde.

Corsica ferries 

www.corsicaferries.com

Corsica Ferries-Sardinia Ferries assure les traversées maritimes France-Corse, Italie-Corse et Italie-Sardaigne. Sur ce site, horaires, tarifs et réservations en ligne.

Covoiturage.com 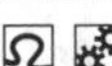

www.covoiturage.com

Covoiturage.com est gratuit, immédiat, local et international. Il organise simplement et rapidement votre covoiturage et vous permet de réaliser un voyage en voiture à moindre coût.

Easyjet 

www.easyjet.com/fr

Easyjet est une compagnie aérienne proposant des vols à prix avantageux reliant 18 destinations européennes, tant pour la clientèle d'affaires que de loisirs.

Ebookers.com  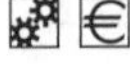

www.ebookers.com/fr

Ebookers.com propose des billets d'avion au meilleur prix. La réservation peut être effectuée en ligne.

Eurolines France

www.eurolines.fr

Lignes régulières internationales par autocar. 1 500 villes au meilleur prix. Voyages individuels ou en groupe. Formule car et hébergement.

Eurostar 

www.eurostar.com

Le train à grande vitesse reliant Londres, Paris et Bruxelles. Sur ce site, vous pourrez préparer votre voyage et réserver vos billets.

Eurotunnel 

www.eurotunnel.fr

Réservations de billets en ligne. Résultats financiers d'Eurotunnel et informations réservées aux voyageurs.

Hoverspeed 

www.hoverspeed.com

Hoverspeed, le service le plus rapide vers l'Angleterre : lignes, horaires et tarifs, promenade virtuelle, offres spéciales, billets à gagner.

Intercars.fr 

www.intercars.fr

Intercars international France : lignes régulières internationales, horaires, tarifs, réservations. Plus de 1 000 villes desservies en Europe.

KLM Royal dutch airlines

www.klm.com/fr_fr/index.jsp

Site de la compagnie aérienne KLM Royal dutch airlines : recherche de vols et réservations, suivi des vols en temps réel.

Les aéroports français

www.aeroport.fr

Horaires des vols, informations et services aéroportuaires (compagnies aériennes, destinations, commerces et ventes hors taxes, tourisme, etc.).

Nouvelles frontières

www.nouvelles-frontieres.fr

Réservation de vols en ligne et promos.

Orient express

www.wagons-lits-paris.com/fr

Site de l'Orient express, compagnie des wagons-lits : histoire, photos d'archives, liens complémentaires, boutique en ligne.

Promovacances

www.promovacances.com

Voyages moins chers : séjours, week-ends, circuits, croisières, hôtels, voitures et locations saisonnières. Réservation de billets d'avion sur vols réguliers et charters.

Sélectour

www.selectour.com/NewIndex.html

Réservation de vols en ligne et promotions.

Skyteam alliance

www.skyteam.com

Skyteam regroupe cinq compagnies aériennes desservant plus de 470 destinations dans le monde entier.

SNCF

www.sncf.com

Réservez et achetez votre billet de train. Partez à la découverte de vos destinations. Informez-vous sur les horaires et services de vos déplacements au quotidien. Découvrez Fret SNCF, opérateur logistique européen.

SNCM

www.sncm.fr

La SNCM assure des traversées maritimes de Marseille, Toulon et Nice vers la Corse, l'Algérie, la Tunisie et la Sardaigne. Sur ce site, horaires, tarifs et réservation en ligne.

TER-SNCF.com - Bouger en régions

www.ter-sncf.com

Le guide SNCF du voyage en région.

TGV

www.tgv.com

Avec le TGV, prenez le temps d'aller vite : réservation de billets, horaires, découverte du réseau à grande vitesse.

Thalys

www.thalys.com

Sur ce site, vous pourrez commander vos billets sur les trains Thalys (service offert conjointement par les chemins de fer belges, français, néerlandais et allemands).

Travelprice

voyages.travelprice.com

Réservation de vols en ligne, promotions de dernière minute, bons plans, magazine, guide touristique.

Visites virtuelles : étranger

A la découverte du Mexique

www.mexique-fr.com

Découvrez le Mexique, un pays qui cache ses secrets, grâce à une visite des principales villes et pyramides et à quelques recettes simples à réaliser.

ABC des découvertes - La Thaïlande

membres.lycos.fr/thierrin/thai

Découvrez Ancien city, Bangkok, Chiang Mai, Mae Hong Son, Sukhothai, le nord de la Thaïlande avec le Triangle d'or et le sud avec l'île de Koh Samui.

Absolute guide

www.absolute-guide.com

Votre guide de voyage virtuel sur plus de 200 destinations : compagnies aériennes, conseils aux voyageurs, guide santé, devises, visas et passeports, assurances voyage, etc.

AchatVille

www.achat-ville.com

Guide du Rhône-Alpes : information locale, petites annonces, plans, accès aux stations de ski, météo, sorties ciné, annuaire des entreprises et services en Rhône-Alpes.

Afrique, animaux sauvages, voyages et safaris

www.kenya-safari.com

Au programme : Afrique sauvage, aventure insolite, safari-photo, découverte d'ethnies dans les plus beaux parcs du monde, hors des sentiers battus.

Aide au voyage

www.zlm-concept.org/voyages/homepage.html

Profitez de l'expérience du site Aide au voyage et déplacez-vous virtuellement en Turquie, en Thaïlande, au Cambodge, au Laos, au Vietnam, au Guatemala et au Pérou.

Amérique Latine.com

www.ameriquelatine.com

Partez à la découverte des mille et un contrastes d'Amérique du Sud et d'Amérique centrale au travers de nombreuses pages d'informations.

Andorramania

www.andorramania.com

Andorre : hôtels, ski, shopping, immobilier.

Angkor

angkor.wat.online.fr

Découvrez Angkor Vat, le groupe d'Angkor, Angkor Thom, Banteay Srei et la plupart des temples khmers cambodgiens, au travers de nombreux plans et prises de vue. Faites connaissance avec les arts khmers, les dynasties, l'histoire ancienne et contemporaine.

Animalia safaris ltd

perso.club-Internet.fr/hiret

En couple, en famille, en groupe d'amis, entre collègues, découvrez le Kenya dans des lodges et camps sélectionnés, accompagnés par un guide professionnel.

Antilles découverte

www.antillesdecouvertes.com

Site d'Antilles découverte, le magazine et le guide touristique des vacances réussies en Guadeloupe et en Martinique.

Association touristique de la Gaspésie

www.tourisme-gaspesie.qc.ca

Une invitation au voyage dans la région touristique de la Gaspésie. Trésor du Québec maritime, la Gaspésie se dévoile à travers une foule d'informations sur son histoire, ses sites culturels et ses attraits naturels.

Astuces pour voyages

tips4trips.free.fr

Ce site rassemble des expériences de voyage en Indonésie et à Prague. Il est destiné aux routards qui veulent découvrir Bali, Flores, mais aussi le pont Charles.

Atout micro

www.atoutmicro.ca/attraits.htm

Atout micro est une base de données consacrée aux attraits touristiques du Québec.

Au Sénégal

www.ausenegal.com

Le guide du voyage au Sénégal : une foule d'informations pratiques, des cartes détaillées, toutes les adresses des hôtels, campements, agences de voyages et agence de tourisme, des actualités. Réservations en ligne.

Azureva

www.azureva.com

Reportages photo et conseils pour préparer ses vacances sur plusieurs destinations.

Bateau autour du monde

www.sail-the-world.com

Comment préparer un grand voyage autour du monde, depuis le financement du bateau jusqu'à l'achat des cartes, en passant par la scolarisation des enfants, la pharmacie du bord, les pièces de rechange et l'environnement légal ? Venez le découvrir sur ce site.

Bhoutan

membres.lycos.fr/michelsimon

Découvrez le Bhoutan ("Pays du Dragon"), petit royaume perdu au milieu de l'Himalaya. Sa Majesté Jigme Singye a fait le choix d'une politique touristique très sélective : environ 4 000 visiteurs par an.

Bogaboga, guide du Pays basque

www.bogaboga.com

Pays basque : webcams, BogaTV, radio, petites annonces, brèves quotidiennes, jeux et concours, annuaire de sites, restaurants, hôtels, campings à Biarritz, Bayonne et Saint-Jean-de-Luz.

Bonjour Québec.com

www.bonjourquebec.com

Aussi convivial que diversifié, le site touristique officiel du gouvernement québécois vous offre un panorama des principaux attraits, manifestations et activités touristiques du Québec.

Brésil passion

www.bresilpassion.com

Le Brésil et sa culture (articles, photos, liens, concerts, carnaval). Informations pratiques (formalité, santé), générales et économiques sur le Brésil.

Brésil

www.brasilservices.com

Brésil : missions, partenariats, services, logistique et communication. Accompagnement spécialisé pour tourisme et affaires.

Bruxelles et la Wallonie touristiques

www.opt.be

Site d'information touristique sur Bruxelles et la Wallonie.

Caminos de Santiago

www.chez.com/caminos

Ce site est dédié aux amoureux des chemins de Saint-Jacques-de-Compostelle.

Cap Venezuela

www.capvenezuela.com

Tourisme et vie au Venezuela, huit ans d'expérience à votre service : que voir, infos pratiques et nombreux conseils, circuits type pour vous aider à composer le vôtre, liens utiles, plus de 100 photos, forum.

Carnets de voyage

www.carnetsdevoyage.com

Naviguez, voyagez d'île en île, découvrez les plus belles escales de la planète : Polynésie française, Antilles du Sud, océan Indien, Cyclades.

Congonline

www.congonline.com

Référence pour tout savoir sur le Congo-Kinshasa : des tergiversations politiques aux secrets de la cuisine congolaise.

Corse escapades

www.corse-escapades.com

Immersion au cœur de la Corse profonde : paysages et sites mais aussi traditions pastorales, chants polyphoniques et accès aux meilleures tables.

Corsica-guide

www.corsica-guide.com

Corsica-guide est un guide touristique très complet : campings, restaurants, hôtels, gîtes, auberges, horaires des trains, bus, cars, avions, bateau, etc.

Côte-d'Ivoire

www.abidjan.net/cotedivoire

Présentation et promotion de la Côte d'Ivoire sur Internet.

Couleur New York

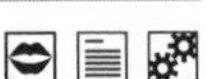

www.couleurnewyork.com

Partez à la découverte de New York, notamment à travers les films qu'on y a tournés ou qui sont censés s'y dérouler. Au programme également : webcams, photos, visites guidées, bonnes adresses, forum.

Désertours on-line

www.desertours.com

De 7 à 77 ans, du baroudeur au néophyte, chacun trouvera sur ce site son aventure en 4×4, moto route et tout terrain, VTT, cyclo, etc.

Eastofeden.com.fr

www.eastofeden.com.fr

Récit de voyage en Range-Rover autour du monde.

Gastronomie du Maghreb

www.khaoula.com

Exploration du Maghreb : géographie, statistiques, médias, télévisions, radios, photos, recettes, etc.

Grand Nord, grand large

www.gngl.com

Préparez-vous à entrer dans le Grand Nord : journal de voyage, infos pratiques, catalogue.

Guide de Madagascar

www.madagascar-guide.com

Guide touristique de Madagascar.

Guide en ligne du meilleur de l'Irlande

www.iol.ie/~discover/defaultf.htm

Le guide en ligne du meilleur de l'Irlande (voyages et divertissements).

Guide touristique du Québec

www.quebecweb.com/tourisme/introfranc.html

Guide touristique du Québec.

Hong-Kong

www.discoverhongkong.com/france

Découvrez la magie de Hong-Kong aux cinq visages : préparation au voyage, hôtels, circuits guidés, transports, croisières, shopping, nature, gastronomie, etc.

Ile de Margarita

www.ilemargarita-venezuela.com

Portrait de l'île vénézuélienne de Margarita : informations pratiques et touristiques, guide et réservation d'hôtels, circuits et séjours pour individuels et groupes.

Iles et archipels

www.liensutiles.org/archipel.htm

Cette page propose une sélection de sites en rapport avec les îles et les archipels. Rêve et exotisme à portée de souris.

Iles marquises

www.marquises.pf

Magnifiques photographies des îles Marquises, une incitation au voyage.

Info Gaspésie

www.info-gaspesie.com

Info Gaspésie est le site d'information touristique sur la Gaspésie (Québec) : rocher percé, Gaspé, Carleton, excursions en mer, camping, hébergement, etc.

Instant photos

mapage.noos.fr/neutronico

Photos de pays étrangers (Grèce, Norvège, Maroc, Antilles, île de la Réunion) et de régions françaises (Biarritz, Mont-Saint-Michel, Alpes).

Internet Africa

www.Internetgabon.com

Toute l'Afrique à portée de souris : actualités et médias, arts et culture, commerce, économie et finances, collectivités locales, environnement, etc.

Java atlas

www.ggr.ulaval.ca/ATLAS_J/Java.html

Atlas interactif de l'île de Java : agriculture, culture, histoire, population, religions, ressources, transports, urbanisation.

Jean Russo - Tour du Monde

membres.lycos.fr/jrusso

Suivez la fabuleuse aventure autour du monde du journaliste français Jean Russo.

Kenya

perso.wanadoo.fr/lyon/kenya

Découvrez le Kenya à travers plus de 200 photos d'animaux et de paysages de savane et de brousse.

Kodama, visite virtuelle de Tokyo

www.ifrance.com/kodama

Tout sur le Japon en général et sur Tokyo en particulier.

La Crète

crete.free.fr

Voyage en Crète : archéologie, plages, villes, nature, monuments et autres curiosités.

La Finlande, terre de contrastes

membres.lycos.fr/finlande

Site francophone d'information générale sur la Finlande : nature, hommes, art, histoire, villes et industrie.

La route du globe-trotter

berclo.net

Récits de voyages et d'aventures dans 120 pays (4 000 photos).

Lanzarote, îles Canaries

www.icanarias.com

Vos vacances sur l'île de Lanzarote Islas Canarias : météo, photos, plages, hôtels, hébergement, location de voitures, cartes, webcam et plus.

Laos

boun.free.fr/laos/lao_cadre.htm

Découvrez le Laos, connu jadis sous le nom du Royaume du million d'éléphants : histoire, géographie, guide pratique, gastronomie, etc.

Le site de Djamila

users.antrasite.be/ppoisse

Ce site sur l'Algérie a été créé dans l'espoir de rapprocher les communautés et de faire découvrir et aimer ce beau pays.

Lonely Planet, guide du voyageur indépendant

www.lonelyplanet.fr

Editeur de guides de voyage, Lonely Planet propose les rubriques suivantes : catalogue, actualisations, forums pour échanger des informations, courrier des lecteurs, santé en voyage.

Madagascar - Visite virtuelle

www.gouvi.com/mada

Visite virtuelle de Madagascar.

Manu en voyage

manu34.free.fr

Récit d'un voyage autour du monde : galerie photo et textes inspirés par la route.

Mes voyages en images

membres.lycos.fr/u10

Photos, données géographiques, historiques, économiques et sociales, conseils sur la Côte-d'Ivoire, le Mali, le Ghana, le Togo, le Bénin, le Cambodge, la Thaïlande et le Québec.

Mini-pays

www.liensutiles.org/minip.htm

Sur cette page, vous trouverez des liens vers des mini-pays présents sur Internet, en général de moins de 40 000 habitants.

Montréal - Cathédrale catholique

www.cathedralecatholiquedemontreal.org/historique.html

Visite virtuelle de la cathédrale catholique de Montréal.

Montréal Plus

www.montrealplus.ca

Montréalplus est le site central de toutes les ressources de la ville de Montréal. Pour dénicher le meilleur restaurant en ville, choisir un spectacle, acheter des billets de concert chez Admission, trouver des magasins hors du commun ou être informé des résultats de Loto-Québec ou de la Météo.

Nouvelle-Ecosse

www.novascotia.com/francais/default.htm

Avec plus de 7 000 kilomètres de côtes, la Nouvelle-Ecosse ressemble à un joyau jailli de la mer. Venez vous promener sur des plages sablonneuses gorgées de soleil, découvrez des phares, des baies parsemées d'îles et des villages maritimes où le temps s'écoule au gré des marées.

Novanor

www.novanor.qc.ca

Site dédié à la promotion du tourisme d'aventure et de l'écotourisme.

Office de tourisme de Grande-Bretagne

www.visitbritain.com/fr/home4.asp

Site touristique de la Grande-Bretagne : infos pratiques, régions, événements, attractions, hébergement, commandes, promotions, comment y aller, etc.

Office national du tourisme coréen

french.tour2korea.com

Site de l'Office national du tourisme coréen.

Office national hellénique du tourisme de Paris

www.grece.infotourisme.com

Site officiel de l'Office national hellénique du tourisme de Paris.

Offices de tourisme

www.liensutiles.org/offtour.htm

Vous trouverez ici des liens vers les offices de tourisme des pays du monde présents sur Internet, classés par continents et par pays.

Onparou.com

www.onparou.com

Première base de données sur le voyage qui compare l'offre de 30 voyagistes, sur 450 hôtels, dans 28 pays, soit plus de 30 000 prix, représentant l'équivalent de 50 brochures de voyages. Un concept unique sur le marché des sites de tourisme en ligne.

Outremer.com

www.outremer.com

Portail de l'outre-mer : information locale, spectacles, sport, loisirs, chat, forum. Dialoguez avec les internautes du soleil.

Partir

www.partir.com

Qu'il s'agisse de tourisme en général, ou de tourisme d'affaires en particulier, vous trouverez sur ce site des informations sur l'Amérique latine : Brésil, Colombie, Mexique, Saint-Domingue, Pérou, Equateur, Argentine, Chili, Guatemala.

Patrimoine d'Irlande

www.heritageireland.ie

Découvrez le riche patrimoine d'Irlande. Visitez les sites historiques naturels et les monuments du pays, prenez part à une visite virtuelle et envoyez des cartes postales.

Pays-régions

www.liensutiles.org/paysreg.htm

Cette page contient de nombreux liens vers des sites dédiés aux pays ou aux régions du monde entier.

Photos de voyages

pg92.free.fr

Découvrez une sélection de photos de Nouvelle-Calédonie, d'Australie, de Nouvelle-Zélande, de San Francisco, de New York, d'Hawaï, de Paris, de Corse et de Guadeloupe.

Planète Québec

planete.qc.ca/cuisine

Planète Québec : magazine quotidien, boutique, jeux, quiz, guide de recettes, horoscope, etc.

Réunion-974.com

www.reunion-974.com

Toute la Réunion en un clic : actualité, administration, auto/moto, économie, informatique, sport, tourisme, etc.

Rêve de voyage

perso.wanadoo.fr/reve.de.voyage

Ce site propose de magnifiques photographies et récits de route à travers les continents.

Rome

tony.bea.free.fr/accueil.html

Visitez Rome au travers de ses plus beaux sites touristiques : le Colisée, la fontaine de Trévise, le monument Victor Emmanuel II, le Panthéon, la basilique Saint-Pierre, les musées du Vatican, le château Saint-Ange, etc.

Routard.com

www.routard.com

Sur Routard.com, pour préparer votre voyage, il suffit de sélectionner une zone géographique ou une destination (pour la France, choisissez une région).

Russie.net

www.russie.net

Fenêtre ouverte vers la Russie et les pays de la CEI. De nombreuses rubriques dans les domaines culturel et économique et dans le domaine du tourisme.

Site d'information touristique de Montréal

www.tourisme-montreal.org

Tourisme Montréal vous présente une sélection complète d'informations sur le grand Montréal : restaurants, attraits, hôtels, festivals et plus. Des services sont offerts aux professionnels de l'industrie touristique.

Souvenirs de vacances

www.liensutiles.org/vacfp.htm

Cette page vous oriente vers des sites personnels relatant de souvenirs de vacances en France ou à l'étranger.

Surfer au pays des kangourous

www.chez.com/amandy

Embarquement immédiat pour une visite de la terre des rêves (l'Australie) et des chants des dieux.

Terres du Népal

www.terresdumonde.com/nepal

Guide francophone du Népal : toutes les informations pour préparer dans de bonnes conditions son trekking au Népal.

Thaïlande

franco-thai.com

Un site sur la Thaïlande, hors des sentiers battus : informations touristiques et culturelles, photos, liens, clips vidéo, chat et forum.

Tour du monde

www.voirlemonde.com

Partez pour le tour du monde. Récits, anecdotes et photos de voyage : Madagascar, Népal, Inde, Nouvelle-Zélande, Fidji, Cook, île de Pâques, Chili, Bolivie, Pérou, Equateur et Galápagos.

Tourisme au Maroc

www.tourism-in-morocco.com

Tourisme et informations sur le Maroc : culture, tourisme, adresses utiles, liens avec d'autres sites sur le Maroc, forum de discussion, photos.

Tourisme en Centrafrique

www.chez.com/mdicentrafrique/tourisme.htm

La plus grande attraction touristique de la Centrafrique reste sa faune, considérée comme l'une des plus riches, des plus diversifiées et des plus représentatives de l'Afrique.

Tourisme en Roumanie

www.turism.ro

La nouvelle Roumanie, la carte de Roumanie, les stations de la mer Noire, le Delta du Danube, la Transylvanie, la Moldavie, la Bucovie, etc.

Tourisme en Tunisie

www.itunisie.com/tourisme

Guide touristique de la Tunisie : informations pratiques, nombreuses photographies, conseils, excursions, aperçus, informations supplémentaires par formulaire.

Tourisme Québec

touriste.net

Vous trouverez ici des renseignements touristiques sur le Québec : culture, divertissement, restaurants, shopping, hébergement, événements, congrès, etc.

Touristie

www.touristie.com

Guide des voyages, du tourisme et du travail en Italie.

Travel2world

www.travel2world.be/travel2world.htm

Récits de voyages, photos, conseils et anecdotes pour ceux qui veulent voyager autrement : Inde, Europe, Afrique.

Trieste mia

triestemia.com

Découvrez Trieste, située entre Venise et l'Istrie, au coin nord de la mer Adriatique.

Trolls & fjords

trollfjord.free.fr

Trolls et fjords, tout pour préparer son voyage en Norvège : commentaires et photos sur les régions de Norvège, fiches pratiques, exemples de circuits, forum de discussion et une riche page de liens.

Ulysse, guides de voyages

www.ulysse.ca

Les guides Ulysse s'adressent aux voyageurs autonomes, à l'écoute des autres cultures et assoiffés de connaissances. Chaque titre renferme une foule de bonnes adresses dans toutes les catégories de prix, en plus d'un riche bagage culturel et d'une cartographie rigoureuse et soignée.

Uniterre.com

www.uniterre.com

Annuaire des carnets de voyage du monde : récits, photos, illustrations et conseils pratiques pour toutes les destinations. Plus de 4 000 carnets de voyageurs en ligne.

USA

www.visite-usa.com

Visite guidée des plus beaux lieux des Etats-Unis (les villes, les parcs nationaux, les îles Hawaii, la route 66), et conseils utiles à la préparation et au bon déroulement de votre voyage.

USA, guide de voyage

www.usatourist.com

Informations sur les voyages aux Etats-Unis pour les visiteurs étrangers. Des histoires intéressantes de la vie en Amérique et de nombreuses photos.

Vacances en Autriche

www.autriche.com

Guide des vacances en Autriche : nature ou culture, séjour ou circuit, week-end romantique à Vienne ou semaine en famille au Tyrol, informations touristiques, hôtels de charme francophones et nombreux liens pratiques pour préparer votre voyage individuel.

Venise

www.gillesvidal.com/whtour.htm

Visite virtuelle de la ville de Venise, classée patrimoine mondial par l'Unesco.

Vie pratique Toronto

Web.idirect.com/~fsltto/vipratic.htm

Sur le site du consulat général de France à Toronto retrouvez : formalités de séjour, autorisation auprès des autorités locales, permis de conduire, importation d'un véhicule, établissements scolaires français, liste des médecins, etc.

Vietnam

www.cap-vietnam.com

En collaboration avec l'Administration nationale du tourisme au Vietnam, le ministère du Commerce et le ministère du Plan et des Investissements, ce site présente la culture, l'économie et le tourisme au Vietnam.

Ville de Québec

www.telegraphe.com/cartes/index.html

Guide urbain de la ville de Québec (centre-ville, quartiers, Vieux-Québec, Montcalm).

Villes du monde

www.liensutiles.org/villesmonde.htm

Cette page référence de nombreux guides de voyages et sites dédiés aux principales villes du monde.

Villes et villages

www.liensutiles.org/villesvillage.htm

Cette page référence des villes et villages en Belgique, France, au Luxembourg, Québec, en Suisse et dans les autres parties du monde.

Visages d'Asie

www.chez.com/anamika/intro.html

Photographies et impressions de voyages en Asie (Indonésie, Malaisie, Thaïlande, Vietnam, Inde, Laos, Cambodge, Myanmar, Népal, Philippines) : images, textes, info et liens.

Voyage au Sahara

www.chez.com/nef2

Découvrez le Sahara à travers un voyage à Nefta, Tozeur et Matamata, ces magnifiques cités du sud de la Tunisie : balades, randonnées, itinéraires, hôtels, photos, art et civilisation.

Voyage découverte Vietnam

www.chateaudebrou.com/vietnam

Récit de voyage au Vietnam, hors des circuits habituels (routes et pistes du Tonkin au nord, piste Hochiminh et route Mandarine au sud).

Voyage en Turquie

membres.lycos.fr/coub

Voyage en Turquie : Istanbul, Ephèse, Konya, Cappadoce. Photographies et commentaires sur un circuit en Turquie.

Voyage magazine

www.voyage-magazine.com

Tout sur le tourisme aux Etats-Unis : destinations, itinéraires, conseils, avions, hôtels, locations de voitures, informations touristiques sur les 50 états.

Voyages et environnement

philaparis.free.fr

Philippe Osset vous propose 1 400 photos de voyages à travers 27 pays : Chili, Bolivie, Indonésie, Népal, Tanzanie, Vietnam, Thaïlande, Inde, Mexique, etc.

Waterloo en ligne

www.waterloo.org

Tout sur Waterloo (Belgique).

Woyaa! Africa search

www.woyaa.com/indexFR.html

Site très complet dédié à l'Afrique : portail pour la promotion de la Société de l'information africaine, moteur de recherche et répertoire de référence africain, pages jaunes, évaluation du Web africain, etc.

Visites virtuelles : France

Alpes photos

perso.wanadoo.fr/cormont/index.htm

Photos de moyenne et haute montagne, panoramas commentés, fleurs alpines.

Alsace 

www.visit-alsace.com

Guide de l'Alsace : région, gastronomie, restaurants, vins, musées, produits régionaux et hôtels de charme.

Ardennes

www.ardenne.org

Organisez vos vacances dans les Ardennes.

Aveyronline 

www.aveyronline.com

Guide de promotion et de découverte des ressources touristiques de l'Aveyron : hébergement, restauration, tourisme vert, événements, culture, annonces, boutique, discussions, etc.

Ax-les-Thermes 

axlesthermes.free.fr

Petit site de tourisme sur la ville d'Ax-les-Thermes en Ariège. Avec le programme des festivités et du cinéma, des pages sur le collège et son ski-étude, le casino, le thermalisme, la station de ski des 3 Domaines, l'ours, etc.

Bascoweb, la vitrine du Pays basque 

www.bascoweb.com

Annuaire touristique du Pays basque : art et culture, divertissements, enseignement, gastronomie, locations, etc.

Belle-île

www.belle-ile-en-mer.com.fr

Belle-Ile est la plus grande des îles françaises de l'Atlantique, située en Bretagne-sud. Cliquez et vous saurez tout pour organiser votre séjour : hébergements, activités, festivités, infos, météo, vie pratique, etc.

Belleville.org

www.belleville.org

Site du quartier de Belleville (Paris).

Best of Dordogne, Périgord

www.best-of-dordogne.tm.fr

Guide de la Dordogne : locations saisonnières, gîtes, hôtels, sites à visiter, châteaux, loisirs, etc.

Bourgogne 

www.bourgogne.net

Découvrez les richesses de la Bourgogne : vins, économie et entreprises, actualité quotidienne, patrimoine touristique, services, emplois, immobiliers, boutiques.

Bourgogne, annuaires locaux et annonces 

www.fransurf.com/bourgogne/index.html

Tout sur la Bourgogne : tourisme, entreprises, technologie, recherche, enseignement, manifestations, associations, art et sport.

Breizhat, les sites bretons

www.breizhat.com

Au menu : petites annonces, webcams, moteur de recherche, annuaire, dictionnaire breton et agenda culturel breton.

Bretagne

www.bretagne.com

Le portail de la Bretagne et des Bretons : actualités, annuaire, forum, tourisme, festivités, histoire, patrimoine, légendes, etc.

Château de Vissec

site.ifrance.com/vissec/chateau-de-vissec.htm

Présentation et historique de Vissec, petit village du Languedoc.

Communes françaises sur le Net

www.france-pittoresque.com/indexvilles.htm

Annuaire des villes et villages de France : des centaines d'adresses pour découvrir les sites Web des communes françaises.

Conseil régional d'Ile-de-france

www.cr-ile-de-france.fr

Présentation de l'Ile-de-france : atouts économiques, histoire, ressources, etc.

Cybevasion

www.cybevasion.fr

Cybevasion est un guide de tourisme et d'hébergements en France. Des cartes interactives, des photos et plus de 2 500 liens vous y attendent.

Découverte de la Provence

perso.wanadoo.fr/gaby.om/cadre-provence.htm

Bienvenue en Provence. Découvrez ici tous les charmes de cette région. Au fil des pages, des visites de villes et de villages vous sont proposées, mais aussi des idées de balades et des itinéraires.

Domtomfr

www.domtomfr.com

DOM-TOM.fr est le premier portail en direction des pays d'outre-mer. Vous y trouverez tous les sites des DOM et des TOM classées par catégories ainsi qu'une multitude de services et d'informations touristiques.

Eaux toniques

www.villesdeauxdefrance.com

Informations et actualités des villes d'eaux en France.

Fédération Mer et Santé

www.thalassofederation.com

Description et explication de la thalassothérapie, par le seul organisme institutionnel représentatif en France.

Fédération nationale des offices de tourisme et syndicats d'initiative

www.tourisme.fr

Tourisme en France vous propose plusieurs services à la carte : découvrez votre destination, choisissez votre itinéraire, prenez connaissance des événements, des coups de cœurs, découvrez une sélection de séjours insolites et de week-ends.

Filfog 

filfog.nouvelles-frontieres.fr/start.php

Guide de vacances où s'échangent des infos sur les voyages, les pays et les séjours. Rencontres et contacts sur des passions pour des destinations lointaines et des aventures culturelles ou sportives.

France-vacance.com 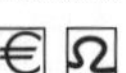

www.france-vacance.com

Le site des amoureux de la France, ou comment profiter des innombrables ressources de notre pays.

Francoroute 

www.francoroute.ca/tourisme/tourisme.html

Visitez Francoroute et découvrez le guide touristique de l'Ontario, la galerie virtuelle des jeunes et des documents à télécharger.

Guide des châteaux de France  

www.chateauxandcountry.com

Guide des châteaux de France : visite virtuelle, réceptions, séminaires et réservations en ligne.

Guide touristique Hautes-Alpes en été

perso.wanadoo.fr/hautes-alpes.org

Découvrez les Hautes-Alpes et le lac de Serre-Ponçon.

Guide tropézien 

www.guide-tropezien.com

Tout Saint-Tropez en un site : commerces, immobilier, musées, événements, etc.

Guide Web Provence

www.provence.guideweb.com

Guide du tourisme en Provence : hébergements, hôtels, gîtes, chambres d'hôtes, villages de vacances, campings, loisirs et culture, villes et villages, produits régionaux, artisanat, offices du tourisme.

Hébernet, le tourisme en Guadeloupe 

www.quicksoft.fr/guadeloupe

Guide touristique guadeloupéen, pour vous aider à préparer vos vacances dans l'île aux belles eaux.

Heraultsun 

www.heraultsun.com

Description géographique et historique des villages de l'Hérault.

Ile de la Réunion en images

www.liledelareunion.com

Visitez l'île de la Réunion en images : paysages, flore, faune, volcan. Découvrez son histoire, sa cuisine et sa culture.

Ile de la Réunion 

www.runisland.com

Site vitrine de la Réunion et des îles de l'océan Indien.

Ile Maurice amitié rencontres 

membres.lycos.fr/fillesdesiles

A la rencontre de l'île Maurice : filles de l'île Maurice recherchent correspondants francophones. Infos et paysages de l'île Maurice, guide du mariage franco-mauricien, etc.

La cité de Carcassonne

www.culture.gouv.fr/culture/carcassonne/index.html

Site officiel de la cité de Carcassonne : visite virtuelle, histoire de la cité, travaux de restauration menés par Viollet-le-Duc au XIXe siècle, représentations mentales et imaginaires sur la cité.

Le guide des Landes

www.tourisme-landes.com

Les Landes, ses musées, sites historiques, parcs d'attraction et ses 311 communes.

Le guide Rhône-Alpes

www.visit-rhone-alpes.com/indexfr.html

Toute l'information locale du Rhône-Alpes : histoire, villes et villages, liens insolites, la route des vins, fêtes et festivals, art de vivre.

Le Mont-Saint-Michel

www.france-ouest.com/mont-saint-michel

Le Mont-Saint-Michel et sa baie, inscrits au patrimoine mondial par l'Unesco en 1979, sont synonymes d'émerveillement culturel et de découverte naturaliste.

Le Quercy

www.quercy.net/index.html

Un site dédié à l'histoire, à la culture et au patrimoine du Quercy et du département du Lot.

Le Queyras

www.queyras.com

Découvrez Le Queyras, la plus haute vallée des Hautes-Alpes : ski alpin, randonnée nordique, balade en raquettes, ski de fond, randonnée pédestre, etc.

Liège, une autre ville

www.chez.com/liege

Liège des savants, des ingénieurs et des artistes. L'âme et l'esprit. La pureté du cristal et la dureté de l'acier.

L'île d'Oléron historique et touristique

www.cabuzel.com/oleron/index.html

L'île d'Oléron, sous ses aspects historique et touristique.

L'île d'Oléron

www.beaupuis.com/oleron/ default.php

Le site de l'île d'Oléron.

Mairie de Lille

www.mairie-lille.fr

Site officiel de la ville de Lille : découvrez Lille touristique et Lille pratique.

Mairie de Nantes

www.nantes.fr/accueil

Site de la ville de Nantes : tourisme, urbanisme, économie locale, sports et loisirs.

Maison de la France

www.franceguide.com

Vous trouverez sur ce site toute l'information touristique nécessaire pour réussir vos vacances en France.

Marseille - Visite virtuelle 

www.tourisme-virtuel.com/demo/index.php

Tourisme-Virtuel.com, la nouvelle génération de guide touristique multimédia sur Internet, vous propose une visite virtuelle de Marseille (connexion haut débit recommandée).

Midinet 

www.midinet.com/link.htm

Guide Web du Midi-Pyrénées.

Musée du Louvre - Visite virtuelle

www.louvre.fr/francais/visite/vis_d.htm

Visite virtuelle du musée du Louvre.

Office de tourisme de Nîmes 

www.ot-nimes.fr

Des circuits de visites de la ville historique font découvrir la cité et sa région. Pour préparer votre séjour, vous trouverez toutes les informations pratiques : hébergement, gastronomie et restaurants, festivités, accès… et bien d'autres choses.

Office de tourisme de Paris

www.paris-touristoffice.com

Le site de l'office de tourisme de Paris donne toutes les informations sur les hôtels, monuments, musées, restaurants, visites, salons et congrès.

Office du tourisme de Nîmes, agenda des festivités

www.ot-nimes.fr/agenda.html

Des circuits de visites de la ville historique permettent de découvrir la cité de Nîmes et sa région. Pour préparer votre séjour, vous trouverez toutes les informations pratiques : hébergement, gastronomie et restaurants, festivités, accès et bien d'autres choses.

Ouest-France 

www.ouest-france.fr

Actualité quotidienne et hebdomadaire de Bretagne, Pays-de-la-Loire et Normandie : les événements de l'ouest, les services d'annonces (emploi, automobile, immobilier), de nombreux dossiers (Mont-Saint-Michel, tramway nantais, Parlement de Bretagne, Transmusicales, etc.).

Parcs naturels régionaux de France 

www.parcs-naturels-regionaux.tm.fr

Fédération des parcs naturels régionaux de France présents sur Internet.

Paris balades 

www.parisbalades.com

Parisbalades.com propose de nombreuses promenades historiques, géographiques et architecturales dans Paris.

Père-Lachaise

www.pere-lachaise.com

Visite virtuelle du cimetière du Père-Lachaise, à Paris.

Portail des Hautes-Alpes

www.leshautesalpes.com

Laissez-vous guider pour découvrir les Hautes-Alpes.

Provence tourisme et vacances 

www.tourisme-en-provence.com

Préparez vos vacances en Vaucluse. Découvrez les villages de Provence, la tradition, les fêtes, le patrimoine et le grand vin des Côtes-du-Rhône.

Provence-Alpes-Côte-d'Azur

www.francemarket.com

Visite touristique de la région Provence-Alpes-Côte-d'Azur.

Pyrénées

www.pyrenees.net

Le portail touristique des Pyrénées : randonnée, enneigement des stations, hébergement, à découvrir, webcams, immobilier, bons plans.

Routard.com

www.routard.com

Sur Routard.com, pour préparer votre voyage, il suffit de sélectionner une zone géographique ou une destination (pour la France, choisissez une région).

Secrétariat d'état au tourisme

www.tourisme.gouv.fr

Actualités, politiques du tourisme, chiffres clés, administration et organismes de tourisme, documentation.

Site de l'Aveyron

www.aveyron.com

Tout savoir sur l'Aveyron. Tout ce que vous devez savoir pour passer un séjour agréable dans ce département aux mille visages.

Toulouse

www.ot-toulouse.fr/virtuel2

Visite virtuelle de la ville de Toulouse (plug-in QuickTime nécessaire).

Touradour

www.touradour.com

Visitez le Pays basque et la côte landaise. Un coin de paradis entre mer et montagne : hôtels, immobilier, activités, golf et locations de vacances.

Tourisme en Essonne

www.tourisme-essonne.com

L'Essonne touristique (châteaux, musées, bases de loisirs). Divers produits sont proposés : visites, circuits, séjours et week-ends touristiques.

Tourisme en Pas-de-Calais

www.pas-de-calais.com

La référence en ligne pour le tourisme en Pas-de-Calais : hébergement, gastronomie, séjours, activités sportives et culturelles, etc.

Tourisme en Périgord

www.arachnis.asso.fr/dordogne/tourisme/tourism0.htm

Guide touristique (cartes, sites, loisirs, vie culturelle) et guide pratique (hébergements, circuits, randonnées, offices de tourisme) du Périgord.

Tourisme en terre cathare

www.cathares.org/tourisme.html

Tourisme en terre cathare : hôtels, restaurants, activités culturelles, etc.

Tourisme Rhône-Alpes

www.tourisme-rhone-alpes.com

Tourisme en Rhône-Alpes : fontaines pétrifiantes, forêt aux champignons et insectes géants, jardin ferroviaire, bateau à roue.

Tout sur les châteaux

www.chateaux-france.com

Visite virtuelle des châteaux français ouverts au public. Chambres au château, visites, parcs et jardins, locations saisonnières ou exclusives, organisation de séminaires et réceptions, tournages et prises de vue. Plus de 3 500 photos couleur.

Un si beau pays

perso.wanadoo.fr/hybouves

Ballades photographiques en pays niçois, poèmes et prières.

Village d'Oingt en Beaujolais

oingt.free.fr

Visitez le village d'Oingt en Beaujolais, découvrez les commerçants et artisans, commandez votre Beaujolais et gouttez aux produits du terroir.

Ville de Bordeaux

www.mairie-bordeaux.fr

Site officiel de la ville de Bordeaux : actualité, mairie, bibliothèque, jardin botanique, musées, opéra, patrimoine et culture, tourisme, vins, économie, international, rock, transports, sites complémentaires.

Ville de Lausanne (Suisse)

www.lausanne.ch

Site officiel de la ville de Lausanne : informations générales et touristiques, agenda des manifestations culturelles et sportives, services de l'administration communale.

Ville de Lyon

www.mairie-lyon.fr

Site officiel de la ville de Lyon : histoire, économie, urbanisme, culture, sport, tourisme, événements, vie municipale.

Ville de Marseille

www.mairie-marseille.fr

Site officiel de la ville de Marseille : services publics, culture, tourisme, économie, sport, démarches administratives et autres infos générales sur Marseille.

Ville de Montpellier

www.ville-montpellier.fr

Site officiel de la ville de Montpellier : découverte de la ville, vie municipale, vie pratique, solidarité, âge d'or, international, environnement, culture, enfance et sport, jeunesse, vie associative, urbanisme, actualité.

Ville de Nancy

www.mairie-nancy.fr

Site officiel de la ville de Nancy : informations pratiques pour vous faciliter la vie quotidienne, informations touristiques pour préparer votre séjour à Nancy, informations culturelles pour découvrir son passé et informations économiques pour investir à Nancy.

Ville de Strasbourg

www.strasbourg.fr/strasbourgfr/fr

Sur le site de la mairie de Strasbourg, commandez vos pièces d'état civil, découvrez les rubriques qui facilitent votre vie quotidienne (index d'adresses utiles, horaires, plans), obtenez toutes les infos pour préparer vos vacances à Strasbourg et avoir un aperçu de la ville.

Ville de Toulouse Ω

www.mairie-toulouse.fr

Site officiel de la ville de Toulouse. Présentation de la ville, ses monuments, ses musées, son dynamisme économique et culturel.

Villeneuve-d'Ascq

www.mairie-villeneuvedascq.fr

Découvrez Villeneuve-d'Ascq, la belle ville du nord de la France : une technopole verte au cœur de l'Europe du Nord-Ouest.

Visite virtuelle de la Corse Ω

perso.wanadoo.fr/isula

Visite virtuelle de la Corse, du littoral aux régions montagneuses peu connues.

Achevé d'imprimer en allemagne
Par l'imprimerie Clausen & Bosse
25917 Leck